BERLIOZ

Pierre-Jean Remy

de l'Académie française

BERLIOZ

Le roman du romantisme

Albin Michel

IL A ÉTÉ TIRÉ DE CET OUVRAGE
VINGT-CINQ EXEMPLAIRES
SUR VELIN BOUFFANT DES PAPETERIES SALZER
DONT QUINZE EXEMPLAIRES NUMÉROTÉS DE 1 À 15
ET DIX HORS COMMERCE NUMÉROTÉS DE I À X

22, rue Huyghens, 75014 Paris

www.albin-michel.fr

ISBN broché 2-226-13555-3
ISBN luxe 2-226-13651-7

En souvenir d'Estelle et d'Harriett,
de Maria Malibran et de Pauline Viardot
et naturellement de Marie Pleyel

Préface

« Quel roman invraisemblable que ma vie ! » s'écrie dans plusieurs de ses lettres Hector Berlioz, qui ajoutera d'ailleurs que c'est un roman qui l'intéresse beaucoup. Quel roman en effet que la vie de ce musicien quasiment autodidacte qui deviendra le plus grand compositeur de son temps. Quel roman que l'épopée de ce jeune bourgeois de province « monté à Paris » pour y commencer bien tard des études musicales, contre la volonté d'une famille qui lui coupe régulièrement les vivres. Quel roman que ces années d'apprentissage et de misère dans des galetas du Quartier latin. Quel roman que ce goût du scandale, cette frénésie prosélyte à faire aimer à des camarades subjugués ce qu'il adore, à faire détester à grand renfort de chahut, jusqu'au sacro-saint sanctuaire de l'Académie royale de musique, ce qu'il hait. Quel roman que cette étonnante trajectoire qui va du mépris le plus souverain de l'ordre établi à la plus exigeante soif d'honneurs et de reconnaissance. Quel roman que ce passage des Trois Glorieuses de 1830, une arme à la main, au soutien inconditionnel à Napoléon le Petit, de la part de celui qui, toute sa vie, bonapartiste ardent, fut un admirateur de l'Autre, le Grand. Quel roman que ce besoin désespéré de créer chef-d'œuvre après chef-d'œuvre et ces mille et une mésaventures d'animateur de « festivals » tenus dans des cirques et de chef d'orchestre ivre de conduire des centaines, voire des milliers de musiciens dans des « palais de l'industrie ». Quel roman aussi, quels romans, surtout, que les fulgurantes histoires d'amour qui occupent sans fin l'existence d'un Hector Berlioz pour qui, selon le mot de l'un de ses amis, l'amour était bel et bien « l'alpha et l'oméga de sa vie » : Estelle, Harriett, Camille, héroïnes presque mythiques qui apparaissent et disparaissent, reparaissent au gré d'une imagination exacerbée et d'une soif de passion peut-être à nulle autre pareille dans tout le XIXe siècle.

Quel roman que cette vie, oui ! et qui intéresse si fort Berlioz qu'il nous l'a lui-même admirablement racontée dans le formidable volume de ses *Mémoires* qui sont l'un des maîtres livres du XIXe siècle. Si bien racontée, même, dans les *Mémoires* et dans son immense correspondance, qu'on a pu hésiter à la raconter à nouveau à notre tour. C'est la raison pour laquelle les citations de Berlioz lui-même sont ici aussi nombreuses. Car, non content d'être le musicien qu'il a été, Hector Berlioz a également été un extraordinaire critique, certes, mais aussi l'auteur d'étranges nouvelles qui pourraient le disputer aux contes musicaux d'E.T.A. Hoffmann et l'un des plus grands écrivains du romantisme français.

Mais un écrivain aussi qui, se racontant, s'est tellement plu à jouer avec humour du vrai et du presque vrai, de la réalité et de ce qui aurait pu l'être, sacrifiant à un goût du sarcasme quelquefois délirant pour mieux se moquer de lui-même comme du monde qu'il méprisait, qu'il faut faire la part des choses dans les récits échevelés qu'il nous a laissés.

Voilà pourquoi, à l'aube du bicentenaire de la naissance de Berlioz, à la veille du transfert prévu de ses cendres au Panthéon, il nous paraissait nécessaire de le raconter à nouveau, ce roman. A travers les *Mémoires*, on a donc entrepris le roman de ce roman à la lumière de sa correspondance ainsi que des souvenirs publiés à son propos par tant de ses contemporains.

On trouvera à la fin de ce volume une bibliographie des principales sources à laquelle on a eu recours, mais on veut d'entrée de jeu rendre hommage aux travaux les plus récents en France de Pierre Citron et Yves Gérard. Mais également, en Angleterre, au monumental ouvrage de David Cairns et aux recherches de Hugh Macdonald ; aux Etats-Unis, aux travaux de Jacques Barzun et de Kern Holoman. Car, longtemps, Berlioz a passé pour un mal-aimé en France, lui dont on ne monta dans son intégralité l'ouvrage majeur, final et désespéré que sont *Les Troyens*, que longtemps après sa mort, tandis qu'en Angleterre et aux Etats-Unis on avait déjà su reconnaître en lui ce qu'il est : le plus grand compositeur français de son temps.

Le roman de cette vie folle, trépidante, exténuante, partagée entre tant de femmes, tant de besognes et tant de chefs-d'œuvre, tant de courses à travers l'Europe entière comme à travers le Paris du théâtre, des boulevards et des cafés ; tant d'amitiés indéfectibles qui, de Dumas à Jules Janin, de Liszt à Chopin en passant par Pauline Viardot et George Sand, surent lui apporter leur secours dans les moments de plus grand désespoir ; tant d'humiliations enfin mais aussi tant de triomphes méritaient bien les quelques centaines de pages de ce long récit.

PREMIÈRE PARTIE

UNE ÉDUCATION SENTIMENTALE

1

Estelle : comme un rayon de musique

On espère qu'un grand soleil clair enveloppait le paysage de nuées blondes, lumineuses : une grande aquarelle claire traversée de vapeurs transparentes, presque italiennes déjà. Les collines environnantes se seraient alors détachées en un lavis bleu pâle sur l'arrière-plan de cimes aux formes plus aiguës, confondues dans le ciel. A mi-chemin de la route qui va de Lyon à Grenoble, la campagne est une « vaste plaine, riche, dorée, verdoyante dont le silence a ce je ne sais quelle majesté revenue, encore augmentée par la ceinture de montagnes qui la borne au sud et à l'est, et derrière laquelle se dressent au loin, chargés de glaciers, les pics chargés des Alpes[1] ».

On aurait voulu un grand soleil, oui. Et le silence que vient de dire celui qui va être le héros de ces pages. Une qualité de silence, même, qu'on ne trouve que dans certains hauts lieux du cœur et de l'esprit. Une alouette montée tout droit au ciel et qui chante ; quelque part dans une cour de ferme aboie un chien ; un paysan appelle ses bêtes. Plus tard, plus d'un quart de siècle plus tard, ce seront des chants de bergers, une cornemuse rustique qui viendront donner d'autres musiques à d'autres vallées, à des vallons aux à-pics vertigineux et à des rochers entassés au-dessus de torrents. Mais l'harmonie qui règne ici, à La Côte-Saint-André, « petite ville de France, située dans le département de l'Isère, entre Vienne, Grenoble et Lyon », est d'une tout autre nature. Bien sûr, il y a des « pics gigantesques » mais ils sont bien loin et le mont Blanc qu'on aperçoit

1. Toutes les citations de Berlioz sans indication d'une origine précise sont extraites de ses *Mémoires*.

parfois, par temps clair, est plus loin encore. La colline au flanc de laquelle grimpe le petit bourg est entourée de vignes, de prés, les champs qu'on a fauchés, un camaïeu de verts clairs et de gris-vert, le jaune pâle du chaume et le vert plus sombre des bois, châtaigniers et noyers confondus et le silence n'y est que le vrai silence d'une campagne française, à l'écart des grandes villes. Une campagne de France qui ressemble encore à la Bourgogne perdue d'un Rétif de La Bretonne. On s'y lève avec l'aube, le travail des champs occupe la journée entière, on se couche ensuite avec les poules. Mais il y a aussi des jeux rustiques qui sont ceux des garçons et des filles des fermes alentour, les danses champêtres du dimanche, de mardi gras et les processions de la Fête-Dieu. Des jeunes filles aux voiles blancs qui égrènent des pétales de roses. Il y a le dur labeur du laboureur et les jeux des amoureux, les grandes fermes sombres, toutes de pierre solide où les veillées parfois sont peuplées de chansons et de récits qu'on se transmet de génération en génération.

La petite ville, le bourg – comment l'appeler, c'était alors un gros village de près de quatre mille habitants... –, porte bien son nom. Qu'on y arrive de Grenoble ou de Lyon, il faut grimper dur pour parvenir à La Côte-Saint-André. Les plus anciennes photos nous montrent cette route qui gravit, presque droite, la côte de la colline, traverse le bourg de part en part pour retomber de l'autre côté. Elle est déjà pavée mais les pavés sont inégaux, les bas-côtés boueux par temps de pluie. On aurait voulu que le ciel soit très pur, ce 11 décembre 1803 où tout commence, mais il y a fort à parier qu'entre Vercors et Cévennes, au début de l'hiver, c'est plutôt la pluie, le vent qui battent les maisons de pierre au crépi inégal et les toits de tuiles rouges aux larges avancées qui protègent malgré tout quelques passants pressés.

Le centre du bourg se distribue entre l'église, longée par le cimetière, et les très belles halles construites au XIIIe siècle qui faisaient la fierté des habitants. De la rue principale, partent de chaque côté des ruelles en pente qui, au sud, dégringolent très vite vers la campagne, des granges, des cahutes de bois et, tout de suite, les premiers champs.

Et c'est au cœur de la petite ville, dominant pour nous ce paysage, que s'élève la maison du Dr Berlioz. Sur la rue, elle ressemble aux autres. C'est la seconde maison du bourg. La première, la plus importante, appartient à la famille Rocher, fabricants de liqueurs et banquiers dont le fils, Edouard, contemporain d'Hector, sera aussi l'un de ses premiers compagnons. La cour intérieure de la maison Berlioz est tout de même vaste, avec son balcon de bois qui court sur le premier étage de la façade principale pour s'accrocher, en retour, sur les ailes. Des fenêtres aux volets clairs s'ouvrent sur ce balcon que, là aussi, un toit en auvent protège de la pluie.

Ce jour de décembre 1803, vers les cinq heures du soir, on ne pense guère à la pluie qui doit pourtant battre les vitres. L'heure est à la fête, bientôt aux chansons et aux impromptus poétiques et musicaux. Un enfant va naître, un enfant nous est né. Et toute la famille du petit Louis Hector s'est réunie pour l'occasion, l'accouchement, bientôt le baptême. C'est qu'on a le sens de la famille, chez les Berlioz, mais on y aime aussi la poésie, la musique. Nicolas Marmion, le grand-père maternel, compose un poème où il déclame les mérites futurs de l'enfant qui vient de naître. Il sera beau, il sera intelligent, aimé des femmes, fort et admiré de tous ses concitoyens. Louis Berlioz, le père, a fait venir des musiciens. On chante à nouveau la beauté de l'enfant tout juste venu au monde et celle des jeunes femmes réunies pour l'admirer. On mange, on boit, les vieux versent une larme, les jeunes filles rougissent. Un beau militaire bombe le torse. Le vin du pays coule à flot, on descend à la cave ouvrir à nouveau le robinet du tonneau. On pince peut-être la taille d'une cousine. Mais pour le moment le nourrisson braille et tout le monde d'applaudir à ces musiques-là. Hector Berlioz est né le 11 décembre 1803 à La Côte-Saint-André : Alléluia !

L'arrière-grand-père paternel, Joseph Berlioz, mort en 1799, était un solide gaillard et un entrepreneur-né. Il avait repris la profession de marchand-tanneur qu'exerçaient ses parents avant lui. Un métier sale et qui salit les mains. Qui empeste, même. Mais Joseph Berlioz avait d'autres ambitions. C'est lui qui assura la vraie fortune de la famille en achetant des terres et des vignes, des prés, des moulins. D'année en année, il agrandira sa propriété. Les hectares succéderont aux arpents, il deviendra propriétaire dans l'âme. Accroître sa fortune, agrandir ses domaines, multiplier les récoltes, les vendanges, les coupes de bois : les Berlioz de père en fils – jusqu'à Hector – l'auront aussi au cœur, le désir de la terre insufflé par l'aïeul. C'est le même Joseph qui a fait rebâtir la maison natale de Berlioz et son petit-fils, Louis, le père d'Hector, rendra un juste hommage à sa clairvoyance et à sa sagesse dans le « livre de raison » qu'il a tenu une partie de sa vie. Le livre en question nous est parvenu, pour faire état de ses succès, surtout, mais aussi donner les chiffres des récoltes, la surface des propriétés, la petite musique discrète d'une discrète famille au cœur de la plus vieille France. Louis-Joseph, le second fils du grand Joseph, sera avocat et laissera lui-même à son fils Louis un bien plus considérable encore. Louis, le Dr Berlioz, était encore un jeune médecin à la naissance d'Hector, puisqu'il avait commencé ses études à vingt ans, à Grenoble, en 1796. Deux des trois grands HB du XIXe siècle, Berlioz et Henri Beyle, ne se connaîtront guère, mais le Dr Berlioz lui-même connut bien le Dr Gagnon, grand-père de Stendhal. Le troisième HB était Balzac et Balzac, lui, connaîtra les deux autres. On verra qu'à l'estime de Balzac pour Stendhal, bien connue, s'ajoutera aussi son admiration pour Berlioz, de quatre ans son cadet.

Largement autodidacte, car les études médicales officielles connurent un flottement certain à l'extrême fin du XVIIIe siècle, Louis Berlioz a pourtant été un excellent médecin, ouvert aux disciplines les plus nouvelles puisque, publiant en 1815 des *Mémoires sur les maladies chroniques*, *les évacuations sanguines*, il y ajouta *L'Acupuncture*. Il avait aussi quelques connaissances en chimie et en botanique, mais il ne reçut jamais le titre, ni le grade, d'officier de santé, à plus forte raison celui de docteur. Mais, pour nous, Louis Berlioz reste et restera le « bon docteur Berlioz ». Il avait en effet une réputation de philanthrope et d'homme bon. A la Restauration, on voudra même voir en lui le maire de sa petite ville : modestement, Louis Berlioz refusa cet honneur. Il est pourtant royaliste, ultra, diront certains, mais c'est un sage. C'est surtout un « honnête homme », un lettré puisque c'est dans sa bibliothèque que le jeune Hector va découvrir quelques-uns des livres où il puisera, sa vie durant, poésie et inspiration. Le Dr Berlioz aimait aussi cultiver ses terres, faire prospérer ses vignes et veiller de très près à l'éducation de ses enfants.

En 1848, exilé à Londres et rempli d'amertume, Berlioz a commencé la rédaction de ses *Mémoires*. Le livre, composé ensuite d'articles retrouvés, de compilations de textes antérieurs, de réemplois, est pourtant l'un des plus beaux, des plus déchirants, des plus ironiques aussi de toute la littérature romantique. Un chef-d'œuvre. Berlioz écrivain est presque aussi fascinant que Berlioz musicien. Et dans ce livre, dès la première page, Berlioz se souvient avec affection de son père :

« Il ne m'appartient pas d'apprécier son mérite [de médecin]. Je me bornerai à dire de lui : il inspirait une très grande confiance, non seulement dans notre petite ville, mais encore dans les villes voisines. Il travaillait constamment, croyant la conscience d'un honnête homme engagée quand il s'agit de la pratique d'un art difficile et dangereux comme la médecine, et que, dans la limite de ses forces, il doit consacrer à l'étude tous ses instants, puisque de la perte d'un seul peut dépendre la vie de ses semblables. Il a toujours honoré ses fonctions en les remplissant de la façon la plus désintéressée, en bienfaiteur des pauvres et des paysans, plutôt qu'en homme obligé de vivre de son état... Il est doué d'un esprit libre. C'est dire qu'il n'a aucun préjugé social, politique ni religieux. Il avait néanmoins si formellement promis à ma mère de ne rien tenter pour me détourner des croyances regardées par elle comme indispensables à mon salut, qu'il lui est arrivé plusieurs fois, je m'en souviens, de me faire réciter mon catéchisme... Effort de probité, de sérieux, ou d'indifférence philosophique, dont, il faut l'avouer, je serais incapable à l'égard de mon fils. »

Très vite, pourtant, le caractère du Dr Berlioz se modifie. Il devient pour les siens irritable, susceptible. On le voit s'enfermer dans de longs silences et c'est très vite aussi qu'il renonce à son métier de médecin pour se consacrer davantage à ses propriétés. Puis à ne plus rien faire, que remâcher l'irritation que lui cause son fils. C'est que, très vite encore, la santé du Dr Berlioz s'est détériorée. Son fils le constate avec tristesse :

« Mon père, depuis longtemps, souffre d'une incurable maladie de l'estomac, qui l'a cent fois mis aux portes du tombeau. Il ne mange presque pas. L'usage constant et de jour en jour plus considérable de l'opium ranime seul aujourd'hui ses forces épuisées. Il y a quelques années, découragé par les douleurs atroces qu'il ressentait, il prit à la fois trente-deux grains d'opium. “Mais je t'avoue, me dit-il plus tard, en me racontant le fait, que ce n'était pas pour me guérir.” Cette effroyable dose de poison, au lieu de le tuer comme il l'espérait, dissipa presque immédiatement ses souffrances et le rendit momentanément à la santé. » En fait, le bon Dr Berlioz va se révéler peu à peu un vrai hypocondriaque.

Joséphine Marmion, la mère d'Hector, a moins bonne réputation chez les berlioziens. Lorsque, décidé à poursuivre ses études musicales malgré l'oukaze familial, Hector quitta pour de bon La Côte-Saint-André, en 1823, ce fut avec la malédiction de sa mère. On ne possède pas de portrait de Joséphine Marmion, mais ses contemporains la disent belle, brune, élancée. Son père, Nicolas Marmion, avocat au barreau de Grenoble, aimait taquiner la muse, plutôt que se livrer aux joies du gentilhomme fermier. Sa retraite de Meylan, tout près de Grenoble mais à l'époque un havre de grâce agreste, sera pour Hector ce paradis perdu dont il aura toujours la nostalgie. Le parrain d'Hector sera donc Nicolas Marmion, bon vivant, attaché aux joies de ce monde. Sa fille lui ressemblait peu. Confite en dévotion même – pour ne pas dire bigote –, Joséphine portait sur le monde des jugements sans appel. Le bien était le bien, et le mal, le mal. Ainsi, pour elle, le poison du mal courait-il dans les veines de tous les artistes, musiciens ou acteurs. La rigidité, la véhémence de son attitude, plus encore que sa foi, font d'elle un personnage étrange. L'influence qu'elle avait sur son mari fut déterminante dans leur attitude à l'égard de leur fils. Et pourtant, elle était capable, envers ce fils, de jolis attendrissements. On peut dès lors se demander si cette haine qu'avait Joséphine Marmion pour la musique, pour ces femmes de Paris qui risquaient de lui arracher son fils, n'était pas une forme d'amour possessif exacerbé. Joséphine Marmion, épouse Berlioz, aurait seulement voulu que son Hector vécût à ses côtés, prenant dans le cabinet médical du père malade la place de celui-ci. Aussi l'amour déchiré de la mère pour le fils qui ne l'a pas comprise deviendra-t-il colère, mesquinerie, petitesse. Etroite d'esprit quant aux choses de Dieu et de la morale, elle le sera plus encore face à ce fils qui ne se rendait compte de rien...

Joséphine Marmion avait un frère, Félix, officier des armées de l'Empire, qui joua un grand rôle dans la vie de la famille, et singulièrement dans celle d'Hector. Le prestige de l'uniforme, l'odeur de poudre et de balles qu'il ramenait de ses campagnes lui attiraient les regards des femmes et l'affection de ses neveux, qui voyaient en lui un grand frère. Pour Hector, il était le reflet vivant d'une gloire qui, lors de sa naissance, avait été celle de la France.

« Mon oncle, se souviendra-t-il, qui suivait alors la trace lumineuse du grand Empereur, venait quelquefois nous y joindre, tout chaud encore de l'haleine du canon, orné tantôt d'un simple coup de lance, tantôt d'un coup de mitraille dans le pied ou d'un magnifique coup de sabre au travers de la figure. Il n'était encore qu'adjudant-major de lanciers ; jeune, épris de la gloire, prêt à donner sa vie pour un de ses regards, croyant le trône de Napoléon inébranlable comme le mont Blanc ; et joyeux et galant, grand amateur de violon et chantant fort bien l'opéra-comique. »

C'est lui, bonapartiste fervent, qui reprend du service aux côtés de l'Empereur pendant les Cent-Jours, qui insuffla à son neveu le culte du grand homme. Mais on verra que l'oncle Félix saura, le moment venu, s'allier à son inflexible sœur contre les « folies », l'« égoïsme » de son neveu. Pourtant, jusqu'à la fin de leurs vies à tous deux – puisque Félix Marmion ne mourra que quelques mois avant Hector – l'oncle et le neveu demeureront très proches.

Joséphine Marmion et Louis Berlioz s'étaient mariés en février 1803. Un poème du père de la mariée salua l'événement, comme il se doit, en jolis alexandrins, où soupir ne pouvait rimer qu'avec zéphyr et amour avec toujours. Le jeune couple dut s'aimer, un peu plus peut-être que c'était la mode en ces mariages prévus longtemps à l'avance par deux familles que tout, déjà, rapprochait. On possède une longue et émouvante lettre de Louis à Joséphine, déjà enceinte à Grenoble. Sans atteindre aux frénétiques extases des missives à venir de leur fils aux femmes qu'il aimera, le ton du père est déjà touchant : « Je riais autrefois en lisant dans les poètes le récit pitoyable des maux de l'absence ; je ne pouvais croire que leurs rimes fussent l'expérience d'un sentiment réel. Ah ! je sens bien maintenant que ce n'est point une fiction ! »

Les familles étaient alors nombreuses, et Louis et Joséphine suivent cette tradition. Deux enfants meurent en bas âge : Lucie, à huit ans, et Jules en 1819, d'un transport au cerveau. Il y a également Hector et deux sœurs, Nanci, de deux ans sa cadette, et Adèle, née en 1815, et le dernier-né, Prosper le souffreteux, le fugueur, l'incompris, dont Hector s'occupera bien mal...

Nanci sera la première des confidentes d'Hector. A elle, il avoue tout, explique tout. Il fait d'elle l'intercesseur auprès de ses parents quand ceux-ci le boudent ou lui coupent les vivres. Il s'exalte avec elle, lui écrit sans cesse, elle lui répond, tient un journal où elle parle de lui. Puis elle se marie avec un juge, fils du recteur de l'université de Grenoble, et les liens fraternels vont se détendre. Camille Pal est un beau-frère assommant et la belle Nanci devient une vertueuse épouse, faisant remontrances et leçons à son frère, ne répondant même pas à ses lettres quand celui-ci veut encore épancher son cœur auprès d'elle. C'est alors Adèle, de dix ans plus jeune que Nanci, qui deviendra la correspondante privilégiée d'Hector. A elle, à nouveau, Hector dit tout. Les stendhaliens connaissent bien Pauline Beyle, la sœur tant aimée de Stendhal : Adèle est la Pauline d'Hector. Attentive, elle s'efforce d'atténuer les rigueurs dont va si souvent faire preuve sa famille.

On ne sait rien, ou si peu, de la toute première enfance de Berlioz, ni de ses premières années. Mais pour lui, les *Mémoires*, les propos qu'il a tenus à ses amis, les lettres de sa famille nous le prouvent : tout commence avec un appétit forcené de lecture. D'autres ont des souvenirs attendris d'un parent, d'un ami : pour Hector Berlioz, il n'y a d'abord que les livres, le livre. Qu'on ne l'imagine donc d'abord que comme un enfant qui a tout lu ou qui a beaucoup lu et qui s'est pénétré de tout. Les pages tournées une à une, puis l'imagination qui les transfigure : le génie fera le reste... Quoi qu'il ait pu regretter par la suite, c'est le Dr Berlioz qui a mis à son fils le pied à l'étrier de la passion romantique.

« J'avais dix ans quand il me mit au petit séminaire de La Côte pour y commencer l'étude du latin. Il m'en retira bientôt après, résolu à entreprendre lui-même mon éducation.

» Pauvre père, avec quelle patience infatigable, avec quel soin minutieux et intelligent il a été ainsi mon maître de langues, de littérature, d'histoire, de géographie et même de musique !...

» Mon père, tout en n'exigeant de moi qu'un travail très modéré, ne put jamais m'inspirer un véritable goût pour les études classiques. L'obligation d'apprendre chaque jour par cœur quelques vers d'Horace et de Virgile m'était surtout odieuse. Je retenais cette belle poésie avec beaucoup de peine et une véritable torture de cerveau. Mes pensées s'échappaient d'ailleurs de droite et de gauche, impatientes de quitter la route qui leur était tracée. Ainsi je passais de longues heures devant des mappemondes, étudiant avec acharnement le tissu complexe que forment les îles, caps et détroits de la mer du Sud et de l'archipel Indien ; réfléchissant sur la création de ces terres lointaines, sur leur végétation, leurs habitants, leur climat, et pris d'un désir ardent de les visiter. Ce fut l'éveil de ma passion pour les voyages et les aventures.

» Mon père, à ce sujet, disait de moi avec raison : “Il sait le nom de chacune des îles Sandwich, des Moluques, des Philippines ; il connaît le détroit de Torres, Timor, Java et Bornéo, et ne pourrait dire seulement le nombre des départements de la France.” Cette curiosité de connaître les contrées éloignées, celles de l'autre hémisphère surtout, fut encore irritée par l'avide lecture de tout ce que la bibliothèque de mon père contenait de voyages anciens et modernes ; et nul doute que, si le lieu de ma naissance eût été un port de mer, je me fusse enfui quelque jour sur un navire, avec ou sans le consentement de mes parents, pour devenir marin. »

Le rêve des îles, des plages de sable fin et des cocotiers penchés sur de belles indigènes : on le retrouvera souvent dans les soupirs d'un Berlioz enfermé dans l'incompréhension parisienne et qui regrettera parfois une autre vie.

Pourtant, peu à peu, le cœur et l'esprit d'Hector vont s'ouvrir à d'autres joies. Il ingurgitait péniblement quelques vers de Virgile ? Il va s'en rassasier, s'en gaver sans fin et tout change. Tout change, et pour toujours. Qu'on se représente un gamin dans le bureau-bibliothèque-salon de son père, penché sur les gros livres qu'il tire des rayons où l'*Enéide* côtoie des traits d'ostéologie, où *Don Quichotte* chute entre deux plaquettes publicitaires pour une médecine à la mode. La fenêtre est ouverte sur la campagne puisqu'on veut que dans ces années premières de Berlioz il ait toujours fait beau. De loin viennent des appels de cloches, le même chien qui aboie et lui, Hector, qui lit avidement, qui lit gloutonnement. Il est Enée et le vieillard Anchise est une manière de saint laïque. Cassandre n'existe pas, il aura deux petites sœurs qu'il aimera infiniment et lui lit, et lit encore. Infiniment. Le nom de Virgile apparaît dès la quatrième ligne des *Mémoires*. Des rêveries napolitaines des années trente sur les rives du mont Pausilippe aux *Troyens*, en 1858, et longtemps après encore, Virgile, l'*Enéide*, Didon qui meurt assassinée de sa propre main sont au cœur de sa vie intellectuelle et sentimentale. Cette belle lumière qui éclaire son ciel d'adolescent va l'illuminer jusqu'à la fin de ses jours. Plus tard viendra Shakespeare. Mais on n'en est qu'aux quatre ou cinq premières pages des *Mémoires* et déjà Berlioz nous dit ce qu'il doit à Virgile. C'est un ciel à la Lorrain, ce sont les pins dressés sur les ciels de Turner, un mélange de rêve, de ciel et d'eau limpide, de nuages étirés comme des châles de femme... Virgile, au cœur de la poésie intime d'un gamin de douze ans, onze, dix peut-être...

« [Virgile], en me parlant de passions épiques que je pressentais, sut le premier trouver le chemin de mon cœur et enflammer mon imagination naissante. Combien de fois, expliquant devant mon père le quatrième livre de l'*Enéide*, n'ai-je pas senti ma poitrine se gonfler, ma voix s'altérer et se briser ! »

Après, mais aussi avant Virgile, il y a les autres livres de la bibliothèque du Dr Berlioz, La Fontaine, dont il découvre vite « la profondeur cachée sous la naïveté ». Et au premier chef Chateaubriand. Le jeune garçon s'enthousiasme pour *Le Génie du christianisme* qu'il lira surtout pendant la brève période où la religion le transporte et quand les grands mystères de la création s'allient dans son esprit aux plus nobles idées de l'art, à l'exaltation de la nature. C'est que la nature – qu'il célébrera sa vie durant dans les immenses chants agrestes de la *Symphonie fantastique* ou les épopées montagnardes d'*Harold en Italie*, l'invocation à la nature de *Faust* – la nature est la compagne de chaque jour d'un Berlioz émerveillé. On devrait toujours se souvenir de ce bonheur qu'il éprouve à marcher, à pied, dans la campagne. Sac à l'épaule, un bâton à la main – ou une guitare, un fusil..., il parcourt montagnes et vallées autour de La Côte-Saint-André, n'hésite pas à se rendre à pied à Grenoble, ou à regagner Rome à pied après son voyage à Naples. La nature l'exalte, le transporte, elle le fait meilleur, plus grand, plus fort. Elle emporte son imagination ou, au contraire, le laisse pantelant, comme anéanti. Il lit avec passion les récits de voyage de Chateaubriand, l'Italie, bien sûr, mais aussi l'Amérique dont il rêve dans *Atala* comme dans les atlas de la bibliothèque paternelle. La même émotion l'habite lorsqu'il lit la description des paysages alpins, si proches des siens, dans le Rousseau de *La Nouvelle Héloïse*, même s'il répétera, à qui voudra l'entendre, que *Les Confessions* et la prétendue ambition de Jean-Jacques de tout dire, jusqu'au plus misérable incident, ne sont pas les siennes.

Arrive encore Goethe. Bien avant la lecture de *Faust* traduit par Gérard de Nerval, le panthéisme de Goethe face à la nature se mêle confusément aux *Souffrances du jeune Werther* pour mieux exacerber la sensibilité du jeune Hector et faire bouillonner en lui mille émotions qui culmineront au cours de ses randonnées italiennes : le vent qui souffle à travers des branches, un cri d'oiseau au loin, un air de flûte – et la musique naît ! Que c'est bon et que c'est enivrant d'avoir douze ans, d'en avoir quinze, et de lire à l'infini puis de marcher dans la campagne en se répétant ce qu'on a lu. Chaque nouveau livre est une pierre de plus apportée à ce pauvre monument mais ce monument quand même, qu'on se construit soi-même et qui s'appelle un homme, bientôt un artiste, très vite un créateur.

Citer d'autres lectures des années d'apprentissage du jeune Berlioz ? Bernardin de Saint-Pierre et *Paul et Virginie* où la nature encore s'allie à la ferveur des jeunes amours avant de les balayer de sa violence : Virginie qu'on porte en terre en compagnie d'un bon ermite, c'est déjà la mort de Juliette ou la *fair Ophelia* dont il fera les figures emblématiques de ses amours et de son œuvre. Chénier et sa *Jeune Tarentine* qu'on retrouve à travers les vers de *La Captive* de Victor Hugo qu'il mettra en musique à Rome pour plaire à une jeune personne. On voudrait également se souvenir d'un roman, bien oublié aujourd'hui et joyeusement décrié par les biographes de Berlioz, aux marges du roman noir : le *Manuscrit trouvé au mont Pausilippe*, de Montjoye. Là aussi, on devine le conflit entre forces obscures, personnages sombres et cette exaltation de la nature qui hante Berlioz. On doit pourtant mettre à part, sur le rayon béni des amours enfantines, une simple bleuette. Un tout petit livre, gros de bien d'émotions. Il s'agit d'une charmante pastorale de Florian, *Estelle et Némorin*, avec bergers, bergères, amours champêtres, paysages idylliques et petits moutons : c'est le côté fleur-bleue de Berlioz qui s'allie aux descriptions de la nature. Il se sent Némorin, son cœur bat pour Estelle avant que de la connaître. Il la connaîtra vite... En attendant, il s'enivre de Florian et d'André Chénier pour revenir sans fin à Virgile et à la mort de Didon.

La « première impression musicale » de Berlioz remonte à sa première communion. Elle est étroitement liée à la religion. On a dit l'athéisme du Dr Berlioz, la dévotion de Joséphine. Berlioz lui-même expédie les questions de la foi en quelques lignes, au tout début des *Mémoires* :

« Je n'ai pas besoin de dire que je fus élevé dans la foi catholique, apostolique et romaine. Cette religion charmante, depuis qu'elle ne brûle plus personne, a fait mon bonheur pendant sept années entières ; et, bien que nous soyons brouillés ensemble depuis longtemps, j'en ai toujours conservé un souvenir fort tendre. Elle m'est si sympathique, d'ailleurs, que si j'avais eu le malheur de naître au sein d'un de ces schismes éclos sous la lourde incubation de Luther ou de Calvin, à coup sûr, au premier instant de sens poétique et de loisir, je me fusse hâté d'en faire abjuration solennelle pour embrasser la belle romaine de tout mon cœur... »

Il s'attarde sur sa première communion, qu'il fit le même jour que sa sœur Nanci, car elle constitue la pierre blanche fondatrice sur le chemin qui va, note après note, harmonie sur déconvenue, émotion surtout après d'autres émotions, le conduire vers la musique : Hector est un enfant. Nanci, la petite sœur tant aimée, va s'avancer vers l'autel de ce couvent d'ursulines où elle était pensionnaire.

« Admis dans la chapelle, au milieu des jeunes amies de ma sœur, vêtues de blanc, j'attendis en priant avec elles l'instant de l'auguste cérémonie. Le prêtre s'avança, et, la messe commencée, j'étais tout à Dieu. Alors, au moment où je recevais l'hostie consacrée, un chœur de voix virginales, entonnant un hymne à l'Eucharistie, me remplit d'un trouble à la fois mystique et passionné, que je ne savais comment dérober à l'attention des assistants. Je crus voir le ciel s'ouvrir, le ciel de l'amour et des chastes délices, un ciel plus pur et plus beau mille fois que celui dont on m'avait tant parlé. O merveilleuse puissance de l'expression vraie, incomparable beauté de la mélodie du cœur ! Cet air, ni naïvement adapté à de saintes paroles et chanté dans une cérémonie religieuse, était celui de la romance de Nina : *Quand le bien-aimé reviendra.* Je l'ai reconnu dix ans après. Quelle extase de ma jeune âme ! cher d'Alayrac !

» Ce fut ma première impression musicale. »

On retrouvera souvent dans les *Mémoires* le nom de d'Alayrac aux côtés de ceux de Grétry ou de Méhul, ces « vieux maîtres français » que, faute de les vraiment admirer, Berlioz aime parce que leur musique est aux antipodes de toute la musique ampoulée des vieilles barbes de l'Institut ou du Conservatoire qui voudront lui imposer leur loi. D'Alayrac et Grétry – qui a laissé comme lui des mémoires passionnants, sur la vie musicale à la fin du XVIIIe siècle et pendant la Révolution – sont à l'image de cette ancienne France dont porte en lui la nostalgie le Berlioz de cinquante ans qui écrit ses *Mémoires*, celui à qui la « populace » en désordre de 1848 a fait oublier les élans libéraux de 1830.

Très vite après cette première initiation d'adolescence, Berlioz commence à « pratiquer » lui-même la musique. Pratiquer... c'est beaucoup dire. Celui à qui on a fait lire Virgile de force, avant qu'il l'aimât à la folie, n'a sous la main... qu'un bout de flûte ! Le premier instrument dont il joue est... le flageolet. Pourtant, là encore, sans se rendre compte qu'il joue avec le feu, le Dr Berlioz aura un rôle déterminant.

« Le hasard m'ayant fait trouver un flageolet au fond d'un tiroir où je furetais, je voulus aussitôt m'en servir, cherchant inutilement à reproduire l'air populaire de Marlborough.

» Mon père, que ces sifflements incommodaient fort, vint me prier de le laisser en repos, jusqu'à l'heure où il aurait loisir de m'enseigner le doigté du mélodieux instrument, et l'exécution du chant *héroïque* dont j'avais fait choix. Il parvint en effet à me les apprendre sans trop de peine ; et, au bout de deux jours, je fus maître de régaler de mon air de Marlborough toute la famille.

» On voit déjà, n'est-ce pas, mon aptitude pour les grands effets d'instruments à vent ?... (Un biographe pur sang ne manquerait pas de tirer cette ingénieuse induction...) Ceci inspira à mon père l'envie de m'apprendre à lire la musique ; il m'expliqua les premiers principes de cet art, en me donnant une idée nette de la raison des signes musicaux et de l'office qu'ils remplissent. Bientôt après, il me mit entre les mains une flûte, avec la méthode de Devienne, et prit, comme pour le flageolet, la peine de m'en montrer le mécanisme. Je travaillai avec tant d'ardeur, qu'au bout de sept à huit mois j'avais acquis sur la flûte un talent plus que passable. »

A l'âge du jeune Berlioz, combien d'œuvres pour piano, voire pour flûte, Mozart avait-il déjà composées ? Combien de mélodies, de grandes « petites musiques » ? Et avec quelle science ! Hector Berlioz, lui, ne joue que du pipeau. Ou presque. Pourtant, son père continue à l'encourager.

« Alors, désireux de développer les dispositions que je montrais, il persuada à quelques familles aisées de La Côte de se réunir à lui pour faire venir de Lyon un maître de musique. Ce plan réussit. Un second violon du théâtre des Célestins, qui jouait en outre de la clarinette, consentit à venir se fixer dans notre petite ville barbare, et à tenter d'en musicaliser les habitants, moyennant un certain nombre d'élèves assuré, et des appointements fixes pour diriger la bande militaire de la garde nationale. Il se nommait Imbert. Il me donna deux leçons par jour ; j'avais une jolie voix de soprano ; bientôt je fus un lecteur intrépide, un assez agréable chanteur, et je jouai sur la flûte les concertos de Drouet les plus compliqués. »

Imbert, ce maître de musique que le cher Dr Berlioz parfaitement inconscient va donner à son fils, avait lui-même un fils qui fut très vite l'ami d'Hector, le frère qu'il n'avait pas vraiment eu. Les deux camarades étaient très proches et le métier du père rapprochait encore Hector de son fils. Et voilà qu'à la veille d'un voyage d'été à Meylan, ce garçon, à peine plus âgé que lui, va se pendre après être venu embrasser son ami. Berlioz n'a jamais su les raisons de ce suicide. Il l'évoquera souvent comme un mystère inexpliqué dont l'ombre planera sur sa jeunesse... Imbert quittera alors La Côte-Saint-André, mais le grain qu'il avait semé portera ses fruits.

Le flageolet mène à la flûte, ce ne sont encore que jeux d'enfants... La flûte, puis la guitare bientôt : où s'arrêtent les jeux, où commence l'envie d'aller y voir plus loin ? Quand devient-on musicien, écrivain, artiste ? Hector Berlioz a douze ans, il s'amuse avec une flûte ; il a douze ans et quelques mois, la musique devient, avec les livres, une seconde passion. Demain, après-demain, l'an prochain ou plus tard, elle sera la première. Mais quand cela a-t-il commencé ? Le mystère de Berlioz est le nôtre. Celui de toute vocation. Rien, pourtant, autour de lui, ne le poussait dans cette voie, mais une *voix* en lui s'est fait entendre : il deviendra Berlioz. Et c'est à l'âge de douze ans que, parfaitement autodidacte, il aborde la composition. Comme un grand, dirait-on si on voulait ironiser. Et, froidement, sans maître, le jeune Hector se lance à cœur perdu dans un métier dont il ne connaît rien. Absolument rien. Ce sont dès lors pots-pourris, quintettes...

« J'avais découvert parmi de vieux livres, explique-t-il, le traité d'harmonie de Rameau, commenté et simplifié par d'Alembert. J'eus beau passer des nuits à lire ces théories obscures, je ne pus parvenir à leur trouver un sens. Il faut en effet être déjà maître de la science des accords, et avoir beaucoup étudié les questions de physique expérimentale sur lesquelles repose le système tout entier, pour comprendre ce que l'auteur a voulu dire. C'est donc un traité d'harmonie à l'usage seulement de ceux qui la savent. Et pourtant je voulais composer. Je faisais des arrangements de duos en trios et en quatuors, sans pouvoir parvenir à trouver des accords ni une basse qui eussent le sens commun. Mais à force d'écouter les quatuors de Pleyel exécutés le dimanche par nos amateurs, et grâce au traité d'harmonie de Catel, que j'étais parvenu à me procurer, je pénétrai enfin, et en quelque sorte subitement, le mystère de la formation et de l'enchaînement des accords. J'écrivis aussitôt une espèce de pot-pourri à six parties, sur des thèmes italiens dont je possédais un recueil. L'harmonie en parut supportable. Enhardi par ce premier pas, j'osai entreprendre de composer un quintette pour flûte, deux violons, alto et basse, que nous exécutâmes, trois amateurs, mon maître et moi.

» Ce fut un triomphe. Mon père seul ne parut pas de l'avis des applaudisseurs. Deux mois après, nouveau quintette. Mon père voulut en entendre la partie de flûte, avant de me laisser tenter la grande exécution, selon l'usage des amateurs de province, qui s'imaginent pouvoir juger un quatuor d'après le premier violon. Je la lui jouai, et à une certaine phrase : "A la bonne heure, me dit-il, ceci est de la musique." Mais ce quintette, beaucoup plus ambitieux que le premier, était aussi bien plus difficile ; nos amateurs ne purent parvenir à l'exécuter passablement. L'alto et le violoncelle surtout pataugeaient à qui mieux mieux.

» J'avais à cette époque douze ans et demi. Les biographes qui ont écrit, dernièrement encore, *qu'à vingt ans je ne connaissais pas les notes* se sont, on le voit, étrangement trompés.

» J'ai brûlé les deux quintettes, quelques années après les avoir faits, mais il est singulier qu'en écrivant, beaucoup plus tard, à Paris, ma première composition d'orchestre, la phrase approuvée par mon père dans le second de ces essais, me soit revenue en tête, et se soit fait adopter. C'est le chant en *la* bémol exposé par les premiers violons, un peu après le début de l'allégro de l'ouverture des *Francs-Juges.* »

Berlioz détruit beaucoup. Toute une partie de la production musicale de ses années de jeunesse s'est envolée en fumée. Mais il conserve, aussi, il explore, il réemploie. Et il continue son apprentissage de musicien totalement, incroyablement amateur, dans tous les sens du mot. « [Dorant, un nouveau maître], Alsacien de Colmar, jouait à peu près de tous les instruments, et excellait sur la clarinette, la basse, le violon et la guitare. Il donna des leçons de guitare à ma sœur aînée qui avait de la voix, mais que la nature a entièrement privée de tout instinct musical. Elle aime la musique pourtant, sans avoir jamais pu parvenir à la lire et à déchiffrer seulement une romance. J'assistais à ses leçons ; je voulus en prendre aussi moi-même ; jusqu'à ce que Dorant, en artiste honnête et original, vînt dire brusquement à mon père : “Monsieur, il m'est impossible de continuer mes leçons de guitare à votre fils ! – Pourquoi donc ? Vous aurait-il manqué de quelque manière, ou se montre-t-il paresseux au point de vous faire désespérer de lui ? – Rien de tout cela, mais ce serait ridicule, il est aussi fort que moi.”

» Me voilà donc passé maître sur ces trois majestueux et incomparables instruments, le flageolet, la flûte et la guitare. [...]

» Mon père n'avait pas voulu me laisser entreprendre l'étude du piano. Sans cela il est probable que je fusse devenu un pianiste *redoutable*, comme quarante mille autres. Fort éloigné de vouloir faire de moi un artiste, il craignait sans doute que le piano ne vînt à me passionner trop violemment et à m'entraîner dans la musique plus loin qu'il ne le voulait. La pratique de cet instrument m'a manqué souvent ; elle me serait utile en maintes circonstances ; mais, si je considère l'effrayante quantité de platitudes dont il facilite journellement l'émission, platitudes honteuses et que la plupart de leurs auteurs ne pourraient pourtant pas écrire si, privés de leur kaléidoscope musical, ils n'avaient pour cela que leur plume et leur papier, je ne puis m'empêcher de rendre grâces au hasard qui m'a mis dans la nécessité de parvenir à composer silencieusement et librement... »

L'*Enéide* et le chant de Virgile, celui des petites communiantes au couvent des ursulines : il reste au jeune Hector une expérience encore à faire pour devenir pleinement, totalement Berlioz. Puisque la vie de Berlioz est tout entière tissée de cela : la musique, bien sûr ; Virgile, l'*Enéide* et l'Italie ; l'amour, enfin.

L'amour donc. Et là, avec l'aveu si pur qu'il nous fait dans ses *Mémoires*, nous sommes peut-être au cœur d'une manière de Révélation. Il y a eu l'hostie blanche et la musique de d'Alayrac pour le mettre à genoux, le cri de Didon qui meurt : il y a aussi l'étoile du matin. Avec elle, c'est la première image d'une histoire d'amour qui va durer toute une vie. Elle a frappé un petit garçon de treize ans qui ne s'en est jamais relevé. Si bien que, plus tard, lorsqu'il nous arrivera de nous irriter de ses intransigeances poussées parfois jusqu'à l'absurde ou, au contraire, de ses flagorneries à l'endroit du pouvoir, de ses jérémiades et de ses rodomontades, nous nous souviendrons qu'au tout début de sa vie, à Meylan, il a eu une apparition.

Hector séjourne souvent à Meylan, chez son grand-père Nicolas. On y mange bien, on y lit des vers en famille. Plus encore qu'autour de La Côte-Saint-André, on écoute le chant des oiseaux. Imaginons aussi les chœurs agrestes des paysans la houe sur l'épaule qui, comme à l'opéra, reviennent du travail, partent pour l'estive ou en sont revenus. Plus qu'à La Côte, aussi, on est proche des Alpes. Non loin de la Grande Chartreuse, Meylan domine toute une partie du Grésivaudan. A l'époque c'était à proprement parler un paysage à la fois idyllique et montagnard. Là, plus que jamais, les lavis bleu pâle se superposent pour constituer un décor majestueux qu'il suffit d'un rayon de soleil pour transformer en féerie. Et c'est dans ce décor-là qu'apparaît pour la première fois à Hector son étoile du matin. *Stella matutina*, *Stella del monte*, l'image et le souvenir d'une jeune fille de dix-huit ans, debout dans le soleil, ne devait plus le quitter.

« Dans la partie haute de Meylan, tout contre l'escarpement de la montagne, est une maisonnette blanche, entourée de vignes et de jardins, d'où la vue plonge sur la vallée de l'Isère ; derrière sont quelques collines rocailleuses, une vieille tour en ruine, des bois, et l'imposante masse d'un rocher immense, le Saint-Eynard ; une retraite évidemment prédestinée à être le théâtre d'un roman. C'était la villa de Mme Gautier, qui l'habitait pendant la belle saison avec ses deux nièces, dont la plus jeune s'appelait Estelle. Ce nom seul eût suffi pour attirer mon attention ; il m'était cher déjà à cause de la pastorale de Florian (*Estelle et Némorin*) dérobée par moi dans la bibliothèque de mon père, et lue en cachette, cent et cent fois. Mais celle qui le portait avait dix-huit ans, une taille élégante et élevée, de grands yeux armés en guerre, bien que toujours souriants, une chevelure digne d'orner le casque d'Achille, des pieds, je ne dirai pas d'Andalouse, mais de Parisienne pur sang, et des... brodequins roses !... Je n'en avais jamais vu... Vous riez !!... Eh bien, j'ai oublié la couleur de ses cheveux (que je crois noirs pourtant) et je ne puis penser à elle sans voir scintiller, en même temps que les grands yeux, les petits brodequins roses... »

Les brodequins roses d'Estelle Dubeuf, puisque tel était le nom de la sœur de Ninon, nièce ou petite-fille de cette Mme Gautier du Replait, devraient entrer dans la légende littéraire au même titre que « Le pied de Fanchette », de Rétif de La Bretonne, et que les souliers rouges d'Oriane, duchesse de Guermantes. Jusqu'à la fin de sa vie, Berlioz bercera le souvenir tendre d'une paire de petits brodequins roses chaussant des pieds mignons. Estelle Dubeuf, à Meylan, c'est Gilberte Swann dans les jardins des Champs-Elysées. Elle incarne un moment radieux dont nous savons bien qu'il ne pourra jamais se renouveler mais qu'Hector Berlioz, à près d'un demi-siècle de distance, croira toujours possible.

« En l'apercevant, je sentis une secousse électrique ; je l'aimai, c'est tout dire. Le vertige me prit et ne me quitta plus. Je n'espérais rien... je ne savais rien... mais j'éprouvais au cœur une douleur profonde. Je passais des nuits entières à me désoler. Je me cachais le jour dans les champs de maïs, dans les réduits secrets du verger de mon grand-père, comme un oiseau blessé, muet et souffrant. La jalousie, cette pâle compagne des plus pures amours, me torturait au moindre mot adressé par un homme à mon idole. J'entends encore en frémissant le bruit des éperons de mon oncle quand il dansait avec elle ! Tout le monde, à la maison et dans le voisinage, s'amusait de ce pauvre enfant de douze ans brisé par un amour au-dessus de ses forces. Elle-même qui, la première, avait tout deviné, s'en est fort divertie, j'en suis sûr. Un soir il y avait une réunion nombreuse chez sa tante ; il fut question de jouer aux barres ; il fallait, pour former les deux camps ennemis, se diviser en deux groupes égaux ; les cavaliers choisissaient leurs dames ; on fit exprès de me laisser avant tous désigner la mienne. Mais je n'osai, le cœur me battait trop fort ; je baissai les yeux en silence. Chacun de me railler ; quand Mlle Estelle, saisissant ma main : “Eh bien, non, c'est moi qui choisirai ! Je prends M. Hector !” O douleur ! elle riait aussi, la cruelle, en me regardant du haut de sa beauté...

» Non, le temps n'y peut rien... d'autres amours n'effacent point la trace du premier... J'avais treize ans, quand je cessai de la voir... »

Même si Berlioz se trompe ici, puisqu'il reverra son Estelle, notamment à son retour d'Italie, ce qu'il a découvert avec la jeune fille est une manière d'éblouissement, ce n'est pas d'une amourette enfantine qu'il s'agit. Dès les premières pages de son adolescence, Hector Berlioz a tout simplement rencontré le « grand amour ». Amour idéalisé, certes, bientôt transfiguré par la musique – mais ce sera le cas de toutes ses grandes amours. Trois femmes compteront dans la vie du compositeur. Il en croisera cent, mille : trois seulement sauront l'illuminer. Et la petite Estelle de Meylan est l'une d'elles. Chacune à sa manière, les deux autres le trahirent. Pas Estelle. Jusqu'à la fin de ses jours, cette aventure enfantine illuminera ses souvenirs, caressera sa musique d'une sorte de voile très clair, fait de légèreté, de transparence, les couleurs irisées d'un arc-en-ciel, le rose tendre d'une paire de petits brodequins.

Estelle, Meylan où il l'a rencontrée vont s'inscrire pour toujours dans l'imaginaire du poète. Il le dira lui-même : c'est Estelle qui lui « dicte » les pages d'amour de *Roméo et Juliette*. Le musicologue et critique David Cairns, dans la grande biographie qu'il a consacrée à Berlioz, résume bien ce qu'elle est : l'art de Berlioz « commença avec elle. Non seulement l'amour, mais aussi la Nature, la poésie ». Pour Cairns, elle est même le « thème *symphonique* central » des *Mémoires*. Estelle est bel et bien apparue à Hector Berlioz comme un rayon de musique... Et c'est maintenant avec la silhouette d'Estelle se découpant sur le ciel de l'Isère, les prairies et les montagnes, un chant qui s'élève déjà en lui, qu'il faut retrouver « Hector le musicien », un peu plus grand peut-être, sûrement, mais sage encore lorsqu'une tante taquine s'amusait à l'appeler ainsi.

« Les essais de compositions de mon adolescence portaient l'empreinte d'une mélancolie profonde. Presque toutes mes mélodies étaient dans le mode mineur. Je sentais le défaut sans pouvoir l'éviter. Un crêpe noir couvrait mes pensées ; mon romanesque amour de Meylan les y avait enfermées. Dans cet état de mon âme, lisant sans cesse l'*Estelle* de Florian, il était probable que je finirais par mettre en musique quelques-unes des nombreuses romances contenues dans cette pastorale, dont la fadeur alors me paraissait douce. Je n'y manquai pas.

» J'en écrivis une, entre autres, extrêmement triste sur des paroles qui exprimaient mon désespoir de quitter les bois et les lieux *honorés par les pas, éclairés par les yeux* et les petits brodequins roses de ma beauté cruelle...

» Quant à la mélodie de cette romance, brûlée comme le sextuor, comme les quintettes, avant mon départ pour Paris, elle se présenta humblement à ma pensée, lorsque j'entrepris en 1829 d'écrire ma *Symphonie fantastique*. Elle me sembla convenir à l'expression de cette tristesse accablante d'un jeune cœur qu'un amour sans espoir commence à torturer, et je l'accueillis. C'est la mélodie que chantent les premiers violons au début du largo de la première partie de cet ouvrage, intitulé : *Rêveries, passions* ; je n'y ai rien changé. »

Ainsi, très vite, l'amour d'un gamin pour une jeune fille conduira aussi vers la musique. Mais, longtemps, Berlioz demeurera ce qu'il est dans ses premières années d'apprentissage : un autodidacte sans vraie culture musicale. Il a sa guitare, son flageolet, la bibliothèque de son père. Alors, il fait feu de tout bois, et d'abord de ce qu'il a sous la main. Connaître les maîtres anciens ? Leur musique ? Les entendre, s'en repaître ? A La Côte-Saint-André, c'est encore une fois dans les livres qu'il apprend. Dès lors, les vies de Gluck et de Haydn qu'il lit à cette époque, dans la *Biographie universelle,* le jettent dans la plus grande agitation. « Quelle belle gloire ! me disais-je, en pensant à celle de ces deux hommes illustres ; quel bel art ! quel bonheur de le cultiver en grand ! »

L'écriture musicale ? L'orchestration ? L'aveu qui suit est plus ingénu encore :

« Je n'avais jamais vu de grande partition. Les seuls morceaux de musique à moi connus consistaient en solfèges accompagnés d'une basse chiffrée, en solos de flûte ou en fragments d'opéras avec accompagnement de piano. Or, un jour, une feuille de papier réglée à vingt-quatre portées me tomba sous la main. En apercevant cette grande quantité de lignes, je compris aussitôt à quelle multitude de combinaisons instrumentales et vocales leur emploi ingénieux pouvait donner lieu, et je m'écriai : "Quel orchestre on doit pouvoir écrire là-dessus !" A partir de ce moment, la fermentation musicale de ma tête ne fit que croître. »

Dès lors, le jeune Berlioz ne doute plus de rien. Des amis jouent comme ils peuvent ses compositions et ses mélodies ? On l'applaudit à La Côte-Saint-André ? Eh bien, on publiera sa musique à Paris : quoi de plus évident ? Les deux lettres qu'il envoie, à quinze jours d'intervalle, à MM. Janet et Cotelle, éditeurs de musique, d'abord, à Ignaz Pleyel ensuite, reflètent la même formidable confiance en soi. Aux deux éditeurs, et en toute simplicité, il propose l'édition de ses œuvres. Comme une bonne affaire. Pour eux : « Ayant le projet de faire graver plusieurs ouvrages de musique » ... et il est prêt à leur envoyer un pot-pourri concertant pour flûte, cor, deux violons, alto et basse ... et autres « romances avec accompagnement de piano et divers autres ». Aux frais de ces messieurs auxquels il offre sa si bonne affaire. A lui.

Bien entendu, ni MM. Janet et Cotelle ni Pleyel ne répondront aux propositions alléchantes de ce gamin. Il n'en récidivera pas moins au mois d'août de la même année. C'est seulement deux ou trois ans plus tard que l'éditeur Le Duc publiera de lui une romance avec piano, *Le Dépit de la bergère.*

Mais Hector Berlioz ne s'avoue pas vaincu. Il continue à composer pour lui seul. Maladroitement. Gauchement. Les amis musiciens de son père qui ont joué son premier quatuor à cordes le savent-ils ? Qu'importe. Il sent, il pressent, il devine ce qu'est la vraie musique. Alors il essaie, vaille que vaille, avec les moyens du bord et des livres, des images dans la tête, en plein cœur. Une musique d'enfant et une musique livresque, dirait-on. Il ne connaît que les « vieux maîtres », d'Alayrac ou Grétry, et n'a pas la moindre idée de ceux qui deviendront ses idoles, Gluck ou Beethoven. Pas même Mozart. Et alors ?

Pourtant, ces heures d'insouciance, tout entières dominées par un art qui l'emporte, touchent à leur fin. Hector Berlioz n'est pas né pour être musicien : il est né pour être médecin, comme son père.

2

Tu seras médecin, mon fils

Berlioz rêve. C'est encore un enfant. Un jeune homme à peine sorti de l'adolescence, maigre, chétif même. Et petit, rouquin, le nez déjà bien busqué. L'âge accentuera cette apparence physique jusqu'à la caricature et, précisément pour les caricaturistes, ce sera pain bénit. Berlioz rêve et gratte sa guitare, compose des romances. A-t-il d'autres amours, des passions enfantines ? Nous n'en savons rien. Il lit toujours Virgile, il lit *Don Quichotte* et s'enflamme pour l'espagnolité du héros de Cervantès. Il lit et relit, où il peut, les biographies des grands musiciens de son temps. Dans les journaux qu'on reçoit à La Côte-Saint-André, il se plonge, avec un enthousiasme qui peut devenir du mépris ou de la colère, dans la lecture des critiques qu'on y fait de la musique qui se donne à Paris. Il y retrouve parfois les noms de Grétry ou de son cher d'Alayrac. Il apprend ceux de Spontini, de Cherubini, de Rossini. Rossini est alors un dieu sur les scènes parisiennes, mais on applaudit Boieldieu et Paer à l'Opéra-Comique, *Zéloïde ou les Fleurs enchantées* de Lebrun à l'Opéra avant *Les Danaïdes* de Salieri et *Aspasie et Périclès* de Méhul. Et « Hector le musicien » de fourrager dans ses cheveux roux, de se tenir la tête à deux mains et de se jurer que lui aussi, à son tour... Et Hector Berlioz de maudire son maudit flageolet quand c'est un orchestre tout entier qu'il doit faire chanter ! Les articles du sous-préfet devenu écrivain spécialiste des questions musicales Castil-Blaze qui « inventa », vers 1820, au *Journal des débats*, une véritable critique musicale régulière soulèvent peut-être déjà son indignation. Mais devine-t-il vraiment qu'il est d'autres musiques que celles de Kreutzer, Berton ou Catel, portés aux nues par les amateurs de grand style ou du style français ? On le voit bien plutôt rongeant son frein et rêvant déjà de partir pour Paris, où tout alors se joue en France : il veut être musicien ; il ne peut que « monter » à Paris. Car c'est seulement à Paris qu'il sera le grand musicien qu'il ne peut qu'être. Et voilà bien tout Berlioz. Le trait essentiel de son caractère. On l'a déjà vu dans ses lettres à MM. Janet et autres, Pleyel : il croit en lui. De ses quinze ans à son dernier soupir, il n'en démordra pas : lui seul a raison, si tous les autres ont tort. Seulement ce qu'il aime et admire est digne d'admiration : le reste est méprisable. Il a quinze ans et il sait déjà qu'il sera le premier musicien français de son temps. Ce n'est pas de l'ambition, c'est pour le moment un pressentiment ; très vite, cela deviendra une formidable, une colossale certitude. Il ne sera dès lors pas un instant de sa vie, de son travail, des mille et une démarches qu'il va sans cesse entreprendre, qui ne s'explique par l'incroyable et éclatante assurance qui l'habite. Jusque dans les moments de plus sombre désespoir et, à quinze ans, il est déjà lui-même...

Le Dr Berlioz, lui, a d'autres ambitions pour son fils. Dans un premier temps, Hector ne discute pas ses intentions. Son père ne tente d'ailleurs pas de l'éloigner de la musique qu'il considère comme un passe-temps parfaitement raisonnable pour un futur médecin. Après tout, ses meilleurs amis sont avocats et grattent du violon. Les dames pianotent : pourquoi son fils ne jouerait-il pas de la guitare ou ne vous concocterait pas de jolies romances ? Le résultat de cette tolérance en même temps que la lecture passionnée qu'il fait de la vie des musiciens qu'il admire ? Eh bien, Berlioz l'affirme sans ambages : son aversion pour la médecine redoubla. Mais il avait de ses parents « une trop grande crainte, toutefois, pour rien oser avouer de [ses] audacieuses pensées ». Alors, ce sera au Dr Berlioz de faire ce que son fils va appeler un « coup d'Etat ».

« Afin de me familiariser instantanément avec les objets que je devais bientôt avoir constamment sous les yeux, il avait étalé dans son cabinet l'énorme *Traité d'ostéologie* de Munro, ouvert, et contenant des gravures de grandeur naturelle, où les diverses parties de la charpente humaine sont reproduites très fidèlement. “Voilà un ouvrage, me dit-il, que tu vas avoir à étudier. Je ne pense pas que tu persistes dans tes idées hostiles à la médecine ; elles ne sont ni raisonnables ni fondées sur quoi que ce soit. Et si, au contraire, tu veux me promettre d'entreprendre sérieusement ton cours d'ostéologie, je ferai venir de Lyon, pour toi, une flûte magnifique garnie de toutes les nouvelles clefs.” Cet instrument était depuis longtemps l'objet de mon ambition. Que répondre ?... La solennité de la proposition, le respect mêlé de crainte que m'inspirait mon père, malgré toute sa bonté, et la force de la tentation, me troublèrent au dernier point. Je laissai échapper un oui bien faible et rentrai dans ma chambre, où je me jetai sur mon lit accablé de chagrin. »

C'est en janvier 1819 que le Dr Berlioz achète une flûte neuve à son fils. Deux mois après, il lui achètera une nouvelle guitare : c'était sûrement ce qu'on peut appeler le prendre par les sentiments. Il n'empêche, après la séance d'initiation à la noble science de l'ostéologie, le pauvre Berlioz crie son désespoir :

« Etre médecin ! étudier l'anatomie ! disséquer ! assister à d'horribles opérations ! au lieu de me livrer corps et âme à la musique, cet art sublime dont je concevais déjà la grandeur ! Quitter l'empyrée pour les plus tristes séjours de la terre ! les anges immortels de la poésie et de l'amour et leurs chants inspirés, pour de sales infirmiers, d'affreux garçons d'amphithéâtre, des cadavres hideux, les cris des patients, les plaintes et le râle précurseurs de la mort !...

» Oh ! non, tout cela me semblait le renversement absolu de l'ordre naturel de ma vie, et monstrueux et impossible. Cela fut pourtant. »

Bon garçon, Berlioz se résigne, même si, dans les *Mémoires*, il mélange aisément les dates puisque c'est seulement le 22 mars 1821 qu'il obtient à Grenoble son baccalauréat ès lettres à l'université.

Fin octobre de la même année, le voilà parti pour Paris. Il sera médecin, pense son père. Il ne fait qu'en commencer les études, se dit-il en quittant La Côte-Saint-André. Il est accompagné de son cousin Alphonse Robert et a cinq cent quarante francs en poche.

Tant de grands romans du XIXe siècle décriront la montée du provincial vers Paris qu'on ne peut que suivre avec eux le voyage d'Hector Berlioz, la malle de Lyon puis celle de Paris. Les paysages qui défilent derrière les vitres salies de la voiture mais qu'il ne regarde pas. Les compagnons de voyage tout à leurs affaires et qu'il n'a aucune envie d'écouter quand bien même certains d'entre eux peuvent, comme lui, tirer des plans sur la comète. Plongé dans ses rêves de gloire, il est Lucien de Rubempré quittant Angoulême : tout lui sera possible. Alors, une fois de plus, les noms des gloires de ce temps, les Berton et les Cherubini, se mélangent dans sa tête. L'Opéra et l'Opéra-Comique, l'Odéon, le Théâtre-Italien : il est musicien, tout va lui être ouvert et son inscription à l'Ecole de médecine ne sera qu'une formalité.

Lyon, la Saône, la Bourgogne : il arrive à Paris fourbu, moulu par les cahots de la route mais l'odeur de la cour où les diligences convergent de la France entière pour gagner ce lieu unique entre tous, Paris – cette odeur de crottin, de graisse et de harnais lui semble bienfaisante. On descend pour lui ses malles, sa malle. Pas de Manon Lescaut à lorgner entre deux portes comme le chevalier Des Grieux, un siècle plus tôt à Rouen, mais un bon camarade à suivre, cet Alphonse Robert qui, de deux ans son aîné, va un peu lui servir de mentor. La quête alors d'un logement pas cher, les bagages qu'on abandonne le temps de le trouver, les escaliers étroits qu'on grimpe avec trois meubles quelque part rue Saint-Jacques. La vie d'étudiant peut commencer, en plein Quartier latin, entre Sorbonne et Panthéon. De cette vie-là, nous ne savons que ce que Berlioz a bien voulu nous dire. On devine le reste. Les camaraderies bruyantes et les éternels étudiants, les « bouillons » où l'on dîne pour quelques sous, les grisettes qui rient très fort quand on les aborde et les centaines de marches d'escalier que l'on escalade pour gagner les galetas où l'on se chauffe comme on peut. Dans *La Vie de Bohème*, les étudiants de Murger, revus et corrigés par Puccini, brûlent leur mobilier en hiver pour entretenir le feu qu'ils allument avec les manuscrits de tragédies en cinq actes. Balzac a décrit la pension Vauquer, le jeune Flaubert de la première *Education sentimentale* celle tenue par le couple Renaud : là, au moins, on mangeait à sa faim. Du côté de Berlioz et de ses camarades, on mange quand on peut. D'ailleurs, il nous dira lui-même ses festins à deux sous sur les quais de la Seine. Le soir, dans les cafés, on fait traîner jusqu'à minuit une « demi-tasse », on se gargarise de projets mais on deviendra notaire comme papa ou juge de paix comme le cousin de maman. Dans les premiers jours, Hector Berlioz joue-t-il vraiment le jeu qu'on attend de lui ? C'est à voir. En tout cas, pour lui, l'Ecole de médecine est à deux pas, celle de droit moins loin encore. Hormis l'Odéon, il faut traverser la Seine pour écouter de la musique ou pour en suivre des cours : pour ceux de La Côte-Saint-André, Hector a fait le bon choix.

Exaltation, fièvre, projets délirants : les années d'apprentissage d'Hector Berlioz à Paris vont durer sept ans... – elles seront, certes, exaltantes, parfois même fiévreuses, sûrement délirantes, mais le plus souvent fort sombres, difficiles, taraudé qu'il sera par l'hostilité de sa famille, celle de l'*establishment* musical parisien et, tout simplement, par la faim. L'argent : voilà ce qui reviendra en leitmotiv de tant de ses lettres à sa famille, à ses amis. A Nanci, surtout, à laquelle il confie tout. L'argent que son père lui enverra si chichement ou qu'il refusera ici et là, par un mouvement d'humeur. L'argent pour manger, tout simplement. Pour vivre. Mais aussi pour s'acheter des vêtements décents qu'on peut mettre dans le monde. L'argent des leçons qu'il voudra recevoir et de celles qu'il donnera parfois. L'argent, enfin, plus tard et lorsqu'il aura décidé d'être ce qu'il doit être, si nécessaire pour louer une salle, retenir des musiciens, faire exécuter des copies d'une œuvre – ou ne pas même réussir à la donner.

Toute sa vie, Berlioz parlera d'argent. Il aura besoin d'argent, il sera malade de ne pas en avoir et courra les bureaux des journaux, les salles de rédaction. Jusqu'aux dernières années de sa vie, il cherchera encore à s'en procurer et partira pour la Russie parce que Balzac, qui lui prête pour le voyage une pèlerine fourrée, lui a dit qu'il en reviendrait millionnaire.

En cet automne 1821, rue de Vaugirard, ce n'est pas de millions qu'il a besoin. Tout juste de quoi vivre. Alors il vivra, vaille que vaille... Et il fera ce qu'il faut pour cela. Son père n'a consenti à son départ que pour en faire un médecin ? Soit. Dès son arrivée, il s'inscrira à l'Ecole de médecine. Comme son cousin Alphonse, qui va demeurer l'un de ses plus fidèles amis. Et c'est avec Alphonse qu'il joue la comédie du futur médecin, avec ses rites, ses farces grossières, ses plaisanteries de carabin.

Au début, tout n'est pourtant pas rose et les *Mémoires* nous traduisent ses premiers dégoûts. Qu'on l'entende :

« J'eus pourtant à subir une épreuve assez difficile, quand Robert, m'ayant appris un matin qu'il avait acheté un *sujet* (un cadavre), me conduisit pour la première fois à l'amphithéâtre de dissection de l'hospice de la Pitié. L'aspect de cet horrible charnier humain, ces membres épars, ces têtes grimaçantes, ces crânes entrouverts, le sanglant cloaque dans lequel nous marchions, l'odeur révoltante qui s'en exhalait, les essaims de moineaux se disputant des lambeaux de poumons, les rats grignotant dans leur coin des vertèbres saignantes, me remplirent d'un tel effroi que, sautant par la fenêtre de l'amphithéâtre, je pris la fuite à toutes jambes et courus haletant jusque chez moi, comme si la mort et son affreux cortège eussent été à mes trousses. Je passai vingt-quatre heures sous le coup de cette première impression, sans vouloir plus entendre parler d'anatomie, ni de dissection, ni de médecine, et méditant mille folies pour me soustraire à l'avenir dont j'étais menacé.

» Robert perdait son éloquence à combattre mes répugnances et à me démontrer l'absurdité de mes projets. Il parvint pourtant à me faire tenter une seconde expérience. Je consentis à le suivre de nouveau à l'hospice, et nous entrâmes ensemble dans la funèbre salle. Chose étrange ! En revoyant ces objets qui dès l'abord m'avaient inspiré une si profonde horreur, je demeurai parfaitement calme, je n'éprouvai absolument rien qu'un froid dégoût ; j'étais déjà familiarisé avec ce spectacle comme un vieux carabin ; c'était fini. Je m'amusai même, en arrivant, à fouiller la poitrine entrouverte d'un pauvre mort, pour donner leur pitance de poumons aux hôtes ailés de ce charmant séjour. A la bonne heure ! me dit Robert en riant, tu t'humanises !

– *Aux petits oiseaux tu donnes la pâture.*
– *Et ma bonté s'étend sur toute la nature.*

répliquai-je en jetant une omoplate à un gros rat qui me regardait d'un air affamé.

» Je suivis donc, sinon avec intérêt, au moins avec une stoïque résignation le cours d'anatomie. De secrètes sympathies m'attachaient même à mon professeur Amussat, qui montrait pour cette science une passion égale à celle que je ressentais pour la musique. C'était un artiste en anatomie... Bientôt les leçons de Thénard et de Gay-Lussac qui professaient, l'un la chimie, l'autre la physique au Jardin des Plantes, le cours de littérature, dans lequel Andrieux savait captiver son auditoire avec tant de malicieuse bonhomie, m'offrirent de puissantes compensations ; je trouvai à les suivre un charme très vif et toujours croissant... »

Mais voilà qu'un orage va éclater dans sa vie, qui dissipera tout malentendu... « J'allais devenir un étudiant comme tant d'autres, destiné à ajouter une obscure unité au nombre désastreux des mauvais médecins, quand, un soir, j'allai à l'Opéra. On y jouait *Les Danaïdes*, de Salieri. La pompe, l'éclat du spectacle, la masse harmonieuse de l'orchestre et des chœurs, le talent pathétique de Mme Branchu, sa voix extraordinaire, la rudesse grandiose de Dérivis ; l'air d'Hypermnestre où je retrouvais, imités par Salieri, tous les traits de l'idéal que je m'étais fait du style de Gluck, d'après des fragments de son *Orphée* découverts dans la bibliothèque de mon père ; enfin la foudroyante bacchanale et les airs de danse si mélancoliquement voluptueux, ajoutés par Spontini à la partition de son vieux compatriote, me mirent dans un état de trouble et d'exaltation que je n'essayerai pas de décrire.

» La semaine suivante, je retournai à l'Opéra où j'assistai, cette fois, à une représentation de la *Stratonice* de Méhul et du ballet de *Nina* dont la musique avait été composée et arrangée par Persuis... mais [l'opéra de Méhul] me parut un peu froid. Le ballet, au contraire, me plut beaucoup, et je fus profondément ému en entendant jouer sur le cor anglais... l'air du cantique chanté par les compagnes de ma sœur au couvent des ursulines, le jour de ma première communion. C'était la romance *Quand le bien-aimé reviendra*. Un de mes voisins qui en fredonnait les paroles me dit le nom de l'opéra et celui de l'auteur auquel Persuis l'avait empruntée, et j'appris qu'elle appartenait à la *Nina* de d'Alayrac. »

Salieri, Mme Branchu, la *Nina* de d'Alayrac (ou Dalayrac) : trois noms qui marquent l'entrée officielle de Berlioz en musique.

D'Alayrac, il l'avait déjà rencontré. Qui aujourd'hui se souvient vraiment de l'auteur de cette *Nina* ou de l'un des quelque cinquante opéras qu'il composa entre 1783 et 1802 ? Salieri, lui, ne jouit pas d'une bonne réputation, probablement à tort. D'aucuns (Rimski-Korsakov a même écrit un opéra à ce propos) n'ont pas voulu y voir moins que l'assassin de Mozart. Mais sa carrière, qui s'est prolongée jusqu'en 1825, est marquée d'œuvres ambitieuses, dans une tradition néoclassique que Berlioz va retrouver chez celui qui sera son vrai maître, Spontini, et qu'il respecte infiniment. Que *Les Danaïdes* (créées à Paris en 1784) aient été ou non le premier opéra entendu par lui importe peu. D'ailleurs, certains critiques penchent plutôt pour l'*Iphigénie en Tauride*, de Gluck, dont il parlera un peu plus tard. Gluck ou Salieri, ces grandes musiques « nobles » lui parleront vite et bien une langue qu'il admire.

Mme Branchu, maintenant. C'était un soprano alors fameux. Elle était née en 1780 au Cap français et, venue à Paris, y avait obtenu un premier prix de conservatoire à l'âge de dix-huit ans. C'est dans une *Didon* de Piccinni qu'elle avait connu son premier triomphe en 1801. Selon le dictionnaire de musique de Fétis, elle avait une voix exceptionnelle en même temps que de grandes qualités dramatiques : Berlioz lui vouera un véritable culte. Bien avant la grande Pauline Viardot, la sœur de la Malibran, avec laquelle il entretiendra des rapports étroits, travaillant avec elle, pour elle, sur les chefs-d'œuvre de Gluck, la Branchu sera pour lui la référence obligée en matière de chant.

C'est à elle qu'il comparera toutes les chanteuses qu'il entendra et, généralement, n'appréciera guère.

Des musiques qui lui bouleversent l'âme, des souvenirs, des voix : en quelques jours, la vie de Berlioz est déjà chamboulée. Au début, l'étudiant en médecine continue néanmoins à se comporter en futur médecin. Cours magistraux, amphithéâtre de dissection, il fait presque consciencieusement ce qu'on attend de lui. Les viscères qui dégoulinaient de la table de dissection ont fini de le dégoûter. Le scalpel à la main, il chante en se moquant de tout, et de lui d'abord. Ça, c'est l'emploi du temps de ses journées : l'apprenti carabin goguenard qui fait rire ses camarades. Le soir venu, il admire Mme Branchu et pleure de bonheur en retrouvant sa chère *Nina*. Mais il est déchiré par cette vie double et qui ne mène à rien. Ses progrès en médecine sont faibles et les mille et un services du cousin Alphonse ne lui sont guère utiles. Quant à la musique, il se rend compte avec terreur qu'il n'y connaît rien. Tout juste quelques rudiments appris dans les livres, à La Côte, et les émotions qu'elle soulève en lui. A Paris c'est pourtant vers elle que tout le porte. Mais il a promis, il tient parole.

C'est une autre découverte qui va faire éclater ce monde faussement serein de bonnes intentions : « [...] ayant appris que la bibliothèque du Conservatoire, avec ses innombrables partitions, était ouverte au public, je ne pus résister au désir d'y aller étudier les œuvres de Gluck, pour lesquelles j'avais déjà une passion instinctive, et qu'on ne représentait pas en ce moment à l'Opéra. Une fois admis dans ce sanctuaire, je n'en sortis plus. Ce fut le coup de grâce donné à la médecine. L'amphithéâtre fut décidément abandonné...

» L'absorption de ma pensée par la musique fut telle que je négligeai même, malgré toute mon admiration pour Gay-Lussac et l'intérêt puissant d'une pareille étude, le cours d'électricité expérimentale, que j'avais commencé avec lui. Je lus et relus les partitions de Gluck, je les copiai, je les appris par cœur ; elles me firent perdre le sommeil, oublier le boire et le manger ; j'en délirai. »

Cette découverte nous vaut d'ailleurs, dans les *Mémoires*, l'une de ces scènes de genre d'une férocité glacée dont Berlioz aura le secret. On en trouvera beaucoup d'autres. Rien n'amuse davantage l'écrivain-compositeur que de réinventer des dialogues grotesques entre des personnages ridicules. Sa tête de Turc est ici, pour la première fois, Cherubini, le quasi perpétuel directeur du Conservatoire d'alors, sur lequel il reviendra souvent. Dès sa nomination, en effet, « Cherubini voulut signaler son avènement par des rigueurs inconnues dans l'organisation intérieure de l'école, où le puritanisme n'était pas précisément à l'ordre du jour. Il ordonna, pour rendre la rencontre des élèves des deux sexes impossible hors de la surveillance des professeurs, que les hommes entrassent par la porte du Faubourg-Poissonnière, et les femmes par celle de la rue Bergère ; ces différentes entrées étant placées aux deux extrémités opposées du bâtiment.

» En me rendant un matin à la bibliothèque, ignorant le décret moral qui venait d'être promulgué, j'entrai, suivant ma coutume, par la porte de la rue Bergère, la porte féminine, et j'allais arriver à la bibliothèque quand un domestique, m'arrêtant au milieu de la cour, voulut me faire sortir pour revenir ensuite au même point en rentrant par la porte masculine. Je trouvai si ridicule cette prétention que j'envoyai paître l'argus en livrée, et je poursuivis mon chemin. Le drôle voulait faire sa cour au nouveau maître en se montrant aussi rigide que lui. Il ne se tint donc pas pour battu, et courut rapporter le fait au directeur. J'étais depuis un quart d'heure absorbé par la lecture d'*Alceste,* ne songeant plus à cet incident, quand Cherubini, suivi de mon dénonciateur, entra dans la salle de lecture, la figure plus cadavéreuse, les cheveux plus hérissés, les yeux plus méchants et d'un pas plus saccadé que de coutume. Ils firent le tour de la table où étaient accoudés plusieurs lecteurs ; après les avoir tous examinés successivement, le domestique, s'arrêtant devant moi, s'écria : “Le voilà !” Cherubini était dans une telle colère qu'il demeura un instant sans pouvoir articuler une parole : “Ah ! ah ! ah ! ah ! c'est vous, dit-il enfin, avec son accent italien que sa fureur rendait plus comique, c'est vous qui entrez par la porte, qué, qué, qué zé ne veux pas qu'on passe ! – Monsieur, je ne connaissais pas votre défense, une autre fois je m'y conformerai. – Une autre fois ! une autre fois ! Qué-qué-qué vénez-vous faire ici ? – Vous le voyez, monsieur, j'y viens étudier les partitions de Gluck. – Et qu'est-ce qué, qu'est-ce qué-qué-qué vous regardent les partitions dé Gluck ? – Monsieur ! (je commençais à perdre mon sang-froid), les partitions de Gluck sont ce que je connais de plus beau en musique dramatique et je n'ai besoin de la permission de personne pour venir les étudier ici. Depuis dix heures jusqu'à trois, la bibliothèque du Conservatoire est ouverte au public, j'ai le droit d'en profiter. – Lé-lé-lé-lé droit ? – Oui, monsieur. – Zé vous défends d'y revenir, moi ! – J'y reviendrai néanmoins. – Co-comme-comment-comment vous appelez-vous ?" crie-t-il, tremblant de fureur. Et moi pâlissant à mon tour : "Monsieur ! mon nom vous sera peut-être connu quelque jour, mais pour aujourd'hui... vous ne le saurez pas ! – Arrête, a-a-arrête-le, Hottin (le domestique s'appelait ainsi), qué-qué-qué zé lé fasse zeter en prison !" Ils se mettent alors tous les deux, le maître et le valet, à la grande stupéfaction des assistants, à me poursuivre autour de la table, renversant tabourets et pupitres, sans pouvoir m'atteindre, et je finis par m'enfuir à la course en jetant, avec un éclat de rire, ces mots à mon persécuteur : "Vous n'aurez ni moi ni mon nom, et je reviendrai bientôt ici étudier encore les partitions de Gluck !" »

Naturellement, Berlioz enjolive sûrement la scène. Naturellement il va revenir souvent à la bibliothèque du Conservatoire. Il y reviendra même si souvent qu'il en sera un jour lui-même nommé conservateur. Pour le moment, il se contente de déchiffrer avec passion les grandes partitions ouvertes devant lui. La stupeur, la découverte du beau, écrit en noir sur une immense feuille de papier blanc, le frappe de plein fouet. Alors il lit, relit et il copie. On a conservé certaines de ces copies que Berlioz a faites des chefs-d'œuvre de Gluck. Ce sont d'émouvants documents où la main du maître en devenir reprend avec flamme le testament du maître d'autrefois. Entouré d'étudiants indifférents ou pressés, Berlioz, lui, vit dans la fièvre.

Lire Gluck dans le calme d'une bibliothèque est une chose, le voir enfin représenté sur une scène en est une autre. Et bien différente. Pour Berlioz, l'expérience est capitale. Ainsi verra-t-il tour à tour les deux *Iphigénie*. *Iphigénie en Aulide* et *Iphigénie en Tauride*, composées respectivement en 1774 et 1779, sont à coup sûr deux des sommets de la musique lyrique et dramatique du XVIIIe siècle, en opposition complète avec le style italien à la mode à l'époque. Plus tard, il verra *Alceste*, antérieure mais plus émouvante encore. Plus tard encore, lui le pourfendeur des « arrangeurs » qui tripatouillent les musiques des autres, il reverra l'*Orphée et Eurydice* de Gluck. L'un des titres du chapitre XIV des *Mémoires* constitue tout un programme : « Mon adoration pour Gluck et Spontini ». Gluck s'installe dès lors sans partage au cœur de sa vie. Qu'on l'écoute seulement s'adresser à sa sœur Nanci, après sa première *Iphigénie*, à la fin de l'année 1821. Amoureux à présent éperdu de la musique, le carabin en passe de devenir musicien ne savait pas, ne pouvait pas ne pas faire partager ses enthousiasmes aux siens, à ses amis, à ses voisins de théâtre ou d'opéra. Alors il rameute ses camarades ou écrit à ceux qu'il aime des lettres enthousiastes sur les musiques qu'il aime :

« A moins de m'évanouir, je ne pouvais pas éprouver une impression plus grande quand j'ai vu jouer *Iphigénie en Tauride,* le chef-d'œuvre de Gluck. Figure-toi d'abord un orchestre de quatre-vingts musiciens qui exécutent avec un tel ensemble qu'on dirait que c'est un seul instrument. L'opéra commence : on voit une plaine immense (oh ! l'illusion est parfaite) et plus loin encore on aperçoit la mer ; un orage est annoncé par l'orchestre, on voit des nuages noirs descendre lentement et couvrir toute la plaine ; le théâtre n'est éclairé que par la lueur tremblante des éclairs, qui fendent les nuages, mais avec une vérité et une perfection qu'il faut voir pour croire. C'est un moment de silence, aucun acteur ne paraît ; l'orchestre murmure sourdement, il semble qu'on entend souffler le vent (comme tu as certainement remarqué l'hiver, quand on est seul, qu'on entend souffler la bise), eh bien, c'est ça parfaitement ; insensiblement le trouble croît, l'orage éclate, et on voit arriver Oreste et Pylate enchaînés et amenés par les barbares de Tauride, qui chantent cet horrible chœur : “Il faut du sang pour venger nos crimes” [...] C'est épouvantable, vois-tu ; je ne pourrai jamais te décrire seulement la manière à approcher un peu de la vérité, le sentiment d'horreur qu'on éprouve quand Oreste accablé tombe en disant : “Le calme rentre dans mon cœur.” Il est assoupi et on voit l'ombre de sa mère qu'il a égorgée rôdant autour de lui avec divers spectres qui tiennent dans leurs mains deux torches infernales qu'ils agitent autour de lui. Et l'orchestre ! tout cela était dans l'orchestre. Si tu entendais comme toutes les situations sont peintes par lui, surtout quand Oreste paraît calme ; eh bien, les violons font une tenue qui annonce la tranquillité, très piano ; mais au-dessous on entend murmurer les basses comme le remords qui, malgré son apparent calme, se fait encore entendre au fond du cœur du parricide. » C'est un musicien qui parle, certes, mais peu d'écrivains ont su si bien écrire sur la musique que ce musicien-là.

Iphigénie : le sort en est jeté. Berlioz a fait son choix. On le savait déjà. Mais cette fois il franchit le pas et l'écrit à son père. Il ne sera pas médecin comme le bon docteur de La Côte-Saint-André. Le combat entre les deux hommes ne fait pourtant que commencer. Il durera cinq ans. Sur le moment, le père « répondit par des raisonnements affectueux, dont la conclusion était que je ne pouvais pas tarder à sentir la folie de ma détermination et à quitter la poursuite d'une chimère pour revenir à une carrière honorable et toute tracée. Mais mon père s'abusait. Bien loin de me rallier à sa manière de voir, je m'obstinai dans la mienne, et dès ce moment une correspondance régulière s'établit entre nous, de plus en plus sévère et menaçante du côté de mon père, toujours plus passionnée du mien, et animée enfin d'un emportement qui allait jusques à la fureur ».

Hector Berlioz a osé dire *non* à son père : naturellement, celui-ci n'a pas voulu l'entendre. Il ne *pouvait* l'entendre. Il faudra donc ruser ? Hector rusera.

A l'égard de ceux de La Côte-Saint-André, rien n'est pourtant changé. En apparence. Hector continue à écrire régulièrement de longues lettres remplies des détails qu'on aimera là-bas y trouver. Il écrit beaucoup. Il écrit sans fin et à chacun. Toute sa vie d'ailleurs, il écrira de longues lettres à la terre entière, se répétant parfois d'un correspondant à l'autre, mais qu'importe : la plupart des lettres qu'on a conservées (sept épais volumes...) sont admirables et, comme les *Mémoires*, constituent l'un des chefs-d'œuvre de la littérature du XIXe siècle. Peut-être, si l'on se penche sur les dates de ses lettres et des réponses de Nanci, qui demeure sa confidente, constate-t-on pourtant que la jeune sœur met moins de zèle à lui répondre rapidement. La plupart de leurs lettres d'alors ont disparu, seul le journal tenu par la jeune fille permet d'en deviner la teneur. Des lamentations, sûrement (« J'ai reçu une lettre d'Hector fort triste, il m'a fait pitié, on est vraiment à plaindre d'avoir une tête de dix-huit ans », note-t-elle avec philosophie). En fait, la *Correspondance générale,* publiée depuis 1972, est singulièrement pauvre du printemps 1822 jusqu'au milieu de 1824. Des lettres ont, certes, été échangées, mais nul ne les a conservées. Nous savons tout de même qu'Hector retrouve son oncle maternel Félix, le beau militaire, alors de passage à Paris. Ensemble, c'est-à-dire en famille, ce à quoi le Dr Berlioz ne saurait avoir à y redire, ils fréquentent assidûment les théâtres. Le goût d'Hector pour les « vieux maîtres anciens », Grétry et d'Alayrac, ne s'est pas émoussé. Félix Marmion, lui, regarde plus probablement du côté des danseuses, mais que sait-on de Berlioz ? A-t-il d'autres passions que l'opéra ? Aucun témoignage ne nous est resté de ce que fut sa vie sentimentale entre la découverte d'Estelle et la passion « shakespearienne » qui n'apparaîtra qu'en 1827. Connaissant la violence de ses sentiments, le bouillonnement qui peut agiter son sang, on devine que, durant cette période, l'ex-futur médecin de La Côte-Saint-André a regardé lui aussi du côté des dames. Son ami Ernest Legouvé, qui fera sa connaissance en 1832, n'a jamais caché que Berlioz était un homme à femmes ; qu'aimer et vouloir être aimé faisait partie de sa vie quotidienne. En ces années d'étudiant, nous devinons seulement que, même si leurs intérêts divergeaient parfois, Hector Berlioz et son oncle Félix avaient pour la voix de ces dames mais aussi pour les jambes des danseuses – et plus encore ! – un intérêt commun.

A la même époque, Berlioz semble aussi s'être frotté pour la première fois à la politique. Certaines critiques d'un Berlioz devenu « réactionnaire » après 1848 sont bien peu fondées lorsqu'il s'agit du jeune Berlioz, de celui qui cherchera une arme pour faire le coup de feu pendant les journées de juillet 1830 et qui, galerie de Colbert, fera vibrer la foule de sa *Marseillaise*. Mais, dès le début de 1822, on le voit dans la rue lors des manifestations libérales dirigées contre les frères de la Mission de France et du parti de la Congrégation. *Le Rouge et le Noir*, déjà : un Berlioz presque rouge face au pouvoir occulte du parti noir qui veut étendre son influence sur une Restauration presque trop libérale. Alors Hector Berlioz descend dans la rue. C'est autour de l'église des Petits-Pères, le 27 ou le 28 février. Crinière au vent, le verbe haut, il crie bien fort son hostilité aux ultras dont le prêche répondait à deux tentatives d'insurrection générale préparées par la Charbonnerie. Et si rien n'indique qu'il ait participé, quelques semaines plus tard, aux émeutes étudiantes qui, lors du procès dit des Quatre Sergents de La Rochelle, amèneront la fermeture temporaire de l'Ecole de médecine, on ne peut qu'imaginer de quel bord il était, et aussi son soulagement devant cette fermeture où il a sûrement vu un signe du destin. D'ailleurs, Alphonse Robert a déjà à demi démissionné de l'Ecole – adieu les séances de dissection et la pâture pour les petits oiseaux ! – et c'est lui, le premier, qui va quitter Paris et rentrer au pays. Le cousin Robert reprendra, certes, ses études, plus tard, mais, pour le moment, le « bon exemple » qu'il pouvait représenter s'est évanoui dans la nature.

A la fin de 1822, Hector a donc abandonné lui aussi, pour de bon, ses études médicales. Pour ne pas trop déplaire à son père, il trouve un prétexte. La médecine, décidément, ne lui dit rien. Il n'est pas fait pour elle et elle ne l'est pas plus pour lui. Le droit, en revanche, les études de droit... Pourquoi pas ? Il entreprend donc vaguement de s'y mettre. La faculté de droit a toujours constitué au XIXe siècle un excellent alibi à tous les artistes accablés de parents difficiles. Berlioz a alors quitté le 104 de la rue Saint-Jacques où il habitait pour s'installer, seul, au 71 de la même rue. Il s'est remis à la composition. Il écrit une cantate (*Le Cheval arabe*), sur un poème de Millevoye, ainsi qu'un canon à trois voix que l'un de ses amis, un certain Gerono, lui propose de montrer à Jean-François Le Sueur.

Hyacinthe-Christophe Gerono n'a fait que croiser la vie d'Hector Berlioz. Et pourtant, cette brève rencontre va être déterminante. De cinq ans son aîné, Gerono avait été élève du Conservatoire, où il avait appris la flûte. Puis il y avait donné un cours d'harmonie. La rencontre de Berlioz avec Le Sueur – ou Lesueur, l'orthographe en est indécise – lui ouvrira de nouveaux horizons. Loin du cercle jusque-là familier de ses amis d'alors, natifs de l'Isère, comme Albert Du Boys et surtout Humbert Ferrand.

Du Boys, catholique fervent, s'était lié d'une grande amitié avec Berlioz, bien qu'à coup sûr, lors des événements de février 1822, les deux jeunes gens ne se soient pas retrouvés dans les mêmes rangs. Autour de 1825, Du Boys sera attaché au cabinet du vicomte Sosthène de La Rochefoucauld, directeur des Beaux-Arts, et bientôt (et grâce à lui) puissant allié du musicien. Plus tard il écrira quelques poèmes que Berlioz mettra en musique.

Humbert Ferrand avait deux ans de moins que Berlioz, et leur amitié ne s'éteindra qu'à la mort de Ferrand, quelques mois avant celle de son ami. Presque compatriote de Berlioz, il venait de Belley et, comme Du Boys, c'était un catholique fervent et un royaliste convaincu. On retrouvera souvent Ferrand au fil de la vie de Berlioz. L'amitié qui les lie est profonde, chaleureuse. C'est un peu le « parce que c'était lui, parce que c'était moi » de Montaigne et La Boétie. Dès 1827, il va quitter Paris pour regagner son pays natal et, à chacun de ses passages dans l'Isère, Berlioz tentera de le revoir. Le voyage à Belley va devenir un thème récurrent dans les projets de Berlioz. C'est que, pour lui, Ferrand aurait pu être un collaborateur idéal, puisqu'il était un peu poète. Mais leurs essais ne porteront pas de fruits. Ni l'opéra des *Francs-Juges,* dont Berlioz lui demandera le livret, ni d'autres projets plus obscurs ne verront le jour : Ferrand, poète, était un rêveur, plus amoureux de sa femme – Berlioz le lui reprochera en riant – que du travail. A Paris, ils ne se quitteront pas. Plus tard, ils s'écriront. Mais, en dépit de bien des jérémiades, le Berlioz des villes aura plus de chance dans la vie que le Ferrand des champs, qui ne réussira ni à se faire élire député ni à assécher Dieu sait quels marais en Sardaigne ! Sa fin tragique sera à l'image de ses échecs.

Du Boys, Ferrand sont les amis les plus fidèles de Berlioz. On y ajoutera Edouard Rocher, le fils du fabricant de liqueurs de La Côte venu à Paris pour étudier la chimie mais qui, comme Ferrand, regagnera vite sa province. Voilà le trio des amis de l'Isère dont les lettres que leur adressera Berlioz nous en apprennent souvent plus que les *Mémoires*. Mais la rencontre avec Le Sueur va changer bien autrement le cours de sa vie.

Jean-François Le Sueur est à l'époque un personnage considérable. C'est lui qui, après Paisiello (l'auteur d'un premier *Barbier de Séville*, antérieur à celui de Rossini), a dirigé la Chapelle impériale. Souvenir ineffaçable pour Le Sueur qui, jusqu'à sa mort, restera un ardent bonapartiste. L'Empire balayé – et sans trop de problèmes avec sa conscience –, il a pris, avec Cherubini, la tête de la nouvelle Chapelle, naturellement devenue royale. Depuis 1818, il enseigne la composition au Conservatoire où ses élèves ont pour lui une affection véritable. C'est un bon maître, attentif aux progrès de ceux qui lui ont fait confiance. Le Sueur est surtout l'auteur d'un très grand nombre d'œuvres religieuses (trente-trois messes !) et de quelques opéras. Alors que, très vite, Berlioz ne se gênera pas pour critiquer ses idées en matière de composition, lui-même ne cessera de porter à l'impétueux jeune compositeur une manière d'attention paternelle. Le Sueur, sa femme et ses trois filles – dont une, Louise, est attachée, semble-t-il, au jeune homme – vont peu à peu constituer pour Berlioz une sorte de seconde famille. Berlioz dîne chez les Le Sueur, les retrouve après dîner, passe des soirées en leur compagnie. C'est la rencontre inespérée avec un autre père que le jeune Hector n'a pas eu. Le Dr Louis était royaliste, peut-être même ultra ; Le Sueur vit pour une idole fauchée à Waterloo. Le médecin de La Côte-Saint-André, à la vaste bibliothèque mais aux idées étroites, ne croyait qu'à la seule vertu de ses thérapies ; l'auteur de plusieurs *Requiem* célèbres fait chanter de grands dispositifs orchestraux bien autrement qu'un flageolet.

Tout de suite, le bon Le Sueur, alors âgé de soixante-trois ans, s'est donc intéressé au jeune homme. « [Il] eut la bonté de lire attentivement la première de ces deux œuvres informes – la cantate du *Cheval arabe*... – et dit en me la rendant : “Il y a beaucoup de chaleur et de mouvement dramatique là-dedans, mais vous ne savez pas encore écrire, et votre harmonie est entachée de fautes si nombreuses, qu'il serait inutile de vous les signaler. Gerono aura la complaisance de vous mettre au courant de nos principes d'harmonie, et, dès que vous serez parvenu à les connaître assez pour pouvoir me comprendre, je vous recevrai volontiers parmi mes élèves." » Gerono accepta respectueusement la tâche que lui confiait Le Sueur : « Il m'expliqua clairement, en quelques semaines, tout le système sur lequel ce maître a basé sa théorie de la production et de la succession des accords ; système emprunté à Rameau et à ses rêveries sur la résonance de la corde sonore. Je vis tout de suite, à la manière dont Gerono m'exposait ces principes, qu'il ne fallait point en discuter la valeur, et que, dans l'école de Lesueur, ils constituaient une sorte de religion à laquelle chacun devait se soumettre aveuglément. Je finis même, telle est la force de l'exemple, par avoir en cette doctrine une foi sincère, et Lesueur, en m'admettant au nombre de ses disciples favoris, put me compter aussi parmi ses adeptes les plus fervents. »

Ainsi Berlioz est-il admis dans la classe de composition de Jean-François Le Sueur. Mais c'est à titre privé. On n'entre pas en effet si aisément au Conservatoire où le terrible Cherubini règne toujours en maître. Alors, c'est par la petite porte – et par la grâce d'un portier compréhensif – que Berlioz se glisse dans le saint des saints de la musique de son temps. Quelle que soit son opinion sur la théorie, voire les compositions de son maître, sa gratitude envers celui-ci est immense.

Si Berlioz va exprimer à plusieurs reprises les critiques qu'il lui oppose, c'est seulement pour évoquer avec plus de force « le temps des grands enthousiasmes, des grandes passions musicales, des longues rêveries, des joies infinies, inexprimables ! », les émotions qu'il éprouve chaque fois qu'il entend Le Sueur à la Chapelle royale. Même s'il « oublie, en les écoutant, la pauvreté de sa trame musicale, son obstination à imiter dans les airs, duos et trios, l'ancien style dramatique italien », il est ému par « ces délicieux épisodes de l'Ancien Testament, tels que Noémi, Rachel, Ruth et Booz, Debora, etc., qu'il avait revêtus d'un coloris antique, parfois si vrai ». Et Berlioz de partager la prédilection de son maître pour la Bible où « l'Orient, avec le calme de ses ardentes solitudes, la majesté de ses ruines immenses, ses souvenirs historiques, ses fables, [qui] était le point de l'horizon poétique vers lequel [son] imagination aimait le mieux à prendre son vol ».

Avec la même nostalgie de ces Orients-là qu'il ne connaîtra jamais, il évoque les longues promenades dans Paris en compagnie de Le Sueur. Berlioz aime marcher, Le Sueur aussi. Côte à côte, ils devisent. Le vieux maître lui raconte « une foule d'anecdotes sur sa jeunesse », qui lui révèlent les mêmes jalousies médiocres qu'il subit déjà, les mêmes élans de bonheur que le siens. Il évoque la hargne de Méhul à son endroit ou, au contraire, l'admiration que Napoléon portait à son opéra, *Les Bardes*, au point de lui offrir, au lendemain de la première représentation, une boîte en or gravée de l'inscription « L'Empereur Napoléon à l'auteur des *Bardes* ». Et puis, dans les rues ou à travers les jardins de Paris, tous deux continuent à parler naturellement de musique et Berlioz argumente avec Le Sueur, pied à pied, puisque le maître a donné l'autorisation à l'élève de discuter ses théories pour mieux se retrouver d'accord avec lui dans une commune admiration pour Virgile, Gluck et Napoléon.

Pour se livrer totalement à sa passion, il reste encore à Berlioz une ultime démarche à effectuer. Les lettres n'ont pas suffi. A La Côte-Saint-André, on n'a pas voulu comprendre. Il lui faut un face-à-face avec son père. Ce sera chose faite, au printemps 1823, au cours d'une visite chez ses parents qui va tourner au drame bourgeois.

« Après un accueil glacial, mes parents m'abandonnèrent pendant quelques jours à mes réflexions, et me sommèrent enfin de choisir un état quelconque, puisque je ne voulais pas de la médecine. Je répondis que mon penchant pour la musique était unique et absolu et qu'il m'était impossible de croire que je ne retournasse pas à Paris pour m'y livrer. “Il faut pourtant bien te faire à cette idée, me dit mon père, car tu n'y retourneras jamais !”

» A partir de ce moment, je tombai dans une taciturnité presque complète, répondant à peine aux questions qui m'étaient adressées, ne mangeant plus, passant une partie de mes journées à errer dans les champs et les bois, et le reste enfermé dans ma chambre. A vrai dire, je n'avais point de projets ; la fermentation sourde de ma pensée et la contrainte que je subissais semblaient avoir entièrement obscurci mon intelligence. Mes fureurs mêmes s'éteignaient, je périssais par défaut d'air... »

Pourtant, le Dr Berlioz semble peu à peu fléchir. Au moins en apparence. Qu'on en juge : « Un matin de bonne heure, mon père vint me réveiller ! “Lève-toi, me dit-il, et quand tu seras habillé, viens dans mon cabinet, j'ai à te parler !" J'obéis sans pressentir de quoi il s'agissait. L'air de mon père était grave et triste plutôt que sévère. En entrant chez lui, je me préparais néanmoins à soutenir un nouvel assaut, quand ces mots inattendus me bouleversèrent : "Après plusieurs nuits passées sans dormir, j'ai pris mon parti... Je consens à te laisser étudier la musique à Paris... mais pour quelque temps seulement ; et si, après de nouvelles épreuves, elles ne te sont pas favorables, tu me rendras bien la justice de déclarer que j'ai fait tout ce qu'il y avait de raisonnable à faire, et te décideras, je suppose, à prendre une autre voie. Tu sais ce que je pense des poètes médiocres ; les artistes médiocres dans tous les genres ne valent pas mieux ; et ce serait pour moi un chagrin mortel, une humiliation profonde de te voir confondu dans la foule de ces hommes inutiles !"

» Je n'en attendis pas davantage pour m'élancer au cou de mon père et promettre tout ce qu'il voulait. "En outre, reprit-il, comme la manière de voir de ta mère diffère essentiellement de la mienne à ce sujet, je n'ai pas jugé à propos de lui apprendre ma nouvelle détermination, et pour nous éviter à tous de scènes pénibles, j'exige que tu gardes le silence et partes pour Paris secrètement." J'eus donc soin, le premier jour, de ne laisser échapper aucune parole imprudente ; mais ce passage d'une tristesse silencieuse et farouche à une joie délirante que je ne prenais pas la peine de déguiser, était trop extraordinaire pour ne pas exciter la curiosité de mes sœurs ; et Nanci, l'aînée, fit tant, me supplia avec de si vives instances de lui en apprendre le motif, que je finis par lui tout avouer... en lui recommandant le secret. Elle le garda aussi bien que moi, cela se devine, et bientôt toute la maison, les amis de la maison, et enfin ma mère en furent instruits... »

C'est la violence de la scène qui va suivre qui a conduit beaucoup de biographes de Berlioz à faire de Joséphine Berlioz le portrait d'une mère intraitable, confite en dévotion et, jusqu'au dernier moment, incapable de deviner le génie de son fils. Certes, en 1823, elle fera preuve d'une terrible sévérité, mais peut-être s'est-elle enfermée elle-même dans une attitude désespérément hostile aux projets de son fils aîné parce qu'elle n'en a été informée que très tardivement. Si Hector lui avait parlé tout de suite, au lieu de promettre à son père de se taire pour tout révéler ensuite à une sœur trop bavarde ! S'il lui avait fait confiance ! Toute la maison savait, elle ne savait pas. En somme, le bon docteur et Hector ont comploté derrière son dos...

Le séjour d'Hector à La Côte-Saint-André fut dès lors fait d'abord de disputes, de suppliques et de criailleries. Mais l'idée de substituer des études de droit aux études de médecine avait fait son chemin dans l'esprit du Dr Berlioz : après tout, pourquoi pas ? Au bruit et à la fureur, succède un calme plat, d'un silence lourd de ce qui n'était pas dit, de rancunes, de menaces implicites. Une épée de Damoclès pendait en somme au-dessus de la tête d'Hector : et si pour une mauvaise mais peut-être même pour une bonne raison, son père décidait de ne plus l'entretenir à faire le musicien à Paris ? Pourtant Hector n'avait plus la moindre intention de louvoyer. L'appui qu'il avait reçu de Le Sueur le renforçait dans sa conviction : il était déjà musicien. Le Dr Berlioz, mis devant le fait accompli, semble avoir capitulé. Mais Joséphine Berlioz ne veut littéralement pas en entendre parler.

A un quart de siècle de distance, dans ce Londres de 1848 où il commence a évoquer ses souvenirs, le fils n'a pas oublié la fureur, puis le silence, de sa mère : « Ma mère donc, persuadée qu'en me livrant à la composition musicale (qui, d'après les idées françaises, n'existait pas hors du théâtre) je mettais le pied sur une route conduisant à la déconsidération en ce monde et à la damnation dans l'autre, n'eut pas plus tôt vent de ce qui se passait, que son âme se souleva d'indignation. Son regard courroucé m'avertit qu'elle savait tout. Je crus prudent de m'esquiver et de me tenir coi jusqu'au moment du départ. Mais je m'étais à peine réfugié dans mon réduit depuis quelques minutes, qu'elle m'y suivit, l'œil étincelant, et tous ses gestes indiquant une émotion extraordinaire : "Votre père, me dit-elle, en quittant le tutoiement habituel, a eu la faiblesse de consentir à votre retour à Paris, il favorise vos extravagants et coupables projets !... je n'aurai pas, moi, un pareil reproche à me faire, et je m'oppose formellement à votre départ ! – Ma mère !... – Oui, je m'y oppose, et je vous conjure, Hector, de ne pas persister dans votre folie. Tenez, je me mets à vos genoux, moi, votre mère, je vous supplie humblement d'y renoncer... – Mon Dieu, ma mère, permettez que je vous relève, je ne puis... supporter cette vue... – Non, je reste !..." et, après un instant de silence : "Tu me refuses, malheureux ! tu as pu, sans te laisser fléchir, voir ta mère à tes pieds ! Eh bien ! pars ! Va te traîner dans les fanges de Paris, déshonorer ton nom, nous faire mourir, ton père et moi, de honte et de chagrin !

Je quitte la maison jusqu'à ce que tu en sois sorti. Tu n'es plus mon fils ! je te maudis !..."

» Cette rude épreuve ne finit pas là. Ma mère avait disparu ; elle était allée se réfugier à une maison de campagne nommée le Chuzeau, que nous avions près de La Côte. L'heure du départ venue, mon père voulut tenter avec moi un dernier effort pour obtenir d'elle un adieu, et la révocation de ses cruelles paroles. Nous arrivâmes au Chuzeau avec mes deux sœurs. Ma mère lisait dans le verger au pied d'un arbre. En nous apercevant, elle se leva et s'enfuit. Nous attendîmes longtemps, nous la suivîmes, mon père l'appela, mes sœurs et moi nous pleurions ; tout fut vain ; et je dus m'éloigner sans embrasser ma mère, sans en obtenir un mot, un regard, et chargé de sa malédiction !... »

La malédiction d'un mère ! Nous sommes en plein roman larmoyant de la fin du siècle précédent. Mais l'artiste-malgré-tout, le génie qui se frappe le front parce que c'est là, précisément, qu'est le génie, est le type même du héros romanesque de son époque. On a déjà prononcé le mot romantisme ? Eh bien, c'est peut-être en ce moment précis, quand Mme Louis Berlioz, née Joséphine Marmion, lance à son fils qu'elle le maudit, que Berlioz devient Berlioz à ses propres yeux, héros infortuné d'une course à la gloire qui fera de lui le seul musicien romantique de France, en même temps qu'un être déchiré, un génie qui se croira toujours méconnu, traînant derrière lui les plus déchirantes amours.

Le 11 mai 1823, au matin, Berlioz a donc repris la route de Paris. Il sera musicien, rien que musicien, totalement musicien. Fût-ce au prix de privations sans nom, d'humiliations et d'échecs, que seule sa détermination, soutenue par une ironie grinçante vis-à-vis de tous et d'abord de lui-même, lui permettra de supporter. A son départ, son père lui a remis la royale somme de quatre cents francs. C'est ce qu'il avait prévu. Avec cette somme il va lui falloir subsister deux mois... Ensuite, on verra.

3
La vie d'artiste

Dès son retour, Berlioz se lance à cœur perdu dans la vie parisienne qui sera la sienne : celle du musicien romantique qu'il brûle de devenir. Et pour cela, c'est la chandelle qu'il faut d'abord brûler par les deux bouts, c'est-à-dire accepter la vie dans les galetas, les repas à la gargote du coin, mais déjà les nouveaux amis, ceux du Conservatoire et ceux des petits journaux qu'il commence à fréquenter. Car, en même temps que la musique, la passion de faire partager ses enthousiasmes l'habite plus que jamais. Très vite, il publiera ses premiers articles, d'une vigueur polémique inouïe, pour dire ses haines ou crier ses passions. Il faut qu'il soit au Conservatoire, oui, mais aussi partout à la fois. Il s'agite, se démène, s'échauffe, se fâche. De l'Opéra ou du Théâtre-Italien aux cafés où se font les opinions, Tortoni ou le Café anglais, de salle de rédaction en salons amis, il commence à parcourir Paris en tous sens, crinière au vent et le nez dans le sens de la marche : droit devant. En quelques mois, avec une formidable audace, il joue le tout pour le tout, comme il le jouera toute sa vie. C'est que, ce jeu-là, d'autres s'y risquent une fois, deux fois : pour Berlioz, c'est la seule façon de vivre. Et la seule façon de ne pas mourir d'ennui : prendre tous les risques, et un de plus. Pour la musique.

Mais la musique, il la lui faut d'abord apprendre. Parce qu'il ne sait rien, Berlioz, ou presque rien, de ce qui n'est pas seulement une vocation ancrée en pleine chair, mais aussi un métier, avec des règles élémentaires qu'il ignore, tout simplement. Et ce n'est pas le flageolet et la guitare, ni même la lecture passionnée des partitions de Gluck au Conservatoire, voire l'audition, soir après soir, de tout le répertoire de l'Académie royale de musique ou de l'Opéra-Comique qui peuvent suffire à lui apprendre ce qu'il n'a jamais appris.

Le Sueur va jouer un rôle capital dans son initiation. Elève libre du vieux maître, Berlioz s'imprègne d'un enseignement qu'il discute, certes, mais qui lui permettra, en deux ans, de s'habituer à ces règles qu'il ignore. Peut-être est-ce d'ailleurs parce qu'il a appris si tard des règles si importantes qu'il sera, si vite, un si grand novateur : rapidement, en effet, il transcendera ce qu'on lui enseigne. Et voilà un autre trait fondamental de la personnalité d'Hector Berlioz. Il apprend tard, mais il apprend vite et, plus vite encore, il apprend à aller plus loin que la rhétorique dont se satisfont ses camarades. Elevés dans le sérail, ils se sont laissé bercer par ses lois, eux. Berlioz, lui, écoute, en prend mais en laisse.

D'abord, il ambitionne d'écrire un opéra. On n'est jamais plus sérieux que quand on a vingt ans – et quoi de plus sérieux qu'un opéra pour un compositeur de ce temps-là ? La musique de chambre est un sujet de divertissement. La musique symphonique n'existe presque pas en France : l'opéra seul est un art à part entière. Le premier compositeur venu n'a qu'une ambition : écrire un opéra. Faire jouer un opéra sur une vraie scène d'opéra – et naturellement à l'Académie royale de musique, qui est la première – est le seul moyen de s'affirmer musicien aux yeux du bon peuple, du public mais aussi des confrères, des autres, ceux qu'on regarde loin devant ou tout près, derrière, et qui vous talonnent. Dans toute la première partie du XIXe siècle, l'opéra seul est le genre musical, noble ou pas, par excellence. C'est pour cela qu'à côté de l'Académie royale, trois, quatre autres scènes parisiennes jouent aussi l'opéra. Tout cela est réglementé, codifié, on le verra plus tard. Mais pour le moment, notre Hector de vingt ans n'en a cure : il veut, il va écrire un opéra. A quarante ans, la même obsession sera toujours la sienne. Alors, sans l'ombre d'une hésitation, sans l'idée d'un sujet particulier non plus, il prend sa plus belle plume pour écrire à François Andrieux, dont il suit les leçons au Collège de France. C'est un aimable vieux monsieur, membre de l'Institut depuis 1795, qui a fait partie du Conseil des Cinq-Cents et du Tribunat : ce « spirituel vieillard » accepterait-il d'écrire un livret pour lui ? Sa caution littéraire aurait été précieuse. Et tout de suite, un premier échec. Pas vraiment une rebuffade, mais un échec, oui. M. Andrieux refuse mais sa réponse est à la hauteur de sa réputation d'homme d'esprit : « J'ai soixante-quatre ans, il me conviendrait mal de vouloir faire des vers d'amour, et en fait de musique, je ne dois plus guère songer qu'à la messe de *Requiem*... » Il mourra seulement dans dix ans mais, bon pied bon œil, il aura fait l'effort d'aller porter en personne sa réponse au domicile du jeune compositeur ambitieux. Pas d'opéra avec Andrieux ? Berlioz se dit « découragé » mais il essaie ailleurs. Et d'avoir cette fois recours à l'ami Gerono, à qui il doit de connaître Le Sueur. « Je lui demandai (admirez ma candeur) de me dramatiser l'*Estelle* de Florian. Il s'y décida, et je mis son *œuvre* en musique. Personne heureusement n'entendit jamais rien de cette composition suggérée par mes souvenirs de Meylan. Souvenirs impuissants ! car ma partition fut aussi ridicule, pour ne pas dire plus, que la pièce et les vers de Gerono. »

Un refus, un échec : il se lance alors dans un oratorio, *Le Passage de la mer Rouge* sur un texte latin, qu'il ne conservera pas davantage que son premier essai de pastorale sucrée. Du coup, il regarde du côté du drame et du roman noir. Il ne se fait pourtant guère plus d'illusions... A la douce *Estelle* toute pleine des images du brodequin rose tendre de la jeune fille de Meylan, succède une scène fort sombre, au contraire, empruntée à un drame à la mode, *Beverley ou le Joueur*. « Je me passionnai sérieusement pour ce fragment de musique violente écrit pour voix de basse avec orchestre, et que j'eusse voulu entendre chanter par Dérivis, au talent duquel il me paraissait convenir [Dérivis est cette basse noble qu'il a admirée tant de fois à l'Opéra, aux côtés de Mme Branchu]. Le difficile était de découvrir une occasion favorable pour le faire exécuter. »

Il croit avoir trouvé cette occasion favorable d'en parler en voyant annoncer, au Théâtre-Français, une représentation au bénéfice de Talma, l'immense tragédien protégé de Napoléon, qui devait mourir trois ans plus tard. Talma avait alors soixante ans. Plus que jamais, on se battait pour l'entendre : Talma, magnanime, ne peut refuser de lui donner sa chance. Alors Berlioz ne fait ni une ni deux. Il court chez le grand tragédien puis hésite et renonce sous le coup de l'émotion.

Notre seul sujet d'étonnement : le manque d'audace du jeune homme en cette occasion. Au fond, Talma et lui sont pourtant de la même race. Ils cultivent la même démesure. C'est peut-être cela qui a troublé Berlioz. Mais l'accès de timidité de notre jeune homme face aux grands de ce monde sera de brève durée. Un an après, il n'hésitera pas à frapper à la porte d'un autre maître : c'est au grand violoniste Kreutzer qu'il demandera d'interpréter pour lui une *Scène héroïque grecque* à l'un des Concerts spirituels. Kreutzer refusera, mais n'a-t-il pas refusé à Beethoven la sonate qui porte son nom ? De même, Berlioz n'hésitera pas davantage à demander de l'argent pour se faire jouer : douze cents francs. Et à qui ? Tout simplement à Chateaubriand. Il s'agit de faire donner une messe, cette fois. Fort civilement, l'écrivain qu'il admire répondra qu'il ne dispose pas de cette somme. « Je vous les enverrais, si je les avais... » Manque d'audace auprès de Talma ? peut-être. Mais du découragement ? sûrement pas.

Bien qu'il ait dû, probablement pour répondre à un nouveau revirement de son père, s'inscrire pour la forme au baccalauréat ès sciences physiques nécessaire à l'obtention d'une licence en droit, Berlioz ne cesse de composer. Il écrit à tout-va, chez lui, à la bibliothèque du Conservatoire, dans les cafés. Ses amis le surprennent à griffonner des notes sur des bouts de papier. Alors, il tente encore une fois de convaincre sa famille. Même s'il a peut-être envoyé son cousin Alphonse passer l'examen à sa place – avec Berlioz, tout est possible ! – il a quand même obtenu le baccalauréat ès sciences physiques en question. Ça ne peut que faire plaisir au Dr Berlioz... Et voilà de nouveau Hector, en juin 1824, à La Côte-Saint-André où les choses se passent aussi mal qu'on pouvait s'y attendre.

Le journal que tient alors Nanci est éloquent : « Maman continue à pleurer, mon frère est toujours aussi impossible, mon père Dieu sait ce qu'il souffre de tout cela. » Ou encore : « Mon père est prodigieusement affligé. "J'ai toujours été malheureux, me disait-il... Voilà maintenant que le fils qui devait faire ma consolation détient le bonheur dont je pouvais jouir." » Nanci Berlioz, d'ailleurs, a bien cessé d'être la confidente d'Hector. Il continuera à lui écrire jusqu'à ce qu'il épouse une femme dont elle ne voudra pas entendre parler, mais la jolie confiance des premières années est cassée. Nanci devient peu à peu hostile, méfiante : « Mon frère est toujours aussi inébranlable dans ses faux principes et dans sa désolante résolution. » Pour conclure, après qu'Hector a quitté La Côte : « Il est parti ! Non sans nous faire verser beaucoup de larmes, surtout à Maman. » On dirait bien que, cette fois encore, Hector est parti sans dire au revoir à sa mère.

Presque aussitôt, en réponse à de nouveaux reproches du Dr Berlioz, vient l'une de ses plus belles lettres à son père. Ce ne sont plus cette fois ni jérémiades ni invocation aux dieux, à la nature ou à son propre génie. C'est tout simplement l'affirmation réfléchie, argumentée, de ce en quoi il croit : la musique qu'il veut composer, le musicien qu'il sait qu'il sera. Ecrite par un jeune homme de vingt et un ans, cette lettre du 31 août 1824 mérite d'être citée :

« Mon cher papa, je n'ai pas besoin de vous dire combien votre lettre m'a surpris et navré, vous n'en doutez certainement pas, et j'ose espérer que votre cœur désavoue les cruelles phrases qu'elle contenait...

» Je suis entraîné involontairement vers une carrière magnifique (on ne peut donner d'autre épithète à celle des arts) et non pas vers ma perte ; car je crois que je réussirai, oui, je le crois, il ne s'agit plus de considérations de modestie ; pour vous prouver que je donne rien au hasard, je pense, je suis convaincu que je me distinguerai en musique, tout me l'indique extérieurement ; et dans moi-même la voix de la nature est plus forte que les plus rigoureux arrêts de la raison. J'ai toutes les chances imaginables pour moi, si vous voulez me seconder ; je commence jeune, je n'aurai pas besoin de donner des leçons comme tant d'autres pour m'assurer une existence ; j'ai quelques connaissances et possède les éléments de quelques autres de manière à pouvoir un jour les approfondir, et certes j'ai éprouvé des passions assez fortes pour ne pas me méprendre sur leurs accents toutes les fois qu'il s'agira de les peindre ou de les faire parler.

» Si j'étais condamné sans rémission à mourir de faim dans le cas de non-réussite (je n'en persisterais pas moins à la vérité), vos raisons du moins et votre inquiétude seraient plus fondées ; mais il n'en est rien... Enfin je veux me faire un nom, je veux laisser sur la terre quelques traces de mon existence ; et telle est la force de ce sentiment qui en lui-même n'a rien que de noble, que j'aimerais mieux être Gluck ou Méhul mort que ce que je suis dans la fleur de l'âge...

» Telle est ma manière de penser, tel je suis, et rien au monde ne pourra me changer ; vous pourriez me retirer tout secours, me forcer de quitter Paris, mais je ne le crois pas, vous ne voudriez pas ainsi me faire perdre les plus belles années de ma vie, et briser l'aiguille aimantée, ne pouvant l'empêcher d'obéir à l'attraction des pôles. »

De retour à Paris, Hector a repris son travail. Tout. N'importe quoi : écrire, composer. Dans les mêmes cafés, sa chambre, la bibliothèque du Conservatoire. Il travaille sans relâche. Et voilà que, soudain, le ciel sombre s'éclaire.

Berlioz ambitionne de composer une messe, comme son maître Le Sueur. Un M. Masson, maître de chapelle de l'église de Saint-

Roch, lui propose d'écrire une messe solennelle pour la fête patronale des enfants de chœur le jour de Saints-Innocents. On a tout prévu, cent musiciens d'orchestre, plus encore de choristes. Et Berlioz s'enflamme. Enfin l'occasion lui est donnée, servie même sur un plateau d'argent, de se faire entendre ! Plus besoin de courir les librettistes ou de frapper à la porte d'un grand homme : il n'a qu'à la composer, sa messe, on la jouera sur-le-champ. Alors il se met au travail avec ardeur, achève son monument et le remet à M. Masson : on étudiera les parties de chant pendant un mois ; la copie ne coûtera rien, elle sera faite gratuitement et avec soin par les enfants de chœur de Saint-Roch.

Berlioz est plein d'espoir : c'est le désastre. « Le jour de la répétition générale arriva, et nos *grandes masses* vocales et instrumentales réunies, il se trouva que nous avions pour tout bien vingt choristes, dont quinze ténors et cinq basses, douze enfants, neuf violons, un alto, un hautbois, un cor et un basson. “Soyez tranquille, disait toujours maître Masson, il ne manquera personne demain à l'exécution. Répétons ! répétons !” Valentino [le chef d'orchestre de l'Opéra que Le Sueur avait convaincu de participer à l'entreprise], résigné, donne le signal, on commence ; mais, après quelques instants, il faut s'arrêter à cause des innombrables fautes de copie que chacun signale dans les parties. Ici on a oublié d'écrire les bémols et les dièses à la clef ; là il manque dix pauses ; plus loin on a omis trente mesures. C'est un gâchis à ne pas se reconnaître ; et nous devons enfin renoncer absolument, pour cette fois, à réaliser mon rêve si longtemps caressé d'une exécution à grand orchestre... »

Ainsi, pour la première fois, Berlioz se voit accorder la chance d'être joué. En public. Dans une église. Avec de vrais interprètes – fussent-ils peu nombreux – et le résultat est catastrophique. Il a vingt et un ans et raté son premier concert ! Bien sûr, il peut ensuite nous affirmer que la leçon reçue n'a pas été perdue, qu'il va en profiter pour corriger les défauts de la partition. Il peut surtout s'affirmer à lui-même qu'il s'assurera désormais toujours personnellement de la qualité des copies de ses œuvres ; il n'en reste pas moins que : « Mes parents, avertis de ce fiasco, ne manquèrent pas d'en tirer un vigoureux parti pour battre en brèche ma prétendue vocation et tourner en ridicule mes espérances. Ce fut la lie de mon calice d'amertume. Je l'avalai en silence et n'en persistai pas moins. » C'était le 27 décembre 1824. Mais ce n'est que le premier des divers cataclysmes, désastres et autres catastrophes que, sa vie durant, va rencontrer Berlioz face à des orchestres incompétents, des chefs hostiles, des instrumentistes épuisés d'avance par l'effort qu'exige la musique qu'il écrit. Et des scènes comme celles de l'église Saint-Roch, quatre jours avant la fin de l'année 1824, ne vont que trop souvent se reproduire. Chaque fois, elles laisseront sur le flanc le compositeur pour qui seule compte sa musique.

La vérité, c'est que le malheureux Berlioz est aux abois. Cela fait trois ans qu'il est à Paris, il se dit musicien, le proclame sur tous les tons, mais commence tout juste à apprendre l'harmonie et n'a pas fait entendre une note, une seule note de sa musique à personne. Les poètes, au moins, peuvent faire imprimer quelques vers ; les peintres barbouillent ; lui ne peut que se taire. D'ailleurs, écrire quelques rimes ou barbouiller une toile n'aurait jamais été son ambition. Un opéra : voilà ce qu'il veut écrire. A la rigueur, une messe, ou n'importe quoi, mais de grand. Il dira bientôt : de « pyramidal » ! Mais jusqu'ici il en est pour ses frais. Et sa famille continue à ne rien vouloir entendre. Le voyage d'été à La Côte-Saint-André n'a apporté qu'un court sursis au fils de moins en moins obéissant du bon docteur. Là-dessus, est arrivée la nouvelle du désastre de la messe ratée à l'église Saint-Roch qui a achevé d'exaspérer ceux de La Côte : pour eux, il ne fait aucun doute que, depuis des années, Hector se berce d'illusions et berce d'ailleurs avec lui tous les siens. En février 1825, le Dr Berlioz n'y va plus par quatre chemins : cette fois, il coupe vraiment les vivres à son fils. Et lorsqu'un peu plus tard, le 10 juillet, la messe solennelle sera enfin donnée avec succès, qu'Hector aura abreuvé sa famille d'enthousiastes descriptions du concert, accompagnées de références aux critiques de la presse, qui, du *Moniteur* à *La Quotidienne*, ont applaudi l'œuvre, il recevra de Nanci, qui n'est décidément plus la Nanci des jeunes années, la plus désolante des réponses : « Je ne viens point, mon cher Hector, joindre les transports de l'enthousiasme et entonner une *ode* à ta louange, je viens simplement t'assurer que je n'ai point été indifférente à tes succès, à cause du plaisir qu'ils t'ont causé, tu as été heureux quelques instants ou plutôt l'ivresse de ton triomphe dure encore. C'est assez pour que je sois contente sans que la vanité ou l'orgueil viennent s'y mêler. Je voudrais, cher ami, ajouter à ta joie en te disant qu'elle a été partagée par nos parents, mais tu ne tarderais pas à découvrir l'artifice que me suggère mon amitié et il t'en coûterait trop d'être désabusé, ainsi j'aime mieux te parler sans détour, mon père ne souffre pas qu'on le félicite à ce sujet. »

C'est bien dit sans détour : tant que le succès tardait, le Dr Berlioz fulminait. Le succès arrive – enfin : il semble arriver –, le Dr Berlioz ne veut pas en entendre parler. L'aveuglement est total : Hector, en dépit des louanges du *Moniteur*, du *Corsaire* ou des *Débats*, doit revenir au foyer. Cela fait pourtant longtemps que Berlioz est irrécupérable...

Il n'a que vingt-deux ans mais commence à se faire une place à Paris. Une place de premier rang, même, parmi les jeunes enthousiastes de musique comme lui, les aficionados qui vivent littéralement de l'opéra, qui ne ratent aucune représentation, connaissent par cœur les partitions, en parlent entre eux, s'excitent les uns les autres et applaudissent à tout rompre ou huent sans retenue. Selon l'œuvre donnée, on se précipite pour applaudir ou, au contraire, pour conspuer. Qu'on change le programme sans prévenir, qu'on prenne des libertés avec la partition et Berlioz fulmine. Qu'un inconnu admire comme lui ce qu'il aime, il en verse des larmes. Avec une bande d'amis aussi fanatiques que lui, tels Léon de Boissieux, un ancien condisciple du séminaire de La Côte, ou surtout cet Auguste de Pons qu'on reverra vite et qui fonda même une école de chant pour mettre en œuvre les principes qu'il soutenait, Hector Berlioz crée une nouvelle forme de critique musicale. A coups de gueulante (il n'y a pas d'autre mot), voire à coups de poing, mais aussi en lançant au moment voulu des salves d'applaudissements, il invente ce qu'il appelle lui-même « la critique en action ». Le récit que Berlioz donne dans les *Mémoires* de ses hauts faits se suffit à lui-même :

« Mais si quelques-uns de mes amis étaient de fidèles sectateurs de cette religion musicale, je puis dire sans vanité que j'en étais le pontife. Quand je voyais faiblir leur ferveur, je la ranimais par des prédications dignes des saint-simoniens ; je les amenais à l'Opéra bon gré, mal gré, souvent en leur donnant des billets achetés de mon argent, au bureau, et que je prétendais avoir reçus d'un employé de l'administration. Dès que, grâce à cette ruse, j'avais entraîné mes hommes à la représentation du chef-d'œuvre de Gluck, je les plaçais sur une banquette de parterre, en leur recommandant bien de n'en pas changer, vu que toutes les places n'étaient pas également bonnes pour l'audition, et qu'il n'y en avait pas une dont je n'eusse étudié les défauts ou les avantages. Ici on était trop près des cors, là on ne les entendait pas ; à droite, le son des trombones dominait trop ; à gauche, répercuté par les loges du rez-de-chaussée, il produisait un effet désagréable ; en bas, on était trop près de l'orchestre, il écrasait les voix ; en haut, l'éloignement de la scène empêchait de distinguer les paroles, ou l'expression de la physionomie des acteurs ; l'instrumentation de cet ouvrage devait être entendue de tel endroit, les chœurs de celui-ci de tel autre. [...]

» Une fois ces instructions données, je demandais à mes néophytes s'ils connaissaient bien la pièce qu'ils allaient entendre. S'ils n'en avaient pas lu les paroles, je tirais un livret de ma poche, et, profitant du temps qui nous restait avant le lever de la toile, je le leur faisais lire, en ajoutant aux principaux passages toutes les observations que je croyais propres à leur faciliter l'intelligence de la pensée du compositeur. [...]

» Connaissant à fond la partition qu'on exécutait, il n'était pas prudent non plus d'y rien changer ; je me serais fait tuer plutôt que de laisser passer sans réclamation la moindre familiarité de cette nature prise avec les grands maîtres. [...] Ainsi, un jour, il s'agissait d'*Iphigénie en Tauride,* j'avais remarqué à la représentation précédente qu'on avait ajouté des cymbales au premier air de danse des Scythes en *si* mineur, où Gluck n'a employé que les instruments à cordes, et que dans le grand récitatif d'Oreste, au troisième acte, les parties de trombones, si admirablement motivées par la scène et écrites dans la partition, n'avaient pas été exécutées. J'avais résolu, si les mêmes fautes se reproduisaient, de les signaler. Lors donc que le ballet des Scythes fut commencé, j'attendis mes cymbales au passage ; elles se firent entendre comme la première fois dans l'air que j'ai indiqué. Bouillant de colère, je me contins cependant jusqu'à la fin du morceau, et profitant aussitôt du court moment de silence qui le sépare du morceau suivant, je m'écriai de toute la force de ma voix : “Il n'y a pas de cymbales là-dedans ; qui donc se permet de corriger Gluck ?”

» On juge de la rumeur ! Le public qui ne voit pas très clair dans toutes ces questions d'art, et à qui il était fort indifférent qu'on changeât ou non l'instrumentation de l'auteur, ne concevait rien à la fureur de ce jeune fou du parterre. Mais ce fut bien pis quand, au troisième acte, la suppression des trombones du monologue d'Oreste ayant eu lieu comme je le craignais, la même voix fit entendre ces mots : “Les trombones ne sont pas partis ! C'est insupportable !”

» L'étonnement de l'orchestre et de la salle ne peut se comparer qu'à la colère (bien naturelle, je l'avoue) de Valentino qui dirigeait ce soir-là... Mais je sais bien qu'aux représentations suivantes, tout rentra dans l'ordre, les cymbales se turent, les trombones jouèrent, et je me contentai de grommeler entre mes dents : "Ah ! c'est bien heureux !" [...]

» C'est là le mauvais côté de la critique en action que nous exercions si despotiquement à l'Opéra ; le beau, c'était notre enthousiasme quand tout allait bien.

» Il fallait voir alors avec quelle frénésie nous applaudissions les passages auxquels personne dans la salle ne faisait attention, tels qu'une belle basse, une heureuse modulation, un accent vrai dans un récitatif, une note expressive de hautbois, etc., etc. Le public nous prenait pour des claqueurs aspirant au surnumérariat ; tandis que le chef de claque qui savait bien le contraire, et dont nos applaudissements intempestifs dérangeaient les savantes combinaisons, nous lançait de temps en temps un coup d'œil digne de Neptune prononçant le *quos ego.* Puis dans les beaux moments de Mme Branchu, c'étaient des exclamations, des trépignements qu'on ne connaît plus aujourd'hui, même au Conservatoire, le seul lieu de France où le véritable enthousiasme musical se manifeste encore quelques fois... »

Malheur, dès lors, pour qui ne partageait pas ces délires : la cruauté de Berlioz – et de ses compagnons – était terrible. Ainsi ce pauvre garçon, dont il raconte la mésaventure dans l'une des nouvelles les plus simplement amusantes réunies dans son premier ouvrage littéraire publié, *Les Soirées de l'orchestre* : incapable d'admirer le *Freischütz* de Weber, le béotien est « roulé à terre » par Berlioz et ses amis, parmi lesquels un futur médecin qui s'écrie, rajustant sa cravate après l'avoir corrigé : « Il n'y a rien d'étonnant, je le connais. C'est un garçon épicier de la rue Saint-Jacques. » Mais le béotien en question mourra d'indigestion un mois plus tard et son corps tombera, comme par hasard, sous le scalpel de dissection du carabin. Et celui-ci de reconnaître l'imbécile qui avait osé siffler l'air d'Agathe, chef-d'œuvre de la partition de Weber. C'est avec délectation que Berlioz rapporte alors comment fut vengé Weber. On décida en effet de conserver sous forme de squelette un aussi lamentable spécimen de l'espèce humaine. C'était d'ailleurs dans l'air du temps : l'étudiant dans la dèche se servait d'un crâne humain en guise de pot à tabac. Si bien que, des années plus tard, alors qu'on reprend le *Freischütz* à l'opéra et qu'on a besoin d'un squelette sur la scène, ce sera celui du pauvre épicier siffleur de Weber qui fera ainsi, malgré lui, ses débuts à l'Opéra. Et dans le *Freischütz* précisément. L'humour macabre de l'aventure ne peut qu'aller de pair avec le goût de *Marches au supplice* et autre *Gibet* de l'auteur de la *Symphonie fantastique*...

C'est à l'Opéra que Berlioz va « découvrir » Mozart. Plus tard, il déchiffrera avec passion ses quatuors et ses quintettes, quelques-unes de ses sonates pour piano. Mais il commence par les opéras. Il a un préjugé défavorable envers eux pour la seule raison que *Don Juan* ou *Les Noces de Figaro* sont écrits sur des livrets italiens ! D'où le sentiment qu'ils appartiennent à l'« école ultramontaine » qu'il méprise si fort. Certains passages de *Don Juan* le choquent. Ainsi, la « déplorable vocalise » de Dona Anna, au deuxième acte : il n'a pas de mots assez durs pour qualifier ces « indécentes » bouffonneries. Ce qui ne l'empêche pas de parler de la « lumineuse partition » de Mozart. En revanche, il aime d'entrée de jeu *La Flûte enchantée*. Sauf quand il l'entend, sous le titre des *Mystères d'Isis*, transformée en arrangement, *pasticcio* mitonné par un compositeur allemand appelé à la rescousse par la direction de l'Opéra qui en avait déjà chamboulé le livret. Et voilà encore un trait du caractère de Berlioz : il est intraitable quand il s'agit de l'intégrité d'une œuvre. S'il proteste avec la dernière véhémence contre ou pour l'introduction de cymbales dans un air d'opéra, que dire lorsqu'on défigure un opéra tout entier !

Mozart entre donc à son tour dans le panthéon musical de Berlioz. Un autre compositeur va bientôt l'y suivre. Et ce sera une immense affaire. Il s'agit de Weber. Carl Maria von Weber, l'auteur d'*Euryanthe*, bientôt d'*Obéron*, mais surtout du *Freischütz* (*Le Chasseur maudit*) déjà cité, l'œuvre clef qui amènera à la fois le renouveau de l'opéra allemand et, plus généralement, la naissance de l'opéra romantique.

Berlioz n'a jamais rencontré Weber. Jouant de malchance, il l'a croisé trois fois en une journée et l'a trois fois raté. C'était en février 1826. De passage à Paris avant de partir en Angleterre, Weber rendit visite à Le Sueur. Berlioz arriva chez son maître quelques instants trop tard. Il tenta en vain de le retrouver, le suivant littéralement à la trace dans un magasin de musique, puis au foyer de l'Opéra. Sans succès. « Trop inconnu pour oser lui écrire, et sans amis en position de me présenter à lui, je ne parvins pas à l'apercevoir, » note-t-il, mélancoliquement. Moins de deux mois après, Weber devait mourir à Londres.

Mais Berlioz avait entendu le *Freischütz*. C'était à l'Odéon, un peu plus d'un an plus tôt, en décembre 1824, et ç'avait été pour lui une révélation. LA révélation. Quitte à brûler un peu ce qu'il a adoré (Spontini...), il s'enthousiasme pour cette histoire tout droit issue du roman noir et fantastique qui faisait fureur à l'époque. On y voit un jeune chasseur vendre son âme au diable pour la balle d'argent – fondue de nuit, épouvante ! dans le redoutable paysage d'une gorge du Loup maléfique –, avant d'être sauvé par un ermite venu de nulle part et qui y retourne aussitôt. Les coups de théâtre dramatiques et les effets sonores, voix de l'enfer ou coups de feu, y abondent et c'est pour Berlioz un véritable coup de foudre.

« Ce nouveau style, contre lequel mon culte intolérant et exclusif pour les grands classiques m'avait d'abord prévenu, me causa des surprises et des ravissements extrêmes malgré l'exécution incomplète ou grossière qui en altérait les contours. Toute bouleversée qu'elle fût, il s'exhalait de cette partition un arôme sauvage, dont la délicieuse fraîcheur m'enivrait. Un peu fatigué, je l'avoue, des allures solennelles de la muse tragique, les mouvements rapides, parfois d'une gracieuse brusquerie, de la nymphe des bois, ses attitudes rêveuses, sa naïve et virginale passion, son chaste sourire, sa mélancolie, m'inondèrent d'un torrent de sensations jusqu'alors inconnues. »

Mais, une fois de plus, les fabricants de marmelade de la musique des autres ont frappé. Cette fois, c'est Castil-Blaze, musicologue reconnu dont les œuvres hantent encore quelques-unes de nos bibliothèques, qui a mis le chef-d'œuvre de Weber au goût parisien, sous le titre plus évocateur, pour un public d'ignorants, de *Robin des Bois*. Et même s'il a admiré ce qu'il a pu en écouter à l'Odéon, entre les ajouts, rajouts et autres impertinences de Castil-Blaze, ce n'est pas vraiment le *Freischütz* que Berlioz a entendu. N'importe. Pour lui, tout y est poésie, mouvement, contrastes. C'est l'œuvre qu'il ambitionne en somme de créer un jour. « Le surnaturel y amène des effets étranges et violents. La mélodie, l'harmonie et le rythme combinés tonnent, brûlent et éclairent ; tout concourt à éveiller l'attention. Les personnages, en outre, pris dans la vie commune, trouvent de plus nombreuses sympathies ; la peinture de leurs sentiments, le tableau de leurs mœurs, motivent aussi l'emploi d'un moins haut style, qui, ravivé par un travail exquis, acquiert un charme irrésistible, même pour les esprits dédaigneux de jouets sonores, et ainsi paré, semble à la foule l'idéal de l'art, le prodige de l'invention. »

Jamais la passion de Berlioz pour le *Freischütz* ne faiblira. On verra d'ailleurs comment, le moment venu, lui non plus n'hésitera pas à « modifier » le chef-d'œuvre de Weber pour y ajouter des récitatifs chantés. Mais ce sera alors du Berlioz, et du grand Berlioz – et non de ce Castil-Blaze qu'il qualifie de « musicien-vétérinaire ».

Face à ces génies qu'il vénère, de Gluck à Weber, c'est d'abord la guerre qu'il mène contre Rossini qui va néanmoins l'occuper presque à plein temps... Rossini, installé aux commandes du Théâtre-Italien depuis 1824, est en effet l'objet de tout son mépris. Coïncidence ? C'est le 1er décembre 1824 que Rossini a pris ses fonctions et le 7 du même mois que Weber a conquis l'Odéon. Mais le succès de Rossini est insupportable à Berlioz qui y voit, poussé jusqu'à la caricature, ce qu'il hait à l'opéra : le style italien. Là aussi, les *Mémoires* sont sans nuances : « Quant à Rossini et au fanatisme qu'il excitait depuis peu dans le monde fashionable de Paris, c'était pour moi le sujet d'une colère d'autant plus violente, que cette nouvelle école se présentait naturellement comme l'antithèse de celles de Gluck et de Spontini. Ne concevant rien de plus magnifiquement beau et vrai que les œuvres de ces grands maîtres, le cynisme mélodique, le mépris de l'expression et des convenances dramatiques, la reproduction continuelle d'une formule de cadence, l'éternel et puéril crescendo, et la brutale grosse caisse de Rossini, m'exaspéraient au point de m'empêcher de reconnaître jusque dans son chef-d'œuvre *(Le Barbier)*, si finement instrumenté d'ailleurs, les étincelantes qualités de son génie. Je me suis alors demandé plus d'une fois comment je pourrais m'y prendre pour miner le Théâtre-Italien et le faire sauter un soir de représentation, avec toute sa population rossinienne. Et quand je rencontrais un de ces *dilettanti*, objets de mon aversion : "Gredin ! grommelais-je, en lui jetant un regard de Shylock, je voudrais pouvoir t'empaler avec un fer rouge !" Je dois avouer franchement qu'au fond j'ai encore aujourd'hui, au meurtre près, ces mauvais sentiments et cette étrange manière de voir. Je n'empalerais certainement personne *avec un fer rouge*, je ne ferais pas sauter le Théâtre-Italien, même si la mine était prête et qu'il n'y eût qu'à y mettre le feu, mais j'applaudis de cœur et d'âme notre grand peintre Ingres, quand je l'entends dire en parlant de certaines œuvres de Rossini : "C'est la musique d'un malhonnête homme !" »

C'est pour Gluck et contre Rossini, contre ces ridicules *dilettanti* qui en font leur idole qu'il a publié, très tôt, dans le journal *Le Corsaire*, qui commençait alors à paraître, trois articles qui constituent une véritable profession de foi. Très tôt, car le premier de ces articles date du 12 août 1823. Il est seulement signé « Hector B... » et c'est le premier texte publié de Berlioz. Les autres suivront à quelques semaines d'intervalle.

Au-delà d'une controverse musicale telle qu'un demi-siècle plus tôt le débat entre gluckistes et piccinnistes, au-delà même d'une querelle esthétique, Berlioz prend en réalité part à un combat artistique, voire idéologique, beaucoup plus important. On a déjà usé du mot mais il doit être répété : Berlioz est un romantique. Le romantisme, venu d'Allemagne, est en train de conquérir la France. Lamartine a publié ses *Méditations poétiques* dès 1820, Vigny écrit ses premiers poèmes en 1822. En 1822 aussi, Hugo donne ses *Odes*. La même année, Charles Nodier publie *Trilby ou le Lutin d'Argail* et fonde le « Cénacle » en 1823 avant de devenir, en 1824, l'amphitryon de la Bibliothèque de l'Arsenal, ouverte à tous les vents de l'esprit, c'est-à-dire un seul : celui de ses amis. *Les Massacres de Scio,* de Delacroix, est exposé en 1824. La peinture, les lettres se sont faites romantiques. Et la musique ? Eh bien, la musique traîne encore, au mieux, dans les sillons depuis longtemps labourés du néoclassicisme. Mais voilà Berlioz qui entre dans la carrière qui sera la sienne à la naissance du romantisme, ou presque. Dès lors, toute sa vie, il restera un romantique. Alors même que le romantisme aura vécu depuis longtemps. Il suffit de le regarder. Le célèbre portrait peint à la Villa Médicis par le peintre Signol est déjà parlant : la broussaille des cheveux roux, le désordre des boucles, les sourcils épais, froncés, le nez dessiné sans concession, l'œil perdu en un point pourtant très précis et la cravate rouge négligemment nouée. Encore sa silhouette n'apparaît-elle pas sur le tableau. Mais les centaines de caricatures que l'on a faites de lui le révèlent ardent parfois jusqu'au grotesque, déchaîné au point de ressembler à un pastiche de lui-même, sa taille courte, nerveuse, ses gestes brusques, sa crinière hirsute...

On a vu son écriture, ses cris d'indignation de bonheur, de douleur. On a entendu son mépris pour ce qui ne lui ressemble pas. On verra sa haine des bourgeois de Grenoble, d'autres lettres le montrent plus méprisant encore envers ceux qui n'ont pas le bonheur de partager ses admirations. Il est seul, lui, face à tous. Il est artiste, lui. Il croit en l'art comme en l'amour : rien d'autre n'a de place dans sa vie. Dans la vie. Le romantisme, c'est le culte de l'individu face à la société, celui de l'artiste, celui de l'excès qui magnifie ce qu'il enveloppe. C'est la dissonance qui fait éclater l'harmonie des classiques. La règle des trois unités vole en éclats. Les genres littéraires – ou musicaux ? – éclatent avec elle. Les mots roulent, sonores, violents ou heurtés. Le cœur parle avant la raison. Et la nature devient une religion. On a vu ses formidables promenades à pied dans la campagne. Il regarde. Il écoute. Il sent. La nature selon Berlioz, c'est naturellement celle qu'invoque le Faust de Goethe dès 1806 et que son Faust à lui invoquera à son tour, immense et panthéiste. Mais c'est aussi le calme du soir sur des prairies accrochées au flanc des montagnes, au-dessus de Meylan. L'amour et le souvenir y rejoignent la plénitude du paysage. On l'a vu parcourir des dizaines de lieues à pied, entre La Côte et Grenoble, on le verra se perdre dans des vallons déserts, s'émerveiller du chant de l'alouette ou de celui d'un joueur de flûte sauvage quelque part du côté de Subiaco ou de Palestrina : Berlioz voit le monde et le traduit comme le font Hugo, Delacroix, Alexandre Dumas, chacun dans la langue qui est la sienne.

D'ailleurs, ceux-là seront tous ses amis. Il écrit une *Chanson des pirates* sur un poème de Victor Hugo qui deviendra un passage de son *Lélio* et il assiste à l'une des premières représentations d'*Hernani.* Il fréquente Alfred de Vigny et devient l'ami de Marie Dorval. Liszt, surtout, sera l'un des témoins de son premier mariage et son amitié l'accompagnera tout au long de sa vie. Chopin joue à des concerts où l'on interprète ses œuvres. Alexandre Dumas, George Sand, Pauline Viardot : c'est le monde romantique tout entier qui va graviter autour de lui, surtout après son retour de Rome. Mais, dans cette « première jeunesse » du compositeur où nous le voyons naître, il a déjà pris fait et cause pour l'idéal romantique – auquel il n'hésite pas à rallier malgré lui et à titre posthume un Gluck, qu'il idolâtre.

Romantisme partout. Dans la musique de Berlioz, ses enthousiasmes, les « Enfin ! » et autres « Damnation ! » dont il ponctue ses lettres. Dans les succès « pyramidaux » qu'il s'attribue. Dans les larmes qu'il verse et dont il se vante. Dans ses passions amoureuses, enfin. Quant à la vie même de Berlioz à cette époque – et bien plus tard encore ! –, elle a toutes les facettes de la vie de l'artiste romantique telle que les romantiques veulent se voir et que les bourgeois l'imaginent ou que les auteurs de « Physionomies » et autres textes amusants illustrés par Gavarni, Daumier et consorts s'amusent à en faire le tableau pour le bon public. Alors il crève de faim, comme tout poète qui se respecte. Il donne des leçons à droite et à gauche. Il enseigne ce qu'il sait : le solfège, la flûte, la guitare. Et il crève toujours de faim. En hiver, il a froid. En été, il peut encore se débrouiller.

« J'avais loué à bas prix une très petite chambre, au cinquième, dans la Cité, au coin de la rue de Harley et du quai des Orfèvres, et, au lieu d'aller dîner chez le restaurateur, comme auparavant, je m'étais mis à un régime cénobitique qui réduisait le prix de mes repas à sept ou huit sous, tout au plus. Ils se composaient généralement de pain, de raisins secs, de pruneaux ou de dattes.

» Comme on était alors dans la belle saison, en sortant de faire mes emplettes gastronomiques chez l'épicier voisin, j'allais ordinairement m'asseoir sur la petite terrasse du Pont-Neuf, aux pieds de la statue d'Henri IV : là, sans penser à la *poule au pot* que le bon roi avait rêvée pour le dîner du dimanche de ses paysans, je faisais mon frugal repas, en regardant au loin le soleil descendre derrière le mont Valérien, suivant d'un œil charmé les reflets radieux des flots de la Seine, qui fuyaient en murmurant devant moi, et l'imagination ravie des splendides images des poésies de Thomas Moore, dont je venais de découvrir une traduction française... »

L'hiver, ses « festins de Lucullus » ne pouvant plus avoir lieu dans sa salle ordinaire du Pont-Neuf, il songe à s'engager comme première ou seconde flûte dans un orchestre de New York, de Mexico, de Sydney ou de Calcutta : « Je serais allé en Chine, je me serais fait matelot, flibustier, boucanier, sauvage, plutôt que de me rendre. » Partir est l'un de ses fantasmes, dans les pires moments de désespoir. L'Amérique lui apparaît souvent comme un Eldorado. Il rêve de voiles qui se gonflent sous le vent, de pays sauvages où il apporte ses harmonies. Pour le moment – cet hiver 1826 – il lui faut manger. Et pour cela, trouver de l'argent. Calcutta ou la Chine ? Dieu merci, il n'aura pas à aller plus loin que le boulevard et le Théâtre des Nouveautés où il est engagé comme choriste.

Le récit qu'il fait de son audition est plus que pittoresque. C'est du roman-reportage à l'état brut. « Cinq ou six pauvres diables comme moi attendaient déjà leurs juges dans un silence plein d'anxiété. Je trouvai parmi eux un tisserand, un forgeron, un acteur congédié d'un petit théâtre du boulevard, et un chantre de l'église de Saint-Eustache. Il s'agissait d'un concours de basses ; ma voix ne pouvait compter que pour un médiocre baryton ; mais notre examinateur, pensais-je, n'y regarderait peut-être pas de si près.

» C'était le régisseur en personne. Il parut, suivi d'un musicien nommé Michel, qui fait encore à cette heure partie de l'orchestre du Vaudeville. On ne s'était procuré ni piano ni pianiste. Le violon de Michel devait suffire pour nous accompagner.

» La séance est ouverte. Mes rivaux chantent successivement, à leur manière, différents airs qu'ils avaient soigneusement étudiés. Mon tour venu, notre énorme régisseur, assez plaisamment nommé Saint-Léger, me demande ce que j'ai apporté.

– Moi ? rien.

– Comment rien ? Et que chanterez-vous alors ?

– Ma foi, ce que vous voudrez. N'y a-t-il pas ici quelque partition, un solfège, un cahier de vocalises ?...

– Nous n'avons rien de tout cela. D'ailleurs, continue le régisseur d'un ton assez méprisant, vous ne chantez pas à première vue, je suppose ?

– Je vous demande pardon, je chanterai à première vue ce qu'on me présentera.

– Ah ! c'est différent. Mais puisque nous manquons entièrement de musique, ne sauriez-vous point par cœur quelque morceau connu ?

– Oui, je sais par cœur *Les Danaïdes, Stratonice, La Vestale, Cortez, Œdipe,* les deux *Iphigénie, Orphée, Armide...*

– Assez ! assez ! Diable ! quelle mémoire ! Voyons, puisque vous êtes si savant, dites-nous l'air d'*Œdipe* de Sacchini : « Elle m'a prodigué ».

– Volontiers.

– Tu peux l'accompagner, Michel ?

– Parbleu ! seulement je ne sais plus dans quel ton il est écrit.

– En *si* bémol. Chanterai-je le récitatif ?

– Oui, voyons le récitatif.

» L'accompagnateur me donne l'accord de *mi* bémol et je commence. [...] Les autres candidats se regardaient d'un air piteux, pendant que se déroulait la noble mélodie, ne se dissimulant pas qu'en comparaison de moi, qui n'étais pourtant point un Pischek ni un Lablache, ils avaient chanté, non comme des vachers, mais comme des veaux. Et dans le fait, je vis à un petit signe du gros régisseur Saint-Léger, qu'ils étaient, pour employer l'argot des coulisses, enfoncés jusqu'au *troisième dessous*. Le lendemain, je reçus ma nomination officielle ; je l'avais emporté sur le tisserand, le forgeron, l'acteur, et même sur le chantre de Saint-Eustache. Mon service commençait immédiatement et j'avais cinquante francs par mois. »

Après les pique-niques d'été sur le Pont-Neuf vient donc le « régime d'hiver » qui est celui d'un Berlioz avec ses cinquante francs par mois et deux nouveaux élèves par-dessus le marché. Pour lui, c'est un paradis retrouvé. Ce qui nous vaut dans les *Mémoires* un autre « tableau de la vie d'artiste » digne, encore une fois, de toutes les « physionomies » du temps.

« Un bonheur n'arrive jamais seul. Je venais à peine de remporter cette grande victoire que je fis la rencontre d'un étudiant en pharmacie, mon compatriote, Antoine Charbonnel. Il allait s'installer dans le Quartier latin pour y suivre les cours de chimie et voulait, comme moi, se livrer à d'héroïques économies. Nous n'eûmes pas plutôt fait l'un et l'autre le compte de notre fortune que, parodiant le mot de Walter dans *La Vie d'un joueur*, nous nous écriâmes presque simultanément : “Ah ! tu n'as pas d'argent ! Eh bien, mon cher, il faut nous associer !” Nous louâmes deux petites chambres dans la rue de la Harpe. Antoine, qui avait l'habitude de manipuler fourneaux et cornues, s'établit notre cuisinier en chef, et fit de moi un simple marmiton. Tous les matins nous allions au marché acheter nos provisions, qu'à la grande confusion de mon camarade, j'apportais bravement au logis sous mon bras, sans prendre la peine d'en dérober la vue aux passants. [...]

» Nous vécûmes ainsi comme des princes... émigrés, pour trente francs chacun par mois. Depuis mon arrivée à Paris, je n'avais pas encore joui d'une pareille aisance. Je me passai plusieurs coûteuses fantaisies ; j'achetai un piano, et quel piano ! (Il me coûta cent dix francs. J'ai déjà dit que je ne jouais pas du piano ; et pourtant j'aime à en avoir un pour y plaquer des accords de temps en temps [...].) Je décorai ma chambre des portraits proprement encadrés des dieux de la musique, je me donnai le poème des *Amours des Anges*, de Moore. De son côté, Antoine, qui était adroit comme un singe [...], fabriquait dans ses moments perdus une foule de petits ustensiles agréables et utiles. Avec des bûches de notre bois, il nous fit deux paires de galoches très bien conditionnées ; il en vint même, pour varier la monotonie un peu spartiate de notre ordinaire, à faire un filet et des appeaux, avec lesquels, quand le printemps fut venu, il alla prendre des cailles dans la plaine de Montrouge. Ce qu'il y eut de plaisant, c'est que, malgré mes absences périodiques du soir (le Théâtre des Nouveautés jouant chaque jour), Antoine ignora pendant toute la durée de notre vie en commun que j'avais eu le *malheur de monter sur les planches...* »

Un peu plus loin dans ses *Mémoires*, Berlioz remarque d'ailleurs que, pendant que lui-même cachetonnait misérablement aux Nouveautés, accablé par la stupidité de la musique qu'il avait à entendre et à jouer, son camarade Charbonnel, lui, courait les grisettes.

L'expérience acquise pendant cette « carrière dramatique », on la retrouvera dans l'un des ouvrages en prose les plus drôles de Berlioz, *Les Soirées de l'orchestre*, déjà entrevues. Comme dans l'auberge de Canterbury de Chaucer, les musiciens de la fosse d'un petit théâtre allemand échangent potins et surtout anecdotes qui deviennent souvent de véritables nouvelles, des contes aux marges du fantastique à la manière de E.T.A. Hoffmann. Berlioz lui-même, qui apparaît parfois sous le nom de Corsino, premier violon et compositeur, n'est pas le dernier à inventer pour des camarades qui s'amusent autant que lui de sombres histoires, tragiques à souhait ou, au contraire, désopilantes. Outre les cinquante francs que lui rapportaient ses corvées des Nouveautés, Berlioz va donc y recueillir une expérience qu'il saura mettre à profit, tant dans ses rapports avec les musiciens d'orchestre que dans ses œuvres littéraires.

Ainsi, soirée après soirée, opéra après opéra, des Nouveautés à l'Académie royale de musique, à l'Opéra-Comique, voire aux Italiens, où il continue d'aller, son goût s'est formé. Sa connaissance de l'orchestre, du travail sur l'orchestre et du travail avec l'orchestre s'en approfondit. Néanmoins, sa véritable expérience professionnelle de compositeur, il va tout de même l'acquérir de manière, disons, plus professionnelle. A la fin de 1826, il finit par entrer au Conservatoire comme élève régulier. Auparavant, il aura connu un premier succès grâce à l'exécution à Saint-Roch de la fameuse messe solennelle qui fut l'objet du désastre de décembre 1824.

Pour la faire à nouveau exécuter, il n'a cette fois pas ménagé ses efforts. Faisant feu de tout bois, il a tenté de réveiller le monde de la musique, celui de l'art, voire celui de la politique. Grâce à un de ses amis, Augustin de Pons, rencontré par hasard à l'Opéra et qui mit immédiatement la main à son portefeuille, il peut réunir un orchestre, payer les copies de son œuvre, organiser les répétitions et la donner enfin. Bien sûr, il lui a fallu « taper » un camarade

– avouer cette dette à ses parents fut d'ailleurs pour Hector le sujet d'autres angoisses – mais un Augustin de Pons, un Albert Du Boys, un Sosthène de La Rochefoucauld, pour ne pas parler de son maître Le Sueur, croient en lui ; Berlioz peut maintenant entrer par la grande porte dans la carrière dont il a l'ambition d'être l'un des maîtres.

Ne doutant de rien, il se présente donc dès juillet 1826, au concours de Rome. On reviendra sur l'épreuve que représentait le célèbre concours pour les candidats entrés « en loge » afin de composer, selon un rite et des normes strictement définis, la cantate qui conduit le vainqueur à la Villa Médicis. Il est probable qu'à l'époque Berlioz n'aurait pas vu d'un si mauvais œil un séjour à Rome. Mais il ne connaîtra pas encore les peines ni les joies des musiciens « en loge » puisqu'il ne réussira même pas à passer l'épreuve préliminaire imposée aux candidats. Ils sont deux à être ainsi refoulés. Il s'agissait de composer une fugue, Le Sueur en méprisait les contraintes : il ne les lui avait pas apprises ! Berlioz, qui n'aimait pas Bach ni rien qui lui ressemble, ne savait pas ce que c'était qu'une fugue ! En d'autres termes, le musicien fougueux qui connaît par cœur son Gluck et son Spontini s'est « planté » sur un examen d'écolier !

D'où le besoin impérieux, maintenant, de franchir vraiment une autre porte, celle du Conservatoire. Celui-ci était toujours dirigé par Cherubini. Ses relations avec Berlioz avaient commencé de manière houleuse. Le Sueur fit pour son élève les démarches nécessaires sans que le jeune homme ait d'abord à rencontrer le redoutable Italien. Le voilà donc officiellement admis à l'auguste école et dans la classe de Reicha, qui enseigne la fugue et le contrepoint.

Augustin Reicha, né en Bohême en 1770, avait été le condisciple de Beethoven à Bonn. Au Conservatoire, il fut le maître de bon nombre de compositeurs fameux. Outre Berlioz, il eut sous sa houlette Liszt, Gounod et César Franck. Entre Haydn et Beethoven, sa musique de chambre est beaucoup plus qu'intéressante, bien que Berlioz note que, dans ses compositions, il « obéissait encore à la routine, tout en la méprisant ». C'est auprès de Reicha qu'il apprendra les rudiments d'une technique qui lui était jusque-là inconnue. Dans le même temps, mais comme élève régulier à présent, il poursuit ses études avec Le Sueur, dont l'affection lui demeure très chère.

Il lui reste à se former à une autre technique, l'instrumentation, dont il ne sait encore rien mais dans laquelle il va vite exceller. Jusqu'à écrire à ce sujet un *Traité* qui est entré dans l'histoire de la musique. Mais, encore une fois, Berlioz va apprendre sur le tas. Et quelle meilleure école que celle qu'il fréquente déjà si assidûment : l'Opéra. Il dit lui-même : « Mes deux maîtres ne m'ont rien appris en instrumentation. Le Sueur n'avait de cet art que des notions fort bornées. Reicha connaissait bien les ressources particulières de la plupart des instruments à vent, mais je doute qu'il ait eu des idées très avancées au sujet de leur groupement par grandes et petites masses. [...]

» Mais j'assistais régulièrement à toutes les représentations de l'Opéra. J'y apportais la partition de l'ouvrage annoncé, et je la lisais pendant l'exécution. Ce fut ainsi que je commençai à me familiariser avec l'emploi de l'orchestre, et à connaître l'accent et le timbre, sinon l'étendue et le mécanisme de la plupart des instruments. Cette comparaison attentive de l'effet produit et du moyen employé à le produire me fit même apercevoir le lien caché qui unit l'expression musicale à l'art spécial de l'instrumentation ; mais personne ne m'avait mis sur la voie. »

Berlioz est infatigable. Dès le début de l'été 1825, avant même l'exécution enfin réussie de la messe solennelle en l'église Saint-Roch, il était déjà lancé dans la vaste entreprise des *Francs-Juges*, son « grand opéra » prévu sur un livret d'Humbert Ferrand. C'est une histoire bien sombre, toute pleine de tribunaux secrets, d'amours condamnées et autres jolies noirceurs néogermaniques dans l'air du temps. Il travaille d'arrache-pied pendant toute l'année 1826 sur ce projet : c'est pour lui une période d'enthousiasme intense. D'optimisme aussi. Très vite, il est certain de pouvoir faire jouer son œuvre à l'Odéon. Après l'Académie royale, l'Opéra-Comique, à présent l'Odéon. Il faut dire que l'organisation de la vie musicale – et tout particulièrement de l'activité lyrique parisienne pendant toute cette partie du XIXe siècle où Berlioz aura à se battre bec et ongles contre des directeurs affairistes ou indifférents, une administration bornée, des ministres girouettes et mille corporations de musiciens d'orchestre soucieux d'abord de limiter tout effort – était diaboliquement compliquée. Jugulée, paralysée par une réglementation datant de 1807 et qui délimitait strictement le nombre de théâtres – tout particulièrement celui des « grands » théâtres ou « théâtres principaux » – mais aussi le champ de leurs activités. Ainsi, l'Académie impériale, devenue royale de musique – ou l'Opéra tout court – établie rue Le Peletier depuis 1821, ne devait se consacrer qu'à l'opéra, et à l'opéra en français. Opéra et ballet.

En outre, sur cette scène, tout devait être *chanté*. Si bien qu'il était impossible de donner rue Le Peletier une œuvre lyrique en langue étrangère ou une œuvre comportant des récitatifs. La gestion de l'Opéra était attribuée par le ministre chargé de sa tutelle à des directeurs tout-puissants. Le répertoire de l'Académie royale de musique devint, dès lors, bientôt synonyme d'un genre, le « grand opéra français », tel qu'un librettiste comme Scribe, des compositeurs comme Auber, Halévy et bientôt Meyerbeer devaient l'établir. Lourdes machines historiques ou patriotiques bien éloignées du néoclassicisme d'un Spontini, formidables décors, masses chorales imposantes, airs ou ensembles héroïques, le genre culminera tour à tour avec *La Muette de Portici* d'Auber, *La Juive* d'Halévy ou *Les Huguenots* et *Robert le Diable* de Meyerbeer. Parfaitement codé, le répertoire de l'Opéra eut vite des contraintes qui correspondaient mal à ce qu'un Berlioz ambitionnait de faire.

Le Théâtre-Italien était une autre institution d'Etat, au répertoire cette fois beaucoup plus varié mais, pour l'essentiel, italien. On y donna d'abord seulement l'*opera buffa*, de type napolitain, mais Napoléon exigea que l'*opera seria* y soit représenté. Dès lors, aux Italiens, ni sclérose, ni réglementation absurde. Les pièces de Donizetti ou Mozart, Rossini bien sûr – qui le dirigea donc à partir de 1824 – y côtoient des œuvres mineures mais, chaque fois, prises en charge par des équipes de chanteurs parfaitement soudées et tous de premier plan. Peu de mise en scène, des décors réduits à presque rien mais la Malibran, Lablache, Pauline Viardot qui saura faire alterner sa carrière entre les Italiens et l'Opéra.

La troisième salle lyrique officielle était le « petit » Opéra-Comique qui se déplaça, lui, de la salle Ventadour à la salle Favart en passant par le Théâtre des Nouveautés. Là, on chantait en français, certes, mais des œuvres plus légères – et surtout les récitatifs y étaient parfaitement admis. Ils constituaient l'essence même de l'Opéra-Comique et un Boieldieu ou un Auber, chantre pourtant du « grand opéra », y furent souvent représentés.

On verra naître, avec 1848, un nouveau Théâtre-Lyrique qui ne survivra pas au second Empire. Quant à l'Odéon, où un Berlioz de vingt-trois ans espère se faire jouer, c'était devenu alors une terre d'accueil, mais avec des règles très strictes elles aussi : afin de ne pas mordre sur le privilège de l'Académie royale, il n'était pas question d'y représenter « des opéras nouveaux composés par des Français », ce qui, avec toutes les rigidités de la rue Le Peletier, rendait difficile à n'importe quel néophyte l'accès à une scène lyrique.

Les Francs-Juges sont donc en chantier. Mais, fébrile, Berlioz tente aussi de faire donner une autre œuvre déjà écrite sur un texte de l'ami Ferrand. Une œuvre dans l'air du temps, cette fois, puisqu'elle traite de la Grèce que l'Europe entière veut tirer du joug turc. Qu'on se souvienne de Victor Hugo : « Je veux, dit l'enfant grec, de la poudre et des balles... » Alors Berlioz et Ferrand se sont attaqués eux aussi à l'oppresseur turc mais ils perdent la bataille qui les oppose à l'Opéra et aux compositeurs en place, dont le grand Kreutzer. Celui-ci aura pour Berlioz et sa génération des mots terribles : l'Opéra, affirma-t-il, n'est pas fait « pour faire entendre les jeunes gens ». Et devant l'indignation d'une amie qui proteste : « Que faudra-t-il que les jeunes compositeurs deviennent, si on les empêche de se faire connaître ? – Ah, ma foi, répondit-il, avec humeur, ils deviendront ce qu'ils pourront ; et que deviendrions-nous, *nous,* si nous les poussions comme ça ? »

Pour le moment, donc, ni *Francs-Juges*, ni « scène héroïque ». Mais on ne reste pas sur un échec quand on a vingt-trois ans. Alors, toujours dans le même temps – car ce fou de Berlioz a toujours plusieurs fers au feu – il correspond activement avec un autre ami, Léon Compaignon, qu'il fait travailler lui aussi sur un nouveau sujet d'opéra, toujours pour lui. Avocat plus qu'écrivain, ce qu'il se targuait pourtant d'être bien qu'on ne connaisse de lui aucun ouvrage publié, plus que musicien aussi, bien qu'il prétendît avoir été « élève de Rossini », Léon Compaignon ne croise qu'épisodiquement la vie de Berlioz. Après 1827, on n'entendra plus parler de lui. Mais Berlioz, qui lit passionnément Walter Scott, a découvert *The Talisman*, un roman qui a pour toile de fond la troisième croisade, et Richard Cœur de Lion pour personnage principal. D'où l'idée d'en tirer une œuvre pour l'Opéra-Comique. Les deux amis ont déjà un titre : *Richard en Palestine.* Compaignon, établi à Chartres, envoie régulièrement à son compositeur des fragments de livret. Les déboires de Berlioz avec ses librettistes devraient pouvoir entrer dans la légende plus sombre que dorée de toutes les musiques inachevées. Au début, Berlioz discute pied à pied les textes qu'il reçoit de Compaignon. Bien sûr, nous sommes loin de la belle correspondance publiée entre Richard Strauss et Hugo von Hofmannsthal, mettant au point le livret de *La Femme sans ombre* en 1919. C'est que le pauvre Compaignon n'est pas l'illustre écrivain autrichien ! Berlioz s'en rend bien compte, qui corrige, qui reprend, qui suggère... Bientôt, le librettiste s'embrouille lui-même dans son texte et, début 1827, Berlioz commence à s'inquiéter. Il pense d'abord adjoindre au librettiste décidément incompétent « un jeune littérateur de [ses] amis qui joint à beaucoup de talents des compétences étendues en musique » mais qui, à la lecture du travail de Compaignon, constate « qu'il faudrait tout recommencer ». Alors, Berlioz capitule. L'affaire se reproduira souvent. Plus tard, faute de trouver des librettistes à la hauteur de ses ambitions, il deviendra l'auteur des textes qu'il mettra en musique : on ne cessera de le rappeler, Berlioz est l'un des tout premiers parmi les écrivains du romantisme !

Pourtant le compositeur n'a pas sur son ami Ferrand le même jugement sévère que sur un Compaignon, pas plus poète que musicien. S'il interrompt son travail fin 1826, c'est parce qu'il tombe malade. Toute sa vie, Berlioz souffrira de la gorge. Dès 1827, l'affaire est déjà sérieuse. D'autres maux s'y ajouteront ensuite qui feront de la fin de son existence une véritable torture. Pour le moment, nous n'en sommes qu'à cette atroce douleur qui, plusieurs jours, sinon plusieurs semaines, le laisse sur le flanc. C'est une angine, une angine rouge et qui s'enflamme, une angine blanche qui l'étouffe. Les brûlures sont intolérables, il est seul dans sa chambre, ne peut ni ne veut envoyer chercher un médecin. Alors Berlioz, debout devant une glace, emploie les grands moyens : il a tous les courages. La gueule ouverte, un canif à la main, le coup de couteau et le sang qui gicle : la scène de l'opération qu'il exécute sur lui-même pour crever un abcès est connue, elle est même fameuse. C'est l'un des grands morceaux de bravoure de toutes les biographies qu'on lui a consacrées. Romantique jusqu'au bout d'un scalpel improvisé, Hector Berlioz a toutes les audaces. Pour mieux s'en vanter, d'ailleurs.

Et notre héros de repartir au galop. Début 1827, à peine rétabli, il se remet à son opéra : de toutes ses œuvres de jeunesse, c'est à coup sûr *Les Francs-Juges* qui le passionne le plus. D'où la terrible déconvenue qu'il aura de ne pas pouvoir monter l'œuvre à l'Odéon. Le ministère, qui a la haute main sur la gestion des théâtres parisiens, est enfermé dans la logique protectionniste rigoureuse qu'on a dite et qui assure à l'Opéra le monopole des opéras français du temps. Ensuite, l'Odéon va fermer pour un temps : c'est probablement le Danois Schlick, que Berlioz, en route pour Rome, croisera à Florence, qui travaille à la décoration.

De ces *Francs-Juges* ne resteront que cinq numéros, dont l'ouverture sur laquelle le compositeur va travailler et travailler encore. En dépit de leur sujet gothique tout à fait dans la veine romantique de l'heure, les morceaux des *Francs-Juges* qui n'ont pas disparu demeurent dans une tradition française fort sage, néoclassique et rhétorique, qui est celle des Spontini et des Le Sueur. Nous sommes aussi loin du nouvel opéra romantique allemand que du nouvel opéra français que Berlioz voudra si passionnément, si désespérément aussi, inventer. Le « choc » produit sur lui par Weber, puis le « coup de tonnerre Beethoven » n'auront d'influence qu'après coup sur son écriture musicale. C'est là encore un autre aspect de la personnalité de Berlioz. Du musicien, cette fois, de l'artiste. Il découvre un pan entier de l'art de son temps, s'enthousiasme, s'enflamme subitement. Mais ce n'est chaque fois que plus tard, qu'il s'agisse de Weber ou de Beethoven, qu'il intégrera dans son œuvre à lui ce qu'il a ainsi violemment admiré dans l'œuvre d'un nouveau maître.

La déception de l'Odéon n'est pas effacée qu'il se remet encore une fois au travail sur un autre opéra. Quand on s'appelle Berlioz et qu'on n'a pas vingt-cinq ans, on ne saurait perdre son temps, tant la rage de créer – et plus encore d'être joué – vous dévore. Ainsi pense-t-il tour à tour à l'*Atala* de Chateaubriand, à un *Robin des Bois* qui ne serait pas le *Freischütz*, à une *Mort d'Hercule*, à un *Hamlet*, même : prédestination de l'Ophélie à venir ? *Atala* ou *Hamlet* feraient de si beaux sujets d'opéra... Mais d'autres que lui s'y attaqueront. Berlioz, lui, ne s'y attarde guère. Il revient en revanche à Walter Scott. La mode était à Walter Scott. Tout le monde lisait Scott et les romantiques en feraient bientôt un usage immodéré : Berlioz ne pouvait pas ne pas se passionner lui aussi pour les grands romans de Walter Scott. D'où l'idée de s'attaquer cette fois à *Waverley*, l'une de ses œuvres les plus fameuses. Presque rossinienne, en dépit du mépris qu'il a pour le maître de Pesaro devenu roi du théâtre lyrique français, l'Ouverture de *Waverley* va devenir l'un de ses premiers grands succès.

A coups de grands élans d'enthousiasme, de cent collaborations aussi infructueuses qu'affectueuses et de mille démarches dans Paris tout entier ; à force de privations aussi, de repas oubliés et d'accès de fièvre qui le laissent parfois pantelant, Hector Berlioz est tout de même en train de réussir à être ce qu'il veut être : un musicien.

4
Les portes de Rome

Le temps du concours de Rome est revenu. Elève désormais à part entière du Conservatoire, Berlioz ne peut pas ne pas s'y présenter. Quoi qu'il en ait dit, c'est par le séjour à Rome que passent alors les débuts de tout jeune compositeur français. Rome, donc ; et pour la deuxième fois, encouragé par Le Sueur et Reicha, Berlioz va tenter sa chance. Le 26 juillet 1827, il compose la fugue éliminatoire de rigueur qu'il avait ratée l'année précédente : il est admis à aller plus loin. Et cette fois, il entre bien « en loge ».

Le 28 juillet, le voilà donc enfermé dans une chambre de l'Institut pour tenter de passer la deuxième épreuve du concours, celle-là seule qui compte et pour laquelle il n'y aura qu'un élu. La description qu'il en donne dans les *Mémoires* en est un des morceaux les plus fameux de tout le livre. L'épreuve de la fugue passée, les candidats retenus à la suite d'« un choix trop souvent entaché de partialité, car un certain nombre de manuscrits *signés* appartenaient toujours à des élèves de MM. les Académiciens [...] devaient se représenter bientôt après pour recevoir les paroles de la scène qu'ils allaient avoir à mettre en musique, *et entrer en loge.* M. le secrétaire perpétuel de l'Académie des beaux-arts leur dictait collectivement le classique poème, qui commençait presque toujours ainsi :

Déjà l'aurore aux doigts de rose.

Ou : Déjà d'un doux éclat l'horizon se colore.

Ou : Déjà du blond Phoebus le char brillant s'avance.

Ou : Déjà de pourpre et d'or les monts lointains se parent, etc.

» Les candidats, munis du lumineux poème, étaient alors enfermés isolément avec un piano, dans une chambre appelée loge, jusqu'à ce qu'ils eussent terminé leur partition. Le matin à onze heures et le soir à six, le concierge, dépositaire des clefs de chaque loge, venait ouvrir aux détenus, qui se réunissaient pour prendre ensemble leur repas ; mais défense à eux de sortir du palais de l'Institut.

» Tout ce qui leur arrivait du dehors, papiers, lettres, livres, linge, était soigneusement visité, afin que les concurrents ne pussent obtenir ni aide, ni conseil de personne. Ce qui n'empêchait pas qu'on ne les autorisât à recevoir des visites dans la cour de l'Institut, tous les jours de six à huit heures du soir, à inviter même leurs amis à de joyeux dîners, où Dieu sait tout ce qui pouvait se communiquer, de vive voix ou par écrit, entre le vin de Bordeaux et le vin de Champagne. Le délai fixé pour la composition était de vingt-deux jours ; ceux des compositeurs qui avaient fini avant ce temps étaient libres de sortir après avoir déposé leur manuscrit, toujours *numéroté et signé.*

» Toutes les partitions étant livrées, le lyrique aréopage s'assemblait de nouveau et s'adjoignait à cette occasion deux membres pris dans les autres sections de l'Institut ; un sculpteur et un peintre, par exemple, ou un graveur et un architecte, ou un sculpteur et un graveur, ou un architecte et un peintre, ou même deux graveurs, ou deux peintres, ou deux architectes, ou deux sculpteurs. L'important était qu'ils ne fussent pas musiciens. Ils avaient voix délibérative, et se trouvaient là pour juger d'un art qui leur est étranger.

» On entendait successivement toutes les scènes écrites pour l'orchestre [...] et on les entendait réduites par un seul accompagnateur *sur le piano !...* Vainement prétendrait-on qu'il est possible d'apprécier à sa juste valeur une composition d'orchestre ainsi mutilée, rien n'est plus éloigné de la vérité. [...] N'est-il pas évident que le piano, anéantissant tous les effets d'instrumentation, nivelle, par cela seul, tous les compositeurs. Celui qui sera habile, profond, ingénieux instrumentaliste, est rabaissé à la taille de l'ignorant qui n'a pas les premières notions de cette branche de l'art. [...] Le piano, pour les instrumentalistes, est donc une vraie guillotine destinée à abattre toutes les nobles têtes et dont la plèbe seule n'a rien à redouter.

» Quoi qu'il en soit, les scènes ainsi exécutées, on va au scrutin... Le prix est donné. Vous croyez que c'est fini ? Erreur. Huit jours après, toutes les sections de l'Académie des beaux-arts se réunissent pour le jugement définitif. Les peintres, statuaires, architectes, graveurs en médaille et graveurs en taille-douce, forment cette fois un imposant jury de trente à trente-cinq membres dont les six musiciens cependant ne sont pas exclus. Ces six membres de la section de musique peuvent, jusqu'à un certain point, venir en aide à l'exécution incomplète et perfide du piano, en lisant les partitions ; mais cette ressource ne saurait exister pour les autres académiciens, puisqu'ils ne savent pas la musique...

» Ainsi le prix de musique est donné par des gens qui ne sont pas musiciens, et qui n'ont pas même été mis dans le cas d'entendre, telles qu'elles ont été conçues, les partitions entre lesquelles un absurde règlement les oblige de faire un choix... »

Les choses ont-elles tellement changé aujourd'hui ? Le concours de Rome ne porte plus son nom, pas plus qu'on ne devient premier prix de Rome ou prix de Rome tout court, mais le système du concours d'entrée à l'Académie de France à Rome est toujours aussi aléatoire. S'il y a maintenant une dizaine de disciplines où l'on soit admis à concourir, dans certaines d'entre elles, le rôle des professeurs reste prédominant. Et il arrive toujours que ce soient des architectes ou des peintres qui jugent des musiciens.

Aux peintres, graveurs, architectes et sculpteurs de la création de l'Académie en 1666 étaient déjà venus s'ajouter en 1803 les musiciens. La réforme de 1969, proposée par André Malraux, confond tous les plasticiens (peintres, etc.) en une seule catégorie mais y ajoute écrivains, scénographes, cinéastes (en fait : scénaristes), « designers », photographes. Elle introduit en outre une « deuxième classe » de pensionnaires qui sont les historiens de l'art et les restaurateurs. On ajoutera, pour l'anecdote, qu'une année on a même admis un cuisinier dûment recruté comme pensionnaire par un jury consciencieux. Un mauvais esprit comme Berlioz à la tignasse animée d'un si beau désordre aurait posé la question : à quand un artiste capillaire, à savoir un garçon coiffeur ?

Ce sont donc des candidats dans des disciplines bien diverses qu'il s'agit de juger. Et parfois, de nos jours, jusqu'à quatre cents candidats pour un concours ! Celui-ci a été réorganisé en deux phases. D'abord (la fugue du temps de Berlioz ...) des éliminatoires : ce sont des rapporteurs – plusieurs par discipline – qui opèrent une première sélection. Les « décrets Malraux » ont définitivement coupé les ponts entre l'Académie des beaux-arts et l'Académie de France à Rome, mais influences, amitiés et coups de pouce de professeurs demeurent d'une belle efficacité. Bien sûr, il se trouve toujours, par-ci par-là, quelque découverte, mais la plupart du temps les rapporteurs – eux-mêmes critiques, professeurs ou praticiens de la discipline dont ils sont supposés juger les candidats – ne sauront faire obstacle d'un environnement qu'ils connaissent déjà. Autant dire qu'à peu d'exceptions près, encore une fois, un artiste plasticien totalement inconnu n'a guère de chance d'accéder à la Villa Médicis. On est plus audacieux en ce qui concerne les écrivains, les scénographes ou les scénaristes.

Ce sont donc quelques dizaines de candidats qui subissent cette première épreuve. Ceux-ci ont déposé des dossiers accompagnés d'un projet que l'on consulte. On se passe de main en main les photos des photographes, on organise dans un sous-sol une petite exposition des œuvres des plasticiens, on parcourt à la va-vite romans, poèmes, essais des écrivains, peut-être quelques scénarios encore. On écoute, bien sûr, un enregistrement d'une œuvre des compositeurs – si l'on en a le temps. Et pour le reste, tous les candidats ont droit à un entretien d'une demi-heure avec le jury. A chacun, en une demi-heure, de convaincre celui-ci de la nécessité absolue pour lui, ou pour elle, de passer de six mois à deux ans à Rome. Beaucoup d'écrivains, scénaristes, architectes ... se croient obligés de présenter un « projet romain » qui, à leurs dires, ne peut être réalisé qu'en un seul lieu, la Villa Médicis. Quant aux plasticiens, il faut les entendre accabler sous trente minutes de commentaires une « installation » minimaliste qui n'en peut mais. Il est important de préciser à ce stade que, si le concours de Rome tel que le décrit Berlioz était, au milieu du XIXe siècle, entre les mains des membres les plus conformistes de l'Académie des beaux-arts et s'il l'est généralement resté jusqu'à la réforme Malraux – les Berlioz, les Gounod et les Debussy constituent les exceptions qui confirment la règle –, il n'a guère changé après la rupture avec l'Académie des beaux-arts. Mais au conformisme à l'endroit des traditions les plus anciennes a succédé le conformisme de l'anticonformisme.

Mieux que personne, pourtant, un Berlioz a su raconter avec une incroyable ironie le mécanisme qui conduit les rares élus de Paris à Rome.

Cette année-là – sa première « entrée en loge » – il compose donc une cantate sur *La Mort d'Orphée*, d'une réelle beauté. L'instrumentation, notamment l'utilisation des bois, y est remarquable. Et pourtant, il échoue. C'est qu'il n'a pas encore compris que ces messieurs, qui sont ses juges, attendent de la part des candidats un travail scolaire et rien qu'un travail scolaire. Pour obtenir un prix de Rome, il faut entrer dans un moule et savoir s'y tenir. Or *La Mort d'Orphée* est un sujet qui enflamme le néophyte, peu habitué aux subtiles prudences des vieux routiers du Conservatoire, blanchis avant l'âge sous le harnais. Il est tout feu, tout flamme, le Berlioz qui rêve d'Orphée. Il aime passionnément l'*Orphée* de Gluck : il veut aller au-delà. Alors il s'en donne à cœur joie. Osera-t-on dire qu'à sa manière, fureur et mystère, il pratique le *Sturm und Drang* romantique qu'il n'a pourtant pas appris ? Ajoutons à ces excès-là, qui ne peuvent que rebuter ses censeurs, le besoin qu'il éprouve d'en faire davantage que ce qui lui est demandé. Il se souvient de son cher Virgile et de quelques vers des *Géorgiques* et, dans un « morceau *non exigé* mais indiqué par les paroles », nous explique-t-il avec une émouvante candeur, il fait reproduire par les instruments à vent le thème de l'hymne d'Orphée, à l'amour, « pendant qu'une mourante voix élevait à longs intervalles ce cri douloureux répété par les rives du fleuve : Eurydice ! Eurydice ! O malheureuse Eurydice ! ... ».

Comme toujours, il est satisfait de lui. Mais ces messieurs du prix ne l'entendirent pas de la même oreille. L'audition qui devait décider du prix reposait sur les moyens non pas d'un orchestre idéal, mais du seul vulgaire piano prévu. Or le pianiste de l'Institut « demeura accroché » dans la « Bacchanale » qui précède la citation de Virgile et la cantate fut déclarée injouable. Qu'il revienne une autre fois, ce M. Berlioz ! Ce n'est pas cette année, en tout cas, qu'il prendra la route de Rome !

La Villa Médicis est encore loin... Son échec au concours de 1827, Berlioz l'a pris très mal. Il explique à son ami Ferrand, le 29 novembre 1827 : « Faut-il m'avilir jusqu'à concourir encore une fois ? Il le faut pourtant, mon père le veut ; il attache à ce prix une grande importance. A cause de lui, je me représenterai ; je leur écrirai un petit orchestre bourgeois à deux ou trois parties, qui fera autant d'effet sur le piano que l'orchestre le plus riche ; je prodiguerai les redondances puisque ce sont là les formes auxquelles les grands maîtres se sont soumis, et qu'il ne faut pas faire mieux que les grands maîtres, et, si j'obtiens le prix, je vous jure que je déchire ma scène aux yeux de ces messieurs, aussitôt que le prix sera donné. »

Mais Berlioz bluffe. Il sait bien qu'il *doit* le passer, ce concours, pour devenir ce qu'il *doit* être. Il a seulement retenu la leçon. On veut de la musique conforme à des canons obsolètes ? Eh bien, c'est ce qu'il composera l'année prochaine. En attendant, sans illusion sur la valeur du concours, il se remet au travail. L'été 1827 est cependant difficile. Ceux de La Côte-Saint-André ont, encore une fois, mal accepté ce nouvel échec. Puis de nouvelles douleurs à la gorge le mettent à bas pendant plusieurs jours. C'est l'épisode de l'abcès opéré avec un canif. Du coup, lui qui avait déjà demandé un congé au Théâtre des Nouveautés pour la durée du concours, abandonne définitivement son gagne-pain peu avouable de choriste d'occasion. Plus de *Coureur de veuves* sifflé par le public ni de *Chambre jaune* donné devant un parterre qui ne veut même pas en entendre le dénouement. Plus de *Mari à l'essai* ni de *Futur de grand-maman* – autant de spectacles aux titres alléchants donnés aux Nouveautés. C'est à coup sûr, pour le cachetonneur furibond et impuissant, la fin d'un esclavage. Du coup, il déménage, rompt son « ménage de garçon » de la rue de la Harpe avec Antoine Charbonnel, s'installe cette fois rue de Richelieu. Et, relevant la tête, Berlioz reprend courage. Il sait ce qu'il veut, aux autres de le comprendre.

Sa cantate du concours de Rome n'a pas eu l'heur de plaire à l'Institut ? Nul autre que quelques vieux académiciens autour d'un piano poussif n'a pu l'entendre ? Qu'importe ! Le public, le vrai public, celui des connaisseurs, des jeunes romantiques comme lui et ses amis, va tout de même l'applaudir à nouveau. Il se lance alors dans l'entreprise insensée de monter une seconde fois, tout seul, le seul morceau de lui qui ait déjà été joué : c'est sa messe solennelle, qui lui a si bien réussi à Saint-Roch, qu'il va redonner. C'est à Saint-Eustache et pour la fête de la Sainte-Cécile, qu'il va, cette fois, la faire exécuter. Et, le 22 novembre 1827, il obtient un franc succès.

Mais surtout, c'est la première fois que Berlioz, peu satisfait des chefs qui ont jusqu'ici touché à sa musique, ose conduire lui-même son orchestre, en l'occurrence celui de l'Odéon. Chez les Berlioz, on a eu connaissance de cette réussite et de l'accueil favorable de la presse – même de celle qui lui sera vite la plus hostile. Il semble que Mme Berlioz elle-même en ait été touchée et que la fierté d'avoir un fils qui réussit enfin dans la carrière qu'il s'est choisie commence à gagner son cœur de mère. On l'a dit : Joséphine Berlioz, qui a « maudit » Hector lorsque celui-ci est reparti en cachette pour Paris trois ans plus tôt, est peut-être moins barricadée dans son hostilité à la vocation de ce fils qu'on a voulu le croire. Avec les années, c'est probablement le bon Dr Louis, si tolérant, si ouvert à toutes les cultures de son temps, qui fera le plus longtemps preuve d'aveuglement, pour ne pas dire de pingrerie quand il s'agira d'aider à survivre un jeune musicien parfois totalement démuni. Il ne fait pas de doute que l'une des raisons du terrible retard qu'a pris Berlioz dans sa carrière comme de ses difficultés, ses amertumes, ses aigreurs, c'est bel et bien l'attitude de son père.

Le succès de Saint-Eustache n'est qu'un début. Hector Berlioz a gagné une première manche, il lui faut aller plus loin. Il en a la certitude : ce sont les beautés réelles de la cantate jugée « inexécutable » par M. Riffaut, pianiste qui ne parvint jamais, lui, à aller à Rome, et par M. Berton, « vieil et froid classique » qui le jugeait, qu'il doit faire éclater au grand jour. D'où le projet d'organiser dans le sanctuaire même de la musique de son temps un concert consacré uniquement à ses œuvres. Et ce sanctuaire, c'est naturellement la salle du Conservatoire où il vient d'avoir une nouvelle révélation : Beethoven. Il lui faudra six mois pour y parvenir.

En 1827, Berlioz connaît déjà l'œuvre de Beethoven. Il en a étudié les partitions à la bibliothèque du Conservatoire. Plusieurs des symphonies de Beethoven ont d'ailleurs figuré au programme des Concerts spirituels. Mais la révélation de 1828, c'est une tout autre affaire.

Qu'on imagine la belle salle du Conservatoire telle qu'elle était à l'époque et qu'elle est à peu près demeurée aujourd'hui. L'acoustique y est ce qu'elle était du temps de Berlioz : admirable. Et c'est là dans le paysage musical français sceptique et méfiant, au milieu duquel Berlioz est alors plongé, que Beethoven se révèle dans sa bouleversante grandeur : « Les coups de tonnerre se succèdent quelques fois dans la vie de l'artiste, aussi rapidement que dans ces grandes tempêtes, où les nues gorgées de fluide électrique semblent se renvoyer la foudre et souffler l'ouragan... A un autre point de l'horizon, je vis se lever l'immense Beethoven... »

La Société des concerts du Conservatoire venait de se former sous la direction active et passionnée d'Habeneck. Malgré tout le mal qu'en dira plus tard Berlioz, il faut rendre justice à François-Antoine Habeneck, alors âgé de quarante-sept ans et ancien directeur de l'Opéra, à qui l'on doit la véritable entrée en fanfare des œuvres de Beethoven à Paris. Hanebeck reviendra en effet souvent dans la vie de Berlioz. Il lui vaudra même l'un de ses plus beaux coups de sang. Mais pour le moment, le grand chef d'orchestre est l'initiateur. Berlioz lui rend l'hommage que mérite le fondateur de la Société des concerts du Conservatoire, cette « belle institution célèbre aujourd'hui dans le monde civilisé tout entier ».

En trois mois et six concerts, Habeneck va diriger la quasi-totalité de l'œuvre symphonique de Beethoven dans une salle du Conservatoire survoltée par ce qu'on y entend. Et Berlioz a fort probablement assisté aux six concerts. Avec un enthousiasme indescriptible. D'un coup, c'est la musique symphonique de son temps tout entière qui lui est révélée. Après Weber qui lui a appris ce que pouvait être l'opéra du XIXe siècle, Beethoven lui dévoile l'utilisation des masses orchestrales portées à leur paroxysme de beauté et de puissance : à présent, notre homme sait où il veut aller. Le reste devient indifférent. Jusqu'au bon Le Sueur qu'il n'est pas parvenu à convaincre de la grandeur de Beethoven, et avec qui la rupture « musicale » est bientôt complète.

Mais la révélation-Beethoven a irréversiblement lancé Berlioz sur une voie qui n'est plus en rien celle de ses anciens maîtres. Il y a Gluck, il y a eu Weber : voilà Beethoven. Et si, faute d'avoir suivi le cursus normal de l'étudiant modèle de n'importe quel conservatoire d'Europe, l'éducation musicale (et sentimentale ?) du joueur de flûte et du (merveilleux) gratteur de guitare que fut Berlioz n'avait été faite que de ces coups de tonnerre-là ?

C'est à la lumière éblouissante des symphonies de Beethoven que Berlioz entrevoit ce qu'il veut être, c'est-à-dire ce qu'il doit composer. Chez Gluck, puis Le Sueur et Spontini, il a conçu l'idée d'une tragédie musicale grandiose, « romantique » avant l'heure. Weber lui a montré que c'est seulement en sortant des sentiers battus de l'école française, fût-ce dans ce qu'elle a de meilleur, qu'il pourra atteindre aux climats de fièvre, de bruit et de fureur auxquels il aspire : l'orchestre de Beethoven lui apprend les moyens d'y parvenir. Les six concerts que la Société des concerts du Conservatoire a consacrés pour l'essentiel à Beethoven se sont déroulés du 9 mars au 11 mai 1828. Le 26 mai, Berlioz donnera enfin son propre concert dans la même salle.

Il lui aura donc fallu six mois pour y arriver. Six mois de lutte contre l'*establishment* musical français, six mois au cours desquels le rôle du méchant est toujours tenu – et à la perfection – par ce vieux roublard de Cherubini.

Le cheminement de Berlioz vers ce premier vrai et grand concert sera laborieux. D'abord, il lui fallait choisir un programme. Or le catalogue de ses œuvres était encore, pour le moins, maigrichon. Alors il les donnera toutes : *Waverley* et *Les Francs-Juges*, sa *Scène héroïque grecque* et naturellement la cantate d'*Orphée*, jugée inexécutable par ses censeurs. Il lui fallait ensuite disposer d'une salle, et pas de n'importe quelle salle. Or Cherubini était à peu près seul à pouvoir disposer de *sa* salle, celle du Conservatoire.

Pour parvenir à convaincre le vieil homme, Berlioz a recours à la terre entière, accumulant correspondances au vicomte Sosthène de La Rochefoucauld, directeur des Beaux-Arts, et lettres de recommandation de députés et de pairs de France. Une fois de plus, sous la forme d'un dialogue réinventé entre le vieux maître zozotant et le jeune fou qui ose braver son autorité, les *Mémoires* nous donnent la plus savoureuse version de l'affaire. La version de Berlioz, naturellement, est toute à sa gloire...

Cherubini s'indigne :

« Vous voulez donner un concert ? me dit-il avec sa grâce ordinaire.

– Oui, monsieur.

– Il faut la permission du surintendant des Beaux-Arts pour cela.

– Je l'ai obtenue.

– M. de Larossefoucauld y consent ?

– Oui, monsieur.

– Mais, mais, mais ze n'y consens pas, moi ; é-é-é-zé m'oppose à cé qu'on vous prête la salle.

– Vous n'avez pourtant, monsieur, aucun motif pour me la faire refuser [...]

– Mais qué zé vous dis qué zé né veux pas que vous donniez cé concert. Tout le monde est à la campagne, et vous né ferez pas dé récette.

– Je ne compte pas y gagner. Ce concert n'a pour but que de me faire connaître.

– Il n'y a pas de nécessité qu'on vous connaisse ! D'ailleurs, pour les frais il faut dé l'arzent ! Vous en avez donc ?...

– Oui, monsieur.

– A... a... ah !... Et qué, qué, qué voulez-vous faire entendre dans cé concert ?

– Deux ouvertures, des fragments d'un opéra, ma cantate de *La Mort d'Orphée*...

– Cette cantate du concours qué zé né veux pas ! elle est mauvaise, elle... elle... elle né peut pas s'exécuter... [...] C'est une insulte alors, qué... qué... qué vous voulez faire à l'Académie ?

– C'est une simple expérience, monsieur. Si, comme il est probable, l'Académie a eu raison de déclarer ma partition inexécutable, il est clair qu'on ne l'exécutera pas. Si, au contraire, elle s'est trompée, on dira que j'ai profité de ses avis et que depuis le concours j'ai corrigé l'ouvrage.

– Vous né pouvez donner votre concert qu'un dimansse.

– Je le donnerai un dimanche.

– Mais les employés de la salle, les contrôleurs, les ouvreuses qui sont tous attassés au Conservatoire n'ont qué cé zour-là pour sé réposer, vous voulez donc les faire mourir dé fatigue, ces pauvres zens, les... les... les faire mourir ?... »

Et l'illustre Cherubini d'être obligé de capituler devant une lettre sans équivoque du vicomte Sosthène. Et Berlioz, lui, de conclure avec satisfaction : « Ce fut le premier serpent à sonnette qui lui arriva de ma main pour répondre à la couleuvre qu'il m'avait fait avaler, en me chassant de la bibliothèque lors de notre première entrevue. »

Pour la première fois, Berlioz se fait une joie d'étaler pour ceux qui liront ses *Mémoires* l'art qui est le sien de se servir des gens en place contre ses ennemis. Pourquoi pas ? Il dispose à présent de *sa* salle. Il lui faut encore un orchestre et un chef – car il a renoncé, cette fois, à diriger. Le chef est tout trouvé : ce sera Bloc, qui dirige les opéras donnés à l'Odéon. Quant à l'orchestre, on sait les déconvenues qui ont été les siennes à ce propos dans le passé. Pourtant, en même temps que la salle du Conservatoire, on lui a promis l'orchestre de la Société qui va avec. Pour plus de sûreté, c'est quand même un à un qu'il ira prévenir chacun des musiciens de l'heure des répétitions. On a déjà entrevu Berlioz le démarcheur, celui qui veille à tout, pour s'assurer d'un succès. Le voilà ici au sommet d'un « art de la démarche ». Il traverse Paris en tous sens, frappe à toutes les portes, remet lui-même ses billets en main propre, s'étouffe, s'échine, s'acharne et se démène plus encore. Dans son Dauphiné natal, Berlioz était déjà un sacré randonneur. A Paris, il deviendra un marcheur infatigable, toujours épuisé mais toujours prêt à recommencer. Un concert dans la salle du Conservatoire vaut bien mille messes et un peu plus... Les musiciens, donc. Puis la presse. Ainsi a-t-il pris soin d'écrire une lettre aux rédacteurs de plusieurs journaux importants, dont *Le Corsaire* et *Le Figaro*, *Le Pandore* et *La*

Revue musicale, pour annoncer son projet et surtout pour plaider la cause du musicien néophyte qui, après des programmes Mozart et Beethoven, a l'audace d'employer l'orchestre de la Société des concerts pour jouer des œuvres de lui... Il s'agit, bien sûr, si la lettre est publiée, d'attirer l'attention du public, des curieux... Il le répète : aux ténèbres de l'Institut où sa cantate a été déclarée « inexécutable », doit succéder pour lui la grande lumière du vrai public devant lequel on exécutera la « Bacchanale » d'*Orphée* où M. Riffaut s'était jadis emmêlé les doigts.

Rien ne vaut en somme la peine de Berlioz pour faire donner du Berlioz. Mais il n'est pas au bout de ses efforts. Comme il lui faut des solistes, il s'adresse à l'Opéra, pour demander le ténor Alexis Dupont et la basse Ferdinand Prévost, qu'on lui accorde. Il réussit même parce qu'il est encore étudiant, à ne pas payer le « doit des indigents », soit le quart des recettes de tout concert donné en public : on ne lui réclamera qu'un forfait de cent cinquante francs. Le résultat de tous ces efforts ? Il raconte le concert dans ses *Mémoires* :

« La répétition générale fut ce que sont toutes les études ainsi faites *par complaisance* ; il manqua beaucoup de musiciens au commencement de la séance et un plus grand disparurent avant la fin. On répéta pourtant à peu près bien les deux ouvertures, l'air et la cantate. L'introduction des *Francs-Juges* excita dans l'orchestre de chaleureux applaudissements, et un effet plus grand encore résulta du final de la cantate [...]

» A l'exception de la Bacchanale que l'orchestre rendit avec une fureur admirable, le reste n'alla pas aussi bien. A. Dupont était enroué et ne pouvait qu'à grand-peine se servir des notes hautes de sa voix ; il le fut même tellement que, dans la soirée, il me prévint de ne pas compter sur lui pour le lendemain.

» Je fus ainsi, à mon violent dépit, privé de la satisfaction de mettre sur le programme du concert : *La Mort d'Orphée, scène lyrique déclarée inexécutable par l'Académie des Beaux-Arts de l'Institut et exécutée le *** mai 1828.* »

Eh oui ! Tout l'objet du concert – enfin : son objectif initial, du moins – était de prendre une revanche sur les vieillards cacochymes qui avaient jugé *Orphée* injouable – et dans la salle du Conservatoire non plus, on ne l'exécutera pas. Berlioz l'entendra seulement en répétition et sera bouleversé par sa propre musique. Le concert lui-même est un succès. Reicha, Auber, Le Sueur sont dans la salle ainsi que des membres de l'Institut, les directeurs de l'Opéra et de l'Odéon.

Berlioz résume pour son père le triomphe qui a été le sien : « La première partie du concert a produit un tel effet que les artistes même n'ont pu se contenir. Malgré l'usage qui ne permet de donner aucune marque d'approbation ni d'improbation devant le public, l'orchestre, le chœur, les chanteurs se sont levés en masse et les bravos qui partaient du théâtre ont couvert ceux de la salle... » Mais il faut bien revenir sur terre et, plus prosaïquement, il conclut la même lettre par une remarque qu'il espère bien qu'on entendra : « Le travail immense de monter un pareil concert m'avait empêché, pendant ce mois-ci, de donner mes leçons, ce qui a fait évidemment une lacune dans mes revenus que je vais tâcher de réparer par le plus d'économie possible... »

A Humbert Ferrand, huit jours plus tard, il avoue que Bloc, qui dirigeait, s'est trompé dans son exécution de la *Scène héroïque grecque*. Dans les *Mémoires* il raconte aussi comment « le trio avec chœur, pitoyablement chanté, le fut en outre *sans chœur* ; les choristes, ayant manqué leur entrée, se turent prudemment jusqu'à la fin ». Mais avec Ferrand, il est plus démonstratif. Tout le monde a trouvé sa musique « sublime », « superbe » : pourquoi ne pas le dire ? Quitte à se peindre lui-même, survolté au milieu de cet enthousiasme :

« Le jour du concert, cette introduction a produit un effet de stupeur et d'épouvante qui est difficile à décrire ; je me trouvais à côté du timbalier, qui, me tenant un bras qu'il serrait de toutes ses forces, ne pouvait s'empêcher de crier convulsivement, à divers intervalles :

– C'est superbe !... C'est sublime, mon cher !... C'est effrayant ! il y a de quoi en perdre la tête !...

» De mon autre bras, je me tenais une touffe de cheveux que je tirais avec rage ; j'aurais voulu pouvoir m'écrier, oubliant que c'était de moi :

– Que c'est monstrueux, colossal, horrible !

» Un artiste de l'Opéra disait, le soir de ma répétition, à un de ses camarades, que cet effet des *Francs-Juges* était la chose la plus extraordinaire qu'il eût entendue de sa vie.

– Oh ! après Beethoven, toutefois ? disait l'autre.

– Après rien, a-t-il répondu ; je défie qui que ce soit de trouver une idée plus terrible que celle-là... »

On sait désormais qui est Hector Berlioz. La presse l'a d'ailleurs amplement reconnu, cette fois. *Le Figaro* a cité Virgile en le déformant : *Audaces fortuna juvat*... Eh oui ! La fortune semble désormais sourire à cet audacieux. Au *Figaro*, on a surtout admiré l'ouverture de *Waverley*. Et le rédacteur de s'exclamer quand même : « Du courage, monsieur Berlioz ! Vous avez tout ce qu'il faut pour réussir. Restez vous-même et n'imitez que la nature... » Imiter la nature : étonnante clairvoyance du critique, qui conclut par un conseil : « ... mais souvenez-vous bien que les effets de la musique ne sont puissants que lorsqu'ils sont ménagés ». Pour *Le Corsaire*, le jeune compositeur « est appelé à devenir un jour un des soutiens de notre école française ». Fétis, avec lequel il entrera en guerre, publie un long article, favorable mais nuancé, dans *La Revue musicale* qu'il vient de créer. Mais on rapportera aussi un propos plus chaleureux tenu en public par ce redoutable critique : « Voilà un début qui promet. »

Et si le chapitre des *Mémoires* consacré à cet événement porte en titre : « Concert inutile », c'est à cause de la fameuse cantate, finalement absente du programme. Peut-être aussi parce que la recette fut maigre. Mais le concert du lundi de Pentecôte 1828 devait pourtant avoir aussi une autre utilité... Avant d'en arriver à Shakespeare et à l'amour absolu, tout à fait en rapport avec ce concert, qu'éprouve depuis plusieurs mois le compositeur Berlioz pour une jeune femme qu'on verra inaccessible, il reste une étape à décrire dans l'itinéraire initiatique qui conduit le jeune Berlioz à devenir Berlioz : celle de la critique.

On l'a constaté au fil des pages qui précèdent : Berlioz est déjà un formidable écrivain. Il va devenir aussi l'un des plus étonnants critiques de son temps. En cours de publication, l'ensemble des critiques de Berlioz comprendra probablement quinze volumes. De son vivant, déjà, et profondément conscient de l'intérêt critique, certes, de ces textes, mais aussi historique, parfois anecdotique, souvent dramatique, plus souvent encore tout simplement littéraire, Berlioz en a publié plusieurs extraits. Les trois volumes des *Soirées de l'orchestre*, des *Grotesques de la musique* et d'*A travers chants* sont largement constitués de ce qu'il écrivit, au fil des jours et pendant des années, pour *La Quotidienne* ou *Le Journal des débats*.

Bien sûr, Berlioz fut un critique partial, mais aussi « méchant ».

Très tôt, dans ses *Soixante ans de souvenirs*, son ami l'écrivain Ernest Legouvé a pourtant admirablement réglé leur compte à ses détracteurs.

« Reste le critique. Celui-là était rude, j'en conviens, parfois même amer et injuste. Je ne veux pas l'excuser, mais je tiens à l'expliquer. D'abord il était aigri par la lutte et l'injustice ; ses plus vives attaques ne sont souvent que des revanches. Puis son métier de critique lui était insupportable, il ne l'avait pris que pour vivre, et ne se mettait jamais devant son papier qu'avec un mouvement de colère, comme on reprend sa chaîne. L'argent même qu'il y gagnait lui était pénible, son orgueil de compositeur s'indignait que ses articles lui rapportassent plus que sa musique. Ajoutons qu'il était violemment exclusif comme tous les novateurs, comme Beethoven qui voulait qu'on donnât le fouet à Rossini, comme Michel-Ange qui parlait avec dédain de Raphaël, comme Corneille qui ne trouvait aucun talent dramatique à Racine. La jalousie n'a rien à faire dans ces dénis de justice ; ce sont des antipathies de génies qui ne prouvent que le génie même ; plus un esprit est original, plus souvent il est unique ; si Rossini, Auber et Hérold avaient écrit ce qu'ils pensaient de Berlioz, ils en auraient dit bien plus long contre lui, que lui contre eux.

» Enfin, terrible qualité qui devient bien vite un défaut ! Berlioz avait énormément d'esprit. Une fois la plume à la main, il lui partait, d'entre les doigts, des traits de moquerie si plaisants, qu'il éclatait de rire en les écrivant, mais sa raillerie, pour être souvent de la pure gaieté, n'en était pas moins redoutable et redoutée. Peu de personnes étaient à l'aise avec lui. Les artistes les plus éminents, ses pairs, subissaient en sa présence une sorte de gêne... Berlioz ne se doutait pas qu'il inspirât de tels sentiments, et s'il l'eût su, il en eût souffert ! car toute sa malice sardonique tombait à l'instant devant la crainte d'affliger même un homme obscur. »

Outre leur qualité littéraire, les articles de Berlioz n'étaient pas des critiques comme les autres. D'abord, s'il a embrassé cette seconde carrière qui va jouer un tel rôle pendant presque toute sa vie, c'est aussi par cette volonté qu'il a lui-même qualifiée de « prosélytique » qui le poussait à acheter des places d'opéra pour les donner à ses amis afin que ceux-ci puissent applaudir ce qu'il admirait lui-même. Singulier sentiment fondateur pour un critique, qu'on imagine trop aisément pointilleux, voire sadique, et intéressé au premier chef à déchirer ce qui n'a pas l'heur de lui plaire ou, pis, ce qu'il sait qu'il ne pourra réaliser. Or, si l'on en croit les *Mémoires*, c'est plus encore à son goût du beau (ce qu'il aime) qu'à sa haine du laid (ce qu'il n'aime pas) qu'il doit de s'être si furieusement engagé dans cette voie.

Après les imprécations antirossiniennes parues dans *Le Corsaire* dès 1823, il avait déjà tenté une première fois de s'engager dans cette voie, mais la violence du premier article qu'il avait soumis à *La Quotidienne* en avait découragé le directeur. Et voilà que son ami Ferrand lui propose cette fois de rencontrer deux personnalités fort influentes du monde religieux et politique de l'époque, Cazalès et le comte de Carné. Dans la mouvance libérale de Lamennais, ils ont d'abord fondé, à l'appui de leurs opinions religieuses et monarchiques, un recueil littéraire intitulé *Revue européenne.* Afin d'en compléter la rédaction, ils voulaient s'adjoindre quelques collaborateurs. Ferrand et Albert Du Boys font déjà partie de l'équipe de ce qui deviendra un hebdomadaire : *Le Correspondant.* Tous les rédacteurs en sont catholiques, Berlioz n'est plus croyant, n'importe. Ferrand croit en son talent de polémiste.

Berlioz proteste d'abord. La critique n'est pas son métier. Puis il se souvient de ses brèves expériences en ce domaine et il finit par accepter. Son premier article paraîtra dans le numéro du 21 avril 1829 – et, simplement signé H, il porte le titre de « Considérations sur la musique religieuse ». Et c'est d'un coup le Berlioz que nous connaissons que l'on retrouve, avec ses vitupérations habituelles contre l'art de la fugue encore considéré comme obligatoire par tous les maîtres français, mais aussi ses propos révoltés sur la difficulté des jeunes compositeurs à se faire jouer, sur la lourdeur des administrations, la routine de l'académisme : en un article, un seul, Berlioz est devenu critique. Il le restera si bien que, lors de son élection à l'Institut en 1856, quelqu'un raillera : ce n'est pas un musicien qui a été choisi, mais un journaliste. Un si bon journaliste que, moins d'un mois après le premier article du *Correspondant*, le patron de l'un des plus fameux journaux musicaux allemands, la *Berliner allgemeine musikalische Zeitung*, lui demande des articles qui seront traduits en allemand dans son journal. Un bon journaliste, oui, mais un journaliste qui, dès le premier article du *Correspondant*, n'a pas hésité à partir en guerre pour ce qu'il aime, contre ce qu'il déteste. L'une des nouvelles des *Soirées de l'orchestre* est intitulée « Le suicide par enthousiasme » : peut-être pourrait-on qualifier maintenant la nouvelle vocation de Berlioz, déjà « critique en action » au parterre de l'Opéra, de « critique par enthousiasme ».

Le chapitre qu'il consacre à son entrée dans le métier de critique porte un titre beaucoup plus mélodramatique : « Fatalité. Je deviens critique ». On touche là un élément caractéristique de cette vocation ambivalente. Legouvé l'a laissé suffisamment entendre : pour Berlioz, le travail de critique, qui lui rapporte l'argent dont il a tant besoin, qui assure sa place dans l'univers impitoyable de la musique à Paris, qui le fait redouter de ses confrères et courtiser par eux, par la presse, par n'importe quel cachetonneur qui espère un article favorable de lui, est un travail mercenaire, certes, mais aussi dégradant. C'est une besogne... Il y peine, s'y épuise. Il compare, un jour sa « fonction naturelle » de compositeur au « travail » de critique : « La composition musicale est pour moi une fonction naturelle, un bonheur ; écrire de la prose est un travail... »

Pour la famille Berlioz, face à laquelle Hector continue à se comporter en petit garçon, ce « travail » (enfin un vrai travail !) doit en tout cas avoir quelque chose de rassurant. Aussi le fils, un peu moins prodigue pour une fois, s'empresse-t-il d'en avertir sa mère et de lui préciser que ses articles dans *La Gazette musicale de Berlin* seront payés « vingt-cinq francs par feuille d'impression (une feuille fait seize petites colonnes), ainsi ce n'est guère payé, mais ceci peut [lui] être fort utile en [le] faisant un peu connaître en Prusse ».

Avec les articles du *Correspondant*, nous sommes déjà en 1829. On a voulu, une à une, épeler toutes les découvertes, les « initiations », voire les « révélations » qui ont fait le Berlioz que nous connaissons. Il faut pourtant revenir en arrière pour décrire une autre révélation, capitale celle-là, et à laquelle on a déjà pu faire allusion. Cette « épiphanie », selon la jolie expression de son biographe David Cairns, est si importante qu'on a voulu la placer en quelque sorte au terme de ces années d'apprentissage, encore que sa première manifestation remonte à deux ans plus tôt : le 11 septembre 1827. C'est ce jour-là que, pour la première fois, il découvre Shakespeare. Et la comédienne Harriett Smithson, qui joue Shakespeare.

5

Harriett, ou l'idée fixe

Paris, le Théâtre de l'Odéon, septembre 1827 : en une soirée, la vie d'Hector Berlioz bascule. Une épiphanie, oui. Et une autre révélation, mais double celle-là. Après Virgile : Shakespeare. Après Estelle des montagnes de l'Isère : Harriett, comédienne anglaise. Harriett, Shakespeare : on ne sait dans quel ordre il faut placer les deux illuminations qui furent celles de cette représentation de *Hamlet*, au Théâtre de l'Odéon, à la toute fin de l'été 1827. Mais ce sera désormais à la grande lumière de Shakespeare, comme à la grande douleur de son amour pour Harriett Smithson, qu'on devra évoquer la vie de Berlioz. Virgile était pour lui un paysage calme et serein, rempli de nobles personnages aux nobles sentiments, un univers bucolique et sage, où il avait appris dès l'enfance à se mouvoir. Estelle Dubeuf y avait été l'étoile du matin. L'espoir très doux de lendemains qui ne seraient jamais. Elle était sa jeunesse. Alors même qu'il sait (qu'il croit) qu'il ne la reverra plus, Estelle est espérance.

Berlioz a maintenant vingt-quatre ans. C'est son ami Ernest Legouvé, dont il fait connaissance à son retour de Rome, qui l'a remarqué : l'amour est « l'alpha et l'oméga de sa vie ». Pourtant, si des femmes ont pu passer dans son lit, aucune n'a remplacé la douce Estelle dans son cœur et dans son imagination. Avec Shakespeare, il pénètre brusquement dans un domaine de bruit et de fureur. Au vers lentement balancé de Virgile succède le verbe si souvent tonitruant de Shakespeare. Et là, Ophélie ou Desdémone, Harriett y est l'amour impossible d'une maturité qu'il se refuse à accepter. Alors même qu'après cinq ans d'attente elle se sera donnée, Harriett deviendra désespérance. Mais Harriett Smithson et Shakespeare sont tellement liés dans l'esprit, le cœur, la vie de Berlioz qu'au moins pour les aborder, on ne saurait les séparer. Un chapitre des *Mémoires* les confond d'ailleurs dans un même embrasement : « Apparition de Shakespeare. Miss Smithson. Mortel amour ».

« Je touche ici au plus grand drame de ma vie. Je n'en raconterai point toutes les douloureuses péripéties. Je me bornerai à dire ceci : un théâtre anglais vint donner à Paris des représentations des drames de Shakespeare alors complètement inconnu au public français. J'assistai à la première représentation de *Hamlet* à l'Odéon. Je vis dans le rôle d'Ophélie Henriette Smithson qui, cinq ans après, est devenue ma femme. L'effet de son prodigieux talent, ou plutôt de son génie dramatique, sur mon imagination et sur mon cœur, n'est comparable qu'au bouleversement que me fit subir le poète dont elle était la digne interprète. Je ne puis rien dire de plus.

» Shakespeare, en tombant ainsi sur moi à l'improviste, me foudroya. Son éclair, en m'ouvrant le ciel et l'art avec un fracas sublime, m'en illumina les plus lointaines profondeurs. Je reconnus la vraie grandeur, la vraie beauté, la vraie vérité dramatiques [...] Je vis... je compris... je sentis... que j'étais vivant et qu'il fallait me lever et marcher.

» Mais la secousse avait été trop forte, et je fus longtemps à m'en remettre. A un chagrin intense, profond, insurmontable, vint se joindre un état nerveux, pour ainsi dire maladif, dont un grand écrivain physiologiste pourrait seul donner une idée approximative.

» Je perdis donc avec le sommeil la vivacité d'esprit de la veille, et le goût de mes études favorites, et la possibilité de travailler. J'errais sans but dans les rues de Paris et dans les plaines des environs. A force de fatiguer mon corps, je me souviens d'avoir obtenu pendant cette longue période de souffrances, seulement quatre sommeils profonds semblables à la mort, une nuit sur des gerbes, dans un champ près de Villejuif ; un jour dans une prairie aux environs de Sceaux ; une autre fois dans la neige, sur le bord de la Seine gelée, près de Neuilly ; et enfin sur une table du café du Cardinal, au coin du boulevard des Italiens et de la rue Richelieu, où je dormis cinq heures, au grand effroi des garçons qui n'osaient m'approcher, dans la crainte de me trouver mort... »

Voilà. Le coup de foudre pour Harriett, dont Berlioz francise toujours le nom en Henriette, passe d'abord par Shakespeare. Les seules vraies amours qu'il voudra s'avouer, Estelle et Harriett, sont d'abord des amours littéraires.

« En sortant de la représentation de *Hamlet*, épouvanté de ce que j'avais ressenti, je m'étais promis formellement de ne pas m'exposer de nouveau à la flamme shakespearienne.

» Le lendemain, on afficha *Romeo and Juliet*... J'avais mes entrées à l'orchestre de l'Odéon ; eh bien, dans la crainte que de nouveaux ordres donnés au concierge du théâtre ne vinssent m'empêcher de m'y introduire comme à l'ordinaire, aussitôt après avoir vu l'annonce du redoutable drame, je courus au bureau de location acheter une stalle, pour m'assurer ainsi doublement de mon entrée. Il n'en fallait pas tant pour m'achever.

» Après la mélancolie, les navrantes douleurs, l'amour éploré, les ironies cruelles, les noires médiations, les brisements de cœur, la folie, les sombres nuages, les vents glacés du Danemark, m'exposer à l'ardent soleil, aux nuits embaumées de l'Italie, assister au spectacle de cet amour prompt comme la pensée, brûlant comme la lave, impérieux, irrésistible, immense, et pur et beau comme le sourire des anges, à ces scènes furieuses de vengeance, à ces étreintes éperdues, à ces luttes désespérées de l'amour et de la mort, c'était trop. Aussi, dès le troisième acte, respirant à peine, et souffrant comme si une main de fer m'eût étreint le cœur, je me dis avec une entière conviction : Ah ! je suis perdu. – Il faut ajouter que je ne savais pas un seul mot d'anglais...

» [...] Après ces deux représentations de *Hamlet* et de *Roméo,* je n'eus pas de peine à m'abstenir d'aller au théâtre anglais ; de nouvelles épreuves m'eussent terrassé : je les craignais, comme on craint les grandes douleurs physiques ; l'idée seule de m'y exposer me faisait frémir... »

C'est qu'à vingt-quatre ans, Hector Berlioz, qui ne parle donc pas l'anglais, se sent à proprement parler le ver de terre amoureux d'une étoile. Quelle différence, en effet en cette fin de 1827, entre les destins du compositeur en herbe et de l'actrice au faîte de sa gloire !

Harriett Smithson était, au sens le plus fort du mot, une enfant de la balle. Berlioz, celui d'une famille bourgeoise royaliste, pour qui le monde ne dépassait pas les limites du département de l'Isère. Les parents d'Harriett ne vivaient qu'en tournées et sur les planches. En mars 1800, son père, William Joseph Smithson, comédien irlandais dont les débuts remontaient au dernier quart du siècle précédent, dirigeait une compagnie itinérante qui donnait des pièces spectaculaires où de grossiers effets de mise en scène épaulaient des textes défaillants (*L'Irlandais de Naples*, « avec une vue du Vésuve en éruption ») ou, plus simplement, des pièces de Shakespeare plus ou moins arrangées au goût du temps. La troupe s'était arrêtée un peu plus longtemps que de coutume dans la petite ville d'Ennis, dans le County Clare. C'est là que, le 18 mars, Harriett vit le jour, d'une mère qui jouait aussi parfois la comédie. Après avoir traîné un an ou deux, bébé, dans les bagages de ses parents, Harriett avait été presque adoptée par un Dr Barrett, pasteur octogénaire d'Ennis, où les Smithson étaient revenus en tournée. Et c'est le bon docteur Barrett qui, semble-t-il, la propulsa pour la première fois sur une scène (danses et chansons ...) à l'âge de huit ans. Mais son père va mourir peu après et sa mère – un frère et une sœur aussi – vont la retrouver : comédiens ambulants, elle fera partie désormais de leurs bagages. C'est donc dans le sillage de sa famille qu'on la revoit, faisant à quatorze ans ses vrais débuts à Dublin, le 27 mai 1814. Elle joue le rôle d'une Albina Mondeville dans *The Will*, de Reynolds. On la dit déjà ravissante, enjôleuse, grave et enfantine tout à la fois. Sa carrière va se développer avec toutes les promesses – et les déceptions – qui sont celles d'une jeune comédienne de province – l'Irlande – soucieuse de se hisser au premier rang des acteurs de son temps – et incapable d'y parvenir jusqu'au miracle parisien de l'Odéon.

En 1815, sous la houlette du comédien et directeur de troupe Robert Ellester, elle joue son premier rôle shakespearien. Elle incarne Lady Anne, dans *Richard III*, un rôle où on la reverra. Elle y est applaudie, une réputation flatteuse commence à l'entourer. De même fréquente-t-elle du côté de la tragédie, voire du drame le plus noir, avec une pièce traduite de l'allemand, de Kotzebue. Après un passage à Birmingham, c'est en juin 1818 qu'elle fait enfin ses débuts londoniens, à Drury Lane, dans une comédie de mœurs de l'époque, *The Bell's Stratagem.* On loue alors son interprétation d'une Laetitia Hardy qui la suivra longtemps. Elle est vive, primesautière, une vraie bête de scène qui sait faire rire ou pleurer. Tout lui semble ouvert : les scènes londoniennes, celles d'Europe aussi. Mais le théâtre anglais traverse alors une crise grave, en partie due au succès grandissant de l'opéra italien. Une gravure du temps montre une Harriett étrangement belle et fragile, le visage rond, de grands yeux étonnés que souligne l'arc parfait des sourcils. Tenus par un ruban, ses cheveux courts reviennent de part et d'autre du visage en boucles qui lui descendent jusqu'à la nuque. Son cou est long, très fin. Elle porte un châle indien. On comprend déjà ce qui va tant émouvoir

Berlioz, huit ans plus tard. Mais en juin 1819, Drury Lane ferme ses portes. Harriett n'a que dix-neuf ans, il lui faut refaire l'apprentissage d'une vie plus difficile. La voilà repartie avec sa mère pour la province, Bristol, où elle attire à nouveau l'attention dans le rôle d'une autre belle, celle de *La Belle et la Bête*, cette fois. Mais c'est à Drury Lane, où elle revient l'année suivante, qu'elle occupe enfin une place de premier choix à l'affiche de *Richard III* et surtout d'*Othello* où, au côté du grand et scandaleux Keane, elle est une bouleversante Desdémone. Avoir joué Desdémone à vingt ans avec Keane, une sacrée entrée en matière !

Malheureusement la carrière de la jeune comédienne, ainsi pourtant consacrée, va connaître des hauts et des bas, plus de bas que de hauts... D'aucuns attribuent le manque d'enthousiasme d'une partie de la critique – et du public – à son fort accent irlandais. Peut-être ne fait-elle pas non plus tout ce qu'une actrice de ce temps-là se croyait obligée de devoir oser pour aller plus loin... Harriett est ce qu'on appelle « sage », quand d'autres n'hésitent pas à jeter leur bonnet par-dessus les moulins pour un costume de scène rapiécé. Son frère Joseph décide de prendre en main sa destinée et de monter une compagnie pour tourner à l'étranger. Mais la compagnie ne va pas plus loin en France que Boulogne et Calais. C'est seulement en 1827 qu'un entrepreneur de spectacles français, Emile Laurent, décide de tenter à nouveau l'expérience et, cette fois, avec une compagnie anglaise tout entière, dirigée par le grand Kemble et jouant Shakespeare ou Sheridan. Et Harriett Smithson sera du voyage.

Le récit des amours de Berlioz avec Harriett Smithson pourrait constituer l'épine dorsale de cet invraisemblable roman qu'est la vie de Berlioz, tant les années qui vont suivre, comme les œuvres qu'il va composer, vont être étroitement confondues avec la vision qu'il aura d'Harriett, l'amour d'Harriett, le souvenir de cet amour, le souvenir d'Harriett enfin. On le comprendra à mesure qu'on avancera dans cette vie et dans cette œuvre : aucun compositeur, avant ou après Berlioz, n'aura aussi fortement imprimé dans ses œuvres les marques – on devrait dire : les plaies, voire les stigmates... – de sa propre vie. En d'autres termes, c'est presque l'œuvre tout entière de Berlioz qui est autobiographique. Il se raconte dans ses *Mémoires*, oui. Il se met en scène dans ses contes, dans ses lettres. Comme Stendhal qui, parlant de la musique de Rossini ou décrivant des monuments romains, se met à nu dans bon nombre de ses articles.

Mais c'est aussi dans *Lélio* qu'il se raconte. Et dans *Harold en Italie*. Plus tard, ce seront les mélodies des *Nuits d'été* ou l'invocation à la nature de *Faust* : Berlioz est partout dans ce qu'il compose. Et la présence d'Harriett Smithson s'y dessinera, elle aussi, longtemps. Pour ne parler que de la *Symphonie fantastique*, à coup sûr le plus extraordinaire épisode autobiographique jamais mis en musique.

Peut-être que si, simple jeune femme anglaise venue à Paris pour le plaisir, miss Smithson lui était apparue dans un salon, présentée par un ami ou voisine de table à un dîner, Berlioz serait tombé amoureux d'elle. Simplement amoureux. Mais Harriett Smithson était comédienne et, surtout, elle lui était apparue dans Shakespeare. Mieux encore : en Ophélie, et bientôt en Juliette. Le cœur, bien sûr, mais peut-être surtout l'imagination de Berlioz ont fait le reste.

Que Berlioz, si aisément amoureux, ait aimé Harriett Smithson à la folie ne pouvait qu'être dans l'ordre des choses. Elle aurait été une autre Estelle, c'eût également été dans l'ordre des choses qu'il en souffrît. Mais l'aimer à la folie, et pendant si longtemps... L'étincelle qui s'est produite à l'Odéon a été alimentée par une véritable folie-Shakespeare, Harriett a été aimée, mais en elle, ce sont Ophélie et Juliette qui l'ont été aussi passionnément.

Il faut comprendre ce que représentait Shakespeare pour un jeune artiste de 1830. Les *Mémoires* nous en disent beaucoup. Mais pour l'auteur d'*Hernani* ou pour celui de *Chatterton*, pour l'Alexandre Dumas d'*Antony*, pour un Musset qui ne s'est pas encore relevé d'être un *Enfant du siècle*, il y a chez Shakespeare tout ce à quoi, sourdement, ils aspirent. A l'époque, Shakespeare est un dieu qui secoue dans un grand drapé de violence tout ce que les tragédies françaises des siècles précédents avaient d'empesé, de convenu. C'est un formidable souffle venu d'ailleurs pour la jeunesse exaltée d'alors qui entend la langue de Shakespeare sur la scène de l'Odéon. Bien sûr, beaucoup ont déjà lu ses pièces. Même les jeunes amies de Nanci Berlioz ont lu *Othello* ou *Hamlet*, nous apprend la correspondance de la jeune fille. Mais ce n'était pas vraiment Shakespeare, loin de là. Le poète et auteur dramatique Ducis l'avait traduit au XVIIIe siècle. Comme tant d'arrangeurs, que stigmatise Berlioz, il avait tripatouillé les textes à sa façon. Chez Ducis, Ophélie n'est plus la fille de Polonius ni la sœur de Laërte, mais celle de Claudius, née d'un premier mariage ! Une sorte de Chimène, en somme, pour Hamlet : la fille de celui dont il veut se venger. Un dilemme cornélien mais sans la violence enflammée de l'héroïne de Corneille ni la vraie poésie du vrai Shakespeare.

Tous les romantiques de la génération de Berlioz avaient vu Talma, le grand tragédien, mort en 1826, jouer Hamlet. Ainsi la place de Shakespeare dans l'air du temps était-elle déjà en train de s'affirmer, avec une fulgurante vigueur. Une troupe anglaise, venue en France en 1822, l'avait pourtant joué sans succès. Mais, dès 1823, Stendhal publiait une petite brochure : *Racine et Shakespeare*, qui devait très vite connaître une nouvelle version, en 1825. Et là, il nous montre bien ce que représente Shakespeare pour la génération romantique :

« Shakespeare fut romantique parce qu'il présenta aux Anglais de l'an 1590, d'abord les catastrophes sanglantes amenées par les guerres civiles, et pour reposer de ces tristes spectacles, une foule de peintures fines des mouvements du cœur, et des nuances de passions les plus délicates [qui] eussent paru manquer de dignité aux yeux des fiers marquis de Louis XIV. »

Et Stendhal d'appeler de ses vœux une nouvelle tragédie française. « Ce qu'il faut imiter de ce grand homme, c'est la manière d'étudier le monde au milieu duquel nous vivons, et l'art de donner à nos contemporains précisément le genre de tragédie dont ils ont besoin, mais qu'ils n'ont pas l'audace de réclamer, terrifiés qu'ils sont par la réputation du grand Racine. Par hasard, la nouvelle tragédie française ressemblerait beaucoup à celle de Shakespeare... »

Il expose ainsi ce qu'est le souffle même de la tragédie shakespearienne, face à la stricte loi classique des trois unités. « La tragédie *racinienne* ne peut jamais prendre que les trente-six dernières heures d'une action ; donc jamais de développements des passions... Il est intéressant, il est *beau* de voir Othello, si amoureux au premier acte, tuer sa femme au cinquième. Si ce changement a lieu en trente-six heures, il est absurde, et je méprise Othello. »

Stendhal explique dès lors le peu de succès de la compagnie anglaise qui s'était produite au Théâtre de la Porte-Saint-Martin par un mélange de conservatisme littéraire et de nationalisme grotesque de la part de spectateurs qui n'entendaient mot à ce qui se disait sur la scène. « Les sifflets et les huées commencèrent avant la pièce anglaise, dont il fut impossible d'entendre un mot. Dès que les acteurs parurent, ils furent assaillis avec des pommes et des œufs : *Parlez français !* En un mot, ce fut un beau triomphe pour l'*honneur national.* [...] Quelques calicots allèrent jusqu'à crier : *A bas Shakespeare, c'est un aide de camp du duc de Wellington !...* »

Stendhal et Berlioz ne se sont, apparemment, jamais rencontrés. Berlioz a prononcé des jugements sans appel sur Stendhal amateur de musique, dont la *Vie de Rossini* est pour lui un tissu d'absurdités. Au moins, avec Shakespeare, avaient-ils quelque chose en commun. Mais ce sont tous les romantiques qui, après l'échec de la Porte-Saint-Martin, vont l'avoir en commun, la passion-Shakespeare. Dans ses propres *Mémoires*, Alexandre Dumas avait déjà évoqué l'infortunée tournée de 1822 : cinq ans plus tard, la situation a pour lui radicalement changé. « Elle avait été accueillie par tant de cris et de huées, on avait lancé du parterre sur le théâtre tant de pommes et d'oranges, que les malheureux artistes avaient été obligés d'abandonner le champ de bataille, tout couvert de projectiles.

» Voilà comment, en 1822, on entendait l'esprit national ! Cinq ans seulement s'étaient écoulés depuis cette époque, et l'on annonçait, à la grande curiosité de tout le monde, qu'une troupe anglaise allait venir représenter sur le second Théâtre-Français les chefs-d'œuvre de Shakespeare. Cinq ans avaient suffi à faire cet éclaircissement dans les idées, tant les idées mûrissent vite à cet ardent soleil du XIXe siècle.

» En effet, du mépris complet de la littérature anglaise, on était passé à une admiration enthousiaste. M. Guizot avait retraduit Shakespeare. [...] Walter Scott, Cooper et Byron étaient dans toutes les mains. M. Lemercier avait fait une tragédie avec le *Richard III*. [...] On avait joué *Le Château de Kenilworth* à la Porte-Saint-Martin ; *Macbeth* à l'Opéra. On parlait de la *Juliette* de Frédéric Soulié, de l'*Othello* d'Alfred de Vigny. Décidément, le vent soufflait de l'ouest et annonçait la révolution littéraire.

» Les artistes anglais trouvèrent donc le public parisien tout chaud d'émotion, et demandant à grands cris, pour faire suite aux émotions passées, des émotions nouvelles [...] Avec notre esprit inquiet et aventureux, il faut toujours que nous mettions le drame quelque part, ou au théâtre ou dans la société. En 1827, il était tout entier au théâtre. »

L'arrivée à Paris d'une nouvelle troupe anglaise qui va donner Shakespeare dans la langue de Shakespeare va provoquer un choc sans précédent chez tous ces jeunes gens qui s'affirment romantiques – et pas seulement chez Berlioz. C'est qu'alors le théâtre – et pas seulement Shakespeare – est au cœur de la vie intellectuelle et passionnelle de toute une génération qui n'a plus pour spectacle la vaste scène des guerres de l'Empire. Le roman moderne est en train de naître. C'est la poésie qui fait vibrer les cœurs. C'est le théâtre qui déchaîne les passions. Est-il besoin de le rappeler : encore quelques années et ce sera la bataille d'*Hernani* ! C'est sur la scène des théâtres parisiens que se jouent la mise à mort d'une certaine littérature et la naissance d'une autre. Jamais, dans l'histoire culturelle de la France, le théâtre ne sera si spectaculairement au centre de la vie de l'esprit et des passions. En cinq ans, de 1822 et le chahut qui accueille la première troupe anglaise, à 1827 et l'arrivée de la troupe de Kemble, le paysage intellectuel parisien a connu un incroyable bouleversement. Shakespeare cristallise bien ce changement. Que Berlioz, le premier des musiciens romantiques français, soit au cœur de ce cataclysme n'a rien de surprenant. Le critique Pontmartin a publié en 1881 un joli livre de mémoires : les *Souvenirs d'un vieux critique* où il consacre un chapitre aux « Acteurs anglais à l'Odéon ». Il y raconte comment tous, les Hugo et les Vigny, Théophile Gautier et Sainte-Beuve, Delacroix, Devéria, se sont retrouvés, le 11 septembre au soir, dans un café, le Voltaire, près de l'Odéon, le soir de la première représentation de *Hamlet.*

Un autre critique, E.-J. Delécluze, dans son *Journal (1824-1828)*, donne plus de renseignements encore sur « les acteurs anglais à Paris ». Lui aussi garde le souvenir de la tournée de 1822. « Enfin, jeudi dernier on a représenté *Hamlet, prince de Danemarck* [*sic*]. Malgré l'excessive chaleur qu'il faisait, la salle était comble et je ne me souviens pas d'avoir jamais vu un théâtre aussi rempli. Une foule d'étrangers de toutes classes, un bataillon d'hommes de lettres tant *classiques* que *romantiques* et beaucoup d'acteurs des théâtres de Paris composaient la plus importante partie de l'auditoire. [...] J'étais placé aux premières loges découvertes, et j'avais pour voisin Charles Nodier. Déjà dans les premiers actes, aux différentes apparitions de l'ombre, il m'avait dit dans l'oreille : “C'est plus beau qu'Oreste, monsieur, c'est plus beau que l'Oreste des anciens. Quelle pitié que la fatalité des anciens auprès de cela !” Mais quand vint la catastrophe finale, il s'est écrié : “Ah ! Ah ! Ah ! la voilà enfin la tragédie !”

» Le tonnerre des applaudissements prolongés a couvert cette exclamation de Nodier. [...] Pour mon compte, je dirai que cette scène m'a ému au dernier point, et que je l'ai trouvée à la représentation, comme à la lecture, aussi originale que belle. »

Delécluze en arrive à Harriett Smithson.

« Mlle Smithson, chargée de ce rôle, a joué la scène où, privée de raison, elle prend son voile pour le corps de son père, avec autant de grâce que de vérité. Tout ce passage qui paraît long, assez insignifiant et exagéré même à la lecture, fait beaucoup d'effet sur la scène, au moins comme nous l'avons vu jouer par Mlle Smithson. Cette actrice a été couverte d'applaudissements.

» Ce qu'il y a de plus remarquable dans son jeu est la pantomime ; elle prend des postures fantastiques ; elle a des inflexions de voix mourante, sans cesser d'être naturelle, qui produisent un grand effet. »

D'autres critiques ont évoqué la façon dont Harriett Smithson habitait à proprement parler son personnage, voire la manière hallucinée qu'elle avait de chanter les chansons de sa folie : d'un rôle après tout secondaire dans la tragédie de Shakespeare, elle avait fait un personnage de premier plan. Pour Berlioz, et à jamais, elle était devenue sa « *fair Ophelia* ».

Après *Hamlet*, ce fut *Roméo et Juliette* le 15 septembre et ce fut, si l'on ose dire, pire. D'abord, c'est le succès d'Ophélie qui conduisit Harriett à jouer Juliette. Richard Kemble avait réservé le rôle à une autre comédienne, miss Foote, qui devait venir de Londres. En dépit de ses premiers succès et jusqu'à son arrivée à Paris, Harriett Smithson n'était en effet, aux yeux du public comme du monde du théâtre anglais, qu'une comédienne semblable à beaucoup d'autres. Certains Britanniques de Paris s'étonnèrent, voire ironisèrent, sur l'enthousiasme avec lequel on l'accueillit en France : il fallait bien être français pour « découvrir » de la sorte une actrice anglaise somme toute peu connue dans son propre pays ! Devant les ovations du public parisien à Harriett Smithson dans *Hamlet*, Kemble franchit le pas décisif : il lui confia le rôle de Juliette. Là encore, le succès fut immense. La presse est enthousiaste, dithyrambique. Les superlatifs s'ajoutent aux superlatifs. Une lithographie de l'époque montre la comédienne aux yeux écarquillés par la douleur, cheveux longuement défaits et tout enveloppée de suaires blancs. Elle est littéralement soulevée hors du tombeau par son partenaire : c'est une vision à la fois terrible et enchantée. Tout Paris veut la voir dans le rôle de Juliette – la voir et la revoir. Pour Berlioz c'est un coup de foudre sans appel.

Tout de suite, il veut concrétiser cette passion. Osant et n'osant pas, il en parle d'abord à tous, sauf à l'intéressée. Celle-ci a vent de cet intérêt, mais se garde bien d'y répondre. Quel est ce fou, cet échevelé, qui assiste à toutes ses représentations – ou presque – et qui clame pour elle, dans tout Paris, un amour littéralement forcené ? Miss Smithson n'a nulle envie de se compromettre avec pareil illuminé. Alors Berlioz sombre dans le désespoir et cette désespérance atteint des sommets incroyables. Se gardant, pour le moment, d'en informer officiellement La Côte-Saint-André, il tient au jour le jour, au fil des lettres à ses amis, une chronique de sa malheureuse aventure. On se souvient qu'il ne parlait pas l'anglais : on apprend d'abord qu'il s'est mis à l'étudier puis, le 10 janvier 1828, dans une lettre à Nanci (où il ne fait naturellement aucune allusion à Harriett), qu'il a été obligé de suspendre ses cours. Il les reprend ensuite à raison de trois fois par semaine mais avec d'autres étudiants, ne pouvant payer des cours particuliers. En mai, il les interrompt à nouveau.

Mais il n'a pas encore entrepris de démarche décisive. Il tente, sans succès, de se faire présenter à la comédienne. A Humbert Ferrand, il écrit en juin que « depuis neuf mois, [il] traîne une existence empoisonnée, désillusionnée, et que la musique [lui] fait seule supporter ».

Son ami Joseph d'Ortigue, qui deviendra l'un de ses plus fidèles zélateurs dans les mille et un articles qu'il publiera – parfois même sous sa dictée ! – pour chanter ses louanges, est alors plus pessimiste que Berlioz lui-même : selon lui, la musique ne lui est d'aucun secours. D'Ortigue commente cet état, citation à l'appui :

« Il tomba dans une profonde lassitude de cœur et une pitoyable langueur d'esprit. Il n'écrivait plus de musique et ne pouvait en entendre, les objets de son admiration ne lui faisant éprouver, dans cet état de déchirement et d'exaltation nerveuse, que d'intolérables souffrances.

» Oui, d'autres l'ont senti comme Hector Berlioz, pour une âme qui souffre, entendre de la musique, grand Dieu ! c'est s'appliquer un fer rouge sur le cœur. Salomon a dit vrai lorsqu'il a écrit que *la musique est importune dans le deuil....* »

C'est peut-être, après Berlioz lui-même, Gérard de Nerval qui a le mieux décrit l'amour de Berlioz pour Harriett Smithson. Dans les premières pages de *Sylvie*, il parle de Jenny Colon mais c'est de la même folie qu'il s'agit : « Je sortais d'un théâtre où tous les soirs je paraissais aux avant-scènes en grande tenue de soupirant... Indifférent au spectacle de la salle, celui du théâtre ne m'arrêtait guère, excepté lorsqu'une apparition bien connue illuminait l'espace vide, rendant la vie d'un souffle à ces vaines figures qui m'entouraient.

» Je me sentais vivre en elle, et elle vivait pour moi seul. Son sourire me remplissait d'une béatitude infinie ; la vibration de sa voix si douce et cependant si fortement timbrée me faisait tressaillir de joie et d'amour. Elle avait pour moi toutes les perfections, elle répondait à tous mes enthousiasmes, à tous mes caprices, belle comme les feux de la rampe qui l'éclairaient d'en bas, pâle comme la nuit, quand la lampe baissée la laissait éclairée d'en haut sous les rayons du lustre et la montraient plus naturelle... »

Comme celui de Nerval pour Jenny Colon à l'Opéra-Comique, l'amour de Berlioz pour Harriett Smithson sur la scène de l'Odéon est sans limites. C'est une passion dévorante qui durera près de trois ans pour devenir, très vite, une *idée fixe.* Et, dans la *Symphonie fantastique*, l'idée fixe elle-même va devenir musique...

Pendant tout le début de cet amour brûlant, impossible, Berlioz a bien sûr adressé à sa bien-aimée des lettres qui ne nous sont pas parvenues. Mais, après quelques déclarations enflammées, « plus effrayée » que touchée par le ton de son amoureux, non seulement miss Smithson ne lui répond pas mais elle interdit à sa femme de chambre d'en recevoir d'autres de lui. Alors le pauvre fou commence ses courses folles à travers Paris, frappe comme à son habitude à cent portes, saoule ses amis de ses jérémiades et s'épuise sans parvenir à oublier. Le voilà décrivant son état à Humbert Ferrand, en juin 1828 : cela fait déjà six mois qu'il aime à la folie. Il vient de revoir Harriett Smithson sur scène, dans une pièce sans importance, mais lui, il délire :

« Je viens de Villeneuve-Saint-Georges, à quatre lieues de Paris, où je suis allé depuis chez moi à la course seul !... Tous mes muscles tremblent comme ceux d'un mourant !... O mon ami, envoyez-moi un ouvrage ; jetez-moi un os à ronger... Que la campagne est belle !... quelle lumière abondante !... Tous les vivants que j'ai vus en revenant avaient l'air heureux... Les arbres frémissaient doucement, et j'étais tout seul dans cette immense plaine... L'espace... l'éloignement... l'oubli... la douleur... la rage m'environnaient. Malgré tous mes efforts, la vie m'échappe, je n'en retiens que des lambeaux... »

Voilà pourtant qu'en février 1829 une occasion se présente de se faire connaître à la belle Irlandaise autrement que comme un illuminé. La direction de l'Opéra-Comique va donner une représentation à bénéfice au profit des pauvres. Miss Smithson y joue deux actes de *Roméo et Juliette* et Berlioz obtient que l'ouverture de *Waverley* soit jouée à cette occasion. Ainsi, son nom va figurer sur la même affiche que celui de sa bien-aimée ! Son cœur bat, il espère. Et il a raison d'espérer car c'est bien ce qui arrive : les spectateurs entendirent du Berlioz et virent miss Smithson. Mais pour Berlioz, la déconvenue est amère. Il la raconte douloureusement :

« [...] quand je vins au théâtre pour [la répétition de son ouverture], les artistes anglais achevaient la répétition de *Romeo and Juliet* ; ils en étaient à la scène du tombeau. Au moment où j'entrai, Roméo éperdu emportait Juliette dans ses bras. Mon regard tomba involontairement sur le groupe shakespearien. Je poussai un cri et m'enfuis en me tordant les mains. Juliette m'avait aperçu et entendu... je lui fis peur. En me désignant, elle pria les acteurs qui étaient en scène avec elle de faire attention à ce gentleman *dont les yeux n'annonçaient rien de bon.* »

Le jour du concert lui-même, tout se déroule d'abord très bien, l'ouverture de Berlioz est « assez applaudie » mais la comédienne en ignore tout : arrivée en retard, elle est encore dans sa loge en train de se préparer à entrer en scène. Encore une fois, c'est un coup pour rien. Et la belle va partir pour Amsterdam. Berlioz est anéanti : « Je ne composais plus ; mon intelligence semblait diminuer autant que ma sensibilité s'accroître. Je ne faisais absolument rien... que souffrir. »

Les choses ont, en effet, empiré. Au lendemain de la représentation du 25 février, il a écrit une nouvelle lettre à sa bien-aimée, toujours « sans une ligne de réponse ». Alors même que miss Smithson était encore sur scène à l'Opéra-Comique, il était allé voir une connaissance de l'actrice, un certain M. Tartes. Celui-ci tente une nouvelle fois d'attendrir pour lui la comédienne. Mais raconte Berlioz à son ami Du Boys, voilà ce qu'elle a répondu : « Monsieur, je vous en prie, ne parlons pas de cela. – Mademoiselle, je vous demande pardon, mais je vous en parle de manière à ce que vous puissiez m'entendre. – Mon Dieu ! je vous l'ai déjà dit, quand M. Berlioz fit faire des démarches auprès de moi il y a deux ans, je lui fis répondre que je ne pouvais absolument partager ses sentiments, je ne conçois pas sa persévérance. – Mais c'est donc tout à fait impossible ? – Oh ! monsieur, il n'y a rien de plus impossible. »

Harriett ne veut pas voir Berlioz. Elle ne veut pas entendre parler de lui. Elle va à nouveau partir. Berlioz, qui a déménagé, s'est installé (par hasard ?) en face de chez elle, rue de Richelieu. Il délire à nouveau, l'écrit à son ami Du Boys : « Toutes les articulations me font mal. Elle vient d'éteindre sa lumière, elle dormira tout à l'heure [...] Sa mère est encore occupée dans son appartement. J'entends le bruit des masques sous mes fenêtres ; les cabriolets ébranlent en même temps mes fenêtres et les siennes. Demain elles ne seront plus les siennes.

» Je sortirai de bonne heure : elle part à midi. Hiller [un ami qu'on reverra bientôt] m'attend à dix heures, il me jouera un adagio de Beethoven ; mes yeux ne demeureront pas secs comme ce soir, c'est tout ce que j'espère.

» Adieu... quel silence... »

Musique, souvenirs, images poétiques : tout se mélange dans l'esprit de Berlioz. C'est Harriett Smithson dont il ne veut pas voir le nom sur les affiches, c'est elle dont les fenêtres ouvrent sur la même rue que lui, c'est à elle qu'il pense en écoutant Beethoven : en tous les sens du mot, elle est bien, oui, l'*idée fixe*. Et si la création en renaissait ?

Il espère pourtant encore, rêve de voyage. Et puis, en avril 1829, il a enfin compris. Il l'écrit à Humbert Ferrand : « N'exigez pas, mon cher ami, que je vous donne le détail de tout ce qui m'est arrivé pendant ces deux fatales semaines ; il m'est survenu, avant-hier, un accident qui me met aujourd'hui dans l'impossibilité de parler de cela. »

Quel accident ? On ne le sait. Une tentative de suicide, soigneusement ratée peut-être... Mais l'idée fixe est définitivement ancrée en lui. Elle débouchera sur rien moins que la *Symphonie fantastique*.

Parce que, en dépit de ce qu'il affirme si haut et si fort, si fort surtout, et à tout le monde, Berlioz travaille encore. Peut-être un peu moins qu'avant. Au début. Mais, bientôt : comme avant.

Qu'on s'en souvienne : il voit Harriett pour la première fois le 11 septembre 1827. Dès lors, dit-il, il ne ferait plus rien ? Ça ne l'empêche pas, on l'a vu, de donner, le 22 novembre suivant, une deuxième exécution de sa messe à Saint-Eustache.

En février 1828, il achève l'ouverture de *Waverley* – qu'Harriett n'entendra même pas alors qu'il la fera jouer pour elle ! Puis c'est le « concert inutile » du 26 mai où l'amoureux transi, à qui la musique n'est plus une consolation, remporte quand même un joli triomphe. Inactif et tétanisé par la douleur, Hector Berlioz ? Il l'est peut-être dans son âme. Il le dit si bien qu'il en persuade ses amis. Mais il s'agite autant qu'avant, plus qu'avant. Et nous voilà déjà à l'été 1828 et au concours de Rome auquel il se présente pour la deuxième fois, la troisième si l'on tient compte de l'épreuve éliminatoire de fugue de 1826. En froid une fois de plus avec son père, Hector n'a même pas de quoi payer la dépense de son séjour en loge. C'est le bon Le Sueur qui lui en remet la somme.

Berlioz et Le Sueur ne partagent pas la même passion pour Beethoven, et alors ? Dans la tristesse qui couvre sa vie d'une chape de plomb, Berlioz s'est encore rapproché de son vieux maître. L'hiver précédent, celui-ci a en effet perdu l'aînée de ses trois filles. L'étrange passion que toute sa vie Berlioz éprouvera pour les jeunes filles – on parlera plus tard de jeunes mortes – l'amène à s'épancher à ce sujet dans une émouvante lettre à sa mère :

« Huit jours avant sa mort, assistant au déjeuner de la famille, elle me faisait des questions sur les tragédies anglaises qu'elle n'avait pas encore vues ; je la voyais frémir au récit de l'horrible scène du cimetière dans *Hamlet* ; je ne croyais pas alors que, nouveau Laërte, j'accompagnerais si tôt Ophélie à sa dernière demeure.

» Elle ressemblait un peu à Nanci, et cette circonstance, jointe à l'habitude de la voir et à l'intérêt qu'elle inspirait naturellement, me l'a fait pleurer amèrement. Toute la chapelle du roi a assisté à son convoi. Nous l'avons déposée au cimetière du Père-Lachaise, entre Delille, Grétry et Bernardin de Saint-Pierre.

Et rose elle a vécu ce que vivent les roses,
L'espace d'un matin. »

Un autre ange vient de s'éloigner un peu plus de lui. C'est Estelle, l'étoile du matin, qui rayonnait si bellement dans le ciel de sa jeunesse : elle se marie en juillet 1828 et devient platement Mme Casimir Fornier, épouse d'un riche magistrat grenoblois. Elle a trente ans. Mais elle reviendra dans la vie de Berlioz.

Pour le moment, candidat au prix de Rome, il se retrouve à nouveau en loge, face à un poème où « Déjà l'aurore aux doigts de rose », si ce n'est un « jour naissant [qui] ranime la nature » lui font hausser les épaules mais se mettre au travail : c'est le même rituel des longues journées et des visites à six heures du soir.

Cette année-là, c'est un texte de Pierre-Ange Vieillard, auteur dramatique mais aussi censeur royal, qui est proposé aux concurrents. Ceux-ci doivent évoquer l'Herminie du Tasse se couvrant des armes de Clorinde et sortant des murs de Jérusalem pour aller porter à Tancrède blessé le soin de son fidèle et malheureux amour. Le sujet n'a pas été utilisé moins de quatre fois pour des cantates de prix de Rome depuis 1802 ! Il est éculé, rabâché, épuisé mais David Cairns considère que des « trois cantates pour le prix de Rome qui subsistent (la quatrième, *Sardanapale*, n'existe que sous forme fragmentaire), *Herminie* est de loin la plus discrète et la moins neuve. Les modulations bizarres et déconcertantes y sont évitées. Le texte est abordé avec un respect qu'on ne trouve pas dans l'*Orphée* de l'année précédente ni dans la *Cléopâtre* de 1829. C'est seulement à l'extrême fin du dernier air qu'il prend une petite liberté... » En d'autres termes, Berlioz fait preuve, cette année-là, d'une prudence extrême. Il s'était promis de donner en pâture aux académiciens quelque chose qui leur ressemble, il tient parole et, composant pour un grand orchestre qu'on réduira à un piano poussif, il marche sur des œufs... Ce qui ne l'empêche pourtant pas de rater une fois de plus le premier prix, qui revient à Pierre-Julien Nargeot. Tellement oublié, ce Nargeot, que le bon Fétis ne lui consacre qu'un petit paragraphe de son gros dictionnaire en huit volumes. Mais les jurés ont été sensibles à la modération sous laquelle transperce le talent de Berlioz et celui-ci obtient quand même un second prix. Le chapitre XXIII des *Mémoires* raconte avec force détails et beaucoup d'ironie la manière dont s'est déroulé ce deuxième concours. Il met pour cela en scène un brave homme d'huissier de l'Institut nommé Pingard. L'huissier a existé, nous n'en doutons pas. Nous ne doutons pas non plus qu'il ait eu bon dos. Encore une fois : comme Berlioz a dû s'amuser en le faisant parler ! Et quel meilleur porte-parole d'un candidat sardonique au prix de Rome qu'une brave bête débonnaire et qui a beaucoup voyagé ?

« La tâche de ce brave homme, à l'époque du concours, était de nous enfermer dans nos loges, de nous en ouvrir les portes soir et matin, et de surveiller nos rapports avec les visiteurs aux heures de loisir. Il remplissait, en outre, les fonctions d'huissier auprès de MM. les académiciens, et assistait, en conséquence, à toutes les séances secrètes et publiques, où il avait fait un bon nombre de curieuses observations.

» Embarqué à seize ans comme mousse à bord d'une frégate, il avait parcouru presque toutes les îles de la Sonde, et, obligé de séjourner à Java, il échappa par la force de sa constitution, disait-il, aux fièvres pestilentielles qui avaient enlevé tout l'équipage. J'ai toujours beaucoup aimé les vieux voyageurs [...] aussi étions-nous fort bons amis, le père Pingard et moi. Il m'avait estimé tout d'abord à cause du plaisir que j'avais à lui parler de Batavia, des Célèbes, d'Amboyne, de Coromandel, de Bornéo, de Sumatra ; parce que je l'avais questionné plusieurs fois avec curiosité sur les femmes javanaises, dont l'amour est fatal aux Européens, et avec lesquelles le gaillard avait fait de si terribles fredaines, que la consomption avait un instant paru vouloir réparer à son égard la négligence du choléra morbus [...]

» Le père Pingard était donc mon ami ; aussi me traitait-il comme tel en me confiant des choses qu'il eût tremblé de dévoiler à tout autre. Je me rappelle une conversation très animée que nous eûmes ensemble le jour où le second prix me fut accordé. On nous avait donné cette année-là [Berlioz confond ici les dates et place cette partie des récits de l'huissier Pingard lors du premier concours de 1827] pour sujet de concours un épisode du *Tasse*. [...]

» Au milieu du troisième air (car il y avait toujours trois airs dans ces cantates de l'Institut ; d'abord le lever de l'aurore obligé, puis le premier récitatif suivi d'un premier air, suivi d'un deuxième récitatif suivi d'un deuxième air, suivi d'un troisième récitatif suivi d'un troisième air, le tout pour le même personnage) ; dans le milieu du troisième air donc, se trouvaient [des] vers [dont] j'eus l'insolence de penser que, malgré le titre d'*air agité* que portait le dernier morceau, [ils devaient] être le sujet d'une prière, et il me parut impossible de faire implorer le Dieu des chrétiens par la tremblante reine d'Antioche avec des cris de mélodrame et un orchestre désespéré. J'en fis donc une prière, et à coup sûr s'il y eut quelque chose de passable dans ma partition, ce ne fut que cet andante.

» Comme j'arrivais à l'Institut le soir du jugement dernier pour connaître mon sort, et savoir si les peintres, sculpteurs, graveurs en médailles et graveurs en taille-douce m'avaient déclaré bon ou mauvais musicien, je rencontre Pingard dans l'escalier :

– Eh bien ! lui dis-je, qu'ont-ils décidé ?

– Ah ! ... c'est vous, Berlioz... pardieu, si je suis bien aise ! je vous cherchais...

– Qu'ai-je obtenu, voyons, dites vite ; un premier prix, un second, une mention honorable, ou rien ?

– Oh ! *tenez*, je suis encore tout remué. Quand je vous dis qu'il ne vous a manqué que deux voix pour le premier.

– Parbleu, je n'en savais rien ; vous m'en donnez la première nouvelle.

– Mais quand je vous le dis !... Vous avez le second prix, c'est bon ; mais il n'a manqué que deux voix pour que vous eussiez le premier. Oh ! *tenez*, ça m'a vexé ; parce que, voyez-vous, je ne suis ni peintre, ni architecte, ni graveur en médailles, et par conséquent je ne connais rien du tout en musique ; mais ça n'empêche pas que votre *Dieu des chrétiens* m'a fait un certain gargouillement dans le cœur qui m'a bouleversé.

– Merci, merci, mon cher Pingard, vous êtes bien bon. Vous vous y connaissez ; vous avez du goût.

– Oh, *tenez*, ne m'en parlez pas ; c'est toujours la même chose. J'aurais trente enfants, que je diable m'emporte si j'en mettais un seul dans les arts. Parce que je vois tout ça, moi. Vous ne savez pas quelle sacrée boutique... Par exemple, ils se donnent, ils se vendent même des voix entre eux. *Tenez*, une fois au concours de peinture, j'entends M. Lethière [un peintre alors fameux] qui demandait sa voix à M. Cherubini pour un de ses élèves. "Nous sommes d'anciens amis, qu'il lui dit, tu ne me refuseras pas ça. D'ailleurs, mon élève a du talent, son tableau est très bien. – Non, non, non, je ne veux pas, je ne veux pas, que l'autre lui répond. Ton élève m'avait promis un album que désirait ma femme, et il n'a pas seulement dessiné un arbre pour elle. Je ne lui donne pas ma voix. – Ah ! tu as bien tort, que lui dit M. Lethière ; je vote pour les tiens, tu le sais, et tu ne veux pas voter pour les miens ! – Non, je ne veux pas. – Alors, je ferai moi-même ton album, là, je ne peux pas mieux dire. – Ah ! c'est différent. Comment l'appelles-tu ton élève ? [...] C'est bon ! il a ma voix." Eh bien ! n'est-ce pas abominable ? et si j'avais un de mes fils au concours et qu'on lui fît des tours pareils, n'y aurait-il pas de quoi me jeter par la fenêtre ?

– Allons, calmez-vous, Pingard, et dites-moi comment tout s'est terminé, aujourd'hui.

– Je vous l'ai déjà dit, vous avez le second prix, et il ne vous a manqué que deux voix pour le premier. Quand M. Dupont a eu chanté votre cantate, ils ont commencé à écrire leurs bulletins et j'ai apporté *la hurne* (l'urne. Le brave Pingard s'est toujours obstiné à appeler ainsi ce vase d'élections). Il y avait un musicien de mon côté, qui parlait bas à un architecte et qui lui disait : "Voyez-vous, celui-là ne fera jamais rien ; ne lui donnez pas votre voix, c'est un jeune homme perdu. Il n'admire que le dévergondage de Beethoven ; on ne le fera jamais rentrer dans la bonne route. – Vous croyez ? dit l'architecte, cependant... – Oh ! c'est très sûr ; d'ailleurs demandez à notre illustre Cherubini. Vous ne doutez pas de son expérience, j'espère ; il vous dira, comme moi, que ce jeune homme est fou, que Beethoven lui a troublé la cervelle." [...] Enfin, ils criaient tous à la fois, et comme ça les ennuyait, voilà M. Regnault et deux autres peintres qui s'en vont, en disant qu'ils se récusaient et qu'ils ne voteraient pas. Puis on a compté les bulletins qui étaient dans la *hurne*, et il vous a manqué deux voix. Voilà pourquoi vous n'avez que le second prix. »

Un second prix au concours de Rome n'ouvre aucune porte, n'amène aucun avantage financier : pour tout dire, un deuxième prix ne sert absolument à rien. Aussi, pour éviter d'avoir à s'adresser à nouveau à son père à qui, candidat malheureux, Berlioz devrait néanmoins demander la poursuite de sa pension, il prend l'initiative d'écrire au comte de Martignac, alors ministre de l'Intérieur. La lettre est d'une humilité qui aurait pu coûter à bien d'autres. Mais Berlioz sait ce qu'il veut. Et s'il lui faut courber la tête pour l'obtenir – il l'a déjà fait en composant cette médiocre *Herminie* –, il n'hésite pas et « sollicite de la bienveillance éclairée de Votre Excellence... un *encouragement annuel* qui [le] mette dans le cas de perfectionner [ses] études musicales à Paris, et d'aspirer au premier grand prix pour un prochain concours ». Le tout est habillé de considérations sur les « sacrifices considérables » jusqu'ici consentis par ses parents et sur le second prix qu'il vient tout de même d'obtenir. Mais la réponse du ministre est négative. Il ne reste plus à Berlioz qu'à reprendre le chemin de La Côte-Saint-André : cela faisait trois ans qu'il n'y était pas revenu.

Pour une fois, le séjour en famille se déroule sans incident. En dépit de l'échec subi, tout le monde a compris que rien ne pourra, à présent, l'écarter de sa vocation. Chacun fait sûrement un effort pour éviter les conversations épineuses. Pour un temps, Nanci est presque redevenue la petite sœur amie, la confidente des jours anciens, et même l'ami Ferrand fait le voyage de Belley pour séjourner chez les Berlioz. Humbert Ferrand, dont Hector a beaucoup parlé aux siens, déçoit Nanci, qui l'espérait plus beau. Attendait-elle un mari ? Berlioz a certes un nez proéminent, mais son menton apparaît à sa sœur « tout à fait charmant » : chez Ferrand, le nez et le menton « ont une prodigieuse attraction l'un pour l'autre ». Allons ! Nanci n'épousera ni Ferrand ni un artiste, son Camille Pal de mari sera un juge comme tous ces messieurs, magistrats ou avocats, que fréquente la famille Berlioz. De son côté, Ferrand se garde bien d'évoquer indiscrètement la passion-Harriett qui, étalée à Paris sur la place publique, demeure un secret de Polichinelle à La Côte-Saint-André. Tout le monde le sait : personne n'en parle.

Mais Berlioz a fait une autre révélation, et d'importance, à Ferrand : « [Quand nous nous verrons] nous lirons *Hamlet* et *Faust* ensemble. Shakespeare et Goethe. » Car voilà la nouvelle découverte de Berlioz. Un nouvel éblouissement : Goethe. Goethe et son *Faust*, dans la traduction de Gérard de Nerval qui a paru la même année, 1828, chez Dondey-Dupré. Ainsi, après Virgile et Shakespeare, Goethe vient-il s'inscrire en lettres d'or au firmament poétique de Berlioz, aussi important pour lui que son panthéon musical. Goethe prend donc ainsi sa place « parmi les muets confidents de [ses] tourments et les explications de [sa] vie ». Incapable de contenir le flot d'aveux dont son cœur déborde, c'est à Shakespeare hier, à Goethe à présent que ce jeune homme de vingt-cinq ans se confie. Et c'est à leur lumière à tous deux qu'il peut seulement s'expliquer à lui-même sa vie. Faute d'une vraie fusion des cœurs avec une Harriett qui se refuse à baisser les yeux jusqu'à lui, c'est lui qui lève alors les yeux très haut, très loin, vers les génies qu'il admire et adore. C'est qu'entre lui-même et Shakespeare, lui-même et Virgile ou Goethe, comme entre lui, Spontini et Gluck, puis Weber, Beethoven enfin, s'élabore une incroyable alchimie, la fusion complète, absolue, des cœurs et de l'esprit. Il écoute ses maîtres, musiciens ou poètes, il leur parle. Un dialogue qui touche à l'essentiel de toute une vie s'engage entre l'artiste débutant qui sent bouillir sa flamme et les génies, seuls capables de le comprendre. *Faust* lui apparaît, dès lors, comme une sorte de redoutable reflet, le double terrible de sa propre vie. Il est certain qu'il connaissait déjà Goethe par d'autres traductions, notamment celle d'Albert Stapfer magnifiquement illustrée par Delacroix. Mais avec le texte superbe qu'en donne Nerval, nous sommes au cœur du romantisme le plus incandescent et l'esprit de Berlioz flamboie si bien que ce qui devait arriver arriva : « Le merveilleux livre me fascina de prime abord, je ne le quittai plus ; je le lisais sans cesse, à table, au théâtre, dans les rues, partout. Cette traduction en prose contenait quelques fragments versifiés, chansons, hymnes, etc. Je cédai à la tentation de les mettre en musique. »

Et le voilà aussitôt au travail. Il assure que c'est dans la voiture qui le conduit à Grenoble qu'il a composé, « dans le style gothique », la « Ballade du roi de Thulé », la première de ses *Huit scènes de Faust*, qui constituent le creuset d'où naîtra *La Damnation de Faust*.

Les autres *Scènes* vont suivre, et si bien suivre que – sitôt rentré à Paris avec tout de même plus de mille francs en poche, donnés par son père, et les scènes à peine achevées – Berlioz, porté par le même enthousiasme, les fait graver... à ses frais ! Les points de suspension, ici, sont de lui. On imagine le sourire amusé du compositeur de quarante-cinq ans qui, commençant ses *Mémoires* en 1848, se penche sur son passé.

Preuve de l'accueil des vrais connaisseurs : la visite que lui rendra un an plus tard Gérard de Nerval. Les deux hommes ne se sont jamais rencontrés, mais Nerval admire celui qui a su si bien se servir de son texte. Il souhaiterait que le compositeur mette à présent en musique des *Ballades* de Schiller traduites par lui. Le projet n'aboutira pas mais l'écrivain par qui Goethe est arrivé jusqu'à lui est venu, lui, le remercier.

Et quand bien même Berlioz affirme avec emphase avoir détruit les *Huit scènes*, celles-ci nous sont naturellement parvenues. C'est un geste symbolique, pour un artiste, que de brûler une partition ou un manuscrit. On le fait théâtralement – ou l'on dit l'avoir fait – mais on en a le plus souvent conservé une copie. On les donne à présent souvent, les *Scènes*. Pour les berlioziens, elles sont la première vraie illumination et chacun s'accorde à reconnaître aujourd'hui que c'est bel et bien la *Damnation* tout entière qui se trouve là en germe. Plus qu'en germe, même : vivante, vibrante... A peu près tout ce que Berlioz a composé à la fin de 1828 survit dans la « Légende dramatique » de 1846. En fait, si ses précédentes compositions sont intéressantes, prémonitoires, les *Huit scènes* constituent déjà un chef-d'œuvre. Son premier. Virgile l'a caressé de son aile, Shakespeare l'a transporté aux domaines enfiévrés de la passion. C'est Goethe qui, le premier, lui permet d'atteindre au plus profond de lui-même.

Il l'a bien dit à Humbert Ferrand : Goethe ou « l'expliciteur ».

La première raison de sa réussite est évidente : ni les textes du gentil Ferrand ni les malheureuses tentatives de ce pauvre Compaignon n'étaient à la hauteur du génie de Berlioz. On préfère ne pas imaginer ce qui se serait passé si le vieux M. Andrieux, de l'Institut, avait répondu à sa demande et lui avait écrit une *Estelle et Némorin* bien douce et bien sage. Il ne se serait d'ailleurs probablement rien passé. Cette fois, c'est Goethe – Goethe relu par Gérard de Nerval – qui se tient directement en face de lui. Et le choc est décisif. Déchiré, torturé par un amour impossible dont il affirme *urbi et orbi* qu'il le rend impuissant, Hector Berlioz se révèle à lui-même. Il n'en est pas satisfait pour le moment ? Eh bien, qu'il simule un autodafé et brûle les copies de la partition publiée en mars ou avril chez Schlesinger – le modèle du M. Arnoux de Flaubert dans *L'Education sentimentale*. Qu'importe ! Pour le musicologue américain Ernest Newman, ces *Huit scènes* constituent « l'opus 1 le plus exceptionnel que le monde de la musique ait jamais connu », puisque la partition portait la mention « Œuvre I ». Goethe, donc. Autre musicologue, Henry Barraud le rappelle dans son analyse de la *Damnation* : c'est, avec les *Scènes de Faust* de Schumann, la plus goethéenne des mises en musique de Goethe. Seulement Goethe ?

On l'a déjà compris. Il y a Goethe. Il y a la poésie traduite par Nerval, mais il y a Berlioz lui-même. Nous sommes à la fin de 1828. Un compositeur à qui la mauvaise volonté de ses parents a fait prendre un retard considérable dans ses études ; un musicien qui ne pratique ni le piano ni le violon mais la flûte et la guitare ; un autodidacte qui doit son admission au Conservatoire à l'acharnement d'un maître dont il ne respecte pourtant pas vraiment l'enseignement : c'est ce garçon de vingt-cinq ans, bouleversé par une histoire d'amour qui le rend à moitié fou, qui vient d'écrire ses premiers chefs-d'œuvre.

Dans l'enthousiasme qui est immédiatement le sien, Berlioz va d'ailleurs envoyer sa musique à son dieu : le 10 avril 1829, il écrit à Goethe. Son admiration est intense, son humilité extrême, l'ombre de Faust est devenue immense. Après avoir commencé par le mot « Monsieur », il rature et corrige :

« Monseigneur,

» Depuis quelques années, *Faust* étant devenu ma lecture habituelle, à force de méditer cet étonnant ouvrage (quoique je ne puisse le voir qu'à travers les brouillards de la traduction) il a fini par opérer sur mon esprit une espèce de charme ; des idées musicales se sont groupées dans ma tête autour de vos idées poétiques, et, bien que fermement résolu de ne jamais unir mes faibles accords à vos accents sublimes, peu à peu la séduction a été si forte, le charme si violent, que la musique de plusieurs scènes s'est trouvée faite presqu'à mon insu.

» Je viens de publier ma partition, et, quelque indigne qu'elle soit de vous être présentée, je prends aujourd'hui la liberté de vous en faire hommage. Je suis bien convaincu que vous avez reçu déjà un très grand nombre de compositions [...] Mais dans l'atmosphère de gloire où vous vivez, si des suffrages obscurs ne peuvent vous toucher, du moins j'espère que vous pardonnerez à un jeune compositeur qui, le cœur gonflé et l'imagination enflammée par votre génie, n'a pu retenir un cri d'admiration...

Berlioz ne reçut jamais de réponse de Goethe. Eckermann, l'éternel confident du poète, l'a écrit à Hiller qui deviendra l'ami de Berlioz : Goethe fut touché par la lettre du jeune Français, mais un ami musicien à qui il fit lire la partition des *Huit scènes de Faust* exprima un jugement si négatif que la correspondance du musicien au poète en resta là.

La *Damnation* ne viendra que dix-huit ans plus tard, mais Berlioz ne considère pas qu'il en a déjà fini pour autant avec Goethe. « J'ai la tête pleine de *Faust*, écrit-il à ce Sosthène de La Rochefoucauld, qui lui a déjà rendu plusieurs services : et si la nature m'a doué de quelque imagination, je crois qu'il m'est impossible de rencontrer un sujet sur lequel elle puisse se rencontrer avec plus d'avantages. » Et de demander au directeur des Beaux-Arts d'intervenir auprès de l'Académie royale de musique pour lui permettre d'écrire la musique d'un ballet inspiré de *Faust* dont Victor Bohain, directeur du *Figaro*, vient de faire recevoir un livret à l'Opéra. Le vicomte Sosthène lui répondra qu'il ne saurait intervenir dans cette affaire et qu'en tout état de cause l'Opéra n'a pas encore décidé de monter l'ouvrage de Bohain. Berlioz n'en parlera plus, mais son âme en est si pleine que, dans un premier temps, la *Symphonie fantastique* sera pour lui inspirée elle aussi de *Faust*. Elle portera même un temps le sous-titre de « Symphonie descriptive de Faust ».

Pour le moment, il travaille plus que jamais. Désespéré dans sa passion pour Harriett, le Berlioz d'alors ? Peut-être. Amoureux impuissant ? On continue à se refuser à le croire. En janvier 1829 voit ainsi le jour une *Chanson des pirates*, sur un poème de Victor Hugo. La même année, il compose un chœur avec piano, *Le Ballet des ombres*, sur un texte de l'ami Ferrand, inspiré de Herder. Et puis encore neuf *Mélodies irlandaises* : il a découvert en Thomas Moore, traduit par Thomas Gounet, son ami, un poète frère. Avant la *Fantastique*, les neuf *Mélodies irlandaises* sont, à nouveau, un chef-d'œuvre. Encore sous le signe de la romance ou de la ballade traditionnelle, elles ouvrent la voie aux futures *Nuits d'été* et constituent une pierre blanche sur le chemin, si naturellement balisé par

Berlioz, qui va de la romance à ce que nous appelons aujourd'hui « la mélodie française ».

Pendant qu'il compose ses *Mélodies*, Berlioz continue à fréquenter assidûment les salles de concert. Il est amoureux, amoureux fou, il nous a affirmé que la musique ne pouvait le consoler : peut-être n'y parvint-elle pas, en effet. Mais elle le passionne, l'enthousiasme. Avec, on le lui accordera, Harriett au fond du cœur, il assiste à une nouvelle série de concerts au Conservatoire : Haydn et Beethoven, encore ; Rossini, Brod et Beethoven... Beethoven dont il réécoute les symphonies et dont il découvre, subjugué, les derniers quatuors. Ce sont désormais les accents de la *Symphonie fantastique* qui, sans qu'il en ait vraiment conscience, tournoient déjà autour de lui pour l'envahir peu à peu : tout est prêt pour qu'il s'y abandonne. D'abord, il y a eu les *Scènes de Faust* qui en sont un étonnant prélude. Puis le fulgurant face-à-face avec Beethoven – on y revient tout de suite. Enfin, troisième élément constructeur de la *Fantastique*, l'essentiel peut-être : la passion-Harriett, qui semble à Berlioz sa seule raison de vivre. Quand bien même il paraît pouvoir survivre sans la comédienne, cet amour fou s'impose avec une évidence absolue comme le seul sujet dont il souhaite parler. Quelques mois encore, il aura oublié le projet de « Symphonie descriptive de Faust » et c'est seulement d'Harriett Smithson qu'il parlera, d'Harriett et de lui.

En fait, dès 1829, Berlioz est « mûr » pour composer la *Symphonie fantastique*. Mais il lui faut attendre le choc qui seul peut l'y vraiment conduire.

D'abord, il publie son premier article dans le journal berlinois dont il est devenu le correspondant parisien : sur *La Dame blanche* de Boieldieu chantée en allemand – en cette langue, l'œuvre de Boieldieu lui plaît presque ! Puis il écrit sur l'opéra allemand : le *Freischütz*, *La Flûte enchantée* et *Fidelio*. Enfin sur les concerts de musique allemande de la Société des concerts. Et c'est à nouveau de Beethoven qu'il s'agit. Beethoven encore : pendant une grande partie de l'année 1829, Berlioz ne va pas cesser d'étudier Beethoven.

Avec Beethoven, c'est tout un univers symphonique qui s'ouvre. Pour lui, Berlioz, Beethoven est sans conteste le premier compositeur dans l'histoire de la musique à savoir faire jouer toutes les possibilités d'un grand orchestre avec une autorité à nulle autre pareille. On verra comment l'idée de grand orchestre, d'immense orchestre, d'orchestre peut-être démesuré fera son chemin dans l'esprit de Berlioz. Ce n'est pas pour rien qu'il va devenir l'auteur, en 1844, de ce *Grand traité d'instrumentation et d'orchestration modernes* qui contribuera largement à sa renommée internationale, mais qui balaie sans le moindre remords tout ce que lui ont appris ou plutôt, ne lui ont pas appris ses maîtres. Mais, dès l'été 1829, il a déjà écrit pour *Le Correspondant* un long article en trois parties sur Beethoven. La deuxième s'ouvre par un qualificatif appliqué à son idole que Berlioz ne refuserait certainement pas de se voir décerner à lui-même : compositeur-poète. La troisième, qui traite essentiellement de la *Neuvième symphonie*, qui n'a pas encore été exécutée en France, cite avec émotion un critique allemand pour évoquer « ces phrases de grand style [qui] voltigent, comme des épisodes, les pensées principales de toutes les parties symphoniques, qui semblent comme un regard jeté en arrière ». Ce que Berlioz apprend de Beethoven, ce sont peut-être précisément ces phrases de grand style, qui voltigent... Parlant de l'un de ces concerts du quatuor Baillot au cours duquel il a entendu pour la première fois les derniers quatuors, il est plus éloquent encore. On retrouve son style passionné : « Peu à peu, je sentis un poids affreux oppresser ma poitrine comme un horrible cauchemar, je sentis mes cheveux se hérisser, mes dents se serrer avec force, tous mes muscles se contracter et enfin à l'apparition d'une phrase du final, rendue avec la dernière violence par l'archet énergique de Baillot, des larmes froides, des larmes de l'angoisse et de la terreur se firent péniblement jour à travers mes paupières et vinrent mettre le comble à cette cruelle émotion. » Ce « chaos » du *Quatorzième quatuor*, entendu en mars 1829, voilà ce qu'apprend aussi Berlioz de Beethoven, des violences inouïes, quelque part entre extase et tempête.

1829, c'est l'année Beethoven par excellence dans la vie de Berlioz. C'est également l'année de sa troisième tentative – quatrième avec la fugue ratée de 1826 – d'obtenir le prix de Rome. Il entre en loge le 1er juillet. Cette année, le sujet imposé est *Cléopâtre*, encore une fois sur un poème de Pierre-André Vieillard. Berlioz a assez fait parler de lui pour que les jurés, quelle que soit leur méfiance naturelle à l'endroit des innovations de ce téméraire, ne lui accordent pas une attention particulière. Et puis, « tête couronnée » – il le dit lui-même –, il pouvait déjà faire état du second prix obtenu l'année précédente. Mais, téméraire, il l'est une fois de plus. La belle – et un peu triste, convenons-en... – retenue dont il a fait preuve dans son *Herminie* de l'année précédente s'est envolée dans les vapeurs de l'enthousiasme. Cette *Cléopâtre* est à coup sûr la meilleure de ses cantates de concours.

« Je composai donc sans peine sur ce thème, écrit-il dans les *Mémoires*, un morceau qui me paraît d'un grand caractère, d'un rythme saisissant par son étrangeté même, dont les enchaînements enharmoniques me semblent avoir une sonorité solennelle et funèbre, et dont la mélodie se déroule d'une façon dramatique dans son lent et continuel crescendo... Aucune cantate d'ailleurs n'obtint [le prix]. Le jury aima mieux ne point décerner de premier prix cette année-là, que d'encourager par son suffrage un jeune compositeur chez qui *se décelaient des tendances pareilles*. »

Et Berlioz de tirer la morale de ce nouvel échec : « Où diable le bon Dieu avait-il la tête quand il m'a fait naître *en ce plaisant pays de France* ?... Et pourtant je l'aime ce drôle de pays, dès que je parviens à oublier l'art et à ne plus songer à nos sottes agitations politiques. Comme on s'y amuse parfois ! Comme on y rit ! Quelle dépense d'idées on y fait (en paroles du moins) ! »

Berlioz sait désormais à quoi s'en tenir : il méprise cet Institut qui avait voulu lui donner le prix mais auquel il « l'avait interdit » lui-même. Il méprise plus que jamais ces censeurs devant lesquels il doit pourtant s'incliner. Il sait qu'il devra baisser encore une fois la tête avant d'atteindre le but que l'ordre, celui de l'organisation officielle de la musique en France, lui impose. Il sait aussi que jamais il n'écrira « pour les boulangers ou les couturières ».

Plus prosaïquement, ce sont de nouvelles discussions avec son père qui recommencent. Même si les juges qui l'ont rejeté « ne sont pas des *Francs-Juges* », a-t-il fait remarquer un peu lourdement à Ferrand, il n'en reste pas moins qu'une fois de plus, aux yeux des profanes plus qu'aux yeux de tous les autres, il a échoué. Et le bon Dr Berlioz est décidément profane entre les profanes. D'où – encore une fois ! – la menace du père de suspendre la pension du fils. Berlioz est prêt à se rendre à La Côte-Saint-André pour s'expliquer, mais il n'en a même pas les moyens. Tergiversations, hésitations, retournements, finalement c'est toujours cinquante francs par mois que M. Berlioz père se décide à verser à son fils. Alors celui-ci doit continuer à donner des leçons. Pour cinquante-quatre francs par mois ! Encore, précise-t-il à sa sœur Nanci, faut-il que lesdites leçons soient prises régulièrement, ce qui n'est pas toujours le cas.

Le contraste entre cette perpétuelle et navrante quête de quelques centaines, de quelques dizaines de francs quelquefois, et l'avenir que ce déjà presque vieux jeune homme de vingt-six ans devine en train de s'ouvrir devant lui est saisissant : presque au sommet de son jeune génie – la *Symphonie fantastique* est pour l'année prochaine –, il vit rue de Richelieu d'économies de bouts de chandelle. Comment vit-il, d'ailleurs ? On n'en sait rien. Au chapitre des femmes, c'est toujours la rêverie sur Harriett. Et les mêmes lamentations. A Edouard Rocher, le 25 juin : « Elle est partie !... Londres !... Immense succès !... Moi, je suis seul... errant la nuit dans les rues, avec une douleur qui m'obsède, comme un feu rouge sous la poitrine... » A Humbert Ferrand, le 21 août : « Toutes ces nouvelles aspirations, *the new pangs of my despised love* ["les nouvelles affres de mon amour dédaigné" – Hamlet et Ophélie, une fois de plus...], me justifient malheureusement trop de ne penser à rien. Oui, mon pauvre et cher ami, mon cœur est le foyer d'un horrible incendie ; c'est une forêt vierge que le coup de foudre a embrasée ; de temps en temps, le feu semble assoupi, puis un coup de vent... un éclat nouveau... le cri des arbres s'abîmant dans la flamme, révèlent l'épouvantable puissance du fléau dévastateur... », etc.

Si l'amour demeure ce rêve, exprimé en une langue enflée jusqu'à la plus superbe des outrances, la musique, elle, est toujours là. Et l'idée d'organiser une nouvelle exécution de ses œuvres ne peut que traverser encore une fois l'esprit du compositeur à qui l'Institut a dit non. D'où la préparation de ce nouveau concert, prévu au Conservatoire, sous la direction de Habeneck. D'où une nouvelle lettre au vicomte Sosthène de La Rochefoucauld. Le récit de la vie de Berlioz en ces années qu'on dirait aujourd'hui de galère – encore que, chaque fois, la lumière au bout du tunnel devienne plus précise – semble fait des mêmes sempiternels recommencements : un échec au concours de Rome, puis la désolation, suivie de la fureur du père et de la soumission du fils, de son désir ensuite de prouver ce qu'il est, et d'un concert souvent couronné de succès – c'est en général à la fin de l'année. Et nouvel échec au milieu de l'été. Académie de Rome toujours fermée : on recommence.

On a peine à imaginer aujourd'hui l'endurance, l'acharnement du compositeur à vouloir chaque fois s'échapper par le haut – le vertige et la lumière... – des abîmes où le plongent à intervalles quasi réguliers l'animosité de l'Institut et l'incompréhension de ses parents. Et quand on dit s'échapper par le haut, c'est par le plus haut, le plus difficile : un concert de la Société des concerts, dans la salle du Conservatoire, dirigé par le grand François-Antoine Habeneck. Et pourtant, Berlioz s'acharne ; et pourtant, il réussit.

Le concert de 1829 aura lieu le 1er novembre. Au programme : les ouvertures des *Francs-Juges* et de *Waverley*, le « Concert des sylphes » des *Huit scènes de Faust*, le *Resurexit* de la messe solennelle. Berlioz aurait voulu donner aussi un air des *Francs-Juges* et surtout sa *Cléopâtre*, avec la grande Mme Dabadie, pour prendre sa revanche sur les grincheux du Quai Conti. Mais la chanteuse, qui avait d'abord accepté, ne put tenir son engagement. On sait quelle fut la déception du compositeur. On imagine surtout son angoisse de savoir que Habeneck a intercalé au milieu du programme le *Cinquième concerto pour piano* de Beethoven dit (« l'Empereur » !), que jouera son ami allemand Ferdinand Hiller.

On a oublié de le préciser : Berlioz tiendra lui-même la percussion dans *Les Francs-Juges.* Une lettre particulièrement intéressante rend compte du concert. Datée du 3 novembre, elle est adressée au Dr Berlioz. Ecrite « à chaud », Hector Berlioz y parle d'abord d'argent. Il sait à qui il s'adresse. Encore n'entre-t-il pas dans le détail de la recette ni des charges qu'il lui a fallu déduire : 40,55 francs pour le bois de chauffage, 16,90 francs de bougies, 9 francs pour le gendarme de service, 3,50 francs pour le papier ! C'est ensuite seulement qu'il parle de son succès :

« L'effet a été terrible, affreux, volcanique, les applaudissements ont duré près de cinq minutes, avec des cris, des trépignements ; après que le calme fut un peu rétabli, j'ai voulu me glisser entre les pupitres pour prendre une liasse de musique qui était sur une banquette du théâtre (car l'orchestre est sur la scène). Le public m'a aperçu, alors, les cris, les bravos ont recommencé, les artistes s'y sont mis, une grêle d'archets est tombée sur les violons, les basses, les pupitres, j'ai failli me trouver mal ; cette bourrasque inattendue m'a bouleversé. »

Ce qui ne l'empêche pas de terminer sa lettre par une note qui lui est désormais habituelle : « Depuis hier, je suis d'une tristesse mortelle ; j'ai toujours envie de pleurer, je voudrais mourir ; je sens que le spleen va me reprendre plus fort qu'auparavant. Il faut je crois que je dorme beaucoup. Je ne puis lier mes idées... »

La lettre est flatteuse pour le compositeur, mais témoigne bien du véritable spleen dans lequel il se débat : l'exécution du concert puis, aussitôt après, le retour à une « tristesse mortelle » qu'il ne cherche plus à dissimuler à son père, alors qu'il a longtemps gardé ce genre d'aveux pour sa sœur.

L'essentiel demeure cependant ce formidable succès. Et ce public qui l'a applaudi, on le connaît : le plan de la salle – ou plus exactement, celui des loges – a été conservé. Ainsi peut-on relever les noms du vicomte S. de La Rochefoucauld, d'Ingres, de Champollion. Parmi les musiciens : Cherubini, Kreutzer, Habeneck, Mme Dorus, Mlle Heinefetter, Mlle Marinoni, Richard, Torbry, Prévôt, Pleyel, Schlesinger, Nourrit, Castil-Blaze, Desmarest. Et puis il y avait les amis : Ferrand, Gounet, Stephen de la Madelaine, Charbonnel, Bert et M. Rocher. Des journalistes, enfin, et des écrivains : F. Soulié, H. de Latouche, Jouy... On dirait aujourd'hui que tout le monde était là ! Dans l'ensemble, la critique fut favorable. *La Gazette de France*, *Le Journal des débats* parlent avec éloges du concert. Mais *Le Figaro* va jusqu'à écrire, en gros caractères : « Parlez-moi de M. Berlioz ! il veut parvenir et il parviendra ! » Et l'auteur de l'article de faire état des misères et des tracas que lui inflige le monde musical, et tout particulièrement l'Institut. « Délais, refus, injustices, obstacles de tous genres jetés à pleines mains sur le chemin des jeunes hommes de génie, rien ne peut arrêter M. Berlioz. Il a pris sa course : il faut qu'il arrive ou qu'il se casse le cou. »

Ainsi, étape après étape, l'ascension de Berlioz dans le monde musical parisien se poursuit-elle. Dans l'acharnement, et surtout le désespoir. Mais, applaudi par le tout-Paris dans les couloirs de l'Opéra, il commence à en devenir lui-même une « personnalité ». Une jolie lettre écrite à la fin du mois de décembre à Nanci en témoigne :

« M. le baron de Trémont, grand et célèbre amateur de musique, donne tous les dimanches à 2 heures de superbes matinées musicales ; j'ai dîné la quinzaine dernière avec lui chez Kalkbrenner (pianiste et pédagogue fameux), et il m'a invité à ses matinées. Le dimanche soir je vais chez M. Leo, riche amateur allemand qui m'aime beaucoup. Nous avalons quelquefois les insipides nocturnes de Blangini, mais c'est rare ; plus souvent de la bonne musique et du thé délicieux, il y a beaucoup de monde, on est fort à son aise. Le mardi je vais passer la soirée (pas souvent) chez M. Mazel, autre amateur qui a aussi d'agréables réunions ; il y a beaucoup d'artistes, mais quelquefois aussi de petites demoiselles qui nous régalent de la sonate de Pleyel. Je vais quelquefois voir le matin M. Delatouche, le Méphistophélès de la littérature moderne. Schlesinger *mon édi-*

teur donne aussi le vendredi des quatuors de Beethoven, tantôt bien tantôt mal exécutés. D'abord, il n'y avait que des hommes, mais voilà des dames qui commencent à s'y infiltrer ; encore elles sont toutes laides ! Connais-tu quelque chose de pire que de laides femmes ?... qui battent la mesure avec la tête, qui veulent se donner les airs de lys penchés et qui ressemblent à des fleurs de pavot ; qui sourient de plaisir comme si elles pouvaient comprendre de pareilles compositions... »

On ne peut regretter que Berlioz ne nous ait pas donné davantage de ces tableaux-là... On remarquera au passage que le « Méphistophélès de la littérature moderne », qu'il appelle A. Delatouche, est Henri, ou Hyacinthe de Latouche, auteur prolifique dont deux œuvres au moins ont joué un rôle capital dans la littérature de son temps : *Olivier*, publié en 1826, dont le héros, impuissant ou homosexuel, allait inspirer l'année suivante à Stendhal le personnage d'Octave de Malivert dans *Armance* ; et *Fragoletta*, de 1829, histoire d'hermaphrodite amoureux plus sulfureuse encore, qui annonce le *Sarazine* de Balzac, dont Roland Barthes nous parlera dans son *S/Z*.

Mais tout de suite après cette description du monde où il ne s'ennuie pas, Berlioz reprend le cours de ses lamentations, il a « mal aux dents, mal au nez... [il] rage contre tout et donne des coups de poings sur [son] piano ». Pourtant, il a beau se plaindre et arpenter la butte Montmartre, jusqu'au cimetière où il reposera plus tard, l'œuvre maîtresse de ces années-là est en train de naître. L'élément qui va subitement déclencher l'inspiration du compositeur, le « choc » attendu dont il avait besoin, sera, curieusement, un soudain « désamour » : Berlioz, à qui on a révélé sur Harriett d'« affreuses vérités », retombe brusquement sur terre. Que les vérités en question lui aient été répétées par une autre femme accentue encore ce revirement. Et voilà ! En quelques jours, quelques semaines tout au plus, l'amoureux fou de la belle Harriett se rend compte – ou croit se rendre compte – que la comédienne ne correspond en rien à l'idée qu'il en porte en lui. C'est la déchirure. La catharsis aussi : l'envolée subite, violente, irrépressible de l'inspiration. Et la *Symphonie fantastique* peut voir le jour.

Omniprésents depuis trois ans dans sa vie de chaque jour, l'amour pour Harriett, l'image d'Harriett étaient devenus une obsession. Dès lors, dans la symphonie qu'il commence en février 1830, cette obsession ne peut que se traduire par ce qu'il baptise lui-même *idée fixe*, ce motif récurrent qui – introduit dès le début du premier mouvement – traverse toute l'œuvre comme la pulsation jamais interrompue d'un cœur amoureux, le souvenir brûlant, inextinguible, d'un amour qui ne peut pas être, qui ne doit plus être. En exergue de la partition, Berlioz a voulu le mettre en évidence. On a pu dire que la *Symphonie fantastique* est l'« opéra intime » d'un jeune poète dont le compositeur nous apprend qu'il est « atteint de cette maladie qu'un auteur célèbre appelle le vague des passions ». L'auteur célèbre est naturellement Chateaubriand qui, lui aussi, figure au Parnasse intime du compositeur.

Une lettre à Humbert Ferrand décrit parfaitement le contenu passionnel de ces cinq mouvements : « Je suppose qu'un artiste doué d'une imagination vive, se trouvant dans cet état de l'âme que Chateaubriand a si admirablement peint dans *René*, voit pour la première fois une femme qui réalise l'idéal de beauté et de charmes que mon cœur appelle depuis si longtemps, et en devient éperdument épris. Par une singulière bizarrerie, l'image de celle qu'il aime ne se présente jamais à son esprit qu'accompagnée d'une pensée musicale dans laquelle il trouve un caractère de grâce et de noblesse semblable à celui qu'il prête à l'objet aimé. Cette double idée fixe le poursuit sans cesse : telle est la raison de l'apparition constante, dans tous les morceaux de la symphonie, de la mélodie principale, du premier allegro (n° 1).

» Après mille agitations, il conçoit quelques espérances ; il se croit aimé. Se trouvant un jour à la campagne, il entend au loin deux pâtres qui dialoguent un ranz de vaches [un air de bergers dans une chanson pastorale suisse...] ; ce duo pastoral le plonge dans une rêverie délicieuse (n° 2). La mélodie reparaît un instant au travers des motifs de l'adagio.

» Il assiste à un bal, le tumulte de la fête ne peut le distraire ; son idée fixe vient encore le troubler, et la mélodie chérie fait battre son cœur pendant une valse brillante (n° 3).

» Dans un accès de désespoir, il s'empoisonne avec de l'opium ; mais, au lieu de le tuer, le narcotique lui donne une horrible vision, pendant laquelle il croit avoir tué celle qu'il aime, être condamné à mort et assister à sa propre exécution. Marche au supplice ; cortège immense de bourreaux, de soldats, de peuple. A la fin, la *mélodie* reparaît encore, comme une dernière pensée d'amour, interrompue par le coup fatal (n° 4).

» Il se voit ensuite environné d'une foule dégoûtante de sorciers, de diables, réunis pour fêter la nuit du sabbat. Ils appellent au loin.

Enfin arrive la *mélodie*, qui n'a encore paru que gracieuse, mais qui alors est devenue un air de guinguette trivial, ignoble ; c'est l'objet aimé qui vient au sabbat pour assister au convoi funèbre de sa victime. Elle n'est plus qu'une courtisane digne de figurer dans une telle orgie. Alors commence la cérémonie. Les cloches sonnent, tout l'élément infernal se prosterne, un chœur chante la prose des morts, le plain-chant (*Dies irae*), deux autres chœurs le répètent en le parodiant d'une manière burlesque, puis enfin la ronde du sabbat tourbillonne, et, dans son plus violent éclat, elle se mêle avec le *Dies irae*, et la vision finit (n° 5). »

Commencée en février, la *Symphonie fantastique* est achevée en quelques semaines, après trois années de prétendue inactivité. Il aura suffi de savoir que « l'objet aimé [...] n'est qu'une courtisane digne de figurer dans une [...] orgie ». Trois mois et la « Marche au supplice » écrite en une nuit ! En tuant Harriett en lui, Berlioz en a fait l'un des sommets de son œuvre...

Cet amour dévorant pour Harriett Smithson va pourtant demeurer l'épicentre de l'existence du compositeur. Au cœur de sa vie et de son œuvre, il y a eu, il y aura encore une passion qu'il imagine autant qu'il va la vivre, un supplice aussi qu'il annonce et qu'il ne soupçonne pas. Tout ce qui lui adviendra avant que cette passion ne soit partagée, tout ce qui se déroulera tragiquement ensuite semble orienté, défini par la même idée fixe qui traverse sa symphonie. Entrevue au moment le plus douloureux d'amours chimériques dont il s'obstine à nous dire qu'elles ligotent sa créativité, alors que la musique à laquelle ces amours-là donnent naissance constitue le plus cinglant des démentis à sa propre lamentation, la *Symphonie fantastique* est bien, à travers une œuvre tout entière orientée par un besoin souterrain d'autobiographie désespérée, la plus délibérément autobiographique de sa carrière musicale. La crise que vont constituer d'« odieuses révélations » sur d'impossibles amours en même temps que l'arrivée dans sa vie d'une autre image de femme ont suffi à réactiver pleinement l'imagination créatrice du compositeur. La *Fantastique* n'est autre que le reflet déformé, écrasant et sardonique d'une musique qui n'est ni descriptive ni à programme, simplement un miroir où le compositeur se regarde souffrir avec une effroyable volupté. Qu'on médite une autre remarque de son ami Legouvé : « La faculté dominante de Berlioz était la faculté de souffrir » : il l'aime tant, Berlioz, sa souffrance !

Plus que jamais immergé dans le monde romantique qui l'entoure, il écoute et réécoute les symphonies de Beethoven à nouveau données au Conservatoire. En février, il voit *Hernani*, sans être forcément du nombre des spectateurs qui assistèrent à la fameuse première, en dépit d'un témoignage tardif affirmant sa présence dans la salle. D'ailleurs, à *Hernani*, il préfère le mélodrame frénétique de Victor Ducange et Dinaux, *Trente ans ou la Vie d'un joueur*, qu'il qualifie de « pièce moderne par excellence ». Frédérick Lemaître y joue le rôle d'un homme qu'on voit vieillir sur scène, maquillage à l'appui, pendant trente ans.

La littérature, certes, mais surtout la musique. Les projets abondent – *Atala*, *Les Francs-Juges...* – mais n'aboutissent pas. Ou incomplètement. Et si les demoiselles Le Sueur accompagnent ses *Mélodies* au piano, cela ne lui suffit pas. C'est que, sa *Symphonie fantastique* achevée, il veut maintenant la faire jouer. Et tout de suite. Tout semble d'abord aller pour le mieux. En mai, il annonce à son ami Ferrand que le Théâtre des Nouveautés est prêt à le recevoir dès le 30 du même mois. Les parties d'orchestre ont déjà été copiées : deux mille trois cents pages de musique, qui lui ont coûté quatre cents francs ! Au passage, il revient sur le sens de son œuvre : Harriett et Harriett encore. On l'a deviné, on va le voir si vite, il en aime une autre, mais l'indifférente Harriett Smithson l'obsède toujours. Il se défend pourtant d'avoir voulu régler un compte avec elle : « La vengeance n'est pas trop forte. D'ailleurs, ce n'est pas dans cet esprit que j'ai écrit le "Songe d'une nuit de sabbat". Je ne veux pas me venger. Je la plains et la méprise. C'est une femme ordinaire, douée d'un génie instinctif pour exprimer les déchirements de l'âme humaine qu'elle n'a jamais ressentis, et incapable de concevoir un sentiment immense et noble comme celui dont je l'honorais. »

Les choses paraissent devoir aller plus vite encore. Le 21 mai, *Le Figaro* annonce déjà la première exécution de la symphonie. La direction des Nouveautés est pleine de bonne volonté, hélas l'œuvre dépasse les moyens dont elle dispose. « Quand le jour de la répétition arriva, quand mes cent trente musiciens voulurent se ranger sur la scène, on ne sut où les mettre. J'eus recours à l'emplacement du petit orchestre d'en bas. Ce fut à peine si les violons seulement purent s'y caser. Un tumulte, à rendre fou un auteur même plus calme que moi, éclata sur le théâtre. On demandait des pupitres, les charpentiers cherchaient à confectionner précipitamment quelque chose qui pût en tenir lieu ; le machiniste jurait en cherchant ses *fermes* et ses *por-*

tants ; on criait ici pour des chaises, là pour des instruments, là pour des bougies ; il manquait des cordes aux contrebasses ; il n'y avait point de place pour les timbales, etc., etc. [...] et ce fut une véritable déroute, un passage de la Bérésina de musiciens... » Et le concert n'eut pas lieu.

Encore un cataclysme de plus ! Hier c'étaient les parties d'orchestre recopiées à la va-vite ; aujourd'hui le désordre des chaises et des contrebasses sur la scène des Nouveautés. Un autre désastre, donc. Berlioz ne joue jamais que dans la démesure. Mais nous sommes le 26 mai et, depuis quelques semaines, sa vie a changé : d'odieuses révélations, a-t-on dit ? Eh bien, depuis le début de l'année, l'« autre femme » a fait son entrée dans sa vie. Et elle y a fait une entrée fracassante. C'est très probablement à cette autre femme qu'il doit les « odieuses révélations » en question. L'autre femme ? Il s'agit de Camille Moke.

6

Camille, ou le diable au corps

Camille Moke, ou la passion de tous les sens. Camille, une jeune fille de dix-huit ans, précoce et aussi exaltée que Berlioz. Camille, aussi artiste que Berlioz. Camille, qu'on ne peut qu'aimer à la folie, à se damner pour elle ; Camille qui, toute sa vie, laissera derrière elle des amants pantelants ; Camille Moke, l'un des plus beaux personnages de tout l'univers romantique européen dont Berlioz aura la folie, comme tant d'autres, de tomber amoureux et qui, par sa seule apparition dans la vie du compositeur, va détourner momentanément le sens de la *Symphonie fantastique*.

C'est que, d'un coup, Harriett, dont les affaires périclitent – elle s'était voulue directrice de sa troupe –, est désormais morte pour lui. Au tour de Camille de devenir un « gracieux Ariel », Shakespeare et sa *Tempête* détournés à présent au bénéfice d'un autre ange, mais de feu, celui-là.

La passion qu'on osera dire torride qu'éprouve Berlioz pour la très jeune et très jolie, très talentueuse pianiste Camille Moke est peut-être la plus parfaite illustration du caractère, des fougues et des emportements d'un homme qui ne savait vivre que dans l'excès. L'excès de la passion comme l'excès du désespoir, celui aussi de la colère.

Quoi qu'il ait pu en dire auparavant, il est évident que, lorsque son chemin croise celui de Camille Moke, son histoire d'amour à sens unique avec Harriett est devenue une souffrance intolérable. Ou, plus simplement peut-être, un objet de grande lassitude. Aussi la rencontre avec Camille vient-elle à point nommé : elle exalte et soulage.

La rencontre a eu lieu au tout début de 1830, dans une « pension de demoiselles » tenue, non loin de la place de la Bastille, par une

Mme d'Aubray qui lui avait proposé de « professer la guitare ». Comme toujours, Berlioz avait alors besoin d'argent. La pension d'Aubray valait bien quelques leçons en ville. C'était une école d'un genre particulier puisqu'on y recevait surtout des jeunes filles souffrant de problèmes osseux. Entre deux massages et bains thérapeutiques, elles suivaient un enseignement général... et des cours de guitare !

Dans un article du *Journal des débats* paru quinze ans plus tard, Berlioz décrit, avec la même ironie, ses activités chez Mme d'Aubray : « Trois fois par semaine je quittai ma mansarde de la rue de Richelieu et, m'acheminant tristement le long de cet interminable boulevard, j'allais avec une sombre résignation jusqu'auprès de la place de la Bastille, enseigner les *Divertissements* de Carulli...

» Mes élèves sortaient à peine de l'enfance, presque toutes étaient timides comme des agneaux et intelligentes comme des pintades. Aussi je dépérissais, et j'aurais fini par périr si deux ou trois *grandes* ne se fussent avisées un jour de s'introduire dans *ma classe* et de me prier de remplacer la leçon de guitare, non pas par un dialogue vif et animé, mais par un peu de musique. "Chantez-nous quelque chose", me dirent-elles. [...] Je ne me fis pas trop prier, et à dater de ce moment les leçons de guitare devinrent des leçons de musique assez supportables. Et mes élèves faisaient des progrès. Je me souviens même qu'un jour, après que j'eus chanté la romance d'Orphée : "Objet de mon amour, / Je te demande au jour, / Avant l'aurore", une de ces demoiselles s'écria : "De qui est ce morceau, Monsieur ? – De Gluck. – Ah... connais pas. Mais c'est égal, c'est bien joli ; c'est même plus joli que la dernière romance de Romagnesi. A-t-on fait un quadrille sur Orphée ?" »

Ces demoiselles, frémissant d'émotion aux romances de Romagnesi et rêvant de quadrilles sur la noble musique de Gluck, prenaient aussi des leçons de piano. Leur professeur était Camille Moke.

Camille, dont le vrai nom était en réalité Marie – Camille devait faire plus distingué aux yeux de la famille –, était belge par son père, professeur au collège de Gand, puis journaliste à Bruxelles. Il ne comptera guère. Longtemps son épouse subordonnera son accord aux fiançailles à un hypothétique voyage à Paris du lointain mari. C'est d'ailleurs la situation financière désastreuse de celui-ci qui donnait à la dame de redoutables exigences quant au choix d'un fiancé. C'est que Mme Moke, c'est une autre affaire. Elle était allemande et avait tenu boutique rue du Faubourg-Montmartre où elle vendait de la « lingerie hollandaise » – tout un programme ! Les dettes de son mari l'avaient contrainte à vendre son fonds de commerce en 1825 mais on imagine que, dans l'âme, elle était restée marchande de lingerie pour dames et que, dans la vie, elle en avait vu d'autres. Privée de son magasin, elle était devenue mère à temps complet, c'est-à-dire mère et imprésario de sa fille, soucieuse de lui assurer une belle carrière et, probablement plus encore, mère de fille-à-marier, avec tout ce que le métier peut comporter de ruses, de prudence et d'ambition. Surtout, on ne le soulignera jamais assez, Camille était une excellente pianiste de concert, élève de maîtres qui s'appelaient Herz et Kalkbrenner. Virtuose de haut vol, Fétis, encore lui, précise dans sa *Biographie universelle des musiciens* qu'à quinze ans elle était « déjà comptée parmi les pianistes de premier ordre de cette époque ». Sa carrière s'étendra plus tard à toute l'Europe. Le portrait le plus connu d'elle, une lithographie faite par Adolphe en 1831, la montre assise, le regard rêveur, les cheveux peignés court et ramenés en arrière, une raie au milieu. Sagement, elle est boutonnée jusqu'au cou et, plus sagement encore, ses deux mains sont croisées sur ses genoux. Elle a un regard rêveur, donc, sage aussi. Et pourtant, quelle sacrée coquine devait être la belle Camille !

A son habitude, Berlioz lui-même la décrit avec emphase et palpitations dans le tableau qu'il peint d'elle, le 30 juin 1830, à sa sœur Nanci :

« Tu me dis de te parler d'elle ; mais tu ne veux pas, je pense, que je te fasse son portrait, rien n'est si ridicule que ces esquisses d'amants. Pourtant, je veux que tu te la figures un peu. Elle est presque aussi grande que moi, d'une taille élancée et gracieuse, elle a de superbes cheveux noirs, de grands yeux bleus, qui tantôt scintillent comme des étoiles, tantôt deviennent ternes comme ceux d'un mourant quand elle est sous l'influence du démon musical. Elle est d'une humeur enjouée, d'un esprit parfois caustique et mordant qui tranche sur un fond de bonté ; un peu enfant, peureuse encore plus que toi, et cependant ferme quand il le faut. Capricieuse pour les petites choses. Sa mère me faisant remarquer ce défaut, elle l'arrêta en disant : “Oui, je suis changeante, mais comme une robe de soie dont les nuances seules varient et dont la couleur reste.” A son piano c'est une Corinne ; il n'y a plus d'enfantillages ni de gaîté ; dans les longues périodes des adagios, elle retient sa respiration jusqu'à la fin de la phrase, pâlit, rougit, s'exalte, s'éteint, s'élance, s'arrête ; suivant la pensée intime du compositeur ou la sienne propre ; c'est presque un tourment de l'entendre, c'en est un tout à fait de la voir jouer. Son talent tient du prodige, cependant elle n'aime pas m'entendre la louer, elle ne veut pas qu'il entre pour rien dans mon amour pour elle. »

Une vraie Corinne : plus que jamais, nous sommes aux premiers émois du romantisme. Lorsque Berlioz rencontre sa capricieuse Corinne selon Mme de Staël, elle est l'amie de Ferdinand Hiller, un musicien allemand de huit ans son cadet, qui s'est installé très jeune en France où il a d'abord enseigné dans une institution de musique religieuse dirigée par le musicologue Alexandre Chorin, mathématicien, hébraïste et organisateur de concerts. On retrouvera souvent Ferdinand Hiller. Très vite, il est devenu l'ami de Berlioz dont il sera l'un des correspondants principaux et réguliers. Camille, donc, l'amie de Hiller ? On peut supposer que Camille n'était *que* l'amie de l'Allemand. Un an après avoir fait sa connaissance, Berlioz souligne en effet un peu lourdement que lui-même connaît « son caractère mieux que personne » – c'est-à-dire mieux que Ferdinand Hiller. Hiller était l'hôte de Mme Moke, qu'il appelait « *Frau Mama* », mais ne s'en efforçait pas moins, il le raconte dans ses souvenirs, de rencontrer la jeune fille à l'occasion des leçons qu'elle donnait à droite et à gauche mais « le plus loin possible de la maison », sans se dépêcher de rentrer ! Que Camille ait été coquette, on ne peut en douter...

Sans vraiment s'en rendre compte, le pauvre Hiller va jouer les entremetteurs. Il parlera de Camille à Berlioz ; surtout, il parlera de Berlioz à Camille. Berlioz est alors en pleine crise de désespoir amoureux, Harriett Smithson continuant à l'ignorer superbement. Pour la jeune pianiste, tout commence alors comme un jeu. Ah ! ce Berlioz aux cheveux rouges et à l'air exalté vit un grand amour malheureux et ne veut voir aucune femme que celle qui ne le regarde même pas ? Eh bien, on verra ce qu'on verra ! Et Camille, provocante en diable, de jouer les effrontées.

L'aventure qui commence est tellement surprenante, « moderne » aussi, qu'elle mérite qu'on en suive le déroulement semaine après semaine, voire jour après jour : tout cela fut si bref que la moindre journée compte. De l'extase désespérée et forcément chaste face à Harriett, Berlioz a basculé dans une passion violente et charnelle dont il informe presque heure par heure ses amis, ses parents, la France entière de tous les détails, les hauts et les bas. La chronologie en est donc aisée à suivre.

La première mention de la jeune fille dans la correspondance de Berlioz date du mois de mars 1830. C'est précisément dans une lettre à Ferdinand Hiller qui, dans toute cette affaire, ne semble guère, si l'on en croit les *Mémoires*, avoir été trop longtemps touché par la jalousie : « Ce pauvre H., à qui je crus devoir avouer la vérité, versa d'abord quelques larmes bien amères ; puis reconnaissant que, dans le fond, je n'avais été coupable à son égard d'aucune perfidie, il prit dignement et bravement son parti, me serra la main d'une étreinte convulsive et partit pour Francfort en me souhaitant bien du plaisir. »

A Hiller, il pose donc la question, en incrédule : « Pourrez-vous me dire ce que c'est que cette puissance d'émotion, cette *faculté* [souligné !] de *souffrir* [à nouveau souligné] qui me tue ? Demandez à votre ange [Camille est encore un peu, pour la forme, l'ange du gentil Hiller], à ce séraphin qui vous a ouvert les portes du ciel... » Ange et séraphin de l'un, Camille est bien en train de devenir le « diable » de l'autre puisqu'elle sait la « faculté de souffrir » de celui-ci. Nous sommes le 3 mars. Camille doit alors en rajouter dans la coquetterie, les battements d'œil et la séduction.

On la voit si bien assise à son piano, jouant des adagios langoureux pour celui qu'elle veut d'abord s'amuser à conquérir. Regards, lents mouvements des mains, la nuque penchée sur le clavier : elle devine derrière elle la présence d'Hector et en rajoute dans la douceur des effets sonores. Ou bien elle se déchaîne. La sonate dite « Clair de lune » de Beethoven, puis l'Appassionata : les cordes vibrent, le cœur de Berlioz bat plus vite. Camille la friponne plaque un dernier accord, forcément sublime, et elle se retourne, les joues en feu. Se lève. Virevolte dans la pièce. Elle a bien joué, non ? Il a aimé, n'est-ce pas ? Beethoven, à moins que ce ne soit Schubert qu'on connaît mal en France. Ou Weber, le bien-aimé. Elle virevolte encore, s'agite, passe et repasse devant celui qui est déjà un soupirant et le cœur de Berlioz bat plus vite encore. Le mois de mars s'éveille au printemps, elle est si jolie, ravissante et pulpeuse... Et si bonne musicienne... Et si fine... Et si... Et si...

Le 16 avril, elle a déjà gagné puisque, sans pourtant prononcer son nom, Berlioz révèle à son ami de toujours, Humbert Ferrand, les fameuses « affreuses vérités, découvertes à n'en pouvoir douter [qui l'ont] mis en train de guérison ». Les vérités en question, c'est bien sûr Camille qui s'est fait une joie de les répéter à Hector. Ah ! il a aimé pendant plus de deux ans une actrice ? Eh bien voilà ce qu'elle était, cette théâtreuse ! Et cette fois le cœur de Berlioz vacille. Mais Camille n'aurait pu agir de la sorte si quelque chose ne s'était passé entre eux. C'est peut-être parce que, précisément, quelque chose a pu se passer entre Camille et Berlioz que celui-ci se trouve enfin « en train de guérison », oubliant la comédienne dans les bras de la pianiste.

Dans les bras ? Peut-être pas encore. Le si court chapitre des *Mémoires*, pourtant consacré entièrement à l'affaire ne donne guère de détails de calendrier. L'auteur se borne à constater qu'une certaine Mlle M***, rencontrée à la pension d'Aubray, mais qu'il a connue par son ami Hiller, « [le] plaisanta sur son air triste, [l']assura qu'il y avait par le monde "quelqu'un qui *s'intéressait bien vivement à* [*lui*]", [lui] parla de H. qui l'aimait bien, disait-elle, mais qui *n'en finissait pas...* »

« Un matin, je reçus même de Mademoiselle M*** une lettre, dans laquelle, sous prétexte de me parler encore de H., elle m'indiquait un rendez-vous secret pour le lendemain. J'oubliai de m'y rendre. Chef-d'œuvre de rouerie digne des plus grands hommes du genre, si je l'eusse fait exprès ; mais j'oubliai réellement le rendez-vous et ne m'en souvins que quelques heures trop tard. Cette sublime indifférence acheva ce qui était si bien commencé, et après avoir fait pendant quelques jours assez brutalement le Joseph, je finis par me laisser *putipharder* et consoler de mes chagrins intimes, avec une ardeur fort concevable pour qui voudra songer à mon organisation de feu, à mon âge, et aux dix-huit ans et à la beauté irritante de Mademoiselle M***. »

« Putiphardé » comme le Joseph de la Bible : Berlioz a bien sûr été l'amant de la belle Camille. Mais il faut lire entre les lignes de ses lettres à ses parents, sa sœur, ses amis, la terre entière pour en savoir plus, puisqu'il se borne à remarquer, dans les *Mémoires* : « Si je racontais ce petit roman et les incroyables scènes de toute nature dont il se compose, je serais à peu près sûr de divertir le lecteur d'une façon neuve et inattendue. Mais, je l'ai déjà dit, je n'écris pas des confessions. Il me suffit d'avouer que Mademoiselle M*** me mit au corps toutes les flammes et tous les diables de l'enfer. »

Qu'on égrène alors, lettre après lettre, ce qui, faute des « confessions » que Berlioz se refuse à faire, constitue pourtant bel et bien de brûlants aveux, en même temps qu'un vrai roman, oui... D'abord, on sait que, dans une lettre perdue à son père, en date du 5 juin 1830, il révèle déjà son amour pour la jeune fille et demande au

Dr Berlioz son autorisation de l'épouser. Le même jour, il écrit à un autre ami d'enfance, né comme lui en 1803 à La Côte-Saint-André et qui fut, un temps, un camarade étudiant à Paris. Et cette fois, nous en apprenons davantage. « Tu sais, cette charmante jeune personne que nous avons rencontrée ensemble, un jour, que je t'ai dit m'avoir raconté toutes les infamies de Mlle Smithson. Eh bien, mon cher, c'est elle. Depuis ma guérison, je l'aimais, mais elle m'aimait bien avant que l'hydre fût sortie de mon cœur ; elle m'aimait alors même qu'on la croyait occupée d'un autre. Elle me l'a déclaré, la première. Je ne t'en ai rien dit par prudence. L'inquiétude me dévorait. Aujourd'hui nous avons pris le grand parti. Elle a tout déclaré à sa mère dernièrement, et de mon côté, j'ai écrit à mon père en lui donnant tous les renseignements préliminaires sur sa famille, son éducation, son talent, ses moyens d'existence, qui sont bien plus brillants que les miens puisqu'elle gagne dix à douze mille francs par an, avec ses leçons de piano et ses concerts particuliers. Sa mère, qui lui destinait un parti brillant, s'est mise en fureur ; elle a voulu nous séparer, puis enfin elle a consenti à m'admettre dans sa maison pour ne pas nous réduire au désespoir. Hier soir, j'y étais, elle était souffrante, inquiète ; je puis à peine me traîner, je ne puis avoir une minute de tranquillité, jusqu'à ce que mon père me réponde ou vienne lui-même [...] Hier soir, je me suis évanoui devant elle, en entendant énoncer toutes les craintes de sa mère, qui croit toujours que mon père ne me donnera rien et qui ne veut pas prendre son parti sur la passion de sa fille pour moi. »

La lettre le confesse, Camille a bien fait le premier pas. On l'imagine si bien, la future grande pianiste, pianiste de talent déjà, qui tourne autour de son compositeur. Harriett n'a même pas voulu entendre parler du génie de Berlioz, mais Camille, à coup sûr, l'a deviné d'emblée. Le grand front trop sage de la jeune fille, ses beaux bandeaux noirs : elle caresse d'étranges rêves, cette Camille aussi folle que l'Hector qu'elle aime. Elle, tous les diables de l'enfer l'habitent déjà. Sa mère l'irrite : elle devine bien en elle la mère abusive, mi-maquerelle, mi-chef de famille. Ses élèves la fatiguent, ce sont des petites demeurées aux émois enfantins et aux doigts gourds sur le clavier d'un piano épuisé dans une pension pour jeunes filles à l'autre bout de Paris. Alors qu'Hector, son regard en vrille, ses folles déclarations, la poésie, la musique : elle ne voit plus que le petit jeune homme roux à la chevelure en désordre qui aligne des projets grandioses, des ambitions pyramidales. Qui cite en vrac

Virgile, Shakespeare, Goethe. Dont l'amour désespéré pour une comédienne indifférente a fait le tour de Paris. Elle n'a qu'un geste à faire, Camille, et ce diable d'homme, capable d'aimer comme peu d'hommes le savent, sera à elle. Un geste ? Elle court vers lui quand il arrive, s'accroche à lui quand il s'en va. Joue les coquettes, les aguicheuses. Un geste ? Mais elle sera à lui, pardi ! Est-elle déjà sa maîtresse ? On peut en douter puisque c'est un peu plus tard qu'un autre pas, décisif celui-là, sera accompli. On prévoit les nuages qui vont bientôt planer sur cet amour. L'argent, bien sûr, l'argent ! Camille est presque riche et Berlioz est, assurément, très pauvre puisque son père ne lui accorde que chichement une pension dix fois interrompue par tel ou tel accès de mauvaise humeur. D'où l'ombre de la Mamma Moke qui se profile, redoutable, à l'horizon, Mme Moke qui se met déjà en fureur. Est-ce cette fureur qui conduira à l'équipée du 6 juin ?

De cette journée, on ne sait pas vraiment grand-chose, seulement ce que Berlioz en avouera peu à peu, six mois après les faits. D'abord, c'est à Ferdinand Hiller qu'il se déclarera « enragé de n'avoir pas poussé plus loin le voyage de Vincennes » dont il aurait pu « tirer parti pour forcer Mme M. à consentir ». Il se dépêche aussitôt d'ajouter qu'il a « renoncé bien vite comme vous le pensez à employer ce moyen ». Berlioz est un honnête homme qui ne pratique pas le chantage. Ce sera au mois d'avril 1831, lorsque tout sera fini, qu'il s'expliquera davantage dans une lettre à sa famille : « Sachez donc enfin que Mlle Moke à qui je *n'avais jamais songé* est venue m'avouer qu'elle m'aimait, qu'elle s'est mise à mes pieds pour me conjurer de l'aimer, qu'elle s'est enfuie avec moi, que je l'ai enlevée, tout cela au mois de juin de l'année dernière !... »

Enfin, le 6 mai de la même année, s'adressant tout ensemble à ses amis Gounet, Girard, Hiller, Richard et Sichel à qui il écrit une lettre commune, il fait, cette fois, un véritable aveu, d'homme à homme : « Je vous dirai que, pour me distraire, j'ai mis dernièrement fin à une continence qui durait depuis le 6 juin 1830, jour où... » La phrase s'arrête là, ses amis savent ce qui s'est passé le 6 juin et nous aussi : le 6 juin 1830, Berlioz a tenté d'enlever Camille. Recoupant ce qui précède, on en arrive à cette conclusion : c'est le 6 juin 1830 que Berlioz a couché pour la première fois avec Mlle Moke, avant ou pendant un fougueux, un véritable enlèvement mais qui s'est arrêté à Vincennes... Et il n'a couché qu'une seule fois avec celle qui s'était littéralement jetée à sa tête.

Pauvre Berlioz ! Puisqu'il semble que notre amoureux transi ait connu avec elle un plaisir qu'il résume dans les *Mémoires* en moins de deux lignes, sans équivoque possible. On les répète : « Il me suffit d'avouer que Mlle M*** me mit au corps toutes les flammes et tous les diables de l'enfer... »

On peut alors imaginer l'affaire. La voiture qui les emmène à travers Paris. La campagne à Vincennes, une auberge accueillante... Les deux amants serrés l'un contre l'autre sur la banquette, agitée des cahots de la route, leurs baisers, ils n'en peuvent plus d'attendre. On arrête la voiture. L'hôtesse est sur le seuil qui devine le couple en fuite et leur donne sa meilleure chambre. La fenêtre ouvre sur les bois. Il fait un temps de 6 juin, c'est-à-dire superbe, les oiseaux dans les arbres, un soupir vite expédié entre deux baisers. Camille en chemise de batiste et Berlioz qui devine ses formes. Oh ! ses formes, ses seins, ses jambes... Le lit est fait d'un large matelas rembourré de crin sur un sommier qui grince un peu. On a rejeté les draps, la couverture, la courtepointe et l'on s'aime toute la nuit pour s'endormir à l'aube, aux chants neuf des oiseaux. Berlioz en est fou, de sa Camille qui dort encore à ses côtés, ses beaux cheveux noirs dénoués sur l'oreiller. La pensée, la musique, les mots l'étouffent. Et Berlioz de l'étreindre une fois encore, ravissante dont les membres se délient encore une fois contre les siens.

Puis on demande du café, du lait, des tartines, du beurre. On pense à l'avenir. La folie est faite. Ce n'est pas la peine de pousser plus loin, n'est-ce pas ? la maman Moke aura compris. On s'embrasse encore, les lèvres luisantes de confiture, une goutte de lait bien frais qui vous coule sur le menton. Elle aura compris, la future belle-mère. Alors on va sagement rentrer à la maison. Et, que papa Berlioz le veuille ou non, on se mariera : peut-on faire autrement quand on s'est aimés toute une nuit à Vincennes et que, très vite, Paris tout entier va l'apprendre ?

Le corps, les flammes, les diables et l'enfer : tout est là. Et tout est probablement là pour longtemps, pour plus longtemps que l'épisode Camille. On verra, plus loin, la lamentable histoire des amours de Berlioz avec celle qui deviendra sa seconde femme, Marie Recio. Belle, peut-être, à damner quelques saints, mais chanteuse sans talent. Et jalouse, possessive, acariâtre, malveillante : Marie Recio aura tout contre elle – sauf son corps... – et Berlioz ne pourra se décider à la quitter. Ou, quand il lui arrivera de le faire, ce sera le temps de misérables escapades et la Recio saura le rattraper. A coup sûr, comme Camille, Marie Recio le tenait par d'autres flammes mais le même enfer, c'est-à-dire, osons les mots, par le plaisir qu'il prenait avec elle. Si, adolescent, il a pu rêver d'un pur amour, Estelle et l'étoile du matin, c'est à peu près sûrement sa sensualité qui va donner à la vie amoureuse de Berlioz une orientation souvent catastrophique. Disons-le : il est probablement incapable de résister à ce que nous qualifierons pudiquement d'appel de la chair. Et, une fois pris, il en devient esclave. Sa véhémence même pour exprimer les sentiments en apparence les plus purs en témoigne.

Il y a donc eu la nuit du 6 juin. Et après ? Après, les deux amants sont, pas très sagement peut-être, mais qu'importe, revenus au bercail.

On se souvient que, le 5 juin, Berlioz a demandé à son père l'autorisation d'épouser Camille. A sa grande surprise, elle lui est accordée par retour du courrier et, bon gré mal gré, Mme Moke s'incline. Ainsi, c'est presque le plus bourgeois des mariages qui est en train de s'organiser pour un Berlioz qui croit soudain vraiment à son bonheur, comme au grand prix de Rome qu'il est certain d'obtenir cette année. Même Mme Moke semble y croire. Du coup, il s'émerveille de toutes les qualités de sa future belle-mère.

« Mme Moke est une femme de beaucoup d'esprit et d'ordre, écrit-il à Nanci. Sa maison est tenue *sans luxe*, mais avec une aisance de bon goût, peu commune, et c'est indispensable à cause de la position de sa fille. Les relations qu'elle entretient avec la haute société et l'aristocratie parisienne la mettent dans la nécessité d'un entourage aisé. Elle a deux domestiques : la femme de chambre de Camille et une cuisinière. Du reste, rien de plus simple et de plus économique que leur manière de vivre. Elles reçoivent peu de monde et fort rarement, à cause de l'énorme travail qu'elle est obligée de faire sur son instrument. Il n'y a pas de jour qu'elle ne travaille quatre ou cinq heures, outre le temps de ses leçons. Sa mère qui l'aime avec une tendresse extrême ne peut songer sans frémir que sa fille soit obligée de se tuer de peine pendant longtemps encore, et ne désirerait rien tant qu'un établissement qui la mettrait au-dessus d'une pareille nécessité. Cependant elle n'est pas sans compatir à ce que nous souffrons, elle m'a répété hier que je pouvais "être tranquille, qu'elle ne cherchait pas à marier sa fille à un autre, et que je ne me tourmente pas de cette inquiétude". Mme Moke est sûre du consentement de son mari dans tout ce qu'elle fera pour sa fille. »

La bonne Mme Moke refuse même un autre prétendant plus fortuné, dont on peut penser qu'il s'agit de Camille Pleyel, le fils du facteur de pianos, qu'on va vite retrouver. Mais dans le même temps, la question de l'argent se pose avec plus d'urgence encore. Et là, le Dr Berlioz continue à faire preuve de la même parcimonie dont il a toujours usé envers son fils. Pour Berlioz, l'échéance du concours de l'Institut, qui doit avoir lieu dans les semaines qui viennent, est décisive – mais pas suffisante. Toute l'histoire d'amour de Camille et d'Hector donne brusquement l'impression d'avoir été déterminée par le déroulement implacable du calendrier : le concours de Rome ; bientôt les journées de Juillet ; la *Symphonie fantastique* enfin jouée ; le départ pour l'Italie, enfin, et les « fiançailles pour rire » qui vont avec.

Le séjour en Italie, que les deux amoureux commencent pourtant à vraiment redouter, ne doit être pour eux, la future belle-mère le leur assure, qu'une « épreuve » qui vérifiera la force de leur amour. Quant à Camille, elle joue adorablement les coquettes un peu jalouses en interdisant à son fiancé – « Je vous défends, Monsieur ! » – de trouver sublime une autre femme qu'elle, fût-elle l'une des premières chanteuses de son temps. Bref, non sans les mille et une inquiétudes qui pour lui ne peuvent pas ne pas aller avec lui, Berlioz nage dans le bonheur.

Le 16 juillet, il peut écrire à sa mère : « J'entre demain à l'Institut, le concours préliminaire a eu lieu avant-hier [...] Je dîne aujourd'hui chez Mme Moke pour leur faire mes adieux. Elle m'a tant recommandé de n'être pas triste, de me calmer, pour entrer en loge en bonnes dispositions, que bon gré mal gré, il faudra ce soir faire bonne contenance. Mais quand je la vois rêver... Ses yeux baissés... et puis quelquefois souffrante, malade, si pâle, si rouge ; je fais tout ce que je puis pour l'empêcher de tant travailler son piano ; je l'ai suppliée de ne pas jouer d'adagio de Weber ni de Beethoven, elle me l'a promis, cette musique dévorante la tue. En l'exécutant elle crée comme l'auteur fit en composant, car elle n'a pas du talent mais du génie, elle anime ce froid instrument et en fait un sublime orchestre. Mille fois par jour je demande s'il est bien possible que je sois aimé de cette ravissante Corinne ; il me semble que ce n'est qu'un songe romanesque. Mais je la vois, je l'entends..., svelte et gracieuse comme un esprit de l'air elle vole à ma rencontre, tout me prouve alors que mon songe est une réalité, que mon roman est historique. Quelquefois, nous demeurons en silence des quarts d'heure entiers, puis sans pouvoir me contenir, je fonds en larmes, je me sauve à un autre coin du salon, j'entends la mère murmurer : "Singulier enfant" jusqu'à ce que Camille pour faire diversion se mette à son piano, me jette à la tête quelque *pont-neuf* détestable [une plaisanterie idiote, un calembour, n'importe quoi...] qui m'impatiente et finit par nous faire rire l'un et l'autre. »

Et Berlioz entre en loge le 17 juillet 1830. Les événements alors se précipitent : le concours de Rome, oui – il faut qu'il obtienne son prix ; et la révolution de Juillet qu'il va vivre comme ce qu'il est : en jeune fou romantique, exalté, les larmes aux yeux et *La Marseillaise* sur les lèvres.

Le rituel du séjour en loge lui est maintenant familier. Le texte proposé cette année est d'un helléniste, poète amateur, Jean-François Gouel. Le sujet dramatique par excellence, grandiose, romantique aussi puisque Byron et Delacroix s'y sont attaqués, est *La Mort de Sardanapale*. Tyran terrassé et belles esclaves nues qu'on égorge : Berlioz est tout à son affaire. Et cette fois, hormis tramer l'éclat final dont il parlera et reparlera longtemps, notre bon jeune homme modère l'effusion orchestrale de ses sentiments. Il se surveille. C'est la dernière fois, assure-t-il, qu'il passera le concours : ce prix de Rome, il doit l'avoir. Camille, son bonheur en dépendent...

Mais c'est alors même qu'il décrit en musique la mort d'un tyran sanguinaire que la révolution de Juillet éclate. Le moment est peut-être venu de balayer bien des calomnies qui ont tenté de faire de lui un réactionnaire, à la solde de tous les pouvoirs conservateurs. Ce sera en fait la révolution de 1848 qui amènera un revirement politique chez Berlioz. Et quand bien même il s'enflammera contre les exactions commises par la « populace », c'est peut-être encore plus la déception de ne pas avoir vu la IIe République mettre en œuvre les mesures libérales que tout le monde musical espérait qui le poussera à l'indignation.

Le récit qu'il a pu faire des journées de Juillet est assez exalté pour qu'on se refuse dès lors à voir en lui le réactionnaire borné dont l'image est encore ancrée quelque part dans les océans de bêtises qu'on a trop longtemps pu débiter à son propos. Rédigées pourtant après 1848, ces pages des *Mémoires* constituent un témoignage éclatant. Qu'on se représente bien la situation. Berlioz va enfin l'obtenir, son premier grand prix ; Camille Moke l'attend rue du Faubourg-Montmartre ; lui-même est entré en loge et la révolution dans la rue.

« C'était en 1830. Je terminais ma cantate quand la révolution éclata [...]

» L'aspect du palais de l'Institut, habité par de nombreuses familles, était alors curieux ; les biscaïens [ce sont des balles de gros calibre] traversaient les portes barricadées, les boulets ébranlaient la façade, les femmes poussaient des cris, et dans les moments de silence entre les décharges, les hirondelles reprenaient en chœur leur chant joyeux cent fois interrompu. Et j'écrivais, j'écrivais précipitamment les dernières pages de mon orchestre, au bruit sec et mat des balles perdues, qui, décrivant une parabole au-dessus des toits, venaient s'aplatir près de mes fenêtres contre la muraille de ma chambre. Enfin, le 29, je fus libre, et je pus sortir et polissonner dans Paris, le pistolet au poing, avec la *sainte Canaille* [expression d'Auguste Barbier, précise Berlioz en bas de page] jusqu'au lendemain.

» Je n'oublierai jamais la physionomie de Paris, pendant ces journées célèbres ; la bravoure forcenée des gamins, l'enthousiasme des hommes, la frénésie des filles publiques, la triste résignation des Suisses et de la garde royale, la fierté singulière qu'éprouvaient les ouvriers d'être, disaient-ils, maîtres de la ville et de ne rien voler ; et les ébouriffantes gasconnades de quelques jeunes gens, qui, après avoir fait preuve d'une intrépidité réelle, trouvaient le moyen de la rendre ridicule par la manière dont ils racontaient leurs exploits et par les ornements grotesques qu'ils ajoutaient à la vérité. Ainsi, pour avoir, non sans de grandes pertes, pris la caserne de cavalerie de la rue de Babylone, ils se croyaient obligés de dire avec un sérieux digne des soldats d'Alexandre : *Nous étions à la prise de Babylone.* [...]

» Et la musique, et les chants, et les voix rauques dont retentissaient les rues, il faut les avoir entendus pour s'en faire une idée !

» Ce fut pourtant quelques jours après cette révolution harmonieuse que je reçus une impression ou, pour mieux dire, une secousse musicale d'une violence extraordinaire. Je traversais la cour du Palais-Royal, quand je crus entendre sortir d'un groupe une mélodie à moi bien connue. Je m'approche et je reconnais que dix à douze jeunes gens chantaient en effet une hymne guerrière de ma composition, dont les paroles, traduites des *Irish melodies* de Moore, se trouvaient par hasard tout à fait de circonstance.

N'oublions pas ces champs dont la poussière
Est teinte encore du sang de nos guerriers.

» Ravi de la découverte comme un auteur fort peu accoutumé à ce genre de succès, j'entre dans le cercle des chanteurs et leur demande la permission de me joindre à eux. [...] Dans les entractes de ce concert improvisé, trois gardes nationaux, nos protecteurs contre la foule, parcouraient les rangs de l'auditoire, leurs shakos à la main, et faisaient la quête pour les blessés des trois journées. [...]. Mais l'assistance devenait de plus en plus nombreuse, le petit cercle réservé aux Orphées patriotes se rétrécissait à chaque instant, et la *force armée* qui nous protégeait allait se voir impuissante contre cette marée mouvante de curieux. Nous nous échappons à grand-peine. Le flot nous poursuit. Parvenus à la galerie de Colbert qui conduit à la rue Vivienne, cernés, traqués comme des ours en foire, on nous somme de recommencer nos chants. Une mercière, dont le magasin s'ouvrait sous la rotonde vitrée de la galerie, nous offre alors de monter au premier étage de sa maison, d'où nous pouvions, sans courir le risque d'être étouffés, *verser des torrents d'harmonie sur nos ardents admirateurs.* La proposition est acceptée, et nous commençons *La Marseillaise.* Aux premières mesures, la bruyante cohue qui s'agitait sous nos pieds s'arrête et se tait. Le silence n'est pas plus profond ni plus solennel sur la place Saint-Pierre, quand, du haut du balcon pontifical, le pape donne sa bénédiction *urbi et orbi.* Après le second couplet, on se tait encore ; après le troisième, même silence. Ce n'était pas mon compte. A la vue de cet immense concours de peuple, je m'étais rappelé que je venais d'arranger le chant de Rouget de Lisle à grand orchestre et à double chœur, et qu'au lieu de ces mots : *ténors, basses,* j'avais écrit à la tablature de la partition : *Tout ce qui a une voix, un cœur et du sang dans les veines.* Ah ! ah ! me dis-je, voilà mon affaire. J'étais donc extrêmement désappointé du silence obstiné de nos auditeurs. Mais à la quatrième strophe, n'y tenant plus, je leur crie : “Eh ! sacredieu ! chantez donc !” Le peuple, alors, de lancer son : “*Aux armes, citoyens !*” avec l'ensemble et l'énergie d'un chœur exercé. Il faut se figurer que la galerie qui aboutissait à la rue Vivienne était pleine, que celle qui donne dans la rue Neuve-des-Petits-Champs était pleine, que la rotonde du milieu était pleine, que ces quatre ou cinq mille voix étaient entassées dans un lieu sonore fermé à droite et à gauche par les cloisons en planches des boutiques ; [...] et l'on imaginera peut-être quel fut l'effet de ce foudroyant refrain... Pour moi, sans métaphore, je tombai à terre. »

Une lettre du 2 août à son père donne d'autres détails encore sur la conduite de Berlioz le 29 juillet : il s'arme, il obéit aux ordres des gardes nationaux, regrette de n'en avoir pas fait davantage. « Je suis sorti de l'Institut le premier, jeudi dernier à 5 heures, au moment où s'achevait la prise du Louvre. L'importance désespérante de ce concours a pu seule me retenir deux jours dans notre fort barricadé et muré, pendant qu'on se massacrait sous nos yeux.[...] Courir s'armer et chercher à s'utiliser était la première chose mais non pas la plus aisée à faire ; aussi après trois heures de course je n'ai pu attraper qu'une paire de longs pistolets d'arçon sans munitions.

» Les gardes nationaux m'envoyaient à l'Hôtel de Ville ; j'y cours, point de cartouches. Enfin, à force de demander aux passants j'ai fini par être équipé complètement. L'un me donnait une balle, l'autre de la poudre, un autre un couteau pour couper le plomb. Puis voilà tout, pas une amorce de brûlée. Le soir du vendredi, on annonçait qu'il y aurait une affaire à Saint-Cloud ; nous nous sommes portés jusqu'à la barrière de l'Etoile en foule ; mais individuellement et il n'y a rien eu encore ; les gardes du corps campés au bois de Boulogne s'étaient dispersés et tout le monde a rétrogradé sur Paris. »

Le lendemain, c'est à Nanci qu'il s'adresse. Les fusils se sont tus, il faut à présent rassurer La Côte-Saint-André. Et s'il évoque « le bon Charles X », c'est à coup sûr au deuxième degré : il a bien traité de « Polignac » son censeur de l'Institut : « Tout est si tranquille à Paris qu'on ne dirait pas que la moindre des choses fût arrivée. Les barricades sont démolies, on répare les rues, on fait des illuminations qui remplacent les réverbères. Il n'y a que les pauvres arbres du boulevard qu'on ne peut pas ranimer. Si tu voyais, devant la croix noire plantée devant le Louvre et qui indique la grande fosse des gardes nationaux, ces pauvres femmes qui pleurent sur leur fils, ou mari, ou père, ou frère, c'est un spectacle déchirant. Mais l'enthousiasme public est si grand ! Avant-hier, comme on faisait courir le bruit que le bon Charles X faisait le méchant et qu'il voulait rester à Rambouillet avec le petit nombre d'hommes qui lui restait, Lafayette avait ordonné que dix mille Parisiens se portent sur Rambouillet pour le prendre ; mais la masse s'est tellement grossie que, dès la barrière de l'Etoile, on comptait déjà plus de trente mille hommes armés, qui partaient, les uns à pied, les autres à cheval, d'autres en voiture ; on arrêtait tous les cabriolets, diligences, omnibus ; on faisait descendre ceux qui y étaient, et les gardes nationaux y montaient. Le roi déchu est aujourd'hui en route pour Cherbourg où il va s'embarquer pour Londres.

» Hier soir, à l'Opéra, on a demandé *La Marseillaise* ; M. Nourrit est venu la chanter, son drapeau à la main, avec tout l'appareil des chœurs et de l'orchestre ; on n'a pas l'idée d'un pareil effet. Immédiatement après un billet, jeté sur la scène et lu au public, a appris que l'auteur de cet hymne sublime, Rouget de Lisle, était dans la misère et qu'on proposait une souscription pour lui. A l'instant, tout le monde s'est précipité au foyer, et une collecte considérable a été faite pour le moderne Tyrtée. »

Cependant, à peine sorti de loge et descendu des barricades, notre Berlioz redevient l'amoureux qui voit le monde entier à la seule lumière de sa Camille. Il l'a écrit du palais de l'Institut à son ami Ferrand :

« Tout ce que l'amour a de plus tendre et de plus délicat, je l'ai. Ma ravissante Sylphide, mon Ariel, ma vie, paraît m'aimer plus que jamais ; pour moi, sa mère répète sans cesse que, si elle lisait dans un roman la peinture d'un amour comme le mien, elle ne la croirait pas vraie... Il faut que j'aie ce prix, d'où dépend en grande partie notre bonheur ; je dis comme Don Carlos dans *Hernani* : “Je l'aurai.” Elle se tourmente en y songeant [...]. Nous aurons peut-être encore bien des obstacles à vaincre, mais nous les vaincrons. Que pensez-vous de tout cela ? »

Les obstacles, Berlioz ne se trompe pas, sont encore nombreux. Au premier chef, l'argent. Au fond, Mme Moke n'a donné son consentement que de fort mauvais cœur. Il y a aussi le voyage à Rome. On a beau le présenter comme une simple épreuve pour leur amour, ce sera une longue séparation et qui effraie Berlioz. Enfin il y a quand même le résultat du concours. Il affecte de le croire acquis, mais l'attente est longue. L'inquiétude monte.

« Ma pauvre Camille a passé une journée d'anxiété mortelle ; j'avais promis de venir leur apprendre le résultat à deux heures. Mais M. Lesueur, sur qui je comptais pour le savoir, n'étant rentré qu'à six heures et me trouvant engagé à dîner dans la Chaussée d'Antin je n'ai pu être libre qu'à huit heures et demie. En arrivant je l'ai trouvée étendue dans le grand fauteuil de sa mère, rouge, brûlante, agitée de fièvre, osant à peine me parler ; elle n'avait rien mangé de la journée malgré les prières de sa mère qui la rassurait de toutes ses forces. Elle qui est ordinairement si gaie, si brillante !... Oh ! mon pauvre ange, ses ailes étaient toutes froissées ; mon délicat Ariel, mon esprit protecteur, qui habite le réduit le plus secret de mon cœur, puisque cette couronne la flatte, elle est sans prix à mes yeux [...] Dieu, je l'aime !... c'est inexprimable. Rien ne peut rendre ce que je sens ; il n'y a que la musique, aucune autre langue n'a assez de force ni de profondeur. »

Enfin, le 23 août, une lettre de Berlioz à sa mère lui annonce qu'il a obtenu le premier grand prix au premier tour de scrutin, et un M. Montfort le deuxième grand prix, leurs œuvres seront exécutées par un grand orchestre le 2 octobre, jour de la remise des prix.

La sublime extravagance de Berlioz éclate : il a vaincu, parce qu'il ne pouvait que vaincre. Du coup, toute sa hargne à l'encontre de ceux qui ne le comprennent pas explose plus fort que jamais. Ainsi contre ce Henri Berton, professeur d'harmonie ultra-conservateur au Conservatoire, qui mourut en 1844, ayant écrit quarante-huit opéras : essayons d'en citer un ! Et contre Cherubini, naturellement.

Pourtant, il le sent plus que jamais, la réussite au concours signifie un départ à brève échéance pour l'Italie. Et ce séjour à Rome, Berlioz n'en veut maintenant à aucun prix : ce serait quitter Paris, où il commence à être connu ; ce serait surtout quitter Camille. Et, de cela, il ne peut être question. Aussi, dès son prix en poche, si l'on peut dire, Hector Berlioz va tenter de ne pas faire le voyage à Rome qui en est pourtant la récompense. Il le sait : la famille Moke attend pour prendre une décision définitive l'arrivée à Paris d'un père plus absent que jamais. « Je n'obtiendrai pas Camille avant d'avoir un accès au théâtre, c'est là que ses parents attachent leurs vœux, écrit-il donc à ses parents. Eh bien, je l'aurai, mais pour cela il faut rester à Paris. Je vais faire des démarches pour être dispensé de ce stupide voyage de Rome ; mais au lieu d'aller au ministère de l'Intérieur j'irai parler tout bonnement au roi ; il est si accessible et si simple de manière que j'espère qu'il m'écoutera et me comprendra... »

Mais l'important, c'est que M. Moke se décide à venir à Paris. Inconsciemment, Berlioz devine que les promesses de la mère de Camille n'auront vraiment de valeur que contresignées, en quelque sorte, par son père. Ce qui ne l'empêche pas de continuer à délirer et à abreuver ses amis de confidences amoureuses. A Edouard Rocher, le 3 septembre : Camille, son prix, l'indigne Harriett qu'il a tant adorée, son concert, ses concerts, il mélange tout, il exulte, il est bouleversé.

« Elle m'aime, elle m'aime... Conçois-tu ça ? moi qui ne fus jamais aimé de personne ! Un ange pareil ! un talent sans égal peut-être en Europe !... Si tu savais comment cet amour a commencé ? Non, tu n'en reviendrais pas ; je suis né pour une vie extraordinaire ; la malheureuse Smithson est toujours ici et s'avilit de plus en plus. Oh mon ange, ma Camille ! [...] Elle a été tant tourmentée de l'inquiétude de mon prix qu'elle en est encore toute malade. Elle viendra à la séance publique de l'Institut, et le lendemain au Théâtre-Italien où on exécutera une composition nouvelle que je fais pour le concert qui doit avoir lieu ce jour-là. Le 21 novembre suivant, je donnerai mon grand concert pour faire entendre ma *Symphonie fantastique*... »

Parce que la date de la première audition de sa symphonie a été enfin fixée. Du coup, c'est un renouveau d'inspiration qui l'habite. Comme Harriett Smithson moins d'un an auparavant, comme Estelle aux brodequins roses, pour un Hector Berlioz de quinze ans, Camille est à présent la muse, le rayon de musique. Il l'écrit à Nanci :

« Il faut t'avouer, chère sœur, que je vois l'horizon poétique se dorer des rayons d'un beau soleil levant ; je me sens une force créatrice immense, je crois que [je] révolutionnerai l'art de quelque manière. Mais quelles que soient mes espérances musicales, elles seront toujours subordonnées aux autres ; le bonheur doublera mes forces pour les réaliser, le malheur les anéantirait. Camille est toute ma vie, ma musique, ma puissance, mon orgueil, ma gloire ; si je la perdais de quelque manière que cela fût, je perdrais tout en même temps. Mais je ne sais pourquoi je te parle ainsi, ses parents pensent toujours de même ; *le prix de l'Institut m'a avancé, il est vrai, mais pas assez ; il faut que j'aie un pied à l'étrier, un ouvrage au théâtre, en un mot que mon existence pécuniaire soit plus assurée.* »

La musique, oui, qu'il va « révolutionner », mais encore et toujours l'argent. Ce qui n'empêche pas l'amoureux de continuer à rêver éperdument :

« Oh dieu, Nanci, je la verrai aujourd'hui à 5 heures, sa mère m'a invité à dîner, mon délicieux Ariel va voltiger autour de moi, je la vois d'ici avec sa taille élancée, ses yeux étincelants et ses cheveux en bandeaux sur sa tête virginale ; je l'entends me railler sur mon air triste, et s'écrier en regardant les larmes apparaître dans mes yeux : "Eh bien ! eh bien ! qu'est-ce que je vois, allons monsieur, pas d'enfantillages, je vous prie, ou bien je me fâche : je ne veux pas que vous soyez faible comme ça, je vous ordonne d'être insensible comme un rocher. Mais ce n'est pas de l'amour, me dit-elle quelquefois, c'est de la frénésie." »

Le roman continue. On le suit toujours au jour le jour. Mme Moke se montre-t-elle un peu plus amène ? Du coup, c'est à nouveau l'argent que lui mesure toujours aussi chichement son père qui l'obsède. Et puis, même si Madame *Mamma* semble avoir fermé les yeux sur l'escapade à Vincennes, elle veille quand même au grain, surveille de plus près... Elle hésite à assister à l'exécution de la cantate primée de peur d'avoir à mal juger ce futur gendre envers lequel elle s'est engagée, oui, mais sans vraiment s'engager. Alors Berlioz trépigne. Heureusement, ce qui semble bien avoir été une vraie passion de la part de Camille l'aide à surmonter ces multiples épreuves, qui sont pourtant celles traversées par tout jeune homme ardent mais pauvre amoureux d'une jeune fille un peu plus riche que lui et que sa mère veut « bien » marier. Généralement, ces affaires-là se terminent bien – ou mal. Si les parents de la demoiselle sont hésitants, ce sera la détermination de la demoiselle qui emportera le morceau. Or, déterminée, Camille Moke paraît bien l'être. Même s'il n'y eut entre eux que la journée de Vincennes, Camille comme Berlioz, a aussi le diable au corps. Ce qui a peut-être commencé comme un jeu devient sérieux. Elle l'aime, son génie ! Et lui qui ne lui ménage pas l'admiration pour son génie à elle sait trouver les mots justes pour l'enflammer davantage. Belle image romantique, dès lors, que celle de ces deux artistes, conscients l'un et l'autre de ce qu'ils portent en eux de talent, que soudent l'un à l'autre la passion et le plaisir mais dont un père rapiat et une mère soupçonneuse entravent le bonheur. Entendons Berlioz écrire une fois de plus à Nanci. C'est le 20 octobre.

« Mme Moke a changé de langage et de manière avec moi, elle me reçoit toujours aussi souvent mais non plus avec affection et cordialité ; elle a fait tout au monde pour détacher de moi Camille ; c'est une femme intéressée qui aime mieux que sa fille ne se marie pas si elle ne fait pas un mariage riche qui puisse lui donner de l'aisance *à elle*. Elle trouve bien agréable d'avoir cette pauvre enfant à sa disposition qui lui mange beaucoup d'argent dont elle dispose à son gré, qui l'introduit dans les cercles les plus brillants et qui est la cause de tout l'agrément de son existence. Conçois, Nanci, quel tourment j'éprouve, nous en sommes réduits à attendre que Camille ait atteint sa majorité [...] Tu me crois très heureux ; et je ne puis presque jamais la voir deux minutes seule. Sa mère ne quitte pas le salon quand j'y suis, il faut que nous parlions de choses indifférentes ; cette contrainte me crève le cœur ; il est vrai qu'un mot de Camille, un signe fait à la dérobée me rassurent, mais quand on a tant de choses à dire, c'est un supplice affreux. Sa mère nous disait il y a quelques semaines : "Je n'ai point fait de promesses positives. – Eh bien, moi j'en ai fait, reprit Camille, et je les tiendrai." »

L'amoureux méprisé a sûrement mis le doigt sur la vérité de l'attitude de la mère. Bien sûr qu'elle veut le bonheur de sa fille ! Bien sûr qu'elle veut que celle-ci ne soit pas, toute sa vie, astreinte à donner les leçons ! Bien sûr qu'elle ne veut pas lui voir abandonner le train de vie qui est le sien ! Mais c'est surtout elle, la bonne Mme Moke, qui ne veut pas non plus changer de train de vie. Disons-le crûment : il y a fort à parier qu'elle vit aux crochets de sa fille. Et les mauvaises affaires d'un mari qui ne compte guère pour elle n'arrangent pas la situation. Et puis, il y a eu la demande en mariage de Camille par cet « homme d'une grande fortune, qui occupe à Paris un rang fort élevé parmi les artistes » : un homme oui, et artiste (ou presque) par-dessus le marché. A côté de cette fortune acquise, les « espérances » du pauvre Hector Berlioz vont faire bien pâle figure...

Les événements vont à nouveau se précipiter. La remise des prix à l'Institut a lieu. Comme prévu, Mme Moke refuse d'y emmener sa fille. Le récit que fera Berlioz de la séance du 30 octobre 1830, au cours de laquelle on exécuta enfin, avec « grand orchestre », sa cantate primée, est aussi délirant que ses insultes à Cherubini et consorts. La fureur et l'enthousiasme s'y mélangent avec éclat : c'est grandiose !

« La salle des séances publiques de l'Institut était pleine d'artistes et d'amateurs, curieux d'entendre cette cantate dont l'auteur avait alors déjà une fière réputation d'extravagance. La plupart, en sortant, exprimaient l'étonnement que leur avait causé l'*incendie*, et par le récit qu'ils firent de cette étrangeté symphonique, la curiosité et l'attention des auditeurs du lendemain, qui n'avaient point assisté à la répétition, furent naturellement excitées à un degré peu ordinaire.

» A l'ouverture de la séance, me méfiant un peu de l'habileté de Grasset, l'ex-chef d'orchestre du Théâtre-Italien, qui dirigeait alors, j'allai me placer à côté de lui, mon manuscrit à la main. Mme Malibran, attirée elle aussi par la rumeur de la veille, et qui n'avait pas pu trouver place dans la salle, était assise sur un tabouret, auprès de moi, entre deux contrebasses. Je la vis ce jour-là pour la dernière fois. [...] La cantate se déroule sans accident. Sardanapale apprend sa défaite, se résout à mourir, appelle ses femmes ; l'incendie s'allume, on écoute ; les initiés de la répétition disent à leurs voisins : "Vous allez entendre cet écroulement, c'est étrange, c'est prodigieux !"

» Cinq cent mille malédictions sur les musiciens qui ne comptent pas leurs pauses !!! une partie de cor donnait dans ma partition la réplique aux timbales, les timbales la donnaient aux cymbales, celles-ci à la grosse caisse, et le premier coup de la grosse caisse amenait l'explosion finale ! Mon damné cor ne fait pas sa note, les timbales ne l'entendant pas n'ont garde de partir, par suite, les cymbales et la grosse caisse se taisent aussi ; rien ne part ! rien !!!... Les violons et les basses continuent seuls leur impuissant trémolo ; point d'explosion ! un incendie qui s'éteint sans avoir éclaté, un effet ridicule au lieu de l'écroulement annoncé ; *ridiculus mus !...* Il n'y a qu'un compositeur déjà soumis à une pareille épreuve qui puisse concevoir la fureur dont je fus alors transporté. Un cri d'horreur s'échappa de ma poitrine haletante, je lançai ma partition en travers l'orchestre, je renversai deux pupitres ; Mme Malibran fit un bond en arrière, comme si une mine venait soudain d'éclater à ses pieds ; tout fut en rumeur, et l'orchestre, et les académiciens scandalisés, et les auditeurs mystifiés, et les amis de l'auteur indignés. Ce fut encore une catastrophe musicale et plus cruelle qu'aucune de celles que j'avais éprouvées précédemment... Si elle eût au moins été pour moi la dernière ! »

Catastrophe, peut-être, mais l'affaire a fait grand bruit et la réputation du compositeur connaît maintenant un prodigieux essor. La presse rend abondamment compte de la cantate. *Le Courrier français* et *Le Commerce français* insistent sur la partition jetée à travers la salle, *Le Journal des débats* est réservé mais *Le Temps*, sous la plume du critique et « arrangeur » des œuvres des autres, Fétis, est enthousiaste. Du coup, Berlioz a moins envie que jamais de quitter Paris. C'est d'ailleurs l'avant-veille qu'il a écrit au ministre dont dépend alors l'Académie des beaux-arts pour solliciter son « autorisation de jouir à Paris de la pension que, dans sa munificence, le gouvernement accorde aux lauréats de l'Académie ». Pour le ministre, il dresse la liste des projets qui le retiennent à Paris, évoquant en particulier « plusieurs [...] compositions instrumentales qui exigent un grand appareil musical [et qui] doivent être exécutées en France et en Allemagne ». En France, peut-être s'agit-il des *Francs-Juges*, peut-être de *Lélio* dont il commence à caresser le projet, ou d'une nouvelle version des *Huit scènes de Faust*, peut-être sont-ce là seulement des plans sur la comète.

Pourtant le nouveau concert qu'il donne le 7 novembre n'a rien d'un plan tiré sur la comète. Il vient de terminer son ouverture de *La Tempête*, inspirée de la pièce de Shakespeare et que lui a commandée son ami le chef d'orchestre Girard. Si Berlioz ne joue jamais sa vie que dans la démesure, la démesure se joue aussi de lui. Hier, *Sardanapale* et son incendie qui n'a pas pris, à présent *La Tempête*, un titre prémonitoire. Car c'est une nouvelle catastrophe qui s'abat sur lui : « Le jour de l'exécution, une heure avant l'ouverture de l'Opéra, un orage éclate, comme on n'en avait peut-être jamais vu à Paris depuis cinquante ans. Une véritable trombe d'eau transforme chaque rue en torrent ou en lac, le moindre trajet, à pied comme en voiture, devient à peu près impossible, et la salle de l'Opéra reste déserte pendant toute la première moitié de la soirée, précisément à l'heure où ma fantaisie sur *La Tempête*... (damnée tempête !) devait être exécutée. Elle fut donc entendue de deux ou trois cents personnes à peine, y compris les exécutants, et je donnai ainsi un véritable *coup d'épée dans l'eau.* »

Tout l'humour grinçant de Berlioz envers lui-même. Et pourtant, Fétis a écrit que « M. Berlioz [...] met en pratique et réalise » ce que lui-même a annoncé, quatre ans plus tôt, comme l'une des « révolutions de l'orchestre » qui feront progresser la musique de son temps. Ainsi, malgré le sort qui s'acharne contre lui, Berlioz accumule-t-il les succès en cette fin d'année 1830.

Et le meilleur est encore à venir. Le meilleur, c'est la première exécution, le 5 décembre, de la *Symphonie fantastique.* Le 5 décembre 1830 est une date capitale dans l'histoire de la musique comme dans l'histoire du romantisme. Une date clef, aussi, dans l'aventure sentimentale de Berlioz avec Camille Moke : Camille sait enfin qui il est. C'est à nouveau le grand François-Antoine Habeneck qui dirige cette première. Si Habeneck ne fut pas toujours enclin à beaucoup de sympathie envers la musique de l'auteur, il est, ce jour-là, l'un des artisans de son triomphe. Les *Mémoires* en témoignent : « L'exécution ne fut pas irréprochable sans doute, ce n'était pas avec deux répétitions seulement qu'on pouvait en obtenir une parfaite pour des œuvres aussi compliquées. L'ensemble toutefois fut suffisant pour en laisser apercevoir les traits principaux. Trois morceaux de la symphonie, *Le Bal*, la *Marche au supplice* et *Le*

Sabbat, firent une grande sensation. La *Marche au supplice* surtout bouleversa la salle. La *Scène aux champs* ne produisit aucun effet. Elle ressemblait peu, il est vrai, à ce qu'elle est aujourd'hui. Je pris aussitôt la résolution de la réécrire... »

En témoigne également l'extraordinaire bouche-à-oreille qui suivit le concert. La presse, oui – encore que les articles aient été beaucoup moins nombreux que pour la séance du 30 octobre –, et le public surtout qui, après avoir successivement entendu l'ouverture des *Francs-Juges*, un « chant guerrier » tiré des *Mélodies irlandaises* et la scène de l'incendie et de l'écroulement du palais de *Sardanapale*, fit une véritable ovation à la *Symphonie fantastique.* Un effectif de plus de cent musiciens issus de la Société des concerts et du Théâtre-Italien, qui avaient répété quinze jours, souvent sous la baguette de Berlioz, fit vibrer d'émotion la salle entière : il fallait être un Cherubini pour ne pas partager cette euphorie.

Le public aurait voulu qu'on redonnât le quatrième mouvement de la symphonie, la « Marche au supplice », mais l'heure était avancée, il y avait le même soir un autre concert à Paris – où la Malibran chantait précisément au bénéfice d'Harriett Smithson. La dernière note de l'œuvre tombée, c'est un incroyable délire. On applaudit, on applaudit encore, on acclame. Un vent de folie parcourt la salle. Les journalistes, des inconnus se ruent vers l'auteur pour le féliciter, l'embrasser. On le porte presque en triomphe. Il a vingt-sept ans et, en un jour, il est devenu le héros de toute une génération de romantiques qui avaient leurs poètes, leurs dramaturges et leurs peintres et qui attendaient leur compositeur. C'est un fait, beaucoup s'en sont rendu compte ce soir-là, cette journée ferait date dans l'histoire de la musique.

Celui-ci de rapporter d'ailleurs dès le lendemain à son père : « Pixis, Spontini et Meyerbeer, Fétis ont applaudi comme des furieux et Spontini s'est écrié en entendant ma "Marche au supplice" : "Il n'y a jamais eu qu'un homme capable de faire un pareil morceau, c'est Beethoven, c'est prodigieux !"

» Pixis m'a embrassé, et plus de cinquante autres. C'était une fureur. Liszt le célèbre pianiste m'a pour ainsi dire emmené de force dîner chez lui en m'accablant de tout ce que l'enthousiasme a de plus énergique. Ce pauvre M. Lesueur était encore malade, il n'a pu y venir, mais ces dames y étaient, elles sont ravies.

» On me tourmente pour redonner dimanche prochain un second concert avec encore l'ouverture et la symphonie. Je vais voir si

Cherubini veut me prêter encore la salle, si Mme Malibran veut chanter, si Bériot veut me jouer un solo de violon, et je conduirai moi-même l'orchestre, je crois que nous ferons de l'argent. »

Spontini, Meyerbeer, Liszt : voilà peut-être aussi l'essentiel : en un soir, Berlioz est, si l'on ose dire, devenu l'égal de ses pairs. Et parmi eux, de ceux qu'il admire le plus. Rencontré la veille, Liszt deviendra un ami de toute une vie. C'est sous le signe de la *Fantastique* que l'une des plus belles, des plus riches amitiés de l'histoire de la musique est ainsi scellée. Si Berlioz n'a pas encore atteint la trentaine, Liszt, lui, a tout juste dix-neuf ans. Quant à Spontini, on a vu que le compositeur de *La Vestale* était pour Berlioz une manière de demi-dieu, à l'égal d'un Gluck qu'il admirait sans partage – quand bien même il aura, dans les années quarante, des mots très durs, parfois méprisants à son égard. L'une des nouvelles les plus ironiques des *Soirées de l'orchestre* s'intitule « Le suicide par enthousiasme » et le jeune compositeur provincial qui s'y tue par amour de la musique le fait pour cette *Vestale* qu'il a fallu une Maria Callas pour faire revivre en 1954 mais que tant d'autres œuvres lyriques du temps, que Berlioz méprisait avec fureur, avaient alors bien éclipsée. C'est par passion pour *La Vestale* que le jeune homme, encore simple étudiant en médecine, semait la terreur parmi les habitués de l'Opéra qui n'en saisissaient pas toutes les subtilités et ne voyaient pas les menues erreurs que commettaient parfois les musiciens de l'orchestre. Etre comparé à Beethoven par Spontini : quel plus bel hommage aurait pu désirer le tout jeune auteur d'une *Symphonie fantastique* qui éclatait soudain dans le ciel parisien comme un coup de tonnerre aussi violent que les orages s'y déchaînent dans sa partition ? Dans les jours qui suivront, Berlioz, délirant de bonheur, enverra d'ailleurs au maître des copies manuscrites de ses œuvres accompagnées d'une lettre plus qu'éloquente.

En retour, Berlioz va recevoir un superbe cadeau de Spontini. Il lui a envoyé, écrit-il à sa sœur Nanci, sa grande partition d'*Olympie*, du prix de cent vingt francs, et il a écrit de sa main sur le titre : « En parcourant cette partition, mon cher Berlioz, souvenez-vous quelquefois de votre affectionné Spontini. » Et Berlioz d'ajouter : « J'ai couru le remercier et il m'a dit tant de choses enivrantes que j'en étais confondu. »

Ce n'est pas tout. Une semaine plus tard, le 20 décembre, c'est Rouget de Lisle qui lui écrit : « Nous ne nous connaissons pas, monsieur Berlioz ; voulez-vous que nous fassions connaissance ?

Votre tête paraît être un volcan toujours en éruption ; dans la mienne, il n'y eut jamais qu'un feu de paille qui s'éteint en fumant encore un peu. Mais enfin, de la richesse de votre volcan et des débris de mon feu de paille combinés, il peut résulter quelque chose. J'aurais à cet égard une et peut-être deux propositions à vous faire. Pour cela, il s'agirait de nous voir et de nous entendre. Si le cœur vous en dit, indiquez-moi un jour où je pourrai vous rencontrer, ou venez à Choisy me demander un déjeuner, un dîner, fort mauvais sans doute, mais qu'un poète comme vous ne saurait trouver tel, assaisonné de l'air des champs. Je n'aurais pas attendu jusqu'à présent pour tâcher de me rapprocher de vous et vous remercier de l'honneur que vous avez fait à certaine pauvre créature de l'habiller tout à neuf et de couvrir, dit-on, sa nudité de tout le brillant de votre imagination. Mais je ne suis qu'un misérable ermite éclopé, qui ne fait que des apparitions très courtes et très rares dans votre grande ville, et qui, les trois quarts et demi du temps, n'y fait rien de ce qu'il voudrait faire. Puis-je me flatter que vous ne vous refuserez point à cet appel, un peu chanceux pour vous à la vérité, et que, de manière ou d'autre, vous me mettrez à même de vous témoigner de vive voix et ma reconnaissance personnelle et le plaisir avec lequel je m'associe aux espérances que fondent sur votre audacieux talent les vrais amis du bel art que vous cultivez ? »

« La richesse de votre volcan... » Berlioz jubile, lui qui vient de composer un nouvel arrangement de *La Marseillaise*, pour deux chœurs et une gigantesque masse orchestrale.

Plus encore peut-être que les lettres de Spontini et de Rouget de Lisle, le concert du 5 décembre apporte à Berlioz un autre triomphe : Mme Moke capitule. Camille sera à lui. C'est que la dame s'en est sans doute enfin rendu compte : ce futur gendre qui s'impose à elle avec une si désagréable, si pesante insistance, est tout de même en train de devenir une personnalité de premier plan de la vie musicale française. Son génie, oui, mais aussi son extravagance, l'intransigeance de ses opinions commencent à entrer dans la légende du tout-Paris, en même temps que sa crinière rousse, son nez busqué et sa taille de petit prince. Fétis, le critique encore bienveillant, s'exclame : « Ma foi, s'il a le diable au corps, il a un dieu dans la tête ! » On répète le mot. On se souvient de *La Marseillaise* qu'il a chantée devant la foule de la galerie Colbert pendant les journées de Juillet. La *Symphonie fantastique* – qu'importe qu'elle ait été composée pour une autre – a frappé le public de plein fouet mais elle a aussi atteint Camille au cœur, et presque subjugué Mme Moke. Il l'écrit à Ferrand : « C'est ma musique qui a arraché le consentement de la mère de Camille ! Oh ! ma chère Symphonie, c'est donc à elle que je la devrai. » Et à Nanci : « Oh ! ma chère musique ! C'est donc à elle que je devrai Camille ! Songe donc, Nanci, Mme Moke a donné son consentement, j'épouserai Camille dans quinze mois, à mon retour d'Italie. Il faut que j'y aille à présent, Mme Moke l'exige et je perdrais ma pension sans cela. Ainsi je partirai d'ici dans les premiers jours de janvier [...] Après bien des supplications, j'avais obtenu de Mme Moke que Camille assisterait à mon concert... Mme Moke ne voulait pas absolument (*sic*) y venir [...] Mais elle a fini par vaincre sa peur pour l'accompagner. Figure-toi un peu la *Marche au supplice,* au milieu des cris de bis des spectateurs, obligé de m'avancer de l'avant-scène pour saluer le public, me trouvant tout près de la loge où était Camille, je vois sa mère me faire signe avec la main qu'elle était transportée et j'entends Camille s'écrier : superbe, superbe, prodigieux !

» Oh ! Le soir, le soir, en entrant... Mme Moke tout émue me dit : "Je suis désolée de tout ce que je vous ai dit de désagréable avant d'entendre votre musique, je ne pouvais me douter que vous eussiez un talent d'une telle portée, vraiment c'est irrésistible, je n'éprouvai de ma vie de telles émotions musicales." Depuis ce succès, tout est changé ; je vois Camille tous les jours, sa mère ne fait plus de lamentations, en un mot ne nous tourmente plus, elle a donné sa parole. »

Le mariage est fixé pour l'époque de Pâques 1832. Au début du mois de décembre, Berlioz n'a pas encore reçu de réponse officielle à sa demande de ne pas aller en Italie, mais il ne doute pas de celle-ci. Ainsi est-ce au moment précis où Mme Moke apprend que le départ pour Rome ne peut plus être remis qu'elle donne son accord définitif : dans un an et demi les jeunes gens seront mari et femme. C'est promis, c'est peut-être juré. Advienne que pourra, Berlioz part plein d'espérance.

Le 30 décembre 1830, il quitte Paris. Ni le succès qu'il y a obtenu ni son amour pour Camille n'ont pu réussir à empêcher ce voyage. Non, Hector Berlioz ne voulait pas se rendre à la Villa. Oui, il a fini par y aller. Il s'y prendra même à deux fois pour se décider à y rester. Mais ce n'est pas une autre histoire, ce n'est que la suite – la fin, hélas, pour lui – de celle qu'on vient de raconter.

7

Rome, ville offerte

Le moment est venu de faire une courte halte. Nous sommes en janvier 1831, Berlioz vient de retrouver La Côte-Saint-André, son père, sa mère, ses sœurs. Il écrit à Ferrand. L'excitation du départ s'est effacée. En chemin il a ruminé ses inquiétudes et l'idée du désastre que représente pour lui le voyage à Rome.

« Je suis chez mon père depuis lundi ; je commence mon fatal voyage d'Italie. Je ne puis me remettre de la déchirante séparation qu'il m'a fallu subir ; la tendresse de mes parents, les caresses de mes sœurs peuvent à peine me distraire. Il faut que je vous voie pourtant avant mon départ. Nous irons passer une huitaine de jours à Grenoble à la fin de la semaine prochaine ; de là, je retournerai à Lyon pour m'embarquer sur le Rhône pour aller prendre à Marseille le paquebot à vapeur qui me conduira à Civita-Vecchia, à six lieues de Rome. Venez me voir ici, ou à Grenoble, ou à Lyon ; répondez-moi promptement et positivement là-dessus pour que nous ne nous manquions pas. »

On le comprend, Berlioz est moins pressé que jamais de quitter la France. Alors il va s'attarder d'abord à La Côte-Saint-André. On s'occupe de lui, ses sœurs le choient. Mais il est triste. Malade aussi. Surtout, la passion-Camille l'habite plus que jamais. Et lorsqu'il écrit à nouveau à Ferrand, c'est pour mieux revenir à Mlle Moke puisque, s'adressant à tel de ses amis, c'est toujours sa pianiste bien-aimée qu'il finit par implorer : « Vous m'écrirez tout de suite, n'est-ce pas ? O ma pauvre Camille, mon ange protecteur, mon bon Ariel, ne plus te voir de huit ou dix mois ! Oh ! que ne puis-je, bercé avec elle par le vent du nord sur quelque bruyère sauvage, m'endormir enfin dans ses bras du dernier sommeil ! Adieu, mon cher ; venez, je vous en supplie. »

Le vent du nord et la bruyère sauvage : il reprendra la phrase mot pour mot dans *Lélio*, composé dans les semaines qui vont venir et qui racontera leur histoire. Avec le plus que compréhensif Hiller, à qui il a tout de même ravi sa belle, il est plus emphatique encore. Une guerre risque-t-elle d'éclater entre la France et l'Angleterre puisqu'on pense au fils de Louis-Philippe pour le trône de la toute neuve Belgique et que le reste de l'Europe n'en veut pas ?

« Nous allons avoir la guerre ! s'exclame-t-il. On va tout saccager ; des hommes *qui se croient libres* vont se ruer sur d'autres hommes qui *sont certainement* esclaves ; peut-être les hommes libres seront exterminés, les esclaves seront maîtres ; puisse toute l'Europe s'épuiser en cris de rage, tous ses enfants s'entr'égorger, le fer et le feu triompher, la peste régner, la famine ronger ; puisse Paris brûler, pourvu que j'y sois et que LA tenant dans mes bras, nous nous tordions ensemble dans les flammes ! »

Rien que cela : Camille et lui enlacés en une torche vivante ! Coup de cymbales ou grosse caisse, esclave offerte et tyran adoré, c'est à nouveau *La Mort de Sardanapale* qu'il se rejoue avec un orchestre imaginaire aux masses pyramidales. Mais la guerre n'éclatera pas, ni fer ni famine, pas d'autre feu que l'incendie qui brûle en lui, et rien pour l'apaiser, puisque Camille, la cruelle !, ne lui a pas encore écrit. Chaque jour, à La Côte, il attendait une lettre : rien n'est venu. Alors, tristement, le 15 janvier 1831, il prend le chemin de Grenoble. Elle lui écrira sûrement en route. Après Paris et ses paillettes, Grenoble... Parents à voir, amis, province et repas de famille, la triste vie bourgeoise au fond du Dauphiné, les oncles qui plastronnent et les petites cousines pour riocher dans les coins. Berlioz fulmine quand bien même les cousines sont jolies et qu'il caressera même un jour le projet insensé d'épouser l'une d'elles, Odile, pour se venger d'une autre. Pourtant, à son retour, il a la bonne surprise de trouver chez ses parents une lettre de Camille qui le rassure. Il ne veut pas entendre les allusions perfides sur la conduite de la jeune fiancée que peut faire Hiller dans une autre lettre. On l'aime. Il aime. Tout va bien.

Le 8 février 1831, il quitte à nouveau La Côte-Saint-André. Cette fois, pour Rome et toujours d'aussi mauvaise grâce. Pourtant, il est certain de l'amour de Camille, à présent – ou du moins, affecte de le croire. Huit jours plus tôt, il a écrit à Hiller pour évoquer l'équipée de Vincennes. C'est même la première fois que l'aventure vient sous sa plume. Il en parle comme d'un souvenir heureux. Dieu merci pour lui, Berlioz n'aura pas connaissance alors de la correspondance qui va s'échanger alors entre sa sœur Nanci et sa douce fiancée... L'aurait-il su qu'il serait parti autrement plus inquiet.

Les deux futures belles-sœurs se sont écrit. Nanci a écrit la première. Camille ne pouvait pas ne pas ne pas répondre. Le ton de l'une est bien différent de celui de l'autre. L'une est enthousiaste, primesautière. Adorable Nanci ! Pour un peu, elle reprendrait des mots mêmes de son frère : « Vous serez son ange tutélaire ! Que de biens j'attends pour lui d'une telle influence ! Que ne vous devra-t-il pas en échange de la félicité qu'il tiendra de vous ? »

La réponse de l'autre est nettement plus brève, moins expansive, aussi.

« Je vous suis bien reconnaissante, mademoiselle, de l'aimable lettre que vous avez eu la bonté de m'écrire, et c'est avec un extrême plaisir que je réponds aux avances d'amitié que vous voulez bien me faire, rien ne me serait plus agréable que de connaître de plus près une personne que j'estime et dont on m'a si souvent vanté les belles qualités, je ne sais comment vous remercier... etc ». Bref, pour tout dire, Camille est assez froide.

Le 9 février, Hector Berlioz est déjà à Lyon d'où il écrit à ses amis : Ferrand, Gounet... Avec quand même une petite pointe de vanité, il donne à chacun sa prochaine adresse : Hector Berlioz, pensionnaire de l'Académie de France, Villa Médicis, Rome. Mais c'est toujours pour lui un « infernal exil », « rien... ne peut donner une idée de ce [qu'il] souffre », il en reviendra « en frémissant comme un boulet rouge » (l'image est hardie !). Il conclut sa lettre à Ferrand par les acclamations d'usage : « Adieu ; mille malédictions sur vous et sur moi et sur toute la nature ! La douleur me rendrait fou. » Et le 10 février, il prend la diligence de Marseille d'où, après trois jours qu'il met à trouver un bateau, il embarque pour Livourne à bord d'un brick sarde.

Berlioz fait de ce premier voyage en mer un récit plus que pittoresque dans les *Mémoires* : « Quelques jeunes gens de bonne mine que je rencontrai à la Canebière, m'apprirent qu'ils étaient passagers sur ce bâtiment, et que nous y serons assez bien en nous concertant ensemble pour l'approvisionnement. Le capitaine ne voulait en aucune façon se charger du soin de notre table. En conséquence, il fallut y pourvoir. Nous prîmes des vivres pour une semaine, comptant en avoir de reste, la traversée de Marseille à Livourne, par un temps favorable, ne prenant guère plus de trois ou quatre jours. C'est une délicieuse chose qu'un premier voyage sur la Méditerranée, quand on est favorisé d'un beau temps, d'un navire passable et qu'on n'a pas le mal de mer. Les deux premiers jours, je ne pouvais assez admirer la bonne étoile qui m'avait fait si bien tomber et m'exemptait complètement du malaise dont les autres voyageurs étaient cruellement tourmentés. Nos dîners sur le pont, par un soleil superbe, en vue des côtes de Sardaigne, étaient de fort agréables réunions. Tous ces messieurs étaient Italiens, et avaient la mémoire garnie d'anecdotes plus ou moins vraisemblables, mais très intéressantes. L'un avait servi la cause de la liberté, en Grèce, où il s'était lié avec Canaris [le héros de l'indépendance grecque à qui Hugo a consacré une *Orientale*] et nous ne nous lassions pas de lui demander des détails sur l'héroïque incendiaire, dont la gloire semblait prête à s'éteindre, après avoir brillé d'un éclat subit et terrible comme l'explosion de ses brûlots. Un Vénitien, homme d'assez mauvais ton, et parlant fort mal le français, prétendait avoir commandé la corvette de Byron pendant les excursions aventureuses du poète dans l'Adriatique et l'archipel grec. Il nous décrivait minutieusement le brillant uniforme dont Byron avait exigé qu'il fût revêtu, les orgies qu'ils faisaient ensemble ; il n'oubliait pas non plus les éloges que l'illustre voyageur avait accordés à son courage... »

Le voyage est cependant plus long que prévu. Après trois jours de calme plat qui les retient au large de Nice – « *E Nizza, signore. Ancora Nizza. E sempre Nizza* » ! –, un « vent furieux » se lève. « Le capitaine n'eut garde de manquer une si belle occasion pour réparer le temps perdu et se *couvrit de toile*. Le vaisseau, pris en flanc, inclinait horriblement. Toutefois je fus bien vite accoutumé à cet aspect qui m'avait alarmé dans les premiers moments ; mais, vers minuit, comme nous entrions dans le golfe de La Spezia, la frénésie de cette *tramontana* devint telle, que les matelots eux-mêmes commencèrent à trembler en voyant l'obstination du capitaine à laisser toutes les voiles dehors. C'était une tempête véritable, dont je ferai la description en beau style académique, une autre fois. Cramponné à une barre de fer du pont, j'admirais avec un sourd battement de cœur cet étrange spectacle, pendant que le commandant vénitien, dont j'ai parlé plus haut, examinait d'un œil sévère le capitaine occupé à tenir la barre, et laissait échapper de temps en temps de sinistres exclamations : “C'est de la folie ! disait-il. Quel entêtement !... cet imbécile va nous faire sombrer !... – un temps pareil et quinze voiles étendues !" L'autre ne disait mot, et se contentait de rester au gouvernail. »

La suite est plus haletante encore dans la lettre qu'il écrit à son père, le 8 mars 1831, moins d'un mois après les événements : « Mais la nuit suivante, la tempête a redoublé, et comme je m'amusais dans la chambre à voir les contorsions des passagers qui voulaient sortir pour vomir et se ruaient les uns sur les autres (je n'ai pas le mal de mer) j'entendis notre corsaire crier aux matelots : "*Corragio, corpo di dio è niente.*" Je compris de suite que c'était beaucoup, et j'avoue que le cœur commença à me battre d'une horrible manière en voyant la fureur de ce vent de travers donnant dans ces quatorze voiles étendues ; au bout d'un instant les matelots désespérés commencèrent à murmurer : "*Eh ! santa Madona, è tutto perduto !*" Notre vieux capitaine ne bougeait toujours pas et ne disait mot, quand l'autre s'écria en italien : "Il ne s'agit pas de la Madone, sacredieu, carguez les voiles ou nous sombrons dans une minute !" Alors quelques autres passagers qui étaient avec moi sur le pont, nous cramponnant comme nous le pouvions aux agrès (car il était impossible de se tenir debout tellement le plan était incliné), s'écrient à la fois : "Capitaine Hermann, prenez le commandement, vous voyez bien que ce vieil imbécile perd la tête. – *Presto, presto al perroquetto tutti !*" Il était temps, tous ces matelots jeunes et vieux se précipitent sur le grand mât et, pendant qu'ils montaient, un dernier effort du vent nous donne une telle secousse que tous les meubles, ustensiles, malles, etc., qui étaient dans l'intérieur s'écroulent avec un horrible fracas, sur le pont les tonneaux tombent et roulent les uns sur les autres, l'eau entre par les écoutilles partout, le vaisseau craque comme une vieille coquille de noix, et nous nous croyons tous au dernier moment. Cependant, l'oscillation du vaisseau ayant eu lieu néanmoins, pendant qu'il revenait sur lui-même, nos intrépides matelots sont parvenus à plier la plus grande voile et, le vent reprenant haleine dans ce moment-là, nous nous sommes un peu relevés, enfin, en deux minutes, douze voiles ont été carguées et le vent sifflant dans les cordages a cessé de nous épouvanter. Puis après l'eau intérieure, les pompes !... Le feu dans un ballot de laine !... L'enfer n'est pas pire qu'un pareil moment.

» Pour moi je m'étais précautionné contre une agonie inutile et pour m'empêcher de nager je m'étais entortillé les bras dans mon manteau de manière à aller au fond comme un sac de plomb. Je suis bien aise à présent d'avoir subi cette épreuve et vu par moi-même que la mort est plus laide de loin que de près. La vérité est que dans le commencement de cette tempête nocturne, j'aurais fait de vains efforts pour ne pas trembler, mais quand j'ai cru que tout était fini pour nous, quand j'ai vu cette mer furieuse venir nous blanchir de son écume, comme les boas d'Amérique qui couvrent de leur bave leur victime avant de la dévorer, je n'ai plus regardé tout qu'avec une étrange indifférence, je pensais au lendemain, il me semblait que ces vallées blanches, que je voyais écumer devant moi, allaient me bercer et m'endormir sans douleur. »

Les boas d'Amérique ne figurent pas dans les *Mémoires* mais Berlioz devait se sentir si fier d'avoir vécu ces instants – et d'y avoir survécu, auprès d'un homme qui avait connu Byron ! – qu'il en fera à nouveau le récit, à peu de choses identique, dans la lettre collective qu'il écrit le 6 mai à ses amis Gounet, Girard et autres Hiller et Desmarest : « Oh ! quelle nuit ! et la lune qui nous regardait en courant à travers les nuages, avec une physionomie toute décomposée ! elle semblait pressée d'arriver quelque part et ennuyée de nous trouver sur son passage. »

Le 27 février, enfin, le bateau parvient à Livourne. Berlioz prend alors la route de Florence, harcelé par la police toscane remplie de méfiance au seul vu du passeport d'un de ces Français dont les journées de Juillet ont mis le feu aux poudres dans toute l'Europe avec une révolution qui, naturellement, a enfiévré l'Italie. Il ne sera pourtant pas le seul à souffrir de la police : ses compagnons de voyage débarqués avec lui auront des raisons autrement plus graves de s'en plaindre.

« Mes compagnons [...] m'avaient confié, pendant la traversée, qu'ils accouraient pour prendre part au mouvement qui venait d'éclater contre le duc de Modène. Ils étaient animés du plus vif enthousiasme ; ils croyaient toucher déjà au jour de l'affranchissement de leur patrie. Modène prise, la Toscane entière se soulèverait ; sans perdre de temps on marcherait sur Rome ; la France d'ailleurs ne manquerait pas de les aider dans leur noble entreprise, etc., etc. Hélas ! avant d'arriver à Florence, deux d'entre eux furent arrêtés par la police du grand-duc et jetés dans un cachot, où ils croupissent peut-être encore ; pour les autres, j'ai appris plus tard qu'ils s'étaient distingués dans les rangs des patriotes de Modène et de Bologne, mais qu'attachés au brave et malheureux Menotti, ils avaient suivi toutes ses vicissitudes et partagé son sort. Telle fut la fin tragique de ces beaux rêves de liberté. »

C'est donc avec tristesse qu'après Livourne, il va voir ses camarades, carbonari ou autres insurgés italiens, le quitter sans savoir encore qu'ils finiront à Modène sous la hache des bourreaux d'une révolution manquée. Et le 1er mars, Berlioz entre dans la cité des Médicis.

De toutes les villes d'Italie, Florence est à coup sûr celle qu'il préfère. Il y fera quatre séjours, dont le second pressé par l'angoisse, la jalousie, certes, mais pour fortes qu'aient été ces inquiétudes, elles ne l'empêcheront de profiter des beautés de la capitale de la Toscane. D'ailleurs, dès ce premier passage, qui durera cinq jours, Berlioz est inquiet. Pas plus à Florence qu'à Livourne, il n'a trouvé de lettres de Camille. Ni d'aucun des amis qui auraient pu lui en donner des nouvelles. Au bureau de poste de l'actuelle piazza della Signoria, alors piazza del Gran Duco, rien. Sinon une lettre d'Horace Vernet, le directeur de l'Ecole de Rome, pour lui confirmer que son arrivée à la Villa Médicis est attendue et lui faire parvenir le montant de sa pension de février, soit cent soixante-quinze francs – ce qui est toujours bon à prendre. Alors, comme il lui faut attendre un visa pour Rome que les toujours méfiants représentants à Florence des Etats pontificaux hésitent à donner à un jeune Français, Berlioz visite la ville. D'où les promenades sur les bords de l'Arno ; d'où, naturellement, des soirées d'opéra.

« A Florence, écrit Auguste-Louis Blondeau, musicien comme lui, qui l'a précédé de quelques années à l'Académie de France, les dames sont en général jolies et bien faites, elles ont surtout de jolis pieds, de jolies jambes, une tournure élégante et une mise de fort bon goût : on se croirait à Paris ». Gageons que, tout occupé par la pensée de sa Camille, l'amoureux transi et voyageur malgré lui a quand même regardé du côté de ces dames, dont il ne dit rien pourtant. Dans les *Mémoires*, il est plus loquace sur les spectacles qu'il a vus. Stendhal, en 1826, fait peu de cas du théâtre de Florence, Berlioz non plus. Il verra pourtant deux opéras au Théâtre de la Pergola. Le premier, du « jeune Bellini », est, on doit le reconnaître, une curieuse adaptation de son cher *Roméo et Juliette* : *I Capuleti e i Montecchi*. Musicalement, l'œuvre a regagné aujourd'hui ses lettres de noblesse. On la joue souvent. L'Américaine Beverley Sills y a triomphé. Mais le livret est pour le moins absurde. Pour un Berlioz, que le rôle de Roméo soit chanté par une femme dépasse l'entendement. Et puis, « point de bal chez les Capulet [on verra ce qu'il fera de ce bal, dans son *Roméo et Juliette* à lui !], point de Mercutio, point de nourrice babillarde, point d'ermite grave et calme [quel frère Laurent que le frère Laurent de Berlioz, en 1839 !], point de scène au balcon, point de..., point de..., point de Shakespeare ! », conclut-il, outragé. Il est hors de lui. La musique de Bellini est pourtant belle : ses flottements, les miroitements sublunaires qui seront ceux de *Norma*, ces ondoiements que Chopin aimera à la folie et qu'on retrouve dans tel de ses *Nocturnes*. Plus tard, Berlioz comprendra mieux la musique de Bellini, mais nous ne sommes qu'en 1831, il arrive dans une Italie dont il ne voulait pas et sa première impression de la musique italienne *in situ* ne peut qu'être exécrable. Les quinze mois à venir ne changeront pas vraiment ce point de vue.

La soirée suivante au Théâtre de la Pergola est pire encore. On donne *La Vestale*. Non pas *La Vestale* de Spontini, néoclassique et presque française, quelque peu déclamatoire pour nous, aujourd'hui, mais qui a joué un rôle majeur dans son éducation musicale, mais une *Vestale* totalement italienne, celle-là, de Paccini, où là aussi un rôle d'homme est chanté par une femme : Berlioz, horrifié, s'enfuira après le premier acte. Intraitable en Italie comme à Paris, plus qu'à Paris même, incapable de dissimuler mépris ou dégoût, on le voit bien jurant et fulminant, se parlant à lui-même dans la nuit froide d'une Florence d'hiver, quitter furibond le joli théâtre baroque sans un regard pour un public qui ose aimer ces horreurs-là.

La seule rencontre qu'il mentionne pendant ce séjour est celle de l'architecte Benjamin Schlick, déjà croisé à Paris : tous deux fréquentaient l'Odéon, Berlioz en spectateur, Schlick en décorateur, qui en refaisait une partie de l'aménagement intérieur. Schlick est danois : du coup, c'est Elseneur qui lui revient au cœur. Elseneur et Hamlet. Harriett Smithson fut Ophélie. « Oh ! Hamlet romain ! j'ai beau être en Italie, mon ciel est sombre et nébuleux ; ma vie est à Paris et je souffre ce que rien ne peut exprimer... » Mais l'Ophélie du moment n'est plus Harriett, et le voilà reparti à se lamenter sur l'absence de Camille, l'absence des lettres de Camille. Il en vient à regretter sa traversée, la mer, l'« eau salée ».

De ce qu'il voit d'autre à Florence pendant ce premier séjour, pas un mot, ni dans les *Mémoires* ni dans sa correspondance. Dès son arrivée, Stendhal, lui, se précipitait à l'église de la Santa Croce pour se recueillir sur la tombe d'Alfieri. Puis, dans la dernière chapelle à gauche de l'église, il admirait deux petites sibylles du Volterrano qui le faisaient trembler de bonheur. Qui saurait apercevoir aujourd'hui, par-delà une grille fermée à clef et dans la pénombre d'une voûte très haute, les sibylles en question ? On peut tout de même penser que, sous la loggia de Lanzi, piazza della Signoria, Berlioz aura vu le *Persée* de Benvenuto Cellini...

Le 5 mars, il dispose enfin d'un passeport en règle et, seul une fois de plus, le voilà parti pour Rome. « Les *Mémoires sur l'impératrice Joséphine*, achetés chez un bouquiniste de Sienne, m'aidèrent à tuer le temps pendant que ma vieille berline cheminait paisiblement. Mon phaéton ne savait pas un mot de français ; pour moi, je ne possédais de la langue italienne que des phrases comme celle-ci : "*Fa molto caldo. Piove. Quando lo pranzo ?*" Il était difficile que notre conversation fût d'un grand intérêt. L'aspect du pays était assez peu pittoresque, et le manque absolu de confortable dans les bourgs ou villages où nous nous arrêtions, achevait de me faire pester contre l'Italie et la nécessité absurde qui m'y amenait ».

Le 9 mars, Paganini donne à Paris son premier concert. Tout le Paris de la musique est dans la salle. Berlioz, lui, peste sur la route de Sienne à Rome. « Mais un jour, sur les dix heures du matin, comme nous venions d'atteindre un petit groupe de maisons appelé la Storta, le *vetturino* me dit tout à coup d'un air nonchalant, en se versant un verre de vin : "*Ecco Roma, signore !*" » C'est Rome, c'est déjà la Villa Médicis.

Toute corsetée de rares droits et de nombreux devoirs pour ses pensionnaires, enfermée dans un double système de règles édictées par l'Institut lui-même mais aussi par les nombreux ministres qui considéraient avoir un droit de regard sur elle, l'Académie de France à Rome était une vieille dame plus que respectable. Sa création avait été un acte d'autorité soigneusement calculé. C'est en 1666 que Colbert suggéra à Louis XIV d'établir à Rome une manière de succursale de l'Académie des beaux-arts. La décision n'avait rien de gratuit. Bien sûr, et depuis la Renaissance, le « voyage en Italie » faisait partie du bagage intellectuel nécessaire aux artistes et poètes. Au XVIIIe siècle, qui le vit fleurir et porter ses plus beaux fruits, il deviendra le « Grand Tour » et il ne sera plus alors un jeune homme quelque peu cultivé dans un château de France et de Navarre, Angleterre et Allemagne comprises, qui ne l'effectuera, ce voyage, souvent accompagné d'un camarade de son âge, voire d'un mentor plus âgé qui l'avait accompli avant lui. De ville en ville et de palais ami en auberge rustique, c'était à peu près toujours le même itinéraire, de Gênes à Lucques et Florence selon qu'on suivait la côte, ou par le mont Cenis, Turin et Milan si l'on traversait les Alpes, qui menait ces aventuriers plus que civilisés jusqu'à Rome puis à Naples. Au retour, on effectuait généralement un détour par Venise et, si on ne l'avait pas fait en venant, on s'arrêtait à Parme, Modène, Plaisance... L'itinéraire était parfaitement balisé et, pour peu qu'on sût tenir une plume, il en résultait un journal de voyage qu'on publiait parfois. De retour dans les brumes écossaises ou sur les bords de la Saône, on vivait ensuite toute une vie dans le souvenir de ces mois radieux, éreintants, lumineux qui, à de fringants jeunes gens devenus bourgeois pesants ou aristocrates épuisés, avaient permis de vérifier sur place ce qu'ils avaient lu dans les livres. Le « voyage en Italie » devint même, au fil des ans, un véritable genre littéraire. En France, après Rabelais, Montaigne et aussi quelques dizaines de voyageurs plus « professionnels » qui, tel un abbé Richard, ramèneront de véritables guides à l'usage de ceux qui leur emboîteront le pas, le plus amusant de ces dilettantes sera le président de Brosses dont le voyage qu'il fit en 1739 sera publié par sa famille en 1799. Après, viendront les Stendhal, les Chateaubriand et Berlioz lui-même.

Les récits de Berlioz ont d'abord été publiés sous forme d'articles, dès 1832, dans *La Revue européenne* (« Lettre d'un enthousiaste sur l'état actuel de la musique en Italie ») et dans *La Gazette musicale*, puis en 1836 dans *L'Italie pittoresque*, gros ouvrage collectif de format in-quarto vendu par fascicules où l'on trouve aussi des contributions de Nodier et Norvins. Mais c'est en 1844 que paraissent les deux volumes du *Voyage musical en Allemagne et en Italie* avant de constituer, en 1848, un bon morceau des *Mémoires* eux-mêmes. Bien sûr, chaque auteur de « voyage en Italie » a souvent un angle d'attaque qui lui est particulier. Ainsi Berlioz (en dépit du titre à prendre au second degré de sa « Lettre d'un enthousiaste ») méprise la musique italienne alors que le gentil Blondeau, qui l'a précédé de 1809 à 1812 à la Villa Médicis, compositeur comme lui mais qui n'a pas laissé un grand nom dans l'histoire de la musique, en parle, lui, avec un véritable enthousiasme dans un passionnant *Voyage d'un musicien en Italie*, publié en 1996.

On imagine dès lors d'autres arrivées à la Villa. On nous pardonnera de nous souvenir de la nôtre. C'était un soir du mois de février. Il avait plu mais la pluie venait de s'arrêter : un rideau qui se lève et Rome, alors, qui se dévoile de ses brumes. Après une grille de fer, la voiture qui nous amenait a pris, à gauche de la façade, la rampe qui conduit droit à la terrasse. A mesure que la ville apparaissait, une émotion qu'on ne retrouvera jamais plus nous étreignait. Peut-être des larmes aux yeux. Rome à notre gauche, déployée, oui. Et la mémoire de tous ceux qui nous avaient précédé là. Des noms qui nous revenaient à la tête. Berlioz, bien sûr, mais Debussy aussi, Gounod, Ingres, tant d'autres, connus ou oubliés. Ils montaient autour de nous une garde levée, bouleversante.

Puis la voiture est arrivée devant la loggia. Deux hommes en veste bleue boutonnée jusqu'au cou venaient déjà à notre rencontre. L'un d'eux avait été le maître d'hôtel de Balthus, il vivait dans son souvenir. Toute la Villa, d'ailleurs, vivait encore à l'heure de Balthus puisque les appartements principaux, le grand salon, le bar et la salle à manger des pensionnaires avaient été repeints sous sa houlette, en ces belles couleurs passées « à l'éponge » et différentes de pièce en pièce qui sont vite devenues, souvent horriblement pastichées, les couleurs de tant de palais romains dans les années soixante-dix. André Malraux avait installé un peintre à la direction de la Villa, il y a laissé sa belle empreinte.

Le matin, tirant les volets de bois intérieurs de la très haute pièce avec, au sommet des murs, des fresques à peine lisibles, on a, pour la première fois, été ébloui par la lumière. Ce n'était, oui, que la première fois. Mille matins encore, chaque jour renouvelée, chaque jour différente, ce sera la même émotion.

Berlioz, lui, fut simplement déposé par le cocher de son *vetturino* au pied de la façade. Face au paysage de Rome. Il dut pousser la lourde porte et baisser la tête pour entrer.

Il faut donc d'abord baisser la tête... L'Académie de France à Rome ferme sa porte monumentale, sombre et cloutée, barrée de fers et de verrous, face à la lumière éblouissante de la ville. Dans la brume du petit matin on devine déjà les dômes et les coupoles, la spire étrange de l'église de la Sapienza et Saint-Pierre, tout à droite, qui émerge d'un halo de nuées très lentement mouvantes et peu à peu dissipées. Le soir, on y reviendra souvent, la pourpre envahit le ciel tout entier et, à cette heure, la coupole de Saint-Pierre se découpe en ombre mauve sur l'orangé aux dégradés subtils, qui va doucement virer à la nuit. Matin ou soir, la lumière est partout sur cette Rome vue d'en haut, la colline du Pincio et la façade au camaïeu de roux, d'or et de jaune paille qui était la couleur de Rome. Devant la porte enfin, la fontaine qu'on appela longtemps la vasque de Corot puisque Corot l'a peinte vingt fois peut-être, surmontée d'une boule de pierre que tira, dit-on, la reine Christine de Suède, alors retirée à Rome, pour réveiller à coups de canon un amant paresseux. C'est une vaste fontaine circulaire. L'eau jaillit en son milieu et déborde de tous ses bords en un rideau sonore. Nuit et jour, la nuit surtout, lorsque se sont tues les dernières rumeurs de la ville, sa musique joue avec nos rêves. Le soleil s'y prend à midi dans ses gouttelettes irisées en arc-en-ciel mouvant : tant de lumière encore.

Mais pour pénétrer, aujourd'hui comme hier, dans la Villa Médicis, il faut d'abord baisser la tête. C'est que la grande et lourde porte de bois, cadenassée, ne s'ouvre pas souvent. On y a découpé un portillon bas, étroit, qui s'entrouvre chichement au coup de sonnette du visiteur et dont les pensionnaires d'aujourd'hui connaissent seuls le sésame en forme de code digital qui fait pivoter la petite porte. Le linteau en est bas, c'est encore un grand morceau de porte, vous baissez la tête, humblement, pour avoir le droit d'entrer.

On arrive alors dans un vaste espace sonore, tout en pénombre et en échos. On distingue des piliers massifs. Suvée, qui fut son premier directeur, a décrit, à gauche comme à droite, de longues échappées vers d'autres souterrains. D'un côté, les anciennes écuries et le long escalier très plat que quatre chevaux pouvaient gravir de front. Parfois un puits de lumière qui troue l'obscurité, parfois une dalle disjointe où le pied bute. De l'autre côté, une pièce très haute qui fut tour à tour salle de garde, atelier, porterie. Derrière elle, une porte. Là s'ouvre un escalier dérobé qui conduit très bas, à des souterrains encore tout bruissants de l'aqua Virgo qui coulait là, du temps de Rome. C'est par son aqueduc souterrain que des Barbares parvinrent presque au cœur de la ville... Beaucoup plus tard, on a découvert une citerne gigantesque sur laquelle on a élevé l'escalier central.

Ce même escalier qu'aujourd'hui encore le visiteur emprunte pour s'extraire, marche après marche, de la pénombre glauque de l'immense vestibule désert et sonore – le moindre pas y résonne, un mot lancé en l'air devient coup de tonnerre –, ce même escalier conduit d'abord à la formidable statue de celui qui donna à l'Académie de France ses lettres d'existence, Louis XIV en majesté, un globe terrestre à la main. Déjà, d'en haut, un simple soupirail émet une vague lueur, maigre. Puis l'escalier se divise à droite, à gauche. Les pensionnaires, aujourd'hui, prennent l'escalier de droite. L'autre conduit à l'aile de la direction mais, droite ou gauche, l'ombre règne encore. On sait pourtant que, du fond du puits auquel on aboutit, le somptueux escalier en colimaçon qui grimpe jusqu'au plus haut sommet de la Villa mènera à la lumière. On passe la galerie d'un entresol, faux premier étage qui traverse tout le corps de bâtiment principal puis, marche après marche, le visiteur s'avance vers le grand jour. La lumière, c'est la loggia aux lions, ouverte de trois arcades sur les jardins et contiguë au grand salon dont les trois fenêtres regardent Rome. L'escalier en colimaçon monte plus haut, vers les trois chambres dites « du Cardinal » avec, au plafond, les somptueuses peintures de Jacopo Zucchi. Au sommet de l'une des deux « tours », la « chambre turque », décorée par Horace Vernet, qui s'amusa à en faire une pièce orientale, tout en faïences peintes et en boiseries découpées. Balthus venait y peindre des jeunes femmes alanguies. On montait y travailler en paix, face à Rome. On y a organisé des dîners aux flambeaux : des ombres passent dans nos mémoires, Balthus et ses fantômes, ses femmes, un maître d'hôtel, un flambeau à la main. Plus haut, une dernière envolée de marches de briques, et l'on parvient à l'étroite terrasse qui surplombe toute la longueur de la toiture. C'est un chemin vertigineux que deux balustrades seulement protègent du vide. A chaque extrémité se dressent les deux pavillons, ou les tours elles-mêmes, on les appellera comme on voudra. Ce sont elles, épinglant le ciel au-dessus du Pincio, qui donnent à la Villa vue de loin sa physionomie immuable.

C'est probablement le 10 mars 1831 qu'Hector Berlioz, nouveau pensionnaire de cette auguste maison, en a poussé la porte. Il évoque cette journée qui marque une date dans la vie d'un artiste en un dialogue, ou plus précisément une succession d'exclamations, plaisanteries et autres calembours dignes du répertoire de tous les rapins et autres gratteurs de violon de tout le XIXe siècle. Qu'on en juge.

« L'*Ave Maria* venait de sonner quand je descendis de voiture à la porte de l'Académie ; cette heure étant celle du dîner, je m'empressai de me faire conduire au réfectoire, où l'on venait de m'apprendre que tous mes nouveaux camarades étaient réunis. Mon arrivée à Rome ayant été retardée par diverses circonstances, comme je l'ai dit plus haut, on n'attendait plus que moi ; et à peine eus-je mis le pied dans la vaste salle où siégeaient bruyamment autour d'une table bien garnie une vingtaine de convives, qu'un hourra à faire tomber les vitres, s'il y en avait eu, s'éleva à mon aspect.

– Oh ! Berlioz ! Berlioz ! oh ! cette tête ! oh ! ces cheveux ! oh ! ce nez ! Dis donc, Jalay, il t'enfonce joliment pour le nez ! [Jalay était le sculpteur, à l'appendice nasal néoberliozien.]

– Et toi, il te *recale* fièrement pour les cheveux !

– Mille dieux ! quel toupet !

– Eh ! Berlioz ! tu ne me reconnais pas ? Te rappelles-tu la séance de l'Institut, tes sacrées timbales qui ne sont pas parties pour l'*Incendie de Sardanapale* ? Etait-il furieux ! Mais, ma foi, il y avait de quoi ! Voyons donc, tu ne me reconnais pas ?

– Je vous reconnais bien ; mais votre nom...

– Ah ! tiens ! il me dit *vous*... Tu te *manières*, mon vieux ; on se tutoie tout de suite ici.

– Eh bien ! comment t'appelles-tu ?

– Il s'appelle Signol [Signol fera le plus célèbre portrait de Berlioz, encore conservé à la Villa Médicis.]

– Mieux que ça, Rossignol.

– Mauvais, mauvais le calembour !

– Absurde.

– Laissez-le donc s'asseoir !

– Qui ? le calembour ?

– Non, Berlioz.

– Ohé ! Fleury, apportez-nous du punch... et du fameux : ça vaudra mieux que les bêtises de cet autre qui veut faire le malin.

– Enfin, voilà notre section de musique au complet !

– Eh ! Montfort, voilà ton collègue ! [Alexandre Montfort, pianiste et compositeur, avait, on l'a vu, obtenu le second prix au concours de l'Institut. Mais comme l'année précédente aucun prix n'avait été donné, il était tout de même parti pour Rome. Berlioz lui a écrit de France, les deux hommes séjourneront ensemble à la Villa.]

– Eh, Berlioz ! voilà *ton fort !*

– C'est *mon fort.*

– C'est *notre fort.*

– Embrassez-vous.

– Embrassons-nous.

– Ils ne s'embrasseront pas !

– Ils s'embrasseront !

– Ils ne s'embrasseront pas !

– Si !

– Non !... »

Les répliques plus ou moins amusantes se succèdent encore sous la plume d'un Berlioz qui, lui, s'amuse à se souvenir. Avant de revenir sur terre...

« Quand je fus un peu revenu de l'étourdissement que devait me causer un tel accueil, je m'aperçus que le salon où je me trouvais offrait l'aspect le plus bizarre. Sur l'un des murs sont encadrés les portraits des anciens pensionnaires, au nombre de cinquante environ ; sur l'autre, qu'on ne peut regarder sans rire, d'effroyables fresques de grandeur naturelle étaient une suite de caricatures dont la monstruosité grotesque ne peut se décrire, et dont les originaux ont tous habité l'Académie. Malheureusement l'espace manque aujourd'hui pour continuer cette curieuse galerie, et les nouveaux venus dont l'extérieur prête à la charge ne peuvent plus être admis aux honneurs du grand salon... »

Mais Berlioz a autre chose en tête. A Livourne, à Florence, pas de nouvelles, aucune lettre de Camille. Alors, sans enthousiasme excessif, il s'installe. Sur toutes choses il porte un regard désabusé. D'ailleurs, la description qu'il donne de sa nouvelle demeure, pour admirable qu'elle soit – et il s'en rend naturellement compte, bien qu'il ne veuille rien en reconnaître ! – est brève : « La *villa Medici*, qu'habitent les pensionnaires et le directeur de l'Académie de France, fut bâtie en 1557 par Annibal Lippi ; Michel-Ange ensuite y ajouta une aile et quelques embellissements ; elle est située sur cette portion du *Monte Pincio* qui domine la ville, et de laquelle on jouit d'une des plus belles vues qu'il y ait au monde. » Ces notations sont plus qu'approximatives, elles sont superbement inexactes, on le verra vite.

« A droite s'étend la promenade du Pincio ; c'est l'avenue des Champs-Elysées de Rome. Chaque soir, au moment où la chaleur commence à baisser, elle est inondée de promeneurs à pied, à cheval, et surtout en calèche découverte, qui, après avoir animé pendant quelque temps la solitude de ce magnifique plateau, en descendent précipitamment au coup de sept heures, et se dispersent comme un essaim de moucherons emportés par le vent. Telle est la crainte presque superstitieuse qu'inspire aux Romains le *mauvais air*, que si un petit nombre de promeneurs attardés, narguant l'influence pernicieuse de l'*aria cattiva*, s'arrête encore après la disparition de la foule, pour admirer la pompe du majestueux paysage déployé par le soleil couchant derrière le *Monte Mario*, qui borne l'horizon de ce côté, vous pouvez en être sûr, ces imprudents rêveurs sont étrangers.

» A gauche de la Villa, l'avenue du Pincio aboutit sur la petite place de la Trinità dei Monti, ornée d'un obélisque, et d'où un large escalier de marbre descend dans Rome et sert de communication directe entre le haut de la colline et la place d'Espagne.

» Du côté opposé, le palais s'ouvre sur de beaux jardins, dessinés dans le goût de Le Nôtre, comme doivent l'être les jardins de toute honnête académie. Un bois de lauriers et de chênes verts élevé sur une terrasse en fait partie, borné d'un côté par les remparts de Rome, et, de l'autre, par le couvent des ursulines françaises attenant aux terrains de la Villa Médicis.

» En face, on aperçoit au milieu des champs incultes de la villa Borghèse, la triste et désolée maison de campagne qu'habita Raphaël ; et, comme pour assombrir encore ce mélancolique tableau, une ceinture de pins parasols, en tout temps couverte d'une noire armée de corbeaux, l'encadre à l'horizon.

» Telle est, à peu près, la topographie de l'habitation vraiment royale dont la munificence du gouvernement français a doté ses artistes pendant le temps de leur séjour à Rome. »

Dès ce premier soir, il est allé saluer Horace Vernet, le directeur de l'Académie ; ses commentaires sur les lieux sont désabusés : « Les appartements du directeur y sont d'une somptuosité remarquable ; bien des ambassadeurs seraient heureux d'en posséder de pareils. Les chambres des pensionnaires, à l'exception de deux ou trois, sont, au contraire, petites, incommodes, et surtout excessivement mal meublées. Je parie qu'un maréchal des logis de la caserne Popincourt, à Paris, est mieux partagé, sous ce rapport, que je ne l'étais au palais de l'Accademia di Francia. Dans le jardin sont la plupart des ateliers et sur un petit balcon élevé, donnant sur le jardin des ursulines, d'où l'on aperçoit la chaîne de la Sabine, le Monte Cavo et le camp d'Annibal. »

Auguste-Louis Blondeau, arrivé, lui, sous le directorat de Lethiers, donne de l'accueil réservé alors aux nouveaux pensionnaires une description moins pittoresque mais sûrement plus réaliste. Il arrive en novembre « à la nuit presque close, à cinq heures et demie, au moment où le directeur de l'Académie, M. Guillaume Lethière, peintre de mérite et homme de manières distinguées autant qu'affable et bienveillant, allait se mettre à table. Il me reçut avec la plus aimable cordialité, me retint à dîner, s'informa avec sollicitude de toutes les particularités de mon long voyage [...] et parut aussi content que moi j'étais satisfait de son aimable accueil. Vers dix heures, il me fit conduire à la chambre qui m'était provisoirement destinée et me souhaita un repos dont je commençais à ressentir le plus extrême besoin. »

Le même Blondeau donne ensuite des précisions intéressantes sur ce qu'étaient, à l'époque, les conditions de vie des pensionnaires. « Sans examen, sans réflexion, je m'étendis dans un fort bon lit, où je dormis d'un profond sommeil jusqu'au lendemain huit heures que le domestique vint m'apporter le déjeuner des pensionnaires, consistant en une petite carafe de vin de la contenance d'un verre et demi, deux *pagnottes,* ou petits pains ronds, de la valeur de nos pains d'un sou, fort bons, bien faits, blancs et tendres : je n'aimais jamais néanmoins l'anis en grain qu'ils sont dans l'usage à Rome de mettre dans le pain. Il me prévint en même temps que le dîner était servi tous les jours à une heure précise, le souper, à huit, et que la cloche m'avertirait chaque fois. “Allons, bravo ! me dis-je, me voici de la maison et pour longtemps.” Je me levai, fis ma toilette, déjeunai, et m'occupai de mettre ordre à mes affaires. Ma chambre était petite mais propre et claire, il n'y avait ni papier, ni tentures mais elle était parfaitement blanche du bas en haut ; une grande croisée grillée, garnie de volets en dedans, donnant sur le jardin potager, appelé *Orto*, du palais, l'éclairait suffisamment ; le mobilier consistait en un bon lit, une table à tiroir, un lavabo complet, deux chaises, une grande commode, et une espèce de candélabre en bois sculpté et doré, peint en rouge, ancien meuble princier qui avait servi jadis aux maîtres du lieu, et sur lequel je posais ma lumière. Mais cette chambre était celle des arrivants et je n'y restai que trois mois. Lorsque j'eus rangé, serré mes effets, mon linge, mes habits, ma musique, j'écrivis à ma mère, à mes maîtres, à quelques autres personnes, mon heureuse arrivée dans la capitale du monde papal, après quoi, selon la promesse que je m'étais faite, je me mis au travail afin de bien commencer mon installation. Je pris donc mon violon, dont je jouai environ une heure. Ce bruit m'attira la visite d'un pensionnaire, mon voisin, qui me donna sur-le-champ le surnom de *piocheur* : je le gardai tout le temps que je restai en Italie et je n'étais nullement fâché de l'avoir mérité. Je le priai de me conduire chez nos autres condisciples que je voulais visiter et connaître, ce qu'il fit avec empressement. Tous me reçurent de la manière la plus affectueuse, on sonna le dîner, et après le repas, nous étions les meilleurs amis du monde. Nous déjeunions chacun dans notre chambre, mais nous dînions et soupions tous à la même table. La nourriture était fort bonne et abondante. Chaque jour nous avions : potage au gras, bœuf, légumes ou poisson, rôti de viande ordinaire, ou de volaille, salade, dessert selon la saison, pain et assez bon vin à discrétion. Tel était l'ordinaire de notre dîner, qui était à peu près le même le soir, moins le potage : le vendredi soir seulement, on nous faisait faire maigre, mais c'était avec d'excellent poisson, des pâtisseries, du riz, et de fort bons légumes bien apprêtés. Notre cuisinier était italien et notre cuisinière, qui était sa femme, notre chère Olive (c'était son nom) qui était française, avait grand soin de nous qu'elle appelait ses enfants, et nous faisait toujours servir à la française. Il n'y a que son amour effréné pour les épinards et les omelettes que je n'ai jamais pu lui pardonner. Il y avait régulièrement chaque jour de l'année quatre plats des premiers et quatre plats des secondes, deux à dîner, deux à souper : c'était à lasser la résignation d'un solitaire de la Trappe. »

Epinards et omelettes : le « Voyage en Italie » de Blondeau est peut-être plus documenté que celui de Berlioz. Mais Etienne Blondeau n'en a pas rapporté *Harold en Italie* ni même la romance de *La Captive*. Le soir de son arrivée, il s'est seulement couché de bonne heure... Après sa visite à Horace Vernet, Berlioz, lui, a suivi ses « camarades au lieu habituel de leurs réunions, le fameux café Greco ». « C'est bien la plus détestable caverne qu'on puisse trouver : sale, obscure et humide, rien ne peut justifier la préférence que lui accordent les artistes de toutes les nations fixés à Rome. Mais son voisinage de la place d'Espagne et du restaurant Lepri qui est en face lui amène un nombre considérable de chalands. On y tue le temps à fumer d'exécrables cigares, en buvant du café qui n'est guère meilleur, qu'on vous sert, non point sur des tables de marbre comme partout ailleurs, mais sur de petits guéridons de bois, larges comme la calotte d'un chapeau, et noirs et gluants comme les murs de cet aimable lieu. Le *Caffe Greco*, cependant, est tellement fréquenté par les artistes étrangers, que la plupart s'y font adresser leurs lettres, et que les nouveaux débarqués n'ont rien de mieux à faire que de s'y rendre pour trouver des compatriotes. »

Dès le lendemain, il écrit à Camille. Puis il attend. Et maintenant ? Eh bien, il s'installe, naturellement. Incapable de se mettre au travail, il traîne dans sa chambre, il traîne dans la Villa. Qu'il sorte sur la terrasse, il découvre Rome de très haut, la coupole de Saint-Pierre qui épingle le ciel et, devant lui, la vasque de Corot. On reviendra sur tout cela : plus tard quand, dans quelques semaines, il s'installera pour de bon, puisqu'il va vite repartir pour la plus folle équipée de sa carrière d'amoureux – mais aussi de musicien.

C'est que les lettres qu'il espère n'arrivent toujours pas. Alors il hait Rome, d'un seul coup. Sans partage. Et la musique qu'on y fait plus encore. Il marche pendant des heures. Dans les belles allées du jardin. Mais la seule vue de ses camarades, potaches indifférents à l'anxiété qui l'oppresse, lui est insupportable. Dans les rues tout en dessous de la Villa qu'il parcourt, comme il a l'habitude, à grandes enjambées rageuses, il ne veut rien voir. Ni le bel escalier de la Trinité-des-Monts, par lequel il arrive à la place d'Espagne, ni les élégantes du Corso, ni les touristes stupides autour du Panthéon. Il marche. Longe le Tibre, s'épuise à travers les ruelles du Trastevere. Monte comme Stendhal jusqu'au sommet du mont Janicule mais sans un regard pour le paysage sublime qui s'étend si loin, les collines d'Albano, Frascati... Ses pensées sont ailleurs. Il les remâche sans cesse. Il les crie peut-être. A San Pietro in Montorio ou sur une place déserte devant l'hôpital de l'île Tiberine, il crie, il hurle pour lui-même le nom de son elfe gracieux, du doux Ariel. Camille, Camille, Camille...

Mais Camille ne peut le trahir. Il a confiance en elle. Elle lui a dit son amour. Elle le lui a prouvé, et de quelle façon ! Mme Moke elle-même le lui a assuré : sa fille sera à lui dès son retour d'Italie. En attendant, ils sont fiancés. Et le mot « fiancé » vous a un sens presque divin. C'est l'assurance du bonheur éternel. Il était trop jeune pour qu'Estelle soit autre chose qu'un sujet de rêverie exaltée. Harriett, il croit bien en être revenu : faut-il qu'il ait été nigaud pour se laisser abuser par sa passion pour une inconnue (car, au fond, la comédienne est plus Juliette ou Desdémone qu'une créature réelle), dont il a appris depuis pis que pendre ! Alors que Camille, il l'a possédée, aucun doute là-dessus, et leur union à venir a reçu la bénédiction familiale, parents Berlioz et maman Moke réunis – qu'il croit, le pauvre Hector ! – en une même volonté d'accepter enfin son bonheur. Pourtant, pas de lettre. Toujours rien. A Florence, on le comprend encore. Il n'était que de passage. Mais à Rome ! Elle a son adresse. Tout le monde la connaît, cette adresse glorieuse : pensionnaire de l'Académie de France, Villa Médicis, Rome. On a dit qu'il s'installait ? Il ne s'installe pas vraiment, il erre, il s'agite. On l'a dit : il traîne. Ou, fébrile, descend chaque jour à la porterie située à l'entrée du grand vestibule, dans l'espoir, chaque fois déçu, d'un message de la bien-aimée. Car s'il fait contre mauvaise fortune bon cœur et si c'est en apparence très sûr de lui – et d'elle – qu'il a tout quitté, au fond de lui des doutes le taraudent. Mme Moke s'est montrée trop versatile, tantôt méfiante à son endroit, tantôt presque attendrie. Il est certain que son succès l'a en effet attendrie. Mais Berlioz n'oublie pas que Camille a reçu d'autres propositions... Il y a cet homme, important, riche, que Mme Moke a accueilli un temps avec bienveillance. Et n'a-t-elle pas exprimé une certaine hâte à le voir partir, lui, lorsqu'il s'inventait encore des stratagèmes pour tenter de ne pas faire le voyage à Rome ? Au fond, c'est elle qui a hâté son départ, non ? On dirait même qu'elle l'a poussé dehors. Hors de chez elle. Hors de Paris. Mais non, c'est absurde. Un prix de Rome, auteur d'une *Symphonie fantastique* applaudie à tout rompre est un très beau parti pour la fille d'une marchande en boutique de lingerie hollandaise. Encore que... Et les doutes de l'assaillir à nouveau.

C'est en remâchant ces pensées qu'il continue à aller et venir dans le jardin de la Villa. Mais il ne regarde rien. Il erre dans les allées rectilignes de buis et de laurier, s'assied au hasard sur un banc, contemple Rome sans la voir ou se perd dans les sentiers de chênes verts du *bosco*, au-dessus des bassins : sombre et bruissant de mille bruits étranges, plein de légendes aussi, et de légendes bien noires, c'est un décor à la mesure de ce qui l'habite, l'inquiétude.

Puis il hausse les épaules : allons donc ! Camille s'est donnée à lui – et de quelle manière ! –, se répète Berlioz... Alors, outre l'angoisse, le désir qu'il a d'elle le hante. Fébrilement, il écrit à ses amis, il exprime son inquiétude à qui voudra l'entendre et, faute de mieux, révise pour la vingtième fois la partition de la *Symphonie fantastique*, mais le cœur n'y est pas. Aussi, quelques jours après son arrivée, lance-t-il un ultimatum à la bien-aimée : qu'elle lui donne « de ses nouvelles incessamment », sinon il part pour Paris, abandonnant pension et musique, à pied s'il n'a pas assez d'argent. Il s'en explique le 25 mars à Nanci : « J'ai écrit à Camille... mais à présent j'hésite. Pourquoi irais-je encore retomber dans les larmes et les cris de l'amour, parler une langue que personne ne comprend, me dévouer en pure perte pour un être qui, après avoir troublé toute mon existence, ne me témoigne aujourd'hui que de l'indifférence, simuler la tendresse et le respect pour une mère perfide dont l'exécrable égoïsme révolterait le diable lui-même !... Deux mois sans m'écrire !... Personne... »

Il hésite peut-être, mais ne s'en enflamme que de plus belle ! Tout se confond dans sa tête, l'amour et la musique, mais aussi la révolution commencée à Paris et qui s'étend à presque toute l'Europe. Et, pourquoi pas ? les bandits qui hantent l'Italie et dont on entend parfois claquer le coup de fusil quelque part au-dessous du Pincio. D'où ces élans épistolaires qui ne sont pas sans évoquer des pages entières de la *Symphonie fantastique* ou, bientôt, de *Lélio*. Il s'exalte, une fois de plus délire :

« Non, plus de larmes, j'en ai versé ma part. Si les guerres et les révolutions n'étaient pas devenues un tel lieu commun je m'en mêlerais. Mais il y a quelque chose de mieux ; j'ai envie d'aller au mont Pausilippe, dans la Calabre ou à l'île de Capri, demander du service à quelque chef de *bravi*, dussé-je n'être qu'un simple brigand. Alors au moins je verrai des crimes magnifiques, des vols, des assassinats, des rapts ; et des incendies, au lieu de ces petits crimes honteux, de ces lâches perfidies, de ces timides infidélités qui font mal au cœur. Oui, voilà le monde qui me convient, un volcan, des rochers, de riches dépouilles amoncelées dans les cavernes, un concert de cris d'horreur, accompagné d'un orchestre de pistolets et de carabines, du sang et du lacrima-christi, un lit de lave, bercé par les tremblements de terre : allons donc, voilà la vie.

» Cela ne vaut-il pas mieux que tous ces dévouements patriotiques, philanthropiques !... Oh, oh, la philanthropie... délicieux !... elle peut aller avec la philosophie et la morale ; trio de vieilles sorcières ridées, aux charmes et à la puissance desquelles on ne croit plus sans bonté d'âme ; et aujourd'hui, bonté d'âme ou bêtise, vertu ou sottise, tout cela est synonyme.

» Amen. »

Amen ! Berlioz tourne en rond dans la Villa Médicis. De l'Europe entière lui parviennent les nouvelles des mouvements populaires qui secouent l'ordre politique et social mis en place sous le double verrou du congrès de Vienne et de la Sainte-Alliance. Il voit chaque jour des foules inquiétantes traîner autour de l'Académie de France à Rome où les *Trasteverini*, les gueux de l'autre côté du Tibre à la solde du pape, viennent rôder, s'imaginant sans doute que ces diables d'artistes français qui vous ont déjà fait tant de révolutions, tous mécréants, à coup sûr, sont aussi des agents venus de l'étranger pour renverser une fois de plus un pouvoir en place. Car il faut ajouter cela aux angoisses de Berlioz : ces mouvements de foule qui, des quatre coins de l'Europe, viennent buter jusque sur les marches de l'escalier français de la Trinité-des-Monts, église française, jouxtant le jardin de la Villa Médicis, française, ces « populaces » aux mines patibulaires de trublions qui clament la contre-révolution. Après Paris, Bruxelles et Vienne, les petits Etats du nord de l'Italie ont connu de spectaculaires sursauts d'agitation que l'armée ou la police plus ou moins occulte de l'Empire autrichien ont sévèrement réprimés. On a vu des *Trasteverini* furieux dans les jardins mêmes de la Villa. Alors, dans de beaux accents d'enthousiasme, pourquoi ne pas rêver des bandits de Calabre et de crimes magnifiques ?

Puis, l'excitation tombée, il promène à nouveau sa nostalgie. Tout cela ne va durer que trois semaines, mais c'est une éternité. Pendant ce temps, joue-t-il au moins le jeu qui doit être celui d'un pensionnaire de la Villa ? Un peu, à peine... Ses camarades, on les verra plus tard. Il ne se livre vraiment qu'à Alexandre Montfort. Encore que les idées du deuxième prix du concours de l'année précédente aient sûrement été différentes des siennes. On devra à Montfort un ballet au joli titre et qui connut une jolie carrière à l'Opéra : *La Chatte métamorphosée en femme*. Son opéra-comique *Polichinelle* obtint un beau succès en 1839, un an après le *Benvenuto Cellini* de Berlioz. *Pulcinella* est italien, comme *Benvenuto* : à chacun son Italie. De Montfort, Fétis dit que son talent était « gracieux, élégant et correct ». Correct ! Un monde entre Montfort et Berlioz, pourtant un vrai moment d'amitié va se développer entre les deux hommes.

L'ami le plus sincère de Berlioz, pendant cette première partie de son séjour, sera cependant le directeur de l'Académie de France, Horace Vernet. Plus tard, et quoi qu'il ait pu ironiser sur les soirées de son directeur, Berlioz fréquentera assidûment les Vernet. Il échangera même avec Mme Vernet une correspondance. D'entrée de jeu, il semble bien qu'Horace Vernet ait compris la souffrance que ressentait son pensionnaire. Il saura en tout cas se montrer d'une tolérance exceptionnelle. Mais c'est qu'Horace Vernet était lui-même un personnage exceptionnel. La famille Vernet tout entière constituait une étonnante tribu de peintres.

Horace est le petit-fils de Joseph Vernet, célèbre peintre de paysages marins, né à Avignon en 1714. Joseph Vernet a passé plusieurs années à Rome. Comme Berlioz, il était arrivé en Italie, par Civitavecchia, après une tempête dont le souvenir lui restera longtemps à l'esprit : de formidables vagues envahissent souvent ses toiles ! De son séjour romain, il gardera le goût de ces majestueux portiques dont, comme le Lorrain et dans des lumières souvent semblables, il saura entourer ports de mer et navires. L'un de ses fils, Antoine, Charles, Horace, dit Carle, sera également peintre. Lui aussi a séjourné à Rome. Il y a même traversé une véritable crise de mysticisme qui a failli faire de lui un moine. C'était un esprit plein d'humour et de chaleur que la mort tragique d'une sœur sur l'échafaud révolutionnaire marqua longtemps. Auteur de tableaux historiques, Carle Vernet a surtout peint des scènes de genre, des chevaux... Il reviendra à Rome avec son fils Horace et habitera avec lui, lorsque celui-ci sera nommé directeur de la Villa. Comme son fils, Carle Vernet se montre particulièrement amical envers Berlioz, dont il partage certains goûts. Tous deux portent Gluck aux nues : la passion de Gluck peut parfois suffire à rapprocher les hommes ! Ensemble, ils se moquent du musicien Despréaux, à qui Berlioz a succédé à la Villa : un Guillaume Ross Despréaux, qui l'emporta sur Berlioz en 1827 avec sa cantate d'*Orphée*, et qui disait de Gluck qu'il était « rococo » et « perruque » ! Après 1833, le malheureux Despréaux écrivit plusieurs ouvrages « qui n'ont pu être joués », nous apprend encore Fétis : Berlioz et Carle Vernet durent se dire qu'il y avait là une justice. Carle Vernet pleurait lorsque Berlioz chantait un air d'*Iphigénie en Tauride* : de Guillaume Ross Despréaux, on ne se souvient que d'un petit *Souper du mari* présenté précisément en 1833 à l'Opéra-Comique. Après cela, le silence.

Le directeur de la Villa n'avait sûrement pas les goûts musicaux de son père, ce qui n'empêche pas son pensionnaire de dire de lui qu'il est « l'homme le plus heureux qu'on puisse voir ; il a encore, à quarante-deux ans, tous les goûts de dix-huit ». Nommé très jeune à la tête de l'Académie de France, Vernet succédait au peintre Guérin qui vivait toujours dans les jardins de l'Académie, « retiré, selon un mot de Chateaubriand, comme une colombe malade, au haut d'un pavillon dans les jardins de la Villa. Il écoute, la tête sous son aile, le bruit du vent du Tibre ; quand il se réveille, il dessine à la plume la mort de Priam ».

Horace Vernet était déjà un peintre très officiellement reconnu, auteur de scènes de bataille, de tableaux historiques. Martignac, alors ministre de l'Intérieur, le peintre Gérard « s'intéressaient tout particulièrement à lui ». Comme on considérait alors à Paris que la discipline de l'Académie de France s'était par trop relâchée, c'est pour reprendre en main la maison qu'on l'y nomma. Dans un premier temps, le nouveau directeur fit donc preuve d'une certaine sévérité. Il « ne rêvait rien moins, dit Henry Lapauze, historiographe de l'Académie de France à Rome, que de régénérer l'Ecole française ». Mais tandis que Guérin se plaignait des écarts de ses pensionnaires, à la recherche des formules nouvelles, Vernet leur reprochait d'avoir apporté à Rome « les brosses et les lunettes de leurs maîtres ». Pour Vernet, « l'Ecole de Rome n'était point instituée pour former des imitateurs purs et simples des grands maîtres, mais pour apprendre à représenter de la manière la plus noble et la plus élevée les passions de la nature humaine ». Il ambitionnait de créer à la Villa Médicis une galerie où chacun des pensionnaires laisserait un morceau de peinture ou de sculpture. Ce qu'il fallait transformer, « c'était la donnée du concours et, au lieu des éternels tableaux de chevalet, adopter des figures de grandeur naturelle, en ne donnant, comme sujets, que deux ou trois personnages au plus ».

Dans la foulée de Vernet, certains pensionnaires avaient commencé à présenter des tableaux non plus inspirés de l'Antiquité, mais de l'histoire moderne. Mais, en France, l'Académie ne voulait pas l'entendre. Il fallut les événements de 1830-1831, où il sut à la fois imposer l'ordre dans sa maison et protéger la Villa contre les fauteurs de troubles qui voulaient s'en prendre à l'Académie et à ses pensionnaires, pour redorer le blason de Vernet. Dès lors, véritable « père de ses pensionnaires », il se contentera de les conseiller tous au mieux de leurs intérêts et de poursuivre son œuvre propre en donnant une fois par semaine des réceptions très courues d'une bonne partie de la société romaine.

Chateaubriand, ambassadeur à Rome au début du directorat de Vernet, était peut-être plus réservé (« Horace Vernet s'efforce de changer sa manière ; y réussira-t-il ? Le serpent qu'il enlace à son cou, le costume qu'il affecte, le cigare qu'il fume, les masques et les fleurets dont il est entouré, rappellent trop le bivouac »). Il est vrai que Vernet, peintre de hussards et de cuirassiers, était un fervent bonapartiste, ce qui ne pouvait que déplaire à Chateaubriand, mais le rapprocher de Berlioz... Et puis, Horace Vernet a une épouse qui se prendra d'amitié pour son nouveau pensionnaire. Et une fille, Louise, qui chantera si bien ses romances...

Mais, pendant ces premières semaines, Berlioz va surtout se lier, hors de la Villa, avec Félix Mendelssohn. Celui-ci accomplissait alors l'un de ces mille et un « voyages musicaux » que, parallèlement au « Grand Tour » des peintres et des nobliaux éclairés, tant de compositeurs du temps se faisaient un devoir d'effectuer à travers l'Europe. Félix Mendelssohn vient d'achever la composition de *La*

Grotte de Fingal. Dans la splendeur lumineuse de Rome, il a la tête encore tout embuée de l'écume des grandes vagues romantiques qui viennent battre les orgues de basalte noir de l'île irlandaise : entre Berlioz et lui, la communion est presque parfaite. Encore que... Et puis, Mendelssohn fréquente assidûment la Villa Médicis et les Vernet. Berlioz et Mendelssohn vont sympathiser très vite.

« J'ai trouvé Mendelssohn... nous avons été bien vite ensemble. C'est un garçon admirable, son talent d'exécution est aussi grand que son génie musical, et vraiment c'est beaucoup dire. Tout ce que j'ai entendu de lui m'a ravi ; je crois fermement que c'est une des capacités musicales les plus hautes de l'époque. C'est lui qui a été mon cicérone ; tous les matins, j'allais le trouver, il me jouait une sonate de Beethoven, nous chantions *Armide* de Gluck, puis il me conduisait voir toutes les fameuses ruines qui me frappaient, je l'avoue, très peu. Mendelssohn est une de ces âmes candides comme on en voit si rarement ; il croit fermement à sa religion luthérienne, et je le scandalisais quelquefois beaucoup en riant de la Bible. Il m'a procuré les seuls instants supportables dont j'aie joui pendant mon séjour à Rome. »

Ainsi, quoi qu'il ait pu en dire, Berlioz se promène avec plaisir dans Rome, sous la houlette de l'ami Mendelssohn. Le Colisée au clair de lune, les forums romains ou la via Appia, le tombeau de Cecilia Metella, déjà, pourquoi pas ?, aux côtés d'un compagnon avec qui il échange idées et sentiments, qu'il contredit, qu'il s'amuse à défier.

Beaucoup plus tard, les deux amis se retrouveront à Leipzig. Ce sera en 1843. Berlioz reviendra alors avec émotion sur cette amitié pour évoquer les blagues de potaches que tous deux pouvaient se faire, sa propre aversion pour Bach et leur commune passion pour Gluck.

« Souvent, aux jours accablants de sirocco, j'allais l'interrompre dans ses travaux (car c'est un producteur infatigable) ; il quittait alors la plume de très bonne grâce, et, me voyant tout gonflé de spleen, cherchait à l'adoucir en me jouant ce que je lui désignais parmi les œuvres des maîtres que nous aimions tous les deux. Combien de fois, hargneusement couché sur son canapé, j'ai chanté l'air d'*Iphigénie en Tauride* : “D'une image, hélas ! trop chérie” [...] Il aimait aussi beaucoup à me faire murmurer, avec une voix ennuyée et dans cette position horizontale, deux ou trois mélodies que j'avais écrites sur des vers de Moore, et qui lui plaisaient. Mendelssohn a toujours eu une certaine estime pour mes chansonnettes. Après un mois de ces relations, qui avaient fini par devenir pour moi si pleines d'intérêt, Mendelssohn disparut sans me dire adieu, et je ne le revis plus. »

S'il semble après coup un peu étonné de ce départ trop pressé, sur le moment, Berlioz ne paraît pas s'en être trop fâché. Mendelssohn n'avait que vingt-deux ans. En bas de page des *Mémoires*, Berlioz marquera pourtant sa déception lorsqu'il connaîtra plus tard l'opinion peu favorable qu'avait en réalité le jeune homme de sa musique. Mais au moins, en ce printemps de 1831, Berlioz pouvait-il vraiment parler de musique avec l'un de ses pairs dans le vide musical de Rome qui commençait à lui apparaître dans toute son horreur. Il se délectera d'ailleurs souvent dans les mois qui vont suivre, à décrire à ses amis, à grand renfort d'interjections et de majuscules ironiques, ce vide absolu dont, dès le premier jour, il a pu mesurer l'ampleur.

« J'ai voulu à Rome acheter un morceau de Weber : j'entre chez un marchand de musique, je le demande...

– *Weber, che cosa è ?... Non conosco... Maestro italiano, francese, ossia tedesco ?*

» Je réponds gravement :

– *Tedesco.*

» Mon homme a cherché longtemps ; puis d'un air satisfait :

– *Niente di Weber, niente di questa musica, caro signore, eh ! eh ! eh !*

– Crapaud !

– *Ma ecco* El Pirata, La Straniera, Im Montechi, Capuletti, *dal celeberrimo maestro signor Vincenze Bellini ; ecco* La Vestale, I Arabi, *del maestro Paccini.* [...]

» Que faire ? soupirer ?... c'est enfant ; grincer des dents ? c'est devenu trivial ; prendre patience ? c'est encore pis. Il faut concentrer le poison, en laisser évaporer une partie, pour que le reste ait plus de force, et le refermer dans son cœur jusqu'à ce qu'il le fasse éclater... »

Et puis, auprès de Mendelssohn aussi, Berlioz pouvait laisser s'épancher son cœur. Il est vrai que, pour peu qu'on le fréquentât, il n'était pas difficile d'être tenu au jour le jour au courant de ses peines de cœur. Même si Hector Berlioz s'indigne de ne pas trouver Weber en boutique, chante toujours Gluck et se moque de Bach, des thermes de Caracalla aux tombeaux de la via Appia, c'est encore et toujours à Camille qu'il pense. Il revient sur elle, son amour, sa beauté, saoule ses compagnons et se saoule lui-même. Ainsi Mendelssohn et Montfort vont-ils aller jusqu'à faire un pari. Va-t-il se décider à quitter Rome pour retrouver la belle trop silencieuse : partira ? partira pas ? Berlioz ne cesse d'annoncer qu'il va, qu'il court, qu'il vole rejoindre Camille et va la mettre au pied du mur. Mais il parle, parle, parle – et n'en finit pas de ne pas finir de décider ! Et Mendelssohn de parier que Berlioz ne partira pas, contre Montfort qui croit le contraire.

Le 30 mars, Hector se décide pourtant. Mendelssohn, beau joueur, paie son dîner. Le lendemain, Berlioz quitte Rome. « [...] malgré les remontrances amicales de M. Horace Vernet, qui essaya d'empêcher un coup de tête, en m'assurant qu'il serait obligé de me rayer de la liste des pensionnaires de l'Académie si je quittais l'Italie. » Mais il n'écoute rien, ne veut rien entendre, que la folie qui l'habite.

Commence alors l'une des équipées héroïco-comiques les plus étonnantes de l'histoire de la musique romantique, voire de l'histoire du romantisme. Seul un Hector Berlioz pouvait aimer comme il aime : aux marges de la folie. Et seul un Hector Berlioz, grand enfant resté, à vingt-huit ans, comme il le dit lui-même en somme de Vernet, animé des passions qu'on a à dix-huit, pouvait la vivre.

Scénario d'une fuite en avant transformée en tentative avortée de meurtre puis en suicide raté : tout commence le 1er avril 1831. C'est le vendredi saint. Dans toutes les églises de Rome, le cérémonial du chemin de croix va se dérouler. Déjà, à la chapelle Sixtine on se prépare à chanter le fameux *Miserere* d'Allegri dont, l'année suivante, Berlioz dira tant de mal. Des foules de fidèles, des pèlerins, convergent vers la basilique Saint-Pierre et lui, au galop du cheval (des chevaux ?) qui tire son voiturin, s'envole, dans la poussière des routes, vers Florence où il a décidé d'attendre de pied ferme des nouvelles de son amour – afin d'être déjà plus près de Paris s'il décidait de regagner la France. Il séjourne à l'Hôtel des Quatre-Nations. Tout commence très mal. A peine arrivé, le voilà atteint d'une angine accompagnée de l'un de ces abcès à la gorge qui l'obligèrent, à Paris, à se taillader à coups de canif. Ces douleurs lui sont fréquentes mais la crise qu'il traverse à Florence est l'une des plus pénibles de son existence. Plusieurs jours de lit, donc, dans la cité des Médicis qu'il a déjà appris à aimer, visites des médecins, solitude... Au début, le malade broie du noir. Seule l'amitié du sculpteur danois Schlick, rencontré lors de son premier passage, lui apporte un réconfort moral. Pour le reste, il ne semble pas que, pendant ce séjour, il se soit lié avec qui que ce soit. Pourtant, comme il se refuse à imaginer le pire à propos de Camille – Camille toujours silencieuse alors que sa passion à lui bouillonne... – il sait faire taire quelques jours son impatience et attendre, philosophiquement, sa guérison.

Le récit des *Mémoires* et la réalité, telle qu'on la connaît par sa correspondance, diffèrent sensiblement. Selon les *Mémoires*, c'est à peine guéri qu'il reçoit le coup de tonnerre de la vérité et qu'il décide de poursuivre en toute hâte sa route vers Paris. En fait, ce sont presque quinze jours qui vont s'écouler. Quinze jours au cours desquels notre amoureux affolé, remis de son angine, semble presque remis aussi de ses inquiétudes. Certes, il se rend tous les jours à la poste centrale, face au Palazzo Vecchio, en quête de lettres qui n'arrivent toujours pas. Mais, dans le même temps, on peut le voir qui s'installe avec béatitude dans la vie de touriste à Florence. Il aime à se promener sur les bords de l'Arno, écrit-il à ses amis Gounet et autres, dans la longue lettre qu'il leur adressera, en mai, et qui constitue une manière de récit parallèle aux *Mémoires*. Il s'attache à réviser sa *Symphonie fantastique*. Février à Florence était gris et pluvieux. A présent, le printemps doit être délicieux. Berlioz profite pleinement de la promenade des Cascine, à l'ouest de la ville. C'est une sorte de bois de Boulogne où, chaque fin de journée, se retrouvent tous les visiteurs de la ville, mêlés à quelques membres des illustres familles qui ont fait sa gloire. On se promène en calèche, on se dévisage, on se salue... Beaucoup d'étrangers à Florence. Et des artistes. Des jolies femmes. Les Anglais sont très présents dans la cité toscane : ils y ont acheté des palais et y ont même leur propre cimetière. Berlioz se promène, solitaire. Ou, bras dessus, bras dessous avec son ami Schlick, il dévisage les belles étrangères. Tout en se gardant de la moindre avance à leur endroit. C'est que Berlioz ne peut que rester fidèle à son deuxième Ariel, bien que celui-ci, celle-ci, semble bien silencieuse.

La question du rapport de Berlioz avec les femmes pendant le début de son séjour en Italie a pu se poser. A Nice, il avouera avec une certaine délectation qu'il a mis fin à plusieurs mois de chasteté. Mais dans une autre lettre, pleine de sages conseils donnés avec un peu trop d'excitation à un camarade qui lui a annoncé son intention de se marier, il évoque « les Romaines » : toutes des chiennes ! Se serait-il laissé mordre par l'une d'elles au cours des trois semaines qu'il a tourné en rond dans les jardins de la Villa ou échangé de savants propos musicaux avec un jeune musicien allemand appelé Mendelssohn ? Encore une fois, nulle preuve de rien.

Toujours est-il qu'une jeune femme, il en croisera pourtant bel et bien une. Et avec laquelle il aura une singulière, une très belle aventure. Bien dans l'esprit romantique de ce temps. Il l'a longuement racontée à ses amis Gounet et autres, dans la lettre du 6 mai :

« Un soir, la cathédrale étant ouverte, j'y suis entré ; comme je rêvais assis dans un coin de la nef, je vis sortir de la sacristie une longue file de pénitents blancs, de prêtres, d'enfants de chœur portant des flambeaux avec la croix. Je demande à un homme ce que c'était ; il me répondit : “*Una sposina morta el mezzo giorno.*” Je suivis le convoi, mon sang commençait à circuler, je pressentais des sensations. La jeune femme était morte dans une superbe maison voisine, appartenant à son mari, riche Florentin qui l'adorait. Une foule immense était assemblée devant la porte pour voir enlever le catafalque. On avait attribué un grand nombre de cierges qui répandaient dans les rues obscures la plus étrange clarté. Arrivés à l'église, les prêtres font leur office, et nous abandonnent ensuite le cadavre. Il faisait tout à fait nuit ; les porteurs du catafalque l'ont découvert, et j'ai vu un enfant nouveau-né qu'ils tiraient d'une petite bière, et qu'ils mettaient dans la plus grande où était sa mère. J'ai reconnu alors que la *sposina* était morte en couches et qu'on allait l'enterrer avec son enfant. J'ai voulu voir ce que ça deviendrait et la fantaisie m'a pris de suivre les porteurs au cimetière. Après un long trajet, durant lequel la foule des curieux s'était complètement dissipée, je suis arrivé près d'une porte éloignée de Florence ; mais, au lieu d'aller au cimetière, le convoi s'est arrêté à une espèce de morgue où on dépose les morts jusqu'à deux heures du matin, où un tombereau vient les chercher pour aller en terre. Un des chantres, s'approchant de moi, me dit en français : “Voulez-vous entrer ?... – Oui.” Et, me plaçant à côté de lui pour un paolo (douze sous), il parle à l'oreille du gardien de la morgue et on me laisse entrer. Ils ont tiré de la bière la pauvre *sposina* et l'ont déposée sur l'une des tables de bois qui garnissent cette espèce de caveau. “Voyez, monsieur, me disait mon chantre avec une espèce de joie, toutes ces tables, eh bien, il y a des jours où c'est tout plein, tout plein ! et puis, à deux heures de nuit, la voiture vient et emporte tout ! – Mais faites-moi donc voir cette dame !” Il l'a découverte aussitôt. Oh !

Dieu ! Elle était charmante ! Vingt-deux ans, elle avait une belle robe de percale nouée au-dessous de ses pieds, ses cheveux n'étaient pas encore trop dérangés. Sans doute elle était morte d'un dépôt dans le cerveau, une eau jaunâtre lui coulait des narines et de la bouche ; je lui ai fait essuyer la figure puis ce brutal lui a laissé retomber la tête tout d'un coup, avec un bruit sourd qui a ému toutes les tables. Je lui ai pris la main, elle avait une main ravissante, petite et délicate, blanche ; je ne pouvais la quitter. Son enfant était laid, il me faisait mal au cœur. Pour un paolo j'ai touché la main de cette belle, pendant que son mari se désespérait ; si j'avais été seul, je l'aurais embrassée ; je pensais à Ophélia. Pour un paolo !... et, bien sûr, à deux heures, quand le voiturier vient chercher sa proie, le Charon florentin fait payer aux morts leur passage : il ne lui aura pas laissé sa belle robe ; il l'aura dépouillée ; je pensais cela pendant que je lui tenais la main pour un paolo ! »

Cette rencontre le frappa tant qu'il l'a rapportée dans les *Mémoires* mais l'a déplacée dans le temps. Elle constitue une manière d'épilogue, un point d'orgue à son séjour en Italie puisque c'est sur le chemin du retour, quand il regagne définitivement la France, qu'il place l'épisode. La scène y est plus longue et plus romantique encore, l'odeur des cierges plus insistante et les galopins qui viennent en récupérer la cire ajoutent un zeste de comique terrible à la douce tragédie qu'il raconte. Il évoque même le mari de la jeune morte pour achever de donner à la scène un caractère dramatique où lui-même, amant de la morte, jouerait un rôle étrange. « Mais je vins tout à coup à penser ceci : que dirait le mari, s'il pouvait voir la chaste main qui lui fut si chère, froide tout à l'heure, attiédie maintenant par les baisers d'un jeune homme inconnu ? dans son épouvante indignée, n'aurait-il pas lieu de croire que je suis l'amant clandestin de sa femme, qui vient, plus aimant et plus fidèle que lui, exhaler sur ce corps adoré un désespoir shakespearien ? Désabusez donc ce malheureux !... Mais n'a-t-il pas mérité de subir l'incommensurable torture d'une erreur pareille ?... Lymphatique époux ! laisse-t-on arracher de ses bras vivants la morte qu'on aime !... »

Le tout s'achève par un véritable poème en prose, écrit en italien :

« *Addio ! Addio ! bella sposa abbandonata ! ombra dolente ! adesso forse, consolata ! perdona ad un straniero le pie lagrime sull pallida mano. Almen colui non ignora l'amore ostinato ne la religione della beltà.* Adieu, adieu, belle épouse abandonnée ! ombre douloureuse ! maintenant, peut-être, consolée ! pardonne à un étranger ses pieuses larmes sur ta main pâle. Au moins, lui, il n'ignore pas l'amour obstiné, ni la religion de la beauté. »

Berlioz poète et amoureux d'une très jeune, d'une si jeune morte, oui, qui clame son amour en italien. C'est naturellement du côté de chez les Capulet qu'on se trouve. Et la *sposina* morte à midi ce jour-là, c'est Juliette dont, pour un paolo, un frère Laurent déguisé en sacristain complaisant offre à Roméo-Berlioz la main ! Qu'on se souvienne du monologue de Roméo sur la tombe ouverte : « Ah, chère Juliette, pourquoi es-tu si belle encore ? Me faut-il penser que la mort sans corps est amoureuse elle aussi et que ce monstre abhorré te conserve pour lui, ton amant dans les ténèbres... » Devant le catafalque ouvert d'une morte de vingt ans, cette main qu'il prend dans la sienne est celle de toutes les femmes que Berlioz voudra si désespérément aimer et qui, parfois dans la mort, lui échapperont. Mais elle est surtout la main de l'héroïne de Shakespeare, si bellement entrevue, voilà si peu de temps, du côté de chez Harriett Smithson et dont il fera, bientôt, la douce figure de sa Juliette à lui, dans son *Roméo et Juliette* qui, déjà, couve en lui et qui naîtra à la lumière huit ans plus tard.

Béatitude, donc, que cette halte de Berlioz à Florence ? Les images de l'Arno et des Cascine, la petite église de San Miniato au-dessus de la ville nous ont emportés trop loin. Rémission, tout au plus. Mais une rémission pleine d'accès d'une étrange morbidité. Parce que, pendant le court séjour en Toscane, une autre vision funèbre va frapper Berlioz. Celle des funérailles du jeune prince Napoléon Bonaparte, fils de Louis Bonaparte. Le fils de l'ex-roi de Hollande était mort d'une pneumonie et non, comme on aima à le croire en France, les armes à la main, en défendant la République, à Modène ou ailleurs. Après un enterrement dans la petite ville de Forli, on avait célébré pour lui une grand-messe à Florence, qui sera, pour Berlioz, l'occasion de nouvelles exaltations. Cette fois, à propos de Napoléon, bien sûr, qu'il continue à admirer avec cette même fureur qu'il commence à avoir pour mépriser l'Italie parce que les musiques qu'on y joue ne sont pas celles qu'il aime. Curieux mélange, dès lors, dans l'esprit du jeune musicien tout juste remis d'une grande fièvre mais toujours plein de la même fébrilité amoureuse, que cette double exaltation bonapartiste et musicale. Il l'écrit à son ami Ferrand :

« Personne ne m'écrit, ni amis, ni amie. Je suis seul ici ; je n'y connais personne. Je suis allé ce matin à l'enterrement du jeune

Napoléon Bonaparte, fils de Louis, qui est mort à vingt-cinq ans pendant que son autre frère fuit en Amérique avec sa mère, la pauvre Hortense. Elle vint jadis des Antilles, fille des danses de nègres pour amuser les matelots. Elle y retourne aujourd'hui orpheline, mère sans fils, femme sans époux et reine sans Etats, désolée, oubliée, abandonnée, arrachant à peine son plus jeune fils à la hache contre-révolutionnaire [le plus jeune fils deviendra Napoléon III et c'est en Angleterre, non pas en Amérique, que sa mère et lui ont trouvé refuge]. Jeunes fous qui croyaient à la liberté ou qui rêvaient la puissance ! Il y avait des chants et un orgue ; deux manœuvres tourmentaient le colossal instrument, l'un qui remplissait d'air les soufflets et l'autre qui le faisait passer dans les tuyaux en mettant les doigts sur les touches. Ce dernier, inspiré sans doute par la circonstance, avait tiré le registre des petites flûtes et jouait de *petits airs gais* qui ressemblaient au gazouillement des roitelets. Vous voulez de la musique ; eh bien, en voilà que je vous envoie. Elle n'est guère semblable au chant des oiseaux, quoique je sois gai comme un pinson. »

D'église en enterrement, la plus folle équipée de l'histoire de la musique marque un temps. Et Berlioz, lui, tue le temps. Les fantômes de Michel-Ange et de Dante lui sont familiers, qu'il croise chaque jour. Il passe et repasse à nouveau devant le *Persée* de Cellini. Il y revient. Le jeune héros de bronze brandissant la tête de la Gorgone l'obsède-t-il ? L'ombre romantique à souhait du génial orfèvre plane déjà sur lui. L'édition française des *Mémoires* de celui-ci, en date de 1827, existe en plusieurs exemplaires au fameux Cabinet Vieusseux, qui est une bibliothèque semi-privée très fréquentée par les Florentins de tout poil comme par les étrangers de passage. Mais à Florence, Berlioz découvre un autre texte qui va lui aussi hanter sa vie comme il hantera celle de Verdi qui, lui, ne parviendra pourtant pas à s'en approcher vraiment. C'est *Le Roi Lear*, dont Berlioz parle à ses correspondants en des termes qui lui ressemblent : « Je passais des journées sur le bord de l'Arno, dans un bois délicieux à une demi-lieue de Florence, à lire Shakespeare. C'est là que j'ai lu pour la première fois *Le Roi Lear* et que j'ai poussé des cris d'admiration devant cette œuvre de génie ; j'ai cru de crever [*sic*] d'enthousiasme, je me roulais dans l'herbe à la vérité, mais je me roulais convulsivement pour satisfaire mes transports... »

Le Roi Lear et quelques monuments admirables, un « bois délicieux » : on dirait que le charme opère et que, même s'il affirme que l'ennui lui revient, avec de sombres pensées – « qui ne se sont trouvées que trop justes » ! –, Berlioz, guéri de son angine, le soit presque de l'autre maladie qui l'a poussé jusque-là, quand le tonnerre éclate. C'est autour du 15 avril. A la poste centrale, on lui remet un paquet, des lettres... Une lettre. Elle est de Mme Moke : la mielleuse et fielleuse maman Moke, sa belle-mère en puissance. On aimerait qu'elle ait été conservée, cette lettre, pour voir en quels termes sûrement choisis l'horrible femme écrit au fiancé qui espérait encore – qui espère toujours... – que sa fille, c'est tout simple, s'est mariée avec un autre ! Avec Camille Pleyel, le facteur de pianos, fils d'Ignace Pleyel, lui-même compositeur qui connut longtemps la gloire.

Camille mariée : cette fois, le ciel tombe sur la tête de Berlioz. Il pouvait tout imaginer. Un nouveau délai, une rupture, même, dont il aurait immanquablement attribué la cause à la monstrueuse maman. Mais le mariage ? Camille, sa fiancée ? Il a bien fallu qu'Ariel l'accepte, ce mariage, elle qui, voilà quelques mois, s'offrait à lui avec une si voluptueuse impudeur. C'est qu'elle lui semble encore si proche, à Berlioz, la fuite à Vincennes et le retour, trop précipité. On a dit l'ivresse des sens que la belle et capiteuse, la si jeune Camille avait éveillée en celui qui, dur comme fer, se considérait jusqu'à hier, jusqu'à cette lettre, comme son fiancé : c'en est le souvenir qui va à présent faire souffler sur lui un vent de folie.

Qu'on ait bien la scène à l'esprit : Berlioz tient en main la lettre où « la digne mère, qui savait parfaitement à quoi s'en tenir là-dessus, [l']accusant d'être venu porter le trouble dans sa famille lui annonce le mariage de sa fille avec M.P. ». C'est tout ce que nous savons du contenu précis de la lettre. Aussitôt après, « deux larmes de rage [lui] jaillissent des yeux » et sa décision est prise : elle l'a trahi ? Eh bien, il va la tuer. Tous les héros des drames romantiques de son temps agissent de la sorte : pourquoi pas lui ?

« Il s'agissait de voler à Paris, où j'avais à tuer sans rémission deux femmes coupables et un innocent. Quant à me tuer, moi, après ce beau coup, c'était de rigueur, on le pense bien. Le plan de l'expédition fut conçu en quelques minutes. On devait à Paris redouter mon retour, on me connaissait... Je résolus de ne m'y présenter qu'avec de grandes précautions et sous un déguisement. » Il se rend vers le quai de l'Arno où demeurait une marchande de modes française et lui commande « une toilette complète de femme de chambre, robe, chapeau, voile vert ».

Le mélo tourne bel et bien à la pantalonnade. Labiche et Feydeau viennent de naître, Hector Berlioz ne fait que les précéder. Pour donner le change aux deux dames qu'il veut assassiner, il a décidé de se déguiser. Et en femme ! Un fiancé éconduit et définitivement trompé ne débarque pas comme ça, à l'improviste et d'Italie, dans le boudoir de l'infidèle ! Il se présentera comme la femme de chambre d'une grande dame venue remettre un message de la plus haute importance. Et là, sur les lieux, calmement, froidement, il tuera. Il tuera deux fois. Trois fois, même, si l'autre Camille, le mari celui-là, est dans la place. Avec son nez busqué en diable et la touffe de cheveux qui lui jaillit du front, on voudrait imaginer le visage de la soubrette que Berlioz rêve d'incarner. Mais pour le moment, son plan lui paraît devoir fonctionner. Une toilette de femme de chambre en quelques heures ?

« La marchande se consulte un instant et m'assure que tout sera prêt avant l'heure indiquée. Je donne des arrhes et rentre, sur l'autre rive de l'Arno, à l'Hôtel des Quatre-Nations, où je logeais. »

A son hôtel, Berlioz donne des ordres pour qu'on prenne soin de sa malle et qu'on l'envoie à son père. Elle contient sa musique. Jusque dans ces moments-là, Berlioz pense encore à sa musique... Puis il prend le temps de se pencher sur la partition de la *Symphonie fantastique* pour y noter quelques indications sur l'instrumentation qui n'en est pas achevée : on pourra donc la jouer telle qu'il la veut – « s'il prend fantaisie à la Société des concerts de Paris d'exécuter ce morceau en l'*absence* de l'auteur » – et il achève ses préparatifs.

« Je mets la partition de ma *Symphonie fantastique,* adressée sous enveloppe à Habeneck, dans une valise, avec quelques hardes ; j'avais une paire de pistolets à deux coups, je les charge convenablement ; j'examine et je place dans mes poches deux petites bouteilles de rafraîchissements, tels que laudanum, strychnine ; et la conscience en repos au sujet de mon arsenal, je m'en vais attendre l'heure du départ, en parcourant sans but les rues de Florence, avec cet air malade, inquiet et inquiétant des chiens enragés.

» A cinq heures, je retourne chez ma modiste ; on m'essaye ma parure qui va fort bien. En payant le prix convenu, je donne vingt francs de trop ; une jeune ouvrière, assise devant le comptoir, s'en aperçoit et veut me le faire observer ; mais la maîtresse du magasin, jetant d'un geste rapide mes pièces d'or dans son tiroir, la repousse et l'interrompt par un : “Allons, petite bête, laissez monsieur tranquille ! croyez-vous qu'il ait le temps d'écouter vos sottises !” et répondant à mon sourire ironique par un salut curieux, mais plein de grâce : "Mille remerciements, monsieur, j'augure bien du succès ; vous serez charmante, sans aucun doute, dans votre petite comédie." »

La scène est parfaite. Rien n'y manque. Pas même le théâtre dans le théâtre, la « petite comédie » dans le projet de mélo sanglant, ni la jeune et sûrement jolie ouvrière, honnête par-dessus le marché, que ce fou de Berlioz ne peut pas ne pas remarquer. Mais l'acteur principal continue imperturbablement à jouer son rôle. C'est la fin du premier acte qui s'achève par un ultime clin d'œil au sculpteur Benvenuto Cellini, à son *Persée* et à l'avenir, en somme, à l'œuvre à naître :

« Six heures sonnent enfin ; mes adieux faits à ce vertueux Schlick qui voyait en moi une brebis égarée et blessée rentrant au bercail, ma parure féminine soigneusement serrée dans une des poches de la voiture, je salue du regard le *Persée* de Benvenuto, et sa fameuse inscription : "*Si quis te laeserit, ego tuus ultor ero.*" » « Si quelqu'un t'offense, je te vengerai. » La statue de Benvenuto Cellini se trouve presque en face de la poste centrale où Berlioz s'est vu remettre la lettre fatale. Il ne lui reste plus qu'à partir : « ...nous partons ».

Le deuxième acte, c'est la route de Florence à Gênes.

« Les lieues se succèdent, et toujours entre le courrier et moi règne un profond silence. J'avais la gorge et les dents serrées ; je ne mangeais pas, je ne parlais pas. Quelques mots furent échangés seulement vers minuit, au sujet des pistolets dont le prudent conducteur ôta les capsules et qu'il cacha ensuite sous les coussins de la voiture. Il craignait que nous ne vinssions à être attaqués, et en pareil cas, disait-il, on ne doit jamais montrer la moindre intention de se défendre quand on ne veut pas être assassiné.

– A votre aise, lui répondis-je, je serais bien fâché de nous compromettre, et je n'en veux pas aux brigands !

» Arrivés à Gênes, sans avoir avalé autre chose que le jus d'une orange, au grand étonnement de mon compagnon de voyage qui ne savait trop si j'étais de ce monde ou de l'autre, je m'aperçois d'un nouveau malheur : mon costume de femme était perdu. Nous avions changé de voiture à un village nommé Pietrasanta et, en quittant celle qui nous amenait de Florence, j'y avais oublié tous mes atours. "Feux et tonnerres ! m'écriai-je, ne semble-t-il pas qu'un bon ange maudit veuille m'empêcher d'exécuter mon projet ! C'est ce que nous verrons !" »

Cette fois, la comédie tourne franchement à la farce. Une modiste, deux modistes, pourquoi pas trois modistes ? c'est ce qu'on appelle du comique de répétition ! « Aussitôt, je fis venir un domestique de place parlant le français et le génois. Il me conduit chez une modiste. Il était près de midi ; le courrier repartait à six heures. Je demande un nouveau costume ; on refuse de l'entreprendre ne pouvant l'achever en si peu de temps. Nous allons chez une autre, chez deux autres, chez trois autres modistes, même refus. Une enfin annonce qu'elle va rassembler plusieurs ouvrières et qu'elle essayera de m'en parer avant l'heure du départ. »

Mais comme du côté de Scapin ou toujours chez Labiche ou Feydeau, les catastrophes se multiplient : les brigands qu'on ne voit pas, le costume de scène qu'on va perdre, la modiste difficile à trouver – et maintenant, voilà que débarque la maréchaussée ! Il doit montrer son passeport, s'expliquer. Il est français, on le prend encore une fois pour un « dangereux conspirateur ».

Puis il prend la route de Nice en se racontant à lui-même le scénario de ce qui va suivre.

« Je repassais, avec beaucoup de soin dans ma tête, la petite *comédie* que j'allais jouer en arrivant à Paris. Je me présentais chez mes *amis*, sur les neuf heures du soir, au moment où la famille était réunie et prête à prendre le thé ; je me faisais annoncer comme la femme de chambre de madame la comtesse M..., chargée d'un message important et pressé ; on m'introduisait au salon, je remettais une lettre, et pendant qu'on s'occupait à la lire, tirant de mon sein mes deux pistolets doubles, je cassais la tête au numéro un, au numéro deux, je saisissais par les cheveux le numéro trois, je me faisais reconnaître, malgré ses cris, je lui adressais mon troisième compliment ; après quoi, avant que ce concert de voix et d'instruments eût attiré des curieux, je me lâchais sur la tempe droite le quatrième argument irrésistible, et si le pistolet venait à rater (cela s'est vu) je me hâtais d'avoir recours à mes petits flacons. Oh ! la jolie scène ! c'est vraiment dommage qu'elle ait été supprimée !... »

Qu'il n'accuse personne de la lui avoir coupée, sa grande scène du trois, avec double ou triple meurtre et suicide au baisser du rideau : c'est lui-même, en route, qui commence soudain à s'interroger. Il faut dire que lorsqu'on a vingt-huit ans et qu'on sent le génie bouillonner en soi ; quand on place l'art au-dessus de toute chose et qu'on veut si fort être présent sur une scène autrement plus grande que celle d'un salon parisien encombré de morts et de suicidés puisque ce sera le plateau sans limite de l'art lui-même ; quand on n'a encore écrit qu'une seule symphonie et que tant d'autres musiques vous tourbillonnent dans la tête... et puis, quand la corniche, entre Gênes et Nice, est si belle, la mer vue d'une hauteur si vaste, le soleil qui la traverse en avril déjà si éblouissant... En 1833, George Sand a publié une *Lélia* dont le titre deviendra vite synonyme du nom de son auteur : dès ce printemps 1831, c'est à un *Lélio* : *Lélio ou le Retour à la vie*, que va se mettre à travailler Berlioz – même s'il y a déjà pensé avant. Mais c'est quelque part entre Gênes et Nice que va vraiment naître *Lélio*... Dès lors, au gré des cahots des mauvais chemins, celui qui commence à devenir Lélio se pose de plus en plus de questions. La voiture continue vers Nice, oui. Bientôt, il prendra la route de Paris, oui... Pourtant, des doutes naissent en lui.

« Cependant, malgré ma rage condensée, je me disais parfois en cheminant : “Oui, cela sera un moment bien agréable ! Mais la nécessité de me tuer ensuite, est assez... fâcheuse. Dire adieu ainsi au monde, à l'art ; ne laisser d'autre réputation que celle d'un brutal qui ne savait pas vivre ; n'avoir pas terminé ma première symphonie ; avoir en tête d'autres partitions... plus grandes... Ah ! c'est...” Et revenant à mon idée sanglante : “Non, non, non, non, non, il faut qu'ils meurent tous, il faut que je les extermine, il faut que je leur brise le crâne ... il le faut et cela sera ! cela sera !...” et les chevaux trottaient, m'emportant vers la France. La nuit vint, nous suivions la route de la Corniche, taillée dans le rocher à plus de cent toises au-dessus de la mer, qui baigne en cet endroit le pied des Alpes... L'amour de la vie et l'amour de l'art, depuis une heure, me répétaient secrètement mille douces promesses, et je les laissais dire ; je trouvais même un certain charme à les écouter, quand, tout d'un coup, le postillon ayant arrêté ses chevaux pour mettre le sabot aux roues de la voiture, cet instant de silence me permit d'entendre les sourds râlements de la mer, qui brisait furieusement au fond du précipice. Je râlai comme la mer, et, m'appuyant de mes deux mains sur la banquette, où j'étais assis, je fis un mouvement convulsif comme pour m'élancer en avant, en poussant un *Ha !* si rauque, si sauvage, que le malheureux conducteur, bondissant de côté, crut décidément avoir pour compagnon de voyage quelque diable contraint de porter un morceau de la vraie croix. »

Le « Ha ! » de Berlioz en cet instant est un autre coup de tonnerre. Mais c'est aussi comme le coup de pied du noyé qui, touchant le fond de l'eau, décide enfin de remonter à la surface. D'ailleurs, n'a-t-il pas lui-même cherché à se noyer en route ? A Gênes, où il affirmera s'être jeté à la mer, on l'a repêché à coups de harpon. Au fond, la mort, il a en somme déjà donné... En quelques heures de voiture, face à l'un des plus beaux paysages qui se puisse imaginer, le ciel et les rochers – une plage, quelques maisons, des odeurs de jasmin dans l'air – Hector Berlioz commence à se rendre compte que la vie vaut quand même d'être vécue.

« Il y avait lutte entre la vie et la mort. Dès que je m'en fus aperçu, je fis ce raisonnement qui ne me semble point trop saugrenu, vu le temps et le lieu : "Si je profitais du bon moment (le bon moment était celui où la vie venait coqueter avec moi ; j'allais me rendre, on le voit), si je profitais, dis-je, du bon moment pour me cramponner de quelque façon et m'appuyer sur quelque chose, afin de mieux résister au retour du mauvais, peut-être viendrais-je à bout de prendre une résolution... vitale : voyons donc." Nous traversions à cette heure un petit village sarde, sur une plage, au niveau de la mer qui ne rugissait pas trop... »

Tout est trop beau autour de lui. La mer, le silence. Qu'on imagine ce calme jusqu'au plus profond de lui après ces grands coups de fureur. Qu'on s'imprègne de ce paysage de toutes les Provences – même si Nice, toute proche, appartient encore au royaume de Sardaigne. Sa décision est prise. Berlioz ne veut plus tuer. Il ne veut plus mourir. Il a autre chose à faire : il est Berlioz, tout simplement.

« On s'arrête pour changer de chevaux, je demande au conducteur le temps d'écrire une lettre ; j'entre dans un petit café, je prends un chiffon de papier, et j'écris au directeur de l'Académie de Rome, M. Horace Vernet, de vouloir bien me conserver sur la liste des pensionnaires, s'il ne m'en avait pas rayé ; que je n'avais pas encore enfreint le règlement, et que *je m'engageais sur l'honneur* à ne pas passer la frontière d'Italie, jusqu'à ce que sa réponse me fût parvenue à Nice, où j'allais l'attendre.

» Ainsi lié par ma parole et sûr de pouvoir toujours en revenir à mon projet de Huron, si, exclu de l'Académie, privé de ma pension, je me trouvais sans feu, ni lieu, ni sou, ni maille, je remontai plus tranquillement en voiture ; je m'aperçus même tout à coup que... *j'avais faim*, n'ayant rien mangé depuis Florence. O bonne grosse nature ! décidément, j'étais repris. »

C'est la fin du deuxième acte. La « bonne grosse nature » a repris ses droits.

Le troisième acte, qui se déroule à Nice, va bien être le retour à la vie.

Le ton des *Mémoires* change alors. Quelques lignes disent le bonheur de vivre que Berlioz retrouve et qu'il aspire à pleins poumons, comme l'air qui l'entoure, l'odeur du thym des garrigues et du mimosa des jardins. Aux orages de la passion succède une scène bucolique et tendre. Tout semble si bien s'arranger... La réponse de M. Vernet arrive : on ne va pas rayer son nom de la liste des pensionnaires, on le recevra à nouveau à la Villa les bras ouverts... Berlioz respire.

« Allons, [...] dis-je en soupirant profondément. Et si je vivais, maintenant ! Si je vivais tranquillement, heureusement, musicalement ? Oh ! la plaisante affaire !... Essayons.

» Voilà que j'aspire l'air tiède et embaumé de Nice à pleins poumons ; voilà la vie et la joie qui accourent à tire d'aile, et la musique qui m'embrasse, et l'avenir qui me sourit ; et je reste à Nice un mois entier à errer dans les bois d'orangers, à me plonger dans la mer, à dormir sur les bruyères des montagnes de Villefranche, à voir, du haut de ce radieux observatoire les navires venir, passer et disparaître silencieusement. Je vis entièrement seul, j'écris l'ouverture du *Roi Lear*, je chante, je crois en Dieu. Convalescence.

» C'est ainsi que j'ai passé à Nice les vingt plus beaux jours de ma vie. O Nizza ! »

A Nice, il habite chez Mme veuve Pical, maison Clirici, consul de Naples (?), aux Ponchettes, Nice-Maritime. L'air vous y a une qualité de fraîcheur à nulle autre pareille. « Il y a une chambre délicieuse chez une vieille dame ; je suis sur une petite montagne fortifiée, mes fenêtres donnent sur la mer ; j'ai pour compagnon de logis dans la même maison, deux jeunes gens d'Arles avec lesquels notre bonne dame m'a fait faire connaissance ce matin. »

Dans la même lettre à sa famille, il revient sur ce qui s'est déroulé la quinzaine précédente sans éprouver vraiment de regret. Il s'explique, simplement. C'est d'ailleurs dans cette lettre qu'il raconte la scène où Camille, « à qui [il] n'avait jamais songé », est venue lui apprendre qu'elle l'aimait, comment c'est elle qui s'est mise à ses pieds. Avant de se lancer dans de nouvelles imprécations contre toute la famille Moke. « Pleyel est très riche, il adopte toute la famille ; voilà ce qui l'a déterminée à accepter la seconde demande de Pleyel qui avait été refusé par elle l'année dernière à cause de moi. C'est une enfant, coquette sans cœur et sans âme ; elle ne m'a pas même écrit un mot pour chercher à adoucir un pareil coup. Sa mère est une abominable canaille qui avait combiné sa ruse depuis plus de cinq mois ; elle m'a accablé d'amitiés, m'a appelé son gendre pour assurer davantage mon départ pour l'Italie... Elle pensait qu'il serait facile quand je ne serais plus là de détruire le léger sentiment de sa fille pour moi. Tout a réussi... »

La suite de la lettre est franchement surprenante ; à peine sorti de ses démêlés amoureux avec l'infidèle Camille, voilà notre fou de Berlioz qui, mélangeant une fois de plus tout avec tout, pense à quoi ? à se marier ! Tout simplement. Et avec qui ? avec cette cousine Odile, déjà entrevue du côté de Grenoble. Et pour quoi faire ? Mais pour écrire à ses côtés « un ouvrage immense », voyons ! Du coup, Berlioz joue au fils plus que raisonnable. « Il faut me marier, mon père ; vous aurez peut-être la main plus heureuse que moi. Cherchez quelqu'un que je puisse aimer et à qui je puisse devenir cher, proposez-moi quelqu'un, qui que ce soit, riche ou non, que je connaisse.

Je vais entreprendre quelque immense ouvrage ; il ne faut pas que je m'amuse à rêver ; ce que je redoute par-dessus tout ce sont les retours de tendresse, les souvenirs de bonheur. En me montrant un avenir, j'oublierai le passé. Odile est bien jeune, mais qu'importe, nous attendrons... »

Jamais plus Berlioz n'évoquera ce projet de mariage d'autant plus fantaisiste que la jeune Odile Berlioz, alors âgée de dix-huit ans, n'éprouvait aucun sentiment particulier pour son cousin germain. Mais qu'importe à celui-ci ? Ce n'était qu'une idée folle, aussitôt envolée que griffonnée à ses parents : il est à Nice, il est heureux. « Nice est une ville vraiment fraîche et rosée, la mer, les montagnes, tout y est verdoyant. » S'adressant à ses amis Gounet, Girard et aux autres, il développe encore cette idée de bonheur, un bonheur si neuf, une idée si neuve... Il parle de sommeil heureux, de paysage, de Thomas Moore, encore... « Le matin, quand j'ouvre ma fenêtre, c'est superbe de voir les crêtes accourir comme la crinière ondoyante d'une troupe de chevaux blancs. Je m'endors au bruit de l'artillerie des ondes, battant en brèche le rocher sur lequel est bâtie ma maison...

» Je fais quelquefois, au risque de me rompre les membres, des excursions dans les rochers ; j'ai découvert l'autre jour les ruines d'une tour bâtie sur le bord du précipice ; il y a une petite place devant, je m'y étends au soleil et je vois arriver au large de lointains vaisseaux, je compte les barques de pêcheurs et j'admire *ces petits sentiers rayonnants et dorés* qui (à ce que dit Th. Moore) doivent conduire à quelque île *heureuse et paisible*... »

Alors, entre la mer et les rochers, un album à la main, il cherche des idées musicales, prend des notes. On a parlé du *Roi Lear* ? C'est d'abord au *Roi Lear* qu'il s'intéresse. Toujours Shakespeare. Il songe à une ouverture du *Roi Lear*, il joue avec sa petite idée. Sans cesser de contempler cette ligne infinie où le ciel et la mer se touchent. « Dieu ! quel coucher de soleil [...] Oh ! que n'ai-je des ailes pour m'élancer après lui dans une clarté éternelle. »

Les affres de l'angoisse dissipées, tout en lui est redevenu fièvre, mais fièvre de création. Au-delà du *Roi Lear* dont il ne composera jamais que l'ouverture, se profile aussi un *Rob Roy*, d'après Walter Scott, encore une ouverture. Et puis, l'idée du « retour à la vie » le hante. Il a tout de même vécu une aventure incroyable ! Avoir de si près frôlé l'enfer pour retrouver le paradis, le calme, voire la volupté qui n'est pas loin ! Alors, écrire. Il faut écrire, raconter tout cela : l'agonie d'hier devenue l'extase, la soif de la vie. On ne verra que rarement Berlioz se dire plus tard heureux de la même manière. Jamais on ne retrouvera ce ton élégiaque qui est en somme celui de Meylan et d'Estelle. D'ailleurs, comme pour Meylan, le souvenir de Nice restera ancré en lui toute sa vie. Il reviendra à Nice. Il reviendra presque y mourir.

Et puis soudain, au milieu de la lettre collective à ses amis datée du 6 mai, cet aveu : « Je vous dirai que pour me distraire j'ai mis fin dernièrement à une continence qui durait depuis le 6 juin 1830 jour où...

» Comme je ne voulais pas amener mon *amante* chez moi, je l'ai conduite dans une caverne que je connaissais sur le bord de la mer ; mais en y entrant, un grognement s'est fait entendre au fond, c'était quelque matelot qui y dormait ou peut-être Caliban lui-même ; nous lui avons laissé le champ libre et les noces se sont célébrées plus loin, tout bonnement sur la grève ; la mer était furieuse ; ses lames venaient se briser à nos pieds, il faisait un vent nocturne violent et je m'écriais avec Chactas : “Pompes de notre hymen, dignes de la grandeur de nos amours sauvages !” Vous voyez que je suis guéri. »

A l'exception du chapitre des *Mémoires* consacré à Camille, Berlioz ne sera jamais aussi explicite sur ce qu'il faut bien appeler sa vie sexuelle. On devine beaucoup de choses mais lui n'en dit rien. Il faut que la rencontre de cette *amante* du bord de la plage ait marqué une sacrée rupture pour qu'il s'en vante de la sorte. En parler à ceux qui connaissent si bien Camille, c'est aussi se venger de Camille. Dès lors, guéri et mêlant une fois de plus les souvenirs d'Harriett Smithson à ceux de la belle Camille, il peut vraiment s'attaquer à ce qui sera sa deuxième composition majeure, un « mélologue », œuvre symphonique coupée de fragments poétiques parlés, considéré d'ailleurs par lui comme une « suite » de la *Symphonie fantastique* : *Lélio ou le Retour à la vie.*

Quant à Camille, on ne saurait l'abandonner là, oubliée par Berlioz sur une plage avec une femme de rencontre. D'abord, il la reverra à plusieurs reprises. En étranger. Il la dirigera même en concert. Mal : elle s'en plaindra... Mais le destin de la jeune femme sera lui aussi remarquable. Bien sûr, Berlioz l'avait prévu, le mariage avec Pleyel ne durera guère (« Son filet est d'or mais les mailles sont trop larges et l'oiseau qu'il m'a pris s'échappera, » a-t-il écrit dès le 21 avril à sa famille). Pire : la rupture d'avec Camille Pleyel sera violente, vulgaire même. Très vite, la jeune femme aura des amants, l'un d'entre eux la battra, son mari demandera le divorce.

En fait, après ses amours berlioziennes, la chronique amoureuse de la belle Camille occupera une place de choix dans les potins artistico-mondains de l'époque. Redevenue (ou simplement devenue...) la maîtresse de Hiller, elle sera ensuite et, semble-t-il, simultanément, celle de Musset, de Tallet, du pauvre Arvers. Maxime Du Camp raconte que, les trois poètes l'ayant appris, ils se vengèrent cruellement en envoyant chacun à Pleyel une mèche de cheveux donnée par l'épouse volage. Mais là n'est pas l'essentiel. Camille Moke, « née à Paris, d'un père belge, professeur de linguistique, et d'une mère allemande », va très vite devenir Marie Pleyel, l'une des premières concertistes de son temps. En Allemagne, en Russie, elle perfectionnera ce qu'elle avait appris en France auprès du grand Kalkbrenner. A Vienne, elle aura à affronter l'immense succès d'un autre pianiste de légende, Liszt. Mais celui-ci l'appuiera sans réserve auprès de la société autrichienne et du monde de la musique viennois. Ardente et tenace, elle s'enfermera pendant cinq ans, seule à Bruxelles, en face de son piano, pour, selon l'expression de Fétis, apprendre à « réunir, aux précieuses qualités qu'elle possédait, la puissance sonore qui ne semble pas appartenir à la délicate constitution des femmes ». A Paris, en 1845, ce sera un triomphe. Lorsqu'elle deviendra professeur au Conservatoire de Bruxelles à partir de 1848, Liszt pourra dire d'elle : « Il existe des pianistes très habiles qui se sont ouvert des routes particulières, et qui obtiennent de brillants succès par les choses qui leur sont familières ; mais il n'y a qu'une seule école appropriée à l'art, dans toute son extension : c'est celle de Mme Pleyel. »

Et puis, pour revenir aux amours de la fantasque Camille-Marie, on se souviendra aussi que, amie de Jules Janin, elle fut très liée à Gérard de Nerval. On a conservé d'elle des lettres à Janin remplies d'une grande tendresse vis-à-vis du pauvre Gérard. Pour répondre à l'avalanche de calomnies, parfois méritées, que sa conduite a pu susciter, on voudrait seulement citer deux lignes d'elle adressées en mai 1840 à Janin à propos de Nerval :

« Que fait ce bon petit Gérard qui vous est si tendrement attaché ? J'ai beaucoup d'amitié pour ce doux poète dont l'âme est incapable de rêver une méchanceté. Je lui ai bien souvent parlé de vous et quand j'étais triste de ne pas recevoir de vos nouvelles, il me consolait avec une parfaite bonté »

Gérard de Nerval devait d'ailleurs lui rendre le plus beau des hommages en la mettant en scène dans les premières pages d'*Aurélia*. C'est à Bruxelles : « Un jour arriva dans la ville une femme d'une grande renommée qui me prit en amitié et qui, habituée à plaire et à éblouir, m'entraîna sans peine dans le petit cercle de ses admirateurs. Après une soirée où elle avait été à la fois naturelle et pleine d'un charme dont tous éprouvaient l'atteinte, je me sentis épris d'elle à ce point que je ne voulus pas tarder un instant à lui écrire... Et une amitié plus forte dans sa douleur succéda à de vaines protestations de tendresse... »

Berlioz, lui, ne pardonnera jamais. Ainsi n'hésitera-t-il pas à publier dans *Le Journal des débats* un article particulièrement sévère sur ce concert d'avril 1845, loué par la plupart des critiques. Et, surtout, il se vengera de Camille d'une manière plus subtile encore. Dans ses *Soirées de l'orchestre*, publiées en 1852, deux textes sanglants sont consacrés à la belle infidèle. Il y a d'abord « Le suicide par enthousiasme », déjà entr'aperçu, où le premier violon Corsino, qui n'est autre que Berlioz, raconte le triste destin de l'infortuné Adolphe D*, autre image de Berlioz et lui aussi violoniste, qui finira par se tirer une balle dans la tête parce qu'il a trop aimé *La Vestale* de Spontini... mais dont on attribuera le geste à son amour désespéré pour une pianiste à l'immense talent, la belle Hortense. Cette Hortense N* est naturellement Camille Moke ; après l'avoir adulée, Adolphe la méprise en un instant... Pourquoi ? Parce qu'elle n'aime pas Spontini ! « L'admiration et l'amour avaient fui ; l'ange devenait une femme vulgaire ; l'artiste supérieure retombait au niveau des amateurs ignorants et superficiels, qui veulent que l'art les amuse [...] Hortense n'était qu'une femme gracieuse sans intelligence et sans âme ; la musicienne avait des doigts agiles et un larynx sonore... rien de plus. »

La nouvelle a d'abord paru en 1834 dans *La Gazette musicale*. Le souvenir était encore brûlant... Encore est-ce Adolphe qui se tue dans « Le suicide... » Sa mort est d'autant plus lamentable qu'on croit qu'il se l'est donnée pour sa pianiste. Mais dans « Euphonia ou la ville musicale, nouvelle de l'avenir », Berlioz ira plus loin. Cette fois, le texte date de 1844. Cela fait treize ans que Camille l'a trahi, mais lui, il frappe encore.

Ici, il imagine une cité idéale où tout n'est que musique, cordes, vents et volupté : chacun n'y vit que par la musique. Nous sommes en plein conte fantastique, on commence sur le ton d'Hoffmann, on imagine la vie à Bayreuth du temps de Wagner, mais on termine dans l'horreur, l'accent devient celui d'Edgar Poe. Les deux héros s'appellent Xilef et Mina dans les *Soirées*... Mais en 1844, dans *La Gazette musicale*, ils étaient Rotceh et Ellimac, traduisez : les anagrammes d'Hector et de Camille ! Dans « Euphonia », la jeune femme, accompagnée d'une mère redoutable, est chanteuse. Xilef l'aime à la folie, elle l'a aimé, ne l'aime plus.

Cette fois pourtant, Xilef ne se tue pas tout de suite. Il fait beaucoup mieux. Passons sur les détails. Sous le nom de Nadira, Mina est à présent aimée de Shetland, qui fut l'ami de Xilef. Doublement trompé, la vengeance de Xilef est diabolique. « Il y avait à Euphonia un célèbre mécanicien » qui fabrique pour l'amant trompé un pavillon de danse qui se refermera comme un étau sur la belle Nadira à mesure que son nouvel amant jouera des valses de plus en plus endiablées sur le « piano-orchestre » qui lui sert de mécanisme. « Viens maintenant, viens malheureux, dira Xilef avant de se suicider à un Shetland devenu fou : viens voir ce qui reste de ton infâme Nadira qui fut mon infâme Mina, ce qui reste de son exécrable mère, ce qui reste de ses dix-huit amants ! » On avait oublié de le dire : Mina-Nadira valsait avec dix-huit soupirants... La Camille de Berlioz, le doux Ariel, nymphe éperdue folle de son corps, avait dix-huit printemps...

Jamais Berlioz n'a pardonné. Ses plus fervents admirateurs seront peut-être pourtant moins sévères que lui pour cette jeune femme, toute de feu et de flamme, mais artiste comme seule une Clara Schumann put l'être parmi les femmes de sa génération ; capable aussi de parler du cher Nerval avec tendresse et affection.

Quant à Berlioz lui-même, après un bon mois de farniente très occupé dans les délices de Nice, il lui faut bien finir par regagner Rome. Il raconte ce départ à sa façon, pleine de ses sarcasmes habituels.

« Mais la police du roi de Sardaigne vint encore troubler mon paisible bonheur et m'obliger à y mettre terme.

» J'avais fini par échanger quelques paroles au café avec deux officiers de la garnison piémontaise ; il m'arriva même un jour de faire avec eux une partie de billard ; cela suffit pour inspirer au chef de la police des soupçons graves sur mon compte.

– Evidemment, ce jeune musicien français [est suspect]. Il passe des journées entières dans les rochers de Villefranche... il attend un signal de quelque vaisseau révolutionnaire... il ne dîne pas à table d'hôte... pour éviter les insidieuses conversations des agents secrets. Le voilà qui se lie tout doucement avec les chefs de nos régiments... il va entamer avec eux les négociations dont il est chargé au nom de la *jeune Italie ;* cela est clair, la conspiration est flagrante !

» Je suis mandé au bureau de police et interrogé en formes.

– Que faites-vous ici, monsieur ?

– Je me rétablis d'une maladie cruelle ; je compose, je rêve, je remercie Dieu de m'avoir fait un si beau soleil, une mer si belle, des montages si verdoyantes.

– Vous n'êtes pas peintre ?

– Non, monsieur.

– Cependant, on vous voit partout, un album à la main et dessinant beaucoup ; seriez-vous occupé à lever des plans ?

– Oui, je *lève le plan* d'une ouverture du *Roi Lear,* c'est-à-dire, j'ai levé ce plan, car le dessin et l'instrumentation en sont terminés ; je crois même que l'entrée en sera formidable ! [...]

– ... Vous entendez par ce mot instrumentation ?...

– C'est un terme de musique.

– Toujours ce prétexte ! Je sais très bien, monsieur, qu'on ne compose pas ainsi de la musique sans piano, seulement avec un album et un crayon, en marchant silencieusement sur les grèves ! Ainsi donc, veuillez me dire où vous comptez aller, on va vous rendre votre passeport ; vous ne pouvez pas rester à Nice plus longtemps.

– Alors, je retournerai à Rome, en composant encore sans piano, avec votre permission.

» Ainsi fut fait. Je quittai Nice le lendemain, fort contre mon gré, il est vrai, mais le cœur léger et plein d'*allegria,* et bien vivant et bien guéri. Et c'est ainsi qu'une fois encore on a vu *des pistolets chargés qui ne sont pas partis.* »

Et notre amoureux réconcilié avec lui-même comme avec la vie de conclure par une pirouette : le théâtre dans le théâtre, en somme. « C'est égal, je crois que ma *petite comédie* avait un certain intérêt et c'est vraiment dommage qu'elle n'ait pas été représentée. »

Les dix ou douze jours du voyage de retour constituent une manière de *coda* à la comédie, somme toute fort musicale, esquissée par Berlioz dans ce chapitre tragi-comique de ses *Mémoires*. Il ne se pressera guère pour regagner la Villa. Ses plus urgentes affaires expédiées – il veut tuer, il tuera, il a décidé de ne plus tuer, il ne tuera pas : ambitieux programme, il est vrai, pour un jeune homme habitant à cinq cents lieues de ses victimes potentielles ! – il prend désormais son temps en chemin. Et puis, il s'est remis à composer. Alors, ici ou là, sur le port de Gênes, à la sortie d'un théâtre ou face au baptistère de Florence, sur l'album si suspect aux yeux des pandores du roi de Sardaigne, il continue à noter, le cœur soudain si léger, les idées qui lui viennent à l'esprit.

Il commence par refaire en sens inverse une partie du chemin qu'il a parcouru, haletant, quelques semaines plus tôt. De Nice à Gênes, il suit la grande corniche, « taillée par Napoléon dans le flanc des rochers à six cents pieds au-dessus de la mer qui se brise à leur base » (à sa sœur Adèle, 6 juin 1831).

Arrivé dans la capitale ligure, il s'arrête deux ou trois jours. Là, il entend notamment un opéra de Paer, *Agnese de Fitz-Henry*, ou *Agnese*, tout court, « le plus beau titre de gloire de son auteur », selon Fétis. Créée en 1809, l'œuvre avait été donnée à Paris dès 1819, mais avait échappé à la vigilance de notre fervent d'opéra. C'est une sombre histoire de folie au dénouement pourtant heureux, dans laquelle une jeune femme abandonne son mari pour retrouver son père disparu. De vagues accents incestueux ? L'œuvre a la réputation d'être solidement construite. On la joua dans l'Europe entière pendant toute la première moitié du XIXe siècle. Puis on l'oubliera.

Le 24 mai, il quitte Gênes. Il passe par Pise, où il voit « la fameuse tour penchée ». Il remarque à l'intention d'Adèle que « c'est vraiment curieux ». Il passe aussi par Lucques, où il ne s'arrête pas.

Ainsi, toute sa vie, Berlioz ignorera-t-il le visage parfait de l'une des plus sublimes dames jamais sculptées dans le marbre des cathédrales, le gisant d'Ilaria del Carreto, de Jacopo della Quercia, en qui il aurait à coup sûr découvert une autre Juliette, son sourire presque heureux, le petit chien qui lui caresse les pieds...

Mais il se retrouve à Florence. Les fragments déjà couchés sur le papier du « mélologue », *Le Retour à la vie*, lui emplissent l'esprit, et surtout le cœur. C'est qu'il est de retour sur les lieux où il a connu une si grande détresse. A l'Hôtel des Quatre-Nations, on lui donne la même chambre. Il retrouve les bagages qu'il avait abandonnés dans sa hâte de faire justice à l'infidèle maintenant bien loin de ses pensées. La musique, les mots, les souvenirs se bousculent en lui. Il conjugue au présent de la musique les deux noms, qui lui ont apporté tant de souffrance : Harriett, si vite oubliée ; Camille, si vite envolée. En fait, et quoi qu'il ne l'avoue pas, on a vu que l'idée du *Retour à la vie* de *Lélio* a dû naître à Paris. Un fragment autographe en est conservé à la bibliothèque de Grenoble, pour rappeler que c'est « la main chérie » de Camille qui avait refermé sur lui « la porte de l'enfer » vécu par sa passion pour Harriett Smithson. Ainsi Camille Moke était-elle déjà le signe d'un premier « retour à la vie » après l'enfer d'un amour qui lui paraissait alors impossible. Mais à Nice, ç'a été un second retour à la vie. Camille l'a abominablement trahi. A Paris, les délires de l'opium avaient failli l'engloutir ; à Gênes, simplement quelques pieds d'eau sale. Pourtant il revient de loin, il a échappé au pire : il lui faut alors la célébrer, cette vie nouvelle, si bellement devinée sur la corniche de Nice ou si goulûment dévorée sur une plage dont les galets roulaient avec lui le corps d'une inconnue. Il lui faut chanter la joie de retrouver Florence, rasséréné.

« Loin de m'y sentir dévoré de spleen, comme je le fus plus tard à Rome et à Naples, [...] j'y ai passé de bien douces journées, soit à parcourir ses nombreux monuments, en rêvant de Dante et de Michel-Ange, soit à lire dans les bois délicieux qui bordent la rive gauche de l'Arno et dont la solitude profonde me permettait de crier à mon aise d'admiration. »

Oui : ce troisième séjour à Florence, c'est bien la vie retrouvée. Le 28 mai, Berlioz repart pourtant. Il voyage en compagnie de moines qui se rendent à Rome pour la Fête-Dieu. La compagnie ne lui plaît probablement guère, bien que ce soient « de très bonnes gens, extrêmement polis » et que « sur trois, deux parlent français ».

Mais la fièvre de ce retour l'agite. Alors, selon l'habitude qui est déjà la sienne et qui va lui devenir un mode de vie en Italie, il décide de poursuivre à pied. Il saute de voiture, adieu les moines, vive la solitude des grands chemins. A grandes enjambées vigoureuses, le ressuscité s'avance. Seul. Il marche, il exulte, il regarde autour de lui. La nature, la campagne ouverte comme une main entre les collines. Il évoque ses amours, la musique qui l'enveloppe comme une chape de béatitude. Il jubile, il écrit et compose sa suite et fin de la *Symphonie fantastique.* « J'ai fait pour la première fois les paroles et la musique, écrit-il à sa sœur Adèle. Combien je regrette de ne pouvoir pas vous montrer cela ! Il y a six monologues et six morceaux de MUSIQUE *(dont la présence est motivée).*

1° D'abord, *une ballade avec piano ;*

2° *Une méditation* en chœur et orchestre ;

3° *Une scène de la vie de brigand* pour chœur, voix seule et orchestre ;

4° *Le chant de bonheur*, pour une voix, orchestre au commencement et à la fin, et, au milieu, la main droite d'une harpe accompagnant le chant.

5° *Les Derniers Soupirs de la harpe*, pour orchestre seul ;

Et enfin 6° *l'ouverture de La Tempête*, déjà exécutée à l'Opéra de Paris, comme vous savez.

» J'ai employé pour *Le Chant de bonheur* une phrase de *La Mort d'Orphée*, que vous avez chez vous, et, pour *Les Derniers Soupirs de la harpe*, le petit morceau d'orchestre qui termine cette scène immédiatement après la Bacchanale. »

Tout en avançant d'un pas décidé dans ces journées encore tièdes, lumineuses, d'un printemps italien, il ne pense qu'à son œuvre. Dans une lettre à Humbert Ferrand, écrite il est vrai avec quelques semaines de recul, il explique comment il dépèce sa cantate d'*Orphée*, pour en habiller *Lélio* : entre des champs caillouteux plantés d'oliviers et des rangées de cyprès qui épinglent le ciel, Berlioz vit au cœur de sa musique. Il écrit en marchant les vers du « mélologue ».

Deux jours, trois jours de voyage. Quatre jours, toujours à pied : le dôme de Saint-Pierre apparaît enfin à l'horizon. Il conclut pour Gounet le récit de son expédition : « Ce voyage m'a enrichi de trois nouvelles compositions : l'ouverture du *Roi Lear*, celle de *Rob Roy* et le *Mélologue* ; je ne sais pas au juste ce que cela vaut, mais je sais que ma course à Nice m'a coûté *mille cinquante francs* ; trop heureux que mon but n'ait pas été atteint, je ne regrette pas aujourd'hui cet argent. » Toute l'équipée a duré exactement deux mois. Lorsqu'on verra plus tard la grisaille des longues années de la vie de Berlioz à partir de 1835-1840, on aura plus de recul pour mieux apprécier la place qu'ont tenue dans l'existence fiévreuse du musicien ces deux mois de larmes et de lumière...

A peine de retour à Rome, l'exaltation retombe. Berlioz arrive en pleine Fête-Dieu. En chemin, on lui en a parlé comme de l'un des grands moments de l'année romaine. Mais ce qu'il voit, ce qu'il entend surtout le 2 juin à Rome, l'accable. Le récit qu'il en fait à sa sœur est désolé, sarcastique, grinçant. « Je n'ai jamais rien vu de si sale, de si mesquin, de si dépourvu de dignité [...] Viennent des moines de toutes les couleurs, puis de petits gredins d'abbés grotesquement vêtus faisant des mines aux femmes qui sont assises dans les galeries, riant, plaisantant tout haut entre eux ; puis une musique militaire comme celle de la loterie à Paris ou mieux encore comme celles que les charlatans ont coutume d'avoir à leur suite pour vendre leurs drogues ; de pauvres diables de soldats à l'uniforme blanc, aux parements jadis bleus, mais tellement usés qu'on voit la corde partout, portant leurs shakos et leurs armes comme des conscrits de huit jours ; des suisses, des cardinaux chamarrés d'or, des porte-bannières aux bas troués, aux mauvais souliers couverts de boue, et de maudits petits drôles chantant un exécrable contrepoint avec des voix et des harmonies fausses, assez semblables aux cris de plusieurs portes rouillées ; le pape n'y était pas. Voilà, dans la capitale du monde chrétien et le lieu où on nous envoie *admirer les chefs-d'œuvre musicaux,* comme on entend les fêtes religieuses. Je regrette ma belle musique militaire de Nice, c'était au moins quelque chose. »

Et de regretter ses extases religieuses enfantines d'antan : « Ah ! certes, c'est bien mieux en France, cette procession de la Fête-Dieu ; je n'ai jamais pu la voir même à La Côte sans une certaine émotion ; et ici c'était du dégoût qu'elle m'inspirait. »

Il ne lui reste plus qu'à revenir s'enfermer derrière les murs de la Villa Médicis. Fête du *Corpus Christi* ou errances dans les jardins de la Villa, Berlioz est bien revenu à Rome.

8
La Villa

« Me voilà réinstallé à la Villa Médicis, bien accueilli du directeur, fêté de mes camarades, dont la curiosité était excitée, sans doute, sur le but du pèlerinage que je venais d'accomplir, mais qui, pourtant, furent tous, à mon égard, d'une réserve exemplaire. J'étais parti, j'avais eu mes raisons pour partir, je revenais, c'était à merveille ; pas de commentaires, pas de questions. »

Réinstallé à la Villa Médicis : ailleurs, Berlioz dira : « encaserné »... Mais quelle est cette caserne d'où il gémira pendant quinze mois, n'ayant d'autre hâte, lorsqu'il s'y retrouve, que de la quitter à nouveau ? Il la hait mais les mois qu'il va y passer constitueront l'une des clefs essentielles de toute son existence : son œuvre. En fait, la caserne en question joue un rôle si fondamental dans l'œuvre de Berlioz qu'elle mérite amplement qu'on s'y attarde.

La Villa Médicis, qu'on a jusqu'ici évoquée sans s'attacher à en décrire les origines et le fonctionnement, est en fait un lieu unique, à la rencontre des chemins de deux mémoires. Lorsque Napoléon achève d'installer en 1803 l'Académie de France à Rome dans la Villa du Pincio, il réalise la fusion de deux mémoires qui vont désormais confondre leurs destins. Deux lieux de la même ancienne mémoire ? Pas vraiment. L'un, une villa dans un jardin sur l'une des sept collines de Rome, vieux de plus de deux mille ans, dont une poignée de riches amateurs et de princes mécènes ont fait au fil des siècles l'une des résidences les plus fastueuses du monde. L'autre, l'Académie de France, née en 1666 et bientôt devenue un lieu d'excellence mais dont l'établissement au Pincio fera une légende, sinon un mythe.

Bien avant qu'en 1576 le cardinal Ferdinand de Médicis fasse l'acquisition d'un *palazzo* déjà célèbre à l'ouest de l'église de la Trinità dei Monti, les jardins de cette colline, les quelques bâtiments qu'ils abritaient avaient fait l'objet de nombreux aménagements et de multiples convoitises. Un temple, probablement dédié à la Fortune, était déjà érigé un peu au-dessus de l'actuelle église, on verra ce qu'il en est advenu. Surtout, autour de 66-63 avant J.-C., Lucius Licinius, devenu propriétaire de ce vaste espace déjà planté en jardins, l'aménagea somptueusement : c'est le Lucullus dont le nom est passé à la postérité, associé à celui des banquets qu'il donnait, à la bonne chère qu'il offrait à ses hôtes, mais aussi aux arts et aux lettres dont il fut un protecteur avisé. Signe avant-coureur, en somme : c'est un mécène qui fut le premier propriétaire dont l'histoire a retenu le nom sur cette colline en quelque sorte sacrée que tant de talents allaient illustrer. Il fit édifier là une grande villa. Le passage voisin de l'une des grandes sources d'approvisionnement en eau de la ville permettait l'irrigation aisée des jardins. On s'y rendait en visite. Il advint que Messaline s'y plût. Elle y invitait ses amants, des poètes, des esclaves affranchis. L'ombre épaisse des arbres du *bosco* devint le théâtre de somptueuses turpitudes.

Messaline était la femme de Claude. Ce qu'impératrice veut devient raison d'Etat. Pour acquérir les lieux, on trouva une bonne raison d'intenter un procès à Valerius Asiaticus, le nouveau propriétaire, qui fut contraint de s'ouvrir les veines dans ses jardins. La Villa devint dès lors propriété impériale. Messaline y organisa d'autres fêtes, d'autres jeux. C'est dans ce jardin désormais fameux que devait se dénouer son destin. Complotant avec un amant contre l'empereur, elle crut d'abord celui-ci mort. Quelque part dans un coin du *bosco* – lauriers sombres, troncs centenaires de ses chênes-lièges... –, les deux amants durent s'en réjouir trop vite. Le retour de l'empereur et de ses hommes mit fin à l'ultime orgie de Messaline qui mourut là, la gorge tranchée, dans ces lieux encore ténébreux, hantés la nuit de rumeurs parmi les feuilles d'acanthe.

A l'arrivée au pouvoir de Trajan, les jardins furent abandonnés par l'empereur. Ce furent les Pincii, nouveaux propriétaires des lieux qui, aux IIe et IIIe siècles, donnèrent leur nom à la colline : face à Rome, le grand jardin, ses vignes demeurèrent un domaine privilégié de l'art et de l'esprit où venaient se réfugier pendant l'été quelques-uns de ceux que la Rome d'alors comptait de beaux esprits.

Dès lors, longés au nord par une partie du mur d'Aurélien, les anciens jardins de Lucullus vont voir de nouvelles constructions se succéder jusqu'au Moyen Age. Hier encore, les jardins devant la Villa Médicis étaient éventrés pour montrer les reliefs ici d'un palais, là d'une citerne. C'est ainsi qu'au XVIe siècle, on vit enfin sur le Pincio une *vigna* Crescenzi et la *casina* du même nom. Avec elle, on en arrive au cardinal Ricci de Montepulciano, le premier des deux princes cardinaux et mécènes qui reprirent le flambeau des Lucullus et Asiaticus pour faire de leurs anciennes possessions l'un des plus beaux domaines de la Rome moderne.

On connaît bien le cardinal de Médicis, beaucoup moins son prédécesseur, ce Giovanni Ricci, né en 1495 d'une famille simplement bourgeoise de la petite ville de Montepulciano, en Toscane. Une ascension rapide sous la haute protection du cardinal Del Monte puis des Farnèse lui permit de devenir très vite diplomate, au Portugal et en Espagne. Là, il amassa des collections fameuses, notamment venues d'Orient, que seul l'éclat de son successeur au Pincio fera, encore une fois, oublier. Outre un grand palais demeuré célèbre, via Giulia, le cardinal Ricci revenu à Rome, visionnaire et urbaniste, imagina d'importantes constructions dans toute la partie nord de la ville, dont le tracé de l'actuelle via della Porta Pinciana. En 1564, il acheta la *vigna* Crescenzi, pour posséder lui aussi l'une de ces belles villas de la périphérie de la ville qui faisaient l'orgueil des Médicis à la Villa Madame, des Farnèse et des del Monte.

Deux architectes, Nanni di Baccio Bigio, élève de Sangallo, puis le bien plus célèbre Giacomo Della Porta, vont tour à tour aménager dans ses grandes lignes la villa actuelle. Utilisant habilement l'eau de l'aqua Virgo qu'un système hydraulique élevait au niveau des jardins, le cardinal les dessina et commença à les orner de statues antiques.

C'est à sa mort, en 1574, qu'entre enfin en scène le jeune Ferdinand de Médicis, cinquième fils, né en 1550, de Cosme Ier de Médicis, grand-duc de Toscane à partir de 1570. Cardinal à l'âge de treize ans, esthète, ambitieux, grand amateur de femmes, Ferdinand de Médicis achète la Villa Ricci en 1576. Le destin de la maison du Pincio s'oriente dès lors, et à jamais, dans la direction qui sera la sienne : un haut lieu de la réflexion, de l'étude, de l'art et de l'esprit.

C'est le grand architecte florentin Ammanati qui redessine la façade sur les jardins, rehausse la loggia prévue par son prédécesseur et conçoit le grand escalier central qui se divise en deux lancées au premier palier. Il imagine aussi l'aile en retour qui prolonge à l'est, en angle droit, le corps central, avec une galerie destinée à recevoir des antiques. Les jardins trouvent leur aspect définitif. Ce sont les quatre fois quatre carrés bordés de buis à l'ouest, le *bosco* surélevé à l'est, terminé par le Parnasse artificiel, une petite colline aux pentes abruptes et plantées d'arbres, bâtie sur l'ancien temple de la Fortune. Enfin, dans une tour de la muraille d'Aurélien, à l'écart de l'agitation du palais, le cardinal fait édifier son *studiolo*, dont on redécouvrira les belles fresques animales et végétales quatre siècles plus tard. C'est là que, par un escalier dérobé ouvert au bas de la muraille, le saint cardinal pourra recevoir sa maîtresse, la belle Clelia Farnèse, parmi de précieuses collections de pierres et de fossiles.

C'est par ses peintures, et plus encore par ses antiques, que la villa conçue par Ferdinand de Médicis est restée célèbre. Outre de nombreux tableaux qu'il fit venir de l'Europe entière, Ferdinand confia la décoration du palazzo au peintre Jacopo Zucchi dont le travail le plus fameux concerne les trois chambres au-dessus de la loggia. La légende veut que le feu qui détruisit les toiles du plafond à caissons de la pièce orientale ait été dû à la pudibonderie du successeur du cardinal dans les lieux, qui en trouvait les scènes trop légères.

La chambre dite « des Muses » appartient à sa manière à l'Histoire. Prémonitoire, la décoration y montre le cardinal sous les traits de Jupiter régnant sur les Arts avant de régner, en 1587, sur les hommes, puisqu'il deviendra grand-duc de Toscane à la mort, simultanée et providentielle, de son frère François Ier et de son épouse morganatique, la belle Bianca Cappello devenue une épouvantable matrone. Ferdinand convoitait la Toscane, une invitation de François, une partie de chasse trop bien arrosée, une tourte à la viande mieux encore assaisonnée – mais de quoi ? – firent le reste. Le trône de Toscane subitement sans occupant revint au Jupiter artiste peint par Jacopo Zucchi.

La collection d'antiques que Ferdinand accumula à la Villa était plus célèbre encore. Après son accession au trône de Toscane, elle migrerait peu à peu vers Florence. Quelques copies, des copies de copies, sont aujourd'hui restées dans les jardins, dont le groupe fameux des dix-huit Niobides, les enfants de Niobé tués à coups de flèche par Diane et Apollon dont Balthus commanda des moulages. Les superbes reliefs de l'Ara Pacis, tout juste découverts quand le cardinal Ricci commença à les acheter, sont demeurés sur la façade où ils constituent, au-dessus des jardins, une fabuleuse dentelle de marbre. Le berger Pâris y donne la pomme à la plus belle de ses trois déesses tandis qu'Hercule y terrasse le lion de Némée. Sur un relief funéraire, le bouleversant visage d'une dame romaine porte un lourd bandeau tressé, on sacrifie des taureaux, un cortège de femmes s'avance sous des arbres feuillus. Pour le reste, tout est parti, ou presque. Et les immenses lions de la loggia que Berlioz, comme tant d'autres, chevauchera bravement sous les regards de camarades rigolards, ne sont que des copies.

Après 1587, par envois successifs, la Villa va donc se dépeupler de ses déesses et de ses dieux de marbre. Ferdinand devenu grand-duc, quelques Médicis vivront pourtant encore dans les lieux. C'était un pied-à-terre commode, plus sain que le palais en ville. Le cardinal Alexandre de Médicis y fera même quelques travaux, qualifiés d'embellissements. Mais Jean Gaston, le dernier des Médicis, fera transporter en 1731, dans ses galeries, tout ce qu'il restait d'antiques dans les jardins et dans les salons : c'était le début de la fin. Pendant toute cette période, la Villa et ses jardins seront pourtant encore fréquentés par de nombreux visiteurs. Des fêtes furent données, on se pressa dans ce « jardin des délices » peu à peu dépouillé de son rêve de marbre. Puis on mit les lieux en vente, sans succès. Le prix demandé était trop élevé.

Enfin, un acquéreur sérieux se présenta. Ce n'était que Napoléon. A partir de 1803, la mémoire de la Villa est rejointe par celle de l'Académie de France à Rome, alors vieille seulement, elle, de cent trente-sept ans... Plus encore que la mémoire de la Villa, celle de l'Académie importe ici, car c'est elle qui, vingt-huit ans plus tard, imposera à Berlioz des règles de vie qu'il haïra.

A partir de la Renaissance, le « voyage en Italie » était certes devenu une manière de rite en même temps que d'initiation pour beaucoup d'artistes ou de simples « honnêtes hommes ». Mais, au-delà du « voyage », c'était le séjour en Italie, et singulièrement le séjour à Rome, qui constituait pour les artistes, et eux seuls à présent, peintres, sculpteurs, graveurs, architectes, une étape cette fois réellement obligée dans une vie vouée à la création. On s'y frottait à la fois au contact des antiques et à celui de la Renaissance, encore en pleine effusion. Que l'on copie les maîtres anciens, célèbres ou anonymes, ou que l'on travaille déjà à une œuvre personnelle, l'Italie, Naples et surtout Rome étaient une source permanente d'inspiration. Un musée à ciel ouvert où la moindre pierre pouvait porter la marque du temps ou du génie. Bien sûr, au début du XVIIe siècle, et dans le sillage des Caravage, on avait commencé à entrevoir un art qui ne soit pas pétri de cette Antiquité foisonnante mais, pour parler seulement de peinture – mythologie et sujets religieux, les deux piliers de l'art classique –, celle-ci n'était faite que de références à l'art de la Rome ancienne, sinon à son histoire ou, plus encore, à sa littérature. D'où l'irrésistible attrait que représentait l'Italie pour mille artistes venus des quatre coins de l'Europe.

On s'y frottait aussi les uns aux autres, on s'y côtoyait et on s'y brassait, à Rome. Et précisément dans le quartier alentour de la Villa Médicis. La via del Babuino ou la via Gregoriana étaient de véritables fourmilières d'artistes dont les ateliers se superposaient parfois, quand ils n'étaient pas plusieurs à les partager. On y travaillait souvent mais on s'y amusait aussi – et c'est un euphémisme. Entouré de filles ou de petits garçons – des modèles, bien entendu... –, on menait une joyeuse vie, beuveries ou orgies de rigueur mais aussi bagarres, voire assassinats bien crapuleux. La mort du Caravage, retrouvé sans vie sur une plage, n'en fut qu'un épisode, parmi beaucoup. D'ailleurs, le Caravage lui-même n'avait pas hésité à tuer un rival. Et puis, tous ces artistes, ça ne pensait pas toujours comme on devait penser dans les Etats du pape. D'où les démêlés de la plupart des communautés, française d'abord, mais de tous les pays d'Europe également, avec les pouvoirs publics. On voulait bien d'eux et de l'argent qu'ils déversaient – fût-ce chichement, mais ils étaient nombreux... – à des centaines de gargotiers, tous maquereaux et entremetteurs confondus, qui vivaient à leurs crochets. Pourtant, aux yeux des Romains, ils étaient tous des fous, des ivrognes et des libertins dangereux, ces peintres français. D'où l'idée de les encadrer. D'où l'idée première de l'Académie de France à Rome : faire régner l'ordre dans la colonie des artistes français.

L'intention de Poussin, qui en caressa le projet mais mourut sans le voir se réaliser, était certes plus noble : il s'agissait de permettre à de vrais artistes, qu'on aurait triés sur le volet, de profiter pleinement de leur séjour à Rome, débarrassés de tous embarras financiers. Il en avait trop côtoyé lui-même, pendant les nombreuses années qu'il y avait passées, pour ne pas savoir dans quel état de dénuement, voisin souvent de la misère, beaucoup d'entre eux survivaient avant de finir par y mourir. L'idée de demander aux meilleurs artistes du moment de copier systématiquement – copies, calques, moulages... – les œuvres de leurs prédécesseurs faisait également partie de son projet d'artiste. Plus prosaïquement, Louis XIV et ses conseillers virent dans l'institutionnalisation du séjour de quelques-uns, dûment pensionnés, l'occasion d'exiger d'eux ces mêmes copies, peintures ou statues pour orner les murs du château et peupler le parc de Versailles alors en construction. Soutenu par Colbert, le projet avait mûri peu à peu, et c'est ainsi que le premier groupe des premiers pensionnaires quitta Paris en un seul voyage, sous la houlette du peintre Evrard qui fut le premier directeur de l'Académie.

A la tête de ses élèves, Evrard prit la route en mars 1666, partageant avec eux les mauvaises auberges et les piètres fortunes du chemin. Arrivés à Rome, tous s'installèrent d'abord dans une maison sordide, sur la rive du Tibre. Le décompte qu'on a pu faire des rares objets qui constituaient alors tout le mobilier des augustes pensionnaires du roi est désolant : quelques chaises, des draps usés, des plats ébréchés... Mais Evrard était un homme de principes. Il en avait peut-être même trop.

On avait demandé à ce premier directeur de tenir ses élèves d'une poigne de fer, avec le règlement nécessaire à cette bonne fin, draconien à souhait : on sait ce qu'il en est des règlements quand on parle d'artistes qui, une fois admis à bénéficier de privilèges qu'ils considèrent ensuite comme des dus, n'ont rien de plus pressé à faire que de contourner ou violer des articles qu'ils ont acceptés de mauvaise grâce. Les pensionnaires de l'Académie n'ont jamais échappé à la loi du genre. La loi était tout de même rude. Nommés pour deux ans, les pensionnaires étaient contraints de vivre sous le même toit, de prendre leurs repas à la même table et, naturellement, de n'introduire aucune femme dans le saint des saints des artistes français à Rome : chacun de ces différents points, et beaucoup d'autres, donna, dès le début, lieu à mille arguties, discours, réprimandes et brimades. Mais Evrard tint bon. En 1676, il eut la bonne idée de transporter le siège de l'Académie en un lieu plus hospitalier, le palais Caffarelli. Puis, en 1685, le successeur d'Evrard, Teullière, installa ses pensionnaires au palais Capranica, tout près de l'église San Andrea della Valle – où travailla l'infortuné peintre Mario Cavadarossi, héros martyr de *La Tosca* de Puccini : simple coïncidence. Ce fut enfin le cinquième directeur de l'Académie, Nicolas Wleughels qui décida de l'implantation, pour un bon siècle, de l'Académie de France au palais Mancini, sur le Corso. Devenue son siège, seulement à partir de 1803, la Villa Médicis est somme toute une idée neuve en Italie...

Pendant toute cette période, le règlement de l'Académie – on disait aussi l'Ecole de Rome : l'appellation qualifie aujourd'hui une autre institution – demeura des plus contraignants : il s'agissait de savoir jouer avec lui. Ainsi, les femmes n'étant évidemment pas admises parmi les heureux pensionnaires, les couples mariés ne pouvaient pas davantage séjourner au palais Mancini. D'où les mille et une manières de tourner la règle et de jouer avec le tarif des pensions payées à ceux qui vivaient à l'Académie et à ceux qui, dûment mariés, n'y résidaient pas. Sur le Corso, la vie publique comme privée de chacun se déroulait sous les yeux de tous, et singulièrement sous le regard de la police pontificale, qui protestait régulièrement auprès du directeur, quand ce n'était pas directement auprès de l'ambassadeur, contre l'inconduite de tel ou tel. Les sanctions pouvaient aller jusqu'à la suspension d'une pension pourtant chèrement acquise et au renvoi en France.

Outre les contraintes de la discipline, les pensionnaires étaient également astreints à l'obligation des envois. Ah ! les envois de Rome ! Ils sont restés célèbres dans la vie artistique de la France jusqu'au milieu du XXe siècle ! Les envois, c'étaient les œuvres, voire les copies que tous les pensionnaires devaient « envoyer » chaque année, et pendant toute la durée de leur séjour, à l'Académie des beaux-arts, qui, après le directeur, constituait le second degré de la tutelle exercée sur eux. Tutelle sévère, sourcilleuse à laquelle était parfois étroitement soumis le directeur lui-même. Il fut d'ailleurs des époques où le vrai patron de l'Ecole de Rome fut le secrétaire perpétuel de l'Académie des beaux-arts, parfois le directeur de l'administration dont dépendait l'Institut entier, parfois encore le ministre – sinon le souverain.

Au fond, la grande chance de l'Ecole de Rome fut le sac du palais Mancini, en 1793. Coincé sur le Corso entre d'autres bâtiments, massif et trop petit à la fois, sans dégagements utilisables, difficile d'accès pour les œuvres des sculpteurs parce que les salles du rez-de-chaussée étaicnt trop basses de plafond, étroites aussi, on s'étonne encore aujourd'hui qu'il ait pu, et pendant si longtemps, accueillir tant de pensionnaires. Mais les troubles vinrent d'ailleurs quand, en 1793, des émeutes ultras conduisirent des contre-révolutionnaires papistes à incendier le palais du Corso, assassinant au passage Hugo de Basseville, alors représentant de la France à Rome et maladroit dans son soutien fanatique à la cause révolutionnaire. Ce fut le directeur suivant, Suvée, qui persuada le gouvernement français de se porter acquéreur de la Villa Médicis. Il suffisait d'une rapide visite pour se rendre compte que, situé au-dessus de la ville et bénéficiant d'une qualité d'air infiniment meilleure, le chef-d'œuvre du cardinal de Médicis était cent fois plus adapté à abriter des artistes que l'obscur et gris palais du Corso. Et même si l'ambassadeur de France du moment, Cacault, aurait préféré que l'on choisisse le palais Farnèse qui – ironie de l'histoire – est devenu l'ambassade de France au Quirinal, lui-même ne put que constater les avantages qu'offrait la villa du Pincio. Les tractations qui conduisirent les autorités de Toscane qui, depuis le départ du cardinal devenu le grand-duc Ferdinand, ne l'utilisaient plus que comme résidence de passage, à en accepter l'échange avec le palais Mancini furent longues et laborieuses. Suvée était déjà installé à la Villa lorsque, le 28 février 1804, le traité qui en définissait les modalités fut enfin ratifié. Encore l'affaire fut-elle contestée onze ans plus tard, lorsque le nouveau grand-duc de Toscane tenta en vain de faire annuler la vente. Mais il était trop tard. L'acte était parfaitement régulier et la Villa Médicis appartenait déjà à la France. Dès 1803, Suvée avait pris toutes ses dispositions pour y installer ses ouailles.

Les lieux, leur ordonnancement surtout, étaient parfaits. Les grandes galeries de l'étage inférieur, au niveau de la promenade du Pincio, pourraient abriter des ateliers de sculpteurs. Plus tard, on ferait de la salle à l'ouest du vestibule une « classe » publique où des artistes romains mais aussi français, cette population « d'en bas », comme on disait alors, pourraient gratuitement dessiner d'après des modèles vivants. On s'y presserait puisque, partout ailleurs, le nu était interdit en public. Bonne occasion pour des artistes de disposer librement de modèles vivants, pour d'autres... eh bien, de se rincer l'œil ! Au premier étage, le long couloir aujourd'hui décoré de moulages de la colonne de Trajan desservait six chambres que bien des peintures ou des dessins du temps nous ont montrées, ouvertes sur Rome, à peine au-dessus de la vasque bruissante de Corot. Deux ou trois pièces plus importantes, dans le retour vers l'aile sur le jardin, pouvaient également être utilisées par des architectes ou des sculpteurs.

Très vite, les lieux vont s'organiser. Les lieux et les gens. Ainsi, dès son ouverture à la Villa Médicis, l'Académie de France va-t-elle accueillir, et c'est important pour Berlioz, une nouvelle catégorie de pensionnaires : des musiciens. Jusque-là, qu'on s'en souvienne, l'Ecole de Rome ne recevait que des peintres et des graveurs, des sculpteurs, des architectes. Il n'y avait pas de compositeur à la Villa Médicis. On a longuement évoqué le concours de Rome de musique, ses rites, ses obligations : en 1831 tout cela est encore très neuf. Le premier compositeur reçu au concours de Rome s'appellera Androt. C'est, en somme, l'ancêtre de Berlioz. Comme lui, il est originaire du centre-est de la France. Son père habitait la Côte-d'Or. On le fête particulièrement à son arrivée. Comme Berlioz vingt ans plus tard, il est passé par les mains de maître Habeneck, et chacun attend beaucoup de lui. Arrivé en janvier 1804, il mourut un peu de six mois après de l'une de ces fièvres qui frappaient souvent les pensionnaires de la Villa, réputée pourtant plus saine que l'ancien palais Mancini. Une plaque rappelle son souvenir dans l'église San Lorenzo in Lucina, près du Corso, où c'est sur la musique d'un *De profundis* qu'il avait lui-même composé qu'on célébra sa messe d'enterrement.

On mourait beaucoup dans ces premières années. Ainsi le peintre Gaudar, subitement frappé de fièvre, voulut-il fuir – trop tard – Rome, malsaine… Un peu plus tard, ce fut le sculpteur Harriet, marié et père de deux enfants, qui vivait en ville. Plus tard encore, en 1811, l'architecte Dedeban fut frappé d'aliénation mentale alors qu'il travaillait dans la campagne romaine. On dut le ramener à Paris, « à petites journées, sous la surveillance d'un gendarme ». Le peintre Bousselier se noya par désespoir. On voit que la fureur de Berlioz contre sa « caserne » du Pincio avait eu des antécédents plus sombres.

Le directorat de Suvée a duré jusqu'en 1807. C'est lui qui, reprenant en main l'organisation de la Villa après l'intermède révolutionnaire, a mis en place le règlement qu'a connu Berlioz. L'une des grandes questions qui se posait était celle – importantissime par excellence ! – de l'obligation faite aux pensionnaires de prendre tous leurs repas à la table commune, d'abord table du directeur. Suvée parvint sur ce point à un compromis heureux dont il fut le premier à bénéficier puisqu'il finit par déjeuner et dîner en toute tranquillité dans ses appartements.

Suvée mourut brusquement en février 1807, enlevé en quelques minutes par une atteinte d'apoplexie. Une légende tenace veut que ce soit un mouvement de colère envers des pensionnaires rétifs qui ait provoqué la crise. L'architecte Pierre-Adrien Pâris, alors à Rome, assure un intérim et, le premier, s'interroge sur l'utilité du séjour des compositeurs. Cette question ne cessera de se poser à Berlioz pendant tout son séjour. Pâris appelle un chat un chat et la présence de musiciens à la Villa... une cause d'embarras !

Horace Vernet, enfin, qui gouvernait les lieux à l'arrivée de Berlioz, prit ses fonctions en 1829. Ingres devait le remplacer en 1835. Le directorat d'Horace Vernet dura donc six ans. Berlioz, lui, n'y fit qu'un passage éclair qui ne dura pas quatorze mois. Encore, si l'on en déduit les jours qu'il passa à battre la campagne en tous les sens de mot, d'Albano à Subiaco, jusqu'à Naples, pour dissiper ses angoisses, c'est à peine six mois pleins que Berlioz séjournera effectivement à la Villa. Mais ce sont ces quelques mois, avec le temps pas vraiment perdu lors de l'équipée de Gênes et Nice, qui fixeront à jamais en lui une image de l'Italie, des musiques, des légendes, et marqueront son œuvre d'une manière indélébile.

9

Scènes de la vie de caserne

Berlioz est de retour à la Villa le 2 juin 1831. Si, dans les mois à venir, il s'arrangera pour s'en échapper autant qu'il le pourra, c'est pourtant bien là qu'il doit vivre maintenant. Alors il s'organise peu à peu. Et sa vie, c'est d'abord celle de cette vingtaine de grands jeunes gens qui, parce qu'ils en ont franchi avec succès les portes, se considèrent tous plus ou moins comme des génies, quand bien même ils affectent parfois vis-à-vis d'eux-mêmes une dérision très marquée.

Chacun s'est vu attribuer un logement, qui lui convient peu ou prou. Les peintres, les sculpteurs bénéficient de vastes ateliers, souvent isolés au milieu des jardins. Les murs badigeonnés de blanc à l'arrivée de chaque nouvel artiste y sont bientôt recouverts de fresques humoristiques ou d'inscriptions ironiques. Il faudra un Hippolyte Flandrin, peintre saint-sulpicien par excellence, pour y remercier le ciel, en fresques bondieusardes, des beautés que lui offre Rome. Pour la plupart, les artistes y multiplient les caricatures et les dessins grivois. Les jeunes personnes qui montent de la ville poser pour eux y apparaissent aussi, plus nues que nues, le directeur lui-même, les bons et les moins bons camarades les rejoignent dans des farandoles bientôt recouvertes par d'autres visages, des esquisses, des taches de peinture.

Les musiciens vivent le plus souvent dans des chambres de la Villa, soit dans le corps principal qui s'ouvre sur la ville, soit dans l'aile en retour au-dessus de la galerie des moulages, aujourd'hui la bibliothèque. Une passerelle périlleuse, suspendue dans le vide, relie ces chambres à la terre ferme et à l'escalier en vis de la tour est. Là, des pianos hissés par les *camerieri* de la Villa résonnent, tard dans la nuit. Berlioz, qui a décidé de s'ennuyer à la Villa, se garde bien de nous décrire ce lieu que d'autres pensionnaires, avant lui, après lui, vont peu à peu habiter comme un morceau de paradis.

Ainsi Hippolyte Flandrin, qui sait si bien remercier Dieu de ce qu'Il lui donne, écrira à ses parents, en 1833 :

« Maintenant je suis définitivement logé. J'ai ma chambre et mon atelier, un joli atelier de vingt pieds carrés et communiquant à ma chambre. Il est orné de plusieurs beaux bas-reliefs, de quelques autres plâtres, de tout ce que j'ai de gravures et de croquis, de trois ou quatre têtes que j'ai faites d'après Raphaël. J'ai quitté la belle vue que j'avais sur la ville pour une autre plus tranquille : ma chambre donne sur les jardins. Entre les têtes des groupes de lauriers et au-dessus, j'aperçois les beaux pins de la villa Borghèse, des échappées de la plaine, et dominant tout cela, les belles montagnes de la Sabine couvertes de neige. C'est d'une tranquillité, d'une fraîcheur extraordinaires. Ce soir, au moment où je vous écris, le ciel est brillant d'étoiles. Je n'entends que le bruit du jet d'eau qui retombe dans son bassin, le cri monotone et triste d'un oiseau, et, de temps en temps, une cloche éloignée qui sonne les heures. Aucun bruit ne rappelle la ville. Tout est calme, silencieux et beau ; on peut penser, rêver à son aise. Oh ! ce calme a un grand charme pour moi... »

Plus prosaïque, un autre compositeur, Charles Maréchal, décrit sa chambre dans ses *Souvenirs d'un musicien* : « Une commode de bois blanc peint au hasard, avec l'intention flagrante d'imiter l'acajou [...] ; une table de bois blanc aux quatre pieds de laquelle il ne faut pas trop se fier ; un lit composé de deux petits matelas aboutés placés sur de longues planches reposant elles-mêmes sur deux chenets de fer ; quelques chaises de paille, dont il ne faut user qu'avec la plus extrême prudence ; enfin, un fauteuil de cuir recouvert d'une éblouissante jousse d'andrinople, tel est le mobilier qui compose la chambre du pensionnaire du Roi à la villa Médicis. »

On ne sait rien de la chambre de Berlioz. Un célèbre dessin d'Ingres nous montre un plafond bas, une pièce étroite et l'artiste penché à sa fenêtre, qui contemple Rome au-dessous de lui. Mais la chambre ou l'atelier n'est qu'une cellule au cœur de cette espèce d'immense couvent de frères pas toujours très sages, mâtiné de théâtre baroque ouvert à des fêtes joyeuses et d'ambassade de France au petit pied que les vrais ambassadeurs de France à Rome, précisément, envient au directeur comme aux pensionnaires.

Les jardins, les plaisirs qu'on y prend font partie de la vie de tous les jours. On s'y réveille en général tôt, autour de sept heures. Des domestiques ont apporté le déjeuner : nous sommes déjà au cœur d'un paysage romain avec ruines et jolies Romaines tout juste sorties du lit de ces messieurs qui s'enfuient très vite pour ne pas croiser les *camerieri,* presque tous venus de l'Abruzze, moustachus et mal rasés. Des chats miaulent à la porte, on se débarbouille dans de larges cuvettes métalliques posées sur des planches de pitchpin. On se rase à grands coups de sabre – ou l'on ne se rase pas : à quoi bon ? Puis, sans hâte, on sort humer l'air du jour.

Les allées du jardin sont bordées de haies de buis et de lauriers. Des chats, encore, qui errent parmi les morceaux de colonnes abattues, des vasques envahies par la mousse. Le jardin n'a pas changé, ou si peu, depuis que Ferdinand, cardinal qui se serait voulu poète, en fit dessiner les bosquets. D'atelier en atelier, on se hèle. Les artistes portent volontiers la blouse bleue ou la vaste chemise qui descend jusqu'aux genoux informes de leur pantalon de toile. Il est huit heures du matin, en été le soleil est déjà haut. Une dernière nymphe, qui a passé la nuit avec un faune déguisé en peintre-graveur, se hâte vers la grille, en contrebas de la terrasse sur Rome. Si Vernet ou l'un de ses lieutenants l'aperçoit, il détourne les yeux : la discipline n'est une vertu qu'autant qu'on en pardonne les entorses. Il est huit heures et demie. Roux et chevelu, Berlioz apparaît dans les allées. A une heure, un domestique passe, une cloche à la main : le dîner est servi. Berlioz et tant d'autres, Gounod, Bizet, Massenet, ont décrit ces scènes-là. On s'attable au coude à coude dans la salle à manger commune, sous les portraits des anciens pensionnaires puisque c'est l'une des obligations non écrites des peintres venus là d'en faire le portrait. Aussi Berlioz et son ami Montfort, le sculpteur Dupré et Labrouste, l'architecte des bibliothèques, vont-ils se retrouver levant le verre et trinquant sous les portraits des sculpteurs Ramez ou Pradier par un François Dubois ou un Léon Cogniet. Le peintre Signol, qui dîne à la même table que Berlioz, n'achèvera qu'à la veille du départ de celui-ci le portrait le plus célèbre du musicien, cravate rouge, le regard fixe, qu'on trouve sur la couverture de la plupart des ouvrages qui lui sont consacrés. Jusqu'à une date récente, ces toiles de petit format, qui avaient quitté depuis longtemps la salle à manger des pensionnaires, étaient prêtées à ceux-ci, qui se battaient pour orner leur chambre de la peinture de Signol ou du portrait de Debussy, demandés par tous. Mais les dégradations que ces peintures souvent fragiles risquaient de subir dans le désordre et la fumée des chambres ou des ateliers ont conduit à en suspendre les prêts. Beaucoup ont disparu. Ce qu'il reste de la collection est à présent enfermé dans des casiers de la salle d'histoire de l'art, au deuxième étage de la Villa.

Les assiettes sont de faïence épaisse, le pain à peine salé comme on le mange à Rome et les plaisanteries fusent, les cris d'animaux, les calembours, bientôt les canulars : ils ont vingt-cinq, vingt-six ans, parfois trente, les heureux pensionnaires de l'Académie de France : sitôt dans l'enceinte de la Villa, ils se conduisent comme des lycéens.

Puis on se disperse en direction des ateliers. A moins que l'on ne se lance dans une promenade à travers les rues de Rome. Tous, encore une fois, les Bizet et les Flandrin, qui viendront après Berlioz, avant lui le gentil Blondeau dans son beau livre de souvenirs, ont raconté ces journées de demi-farniente, les cafés de la piazza di Spagna ou de la piazza del Popolo, juste en dessous de la Villa, les rencontres avec les artistes étrangers, qui accueillent leurs confrères « d'en haut » avec un doigt d'envie et quelques verres de vin des collines de Rome... Les modèles se joignent aux peintres, aux sculpteurs, on déambule jusque sur les bords du Tibre. On s'y baigne parfois. Ou bien, un album sous le bras, on part à la recherche de sujets. On dessine, on copie des tableaux antiques. Ou l'on reste à la Villa. On joue à la boule. On tire les merles. Parfois on dîne sur la terrasse, quand le soleil ne l'écrase pas. Au cœur de l'été, on pique-nique dans le *bosco*. On s'amuse, on rit bruyamment : on est redevenu des potaches. On raille, on se moque. Ou l'on dort, tout simplement... On dort, on somnole, on paresse, on fait la sieste, on se repose : la vie, à l'Académie de France, n'est peut-être qu'un long farniente, coupé de quelques moments de hâte, de travail, parfois seulement de réflexions.

Puis les rangs s'éclaircissent et chacun retourne à sa tâche, jusqu'au souper. On se retrouve alors au réfectoire avant de se séparer de nouveau, les uns pour s'atteler à d'interminables parties de dominos « à quatre », les autres pour aller voir, dehors, si la lune apparaît toujours « comme un point sur un *i* au-dessus du clocher jauni ».

On l'a déjà compris : tout cela ennuie profondément Berlioz. Plus précisément, il s'ennuie profondément à la Villa. « Dès mon retour à la Villa, écrit-il en juillet 1831 à Mme Le Sueur, l'épouse de son maître, je ne fais qu'écrire, mais non pas composer. L'air de Rome m'étouffe. Je n'ai pas une idée... » Dans les *Mémoires*, il avoue tout :

« Qu'on y joigne l'influence accablante du sirocco [...], de pénibles souvenirs, le chagrin de me voir, pendant deux ans, exilé du monde musical [...] et l'on comprendra ce que devait avoir d'intensité le spleen qui me dévorait [...] J'étais méchant comme un dogue à la chaîne. Les efforts de mes camarades pour me faire partager leurs amusements ne servaient qu'à m'irriter davantage... »

Le ton est donné. Berlioz ne voulait pas se rendre à Rome. Arrivé à la Villa, il s'en est aussitôt échappé pour son équipée camillesque. De retour, il ronge son frein, maudit Rome et les Romains, souvent ses camarades, bientôt le monde entier. Bien sûr, il y a parfois des moments de bonheur, mais c'est hors de sa « caserne », loin de Rome, dans des villages suspendus au-dessus des vallées à pic. A la Villa règne seulement le déracinement. Là aussi parfois, pourtant, des instants un peu plus clairs. Mais pour l'essentiel, c'est l'abrutissement, la lassitude, l'empoisonnement perpétuel et l'embêtement sans fin. Tout, ou presque, ennuie Berlioz. Tout lui paraît assommant ou puéril, à lui qui était en train de conquérir Paris. A Rome, il rue en vain dans les brancards. Faute de vivre la vie qu'il veut vivre, il ironise sur tout, se moque amèrement, ou se plaint, se plaint, se plaint... Jusqu'aux distractions organisées de la maison qui lui sont un fardeau.

« Le jeudi était jour de grande réception chez le directeur. La plus brillante société de Rome se réunissait alors aux soirées fashionables que Mme et Mlle Vernet présidaient avec tant de goût. On pense bien que les pensionnaires n'avaient garde d'y manquer », se souvient-il. Et c'est vrai que les soirées de la Villa Médicis, sous la houlette bienveillante d'Horace Vernet, avec le vieux Carle Vernet qui aimait Gluck et Mlle Vernet à la si jolie voix, enchantaient Rome.

Elles se tenaient dans le grand salon attenant à la loggia. La porte ouverte, on découvre le jardin, la belle perspective sur le mur d'Aurélien et la campagne, encore vierge de toute construction. Au loin, les toitures comme en pagode de la villa Borghèse. De trois hautes fenêtres ouvertes sur la ville, montent les rumeurs du soir, des odeurs, un vol d'hirondelles, une cloche ici, une cloche là, qui ajoutent une note qui n'a rien d'étranger aux musiques qu'on donne sur le pavement de grands carrés de terre brune, polie par les ans. On vient parfois rêver sur l'étroit balcon de la fenêtre centrale, qui menace dangereusement de s'écrouler. Aux murs, il y avait alors des tentures de valeur, des tableaux, des bibliothèques, des tapisseries, le cycle d'*Esther* des Gobelins. Deux autres portes, à l'ouest, donnent sur les appartements du directeur ; deux, à l'est, ouvrent sur le domaine des pensionnaires. La salle est haute, elle occupe le volume de deux grands étages de la Villa. Un piano y est installé en permanence. Parfois deux. Celui qui fut le piano de Debussy, un beau Pleyel de bois clair, est encore conservé dans le salon des pensionnaires. Religieusement, parfois, des doigts en effleurent le clavier. On constate généralement que l'instrument aurait besoin d'être accordé.

Du temps de Berlioz, les jeudis de M. Vernet étaient, comme ils le furent après lui, avec M. Ingres, de vraies grandes plages de bonheur musical. On servait des boissons, du vin d'Asti et des collines de Rome, des sorbets, des gâteaux parfumés et c'était bien souvent un Romain ami – le banquier Torlogna, par exemple, si méprisé par Stendhal – qui assumait les frais de ces réceptions. Ernest Legouvé, le confident des amours de Berlioz, décrit fort justement l'atmosphère qui était celle de ces fêtes.

« Nos soirées à la Villa Medici se passaient dans des amusements toujours variés. Parfois, Mlle L. Vernet prenait le tambour de basque et dansait le saltarello avec son père, qui semblait son frère. Tantôt Horace allait chercher l'œuvre gravé du Poussin (le Poussin était son maître préféré) et nous expliquait le sens, le secret de ses compositions, toujours si profondes de pensée [...]. Parfois, à ces causeries sur l'art, succédaient des concerts improvisés. Quelle fut donc ma surprise et ma joie, en arrivant un soir à la Villa Medici, d'y trouver, qui ? La Malibran. Je vois encore le petit tableau d'intérieur qui s'offrit alors à moi. La Malibran était assise à côté de la table et travaillait. En face d'elle, tout près d'elle, plus bas qu'elle, presque à ses genoux, Mlle L. Vernet, placée sur un petit pouf en tapisserie, l'écoutait les yeux levés. La lampe projetait sa lumière circonscrite par l'abat-jour et arrondie en auréole sur ces deux visages, dont l'un représentait la beauté dans toute sa fleur, l'autre le génie dans tout son éclat ; tous deux, la jeunesse ! »

Mais Berlioz avait déjà quitté Rome depuis six mois lors de la visite de la Malibran. En dépit des remarques qu'il fera parfois, çà et là, dans des lettres à ses amis, lui-même considérait avec un doigt de mépris les soirées de la pauvre Mme Vernet. D'ailleurs, Stendhal n'aurait-il pas lui-même emprunté quelques traits de la « vulgarité » de la femme du directeur de la Villa pour dessiner un personnage de *Lucien Leuwen* ? Pauvre Mme Vernet, en vérité, qui, lorsque celui qui est sûrement son pensionnaire préféré manque l'une de ses sauteries, lui demande volontiers ce qu'il a fait et pourquoi il n'est pas venu, s'inquiète de ne pas l'avoir vu, veut savoir pourquoi il n'était pas là, maternelle, attentionnée.

Quoi qu'il ait pu en dire à tous ses correspondants : « Tous les jeudis, il y a réception chez M. Horace, on y danse ; quelquefois aussi le dimanche. Vous jugez comme cela m'amuse... », les soirées du jeudi rompaient pourtant avec la monotonie des journées passées à la Villa où, il se tue à le répéter, il ne fait rien, « environné, dans [sa] maudite caserne, d'êtres vulgaires, sans âmes d'artistes dont la société et le bourdonnement [l']importunent horriblement ». Parce qu'il y a les autres soirées, qu'il décrit avec une verve pourtant presque amusée :

« Nous avions, en revanche, un genre de concerts que nous appelions *concerts anglais,* et qui ne manquait pas d'agrément, après les dîners un peu échevelés. Les buveurs, plus ou moins chanteurs, mais possédant tant bien que mal quelque air favori, s'arrangeaient de manière à en avoir tous un différent ; pour obtenir la plus grande variété possible, chacun d'ailleurs chantait dans un autre ton que son voisin. Duc, le spirituel et savant architecte, chantait sa chanson de *La Colonne,* Dantan celle du *Sultan Saladin,* Montfort triomphait dans la marche de *La Vestale,* Signol était plein de charmes dans la romance *Fleuve du Tage,* et j'avais quelque succès dans l'air si tendre et si naïf, *Il pleut bergère.* A un signal donné, les concertants partaient les uns après les autres, et ce vaste morceau d'ensemble à vingt-quatre parties s'exécutait en crescendo, accompagné, sur la promenade du Pincio, par les hurlements douloureux des chiens épouvantés, pendant que les barbiers de la place d'Espagne, souriant d'un air narquois sur le seuil de leur boutique, se renvoyaient l'un à l'autre cette naïve exclamation : *Musica francese !* »

Les autres soirs, ce sont les rituelles expéditions dans les cafés autour de la place d'Espagne. « La visite obligée au café Greco, où les artistes français non attachés à l'Académie, que nous appelions les *hommes d'en bas,* fumaient avec nous le *cigare de l'amitié,* en buvant le *punch du patriotisme.* Après quoi, tous se dispersaient ».

Quelquefois, pourtant, un bref moment de mélancolie presque heureux. On n'a pas oublié que Berlioz jouait, fort bien d'ailleurs, de la guitare. Alors, avant de regagner leur chambre, « ceux [des pensionnaires] qui rentraient vertueusement à la caserne académique se réunissaient quelquefois sous le grand vestibule qui donne sur le jardin ». « Quand je m'y trouvais, ma mauvaise voix et ma misérable guitare étaient mises à contribution, et assis tous ensemble autour d'un petit jet d'eau qui, en retombant dans une coupe de marbre, rafraîchit ce portique retentissant, nous chantions au clair de lune les rêveuses mélodies du *Freischütz,* d'*Oberon*... »

Pourtant, la mauvaise humeur de Berlioz, cette espèce de rage permanente qu'il éprouve à l'encontre de la Villa Médicis et de tout ce qui s'agite, si vainement selon lui, dans la grande demeure du cardinal Ferdinand, reprend vite le dessus. Et, dans la foulée, il raille tout ce qui l'entoure, ses camarades, la famille Vernet tout entière, jusqu'à la gentille Mlle Louise qui régale les invités de son père d'air à la mode – alors que Berlioz aimerait mieux entendre « le cri d'une chauve-souris » ! L'injustice du nouveau pensionnaire est flagrante. Mais c'est que, pour lui, la vie à la Villa Médicis lui est d'entrée de jeu insupportable.

L'injustice de Berlioz est ici flagrante, oui. D'ailleurs, la jolie Louise Berlioz semble ne pas lui avoir été toujours aussi indifférente... Mais sur cela aussi, on reviendra. Pour le moment, le cher Hector ne pense qu'à une seule chose : la vie à la Villa lui est insupportable. Il en a cent fois énuméré les raisons, mais la première, qui entraînera toutes les autres, c'est son chagrin d'amour. Oh ! en apparence, Camille est bien oubliée ! Son souvenir, il le voue aux gémonies chaque fois qu'il évoque son nom. Mais il l'évoque et l'évoque à nouveau, le répète à l'infini, le nom de la belle infidèle. Il le remâche avec fureur, dans toutes ses lettres à ses amis restés en France. Ainsi écrit-il à son grand-père, Marmion, en septembre que son « amour profond s'est changé en profond mépris ». Puis, à Frédéric Miller, il explique qu'il a renvoyé à « notre Sainte-Vierge (!!) un paquet contenant ses présents, ses lettres d'*amour,* son anneau, etc. » Le reste à l'avenant : Camille mariée à un autre est devenue haïssable, méprisable, mais elle hante toujours son esprit. Il y a eu son amour, mais son corps, aussi, ne se fût-il donné qu'une seule fois. Alors, se promener avec ces souvenirs brûlants dans les allées si bellement sereines de la Villa Médicis ou traverser, à la nuit et sans elle, les sentiers du *bosco,* comme bruissants toujours – des *camerieri* de la Villa l'affirment encore aujourd'hui – des étreintes passionnées de Messaline ? Mais c'était tout bonnement insupportable !

Comment travailler dès lors, comment composer dans cette atmosphère de beauté morte suspendue au-dessus d'une ville qui, pour Berlioz, est une ville déserte ? Il recopie et travaille et retravaille encore son « mélologue », qui raconte précisément la déchirure-Camille, quand bien même cette blessure est largement redevenue celle dont il a souffert à cause d'Harriett Smithson. Et le « mélologue » le ramène à Paris. A Nice, même, où il y a travaillé dans l'allégresse. Et subitement, autant que Paris, c'est Nice et la mer qui lui manquent. « Cette belle et vaste mer qui s'étendait sous mes fenêtres, qui me charmait par le flou-flou de sa robe verte, qui rugissait avec moi dans mes jours de rage, et me laissait dormir sur ses cailloux blancs, en se contentant de venir lécher mes pieds, dans mes journées calmes ou mélancoliques » (à Mme Le Sueur, 2 juillet 1831).

Nice ou Paris : le souvenir d'une autre vie le harcèle. Nice ou Paris : tout sauf Rome. Alors, pour que ces mois romains lui soient moins insupportables, il lui faut quitter Rome, encore partir. Regagner la France ou même Nice est impossible. Mais on peut quitter Rome sans aller si loin. Et ce sera la découverte haletante, passionnée et sans cesse renouvelée de la campagne romaine. S'avancer, marcher, cheminer, s'épuiser par monts et par vaux autour de Rome, au nord, au sud, aux quatre points cardinaux, partout sauf à Rome ! Et ce sera Tivoli, la villa d'Este et la villa Adriana, des villages perchés sur des collines qu'on dirait quelquefois de marbre, des marches épuisantes, harassantes, infinies et bienfaisantes dans une campagne souvent aussi tourmentée que son Dauphiné natal : le séjour de Berlioz à Rome devient, pour l'essentiel, cette formidable activité dont il a fait preuve ailleurs qu'à Rome. La Villa, ses pensionnaires, l'exaspèrent ? « Eh bien, dit-il dans sa lettre à Mme Le Sueur, comme je ne puis pas me refaire, j'aime mieux leur laisser le champ libre. J'emporte une mauvaise guitare, un fusil à deux coups, des albums pour prendre des notes et quelques livres ; un bagage aussi modeste ne peut tenter les brigands, avec lesquels, à vrai dire, je serais charmé de faire connaissance. »

Quelques repères dans ce calendrier berliozien. Il revient à Rome de son équipée niçoise le 2 juin 1831. Dès le 18 juin, il part pour deux jours avec son camarade, le sculpteur Etex, pour Tivoli. Il ne revient que pour quinze jours à la Villa. Le voilà à nouveau à Tivoli, seul cette fois. Puis, pendant quinze jours, à Subiaco et dans les Apennins. Il n'est de nouveau à Rome que le 25 juillet. En août, il chasse le canard ou n'importe quoi avec le sculpteur Debay, cette fois dans les plaines et marais proches de Rome. Un aqueduc romain clôt ici l'horizon ; là le talus gris d'un tumulus. Des moutons paissent parmi des herbes hautes et lui, il revient, repart, s'épuise : peut-être qu'alors, il est heureux. En tout cas, c'est le seul moyen pour lui de survivre à Rome : s'en aller, décamper.

Et dans ces moments-là, Berlioz redevient Berlioz. Il est le compositeur que nous commençons à vraiment aimer. Et aussi un poète, un merveilleux diseur qui raconte alors l'Italie en des termes d'une justesse et d'une émotion souvent violentes : c'est en véritable écrivain romantique que Berlioz le voyageur, traversant à pied les vallées des Abruzzes, parle d'une Italie de grands chemins, de brigands, de cascades et de paysannes accortes. Dès le mois de juin 1831, le voilà qui écrit à sa famille. Bien avant la rédaction de la « Lettre d'un enthousiaste sur l'état de la musique en Italie » – si critique, on l'a dit pour la musique en question –, avant ses chapitres de *L'Italie pittoresque*, quinze ans avant les *Mémoires*, c'est son premier élan d'enthousiasme sur cette Italie-là. Qu'il aime. Nous sommes le 21 juin. Il revient de sa première promenade de deux jours à Tivoli, il n'a qu'une idée, y repartir.

« J'y suis allé samedi dernier à pied à deux heures après midi, au milieu de la poussière brûlante ; nous étions deux ; arrivés aux trois quarts du chemin nous n'en pouvions plus et nous sommes montés dans une voiture qui passait. Il y a six lieues de Rome à Tivoli. Nous sommes arrivés le soir à huit heures et demie, et le lendemain à quatre heures du matin nous avons commencé à courir. Je n'ai jamais rien vu de si délicieusement beau. Ces cascades, ces nuages de poudre d'eau, ces gouffres fumants, cette rivière fraîche, ces grottes, ces innombrables arcs-en-ciel, les bois d'oliviers, les montagnes, les maisons de campagne, le village, tout cela est ravissant et original.

» J'ai vu aussi la villa Adriana, et ces sublimes ruines m'ont rempli de tant de pensées et de sensations que je crois qu'elles ont voulu me dédommager de la non-impression de toutes celles de Rome. Figurez-vous une maison de campagne d'une lieue et demie de tour, dans laquelle l'empereur Adrien avait réalisé de véritables rêves. En entrant il y avait un théâtre grec ; il n'y a plus que deux colonnes et quelques arcades de l'amphithéâtre, le milieu est un carré de choux ; mais il faut rendre justice au propriétaire, c'est le seul endroit cultivé ; tout le reste est dans le plus magnifique abandon ; le palais impérial, les bains, la bibliothèque, les pavillons de repos, les cours sont assez bien conservés pour des ruines ; dans les salles des gardes de l'empereur, les éperviers et les milans bâtissent leurs nids ; la *vallée de Tempé* (imitation de celle de la Grèce) est aujourd'hui une forêt de cannes ; je n'ai pas pu voir le Tartare, ni les Champs-Elysées, ni beaucoup d'autres choses dont les noms m'échappent, on s'y perd ; des murs de six pas d'épaisseur, d'une hauteur prodigieuse, recouverts en stuc, peints à fresques, des tours, des voûtes, des colonnes partout ; pas de statues, parce qu'un pape, je ne sais plus lequel, les a fait enlever pour faire de la chaux ; en entrant dans ce monument, je me suis vu pour la première fois en présence de la grandeur romaine, j'étais oppressé, consterné, anéanti. Encore si j'eusse été seul !... mais patience, ce n'est qu'à une demi-heure de Tivoli, et quand j'y serai établi, je me permettrai d'y passer la journée quelquefois. »

Le souvenir d'Adrien, une rivière fraîche, la cascade qu'on voit sur les gravures et le temple qui la domine, jusqu'aux « gouffres fumants » et aux « innombrables arcs-en-ciel » qu'il invente un peu : Berlioz a bien commencé à s'avancer avec émerveillement dans ce paysage avec ruines qui sera pour lui la véritable Italie. Revenir quinze jours à Rome n'est plus qu'un mauvais moment à passer. Le 2 juillet, il écrit à Humbert Ferrand. Que son ami lui fasse copier l'adagio de la « Bacchanale » d'*Orphée* qu'il veut inclure dans son « mélologue ». « Je l'attends dans les montagnes de Subiaco, où je vais passer quelque temps ; adressez-le toujours à Rome, je vais chercher, en *franchissant rocs et torrents*, à secouer cette lèpre de trivialité qui me couvre dans notre maudite caserne. L'air que je partage avec les *industriels* de l'Académie ne plaît pas à mes poumons ; je vais en respirer un plus pur. J'emporte une mauvaise guitare, un fusil, des albums de papier réglé, quelques livres et le germe d'un grand ouvrage que je tâcherai de faire éclore dans mes bois. »

C'est donc un nouveau séjour à Tivoli, en solitaire cette fois : il n'est jusqu'à la compagnie du gentil Etex qui, lors de son voyage précédent, ne l'ait encombré. Il veut être seul, profiter, jouir goulûment de cette solitude tour à tour poétique et aventureuse.

Deux jours plus tard, c'est un foudroyant élan d'exaltation lyrique qui le traverse. Il a quitté Tivoli et ses paysages à la Poussin, le voilà au cœur de fulminants orages. « Il pleut, enfin ! je vois des nuages ! Ah ! béni soit le ciel de Subiaco et maudit soit le ciel de plomb de Rome qui brûle toujours et n'a ni tonnerre ni éclairs ! Ce pays-ci est le plus pittoresque que j'aie encore vu de ma vie. Il n'y a pas les cascades de Tivoli, mais on y voit un torrent furieux presque aussi grand que l'Anio et qui se précipite en deux ou trois endroits avec autant de fracas sinon autant de majesté que la grande cascade de Tivoli. Et puis des montagnes ! Ah des montagnes ! J'en arrive il y a une heure. J'ai gravi ce matin une masse élevée que les peintres paysagistes appellent la Baleine, parce qu'elle ressemble en effet à une immense baleine sortant de la mer pour respirer. A une heure après midi je suis arrivé à la pointe de la pointe, j'y ai bâti avec des quartiers de roc une petite pyramide terminée par une pierre plate en forme d'autel druidique. Oh ! comme j'ai respiré, comme j'ai vu, comme j'ai vécu ! pas un nuage. Je montais des pieds et des mains pendant une demi-heure, puis je me couchais sur des touffes de buis, et un vent bienfaisant me berçait mollement. [...] Plus haut, aux lieux où finit la végétation, j'ai trouvé des paysans qui moissonnaient quelques épis clairsemés. Ils paraissaient inquiets de me voir gravir tout seul et sans but apparent (j'avais laissé mon fusil à Subiaco) : il y a ici une superstition sur les *jettatore* ; ils m'ont demandé avec humeur où j'allais et ce que je voulais faire là-haut ; heureusement il m'est venu une bonne idée : je leur ai répondu que j'avais fait un vœu à la *madona* et que c'était pour l'accomplir que je montais. Alors ils se sont remis à moissonner sans s'inquiéter de moi. En arrivant, j'ai vu à mes pieds le couvent de Saint-Benoît... »

Berlioz n'est pas le seul étranger à Subiaco. « Il y a dans la maison où je suis plusieurs paysagistes français, venus pour copier la belle nature de Subiaco ; nous dînons ensemble, l'un d'eux est un de mes camarades de l'Académie. L'autre auberge est pleine de Suisses, d'Irlandais, de Français paysagistes ; nous nous connaissons déjà tous. »

Pour la première fois ici, il évoque aussi les musiques qu'il entendra lors de presque toutes ses expéditions autour de Rome : la guitare du compositeur qui n'a jamais appris le piano – et voilà l'alto solo d'*Harold en Italie* qui se profile déjà dans l'horizon de Subiaco. « Hier soir, les enfants de la maison dansaient la saltarelle au son du tambour de basque joué par une petite voisine : je suis venu les regarder ; alors la fille aînée, qui a douze ans, prenant l'air caressant : *Signore, oh ! signore ; pigliate la chitarra francese.* J'ai pris la *chitarra francese,* et *lo ballo* a recommencé de plus belle. Ces messieurs les peintres ont entendu notre *ballo* et sont venus y prendre part ; toutes les petites paysannes étaient d'une joie folle et dansaient avec un abandon délicieux, pendant que la voisine agitait son tambour de basque et que je m'écorchais les doigts en improvisant des saltarelles sur la *chitarra francese* ! » Il écoute, il enregistre dans sa mémoire, de nouvelles musiques naissent. « Tout le pays sait déjà qu'il y a un *maestro dell'Academia di Francia ;* on commence à me faire circonvenir par le peintre que je connais et qui est répandu dans la belle société de Subiaco, pour me faire prendre part aux réunions musicales du cru. Hier, pendant déjeuner, le maître de chant est venu avec un des élégants du pays, pour me sonder, mais Gibert (c'est le nom de mon académicien) a tâché de leur faire entendre que j'étais un sauvage et qu'il serait bien difficile de m'apprivoiser ; ils n'ont pas osé me faire des propositions directes et j'espère qu'ils s'en abstiendront. Il y a de belles dames qui chantent les chœurs, mais je les ai vues à la promenade, ce n'est pas assez bien pour compenser le mal que me ferait leur musique, et je ne leur servirais à rien. »

Au fond, avec ses musiciens et ses belles dames, c'est presque une petite société semblable à celle qui se réunit le jeudi chez M. Vernet que Berlioz retrouve à Subiaco. D'ailleurs, le village lumineux est une vraie ville. Avec ses monastères, bien sûr. Mais aussi une imprimerie qui fut la première de toute l'Italie. Et c'est un lieu de pèlerinage. Les auberges y sont nombreuses. Alors, Berlioz renâcle un peu, mais il est loin de Rome, il peut, il a le droit, face à lui-même, d'être heureux. Il pleut, on se met à l'abri de compagnie. Il fait chaud, on se baigne ensemble dans un torrent ou « on dort sur quelque rocher creux, étourdi plutôt qu'endormi par le fracas des eaux... » Ses nouveaux camarades peintres paysagistes l'invitent à se joindre à eux, il apporte sa guitare et leur chante du Le Sueur – eh oui ! – mais aussi du Berlioz. Et puis il se fait des amis parmi les habitants de la petite ville. Ainsi ce brigand nommé Crispino qui l'invite à ses noces. « Je lui ai fait cadeau d'un beau foulard que j'avais acheté à Nice ; il m'a dit qu'il le donnerait à sa *ragazza,* parce que c'était trop joli pour lui. Toute la nuit nous l'entendons sérénader sa *ragazza* qui demeure près de chez nous ; tantôt il chante avec la musette, tantôt avec mandoline, guitare et triangle ; l'air est une espèce de grand cri plaintif de dix mesures au plus, sur lequel il improvise les paroles. [...] Il y a des femmes d'une beauté rare, presque toutes blondes, ce qui est fort étonnant en Italie ; on croit qu'une colonie de Saxons s'était autrefois établie à Subiaco et a peuplé le pays de têtes blondes. »

C'est une véritable ivresse qui s'empare de Berlioz lors de ce premier séjour à Subiaco. « A force de fréquenter les villages de ces braves gens, j'avais fini par être très bien avec eux. Crispino surtout m'avait pris en affection ; il me rendait toutes sortes de services ; il me procurait non seulement des tuyaux de pipe parfumés, d'un goût exquis, non seulement du plomb et de la poudre, mais des capsules fulminantes même ; des capsules ! dans ce pays perdu, dépourvu de toute idée d'art et d'industrie. De plus, Crispino connaissait toutes les *ragazze* bien peignées à dix lieues à la ronde, leurs inclinations, leurs relations, leurs ambitions, leurs passions, celles de leurs parents et de leurs amants ; il avait une note exacte des degrés de vertu et de température de chacune, et ce thermomètre était quelquefois fort amusant à consulter.

» Cette affection, du reste, était motivée : j'avais, une nuit, dirigé une sérénade qu'il donnait à sa maîtresse ; j'avais chanté avec lui pour la jeune louve, en nous accompagnant de la *chitarra francese,* une chanson alors en vogue parmi les élégants de Tivoli ; je lui avais fait présent de deux chemises, d'un pantalon et de trois superbes coups de pied au derrière un jour qu'il me manquait de respect. »

Crispino mourra quelques années plus tard d'une pierre reçue à la tête dans une rixe, mais Berlioz ne l'oubliera pas... Ne fût-ce que pour sa connaissance approfondie de la vertu plus ou moins rigoureuse de toutes les *ragazze* bien peignées à dix lieues alentour, qui rappelle le catalogue de Leporello. Après tout, ce Crispino à deux chemises qu'on remercie à coups de pied au cul vous a bien l'air d'être ce qu'il a peut-être été pour Berlioz, un fournisseur zélé d'aventures rustiques.

Cette nouvelle notation, qui s'ajoute à celles sur les jolies paysannes et les blondes Saxonnes, permet de suggérer que, le fusil à l'épaule, bien botté et sa guitare à la main, notre musicien en liberté dans les Abruzzes ne s'intéressait pas qu'aux musiques qu'il y entendait. Le bonheur, dès lors, à Subiaco et dans ses environs. « Loin de là, dans une étroite plaine, la maison isolée de la Piaggia, bâtie sur le bord de l'inévitable Anio, où j'allais demander l'hospitalité et faire sécher mes habits, après les longues chasses, aux jours pluvieux d'automne. La maîtresse du logis, excellente femme, avait une fille admirablement belle, qui depuis a épousé le peintre lyonnais, notre ami Flacheron. Je vois encore ce jeune drôle demi-bandit, demi-conscrit, Crispino, qui nous apportait de la poudre et des cigares. Lignes de madones couronnant les hautes collines, et que suivent, le soir, en chantant des litanies, les moissonneurs de la *campanella* d'un couvent caché ; forêts de sapins que les *pifferari* font retentir de leurs refrains agrestes ; grandes filles aux cheveux noirs, à la peau brune, au rire éclatant, qui, tant de fois, pour danser, ont abusé de la patience et des doigts endoloris *di questo signore chi suona la chitarra francese ;* et le classique tambour de basque accompagnant mes *saltarelli* improvisés ; les carabiniers, voulant à toute force s'introduire dans nos bals d'*osteria,* l'indignation des danseurs français et abruzzais ; les prodigieux coups de poing de Flacheron ; l'expulsion honteuse de ces *soldats du pape ;* menaces d'embuscades, de grands couteaux !... Flacheron, sans nous rien dire, allant seul, à minuit, au rendez-vous, armé d'un simple bâton ; absence des carabiniers ; Crispino enthousiasmé ! »

Il fallait pourtant toujours rentrer à la niche. Juillet, août 1831 : c'est le plein été. De retour à la Villa, parmi les Montfort et les Dubay, les Dantan et les Dufeu, Berlioz est incapable de voir la beauté intemporelle qui l'entoure dans sa fichue « caserne ». Il ne sait peut-être même pas que certains soirs, une semaine par an tout au plus, les allées de la Villa sont peuplées de myriades de lucioles qui scintillent dans la nuit, comme pour donner vie au plus féerique des enchantements d'une nuit d'été. Il n'entend pas non plus les appels furtifs que d'autres, ceux qui savent, peuvent parfois deviner dans les sentiers étroits du *bosco,* les ombres furtives de tant d'autres, qui sont passés par là, Messaline en gloire ou assassinée, jeunes maîtresses du jeune cardinal ou modèles échappées demi-nues des ateliers et qu'on pourchassait en riant parmi les chênes verts. Il ne regarde probablement que par hasard le soleil qui se couche à présent bien au-delà de la coupole de Saint-Pierre, dans des enchantements de vert pâle qui virent lentement aux rubis les plus écarlates. Non, il rumine sa mauvaise humeur, son ennui, ses fureurs et, parce qu'il revient le blesser par à-coups, le souvenir de ses amours passés.

Alors il fait passer le temps, comme il peut. On le découvre même saint-simonien dans une lettre à son ami Duveyrier, « poète de Dieu » dans la hiérarchie saint-simonienne. Il semble que leurs relations ne furent qu'épisodiques. C'est probablement parce qu'il n'a rien qui lui tienne véritablement à cœur qu'en ce même mois de juillet 1831, le compositeur écrit au journaliste une lettre tout empreinte d'une mystique saint-simonienne qui semble pourtant lui être bien étrangère. « Mon cher ami, ou plutôt mon cher père ! Vos paroles n'ont pas été perdues... la chaleur, la passion avec lesquelles vous m'avez d'abord prêché la doctrine, m'avaient plutôt étonné que touché, mais dans ce cas comme dans tous les autres, il faut laisser agir le temps. Depuis que je suis de retour à Rome, j'ai fait connaissance avec un *des nôtres* [...]. J'ai lu avec avidité une liasse de numéros du *Globe,* qu'on m'a prêtée dernièrement, et mes derniers doutes ont été levés complètement. »

Rome reste pour lui un étouffoir où une belle Anglaise au bal de l'ambassadeur, fût-elle riche de milliers de livres sterlings de rente, ne lui fait pas oublier les sorcières édentées qu'il rencontre dans la société romaine. Ni les tireurs de bourse couards qu'on met si aisément en fuite sur l'escalier magnifique de la piazza di Spagna... Pourtant de belles pages des *Mémoires* montrent qu'en des lieux précis et lorsqu'il veut bien se départir de sa morne ironie, il peut trouver une vraie sérénité et goûter Rome alors comme tous les amoureux de Rome, dont il se refuse si obstinément à être.

« Il ne faut pas s'étonner que la grande ombre de la Rome antique, qui, seule, poétise la nouvelle, n'ait pas suffi pour me dédommager de ce qui me manquait. On se familiarise bien vite avec les objets qu'on a sans cesse sous les yeux, et ils finissent par ne plus éveiller dans l'âme que des impressions et des idées ordinaires. Je dois pourtant en excepter le Colisée ; le jour ou la nuit, je ne le voyais jamais de sang-froid. Saint-Pierre me faisait aussi toujours éprouver un frisson d'admiration. C'est si grand ! si noble ! si beau ! si majestueusement calme !!! J'aimais à y passer la journée pendant les intolérables chaleurs de l'été. Je portais avec moi un volume de Byron, et m'établissant commodément dans un confessionnal, jouissant d'une fraîche atmosphère, d'un silence religieux, interrompu seulement à longs intervalles par l'harmonieux murmure des deux fontaines de la grande place de Saint-Pierre, que des bouffées de vent apportaient jusqu'à mon oreille, je dévorais à loisir cette ardente poésie ; je suivais sur les ondes les courses audacieuses du Corsaire ; j'adorais profondément ce caractère à la fois inexorable et tendre, impitoyable et généreux, composé bizarre de deux sentiments opposés en apparence, la haine de l'espèce et l'amour d'une femme.

» Parfois, quittant mon livre pour réfléchir, je promenais mes regards autour de moi ; mes yeux, attirés par la lumière, se levaient vers la sublime coupole de Michel-Ange. Quelle brusque transition d'idées !!! Des cris de rage des pirates, de leurs orgies sanglantes, je passais tout à coup aux concerts des séraphins, à la paix de la vertu, à la quiétude infinie du ciel... Puis, ma pensée, abaissant son vol, se plaisait à chercher, sur le parvis du temple, la trace des pas du noble poète... Il a dû venir contempler ce groupe de Canova, me disais-je ; ses pieds ont foulé ce marbre, ses mains se sont promenées sur les contours de ce bronze ; il a respiré cet air, ces échos ont répété ses paroles [...]. Et le confessionnal retentissait d'un grincement de dents à faire frémir les damnés. »

Saint-Pierre et Canova, le souvenir de Byron et la pénombre d'un confessionnal lui inspirent alors des réflexions d'un romantisme désabusé : « Un jour, en de telles dispositions, je me levai spontanément, comme pour prendre ma course, et, après quelques pas précipités, m'arrêtant tout à coup, au milieu de l'église, je demeurai silencieux et immobile. Un paysan entra et vint tranquillement baiser l'orteil de saint Pierre. Heureux bipède ! murmurai-je avec amertume, que te manque-t-il ? tu crois et espères ; ce bronze que tu adores et dont la main droite tient aujourd'hui, au lieu de foudres, les clefs du Paradis, était jadis un Jupiter tonnant ; tu l'ignores, point de désenchantement. En sortant, que vas-tu chercher ? de l'ombre et du sommeil ; les madones des champs te sont ouvertes, tu y trouveras l'une et l'autre. Quelles richesses rêves-tu ?... la poignée de piastres nécessaire pour acheter un âne ou te marier, tes économies de trois ans y suffiront. Qu'est une femme pour toi ?... un autre sexe. Que cherches-tu dans l'art ?... un moyen de matérialiser les objets de ton culte et de t'exciter au rire ou à la danse. A toi, la Vierge enluminée de rouge et de vert, c'est la peinture ; à toi, les marionnettes et Polichinelle, c'est le drame ; à toi, la musette et le tambour de basque, c'est la musique ; à moi, le désespoir et la haine, car je manque de tout ce que je cherche, et n'espère plus l'obtenir.

» Après avoir quelque temps écouté rugir ma tempête intérieure, je m'aperçus que le jour baissait. Le paysan était parti ; j'étais seul dans Saint-Pierre... je sortis. Je rencontrai des peintres allemands qui m'entraînèrent dans une osteria, hors des portes de la ville, où nous bûmes je ne sais combien de bouteilles d'orvieto, en disant des absurdités, fumant, et mangeant crus de petits oiseaux que nous avions achetés d'un chasseur. Ces messieurs trouvaient ce mets sauvage très bon, et je fus bientôt de leur avis, malgré le dégoût que j'en avais ressenti d'abord. »

Les mois, les années peut-être, se télescopent plus tard dans le souvenir de Berlioz : il n'en reste pas moins, comme il l'écrit à son grand-père Marmion en septembre 1831, que « Rome n'est plus dans Rome » – et pas seulement en matière de musique. De retour d'un second voyage à Subiaco qui confirme sa passion pour les montagnes si près, si loin de Rome, il fait sur le vif, si l'on ose dire, le même constat que dans les *Mémoires*, dans une lettre à sa famille : « ... Il y a quinze jours que je suis de retour à Subiaco [...] Je m'ennuie à en devenir fou ; j'ai quitté les montagnes parce que je n'avais plus d'argent, je suis revenu à Tivoli monté sur un âne, par la route des rochers en gravissant et en descendant un sentier au prix duquel l'escalier le plus difficile n'est rien ; de retour ici, l'ennui m'a repris comme jamais il ne s'en était encore avisé ; habitué à une vie morale extrêmement active, je me trouve cloué dans un pays où il n'y a ni livres, ni musique, ni spectacles ; je compose et ne puis pas seulement trouver un pianiste capable d'accompagner proprement une romance ; il est au-dessus de mes forces d'aller souvent aux soirées de Mme Horace. C'est toujours la même chanson ; on danse, on dit des riens, on regarde les gravures, on lit de vieux journaux, on boit du thé fade, puis on va à la croisée qui domine Rome, on fait au clair de lune quelques vieilles réflexions bien usées, bien rebattues, bien académiques, bien bêtes ; on parle du choléra morbus, des émeutes de Paris, des Polonais qui succombent, de la défaite des Français à Alger, du feu d'artifice, de l'illumination de Saint-Pierre, de la danse de Mlle Horace, de la gaieté insouciante de son père, des intrigues d'un cardinal, des bains du Tibre, et je m'en retourne plus seul, plus ennuyé qu'auparavant, souhaitant que le diable ou le choléra morbus les emporte tous, ce qui ne tardera peut-être pas d'arriver, et que redoute déjà toute la volaille du pays. [...] »

Un grand cri de désespoir, alors, la soif qu'on dirait rimbaldienne de l'ailleurs et du voyage : « Je voudrais voir l'Amérique, les îles de la mer du Sud, la grande nature à catastrophes, de jeunes peuples, des villes fraîchement sorties de terre. Je voudrais essayer de tout, me faire planteur aux Antilles, philanthrope aux Etats-Unis, patriote au Pérou, quaker à Otaïti, pionnier à la Nouvelle-Hollande, puis, revenir en Europe, voir si la vieille décrépite radote toujours, si sa fièvre chaude est passée, et si elle est parvenue à savoir ce qu'elle veut. Au moins, si la vie m'avait échappé à la fin, ce ne serait pas sans que je l'eusse vigoureusement poursuivie. Et il faut pourrir ici !... »

Avant de conclure en revenant sur terre et à ce qui lui manque le plus : Paris, Paris et encore Paris, avec sa musique, ses poètes et ses grands livres. « Je ferais quarante lieues à pied au soleil pour me procurer des livres qui m'aillent : *Notre-Dame de Paris, Les Intimes* [de Michel Raymond] et autres ; mais pas moyen ! Nous avons une bibliothèque à l'Académie, il faut voir... Vous vous ennuyez aussi, vous autres, je le veux bien, mais au moins vous avez des livres. »

« Au milieu de cet ennui inexprimable qui me tue, me mine, me ronge, m'étouffe, m'asphyxie... » (à François Riety, 14 septembre 1831), parce qu'il lui faut épancher la sève inutile qui bouillonne en lui et comme il ne peut revenir chaque jour à Subiaco, il continue à s'épuiser en longues parties de chasse dans la campagne romaine. Ainsi à Ferdinand Hiller, le 17 septembre : « Je m'éreintais, je mourais de soif et de faim, mais je ne m'ennuyais plus... La campagne des environs de Rome est si sévère et si majestueuse, le soir surtout : toutes les ruines de palais, de temples éclairés par le soleil couchant, sur un sol nu comme la main, sans arbres, creusé de profonds ravins, forment le tableau le plus pittoresque et le plus sombre. Le matin, j'ai déjeuné sur une vieille citerne ou tombeau étrusque ; j'ai dormi à midi dans le temple de Bacchus, mais je n'avais que de l'eau pour lui faire des libations ; j'espère que le *vainqueur du Gange* me pardonnera, cette offrande indigne de lui ! »

D'autres fois, faute de lièvre, il tue des porcs-épics et rêve sur des crânes humains, ramassés dans des cimetières. Le pauvre Yorick de *Hamlet* vient à la rescousse de son désenchantement. On entend ici son ricanement. Pourtant, on devine aussi ce qui l'attache quand même à cette campagne romaine. « Les ruines de palais éclairées par le soleil couchant, le sol nu comme une main... » : Chateaubriand, bien sûr, mais on pense aussi à Virgile, à Tite-Live, à toute une mythologie romaine dont il était déjà si passionnément épris aux temps de son adolescence à La Côte-Saint-André. Il s'avance à grandes enjambées solides de grand marcheur qu'il est en des territoires tout pleins de souvenirs et de rumeurs, les fracas des batailles, la course éperdue d'un proscrit, le tombeau d'une vierge. A l'ombre de celui de Cecilia Metella, on le voit s'asseoir : la sépulture de l'épouse de Crassus est devenue forteresse au Moyen Age, elle n'en est que plus romantique...

En dépit de tout ce qu'il affirme si haut, il travaille quand même pendant cette trop longue année romaine. L'été 1831 voit naître la belle *Méditation religieuse*, sur un poème de Thomas Moore, traduit par son ami Thomas Gounet. Le texte est en prose, ce qui lui donne plus de liberté pour exprimer ce qui l'habite en ces mois indécis où, entre rage et ennui, il traverse aussi des périodes d'excitation intense. La *Méditation* est un chœur, accompagné de sept instruments à vent. La troisième partie, sur les mots de Moore et Gounet : « Pauvres voyageurs d'un jour orageux, le flambeau du génie et celui de la raison ne font que nous montrer le danger de la route », paraît refléter la tension qui l'habite. Après cette longue et belle affirmation : « Il n'est rien de calme que le ciel », l'œuvre s'achève aux accents d'un cor qui semble l'appel du voyageur perdu dans ces montagnes, cette plaine qu'il traverse si éperdument.

Le spleen l'habite, oui – « Ce monde n'est qu'un spectacle fugace... », chante-t-il encore après Thomas Moore – mais il l'exprime avec une sublime désespérance : entre paresseuses parties de palets sur la terrasse de la Villa Médicis, les merles qu'on tire sans effort entre les buis et les cailles qu'on s'épuise, au contraire, à poursuivre au large de la via Appia sous des arceaux d'aqueduc brisés qui se découpent sur le ciel, Berlioz ne perd rien de sa force et de sa vigueur. Surtout, il accumule en lui les images, les souvenirs, d'infimes réminiscences ou des légendes entières qui le pénètrent. Berlioz, dès lors, perdrait son temps à s'ennuyer ? Quelle fable ! Dans la foulée de la *Méditation*, il composera encore, en cette fin d'été 1831, un autre *Chœur*, qu'on a perdu : qu'on nuance donc l'image complaisante d'un Hector Berlioz écrasé par l'ennui comme par la beauté de Rome.

10
Une symphonie campanienne

L'ennui à Rome. Mais à Rome, Berlioz y est si peu. Dès le 1er octobre, il va se lancer dans la plus longue de ses équipées italiennes, toute palpitante de découvertes, de plages d'immense beauté et, encore, de réminiscences d'un passé romain dont il s'abreuve avec délices. Remplie aussi d'instants pittoresques, d'anecdotes savoureuses. Ce sera son voyage à Naples.

En vérité, le voyage à Naples – un aller et retour de moins d'un mois, quatre semaines, rien de plus, de la vie du musicien mais qui devaient lui laisser un souvenir ineffaçable – constitue l'un des récits les plus émouvants qu'écrira Berlioz. Trois semaines de bonheur en terre de Virgile. Le suivant à la trace, tantôt avec des compagnons, tantôt seul, on se prend à imaginer une autre symphonie biographique en quatre mouvements, pleine d'émotions intenses dans des paysages idylliques, coupée d'épisodes plaisants narrés avec un humour narquois, qui s'achèverait en une manière de marche rythmée et périlleuse, épuisante, dans un paysage de roc, de forêts et de villes-citadelles.

« En proie à ce genre de spleen, je dormais un jour dans le bois de lauriers de l'Académie, roulé dans un tas de feuilles mortes, comme un hérisson, quand je me sentis poussé du pied par deux de nos camarades : c'étaient Constant Dufeu, l'architecte, et Dantan aîné, le statuaire, qui venaient me réveiller.

– Ohé ! père la joie ! veux-tu venir à Naples ? nous y allons. »

Ses camarades qui raillaient sa sombre désespérance avaient trouvé pour lui ce surnom. Il était devenu le « père la joie ». Et bien plus tard, dans les années de création parisiennes où il s'épuisera à tenter de vivre, le sobriquet lui restera.

« Allez au diable ! vous savez bien que je n'ai plus d'argent.

– Mais, jobard que tu es, nous en avons et nous t'en prêterons ! Allons, aide-moi donc, Dantan, et levons-le de là, sans quoi nous n'en tirerons rien. Bon ! te voilà sur pied !... Secoue-toi un peu maintenant ; va demander à M. Vernet un congé d'un mois, et dès que ta valise sera faite, nous partirons ; c'est convenu.

» Nous partîmes en effet. A part un scandale assez joli, mais difficile à raconter, par nous causé dans la petite ville de Ciprano, après dîner, je ne me rappelle aucun incident remarquable de ce trajet bourgeoisement fait en voiturin. »

Un Russe, un Prussien accompagnent les trois pensionnaires. Un premier « incident » en route : intrigues d'une jolie fille ou, plus prosaïquement, la note d'un aubergiste fulminant qu'on refuse de payer ! On aurait aimé savoir. Mais le voyage dure encore trois jours. Et c'est Naples, que Berlioz décrit d'abord à Mme Le Sueur, en janvier 1832 : « Oh ! Voilà une ville, Naples ! c'est du bruit, de l'éclat, du mouvement, de la richesse, de l'activité, des théâtres ; c'est tout ce qui nous manque ici (à Rome) et plus encore. Il n'y a pas il est vrai ce fantôme de grandeur qui assombrit la physionomie de Rome et semble couvrir d'un crêpe la désolée campagne qui l'enceint de toutes parts. Il n'y a pas d'arides monticules couverts de débris, sur lesquels le rêveur va s'asseoir pour écouter au loin le grave chant des cloches de Saint-Pierre ; il n'y a pas de plaine immense, inculte, sans arbres ni habitations. Mais il y a un *Vésuve*, une grande et superbe mer, des îles ravissantes, un golfe de Baya rempli de souvenirs virgiliens qui *me vont* au moins aussi bien que la poudre tumulaire et la cendre des empereurs. [...] Il y a tant en moi de champs ravagés, de palais déserts, de ruines déjà froides, que je cherche au moins au-dehors le mouvement, la chaleur et la vie. »

La lettre qu'il écrit à La Côte-Saint-André, dès le 2 octobre, est plus superbe encore : « Je t'écris du mont Pausilippe, sur le tombeau de Virgile... » Et d'autres musiques, déjà, naissent. Le remarquable commentaire de Pierre Citron à la *Correspondance générale* évoque encore une fois Chateaubriand, mais aussi la *Corinne* de Germaine de Staël, que Berlioz a si souvent lue, déjà citée : Camille fut sa « Corinne », on ne l'a pas oublié. Rarement la poésie naturelle de Berlioz écrivain ne nous a mis à plus belle fête.

« Je suis arrivé hier soir à Naples, je t'écris du mont Pausilippe, sur le tombeau de Virgile. C'est la première chose que je visite. Une vieille femme m'a conduit chez le propriétaire de la vigne au milieu de laquelle la tombe antique est placée, et m'y voilà. En mangeant des raisins dorés, je parcours de l'œil la mer doucement agitée ; à travers les brouillards qui la couvrent je distingue l'île de Caprée où je vais m'installer incessamment ; et je rêve en me rappelant les premières impressions poétiques que je dus dans mon enfance à l'auteur de l'*Enéide*. J'ai fait un voyage extrêmement intéressant, j'ai vu les ruines de la fameuse Capoue, si fatale aux soldats d'Annibal [...]. J'ai vu aussi à *Caserta* le palais du roi de Naples, immense, magnifique, mais rien n'efface ou même n'égale ce golfe qui se déroule devant moi, ce Vésuve fumant, cette mer couverte de barques, au milieu desquelles se distingue la frégate gardienne du port croisant pour prendre au vol le choléra-morbus, tout ce peuple bigarré qui se précipite dans les rues, cette foule de soldats à l'uniforme rouge et or, de brillantes musiques militaires d'un côté, l'exercice à feu de l'autre, sur la montagne de superbes peupliers couverts de vignes prodigieuses, qui se briseraient sous le poids de leurs torrents de raisins, sans l'appui du bel arbre qui les soutient ; des bosquets d'acacias, de grenadiers, de figuiers, d'orangers ; ces paysannes des îles, avec leur corset vert galonné de cuivre doré, un mouchoir rouge sur la tête ; ces armées de pêcheurs retirant leurs filets, ces enfants nus qui courent dans l'eau, sur le sable, en se jetant des coquillages. Quelle vie !... Quel mouvement ! Quelle étincelante agitation ! Comme tout cela diffère de Rome, de ses habitants endormis, de son sol nu, dépouillé, inculte et désert ! Les champs romains si sévèrement mélancoliques sont aux plaines napolitaines ce que le passé est au présent, la mort à la vie, le silence à un bruit harmonieux et éclatant. »

L'excursion au Vésuve, qui suit, décrite un peu plus tard, le 5 octobre, est plus saisissante encore. Outre son élan propre, l'orchestration de la prose berliozienne invente ici des instruments au souffle vertigineux, des pluies de notes rouges et incandescentes, des percussions tourbillonnantes. Avec, déjà, la notation folklorique et rustique qui sert d'entrée en matière : « *Eh ! eh ! Eccellenza ! Eccellenza !* Quatro *carlini. No*, tre *carlini, e un bono sommaro, vedete, bianco et polito – No, no, – Oh ! celenza,* due *carlini, lo mio sommaro è piu forte. – No ancora una volta, andaro a piede. – Al'ora 'celanza, per* uno *carlino. – Per niente, corpo di Baco, andate al diavolo. – Buon viaggio, 'celenza.* Je suis donc allé au Vésuve à pied malgré les cris des paysans de Resina qui voulaient absolument faire prendre un âne (*somarro*) à son *excellence*. Je suis revenu cette nuit bien moulu mais ne regrettant pas ma peine. J'étais avec [les compagnons] qui ont fait le voyage de Rome avec moi ; arrivés chez l'ermite nous avons bu de l'eau délicieuse et du lacrima-christi vigoureux qui nous a un peu réconfortés, le Russe et moi ; les autres étaient sur des ânes et ne sentaient point de fatigue. De là nous nous sommes lancés dans la mer de lave qui entoure le pied du grand cône ; c'est affreux : le pavé de l'enfer ne serait pas plus hideux. Comme nous grimpions patiemment, en nous retournant quelquefois pour voir se coucher le soleil, nous entendons des voix glapissantes de femmes retentir dans une vallée ; c'étaient des dames françaises chantant *La Marseillaise*. Les idées de politique et de patriotisme ont quelque chose de si burlesque en pareil cas, cela jure si fort à côté d'un pareil tableau, que j'en ai ressenti une sorte de vertige causé par le galimatias de mille pensées désagréables. Enfin nous sommes arrivés au milieu de la plus profonde obscurité dans le grand cratère ; il est aujourd'hui plein de lave presque jusqu'au bord, et il y a deux mois qu'il avait cinq cents pieds de profondeur. On marche sur ces croûtes brûlantes, en enjambant des crevasses dans lesquelles on voit de la lave rouge, immobile, à six pouces des pieds. Nous sommes parvenus jusqu'à un ruisseau de lave assez gros, qui exhale une odeur sulfureuse si forte qu'on peut à peine respirer ; pourtant nous avons tenu bon quelque temps et pris du bout de nos bâtons, en détournant la tête à cause de la chaleur, quelques morceaux du liquide brûlant. De temps en temps la lueur des éruptions sortant du milieu du cratère nous faisait distinguer tout l'ensemble du magnifique tableau. Rien n'est plus beau que cette pluie de roches rouges, fondantes, retombant d'une hauteur immense après l'explosion, et roulant sur les flancs extérieurs du cône, où ils demeurent ensuite fixés sans s'éteindre, comme un collier ardent autour du col gigantesque du volcan. A notre droite en sortant du grand cratère nous avons aperçu les lumières des pêcheurs, dont le nombre prodigieux illuminait la mer à peu près comme une assemblée de vers luisants dans une prairie. Au milieu du flanc de la montagne, il s'est formé depuis quelques jours un abcès d'où sort un véritable fleuve de lave divisé en quatre branches divergentes ; ces torrents de feu se dirigent du côté de Pompéi. Le Vésuve paraît attendre que la ville antique soit entièrement déblayée, pour l'engloutir une seconde fois. Oh ! ma foi, voilà la véritable scène du Blocksberg de *Faust* ; un ballet d'étincelles, des serpents de feu, des râlements infernaux, des lueurs éblouissantes à côté d'une obscurité complète, des cris en haut en bas, au fond des vallées, sur les pics, *au loin et tout près* ; quelques torches tremblantes, les étoiles au ciel, des feux sur l'eau, des feux sur la terre, des feux dans l'air... On disait ce matin au café, que le *nouveau volcan* qui s'était ouvert près des côtes de Sicile, non loin de celui de Stromboli, il y a deux ou trois mois, venait d'être éteint et englouti par la mer d'où il était sorti. Quel effroyable combat a dû avoir lieu ! Un volcan et la mer aux prises. »

L'*allegro* devient *furioso* et culmine ici : un volcan aux prises avec la mer – pour s'achever en un épisode un peu incohérent, scènes de genre à nouveau, coupé de longues lignes de point de suspension et de songeries virgiliennes. On lui parle de l'île de Nisida : « Je marchais donc nonchalamment au bord de la mer, en songeant, tout ému, au pauvre Tasso, dont j'avais, avec Mendelssohn, visité la modeste tombe à Rome, au couvent de Sant'Onofrio[...]. Tout d'un coup, Tasso me fit penser à Cervantès, Cervantès à sa charmante pastorale *Galatée, Galatée* à une délicieuse figure qui brille à côté d'elle dans le roman et qui se nomme Nisida, Nisida à l'île de la baie de Pouzzoles qui porte ce joli nom, et je fus pris à l'improviste d'un désir irrésistible de la visiter. »

Association d'idées, fusion des souvenirs... Berlioz a voulu rester seul, pour mieux rêver. Cervantès a écrit *Galatée*, *Galatée* fut traduite par Florian... et Florian est l'auteur de cette *Estelle*, l'Etoile du Matin de Berlioz, bien sûr, qu'il retrouve en somme à Nisida, qui s'appelle en réalité Nisita. Son irrésistible désir de s'y rendre, alors...

« J'y cours ; me voilà dans la grotte du Pausilippe ; j'en sors, toujours courant ; j'arrive au rivage ; je vois une barque, je veux la louer ; je demande quatre rameurs, il en vient six[...] Cris de joie, gambades des petits et des grands ! nous sautons dans la barque, et en quelques minutes nous arrivons à Nisida. Laissant mon *navire* à la garde de *l'équipage*, je monte dans l'île, je la parcours dans tous les sens, je regarde le soleil descendre derrière le cap Misène poétisé par l'auteur de l'*Enéide*, pendant que la mer qui ne se souvient ni de Virgile, ni d'Enée, ni d'Ascagne, ni de Misène, ni de Palinure, chante gaiement dans le mode majeur mille accords scintillants...

» Je serais demeuré à Nisida jusqu'au lendemain, je crois, si un de mes matelots, *délégué* par le *capitaine*, ne fût venu me *héler* et m'avertir que le vent fraîchissait, et que nous aurions de la peine à regagner la terre ferme, si nous tardions encore à *lever l'ancre*, à *déraper*.... »

Et c'est alors une belle tempête comme, une fois déjà, Berlioz s'est plu à en faire le récit. Puis, rentré à bon port et après un plat fumant de macaroni, le voilà de retour au mont Pausilippe.

« Arrivé sur la hauteur j'ai éprouvé une de ces émotions que rien ne peut rendre, en contemplant le soleil se coucher derrière le cap Misène. Cette scène inexprimable, écrasante de sublime, le bruissement de la mer au-dessous de moi, la vue de mon île charmante, son nom gracieux, m'ont placé au centre d'un tourbillon de souvenirs dont la force était augmentée par mon isolement. Timbrio, *Nisida*, Fabian, Blanche, Galatée, Michel Cervantès ; Enée, Misène, Palinure, le jeune Iulus, Didon, Lavinie, Amanda, le bon roi Latinus, Turnus si fier et si malheureux, Nisus-Euriale, Mézence ; *Virgile*, dont la gloire, comme toutes les gloires, comme l'éclat de l'astre roi de notre chétive planète, va s'éclipsant peu à peu pour disparaître enfin et s'éteindre dans l'oubli... Il y avait si longtemps que ces idées-là ne s'étaient présentées à mon esprit... Oh la puissance du génie !... A travers tant de siècles, l'aspect des lieux chantés par le poète latin, une ressemblance fortuite entre le nom d'une île et celui d'une héroïne de Cervantès m'ont fait verser des torrents de larmes. »

Encore une fois Berlioz le voyageur ne saurait oublier Berlioz le musicien. Pour sa famille, il évoquera le coucher du soleil sur Nisida en se souvenant de la première de ses *Mélodies irlandaises* : « ... à ces îles heureuses que dérobent des voiles d'or ». D'ailleurs, une idée musicale l'habite. Il caresse déjà le projet d'une nouvelle composition, comme s'il fallait tout conserver, préserver, comme si aucune émotion ne devait être perdue.

Mais il ne peut s'empêcher d'achever ce chapitre des *Mémoires* par une touche de misogynie subite, comme si toutes les rancœurs qu'on retrouve transposées dans « Le suicide par enthousiasme » ou dans « Euphonia » lui revenaient à la manière d'un accès de fièvre. Et le voilà qui se venge une fois de plus, par Parisienne interposée (et emmousselinée !), de la trahison de la belle pianiste.

« Je venais de quitter ces bonnes gens et je cheminais péniblement à cause d'un coup que je m'étais donné au pied droit en descendant de Nisida ; il faisait presque nuit. Une belle calèche passa sur la route de Naples. L'idée peu fashionable me vint de sauter sur la banquette de derrière, libre par l'absence du valet de pied, et de parvenir ainsi sans fatigue jusqu'à la ville. Mais j'avais compté sans la jolie petite Parisienne emmousselinée qui trônait à l'intérieur et qui, de sa voix aigre-douce appelant vivement le cocher : "Louis, il y a quelqu'un derrière !", me fit administrer à travers la figure un ample coup de fouet. Ce fut le présent de ma gracieuse compatriote. Ô poupée française ! Si Crispino seulement s'était trouvé là, nous t'aurions fait passer un singulier quart d'heure !

» Je revins donc, clopin-clopant, en songeant aux charmes de la vie de brigand, qui, malgré ses fatigues, serait vraiment aujourd'hui la seule digne d'un honnête homme, si dans la moindre bande ne se trouvaient toujours tant de misérables stupides et puants ! »

Vrai ou faux, l'épisode de la belle calèche à la banquette arrière peu accueillante ? Berlioz s'en moque sûrement en écrivant ce passage. Après la rêverie sur la route de l'île, il lui fallait l'éclat de rire un peu sardonique de l'artiste véritable face aux mesquineries de ces dames du grand monde : un tout petit scherzo grinçant avant de conclure l'allégro sentimental et très agité du voyage dans l'île.

A Naples, Berlioz n'a pas seulement flâné dans les rues. Il y a aussi écouté de la musique. Et là, après Florence qu'il aime mais dont la musique lui a pourtant déplu ; après Rome où, pour lui, il n'y a pas de musique du tout – ou presque : pour la première fois, à sa grande surprise, il éprouve du plaisir – ou presque. Les quelques lignes des *Mémoires* qu'il consacre au Théâtre San Carlo de Naples sont parmi les plus indulgentes qu'il ait écrites sur la musique italienne : « [...] là, pour la première fois depuis mon arrivée en Italie, j'entendis de la musique. L'orchestre, comparé à ceux que j'avais observés jusqu'alors, me parut excellent. [...] Je reprocherais bien aussi au *maestro di capella* le bruit souverainement désagréable de son archet dont il frappe un peu rudement son pupitre ; mais on m'a assuré que, sans cela, les *musiciens* qu'il dirige seraient quelquefois embarrassés pour *suivre la mesure*... A cela il n'y a rien à répondre ; car enfin, dans un pays où la musique instrumentale est à peu près inconnue, on ne doit pas exiger des orchestres comme ceux de Berlin, de Dresde ou de Paris. [...] Au *fondo* on joue l'*opera buffa,* avec une verve, un *brio,* qui lui assurent une supériorité incontestable sur la plupart des théâtres d'opéra-comique. On y représentait, pendant mon séjour, une farce très amusante de Donizetti, *Les Convenances et les Inconvenances du théâtre.* »

Presque touché par cette musique, Berlioz ? Qu'on n'aille tout de même pas trop loin ! Et notre voyageur impénitent de se dépêcher de conclure : « On pense bien, néanmoins, que l'attrait musical des théâtres de Naples ne pouvait lutter avec avantage contre celui qui m'offrait l'exploration des environs de la ville, et que je me trouvais plus souvent dehors que dedans. »

Reste au voyageur à passer par Pompéi, visite obligée de tout amateur du « Grand Tour » parvenu jusqu'à Naples. Berlioz s'y trouve quelque part entre le 8 et le 12 octobre. Tout va si vite. Il est serré, le calendrier de Berlioz voyageur. Et le séjour à Naples, le Vésuve et le mont Pausilippe, Virgile et Nisida, les galeries, Pompéi : tout cela n'aura pas duré deux semaines. Le reste du temps, il a voyagé. Mais ces deux semaines illumineront une vie. Si c'est à Naples, à Pompéi, dans les terres de Virgile, que Berlioz a connu de si fortes et si durables émotions, c'est peut-être que ce qu'il a trouvé dans ces terres habitées par Virgile et la poésie, il le portait en lui depuis sa plus tendre enfance. Ces quelques journées d'un si court séjour constitueraient dès lors la somme de toutes les Italies qu'il attendait.

Le voyage au pays du passé de Berlioz et de Virgile va néanmoins s'achever à Pompéi. A sa famille : « J'ai visité les illustres débris de Pompéi ; je ne veux pas vous assommer d'une description de ce squelette de ville, mais à coup sûr, c'est au niveau de ce qu'on peut d'avance s'en figurer. Mes quatre compagnons de voyage et le cicérone gâtaient beaucoup, toutefois, mon petit monde antique ; ce n'est pas là l'effet de Pompéi. Je pestais en moi-même contre les circonstances qui m'empêchaient d'être seul, errant, la nuit, au travers des colonnes et des ombres de colonnes, vu de la lune seulement, et libre de me livrer à tous les caprices de mon impressionnabilité (pour ne pas toujours dire *imagination*). Il doit être beau de pouvoir rêver ainsi au milieu du silence, marchant sur ces grandes dalles polies, dans ces longues rues retentissantes, à travers les temples et les palais ; d'aller s'asseoir dans le grand théâtre tragique, penser aux Sophocles, aux Euripides ; de voir en frémissant s'agiter derrière le nuage du passé, au milieu de l'immense amphithéâtre, les gladiateurs, les lions, les tigres, et, plus effrayant encore, ce peuple altéré de sang, poursuivant de regards avides le cœur de la victime déchirée par l'ongle ou par le fer d'un animal désespéré, et applaudissant à ses dernières pulsations. J'aurais bien voulu dormir dans un de ces jolis appartements pavés de mosaïques qu'on se figure peuplés de belles, drapées à la grecque, au regard fier, impérieux, qu'environnaient de ravissantes esclaves jouant de la lyre et chantant la volupté. Mais tout cela est impossible. Il y a des gardiens partout, qui vous suivent d'un œil attentif ; je n'ai pas seulement pu voler pour mon père un pauvre petit débris de fresque ou de mosaïque. »

Ce sont, à coup sûr, ses quatre compagnons, ou encore ces fichus gardiens qui empêcheront Berlioz de voler un seul petit bout de mosaïque pour son père, qui l'ont aussi empêché de croiser dans les rues désertes de la ville morte la silhouette légère de la Gradiva de Jensen commentée par Freud, s'avançant d'un pied si léger sur les marches de pierre, du même pas qu'Hélène volant vers la mer et vers Troie sous le pinceau de Guido Reni. Nous devinons, pourtant, que tous les vieux fantômes de Berlioz étaient encore une fois au rendez-vous, Didon, Enée, Cassandre, jusqu'à la douce Estelle qui aurait pu apparaître au détour d'une rue de marbre sous les traits de la jeune fille mystérieuse inventée par un conteur oublié dont Freud fit une figure de légende. Souvenons-nous aussi de la blonde et anglaise Octavie croisée, quatre ans plus tard, par Nerval quelque part entre Pompéi et Portici, la maladie qui la ronge, l'aura de mystère qui entoure la plus fragile des *Filles du feu*. Comme Berlioz, Nerval qui aima lui aussi Camille a rêvé sur Pompéi et les ombres d'Isis.

Mais le mouvement purement campanien de la symphonie italienne jamais écrite de Berlioz ne va pas plus loin. Tout s'arrête là. Quittant Pompéi, lui et ses amis font étape un peu plus au sud, face à la péninsule sorentine. C'est là que les compagnons de voyage se séparent, Berlioz n'a plus un sou vaillant, les autres partent sans lui vers la Sicile.

Voilà. Le voyage à Naples et dans le Sud est terminé : le musicien ne verra pas Palerme, ni même la Calabre dont les brigands le faisaient rêver. Grand marcheur devant l'Eternel, c'est à pied, oui, à pied, qu'il décide de revenir à Rome. Près de deux cent cinquante kilomètres de mauvaises routes – quand on ne quitte pas la route ! – mais le plus souvent pour lui, des lieues et des lieues de sentiers, des vallées à traverser, des montagnes escarpées à franchir. Incroyable Berlioz qui entame avec cette marche à proprement parler fantastique le dernier volet de sa symphonie du voyage, cette fois en compagnie de deux officiers suédois de sa connaissance.

Et l'équipée commence. Avec l'ultime marche forcée coupée de déchirures et de pics d'allégresse de ce formidable mouvement symphonique. Au début, tout va bien. Les voyageurs – on voit ici Berlioz en *Wanderer* presque schubertien, voyageur et rêveur éveillé – s'émerveillent. La nature s'offre à eux en une succession de scènes champêtres, idylliques à souhait.

« On vendangeait alors. D'excellents raisins (qui n'approchent pourtant pas de ceux du Vésuve) firent à peu près toute notre nourriture pendant la première journée ; les paysans n'acceptaient pas toujours notre argent, et nous nous abstenions quelquefois de nous enquérir des propriétaires. »

Ici, nous sommes en pays de connaissance. C'est la *Scène aux champs* de la vraie symphonie, la *Fantastique.* Au *Ranz des vaches* de l'œuvre fameuse, le dialogue de deux pâtres dans un crépuscule d'été, succède dans cette *ottobrate* italienne, la belle image des vendangeurs occupés dans les vignes. Et là, dans la douceur du soir, Berlioz peut à nouveau s'enchanter à loisir de ces musiques populaires italiennes qu'il notera tout au long de son séjour. « Le soir, à Capoue, nous trouvâmes *bon souper,* et... un improvisateur... » Ce brave homme s'accompagne à la mandoline et le compositeur avide de ces musiques-là en notera les paroles : « *Ho girato per tutto il mondo* » et trois portées de musique qu'on trouve incorporées au texte des *Mémoires :* ne rien perdre, rien, d'aucun de ces instants-là – où la musique naît si bien.

La halte finie, la nuit passée, on prend la route de la montagne. Avant d'aborder tout à fait les Abruzzes, on visite encore le couvent de Monte Cassino, anéanti un siècle plus tard par les libérateurs américains qui voulaient en déloger les troupes allemandes retranchées là. Le luxe et les dimensions des lieux lui font regretter le couvent de Subiaco. Mais on n'a guère le temps de s'arrêter.

Après San Germano et une journée de « marche forcée », l'étape suivante se trouve être Isola di Sora, où l'on cherche une auberge – *la locanda.* Une auberge ? Mais il n'y a pas d'auberge. Où dormir ? – *E... chi lo sa ?* L'aventure devient plus rude. Le paysage aussi, les mœurs des habitants, le confort des gîtes... quand bien même, de village en village, on traverse de superbes petites villes, aux maisons fortifiées, aux grandes places du *duomo*, ou du palais communal, pavées de larges pierres plates...

Sur son album qui ne le quitte jamais, on dirait que notre héros a tout noté. Ce voyage à travers les Abruzzes, avec ses menus incidents et ses péripéties parfois triviales, c'est la face pile de la fameuse *Sérénade d'un montagnard des Abruzzes*, qui deviendra la troisième scène de son *Harold en Italie* en train d'éclore. En musiques, flûtes ancestrales et *pifferari* venus de leurs montagnes, tout est lumineux, clair, tendrement rustique. L'envers de la médaille que Berlioz semble aimer aussi passionnément, ce sont les marches à travers les broussailles, les dégringolades dans les ravins. Il note tout, il se souvient de tout. Ainsi, « Veroli... un grand village qui, de loin, a l'air d'une ville et couvre le sommet d'une montagne ». Puis Alatri, l'une des plus belles petites cités du Latium dominée par une impressionnante acropole... Mais pour le voyageur exalté, un trou perdu, infecté de punaises, de « puces monstrueuses et des sérénades des jeunes garçons qui parcouraient le village toute la nuit avec une guitare et une affreuse clarinette canarde, chantant sous les fenêtres de leurs sauvages beautés » (lettre à son père du 7 novembre 1831).

Il faut ensuite gagner le village suivant, Anticoli. Berlioz s'épuise, mais quelle importance ? Même à demi malade, fiévreux en tout cas, il savoure intensément cette marche rapide, ces descentes à pic par des sentiers parfois vertigineux. Et il marche, il marche encore. « D'immenses pâturages restaient à traverser avant la nuit : un guide fut indispensable. Celui que nous prîmes ne paraissait pas très sûr de la route, il hésitait souvent. Un vieux berger, assis au bord d'un étang, et qui n'avait peut-être pas entendu de voix humaine depuis un mois, n'étant point prévenu de notre approche par le bruit de nos pas, que le gazon touffu rendait imperceptible, faillit tomber à l'eau quand nous lui demandâmes brusquement la direction d'Arcinasso, joli village (au dire de notre guide), où nous devions trouver *toutes sortes de rafraîchissements* [...] Rien ne peut donner une idée du silence qui règne dans ces interminables prairies. Nous n'y trouvâmes d'autres habitants que le vieux berger avec son troupeau et un corbeau qui se promenait plein d'une gravité triste... A notre approche, il prit son vol vers les nord... Je le suivis longtemps des yeux... Puis ma pensée vola dans la même direction... vers l'Angleterre... et je m'abîmai dans une rêverie shakespearienne... »

Shakespeare, le souvenir d'Harriett Smithson qui se mêle au fifre des *pifferari*, le silence soudain d'une grande plaine suspendue aux marches des Abruzzes : Berlioz navigue entre le pittoresque et le sublime avec une si parfaite aisance que c'est comme si, dans sa tête, son œuvre entière était en train de se construire.

« Mais il s'agissait bien de *rêver et de bayer aux corbeaux ;* il fallait absolument arriver cette nuit même à Subiaco... l'obscurité approchait rapidement ; nous marchions depuis trois heures, silencieux comme des spectres, quand un buisson, sur lequel j'avais tué une grive sept mois auparavant, me fit reconnaître notre position.

– Allons, messieurs, dis-je aux Suédois, encore un effort ! je me retrouve en pays de connaissance, dans deux heures nous serons arrivés. »

Au bout de cette course harassante mais aussi miraculeuse, c'est à nouveau le bonheur à Subiaco. L'ami Gibert, qui y est installé à demeure. L'ami Flacheron, peintre de paysage élève d'Ingres qui a épousé, au risque de sa vie, la belle Mariuccia, convoitée par tous les gars du village. La jolie fille est déjà là, avec son tambour de basque. Le soleil va se coucher. Des musiques naissent un peu partout dans les vieilles pierres. Berlioz danse. Il s'endort dans le bonheur.

On repart au matin, puisqu'il faut bien rentrer au bercail et que le bercail, la caserne, n'est plus très loin... Mais Berlioz est plus fou que jamais...

« Mes deux compagnons suédois marchaient très vite, et leur allure me fatiguait beaucoup. Ne pouvant obtenir d'eux de s'arrêter de temps en temps, ni de ralentir le pas, je les laissai prendre le devant et m'étendis tranquillement à l'ombre ; quitte à faire ensuite comme le lièvre de la fable pour les rattraper. Ils étaient déjà fort loin, quand je me demandai en me relevant : Serais-je capable de courir, sans m'arrêter, d'ici à Tivoli (c'était bien un trajet de six lieues) ? Essayons !... Et me voilà courant comme s'il se fût agi d'atteindre une maîtresse enlevée. Je revois les Suédois, je les dépasse ; je traverse un village, deux villages, poursuivi par les aboiements de tous les chiens, faisant fuir en grognant les porcs pleins d'épouvante, mais suivi du regard bienveillant des habitants pensant que je venais de faire *un malheur.* [...]

» Quand les deux officiers suédois parvinrent à Tivoli, une heure après moi, ils me trouvèrent endormi ; me voyant ensuite, au réveil, parfaitement sain de corps et d'esprit (et je leur pardonne bien sincèrement d'avoir eu des doutes à cet égard), ils me prièrent d'être leur cicérone dans l'examen qu'ils avaient à faire des curiosités locales. »

Et le dernier mouvement – *agitato troppo*, *troppo* mais jamais assez – de la Symphonie napolitaine achevée dans les Abruzzes se termine sur un larghetto amusé : les délices de Tivoli et de la villa Adriana.

« En conséquence, nous allâmes visiter le joli petit temple de Vesta, qui a plutôt l'air d'un temple de l'Amour ; la grande cascade, les cascatelles, la grotte de Neptune ; il fallut admirer l'immense stalactite de cent pieds de haut, sous laquelle gît enfouie la maison d'Horace, sa célèbre villa de Tibur. [...] Puis, comme nous descendions dans la plaine, on voulut bien nous ouvrir la villa Mecena ; nous parcourûmes son grand salon voûté, que traverse maintenant un bras de l'Anio, donnant la vie à un atelier de forgeron, où retentit, sur d'énormes enclumes, le bruit cadencé des marteaux monstrueux. Cette même salle résonna jadis des strophes épicuriennes d'Horace, entendit s'élever, dans sa douce gravité, la voix mélancolique de Virgile, récitant, après les festins présidés par le ministre d'Auguste, quelque fragment magnifique de ses poèmes des champs [...]

» Plus bas, nous examinâmes en passant la villa d'Este, dont le nom rappelle celui de la princesse Eleonora (Eleonore d'Este...), célèbre par Tasso et l'amour douloureux qu'elle lui inspira.

» Au-dessous, à l'entrée de la plaine, je guidai ces messieurs dans le labyrinthe de la villa Adriana ; nous visitâmes ce qui reste de ses vastes jardins ; le vallon dont une fantaisie toute-puissante voulut créer une copie en miniature de la vallée de Tempé ; la salle des gardes, où veillent à cette heure des essaims d'oiseaux de proie ; et enfin l'emplacement où s'éleva le théâtre privé de l'empereur, et qu'une plantation de choux, le plus ignoble des légumes, occupe maintenant. Comme le temps et la mort doivent rire de ces bizarres transformations ! »

Berlioz, pourtant, ne riait plus. Les choux du théâtre d'Adrien, Berlioz les avait déjà vus mais, surtout, il était de retour à Rome. C'était le 1er ou le 2 novembre 1831.

11
Dernières scènes de la vie de caserne

Le rideau tombe sur les derniers accents de ces moments de bonheur. La vie à l'Académie de France reprend son train, monotone. Avec, par-dessus le marché, une épidémie qui rôde dans la ville, qui offre à Berlioz le triste prétexte d'une scène de genre d'un type nouveau : une petite danse macabre.

« Me voilà rentré à la caserne académique ! Recrudescence d'ennui. Une sorte d'influenza plus ou moins contagieuse désole la ville ; on meurt très bien, par centaines, par milliers. Couvert, au grand divertissement des polissons romains, d'une sorte de manteau à capuchon dans le genre de celui que les peintres donnent à Pétrarque, j'accompagne les charretées de morts à l'église Transtévérine dont le large caveau les reçoit béant. On lève une pierre de la cour intérieure, et les cadavres, suspendus à un crochet de fer, sont mollement déposés sur les dalles de ce palais de la putréfaction. Quelques crânes seulement ayant été ouverts par les médecins, curieux de savoir pourquoi les malades n'avaient pas voulu guérir, et les cerveaux s'étant répandus dans le char funèbre, l'homme qui remplace à Rome le fossoyeur des autres nations prend alors *avec une truelle* ces débris de l'organe pensant et les lance fort dextrement au fond du gouffre. Le Gravedigger de Shakespeare, ce maçon de l'éternité, n'avait pourtant pas songé à se servir de la truelle ni à mettre en œuvre ce mortier humain... » Pourtant, ce dont Berlioz souffre par-dessus tout, c'est de ce spleen alors très à la mode, romantique en diable, qui touche plus d'artistes dans l'Europe entière que la seule influenza romaine. Du spleen des romantiques et du sien en particulier, il donne une remarquable et pertinente analyse dans un chapitre des *Mémoires* consacré à ce mal qu'il étudie presque scientifiquement, en vrai fils de médecin. Pour cela, il remonte très loin dans cette adolescence qui, même au cap Misène ou au pied du Vésuve, continue à l'habiter : « Ce fut vers ce temps de ma vie académique que je ressentis de nouveau les atteintes d'une cruelle maladie (morale, nerveuse, imaginaire, tout ce qu'on voudra) que j'appellerai *le mal de l'isolement.* J'en avais éprouvé un premier accès à l'âge de seize ans, et voici dans quelles circonstances. Par une belle matinée de mai, à La Côte-Saint-André, j'étais assis dans une prairie, à l'ombre d'un groupe de grands chênes, lisant un roman de Montjoye, intitulé : *Manuscrit trouvé au mont Pausilippe.* Tout entier à ma lecture, j'en fus distrait cependant par des chants doux et tristes, s'épandant par la plaine à intervalles réguliers. La procession des Rogations passait dans le voisinage, et j'entendais la voix des paysans qui psalmodiaient les *Litanies des saints.* Cet usage de parcourir, au printemps, les coteaux et les plaines, pour appeler sur les fruits de la terre la bénédiction du ciel, a quelque chose de poétique et de touchant qui m'émeut d'une manière indicible. Le cortège s'arrêta au pied d'une croix de bois ornée de feuillage ; je le vis s'agenouiller pendant que le prêtre bénissait la campagne, et il reprit sa marche lente en continuant sa mélancolique psalmodie. La voix affaiblie de notre vieux curé se distinguait seule parfois, avec des fragments de phrases : ... *Sancte Barnaba, ora pro nobis... Sancta Magdalena... Sancta Maria... Ora pro...* »

Suit un moment extraordinaire de poésie pure : le frémissement de l'être tout entier qui conduit au souvenir. Proust évoque un pavé inégal dans la cour d'un hôtel du faubourg Saint-Germain, la serviette amidonnée d'un grand hôtel qu'on porte à ses lèvres : chez Berlioz c'est le cri d'une caille amoureuse à Meylan, bien sûr, qui lui revient à la mémoire, le grand-père Marmion et l'éternelle Estelle qu'il ne peut pas ne pas nommer, tant elle est là, présente, vivante... Et la remembrance, doucement...

L'Italie et les Alpes, Estelle et la Mariuccia peut-être de son ami peintre paysagiste, Berlioz se souvient de tout, mélange encore une fois tout ce qu'il voit et tout ce qu'il a vu. Il est bouleversé, emporté par une vague de nostalgie heureuse, douloureuse, qu'en sait-on, qu'en sait-il lui-même ? Et la crise éclate. « ... L'accès se déclara dans toute sa force, et je souffris affreusement, et je me couchai à terre, gémissant, étendant mes bras douloureux, arrachant convulsivement des poignées d'herbe et d'innocentes pâquerettes qui ouvraient en vain leurs grands yeux étonnés, luttant contre l'*absence,* contre l'horrible *isolement.* »

L'absence, l'isolement surtout : dès sa plus tendre enfance, Berlioz nous l'avoue enfin – c'est Rome, les Abruzzes et la Villa qui l'ont ramené vers lui : il a ressenti cette douleur violente d'être seul. Dès lors, à la Villa... « Je ne sais comment donner une idée de ce mal inexprimable. Une expérience de physique pourrait seule, je crois, en offrir la ressemblance. C'est celle-ci : quand on place sous une cloche de verre adaptée à une machine pneumatique une coupe remplie d'eau à côté d'une autre coupe contenant de l'acide sulfurique, au moment où la pompe aspirante fait le vide sous la cloche, on voit l'eau s'agiter, entrer en ébullition, s'évaporer. L'acide sulfurique absorbe cette vapeur d'eau au fur et à mesure qu'elle se dégage, et, par suite de la propriété qu'ont les molécules de vapeur d'emporter en s'exhalant une grande quantité de calorique, la portion d'eau qui reste au fond du vase ne tarde pas à se refroidir au point de produire un petit bloc de glace.

» Eh bien ! il en est à peu près ainsi quand cette idée d'isolement et ce sentiment de l'absence viennent me saisir. Le vide se fait autour de ma poitrine palpitante, et il semble alors que mon cœur, sous l'aspiration d'une force irrésistible, s'évapore et tend à se dissoudre par expansion. Puis, la peau de tout mon corps devient douloureuse et brûlante ; je rougis de la tête aux pieds. Je suis tenté de crier, d'appeler à mon aide mes amis, les indifférents mêmes, pour me consoler, pour me garder, me défendre, m'empêcher d'être détruit, pour retenir ma vie qui s'en va aux quatre points cardinaux.

» On n'a pas d'idées de mort pendant ces crises ; non, la pensée du suicide n'est pas même supportable ; on ne veut pas mourir, loin de là, on veut vivre, on le veut absolument, on voudrait même donner à sa vie mille fois plus d'énergie ; c'est une aptitude prodigieuse au bonheur, qui s'exaspère de rester sans application, et qui ne peut se satisfaire qu'au moyen de jouissances immenses, dévorantes, furieuses, en rapport avec l'incalculable surabondance de sensibilité dont on est pourvu.

» Cet état n'est pas le spleen, mais il l'amène plus tard : c'est l'ébullition, l'évaporation du cœur, des sens, du cerveau, du fluide nerveux. Le spleen, c'est la congélation de tout cela, c'est le bloc de glace. »

Ces lignes sont écrites peu après le retour de Berlioz en France : il se penche sur son passé romain qui semble éclairer un état qu'il a certes connu, bien avant son séjour à la Villa Médicis mais qu'il n'avait jamais analysé avec autant d'acuité. Comme en matière de musique à venir, Rome et le sentiment de vacuité qu'il y connaît jouent un rôle de catalyseur.

« Même, à l'état calme, je sens toujours un peu d'*isolement* les dimanches d'été, parce que nos villes sont inactives ces jours-là, parce que chacun sort, va à la campagne ; parce qu'on est *joyeux au loin,* parce qu'on est *absent.* Les adagios des symphonies de Beethoven, certaines scènes d'*Alceste* et d'*Armide* de Gluck, un air de son opéra italien *Telemaco*, les champs Elysées de son *Orphée,* font naître aussi d'assez violents accès de la même souffrance ; mais ces chefs-d'œuvre portent avec eux leur contrepoison ; ils font déborder les larmes et on est soulagé. Les adagios de quelques-unes des sonates de Beethoven, et l'*Iphigénie en Tauride* de Gluck, au contraire, appartiennent entièrement au spleen et le provoquent ; il fait froid là-dedans, l'air y est sombre, le ciel gris de nuages, le vent du nord y gémit sourdement. »

Plus subtile analyse des couleurs mêmes de la musique, on n'en trouve guère avant Berlioz. Et sa plongée au plus profond de lui-même de s'achever par une remarque qui explique le ton tour à tour mordant et désolé : « Il y a d'ailleurs deux espèces de spleen : l'un est ironique, railleur, emporté, violent, haineux ; l'autre, taciturne et sombre, ne demande que l'inaction, le silence, la solitude et le sommeil. A l'être qui en est possédé tout devient indifférent ; la ruine d'un monde saurait à peine l'émouvoir. Je voudrais alors que la terre fût une bombe remplie de poudre, et j'y mettrais le feu pour m'amuser. » Voilà bien Berlioz : placé sous sa cloche de verre au milieu des jardins de la Villa de Ferdinand de Médicis, il s'est examiné cliniquement et s'est compris lui-même.

L'hiver arrive. Même si, chaque jour, les *camerieri* de la Villa apportent aux pensionnaires de grosses brouettes de bûches et si, tard dans la nuit, un bon feu de bois brûle dans les chambres, il fait froid dans les grandes salles de la Villa. On réinvente pelisses en peau de bique retournée venues des Abruzzes et, gilet sur gilet, on s'emmitoufle pour venir dîner dans la salle à manger qu'éclairent, à chaque bout de la longue table, de gros flambeaux d'étain. On rit, on s'amuse, on se gave de soupes épaisses, de haricots, de pâtes, ça réchauffe, mais il fait encore froid. Le courant d'air, dans les escaliers à vis, marches de pierre et rampes branlantes qui desservent les différents étages, est glacial. Il n'y a même plus de lézards bien gras à chasser dans les allées nues de la Villa. Les chats sont restés, mais les chats, on les respecte. Chaque pensionnaire, ou presque, a le sien, qui court en liberté tout le jour parmi lauriers et acanthes, fûts de colonnes brisées, ici un fragment de chapiteau. Berlioz n'a pas de chat, ou du moins n'en parle pas. Les soirées du jeudi l'amusent encore parfois, Mlle Louise, la fille d'Horace Vernet, lui plaît sûrement un peu plus qu'il ne l'avoue, mais toute son énergie s'envole dès qu'il est loin des Abruzzes et de ces villages haut perchés où il s'est fait des amis, en dépit des souvenirs plus rudes d'Alatri et de ses environs.

Le tran-tran de la vie à la Villa : l'argent qu'il doit quémander à son père (lettre du 7 novembre) ; les nouvelles qui lui arrivent de France, en retard avec l'hiver. Celle du mariage prochain de Nanci, tant aimée, avec ce Camille Pal, qui est juge, ce qui, d'entrée de jeu, ne plaît guère à son frère. De même apprend-il le mariage de son ami Ferrand avec une « Mlle Aimée Roland », qui enlèvera un peu, beaucoup à Berlioz son ami le plus cher. Il reçoit des nouvelles, donc, mais personne ne lui écrit, affirme-t-il. On ne lui dit rien. Il ne sait rien. Alors, il ne lui reste plus qu'à se déchaîner à nouveau, plus furieusement encore, contre les musiques que l'on entend à Rome, en particulier dans la chapelle Sixtine. Et, pour le chef d'orchestre qui dirigera à Londres un millier d'exécutants, l'orgue à roulettes et les cinq voix du *Miserere* d'Allegri sont le comble de la misère. La musique de la chapelle Sixtine constituerait, selon un critique allemand, un spectacle « des plus imposants et des plus touchants de la semaine sainte » ? « Oui, certes, mais tout cela ne fait pas de cette musique une œuvre de génie et d'inspiration... »

Et le romantique enflammé qu'est Berlioz de se mettre à rêver : « Par une de ces journées sombres qui attristent la fin de l'année, et que rend encore plus mélancoliques le souffle glacé du vent du nord, écoutez, en lisant *Ossian*, la fantastique harmonie d'une harpe éolienne balancée au sommet d'un arbre dépouillé de verdure, et vous pourrez éprouver un sentiment profond de tristesse de celle-ci, en un mot une forte atteinte de spleen jointe à une tentation de suicide. Cet effet est encore plus prononcé que celui des harmonies vocales de la chapelle Sixtine ; on n'a jamais songé cependant à mettre les facteurs de harpes éoliennes au nombre des grands compositeurs. »

Les concerts qu'on entend à l'ambassade de France ne valent pas mieux pour Berlioz. « J'assistai, le jour de la fête du roi, à une messe solennelle à grands chœurs et à grand orchestre, pour laquelle notre ambassadeur, M. de Saint-Aulaire, avait demandé les meilleurs artistes de Rome. » Mais les meilleurs artistes en question accordent leurs instruments à grand bruit, la flûte lance des gammes en *ré*, le cor sonne une fanfare en *mi* bémol, l'orgue produit le gémissement le plus atrocement comique qu'on puisse imaginer.

« Qu'on se figure, pour couronner l'œuvre, les *soli* de cette étrange musique sacrée, chantés *en voix de soprano* par un gros gaillard dont la face rubiconde était ornée d'une énorme paire de favoris noirs.

– Mais, mon Dieu, dis-je à mon voisin qui étouffait, tout est donc miracle dans ce bienheureux pays ! Avez-vous jamais vu un *castrat* barbu comme celui-ci ?

– *Castrato !...* répliqua vivement, en se retournant, une dame italienne, indignée de nos rires et de nos observations, *davvero non è castrato !*

– Vous le connaissez, Madame ?

– *Per Bacco ! non burlate. Imparate, pezzi d'asino, che quel virtuoso marviglioso è il marito mio.* (Un castrat ? Par Bacchus, ne dites pas n'importe quoi, espèce d'ânes, mais c'est... mon mari !) »

Rome, donc, ou le désert musical, les maigres voix des gros messieurs à moustaches et leurs épouses furibondes pour clamer leur génie. Une ville où la musique paraît avoir subi le sort de Carthage : « ... l'étranger sur le rivage / la cherche et ne la trouve pas... » (lettre à Thomas Schlesinger, du 3 décembre 1831). Une ville où la musique est bonne pour « des enfants, des ânes, des cuisinières, des marchands de bas... » (même lettre). C'est bien simple : « L'art instrumental est lettre close pour les Romains. Ils n'ont même pas une idée de ce que nous appelons une symphonie » (*Mémoires*).

Alors, face à ces bouffonneries, farces prétendues musicales et autres opéras-bouffes de salon, Berlioz se souvient qu'il y a, en Italie, d'autres musiques. Et le voilà qui revient à ses chères Abruzzes. Il se rappelle avec mélancolie ce sacripant de Crispino, la belle Mariuccia et les soirées de guitare à Subiaco. Il retrouve ces airs qu'il a déjà effleurés au passage, harmonies très simples et très anciennes venues du plus lointain de la montagne et qui, seules, savent parler à son cœur. Ces musiques rustiques et enjouées, leur gaieté miraculeuse ou tout empreinte de mélancolie, et qu'aujourd'hui encore on entend en décembre autour de la piazza Navona...

Il évoque alors ces fameux *pifferari* « qui, aux approches de Noël, descendent des montagnes par groupes de quatre ou cinq, et viennent, armés de musettes et de *pifferi* (espèce de hautbois), donner de pieux concerts devant les images de la madone ». « Ils sont, pour l'ordinaire, couverts d'amples manteaux de drap brun, portent le chapeau pointu dont se coiffent les brigands, et tout leur extérieur est empreint d'une certaine sauvagerie mystique pleine d'originalité. J'ai passé des heures entières à les contempler dans les rues de Rome, la tête légèrement penchée sur l'épaule, les yeux brillants de la foi la plus vive, fixant un regard de pieux amour sur la sainte madone, presque aussi immobiles que l'image qu'ils adoraient. [...] Après de gais et réjouissants refrains, fort longtemps répétés, une prière lente, grave, d'une onction toute patriarcale, vient dignement terminer la naïve symphonie... »

Alors, on se tuera à le répéter une fois encore : allons, même si Rome est la Carthage de la musique, ces mois que Berlioz y a passés lui ont bourré la tête, et le cœur, et l'esprit d'images, de musiques et de souvenirs qu'il portera en lui toute une vie. Dès lors, l'ennui de la vie à la Villa, l'ennui qu'il a voulu vivre à la Villa, n'aura été qu'un long moment à passer. A passer pourtant d'autant plus vite que, dès le mois de novembre de cette année 1831, il échafaude déjà des projets pour écourter son séjour. La règle est cependant impérative : tout lauréat du concours soucieux de toucher la pension à laquelle son succès lui donne droit doit demeurer deux ans à l'Académie. L'obligation est incontournable. C'est ensuite, et ensuite seulement, qu'on effectue le « voyage musical » en Allemagne qui constitue la seconde des obligations des pensionnaires. Mais Berlioz commence déjà à tirer des plans sur la comète Vernet, bienveillante et paternelle, pour s'évader plus tôt. Incontournable, le règlement ? Soit. Mais on peut passer au travers, non ? Il s'en explique clairement à sa mère.

« Je vais tâcher d'éluder le règlement ; je demanderai un bon définitif sur un banquier de Florence ou d'une autre ville, aussitôt que je pourrai quitter Rome, et si je puis trouver un moyen de me faire payer mon année entière d'avance ou avoir une correspondance avec le banquier, je filerai par Nice jusqu'à La Côte. Il n'y a pas moyen de faire entendre raison à M. Horace ; il est pour nous, en tout ce qui concerne le règlement, comme M. de La Rochefoucauld se disait pour ses administrés de l'Opéra, *raide comme une barre de fer*. »

Il ronge son frein, il piaffe : il piétine. « Claquemuré dans ce pays morne et antimusical » (à F. Hiller, le 3 décembre), il suit de plus près que jamais ce qui se passe en France et son impatience en bouillonne encore davantage. Ainsi « *Robert le Diable* (de Meyerbeer) a fait merveille » ? Que n'était-il dans la salle ! Ah ! comme il aurait applaudi cette musique nouvelle – que plus tard il estimera si peu... Il a « passé une nuit blanche à la lecture des journaux » rapportant la soirée et « le sang lui bout dans les veines. Cinq cent mille malédictions !... » Dire qu'à Paris, on donne la *Neuvième symphonie* de Beethoven et *Euryanthe* de Weber : il en est malade.

Il multiplie les appels au secours : il faut que ses amis fassent quelque chose, qu'ils se débrouillent pour l'aider à écourter son séjour à Rome ! D'ailleurs, il le prépare déjà, son retour à Paris. Rédige d'autres lettres de circonstance. Demande qu'on flatte dans le sens du poil ceux qui pourraient, demain, lui être utiles : ainsi qu'on « adresse à M. Meyer-Beer [*sic*] [ses] vives félicitations sur son éclatant succès ». Qu'on complimente aussi le célèbre ténor Nourrit, le créateur du rôle-titre : Berlioz prépare le terrain, oui. En fait, s'il est certes encore à Rome, il ne pense plus qu'à Paris.

Il n'y a pas que la musique qui lui manque. En cette fin de 1831, il se sent une fibre patriotique et même démocratique à la lecture du récit des événements de Lyon, la révolte des canuts du 21 novembre – qui sera définitivement écrasée le 3 décembre. Ah ! il aurait voulu être là aussi ! Et quand bien même il s'inquiète des dangers qu'ont pu courir ses amis lyonnais, il ironise, cyniquement, à propos des émeutes qui ont eu lieu le mois précédent en Angleterre, où un député avait failli être mis à mort : là, au moins, on ne badinait pas !

Et puis il se languit de cette littérature romantique, qu'il dévorait passionnément à Paris. Ainsi, pendant des mois, réclame-t-il à cor et à cri qu'on lui envoie le livre phare du moment, *Notre-Dame de Paris*. Il en parle à tous sans l'avoir lu, s'enthousiasme à l'avance. Le livre a dû lui arriver enfin début décembre puisqu'il écrit, en date du 10, une lettre enflammée à l'auteur : « Oh ! vous êtes un génie, un être puissant, un colosse à la fois tendre, impitoyable, élégant, monstrueux, rauque, mélodieux, volcanique, caressant et *méprisant.* Cette dernière qualité du génie est certainement la plus rare, ni Shakespeare ni Molière ne l'ont eue. Beethoven seul parmi *les grands* a mesuré juste la hauteur des insectes humains qui l'entouraient et avec lui je ne vois que vous.

» Songez donc, si je vous écris, si je divague, si j'absurde, si je vous fais détourner la tête un instant par mes cris importuns d'admiration, songez que je suis à Rome, exilé, pour deux ans, du monde musical, par un arrêt académique confirmé par le besoin de la pension de grand prix, que je meurs par défaut d'air, comme un oiseau sous le récipient pneumatique, dépourvu de musique, de poésie, de théâtres, d'agitations, de tout, puis figurez-vous qu'après six mois d'attente j'ai fini par obtenir *Notre-Dame de Paris*, que je viens de la lire au milieu des pleurs et des grincements de dents, et vous concevrez que je vous écrive, moi dont vous ne connaissez peut-être pas seulement le nom, moi qui n'ai rien à vous demander, pas même un poème d'opéra. [...]

» Allons, voilà ma bordée lâchée. Je me sens mieux, je retourne songer à mon Esmeralda, et maudire la damnée disposition où elles sont toutes de s'éprendre de baudets, comme Titania fit de Bottom.

» Pauvre cher monstre Quasimodo : Basta.

» *Addio signore*, mille grazie, je commençais à sécher et me flétrir ici, comme une prune au soleil, ma peau redevient tendue et luisante, mon sang circule, la vie d'artiste me reprend. *Viva l'ingenio tuo !* »

Il ne semble pas que Victor Hugo ait jamais répondu à cette lettre – mais on s'en souviendra quand, cinq ans plus tard Louise Bertin, la fille du directeur des *Débats*, composera une *Esmeralda* d'après *Notre-Dame de Paris* à propos de laquelle le bruit courut avec insistance que Berlioz, redevable de beaucoup de choses au père, aurait mis la main à la pâte.

Les canuts lyonnais ou la belle Esmeralda, la lecture désespérée des chroniques musicales de la presse française : moins que jamais Berlioz prend son mal en patience. C'est la terre entière qu'il invective, fût-ce affectueusement, parce que encore une fois il n'a pas reçu de nouvelles de celui-ci ou de celui-là, parce que l'argent promis par son père ne lui est pas parvenu, parce que... parce que : il étouffe d'une indignation permanente.

Dans la deuxième quinzaine de novembre, il a fait une nouvelle escapade à Tivoli et Subiaco, mais le temps se prête de moins en moins à ces excursions, fussent-elles romantiques et mouillées. Le jardin de la Villa Médicis se fait désolé avec l'hiver qui vient. Les acanthes sont mortes, leurs feuilles font une broussaille jaunie au pied des lauriers et des buis, plus noirs que jamais, ruisselants sous la pluie. On imagine que le fantôme de Messaline ne se hasarde plus à hanter les allées du *bosco* par un temps pareil. Du haut de la gloriette qui surmonte le monticule artificiel édifié sur l'ancien temple de la Fortune, on ne voit plus qu'une Rome de brouillard, piquée tôt dans le soir de lumières chiches et éparses. Les vols d'étourneaux de la belle saison ont disparu depuis longtemps. Demeurent les corbeaux, les merles bien gras... Les soirées du jeudi chez les Vernet suivent leur cours. Mlle Louise joue sûrement ces adagios dont Berlioz dira tant de bien plus tard à Mme Vernet mère. On l'a déjà évoqué : en dépit du ton ironique dont notre homme ne se départit plus chaque fois qu'il évoque les soirées Vernet, il éprouve sûrement une petite tendresse pour « mademoiselle Louise ». Mais si, autour de lui, on courtise de belles Mariuccia – qu'on finit même par épouser ! – ou si l'on lutine des modèles qu'on retrouvera roulant calèche et entretenues par des marchands – ou dont les *fidanzati* brandiront des riflards menaçants pour punir belles infidèles et amants trop entreprenants, si l'amour palpite hiver comme été dans la Villa tout entière, Berlioz ne nous dit toujours rien de lui-même. On dirait que la seule chose dont il veuille continuer à informer ses correspondants, c'est de sa rancœur tenace envers Camille.

On ne sait pas grand-chose non plus de la dernière œuvre qu'il compose en 1831, *Chœur d'anges*, sur un texte anonyme et qui a été perdue. On sait seulement que, vers la fin de l'année, il a entendu la première symphonie de son ami Mendelssohn, « *dérangée* [on voit, une fois de plus, ce que Berlioz pense des arrangements !] pour violon, basse et piano à quatre mains. Il aime et n'aime pas [...] Le premier morceau est superbe... Le final, entremêlé de fugue, je l'abomine... » Mais Rome vit alors à l'heure des fêtes de fin d'année. Plus nombreux que jamais, les *pifferari* descendent de leurs montagnes. L'air de brigands farouches, ils envahissent les rues de Rome. Piazza Navona, les petites boutiques de Noël sont en place. On y vend des sucreries, des joujoux, des flûtes et des flageolets. Bientôt, le jour de l'an passé, ce sera la *beffana*, la sorcière de la fête des Rois, qui fera peur aux petits enfants : emmuré dans son ennui, Berlioz ne nous laisse aucune trace de ces plaisirs-là. Et l'année 1831 est déjà achevée.

Seul dans sa chambre, il remâche sa rancune envers l'Italie en écrivant au vitriol pur – et de sa plume la plus acérée, naturellement ! – un article sur la musique en Italie que lui a demandé le comte de Carné pour *Le Correspondant*.

1832 commence dans la même atmosphère. Le ton de la longue lettre que Berlioz écrit le 1er janvier à Ferdinand Hiller est de la même eau que celui de toutes les lettres qui ont précédé : récriminations amicales et règlements de comptes. Plus sérieusement, il dresse un bilan de son travail à Rome : « Vous voulez savoir ce que j'ai fait depuis mon arrivée en Italie ; 1° ouverture du *Roi Lear* (à Nice), 2° ouverture de *Rob Roy Mac Gregor* (esquissée à Nice, et que j'ai eu la bêtise de montrer à Mendelssohn, à mon corps défendant, avant qu'il y en eût la dixième partie de fixée). Je l'ai finie et instrumentée aux montagnes de Subiaco ; 3° *Mélologue en six parties*, paroles et musique ; composé par monts et par vaux en revenant de Nice, et achevé à Rome. Puis, quelques morceaux vocaux, détachés, avec et sans accompagnement : 1° un *Chœur d'anges* pour les fêtes de Noël ; 2° un chœur de toutes les voix, improvisé (comme on improvise) au milieu des brouillards, en allant à Naples, sur quatre vers que je fis pour prier le soleil de se montrer ; 3° un autre chœur sur quelques mots de Moore avec accompagnement de sept instruments à vent, composé à Rome, un jour que je mourais du spleen, et intitulé : “Psalmodie pour ceux qui ont beaucoup souffert et dont l'*âme est triste jusqu'à la mort*”. »

« VOILA TOUT » : en lettres majuscules. Bien sûr, Berlioz est encore incapable de parler de tout ce qui l'a pénétré, fût-ce à son insu, au cours de ses promenades italiennes. D'ailleurs, il travaille encore un peu. Sans excès. C'est la période de l'Epiphanie : il compose un *Quartetto e coro dei maggi*, qu'on a conservé, certes, mais qu'on aurait pu oublier. Plus ambitieux est le projet qu'il caresse de composer un *Roméo et Juliette* pour lequel il aurait demandé à Auguste Barbier, auteur fameux après les journées de Juillet, de lui écrire un livret. Un vrai livret pour un véritable opéra. Il ne s'agit que d'une sorte d'intuition, qui mêle les souvenirs d'Harriett en Juliette, sa rencontre florentine et macabre avec une jeune mariée au tombeau et tout ce qu'il a pu éprouver d'émotion depuis qu'il arpente cette terre d'Italie qui vit naître Juliette. A l'époque, cette fulgurante prémonition restera sans suite : quelques années plus tard, elle débouchera sur l'un de ses chefs-d'œuvre – mais qui ne sera pas, loin de là, un opéra.

Autre projet, plus ambitieux, celui d'un autre opéra en trois actes : *Le Dernier Jour du monde.* Déjà, à Florence, il y avait pensé. Ce devait être alors « un oratorio colossal pour être exécuté à une *fête musicale* donnée à Paris, à l'Opéra ou au Panthéon, dans la cour du Louvre. [...] Il faudrait trois ou quatre acteurs *solos*, des chœurs, un orchestre de soixante musiciens devant le théâtre, et un autre de trois cents ou deux cents instruments au fond de la scène étagés en amphithéâtre ».

L'idée a fait son chemin. A présent c'est devenu un véritable opéra, toujours aussi monumental. Tout doit s'y confondre en un très shakespearien mélange des genres, avec des moments comiques, voire sarcastiques, mêlés au drame. A la lecture du bref résumé qu'il en envoie à un ami, on devine que, là encore, Berlioz règle ses comptes, des comptes personnels, avec la société. On sent surtout la démesure à laquelle il aspirera dans ses œuvres à venir : c'est un torrent de musique, de mots, c'est un tremblement de terre, une gigantesque masse orchestrale, un déluge d'idées qu'il voudrait mettre en branle.

Le projet n'ira pas beaucoup plus loin, mais Berlioz ne l'oubliera pas de sitôt. Il en reparlera dès son retour en France, avec l'ami Ferrand. Un an plus tard, c'est aux librettistes Emile Deschamps et Jules de Saint-Félix qu'il s'adressera, mais le directeur de l'Opéra d'alors, Véron, en refusera l'idée. Si le sujet ne revient plus dans sa correspondance à partir de 1834, on peut imaginer que, colossal et délirant, l'oratorio devenu opéra hantera encore longtemps l'esprit du compositeur lorsque, au faîte de sa gloire, il imaginera des masses orchestrales de plus en plus importantes pour raconter, en somme, Dieu, l'amour, la mort, l'histoire des tyrans et de l'humanité.

En dépit de ces accès d'enthousiasme, le mois de janvier 1832 s'étire sans fin, pour un Berlioz dont la décision de rentrer en France au printemps est irréversible. « Je partirai d'ici au commencement de mai ; je me dirigerai sur Grenoble en jouant un tour à M. Horace qui me croira à Milan. De là, je ferai une excursion à Paris, et *je laisse à penser* quelle joie de retrouver et vous, et la musique, et nos thés au café de la Bourse, et nos fins dîners chez Lemardeley, et les récits, et les caquets », écrit-il à peu près à cette époque à Thomas Gounet. Les nouvelles qu'il reçoit de France ne sont pas pour le calmer. Le 16 janvier, le mariage de Nanci et de Camille Pal a été célébré. Tout le monde lui dit grand bien du juge Pal : il attend pour juger que ce soit sa sœur qui le lui dise.

C'est avec plus d'inquiétude qu'il apprendra, un mois plus tard, que son jeune frère, Prosper, âgé seulement de douze ans, multiplie les fugues. Le pauvre enfant – on verra qu'Hector lui-même songera à le reprendre en main – est en quelque sorte le double incertain, l'ombre ratée de son frère. Comme Hector à qui il est si souvent arrivé de rêver d'Amérique, comme, plus tard, cet autre reflet d'Hector, son fils Louis, Prosper voudrait s'embarquer en tant que mousse et s'en aller très loin. D'où la très belle lettre, fort curieuse aussi, tant elle contraste avec tout ce que nous savons de lui, qu'il écrit à ce propos à son père, le 18 février. Pour sage et réaliste qu'elle puisse apparaître, cette lettre n'en est pas moins, à sa manière, une sorte de règlement de comptes avec la jeunesse qu'il a vécue et, singulièrement, avec le destinataire de la missive, le Dr Berlioz, son père : « Mes idées sur l'éducation diffèrent beaucoup des vôtres, je crois pouvoir vous l'avouer, sans craindre de vous déplaire. Je regarde l'éducation des *provinces* françaises comme complètement absurde, pour beaucoup d'enfants. Les parents n'ont toujours en vue que deux carrières, le Droit ou la Médecine ; et lors même qu'ils n'ont pas un but déterminé dans la direction de leur fils ils n'en persistent pas moins à leur faire perdre (je dis perdre à dessein) complètement dans la crasse des collèges les dix plus belles années de leur jeunesse, à apprendre une langue morte *qu'ils ne savent jamais.* A quoi peut servir de savoir même très bien le latin... A rien autre qu'à prendre des inscriptions aux deux Facultés. Un jeune homme qui possède l'anglais, l'allemand, qui a été occupé de bonne heure de ce qui se passe autour de lui sans s'inquiéter de ce que faisaient les Grecs et les Romains, un jeune homme qui a été mis dans le cas de voir de bonne heure le monde avec lequel il doit vivre et non pas un monde mort qui n'est rien pour lui, celui-là a mille avantages pour se tirer d'affaire et pour se classer suivant ses moyens. Pour la politique, la diplomatie, les voyages, la marine, les arts, la littérature, le commerce, les sciences exactes même, il est évident qu'il nous faut aujourd'hui commencer par pouvoir communiquer librement avec les grands foyers de civilisation qui avoisinent le nôtre. Le reste vient ensuite et s'apprend beaucoup mieux... Je crois qu'il eût fallu prendre un parti radical. L'envoyer fort loin, à Paris par exemple ; il n'en serait pas revenu sans de grands avantages sous beaucoup de rapports. En le mettant deux ans dans une pension anglaise, il aurait appris parfaitement et sans s'en apercevoir la langue de ses camarades ; il aurait vu un autre monde, d'autres idées se seraient développées en lui... Tout ceci est fort indigeste, fort confus dans ma tête, j'y ai très peu réfléchi. Je n'en parle que par le souvenir des observations successives que j'ai faites sur moi-même. Je me souviens très bien que dès le principe je fus convaincu que je ne serais jamais médecin et si au lieu de lutter pendant si longtemps comme je l'ai fait, j'eusse été libre de suivre la direction dans laquelle toutes mes facultés devaient se déployer, je serais non pas de cinq ans mais de dix ans plus avancé. »

Autre sujet de réflexion en ce début de 1832 : le mariage. Ferrand, Nanci qui se marient et risquent de s'éloigner de lui : c'est une véritable épidémie de mariages qui semble s'abattre sur ses proches : une « matrimonio-furie » qui les prend tous, dit-il. Albert Du Boys, Rocher, Carné, tous mariés ! « Prenez garde à vous, écrit-il à Gounet le 17 février, citant une chanson de Béranger : “Oiseaux, gardez bien, gardez bien votre liberté !” » Jusqu'à la petite Odile Berlioz, qu'il avait vaguement (très vaguement !) pensé à épouser, qui va devenir la digne Mme Lafforet. « Oiseaux, oiseaux... »

« Vous me parlez de mariage, écrit-il à sa sœur Adèle. J'ai des idées là-dessus qui nous mèneraient loin, trop loin par écrit, pour que je m'y livre. Il suffit que je vous dise que je n'y suis pas le moins du monde porté à présent. Je sens trop bien qu'un mariage ordinaire, ce qu'on appelle, un mariage convenable, un mariage *tranquille, modéré*, serait la mort [...]. »

Le mariage et l'argent. Car il y revient aussi sans cesse, à l'argent. Il en demande. On lui en envoie. Un peu... Il le regrette. S'explique. En redemande. « Lorsqu'il fut question de me marier, écrit-il toujours à Adèle, mon père m'avait dit qu'il me faisait une pension de mille francs, et c'était sur elle que je comptais. On ne m'avait pas dit qu'en restant garçon je n'y devais plus compter ; maman aurait dû m'en prévenir, alors j'aurais pris patience et ne me serais pas exposé à faire une demande indiscrète et à peut-être gêner mon père. » Son père qui ne comprend pas plus un Hector de vingt-huit ans qu'il ne le comprenait à seize...

Tout cela pourrait être humiliant, si l'orgueil de Berlioz ne l'amenait parfois à réagir avec une brutalité presque sauvage. « Tout lien obligé, tout frein apparent, tout ce qui attente le moins du monde à ma liberté, m'est absolument insupportable. J'ai terriblement souffert depuis huit ans, la dernière période de ma vie est un triste roman dont vous ne connaissez que quelques épisodes accessoires, et qui a fait mon caractère tel qu'il est aujourd'hui. Je suis comme un écorché ; toutes les parties de mon être sont devenues d'une sensibilité douloureuse qui me fait rougir au moindre contact. Ce qui fait que j'aimerais mille fois mieux manquer d'argent que de l'avoir à ce prix ; cinq cents francs fixes et sûrs, que je ne serais pas obligé de demander, auraient, je vous jure, pour moi plus de valeur que cinq mille qu'il me faudrait obtenir peu à peu irrégulièrement, avec observations, etc... »

Alors, parce qu'il lui arrive d'étouffer de rage, et pour prendre sa revanche sur le monde entier, il rêve encore une fois du *Dernier*

Jour du monde. Ce monde qu'il observe d'un regard glacial en remarquant, l'air enjoué, faussement enjoué : « Nous avons toutes les semaines deux bals superbes, chez M. Horace et chez M. de Saint-Aulaire, notre ambassadeur. Je n'y danse jamais mais je m'amuse de ce tumulte. »

Et c'est avec la même froide ironie qu'il achève son article sur la musique en Italie prévu pour *Le Correspondant* qui deviendra *La Revue européenne*. Ah ! on lui demande ce qu'est le bonheur d'un musicien en Italie ? Eh bien, on verra ce qu'on verra. Sa plume est sans pitié. A la Villa Médicis, il pleut. Au début du mois de février, Berlioz n'y tient plus. Il repart pour Subiaco, pour les montagnes. C'est là seulement que les idées, les musiques continuent à venir à lui. Ainsi cette *Captive*, sur un poème des *Orientales* de Victor Hugo, qui fera la gloire de ses dernières semaines romaines. « C'est de Subiaco qu'elle est datée. Il me souvient, en effet, qu'un jour, en regardant travailler mon ami Lefebvre, l'architecte, dans l'auberge [...] où nous logions, un mouvement de son coude ayant fait tomber un livre placé sur la table où il dessinait, je le relevai ; c'était le volume des *Orientales* de V. Hugo ; il se trouva ouvert à la page de *La Captive*. Je lus cette délicieuse poésie, et me retournant vers Lefebvre :

– Si j'avais là du papier réglé, lui dis-je, j'écrirais la musique de ce morceau, car *je l'entends*.

– Qu'à cela ne tienne, je vais vous en donner.

» Et Lefebvre, prenant une règle et un tire-ligne, eut bientôt tracé quelques portées, sur lesquelles je jetai le chant et la basse de ce petit air ; puis, je mis le manuscrit dans mon portefeuille et n'y songeai plus... Quinze jours après, de retour à Rome, on chantait chez notre directeur, quand *La Captive* me revint en tête. "Il faut, dis-je à Mlle Vernet, que je vous montre un air improvisé à Subiaco, pour savoir un peu ce qu'il signifie ; je n'en ai plus la moindre idée." L'accompagnement de piano, griffonné à la hâte, nous permit de l'exécuter convenablement [...]

» Mlle Vernet s'en est emparée. Alors les dames me sont tombées dessus pour en avoir d'autres ; l'une d'elles a exigé que je compose quelque chose pour elle, "*mais pour moi seule.*" Voyez un peu. Oh ! oh ! la bouche en cœur. Il m'a fallu en passer par là, malgré ma haine pour tout ce qui m'est imposé...

» Et cela prit si bien, qu'au bout d'un mois, M. Vernet, poursuivi, obsédé par cette mélodie, m'interpella ainsi : "Ah çà ! quand vous retournerez dans les montagnes, j'espère bien que vous n'en rapporterez pas d'autres chansons, car votre *Captive* commence à me rendre le séjour de la villa fort désagréable ; on ne peut pas faire un pas dans le palais, dans le jardin, dans les bois, sur la terrasse, dans les corridors, sans entendre chanter ou ronfler, ou grogner : *Le long du mur sombre... le sabre du spahi... je ne suis pas Tartare... l'eunuque noir*, etc. C'est à en devenir fou. Je renvoie demain un de mes domestiques ; je n'en prendrai un nouveau qu'à la condition expresse pour lui de ne pas chanter *La Captive.*" »

Aussi, au catalogue qu'il a dressé des œuvres composées à Rome, faut-il ajouter cette *Captive*, qu'il a plus tard développée et instrumentée pour l'orchestre. Il compose aussi une méditation religieuse à six voix sur une poésie de Thomas Moore, qui deviendra une partie de sa *Tristia.* Il s'amuse aussi à duper ces messieurs de l'Académie en leur adressant, pour obéir au règlement (les fameux « envois » de Rome) une œuvre qu'il a déjà donnée. Et il termine son *Lélio* par une bonne blague jouée à la censure pontificale dont il se vante dans les *Mémoires.* « Le texte de ce chœur était écrit en langue *inconnue*, langue des morts [inventée par Berlioz], incompréhensible pour les vivants. Quand il fut question d'obtenir de la censure romaine la permission de l'imprimer, le sens des paroles chantées par les ombres embarrassa beaucoup les philologues. Quelle était cette langue et que signifiaient ces mots étranges ? On fit venir un Allemand qui déclara n'y rien comprendre, un Anglais qui ne fut pas plus heureux ; les interprètes danois, suédois, russes, espagnols, irlandais, bohêmes y perdirent leur latin ! Grand embarras du bureau de censure ; l'imprimeur ne pouvait passer outre et la publication restait suspendue indéfiniment. Enfin un des censeurs, après des réflexions profondes, fit la découverte d'un argument dont la justesse frappa tous ses collègues. "Puisque les interprètes anglais, russes, espagnols, danois, suédois, irlandais et bohêmes ne comprennent pas ce langage mystérieux, dit-il, il est assez probable que le peuple romain ne le comprendra pas davantage. Nous pouvons donc, ce me semble, en autoriser l'impression, sans qu'il en résulte de grands dangers pour les mœurs ou pour la religion." Et le chœur des ombres fut imprimé. Censeurs imprudents ! Si c'eût été du sanscrit !... »

A mesure que se rapproche le jour qu'il s'est fixé pour son départ – le 1er mai, avec ou sans pension, mais il devine bien que M. Horace se montrera compréhensif –, le ton de ses lettres monte. Il fait de nouveaux projets dont il s'ouvre avec délectation à Ferdinand Hiller, le 16 mars, s'emparant, pour faire bonne mesure, d'une autre *Orientale* d'Hugo. Et il fait déjà des projets.

« En quittant Rome, j'irai visiter l'île d'Elbe et la Corse, pour me gorger de souvenirs napoléoniens ; j'espère ne pas trouver de belle occasion pour *l'autre île,* car je serais capable de succomber à la tentation. [...] Enfin ! après tout, je serai à Paris au mois de novembre et de décembre, nous pourrons encore nous y voir ; mais Mendelssohn n'y sera pas. Alors je le reverrai à Berlin, ou je ne le reverrai pas. Comme toujours, j'ai su par une lettre plus jeune que la vôtre, qu'on avait donné au Conservatoire sa ravissante ouverture du *Songe d'une nuit d'été.* On en parle avec admiration, il n'y a pas de fugue là-dedans. »

A Rome, les jours s'allongent un peu. Les soirées redeviennent très belles, avec ce soleil rouge au-dessus de la coupole de Saint-Pierre qui frappe de plein fouet une face de la Villa. Des vols d'étourneaux sont de retour, on chante toujours *La Captive* de Berlioz dans les salons et la gentille Mlle Louise voudrait que son compositeur favori lui écrive d'autres mélodies. Mais Berlioz a d'autres pensées en tête. Il s'active plus que jamais en vue de son retour. Camille ? Il l'a si bien oubliée qu'il va jusqu'à demander à son ami Hiller d'ouvrir un paquet que l'infidèle lui a fait rapporter avec son anneau de fiançailles, pour en extraire la médaille d'or gagnée au concours de l'Institut et qu'il lui avait donnée : que Hiller la vende, cela lui rapportera bien deux cents francs qui seront utiles, plus tard ! Vient le temps du carnaval, et voilà un nouveau et beau sujet d'indignation pour Berlioz. L'une des pages les plus pittoresques, aussi, des *Mémoires*. Avec une pique envers un citoyen de Grenoble, qui porte comme lui les initiales de HB. Mais Berlioz sait être autrement plus féroce que le bon Henri Beyle, dit Stendhal, plus porté à l'attendrissement. D'abord, les premières lignes de ce fulgurant tableau des mœurs d'une ville saisie par le carnaval :

« Les efforts de mes camarades pour me faire partager leurs amusements ne servaient même qu'à m'irriter davantage [...]. Je ne pouvais concevoir quel plaisir on peut prendre aux divertissements de ce qu'on appelle à Rome comme à Paris les *jours gras...* fort gras, en effet ; gras de boue, gras de fard, de blanc, de lie de vin, de sales quolibets, de grossières injures, de filles de joie, de mouchards ivres, de masques ignobles, de chevaux éreintés, d'imbéciles qui rient, de niais qui admirent, et d'oisifs qui s'ennuient. A Rome, où les bonnes traditions de l'antiquité se sont conservées, on immolait naguère aux jours gras une victime humaine. Je ne sais si cet admirable usage, où l'on retrouve un vague parfum de la poésie du cirque, existe toujours ; c'est probable : les grandes idées ne s'évanouissent pas si promptement. On conservait alors pour les *jours gras* (quelle ignoble épithète !) un pauvre diable condamné à la peine capitale ; on l'engraissait, lui aussi, pour le rendre digne du Dieu auquel il allait être offert, le peuple romain ; et quand l'heure était venue, quand cette tourbe d'imbéciles de toutes nations [...], quand cette cohue de sauvages en frac et en veste était bien lasse de voir courir des chevaux et de se jeter à la figure de petites boules de plâtre, en riant aux éclats d'une malice si spirituelle, on allait voir mourir l'homme ; oui, l'*homme !* [...] Et, certes, il y a, à mon avis, dans ce vaincu mille fois plus de l'homme que dans toute cette racaille de vainqueurs, à laquelle le chef temporel et spirituel de l'Eglise (*abhorrens a sanguine*), le représentant de Dieu sur la terre, est obligé de donner de temps en temps le spectacle d'une tête coupée.

» Il est vrai que, bientôt après, ce peuple sensible et intelligent va, pour ainsi dire, faire ses ablutions à la place Navone et y laver les taches que le sang a pu laisser sur ses habits. Cette place est alors inondée complètement ; au lieu d'un marché aux légumes, c'est un véritable étang d'eau sale et puante, à la surface duquel surnagent, au lieu de fleurs, des tronçons de choux, des feuilles de laitue, des écorces de pastèques, des brins de paille et des coquilles d'amandes [...] pendant que les plus brillants équipages circulent lentement dans cette mare, aux acclamations ironiques du *peuple roi,* dont *la grandeur* n'est pas la cause qui *l'attache au rivage.*

– *Mirate ! Mirate !* voilà l'ambassadeur d'Autriche !

– Non, c'est l'envoyé d'Angleterre !

– Voyez ses armes, une espèce d'aigle ! [...]

– Ah ! ah ! c'est le consul d'Espagne avec son fidèle Sancho. Rossinante n'a pas l'air fort enchanté de cette promenade aquatique. [...]

– Et ce petit homme, au ventre arrondi, au sourire malicieux, qui veut avoir l'air grave ?

– C'est un homme d'esprit qui écrit sur les arts d'imagination[1]. C'est le consul de Civita-Vecchia qui s'est cru obligé par la *fashion*

1. « M. Beile, ou Bayle, ou Baile, qui a écrit une *Vie de Rossini* sous le pseudonyme de Stendhal et les plus irritantes stupidités sur la musique, dont il croyait avoir le sentiment. » (Note de Berlioz.)

de quitter son poste sur la Méditerranée, pour venir se balancer en calèche autour de l'égout de la place Navone ; il médite en ce moment quelque nouveau chapitre pour son roman de *Rouge et Noir.* [...]

– Quelles clameurs ! qu'arrive-t-il donc ? une voiture bourgeoise a été renversée ! oui, je reconnais notre grosse marchande de tabac de la rue Condotti. Bravo ! elle aborde à la nage, comme Agrippine dans la baie de Pouzzoles, et, pendant qu'elle donne le fouet à son petit garçon pour le consoler du bain qu'il vient de prendre, les chevaux, qui ne sont pas des chevaux marins, se débattent contre l'eau bourbeuse. Eh ! vive la joie ! en voilà un de noyé ! »

Les fêtes du carnaval sont venues mettre un point d'orgue grotesque à une nouvelle randonnée à Tivoli encore une fois, Palestrina, Albano et Subiaco, bien sûr... C'est qu'à Rome, l'atmosphère est devenue sinistre. Les troupes françaises ont occupé Ancône en réponse à une attaque des armées autrichiennes pour soutenir les forces pontificales à Bologne. On parle de guerre. « Vous me reprochez de ne rien vous dire de ce qui se passe ici, écrit-il à sa mère le 20 mars ; d'abord ici il ne se passe rien, excepté les crimes ordinaires, les assassinats dans les rues, sur notre escalier, partout..., mais c'est toutes les semaines la même chose, ce sont les mœurs du pays. »

Les jours s'allongent, le printemps est là, mais elles paraissent plus longues encore à Berlioz ces dernières journées-là. Le peintre Signol est en train de terminer son portrait. Même non achevé, le modèle n'attendra pas. Il va déguerpir, ah oui !

Derniers préparatifs. Derniers amusements de potaches partagés avec les autres pensionnaires.

Histoire d'amour pour histoire d'amour, Berlioz échange peut-être d'ultimes souvenirs avec son camarade, le peintre Gibert, souvent retrouvé autour des saltarelles de Subiaco. On dirait même qu'il pratique pour lui « le métier d'un certain poisson ». Pour lui permettre d'« introduire sa maîtresse au palais de l'Académie », Berlioz a joué tout à la fois les malades (à qui on apportait à dîner dans sa chambre) et... les maquereaux. Tout cela sera sans conséquence, mais Berlioz en fera un récit beaucoup plus tragique qui deviendra l'une des pages les plus émouvantes des *Soirées de l'orchestre* : « Vicenza, nouvelle sentimentale ». On y voit une jeune paysanne d'Albano « qui venait quelquefois à Rome offrir pour modèle sa tête virginale aux pinceaux de mes plus habiles dessinateurs » s'y suicider par amour à la suite d'une méprise.

Musique ou littérature, amourettes des autres, Berlioz est bien en train de fermer boutique à Rome. Avant de quitter la ville, il fait encore une ultime promenade jusqu'à son cher Subiaco. On est déjà autour du 15 avril. C'est la semaine pascale. Entre « le café pour les politiques du pays » et « une société philharmonique », il note ses derniers souvenirs : le maître de musique de ladite société philharmonique de la ville ose, à la messe des Rameaux, « régaler » l'assistance d'une ouverture de *La Cenerentola* de Rossini. Quelle pitié !

Berlioz évoque alors une dernière fois les seules musiques qui l'ont touché en Italie en quelques pages qui montrent avec assez d'éloquence que les quinze mois passés n'ont pas été perdus. « Une nuit, la plus singulière sérénade que j'eusse encore entendue vint me réveiller. Un *ragazzo* aux vigoureux poumons criait de toute sa force une chanson d'amour sous les fenêtres de sa *ragazza,* avec accompagnement d'une énorme mandoline, d'une musette et d'un petit instrument de fer de la nature du triangle, qu'ils appellent dans le pays *stimbalo.* Son chant, ou plutôt son cri, consistait en quatre ou cinq notes d'une progression descendante, et se terminait, en remontant, par un long gémissement de la note sensible à la tonique, sans prendre haleine. [...] On eût dit qu'il chantait au bruit de la mer ou d'une cascade. Malgré la rusticité de ce concert, je ne puis dire combien j'en fus agréablement affecté. [...] Peu à peu la monotone succession de ces petits couplets, terminés si douloureusement et suivis de silences, me plongea dans une espèce de demi-sommeil plein d'agréables rêveries ; et quand le galant *ragazzo*, n'ayant plus rien à dire à sa belle, eut mis fin brusquement à sa chanson, il me sembla qu'il me manquait tout à coup quelque chose d'essentiel. »

Le poète redevient alors compositeur, voire musicologue – mais toujours un peu poète – pour conclure : « Le nombre des mesures de cette espèce de cri mélodique n'est pas toujours exactement le même à chaque couplet ; il varie suivant les paroles improvisées par le chanteur, et les accompagnateurs suivent alors celui-ci comme ils peuvent. Cette improvisation n'exige pas des Orphées montagnards de grands frais de poésie : c'est tout simplement de la prose, dans laquelle ils font entrer tout ce qu'ils diraient dans une conversation ordinaire. » Dans les échos de ces musiques – *Harold* qui va quitter l'Italie ou *Lélio* retrouvé – c'est tout ce que Berlioz a reçu en héritage pendant son séjour italien, avec les souvenirs de Virgile au mont Pausilippe et les longues marches dans la campagne romaine, qui trouve sa justification. Et notre homme a beau ronger son frein, il est à présent tellement plus riche...

Mais l'« enfer » de la caserne parfois ouverte sur Tivoli ou Subiaco touche à sa fin. Le 23 avril, Berlioz assiste à Rome, sur la place Saint-Pierre, à la bénédiction *urbi et orbi* du pape. Horace Vernet, toujours bienveillant, donne un dernier dîner : pour son enfant prodigue de pensionnaire, échappé, revenu et qui s'enfuit encore. On peut imaginer que Mme Vernet le voit partir avec un peu d'émotion. Et Mlle Louise, qui jouait de si beaux adagios et chantait sa *Captive* ? Que doit-on lire entre les lignes, à son propos, dans ce passage d'une lettre à Ferdinand Hiller datée du 13 mars : « Je passais toutes mes soirées chez M. Horace, dont la famille me plaît beaucoup, et qui, à mon départ, m'a donné *toute entière* [toute entière : souligné par Berlioz] des marques d'attachement et d'affection, auxquelles j'ai été d'autant plus sensible que je m'y attendais moins. Mlle Vernet est toujours plus jolie que jamais... » La jolie Louise Vernet, elle, épousera en 1835 le peintre Paul Delaroche qui la peindra, dix ans plus tard – une autre jeune morte dans la vie de Berlioz –, sur son lit de mort. Toujours belle...

Berlioz est un ingrat. Il oubliera. Pour le moment, après une ultime déception musicale – une messe mal jouée à Saint-Louis-des-Français le 1er mai –, Berlioz s'en va, Berlioz est parti.

Le voyage de retour va durer un bon mois.

Le pensionnaire libéré de sa cage repasse d'abord par Florence. « J'ai revu Florence avec émotion. C'est une ville que j'aime d'amour. Tout m'en plaît, son nom, son ciel, son fleuve, ses ponts, ses palais, son air, la grâce et l'élégance des habitants, les environs, tout, je l'aime, je l'aime » (à Hiller, le 15 mai). Pour Berlioz, Florence n'est pas l'Italie. Et il n'y est pas Hector Berlioz, l'artiste impulsif et génial que nous connaissons – et que lui-même ne connaît que trop – quand bien même il aime se regarder dans ce miroir-là. « Chaque fois que j'ai revu Florence, j'ai ressenti un trouble intérieur, un bouillonnement confus que je puis à peine m'expliquer. Je n'y connais personne... Il ne m'y est jamais arrivé d'aventure... J'y suis seul comme j'étais à Nice... C'est peut-être pour cela qu'elle m'affecte d'une façon si étrange. C'est tout à fait bizarre. Il me semble que, quand je suis à Florence, ce n'est plus moi, mais quelque individu étranger, quelque Russe ou quelque Anglais qui se promène sur ce beau quai de l'Arno. Il me semble que Berlioz est quelqu'autre part et que je suis une de ses connaissances.

Je fais le dandy, je dépense de l'argent, je me pose sur la hanche comme un fat. Je n'y comprends rien. »

La vérité, c'est qu'à Florence où il est allé à la poste centrale chercher de nouvelles lettres, il est brusquement confronté avec de terribles souvenirs. Camille et les lettres qu'il attendait d'elle dans cette même poste, celle de sa mère qu'il a reçue un jour fatal... Oui : Berlioz est bien devenu étranger au jeune homme qu'il était voilà un an. D'ailleurs, il ne s'attarde que trois jours en Toscane. Le voyage qu'il a prévu s'écourte cette fois malgré lui. Si le projet de se rendre à l'île d'Elbe échoue, en passant à Lodi il visite le fameux pont. « Il me sembla entendre encore le bruit foudroyant de la mitraille de Bonaparte et les cris de déroute des Autrichiens. Il faisait un temps superbe, le pont était désert, un vieillard seulement, assis sur le bord du tablier, y pêchait à la ligne. – Sainte-Hélène !... »

Son passage au pont de Lodi, haut lieu de l'histoire napoléonienne, va demeurer longtemps gravé en lui. La mitraille et les cris de déroute, certes, mais aussi les tambours, les fifres, les clairons : d'autres musiques qui vont vibrer en lui jusqu'à ce qu'il en fasse, d'elles aussi, une, deux, trois de ses œuvres... Après Lodi et ses enthousiasmes guerriers, c'est Milan, où il arrive le 20 mai. « Pour l'acquit de [sa] conscience », il va voir *L'Elixir d'amour*, le dernier opéra de Donizetti, au théâtre de la Cannobiana. C'est dans cette ville qu'il lance sa formule célèbre sur les Italiens : « De tous les peuples de l'Europe, je penche fort à le regarder comme le plus inaccessible à la partie poétique de l'art ainsi qu'à toute conception excentrique un peu élevée. » La musique n'est pour les Italiens qu'un plaisir des sens, rien autre... Ils n'ont guère pour cette belle manifestation de la pensée plus de respect que pour l'art culinaire... Le fin gastronome qu'était Rossini n'aurait pas désavoué cette remarque que Berlioz veut insultante. A Turin, où il se trouve ensuite, il n'est guère plus tendre pour la musique, populaire pourtant, qu'il y découvre. « C'est à Turin que, pour la première fois, j'ai entendu chanter en chœur dans les rues. Mais ces choristes en plein vent sont, pour l'ordinaire, des amateurs pourvus d'une certaine éducation développée par la fréquentation des théâtres. Sous ce rapport, Paris est aussi riche que la capitale du Piémont, car il m'est arrivé maintes fois d'entendre, au milieu de la nuit, la rue de Richelieu retentir d'accords assez supportables. Je dois dire, d'ailleurs, que les choristes piémontais entremêlaient leurs harmonies de quintes successives qui, *présentées de la sorte,* sont odieuses à toute oreille exercée. »

Mais ces criailleries sont désormais bien loin. « N'importe, je vois les Alpes », écrit-il à Humbert Ferrand le jour de son arrivée à Turin. La France, à présent si proche... Pourtant, c'est à Turin qu'il a l'idée, griffonnée sur un bout de carnet, d'une « symphonie militaire en deux parties : 1° Adieux du haut des Alpes aux braves tombés dans les champs d'Italie ; 2° Entrée triomphale des vainqueurs à Paris... » A peine quelques jours après son passage au pont de Lodi, où il n'a vu pourtant qu'un pêcheur à la ligne, voilà l'Italie bonapartiste qui porte déjà ses fruits ! Plus inconscient que jamais de ce qui mûrit vraiment en lui, Berlioz en Italie aura bien fait flèche de tout bois. La « Symphonie militaire » deviendra un jour sa *Symphonie funèbre et triomphale.* Mais voilà : Suse et le mont Cenis, trois francs ou cinquante-six sous de droits de douane payés sur des chapeaux de paille, naturellement d'Italie, qu'il a achetés à Florence pour sa famille : il est de retour en France.

« Et ce fut le 12 mai 1832 qu'en descendant le mont Cenis, écrira-t-il dans les *Mémoires*, je revis parée de ses plus beaux atours de printemps, cette délicieuse vallée de Grésivaudan où serpente l'Isère, où j'ai passé les plus belles heures de mon enfance, où les premiers rêves passionnés sont venus m'agiter. Voilà le vieux rocher de Saint-Eynard... Voilà le gracieux réduit où brilla la *Stella montis...* Là-bas, dans cette vapeur bleue, me sourit la maison de mon grand-père. Toutes ces villas, cette riche verdure... c'est ravissant, c'est beau, il n'y a rien de pareil en Italie ! Mais mon élan de joie naïve fut brisé soudain par une douleur aiguë que je ressentis au cœur... Il m'avait semblé entendre gronder Paris dans le lointain. »

Berlioz se trompe à nouveau dans les dates. C'est seulement le 31 mai qu'il a revu sa chère vallée de Grésivaudan, étant d'abord passé par Grenoble puis, naturellement, par La Côte-Saint-André. Mais quelle importance ? Jamais il ne devait revenir en Italie.

DEUXIÈME PARTIE

LE CIEL ET L'ENFER

1
Interlude dauphinois

Et voilà Berlioz en France. Il respire mieux : la vie, la vraie vie l'attend. Et la vraie vie, c'est Paris. Pourtant, il va lui falloir encore ronger son frein quelques mois. Son retour à Paris ne peut se faire qu'en deux temps. Comme il s'agissait d'éluder le règlement de l'Académie en quittant Rome six mois avant la date prévue, il fallait ruser, finasser, c'est-à-dire imaginer des *combinazioni* plus tarabiscotées les unes que les autres. Par exemple, pourquoi ne pas faire croire au brave Horace Vernet qu'il n'avait pas quitté l'Italie, mais s'était installé dans le Nord ? A Milan, par exemple, où il a effectivement passé cinq ou six jours ? Plus réaliste fut son plan de ne tromper que les autorités académiques parisiennes, et de mettre pour cela Vernet dans la confidence. Convaincu sans trop de difficulté, Vernet accepta et tous deux convinrent donc que Berlioz éviterait de se montrer à Paris avant un délai plus ou moins décent. En attendant il demeurerait plusieurs mois dans sa province natale. D'où cet intermède d'un peu plus de cinq mois, qui va de la fin du mois de mai à novembre 1832. Pendant cette période, Berlioz renoue avec sa famille, ses souvenirs d'enfance et de jeunesse, ses amis... Mais il retrouve surtout la vie de province française, étriquée à souhait. Il juge sans concessions ceux qu'il rencontre. C'est un moment étrange, hors du temps...

La vérité, c'est que Berlioz a changé d'une façon radicale entre son départ pour Rome au début de 1831 et son retour à Paris à la fin de 1832. Le jeune homme qui a échoué trois ou quatre fois au concours de l'Institut pour l'emporter avec un éclat juvénile au cinquième coup ; l'auteur exultant de bonheur au soir de la première exécution de sa *Symphonie fantastique* ; le fils qui se plaint de ne pas être compris par son père et l'accable de demandes d'argent, cinq cents francs par-ci, mille francs par-là ; l'amoureux transi et silencieux d'Harriett ; le fougueux fiancé trompé de Camille : tout cela appartient au passé, ce jeune homme-là était encore un enfant.

Parce qu'il y a eu la halte à Nice. Un premier moment de réflexion. La mer, la plage, une jeune inconnue qu'il possède sûrement « avec ardeur », comme on dit dans les mauvais romans du temps. Même s'il y avait songé avant, *Lélio* est né de ces instants et c'est bien *Le Retour à la vie*. C'est peut-être même davantage : c'est l'entrée dans la vie. La découverte de la vérité de la musique à travers d'épuisantes marches dans les Abruzzes en écho à la fainéantise du lézard paresseux bourré d'ennui de l'Académie : on ne saurait simplifier à l'excès ce qui est néanmoins à nos yeux une transformation étonnante du personnage de Berlioz à Rome. Du lézard au serpent : les serpents perdent leur peau, c'est celle du jeune homme, et non du vieil homme que, sans s'en rendre compte, Berlioz abandonne peu à peu à Rome. En apparence, il fulmine de la même manière en quittant l'Italie qu'en y arrivant contre ses insipides ou grotesques musiques. Accueilli à Florence par *Les Capulets et les Montaigus* de Bellini, c'est *La Somnambule* qu'il subit à Milan avant de franchir le mont Cenis... « Quelle pitié !!!... » L'œuvre pourtant divine, aérienne, du gentil Bellini, que Chopin et Maria Callas, avec une même ferveur, admiraient si fort, lui semble aussi méprisable au départ qu'à l'arrivée. Et cependant...

C'est peut-être au cours de ces cinq mois passés entre La Côte-Saint-André, Grenoble et Lyon, dans le vestibule en somme de Paris, qu'il l'a tout à fait perdue, sa peau de jeune homme. L'Italie, dès lors ? Après toutes les horreurs qu'il en a dites, nous pourrions, nous, en rire... Mais à peine arrivé à La Côte-Saint-André, il exhale un grand soupir à l'intention du camarade Hiller : « Oh ! quand je retournerai en Italie !!!... » Nous sommes le 7 août 1832.

Les premières semaines sont idylliques. Ou presque. Jamais la famille Berlioz n'a paru aussi unie, aussi heureuse de se retrouver. Dès le début du mois de juin, Berlioz passe d'abord par Grenoble avant de se rendre à La Côte. C'est qu'il veut revoir Nanci, pour laquelle il éprouve toujours de la tendresse, quand bien même elle a épousé un juge... Il fait la connaissance de ce Camille Pal, dont on sait d'avance qu'il n'a guère de sympathie pour lui. Après tout, le magistrat lui a pris sa sœur bien-aimée. Dans une jolie lettre de

Nanci à sa sœur Adèle, en date du 1er juin, la nouvelle Mme Pal raconte avec émotion et gaieté la manière dont son frère s'est présenté deux fois chez elle en son absence, sans révéler qui il était, pour lui faire une surprise. Revenu une troisième fois, il s'est fait annoncer comme un étranger venu lui donner des nouvelles de l'exilé romain. La jeune femme laisse alors éclater sa joie. Ce qui ne l'empêche pas d'éprouver une certaine appréhension à lui présenter son magistrat d'époux, qu'Hector ne verra que dans l'après-midi, « à la rentrée de l'audience ». Appréhension justifiée, puisque le frère se montrera vite irritable, irrité par ce qui l'entoure, par la balourdise sentencieuse de son beau-frère, peut-être par le changement de la belle Nanci Berlioz devenue une simple Mme Pal. Mais ce n'est qu'un début : frère et sœur se quittent bons amis.

C'est ensuite le premier séjour à La Côte-Saint-André. Le Dr Berlioz a vieilli. Il est fatigué, malade, hypocondriaque. Mme Berlioz est restée austère, autoritaire. Mais le père, la mère, Adèle, la sœur qui n'est, Dieu merci, pas mariée, fêtent l'enfant prodigue. Lui-même s'émeut de ces retrouvailles. Il entreprend de longues promenades à pied dans les environs, s'occupe de son jeune frère, le petit Prosper, dont le caractère difficile, les grands élans de tristesse lui rappellent ses propres spleens d'adolescent, quand il ne leur donnait encore que les noms de tristesse ou de mélancolie. Avec lui, il va « à la chasse au filet ». Avec son père, il a des conversations confiantes. Le père évoque la situation politique dans le département, les allées et venues des notables. Il continue à donner des conseils de prudence et de modération à son fils : après tout, Louis-Philippe à qui il s'est rallié, lui l'ancien ultra de La Côte-Saint-André, n'est-il pas l'apôtre de la modération ? Berlioz l'écoute, ironique peut-être, parfois. Mais il est heureux d'être en famille. Il raconte son séjour en Italie, évoque son ancienne passion pour Harriett Smithson dont il n'avait jamais touché mot à ses parents.

Et puis, il rattrape en lectures le temps perdu. A Thomas Gounet, il dira lire Balzac, Saintine (auteur d'un *Mutilé* qui fait alors grand bruit), Michel Raymond, pseudonyme des deux faiseurs de romans populaires plus oubliés encore.

Surtout, Hector se rapproche beaucoup de sa plus jeune sœur, Adèle. On a vu comment la confiance qu'il avait jadis eue en Nanci s'était peu à peu évanouie. Avec Adèle, il retrouve la tendresse perdue. C'est pour elle qu'il a rapporté un beau chapeau en paille d'Italie, qu'elle arrange à sa façon. Il est touché par sa simplicité.

De même, l'ancienne complicité de jadis avec sa mère est revenue, celle-ci demeurât-elle à cheval sur des principes qui ne sont certes pas ceux de son fils. Et l'attendrissement qui emplit encore celui-ci, à trente ans de distance, est touchant. « "Tiens, me dit-elle, peu de jours après mon retour de Rome, voilà une lettre qu'on m'a chargée de faire tenir à une dame qui doit passer ici tout à l'heure dans la diligence de Vienne. Va au bureau du courrier, pendant qu'on changera de chevaux, tu demanderas Mme F... et tu lui remettras la lettre. Regarde bien cette dame, je parie que tu la reconnaîtras, quoique tu ne l'aies pas vue depuis dix-sept ans." Je vais, sans me douter de ce que cela voulait dire, à la station de la diligence. A son arrivée, je m'approche la lettre à la main, demandant Mme F... "C'est moi, monsieur !", me dit une voix. C'est elle ! me dit un coup sourd qui retentit dans ma poitrine. Estelle !... encore belle !... Estelle !... la nymphe, l'hamadryade du Saint-Eynard, des vertes collines de Meylan ! C'est son port de tête, sa splendide chevelure, et son sourire éblouissant !... mais les petits brodequins roses, hélas ! où étaient-ils partis ?... On prit la lettre. Me reconnut-elle ? Je ne sais. La voiture repartit ; je rentrai tout vibrant de la commotion. "Allons, me dit ma mère en m'examinant, je vois que Némorin n'a point oublié son Estelle." Son Estelle ! méchante mère !... »

On imagine le sourire de Mme Berlioz. Allons ! le jeune homme revenu d'Italie n'est pas encore tout à fait débarrassé de sa « vieille » peau de si jeune homme. D'ailleurs il retrouve ses amis de jeunesse, dont Edouard Rocher et Albert Du Boys. Il marche de longues heures en leur compagnie au plus fort de l'été, se baigne, joue aux boules ou aux quilles. Ils évoquent leurs plaisirs, leurs lectures et le destin des amis de leurs amis.

Puis Berlioz décide de se rendre à nouveau à Grenoble. Il fera le voyage (cinquante kilomètres) à pied, avec son ardeur habituelle. Il connaît mieux les grands chemins de l'Isère que les sentiers de chèvre des Abruzzes. Il est heureux. C'est le sol de son paradis perdu qu'il foule avec ardeur. Jusqu'ici, tout va bien. Le voilà à Grenoble, le 3 juillet. Il y reverra Nanci, encore un peu plus mariée. La bonne société grenobloise – enfin : celle que fréquentent les Pal... – lui fera fête. Trop peut-être. C'est qu'il est intéressant, ce jeune homme qui revient d'Italie. Il en a vu, des choses ! Et puis, c'est un musicien, un artiste, un merle blanc chez ces bourgeois de province : c'est à partir de ce moment que le séjour se gâte. Après quelques semaines d'une quiétude familiale qui a pu lui faire oublier sa vraie nature, le Berlioz de toujours, celui qui aura beau changer de peau et ne changera pas, au fond de lui, a fait sa réapparition. C'est dans la lettre qu'il écrit à Mme Vernet, une manière de « lettre de château », afin de remercier de tout ce que l'épouse attentive du bon M. Horace a fait pour lui, qu'il décrit le mieux ce qu'il a trouvé à son retour en France : « Je ne puis que me trouver fort peu à l'aise au milieu du monde magistratural, et beaucoup de mes parents et amis étant attachés à la cour ou au barreau de Grenoble, c'est celui que je dois voir le plus fréquemment. Malgré tous mes efforts pour détourner la conversation de pareils sujets, on s'obstine à me parler art, musique, haute poésie ; et Dieu sait comment on en parle en province... des idées si étranges, des jugements faits pour déconcerter un artiste et lui figer le sang dans les veines, et par-dessus tout le plus horrible sang-froid. On dirait, à les entendre causer de Byron, de Goethe, de Beethoven, qu'il s'agit de quelque tailleur ou bottier, dont le talent s'écarte un peu de la ligne ordinaire ; rien n'est assez bon pour eux ; jamais de respect ni d'enthousiasme ; ces gens-là feraient volontiers de feuilles de rose la litière de leurs chevaux. De sorte que, vivant au milieu du monde, je demeure dans le plus profond et le plus cruel isolement. » Décidément, de Choderlos de Laclos à Hector Berlioz, sans oublier Henri Beyle au passage, la pauvre ville de Grenoble n'a pas eu l'heur de plaire aux littérateurs ! Même avec sa famille, ses rapports commencent à s'aigrir. Ainsi Nanci et le juge Pal : « J'ai passé dernièrement quinze jours chez elle, son mari et son beau-frère sont de ces gens bons, excellents, d'un esprit cultivé, mais qui me sont insupportables. Je les ai suppliés une fois de ne jamais me parler ni musique, ni art, ni haute poésie quelconque ; ils n'ont pas pu y parvenir ; ils ont des opinions exécrables ; et je me suis tiré de leurs conversations tout froissé et tout égratigné. C'est dans ces moments-là que je suis dangereux. Quand je vois attaquer mes admirations, mes dieux uniques, que je garde dans le cœur de mon cœur, je sens bien alors que ma haine et mon mépris de l'humaine racaille ne sont point une opinion alambiquée et que des mots je passerais aux actes très facilement » (à Ferdinand Hiller, le 7 août).

Avis aux prétendus amateurs de musique ou de poésie qui s'avisent de parler de son art à un artiste... Et Nanci de répondre, comme en écho, dans une lettre vengeresse adressée à Adèle : « Je te renvoie enfin ton cher Hector, ma chère Adèle, et je te le renvoie avec toute son *amabilité* car il n'en a pas dépensé une obole. Il a été chez ma belle-mère d'une constante maussaderie et tu leur pardonneras s'ils le prennent pour un sauvage misanthrope car, d'honneur, il est impossible qu'ils en pensent autrement. Il n'est pas entré une seule fois chez moi sans une figure sombre et farouche [...] il était vraiment pénible pour moi de le voir se montrer toujours sous un aspect aussi peu favorable. Son silence glacial m'a bien souvent écrasé la poitrine ; il est impossible de moins se gêner qu'il ne l'a fait avec tout le monde. »

Le retour d'Italie prend dès lors des couleurs plus sombres. Avec le Dr Berlioz, peut-être avec Mme Berlioz, les rapports ont dû se tendre aussi... Désabusé, dans sa lettre à Hiller, Hector remarque : « Je suis, en effet, avec ma famille, mais je n'ai que ma sœur cadette qui m'adore, et je me laisse adorer d'une manière fort édifiante... » Seule celle-ci semble rester sa « bonne, belle, chère et excellente Adèle ». Pour le reste, même s'il a retrouvé les paysages de son cher Dauphiné, voilà qu'il « chauffe » à nouveau. C'est ce qu'il écrit à Mme Vernet, avec un grand soupir même, pour évoquer Mlle Louise, sa fille. « Puis j'étouffe par défaut de musique ; je n'ai plus à espérer le soir le piano de Mlle Louise, ni les sublimes adagios qu'elle avait la bonté de me jouer, sans que mon obstination à les lui faire répéter pût altérer sa patience ou nuire à l'expression de son jeu. Je vous vois rire, madame ; vous dites, sans doute, que je ne sais ni ce que je veux ni où je voudrais être, que je suis à demi fou. A cela je vous répondrai que je sais parfaitement bien *ce que je veux*, mais que, pour ma mezza pazzia [demi-folie], comme on s'accorde assez généralement à m'en gratifier et que dans beaucoup de circonstances il y a un grand avantage à passer pour fou, j'en prends facilement mon parti. »

Stupéfiant Berlioz, qui, à Rome, dit tout le mal qu'il pense des soirées de la Villa mais, de retour en France, les regrette douloureusement. Plus loin dans sa lettre, il revient à Louise Vernet qu'il appelle un « gracieux Ariel ». Un « gracieux Ariel » ? On a déjà entendu cela quelque part. Et à propos d'une autre. De deux autres, même. D'abord Harriett, pour qui la formule, toute shakespearienne, a été élaborée. Puis à propos de Camille. On peut à nouveau se poser des questions. Une seule, qui brûle les lèvres : et si le charme de la jolie fille du directeur de l'Académie de France à Rome avait agi sur lui sans qu'il en ait rien dit ? Sans même, peut-être, qu'il s'en soit rendu compte. Mais comme les choses n'iront pas plus loin, on en restera là. Pour Mme Vernet, en tout cas, il aurait pu, à la lecture de cette lettre, passer pour ayant l'étoffe dont on fait les gendres. N'a-t-il pas longuement raconté dans la même lettre, à la bonne dame, la manière dont son père vient d'essayer de le marier ?

Faute de rencontres plus intéressantes, faute aussi d'autre affection que celle d'Adèle, et parce qu'il continue de préparer un retour à Paris qu'il veut éclatant, Berlioz travaille d'arrache-pied. Il ne fait que cela. C'est qu'il copie sans relâche, à s'en faire mal aux doigts, les parties d'orchestre de son *Lélio*, qu'il veut donner très vite en concert. De même a-t-il achevé de mettre en forme ce qui, a posteriori, constituera son second envoi de Rome : le *Quartetto e coro dei maggi* et l'ouverture de *Rob Roy*. Il y travaillait déjà avant son voyage à Grenoble, il s'y remet à son retour. Et à Belley, chez Humbert Ferrand, qu'il est allé voir du 23 au 27 août, il copie toujours : « J'ai encore tant à copier pour mon prochain concert que je n'ose perdre mon temps. » Avec Ferrand, il a aussi de grandes discussions sur ce *Dernier Jour du monde*, qui l'obsède sûrement plus que son ami, trop occupé, au goût de Berlioz, par sa jeune femme qu'ils iront chercher tous deux à Aix où elle prend les eaux. Pourtant, ensemble, les deux amis ont de belles conversations. Ils ne se sont jamais ressemblés, l'un enthousiaste, vibrant, l'autre bon bougre, calme, effrayé parfois par les foucades de son compagnon. A coup sûr, la passion-Harriett a été pour lui incompréhensible. Mais les deux jeunes gens ont tellement à se confier. Et c'est tellement plus agréable de raconter l'Italie à un camarade de toujours qu'à des notaires guindés et autres prétentieux avocats dans un salon de Grenoble. Alors Hector parle, parle, parle... L'affection qu'il éprouve pour Ferrand est immense. Même si celui-ci ne se sent plus guère l'âme d'un poète. Aussi, de retour à La Côte, Berlioz se préoccupe-t-il de renouer le dialogue de « collaboration » avec son ami. « En deux mots, mon cher Humbert, il faut que vous veniez plus tôt que nous n'étions convenus... Venez donc sans faute dans la dernière huitaine d'octobre, nous aurons tout le temps de monter nos batteries et de bien digérer nos projets pour l'avenir. Apportez avec vous le volume de *Hamlet*, celui d'*Othello* et du *Roi Lear,* et la partition de *La Vestale* ; tout cela nous sera utile. »

Le 17 octobre, le second « envoi de Rome », expédié du Dauphiné, reçoit un accueil favorable de l'Institut. Du coup, Berlioz ne voit pas de raison de jouer plus longtemps à cache-cache dans ses provinces avec ces messieurs de l'Académie. Il avait promis d'attendre la mi-novembre pour gagner Paris, mais il n'y tient plus. Le

28 octobre, il demande son passeport et, le 2 novembre, prend la diligence pour Lyon. De Lyon, il écrit le 3 à Ferrand. Encore une lettre qui le résume tout entier. D'abord un nouvel accès de fureur contre les ennemis de la vraie musique : il n'y a pas qu'en Italie qu'on ignore ou massacre ce qu'il aime. Sur ce plan, Lyon ne vaut pas mieux : « Je suis allé hier soir au Grand-Théâtre, où j'ai ressenti une commotion profonde et pénible en entendant, dans un ignoble ballet, cet ignoble orchestre jouer un fragment de la *Symphonie pastorale* de Beethoven ("Le retour du beau temps"). Il m'a semblé retrouver dans un mauvais lieu le portrait de quelque ange adoré que jadis avaient poursuivi mes rêves d'amour et d'enthousiasme. Oh ! deux ans d'absence ! »

Mais Paris est en vue et Berlioz se redresse d'un coup. Il y a les projets, l'avenir, et son énergie qui reprend le dessus. Il faut bien « préparer le terrain » de sa rentrée parisienne. « Vous m'aviez parlé de *journaux qu'il faut avoir* et dont vous connaissez les rédacteurs ; écrivez-moi un mot là-dessus le plus tôt possible, à l'adresse de Gounet, rue Sainte-Anne, n° 34 ou 32 ; mettez sous enveloppe la lettre avec mon nom. » Et surtout, travailler à ce *Dernier Jour* qui est le principal sujet de préoccupation de l'heure : « Je suis sûr que vous ne faites rien de notre grand ouvrage ; et pourtant ma vie s'écoule à flots, et je n'aurai rien fait de grand avant la fin. Je vais voir Véron, le directeur de l'Opéra. Je tâcherai de me faire comprendre de lui, de l'arracher aux idées mercantiles et administratives ; y réussirai-je ? Je ne m'en flatte guère... »

Berlioz a quitté l'Italie depuis cinq mois, c'est un homme nouveau, soit. Pourtant, aujourd'hui comme hier, il fulmine, il se plaint, il tire des plans sur l'avenir. Cependant le 7 novembre 1832, il est de retour à Paris. Les aventures d'un jeune homme pauvre s'achèvent ici. La vraie vie commence.

2

A nous deux, Paris !

« Oh ! quand je retournerai en Italie !!! » Quel cri du cœur, plus que surprenant après les quinze mois de lamentations romaines... C'est que, pour heureux qu'il soit de revenir en France, Berlioz n'en est pas moins inquiet de ce qu'il va y trouver. Et même s'il affirme à son ami Hiller : « Voyez-vous, mon cher, il me faut de la *liberté*, de l'*amour*, de l'*argent* ! » ; même s'il pense toujours à prendre une revanche éclatante à l'encontre de Camille, comme à l'endroit du monde musical tout entier qui le brida si longtemps ; même s'il lance un autre cri du cœur : « On ne vit et ne meurt qu'une fois ! », Berlioz redoute Paris. Se retournant pour la première fois afin de jeter un coup d'œil derrière lui, il doit se rendre compte de ce qu'a eu de riche, de puissant, de créateur l'exaltation ressentie en Italie. Alors l'homme mûr qu'il est devenu va renouer avec l'adolescent tout feu tout flamme pour se jeter dans une aventure, la dernière – la plus belle, peut-être, et la plus misérable. Et c'est seulement dépouillé de sa dernière peau de jeune homme pauvre et ardent qu'il deviendra le plus grand compositeur français de ce milieu de siècle. Avec les cent couronnes de laurier qui vont avec, et aussi les épines, la routine qui les accompagnent. Avec le spleen qui est son mal profond et un autre mal encore qui va peu à peu l'envahir. Avec aussi, par instants, une étrange lumière claire, un instant de bonheur fugitif, la *Stella montis*, quelquefois presque retrouvée, ou retrouvée trop tard. Et avec ce désir des femmes, lancinant, tout-puissant, qui le hante depuis que le corps de Camille s'est donné puis dérobé à lui. Nous sommes en 1832. Il a vingt-neuf ans. Il lui reste trente-sept ans à vivre.

A peine arrivé à Paris, l'ancien pensionnaire de l'Académie de France à Rome n'a qu'un souci : s'y refaire une place au soleil... Il a beau affirmer que nul ne l'a oublié (« Je me suis trouvé, à mon retour, beaucoup plus connu que je ne pensais. Il paraît qu'en mon absence il a été fréquemment question de moi dans les petits journaux de Paris », écrit-il à Nanci le 26 novembre), la glorieuse première de la *Symphonie fantastique* remonte à deux ans. Ernest Legouvé, qui deviendra aussitôt son ami, raconte, dans ses *Soixante ans de souvenirs*, « avoir croisé dans un café un jeune homme à l'air inspiré qu'[il] ne connaît pas ». Il s'informe, c'est Berlioz, alors « à peu près inconnu à Paris ». La pente ne sera pas forcément aisée à remonter. Aussi ce retour qu'il a préparé dans les dernières semaines de son séjour romain doit-il impérativement être pour lui une réussite. Pour cela, il lui faut se rappeler au souvenir des Parisiens de manière éclatante : en donnant un concert. Tout de suite. Et ce premier concert ne peut qu'être un triomphe. C'est à quoi il s'attache d'entrée de jeu et, comme deux ans plus tôt, cette fin d'année lui sera formidablement favorable.

Moins d'une semaine après son retour, il a déjà écrit à l'intendant général de la liste civile pour lui demander de mettre à sa disposition la salle du Conservatoire, dite des Menus-Plaisirs. Sa lettre est une vraie plaidoirie : « ... moins heureux en cela que les peintres qui ont la ressource des expositions, nos partitions sont mortes s'il n'y a pas exécution. L'accueil encourageant que quelques-uns de mes ouvrages ont reçu du public dans cette même enceinte m'enhardit à croire que ceux que je rapporte d'Italie m'attireront de nouveaux suffrages. J'ai surtout à cœur de me montrer digne de l'Ecole à laquelle j'appartiens et de son illustre patronage ».

« Nos partitions sont mortes s'il n'y a pas exécution... », et Berlioz veut tant vivre. L'accord lui est aussitôt donné. C'est le dimanche 9 décembre qu'aura lieu le concert. Au programme, deux œuvres : hier et aujourd'hui. Le succès d'hier, à savoir la *Symphonie fantastique* telle que l'auteur l'a retouchée au cours des deux années écoulées et rebaptisée *Episode de la vie d'un artiste* : jamais le caractère autobiographique de l'œuvre n'a été souligné avec tant de soin. Mais la *Fantastique* appartient déjà au domaine d'hier. Il y a l'aujourd'hui, l'autre volet symphonique, son *Retour à la vie*, *Lélio*, le « mélologue » peut-être déjà envisagé avant le départ pour l'Italie, repris sous le coup de l'émotion intense des semaines niçoises. La *Fantastique* et *Lélio* : un pont tendu à travers ses années romaines.

Le chef prévu est toujours Habeneck, qui dirigea le second concert de Berlioz en novembre 1829.

Dès le début, tout semble devoir se passer le mieux du monde. Il n'est jusqu'à ce vieux bougon de Cherubini qui ne le reçoive avec « une affectuosité qu[il] n'avai[t] jamais remarquée dans son caractère ». Ce contraste avec ses anciens sentiments émeut Berlioz. « Tout marche tellement à souhait que cela m'effraye, écrit-il à Adèle fin novembre. Les artistes m'ont accueilli à mon arrivée avec un empressement des plus affectueux ; ils s'empressent à l'envi de faire partie de mon orchestre. Ce sera gigantesque d'exécution instrumentale... M. Véron, directeur de l'Opéra, m'a refusé A. Nourrit, m'en a accordé un autre – *Dupont* –, et m'a accablé à mon arrivée chez lui de compliments courtisanesques ; je suis curieux de voir les résultats de ses paroles emmiellées. Il viendra au concert...Mon affiche excite la curiosité au plus haut degré. On en parle partout. Je n'ai jamais eu autant de marge que cette fois-ci. Tout est prêt aujourd'hui et le concert n'est que dans douze jours. »

Naturellement, il se fait de nouveaux amis. C'est-à-dire qu'il élabore avec eux de nouveaux projets. Ernest Legouvé le présente à Eugène Sue qui « cherche [pour lui] dans ce moment un sujet d'opéra qu'il ferait ensuite rimer par un grand faiseur ». Ce n'est pas tout : « Trois ou quatre personnes m'ont dit [...] qu'A. Dumas venait d'en terminer un qu'il me destinait. » Mais Berlioz est tellement occupé qu'il n'a « pas eu le temps d'aller chez lui pour éclaircir ce qui est peut-être un quiproquo ». Il ne doute de rien... Pas le temps de voir Dumas !

Legouvé, Sue, Dumas, voilà pour l'amitié. Quant aux amours... La vengeance, d'abord.

Avec quelle satisfaction ne remarque-t-il pas dans la même lettre à Nanci : « Camille, hier, s'est informée beaucoup de moi, auprès d'un artiste qui dînait chez elle. Son mari a coupé deux fois la conversation. C'est drôle. Nous verrons... » Et Berlioz conclut au sujet de Camille Moke devenue Mme Pleyel : « Elle ne trouvera plus qu'un Don Juan au lieu du Werther qu'elle espère. » Il ne doute de rien, non. Car un événement tout à fait incroyable s'est produit dès son arrivée à Paris. Le hasard ? Pas vraiment. Presque le hasard. Qu'on l'écoute : « N'ayant pas trouvé libre l'appartement que j'occupais rue de Richelieu avant mon départ pour Rome, une impulsion secrète me poussa à en aller chercher un en face, dans la maison qu'avait autrefois occupée miss Smithson (rue Neuve-Saint-

Marc, numéro 1) ; et je m'y installai. Le lendemain, en rencontrant la vieille domestique qui remplissait depuis longtemps dans l'hôtel les fonctions de femme de charge : "Eh bien, lui dis-je, qu'est devenue miss Smithson ? Avez-vous de ses nouvelles ? – Comment, monsieur, mais... elle est à Paris, elle logeait même ici il y a peu de jours ; elle n'est sortie qu'avant-hier de l'appartement que vous occupez maintenant, pour aller s'installer rue de Rivoli. Elle est directrice d'un théâtre anglais qui commence ses représentations la semaine prochaine." Je demeurai muet et palpitant à la nouvelle de cet incroyable hasard et de ce concours de circonstances fatales. Je vis bien alors qu'il n'y avait plus pour moi de lutte possible. Depuis plus de deux ans, j'étais sans nouvelles de la *fair Ophelia* ; je ne savais si elle était en Angleterre, ou en Ecosse, ou en Amérique ; et j'arrivais d'Italie au moment même où, de retour de ses voyages dans le nord de l'Europe, elle reparaissait à Paris. Et nous avions failli nous rencontrer dans la même maison, et j'occupais un appartement qu'elle avait quitté la veille... »

Et voilà. Dès son retour à Paris, dès le premier jour, Berlioz se retrouve, par hasard, ou presque dans le sillage d'Harriett Smithson. Mieux : il habite chez elle et couche dans son lit. Un lit froid et vide d'appartement meublé mais le lit où, tout de même, a couché avant lui la comédienne. Deux ans ont passé depuis qu'il a renoncé à être aimé de la *fair Ophelia* qui enchanta et déchira tant de ses jours et, presque deux ans jour pour jour après, il se retrouve à deux pas d'elle. Elle ne le connaît pas, ou si peu : se souvient-elle seulement de sa si peu discrète admiration ? Mais lui, en somme, ne l'a jamais oubliée. *Le Retour à la vie* n'aurait été que l'après-Camille ? Allons donc ! Le retour à la vie, c'est aussi Harriett. Tout le mal qu'on lui a dit d'elle ? C'est Camille qui a colporté ces ignominies, non ? Et l'on sait quel genre de femme est la nouvelle Mme Pleyel !

Berlioz affecte d'abord de ne pas avoir voulu retomber sous l'emprise d'un amour qui risquerait de le distraire de ce qui est son principal objectif : la préparation du concert. Il s'en explique peut-être laborieusement, mais il s'en explique : « Un partisan de la doctrine des influences magnétiques, des affinités secrètes, des entraînements mystérieux du cœur, établirait là-dessus bien des raisonnements en faveur de son système. Je me bornai à celui-ci : je suis venu à Paris pour faire entendre mon nouvel ouvrage (le mélologue) ; si, avant de donner mon concert, je vais au théâtre anglais, si je *la revois*, je retombe infailliblement dans le *delirium tremens,* toute liberté d'esprit m'est de nouveau enlevée, et je deviens incapable des soins et des efforts nécessaires à mon entreprise musicale. Donnons donc le concert d'abord, après quoi, qu'Hamlet ou Roméo me ramènent Ophélie ou Juliette, je *la* reverrai, dussé-je en mourir. Je m'abandonne à la fatalité qui semble me poursuivre ; je ne lutte plus... En conséquence, les noms shakespeariens eurent beau étaler chaque jour sur les murs de Paris leurs charmes terribles, je résistai à la séduction et le concert s'organisa. »

Berlioz nous le dit : il tient bon. Ce ne sont pas les hasards de la découverte d'un nouvel appartement qui vont le détourner de sa route ! Il n'est plus un gamin. Et il a si souvent changé de logement à Paris, rue Saint-Jacques, rue de Richelieu, rue Neuve-Saint-Marc à présent : il ne va pas risquer sa carrière sur une nouvelle adresse, presque fortuite. Il le clame bien haut : il ne veut plus que le succès, l'argent et la liberté. L'amour ? Ce sera pour après. Il ne veut plus rien – mais il avoue tout : « Le programme se composait de ma *Symphonie fantastique* suivie de *Lélio* ou *Le Retour à la vie*, mélologue qui est le complément de cette œuvre, et forme la seconde partie de l'*Episode de la vie d'un artiste*. Le sujet du drame musical n'est autre, on le sait, que l'histoire de mon amour pour miss Smithson, de mes angoisses, de mes rêves douloureux... Admirez maintenant la série de hasards incroyables qui va se dérouler. »

Il avoue tout, oui ; son programme est un hymne à Harriett Smithson. Mais c'est le sort qui va décider de son avenir. Le hasard, à nouveau : une rencontre chez M. Arnoux, on veut dire dans la boutique de celui qui a donné son nom au personnage de *L'Education sentimentale*. « Deux jours avant celui où devait avoir lieu au Conservatoire ce concert [...] me trouvant dans le magasin de musique de Schlesinger, un Anglais y entra et en ressortit presque aussitôt. "Quel est cet homme ? dis-je à Schlesinger (singulière curiosité que rien ne motivait). – C'est M. Schutter, l'un des rédacteurs du *Galignani's Messenger*. Oh ! une idée ! dit Schlesinger en se frappant le front. Donnez-moi une loge, Schutter connaît miss Smithson, je le prierai de lui porter vos billets et de l'engager à assister à votre concert." Cette proposition me fit frémir de la tête aux pieds, mais je n'eus pas le courage de la repousser et je donnai la loge. Schlesinger courut après M. Schutter, le retrouva, lui expliqua sans doute l'intérêt exceptionnel que la présence de l'actrice célèbre pouvait donner à cette séance musicale, et Schutter promit de faire son possible pour l'y amener. »

Le sort – probablement caressé dans le sens du poil, et l'histoire un peu récrite après coup, mais qu'importe – frappe à nouveau. Dans le bon sens lui aussi. Ce M. Schutter, dont nous savons seulement qu'il est l'un des rédacteurs de la revue éditée par la librairie anglaise Galignani – aujourd'hui établie rue de Rivoli –, joue le rôle du destin dans la comédie berliozo-shakespearienne qui conduira, le 9 décembre 1833, à un autre moment clef de la vie de notre héros et, d'une certaine manière, de l'histoire du romantisme.

Depuis qu'il a quitté Paris, la carrière de miss Smithson a connu des hauts et des bas, quelques fausses notes qui parsèment ce jeu de l'amour et du hasard qu'est une vie d'artiste. Aussi Berlioz ne noircit-il pas vraiment la situation de la comédienne quand il remarque que « la pauvre directrice du théâtre anglais s'occupait, elle, à se ruiner complètement. Elle avait compté, la naïve artiste, sur la constance de l'enthousiasme parisien, sur l'appui de la nouvelle école littéraire, qui avait porté bien au-dessus des nues, trois ans auparavant, et Shakespeare et sa digne interprète. Mais Shakespeare n'était plus une nouveauté pour ce public frivole et mobile comme l'onde ; la révolution littéraire appelée par les romantiques était accomplie ; et non seulement les chefs de cette école ne désiraient plus les apparitions du géant de la poésie dramatique, mais, sans se l'avouer, ils les redoutaient, à cause des nombreux emprunts que les uns et les autres faisaient à ses chefs-d'œuvre, avec lesquels il était, en conséquence, de leur intérêt de ne pas laisser le public se trop familiariser ».

On se lasse de tout, mon ange, soit... Harriett Smithson ne s'en était pas doutée. Pire : elle avait fondé sa propre compagnie et, de ce fait, s'était retrouvée responsable financièrement d'une situation de plus en plus désastreuse. Après cinq années d'enthousiasme, le public de miss Smithson, parisien et blasé, s'est éclairci. Après un voyage à Londres, la compagnie anglaise n'a plus donné que quelques représentations puis a dû interrompre sa nouvelle saison. Mais voir dans ce désintérêt progressif le résultat d'une manière de cabale des romantiques eux-mêmes, jaloux de Shakespeare ou, plus encore, inquiets qu'on découvre ce qu'ils avaient pu lui emprunter, est une vision bien romantique ! Peut-on le reprocher à Berlioz ? C'est un rôle qu'il joue à présent avec tant de volupté. Ainsi, en cette fin d'année 1832, il n'en doute pas un instant : il est l'astre qui monte quand Harriett est l'étoile pâlissante. Mais il aura le beau rôle. Lui, il saura regarder vers elle alors qu'elle, au sommet de sa gloire, ne lisait même pas ses billets. Et miss Smithson accepte de se rendre au Conservatoire. Berlioz raconte ce qui suit – naturellement à sa manière.

« En entrant dans sa loge d'avant-scène, au milieu de ce peuple de musiciens (j'avais un orchestre immense) en butte aux regards empressés de toute la salle, surprise du murmure insolite des conversations dont elle semblait être l'objet, [miss Smithson] fut saisie d'une émotion ardente et d'une sorte de crainte instinctive dont le motif ne lui apparaissait pas clairement. Habeneck dirigeait l'exécution. Quand je vins m'asseoir pantelant derrière lui, miss Smithson qui, jusque-là, s'était demandé si le nom inscrit en tête du programme ne la trompait pas, m'aperçut et me reconnut. "C'est bien lui, se dit-elle ; pauvre jeune homme !... il m'a oubliée sans doute... je l'espère." La symphonie commence et produit un effet foudroyant [...] C'était alors le temps des grandes ardeurs du public, dans cette salle du Conservatoire d'où je suis exclu aujourd'hui. Ce succès, l'accent passionné de l'œuvre, ses brûlantes mélodies, ses cris d'amour, ses accès de fureur, et les vibrations violentes d'un pareil orchestre *entendu de près*, devaient produire et produisirent en effet une impression aussi profonde qu'inattendue sur son organisation nerveuse et sa poétique imagination. Alors, dans le secret de son cœur, elle se dit : "S'il m'aimait encore !" »

Tout est dit. L'illustre comédienne anglaise, si longtemps méprisante pour ce petit musicien aux cheveux en bataille et sanglé comme un coq dans des redingotes élimées, le ver de terre, en somme, amoureux et qu'elle regardait de si haut mais dont l'œuvre, aujourd'hui, « produit un effet foudroyant », lui fait soudain pousser un soupir : « S'il m'aimait... »

Tout est dit, mais peut-être que tout n'est pas si simple. Harriett Smithson savait parfaitement ce qu'elle faisait en se rendant ce jour-là à la salle des Menus-Plaisirs. Berlioz avait parlé, beaucoup parlé d'elle. Les notes du programme distribué à l'entrée de la salle étaient explicites : c'est d'elle qu'il allait s'agir dans les deux œuvres qu'on allait jouer. Tous les regards étaient fixés sur elle. Peut-être que le premier sentiment qui l'anima fut la colère.

Ce n'était pourtant pas fini. Comme si tout avait été calculé d'avance, minuté même : le nom sur l'affiche puis le visage du jeune compositeur derrière le grand Habeneck, les cancans de l'entracte et enfin le « mélologue » de *Lélio*... « Dans l'entracte qui suivit l'exécution de la symphonie, les paroles ambiguës de Schutter, celles de Schlesinger qui n'avait pu résister au désir de s'introduire dans la loge de miss Smithson, les allusions transparentes qu'ils faisaient l'un et l'autre à la cause des chagrins bien connus du jeune compositeur dont on s'occupait en ce moment, firent naître en elle un doute qui l'agitait de plus en plus. » Les paroles, récitées avec emphase par l'acteur Bocage, font le reste : il n'y est question que de Juliette et d'Ophélie « que mon cœur appelle ». Harriett Smithson a maintenant compris. Berlioz lui prête même les réflexions qu'il espérait.

« "Mon Dieu !... Juliette... Ophélie... Je n'en puis plus douter, pensa miss Smithson, c'est de moi qu'il s'agit... Il m'aime toujours !..." A partir de ce moment, il lui sembla, m'a-t-elle dit bien des fois, que la salle tournait ; elle n'entendit plus rien et rentra chez elle comme une somnambule, sans avoir la conscience nette des réalités. »

Suit une ligne de points de suspension qui exprime, bien sûr, pour Berlioz, l'inexprimable. Que le compositeur aimât toujours la comédienne, celle-ci ne pouvait en douter. D'abord, on le lui avait dit. Le « mélologue » de *Lélio* ne faisait que le confirmer. Mais elle ? Qu'il nous soit permis de penser que la colère d'Harriett dura encore un jour ou deux. Mais comme un Hector Berlioz n'en fait jamais trop, il profite également de l'occasion qui lui est donnée par la présence sur scène d'un acteur célèbre dont il a écrit le rôle pour lui faire lancer une diatribe ampoulée mais véhémente contre l'un des plus célèbres critiques de son temps, devenu maintenant son ennemi pour une sombre histoire d'édition fautive des symphonies de Beethoven. En une prose délirante, l'acteur s'en prend à « ces tristes habitants du temple de la Routine, prêtres fanatiques, qui sacrifieraient à leur stupide déesse les plus sublimes idées neuves ; ces jeunes théoriciens de quatre-vingts ans, vivant au milieu d'un océan de préjugés et persuadés que le monde finit avec les rivages de leur île [...] ces vieux libertins de tout âge, qui ordonnent à la musique de les caresser, de les divertir, n'admettant point que la chaste muse puisse avoir une plus noble mission ; et surtout ces profanateurs qui osent porter la main sur les ouvrages originaux ».

Tout cela paraît aujourd'hui emberlificoté, mais cette déclaration de guerre fait partie d'un combat qui est celui du romantisme et dont tous les spectateurs connaissent (en principe : Berlioz en est du moins persuadé...) les tenants et les aboutissants. D'où la réaction de la salle. « Aux derniers mots de cette tirade, l'explosion d'éclats de rire et d'applaudissements fut d'autant plus violente [...] que Bocage contrefit le doucereux langage de Fétis fort agréablement. Or, Fétis, puisque c'est lui qui est dans la lignc dc mirc dc Berlioz, très en évidence au balcon, assistait à ce concert. Il reçut ainsi toute ma bordée à bout portant. Il est inutile de dire maintenant sa fureur et de quelle haine enragée il m'honora à partir de ce jour. »

Ainsi le *Lélio* de Berlioz est-il devenu un fusil à deux coups. La première balle a frappé Harriett Smithson au cœur ; la seconde, dans sa vanité, l'auteur fameux de la *Biographie universelle des musiciens*.

Quoi qu'il en soit des sentiments des uns et des autres, le succès est immense. Dans le joli texte biographique qu'il consacre à cette soirée dans *La Revue de Paris*, Joseph d'Ortigue, qui deviendra le plus fidèle des amis, rapporte que « le concert fini, un homme visiblement ému traverse les couloirs du Conservatoire. Il demande Berlioz, qu'il ne connaissait pas, le serre sur son cœur, et lui dit d'un accent pénétré : “Monsieur, vous commencez par où les autres ont fini” ». Berlioz venait d'embrasser Paganini. Paganini dont il avait tant regretté, pendant son séjour à Rome, de n'avoir pu assister aux premiers concerts parisiens.

Dès le lendemain, il écrit à Adèle : « J'ai obtenu hier un succès extraordinaire. Presque tout a été bien exécuté et senti. J'ai été écrasé d'applaudissements et, ce qui ne m'était jamais arrivé, redemandé à grands cris par le public qui avant de sortir de la salle a voulu me voir ; j'ai donc été obligé de paraître sur l'avant-scène au milieu de la grêle retentissante de bravos du public et de l'orchestre. Je suis presque bien aise, bonne sœur, que tu ne te sois pas trouvée là, tu en aurais pris une attaque de nerfs. Je suis sûr aussi que cela aurait fait mal à mon père. [...] J'ai obtenu encore un bien autre suffrage, plus inattendu, et qui est le sujet de toutes les conversations, je te dirai cela plus au long une autre fois. [...] On me tourmente pour redonner une seconde représentation ; je vais voir si la chose est possible d'ici à une quinzaine. Il n'y a encore aujourd'hui que *La Quotidienne* et *Les Débats* qui parlent de moi, je vous enverrai tous les articles de journaux qui paraîtront là-dessus. »

Le suffrage « plus inattendu », Adèle Berlioz devra attendre pour savoir ce qu'il est mais, nous, nous le connaissons déjà. Harriett, bien sûr : Harriett Smithson. Et ce fou de Berlioz, dont on a dit qu'à son retour à Paris il était un autre homme, fera ce qui est peut-être son ultime folie – sous les yeux du tout-Paris qui assistait au concert, Victor Hugo et le compositeur allemand Pixis, Dumas, le ténor Nourrit et Joseph d'Ortigue. Celui-ci publiera d'ailleurs quinze jours plus tard l'article dont nul ne doute aujourd'hui qu'il a été non seulement soufflé par Berlioz, mais même écrit en partie par le compositeur qui voulait, par voie de presse, que nul n'ignore ce qui s'était (selon lui) passé. Le succès du concert, oui. Mais aussi le coup de foudre qui en était résulté. Heureux temps du romantisme où un critique musical pouvait délirer autant sur l'œuvre qu'il admirait que sur la passion de son auteur pour une comédienne anglaise... Ce qui ne laissera pas d'inquiéter les bonnes gens de La Côte-Saint-André, on le devine. L'article de d'Ortigue sera repris dans *Le Balcon de l'Opéra*, publié quelques mois plus tard chez l'éditeur Renduel – avec un joli frontispice de Célestin Nanteuil : l'ange de la musique y grave sur la pierre le nom de Berlioz parmi ceux de Cimarosa, de Lully et de Beethoven.

Dès le lendemain du concert, Berlioz se lance donc à l'attaque du cœur de miss Smithson – dont il croit avoir compris qu'il est déjà conquis. Il s'agira d'abord simplement de posséder la comédienne, n'en doutons pas. Puis, devant ses résistances, l'objet du combat changera afin d'arriver au résultat dont rêve en somme depuis cinq ans l'amoureux fou : le mariage...

D'entrée de jeu, il est sûr de son avantage. Qu'on l'entende écrire à son père, quatre jours après la lettre à Adèle : il triomphe, il est un grand homme, maintenant : « Je reçois des coups de chapeau dans les rues, au théâtre, de gens que je n'ai jamais vus ; c'est un bruit, un cliquetis de conversations dans les salons, à l'Opéra, au foyer, aux coulisses. Il n'est question que de mon concert partout. Bocage, dans mon rôle de l'artiste, a été sublime de verve, de sensibilité, d'inspiration et de malice. Dans la tirade sur les arrangeurs et celle des brigands, il a été interrompu par des applaudissements sans fin. A celle : "Oh ! que ne puis-je la trouver, cette Juliette, cette Ophélie, que mon cœur appelle !" les mouchoirs ont commencé à se montrer. » Ainsi, au plus fort de son délire et même à ce père, auquel il ne veut rien avouer, il ne peut s'empêcher de faire allusion à sa passion.

La chronologie exacte des événements qui vont conduire aux aveux, à l'*aveu*, celui d'Harriett à Hector, est presque totalement connue. Dès le 10 décembre, on sait que Hector a demandé à être présenté à la jeune femme qu'après toutes ces années il n'est toujours pas censé connaître. Il lui écrit aussitôt une lettre, aujourd'hui perdue, mais dont on connaît le texte. Elle est adressée à Mlle *Henriette* Smithson, puisque, chaque fois qu'il lui écrit ou qu'il parle d'elle, Berlioz *francise* son nom : « Si vous ne voulez pas ma mort, au nom de la pitié (je n'ose dire de l'amour), faites-moi savoir quand je pourrai vous voir. Je vous demande grâce, pardon à genoux, avec sanglots !!! Oh ! malheureux que je suis, je n'ai pas cru mériter tout ce que je souffre, mais je bénis les coups qui viennent de votre main. J'attends votre réponse comme l'arrêt de mon juge. »

Cinq jours plus tard, le 15 décembre, Berlioz est présenté à Harriett. Et le 18, c'est l'aveu de la jeune femme. Disons que, pour le moment, elle se laisse faire. Et Berlioz, fou de bonheur, d'informer tous ses amis et au premier chef Liszt, à qui il raconte tout, l'aveu, et son indifférence pour Camille Moke qu'il a revue par hasard le même jour. Liszt a probablement tenté de lui faire comprendre que ce mariage auquel il pense déjà serait une erreur, car le ton de la lettre que Berlioz lui adresse le 19 décembre est attristé : son ami a failli gâter une joie, « sans vous », sans mélange. Liszt est son ami, certes, mais qu'il n'en abuse pas, surtout qu'il ne répète pas des propos peut-être semblables à ceux que Camille, jadis, a tenus. Hector est si heureux : « Vous m'avez donné une grande preuve d'amitié hier matin ; mais il eût mieux valu pour moi que ce fût sur un autre sujet. Depuis que je vous ai quitté, j'ai eu avec H.S. une scène qui, sans vous, m'aurait noyé dans un bonheur sans mélange, dans une ivresse qu'aucune langue ne peut exprimer ; cette joie, cette rage d'amour ont été empoisonnées, mais je bois le tout ensemble, dussé-je mourir au bout.

» Tout en elle me ravit et m'exalte ; l'aveu franc de ses sentiments m'a consterné et rendu presque fou. Je vous demande, au nom de notre amitié, de ne plus reparler *ni à moi ni à d'autres* de ce que vous m'avez dit. Nous n'en sommes pas encore au mariage.

» Je ne la quitterai jamais. C'est mon étoile. Elle m'a compris. Si c'est une erreur, on doit me la laisser...

» ... Oui, je l'aime ! je l'aime ! et j'en suis aimé. Elle me *l'a dit* hier devant sa sœur ; oui, elle m'aime... Il n'est rien aujourd'hui qui puisse nous séparer. Elle a su l'aventure de Mlle Moke, il a fallu lui tout raconter ; c'était elle, elle, H.S. qui me manquait ; mon existence est complète, voilà le cœur qui devait répondre au mien. Ne prenez pas en pitié ce que je vous écris ; il faut respecter l'amour et l'enthousiasme quand ils sont aussi profonds et aussi intimes que ceux que je ressens. »

Tout est dit. Harriett est désormais pleinement l'*étoile* de Berlioz. Harriett lui a *dit* qu'elle l'aimait. Et cela devant sa sœur, une naine difforme et maléfique, qui semble déjà jouer un rôle dans leur vie à tous deux : les autres n'ont qu'à se taire. Pas de commentaires : *silence !* Qu'on le laisse délirer en paix, son existence est désormais complète.

Le 30 décembre, Berlioz redonne son concert. A la *Fantastique* et à *Lélio* s'ajoutent l'ouverture des *Francs-Juges*, succès déjà assuré, et la première audition de *La Captive* écrite pour la jolie Louise Vernet mais que chante cette fois Mme Kunze-Boulanger, accompagnée au piano et au violoncelle. Ce n'est plus Habeneck qui dirige, mais la presse reste favorable. D'Ortigue loue particulièrement *La Captive* et conclut : « Les exécutants ont ressenti un saisissement inconnu. Tous font des vœux pour voir appeler Berlioz sur la scène du Grand Opéra. » C'est dans *La Quotidienne* du 4 janvier 1833. Le chroniqueur du *Courrier de l'Europe* est plus précis encore : pour Berlioz, « le drame est dans la pensée, dans l'âme... Son *Lélio* et sa *Symphonie fantastique*, concert dramatique, constituent un drame aussi passionné que ceux d'Alexandre Dumas... La parole est insuffisante. Il faut à Berlioz un orchestre colossal ». Qu'espérer de mieux ? En moins de deux mois, Berlioz a su – et c'est parfois tout un art ! – se faire des amis. Et des amis importants. L'année 1832 s'achève comme s'était achevée 1830, dans le bonheur : Harriett a repris la place indûment occupée par Camille et la menace d'un voyage à Rome n'existe plus. Comme en 1830, l'amour et le succès sont au rendez-vous.

3

Ophélie retrouvée

« Quel roman invraisemblable que ma vie ! » C'est le 5 janvier 1833 que Berlioz lance son cri fameux dans une lettre non moins fameuse à son ami Albert Du Boys. « Quel roman... » ? Et si, justement, le roman s'achevait ? Oh ! tous les ingrédients sont en place : l'amour fou perdu et retrouvé, le hasard et le théâtre, la musique fiévreuse et les salves d'applaudissements. Sans parler des drames passés, l'incompréhension du père, la passion pour Camille et la trahison, les déguisements de soubrette avec, au début, la petite étoile du matin, Estelle dans ses montagnes : tout est là, le roman commencé trente ans plus tôt n'a plus qu'à se poursuivre. S'embellir peut-être.

Et cependant, quiconque a commencé à s'intéresser au destin de Berlioz, et qui, surtout, sait déjà ce que seront les trente-six ans qu'il lui reste à vivre, ne peut pas ne pas éprouver, parvenu à ce stade de sa vie, une sorte de malaise. Qu'on pardonne au biographe d'étaler ainsi ses sentiments. Qu'on lui pardonne aussi de déflorer son sujet en remarquant que, certes, notre héros va vivre l'excitation d'un surprenant mariage, véritable défi à tous ceux qui l'entourent, mais que, très vite, ces trente et quelques années vont se transformer en un épuisant combat non plus pour vivre, mais pour survivre. Seul son génie saura le sauver du pire, le spleen qu'on a dit, la déchéance morale et physique. Qu'on ne s'y trompe pas : l'essentiel ne sera fait que de perpétuelles allées et venues, de voyages en Allemagne et ailleurs, en Angleterre, en Belgique, en Russie. L'amour, ses somptueuses incertitudes ne tiendront plus qu'une maigre place dans sa vie. Concerts, succès, échecs ou demi-échecs, véritables triomphes, une œuvre qui s'impose à l'Europe entière, des milliers de lettres écrites à des dizaines d'amis, connaissances, rencontres, des milliers d'articles : c'est l'éreintant combat d'un homme seul, sûr de son destin et qui s'épuise à ne plus vraiment vivre...

Mais le roman s'achève. Le mariage difficultueusement mené à son terme, une année, deux années de bonheur. Le reste devient la longue existence d'un homme amer, désabusé, malade.

L'année 1833 débute le mieux du monde. Une lettre à Albert Du Boys donne le ton et résume les épisodes précédents. C'est Berlioz qui, dans le feu de l'instant, raconte Berlioz à un ami : « Henriette Smithson a été amenée à mon concert, ignorant qu'il était donné par moi ; *elle* a entendu l'ouvrage dont *elle* est le sujet et la cause première ; *elle* en a pleuré, *elle* a vu mon furieux succès ; tout cela est allé droit à son cœur ; *elle* m'a fait témoigner après le concert tout son enthousiasme, on m'a présenté chez *elle*, *elle* m'a écouté, tout en larmes, lui racontant comme Othello les vicissitudes de ma vie depuis le jour où je l'aimai, *elle* m'a demandé grâce pour les tourments qu'elle m'avait fait souffrir sans le savoir (car elle ignorait presque tout) et enfin le 18 décembre, en présence de sa sœur, j'ai entendu ces mots : “Eh bien, Berlioz... je vous aime.” Depuis lors tous mes efforts se sont bornés à éteindre le volcan de ma tête, j'ai cru perdre la raison. Oui, elle m'aime, elle a un cœur de Juliette, c'est bien là mon Ophélie. Quand je ne puis la voir, nous nous écrivons jusqu'à trois lettres par jour, *elle en anglais, moi en français* ; oh ! mon cher, il y a donc une justice au ciel ! je ne le croyais pas. Mon art, ma pensée, c'est à vous deux que je dois d'être aimé ! Ma chère symphonie ! Je voudrais la mettre sur un autel et lui brûler des parfums. Quel amour, Albert, quelle idolâtrie ! quanti palpiti ! [citation du *Tancrède* de Rossini] Vous avez été témoin de mes angoisses ; vous figurez-vous ce que je dois éprouver ?... Ce n'est pas un amour des sens, non, c'est le cœur seul, et la tête qui sont parfumés de ce sentiment sublime. [...] Ne croyez pas, Albert, que notre amour, nos entrevues, soient d'une autre nature que ce que l'honneur d'une femme peut lui permettre ; non, vous vous tromperiez. Au contraire, elle est d'une réserve dans nos tête-à-tête qui me tue. Mon Ophélie !!! Je demeure quelquefois des heures entières à genoux devant elle, tenant ses mains dans les miennes, regardant naître lentement les larmes dans ses yeux, jusqu'à ce qu'un baiser descendant sur mon front, je me lève, je rugis, je la brise dans mes bras, nous nous promenons à grands pas dans le salon, nous récriant sur l'étrange destinée qui, *des deux bouts de l'Europe*, nous a fait *accourir à Paris au même moment* pour nous réunir. Elle doit jouer bientôt dans une grande représentation le *Roméo* de Shakespeare, il est convenu que j'y assisterai (pour toutes les autres représentations, elle a exigé que je n'y parusse pas, ma présence pouvant la troubler). Oui, j'y serai, et après la tragédie, le *véritable Roméo*, celui qu'a créé Shakespeare, moi enfin, oui moi, je serai aux pieds de ma Juliette, prêt à mourir, prêt à *vivre même* si elle le veut. I am mad, dearest, I am dead !!! Sweetest Juliet ! my life, my soul, my heart, all, all, it'is the heaven, oh !!!!!... parle donc, mon orchestre... » Et l'amoureux fou d'amour d'ajouter en post-scriptum : « Un amour de cinq ans, concentré, qui a résisté à tout, même à une passion épisodique ! Le fer était rompu dans la plaie. Mon Dieu, qui est-ce qui pourra jamais exprimer... rien... pas même la musique. » On croit entendre Victor Hugo s'écrier à propos de sa Juliette : « Un amour de vingt ans, quelle admirable chose. » D'ailleurs, à quelques mois près, la « passion-Juliette » d'Hugo, les retrouvailles de Berlioz et Harriett ont commencé au même moment : c'est dans la nuit du 16 au 17 février 1833 que Victor Hugo a tenu pour la première fois Juliette Drouet dans ses bras.

Les amours de Berlioz et de son Harriett connaîtront pourtant d'autres orages. Il faut d'abord le conclure, ce mariage. Berlioz écrit à sa sœur Nanci : « Il s'agit aujourd'hui de combattre des oppositions de famille des deux côtés, car tu penses bien que je ne la quitterai plus jamais. Et ce n'est qu'à un seul titre que cela est possible. Ce n'est pas une Camille, elle a une âme et un cœur nobles. Tout ce qui m'épouvante c'est sa faiblesse de caractère. Elle s'est laissé tyranniser jusqu'à ce jour par sa famille entière. Sa sœur et sa mère ont un intérêt direct à ce qu'elle ne se marie pas, et quoiqu'elle soit l'aînée, elle a peur de sa petite sœur et s'en laisse influencer d'une manière effrayante pour moi.

» Pour nos plans les voilà. J'ai commencé par lui dire que je n'avais rien. "Je suis bien heureuse que cela soit, m'a-t-elle répondu, au moins vous ne pourrez douter que ce ne soit pour vous seul que je vous aime."

» Je lui ai dit plus tard ma véritable situation. Dans dix-huit ou vingt jours elle va donner une représentation à son bénéfice (la seule à laquelle elle m'ait permis d'assister ; pour toutes les autres, qu'elle donne en ce moment, j'ai donné ma parole que je n'y viendrai pas.

Elle aurait peur, m'a-t-elle dit, *que tout cet amour ne fût que l'effet de l'imagination montée par l'influence de la poésie et de son talent*).

» Après son bénéfice donc, nous écrirons de part et d'autre, elle à sa mère, moi à mon père. Je pense que mes parents comprendront bien que toute résistance serait inutile, et ne pourrait qu'amener de grands malheurs. Sa mère va jeter feux et flammes, sa sœur nous tourmente depuis quelques jours d'une cruelle façon : pourtant hier soir elle [Henriette] s'est engagée envers moi d'une manière bien ferme sur tous les points, *j'ai sa parole.*

» Mais quel supplice ! je ne puis parler anglais et elle sait fort mal le français ; elle ne peut m'exprimer la moitié de ses pensées et souvent elle ne me comprend pas !! je saurai bientôt l'anglais. »

Et déjà une première difficulté ! En dépit de toutes les leçons d'anglais qu'il a aussi vite cessé de prendre alors même qu'il venait de les commencer, après son coup de foudre shakespearien, Berlioz ne parle toujours que très mal la langue d'Harriett et celle-ci, qui a pourtant vécu des années en France, ne comprend pas beaucoup mieux le français. Qu'on se figure les discussions compliquées, les arguties, les rancœurs et les coups de cœur qu'ils devront bientôt échanger sur leur avenir en un sabir parfois grotesque.

Est-ce pour rassurer Nanci et, avec elle, la famille Berlioz tout entière qu'il éprouve le besoin de préciser : « Elle n'est pas gracieusement belle comme je la vis il y a cinq ans, sa maigreur d'alors a disparu ; je l'aime pourtant comme au premier jour, cet amour *n'est que dans le cœur* [et] rien n'y ferait, c'est immense, incalculable, et tout ce qui pourrait en entraver la marche serait infailliblement brisé par moi, je ne connais plus rien... qu'*elle* ; tous mes doutes ont fait place à une passion inimaginable. Les calomnies de C. Moke sont tombées devant l'étude que j'ai faite et les renseignements que j'ai pris d'Henriette. [...] Je n'entreprends rien en ce moment-ci ; je laisse tout, musique, théâtres, etc. jusqu'au moment où je serai sûr de ne pouvoir la perdre. Alors je prendrai un essor d'aigle ; nous passerons six mois à Londres et six à Paris. Voilà ma vie... » Et il recommande : « Ne parle pas encore de cela à nos parents, c'est inutile ; tu sauras le jour où j'écrirai et alors tu verras ce que ton amitié te suggérera pour moi. Tu me connais, toi ; penses-y. »

Le frère ne doute pas un instant que Nanci ne saura se taire. L'article de d'Ortigue, plus ou moins écrit de sa main, a fait ses effets. D'une manière ou d'une autre, il importe à présent que les Berlioz soient au courant de ce qui se passe.

Dans le même temps, ces amours sont traversées d'incertitudes et de promesses qui sont celles de tous les amoureux. Ainsi Berlioz a-t-il promis à la comédienne qu'il n'irait pas la voir sur scène. Joue-t-elle un soir la *fair Ophelia* que son amoureux « n'a pas vu depuis cinq ans et deux mois » ? Eh bien, il fera cadeau à d'autres de la loge qu'elle lui a donnée. De même n'assistera-t-il pas non plus aux autres œuvres données par la troupe de miss Smithson, *Roméo et Juliette* et *Othello*, où, le 22 janvier, elle est Desdémone.

Ce ne sont là que coquetteries. Les relations entre les deux amoureux sont parfois plus tendues. Bien sûr, c'est Berlioz qui s'agite, s'échauffe. Harriett, plus placide, l'écoute, harcelée par sa sœur qui déteste ce soupirant français. On peut se demander si, jusqu'à ce qu'Hector se décide à entamer auprès de ses parents une procédure en bonne et due forme pour leur faire accepter ce mariage, elle a vraiment cru que ce petit homme roux, maigre et exalté, la crinière en bataille et la main sur le cœur pour exprimer sur le même ton amour et désespoir, voulait vraiment l'épouser. Alors, à sa manière un peu molle, elle tergiverse. Elle veut bien recevoir Berlioz, l'écouter, mais ne se donne naturellement pas. Loin de là ! D'ailleurs, sa sœur, ce laideron difforme et jaloux, veille au grain. A l'Hôtel du Congrès où vivent les deux Anglaises, celles-ci s'affrontent en présence de Berlioz. Des scènes violentes, même...

Comme il faut bien continuer à vivre, Berlioz s'agite comme un beau diable, caresse de nouveaux projets, se démène... Il imagine d'écrire un opéra « fort gai sur la comédie de Shakespeare, *Beaucoup de bruit pour rien* ». Cet opéra, il l'écrira trente ans plus tard. Ce sera fort gai, en effet, et fort beau : *Béatrice et Bénédict*, sa dernière œuvre. Et il se bat avec l'administration pour toucher la pension qu'on lui doit, alors qu'il devrait maintenant se rendre en Allemagne pour y avoir droit, ce dont il n'a, comme deux ans avant le voyage à Rome, aucune envie. Enfin, le 3 février, il franchit le pas et demande officiellement à son père la permission d'épouser Harriett. Du coup, celle-ci le considère comme engagé vis-à-vis d'elle et les scènes de l'Hôtel du Congrès sont moins exacerbées.

Entre-temps, l'oncle Félix Marmion, le beau militaire de l'enfance berliozienne, est arrivé à Paris, où il est en garnison. Et il a tout appris au Dr Berlioz. Peut-être l'a-t-on envoyé en mission auprès de son neveu pour en savoir davantage sur cette liaison, à proprement parler contre nature, pour la famille de La Côte-Saint-André. Toujours est-il que, la veille du jour où l'infortuné Hector se décide à écrire à son père, l'oncle a déjà envoyé à Nanci une lettre particulièrement venimeuse. Pour lui, avec ce projet, Hector révèle « le fond de son caractère : l'égoïsme... ». Et le beau militaire d'annoncer à sa nièce : « ... cette actrice est ruinée ». La formule est définitive : à l'emporte-pièce, elle ne peut qu'amener une famille bourgeoise à resserrer ses rangs pour mieux lutter contre l'aventurière prête à lui enlever un fils. Et contre le mauvais fils qui se laisse aller à semblable passion.

Va dès lors commencer le dernier de ces combats qui, depuis tant d'années, opposent Hector à sa famille. L'ultime combat : celui qu'il engage non pour la liberté d'être ce qu'il veut être, non pour de l'argent, mais pour ce vers quoi il tend depuis la rencontre avec la jolie Estelle dans un paysage de prairies, de montagnes et de ciel : le combat pour l'amour. Nous sommes le 3 février 1833. Les combats qu'il mènera encore, par la suite, et il y en aura, ne seront que combats pour de l'argent... Dans sa première lettre à son père sur Harriett, il a une phrase terrible, le constat d'un homme de bientôt trente ans qui se rend compte, avec une terrible tristesse, de tout ce qui est désormais joué comme de tout ce qu'il croit avoir perdu : « Je ne suis plus un adolescent ; je n'ai plus une seule illusion. J'ai été aigri au-delà de toute expression par de longues souffrances et je suis *bien déterminé à n'en plus endurer.* » Il s'explique, rappelle des souvenirs – cinq ans déjà... – et veut convaincre : « Je vous ai donné à mon passage à La Côte quelques détails sur le sentiment profond qui depuis cinq ans et demi m'a rendu si malheureux. Je veux parler de mon amour pour miss Smithson. Ni le temps, ni l'absence, ni les dédains, ni une intrigue passionnée qui est venue se jeter en travers, n'ont pu le détruire. *Il n'était pas partagé alors, il l'est aujourd'hui.* Si vous m'avez jamais connu, vous devez bien penser qu'il est aussi impossible de me l'arracher *sans que j'en meure* que de m'arracher le cœur en me laissant la vie. Vous devez me comprendre aujourd'hui. Je viens vous avouer que je ne la quitterai plus à quelque prix que ce soit. Mais ce n'est qu'à un seul titre que cela est possible, et je viens vous demander pour cela votre consentement... » A l'époque, un fils, même majeur, ne peut se marier qu'avec le consentement paternel. Faute de quoi, et s'il a moins de trente ans – aux yeux de son père comme pour la loi, Hector n'est toujours qu'un gamin –, celui qui veut passer outre doit se lancer dans de pénibles démarches juridiques.

Berlioz joue son va-tout en dressant de la réalité, c'est-à-dire de la situation de miss Smithson, un tableau sans concession – quitte à se tromper sur l'âge d'Harriett : « Elle n'a pas de fortune autre que son talent. C'est un malheur. Elle a un an et demi de plus que moi, elle est actrice et protestante. Voilà bien des raisons concluantes pour que vous et surtout ma mère refusiez votre assentiment. Mais il y a encore de plus grands malheurs que ceux-là que vous voudrez, je pense, éviter à tout prix. Je n'ai pas d'éloges à faire d'elle, ils seraient sans poids et sans importance venant de moi. Je n'ai pas non plus de protestation à faire sur la violence de cet amour. Cela serait aussi ridicule qu'inutile... » Alors le fils bluffe un peu sur son avenir : « Quant à ma carrière, elle est ouverte. J'ai signé aujourd'hui un engagement avec le Théâtre-Italien pour un opéra *qui sera donné au mois de décembre* prochain, et que *je dois livrer au 1er octobre*. Cette porte en fera ouvrir bien d'autres. Je touche la moitié de ma pension d'Allemagne ici, pour l'autre, il suffira de faire une apparition à Francfort pour l'avoir... » Il ne reste plus au Dr Berlioz qu'à prendre sa décision, en toute connaissance de cause : « Voyez, mon cher père, *froidement*, s'il est possible le choix que vous voulez faire ; et communiquez-moi bientôt votre décision. Je l'attends avec calme, quelle qu'elle soit... »

Nous n'avons pas la réponse du père au fils mais nous la saurons vite : c'est un *non* catégorique. La lutte est engagée. Une semaine plus tard, ce faux frère d'oncle de Félix Marmion écrit à nouveau à Nanci : il a tout fait pour qu'Hector change d'avis. En vain. Le brave militaire est ulcéré : « C'est un caractère trop arrêté et trop au-dessus de toute espèce de préjugés. Le raisonnement glisse sur lui et n'y laisse pas trace. Les sentiments, les convenances sociales, les liens de famille, il ne veut pas les comprendre... »

Suit un tableau éloquent de la situation de la comédienne, pas si différent pourtant de ce qu'Hector en a avoué à son père : « Cette femme n'est plus jeune ; je la crois à peu près ruinée (il le sait), elle fait ici de vains efforts pour remonter un théâtre anglais. Son talent (qui est véritable et très remarquable) s'altérera peut-être par les difficultés et le dégoût. L'affreuse misère est en perspective ; le désenchantement et les regrets la suivront de près. Voilà ce que je lui ai répété à satiété... *Elle m'aime pour moi*, dit-il, *j'en suis convaincu ; car elle sait que je n'ai rien, que je ne suis qu'un artiste.* Il est persuadé de sa délicatesse, de sa vertu. Cela s'est vu, surtout en Angleterre où le préjugé contre les femmes de théâtre est peut-être moins fort qu'en France, mais que nos mœurs sont encore loin de les avoir tout à fait admises dans la Société ! »

Le ton est celui de la vertu face à la dépravation naturelle du métier de comédien, un dialogue quasi balzacien entre les mœurs de province et celles de la capitale. On sent pourtant, à la peinture de la passion du neveu que brosse ensuite l'oncle, que ce dernier n'est pas insensible au charme d'Harriett. Mais c'est une théâtreuse ! Et puis, sensibilité, noblesse, on veut bien, mais Marmion continue : « J'ai voulu voir *miss Smithson* hier. Je suis allé à ce modeste théâtre de la rue *Chantereine* où elle joue maintenant, faute de mieux, et où elle a fait promettre à *Hector* de ne pas la voir jouer, comme un théâtre indigne de son talent. J'étais très curieux de démêler ce charme puissant qui a fait de si grands ravages. Elle a en effet des traits remarquables, une sensibilité exquise dans la voix, et de la noblesse dans les gestes. Le théâtre est si petit qu'il est peu favorable à l'illusion ; *miss Smithson* y perd nécessairement ; elle ne paraît même pas jeune sur cette scène. Sans avoir les yeux ni l'organisation unique de mon neveu, j'ai conçu l'impression que cette femme a dû produire sur cette âme d'artiste. »

A la mi-février, parfaitement conscient des difficultés qu'il va lui falloir affronter, Berlioz écrit à son ami le peintre Etex, compagnon des escapades romaines : « Les hostilités sont commencées avec *mes* parents, les *siens* font tout au monde pour la détacher de moi. Heureusement cela produit l'effet contraire. Oh Dieu je ne puis qu'à peine comprendre mon bonheur. Nous aurons d'horribles difficultés, mais je fais serment de mourir plutôt que de la perdre. »

« Mes parents, les siens... » : c'est en effet sur deux fronts que Berlioz doit se battre. La mère d'Harriett, qui, comme jadis Mme Moke, dépend financièrement de sa fille, n'imagine pas un instant la voir épouser un Français désargenté, catholique, plus jeune qu'elle de surcroît. Mrs Smithson est pour le moment en Angleterre. Elle est moins dangereuse qu'Ann, la naine. C'est elle, la véritable ennemie de Berlioz. Et d'Harriett, donc.

Qu'on imagine les scènes qui se déroulent dans le petit appartement de l'Hôtel du Congrès : les deux sœurs vivent côte à côte, dans un état d'acrimonie perpétuelle, l'une reprochant sans fin à l'autre une liaison pour elle impensable, l'autre résistant mollement. L'appartement est triste, bas de plafond, loin du luxe des années de gloire. C'est l'hiver, on allume les lampes, tôt aussi, on se dispute vite, on s'exaspère. C'est à coup sûr Ann qui crie le plus fort. Harriett, elle, demeure étrangement passive. Elle subit les reproches de sa sœur, comme elle subit les éclats de colère d'Hector qui s'emporte. Comme elle subit aussi, dirait-on, ses élans de passion. On le voit si bien, Berlioz, qui va et vient dans un salon louis-philippard, la crinière au vent, les gestes brusques et saccadés qui sont les siens quand il conduit les mouvements rapides de ses œuvres. Il va et vient, s'exclame, argumente, supplie puis vient s'écrouler aux pieds de sa bien-aimée, assise dans une chauffeuse. Il pose sa tête sur les genoux d'Harriett et murmure, soupire et supplie encore. C'est alors à Ann, la boiteuse, d'entrer avec fougue dans la pièce et de crier à son tour. Nous n'avons pas d'image d'Ann Smithson. Pourquoi l'imaginons-nous petite et noire, comme se voyait la grande Pauline Viardot face à sa sœur, la belle Maria Malibran – qui, en ces semaines précises, se trouve à Rome en compagnie d'Horace Vernet, comme nous l'a dit le fidèle Legouvé. Mais Harriett Smithson, la *fair Ophelia* adorée de son Hector, demeure impassible. Elle se tait. Elle doit pleurer, un peu. Ne pas faire de peine à Berlioz, non... Ne pas faire de peine à sa mère non plus. Ni à Ann, si diminuée, si malheureuse...

On peut dès lors se poser une question : si la passion de Berlioz pour Harriett est certaine, clamée dans ses lettres et dans les *Mémoires* et *Lélio* qui la racontent, qu'en est-il de l'amour d'Harriett pour Berlioz ? Bien des années après leur mariage, nous la verrons acharnée à défendre leur amour, leur union devant les infidélités d'un mari à qui n'importe quelle gamine fait désormais tourner la tête. Mais, en ce début d'année 1833, les choses n'en sont pas arrivées là. Harriett est une immense comédienne mais, Berlioz l'a reconnu, sa cote d'amour auprès du public a baissé. L'argent, l'argent, toujours l'argent, lui fait autant défaut à elle qu'à lui. Surtout, elle se sait, elle se sent vieillir. Hector l'a dit ; Félix Marmion l'a constaté : la ravissante Juliette a pris de l'âge. Du poids probablement aussi, si l'on en juge par ce qu'elle va si vite devenir, avec les années. La passion de Berlioz arrive pour elle au bon moment. Deux ans plus tôt, c'était trop tôt, elle rayonnait au zénith du théâtre parisien, Berlioz n'était alors qu'un admirateur parmi beaucoup d'autres, et l'excès de son enthousiasme pouvait se révéler gênant. Mais la voilà qui, sur la pente descendante, retrouve ce petit bonhomme maigre et frénétique, amoureux, toujours amoureux, amoureux fou d'elle. Et qui le lui dit. Et qui le dit à tout Paris. Et qui le clame à la terre entière, se servant de la presse pour en informer les provinces : comment ne pas être touchée ? Comment ne pas se dire qu'à son âge – n'oublions pas qu'à l'époque la « femme de trente ans » n'est plus une très, très jeune femme, et Harriett en a trente-trois ! – c'est peut-être un miracle d'être aimée de la sorte. Il y a autre chose. Au risque de déflorer ce qui va suivre (qu'on nous pardonne ce qui ne veut en rien, ici, être un mauvais jeu de mots) et qui suscitera chez Berlioz de nouveaux élans de bonheur, il semble que la pauvre Harriett n'ait jamais connu, jusqu'ici, que de platoniques amitiés ou d'enthousiastes passions jamais poursuivies au-delà de ces conversations romantiques comme on avait alors. Bref, il semble qu'Harriett Smithson ait été vierge. Là aussi, l'amour fou d'un jeune homme génial portant en écharpe un cœur offert d'avance en même temps qu'une solide réputation d'amant virtuose ne serait-il pas la solution à bien des questions que la comédienne déjà un peu passée pourrait se poser ? Aussi, conversations ferventes, lectures partagées (en quelle langue ?) plus ou moins fiévreusement, lettres délirantes : Harriett Smithson pouvait-elle faire autre chose que se laisser entraîner, étourdir, saouler ? Si absurde que cela paraisse, si l'on y réfléchit, un mariage avec Hector serait pour Harriett un mariage de raison. Ah ! ne plus être seule responsable du lendemain, oublier les tournées, le décompte de la recette après chaque représentation ; trouver quelqu'un avec qui partager sa vie... et ses dettes ! Quel soulagement !

Mais la comédienne est d'une nature généreuse. Entourée, couvée par sa famille comme l'étaient alors bien des artistes, actrices ou chanteuses, alors même qu'elles étaient parfois maîtresses entretenues d'hommes riches qui subvenaient aux besoins de tous, Harriett était aussi un oiseau un peu languide, adonné à la mélancolie, qui ne savait pas jusqu'à quel point une mère et une sœur presque naine pouvaient voir en elle une poule aux œufs d'or. Et décidées à se battre bec et ongles contre ce merle blanc de Berlioz, un benêt de surcroît, amoureux comme tous les autres, qui voulait la leur enlever. Généreuse, donc, sûrement un peu aveugle face à la rapacité des siens, désireuse surtout de ne faire de peine à personne, Harriett en fait à tout le monde. Au risque de troubler les admirateurs de miss Smithson, on dira que la jeune femme est devenue molle, lasse... Et voilà que « sur ces entrefaites, le théâtre anglais de Paris fut obligé de fermer ; miss Smithson restait sans ressources, tout ce qu'elle possédait ne suffisant point au paiement des dettes que cette désastreuse entreprise lui avait fait contracter ».

Ce n'est pas tout. « [Le 1er mars], un cruel accident vint bientôt après mettre le comble à son infortune. En descendant de cabriolet à sa porte, un jour où elle venait de s'occuper d'une représentation qu'elle organisait à son bénéfice, son pied se posa à faux sur un pavé et elle se cassa la jambe. Deux passants eurent à peine le temps de l'empêcher de tomber et l'emportèrent à demi évanouie dans son appartement. Ce malheur auquel on ne crut point en Angleterre, et qui fut pris pour une comédie jouée par la directrice du théâtre anglais afin d'attendrir ses créanciers, n'était que trop réel. Il inspira au moins la plus vive sympathie aux artistes et au public de Paris. La conduite de Mlle Mars, à cette occasion, fut admirable ; elle mis sa bourse, l'influence de ses amis, tout ce dont elle pouvait disposer au service de la *poor Ophelia* qui ne possédait plus rien, et qui néanmoins, apprenant un jour par sa sœur que je lui avais apporté quelques centaines de francs, versa d'abondantes larmes et me força de reprendre cet argent en me menaçant de ne plus me revoir si je m'y refusais. Nos soins n'agissaient que bien lentement : les deux os de la jambe avaient été rompus un peu au-dessus de la cheville ; le temps seul pouvait amener une guérison parfaite ; il était même à craindre que miss Smithson ne restât boiteuse. »

On imagine la situation : l'actrice qui doit remonter sur scène pour survivre s'est cassé une jambe. Sans ressources, immobilisée dans son appartement, Harriett souffre d'abord terriblement. La jambe est brisée au milieu du tibia, un appareil qu'on lui met pour maintenir l'os en place la fait souffrir davantage. Elle passe des nuits épouvantables et, dans la journée, Berlioz tourne en rond devant elle. Sa sœur et sa mère, à présent revenue à Paris, sont les vestales furibondes d'un temple dont la valeur s'effondre un peu plus chaque jour, face à un Berlioz dont, au fil des jours, on ne saura plus très bien s'il est toujours le plus fou des amoureux ou, simplement, un entêté qui se fait une gloire de tout apporter, amour, dévotion, tendresse – voire pitié... –, le peu d'argent qu'il peut gagner à une actrice ruinée et impotente.

Car Berlioz ne désarme pas. Il lui faut intenter une action légale à l'endroit d'un père qui refuse son mariage ? Il s'y lance, tête baissée. Le 16 février, il a déjà écrit : « Je n'aurais pas cru, mon cher père, que des considérations venues de préjugés sociaux puissent avoir la force de vous dicter la réponse que j'ai reçue de vous. C'est un bien grand malheur pour nous tous qu'il en soit ainsi. Je n'ai encore connu de la vie intérieure, de la vie du cœur, que des peines et des déchirements ; et ce n'est pas ma faute, si la nature et mon organisation me portent irrésistiblement à profiter de la seule et unique chance de bonheur *complet* qui se soit encore présentée à moi. Je ferais *tout* pour l'obtenir. Je me vois forcé d'employer les moyens légaux, à défaut de ceux plus doux et plus convenables que j'avais espérés... »

La démarche des « sommations respectueuses » est lancée. Il en faut faire à trois reprises pour que le refus paternel soit considéré comme caduc. Et tant pis si les premiers amis auxquels il s'adresse, Just et Laurent Pion, lui refusent leur appui, il recommencera. C'est à Edouard Rocher qu'il va, le 23 février, envoyer une nouvelle procuration. Que celui-ci accepte de jouer le rôle qu'il lui demande. En effet, seule la loi française l'empêche – lui ! alors qu'il a presque trente ans ! – de pouvoir satisfaire son bonheur, puisque outre-Manche, « les lois anglaises sont telles qu'une femme qui a passé vingt et un ans peut se marier sans le consentement de ses parents et sans même qu'ils en soient informés ; nous le pourrions donc dans ce moment ». Une fois marié, le couple ira vivre en Angleterre. Mais Berlioz continue à redouter l'influence des deux Smithson, mère et sœur. Il faut donc aller vite, de peur que ces dames n'interviennent plus fermement, « combinent [leurs] efforts » et amènent Harriett à capituler devant elles. Même si, en cette fin de février 1833, la comédienne a déjà accepté de l'épouser « quinze jours après la grande représentation qu'elle va donner à son bénéfice ».

On a déjà entrevu cet usage, alors en cours en Europe, de spectacles donnés au bénéfice de tel ou tel, généralement d'artistes, souvent célèbres, mais démunis. Cette fois, c'est à son propre compte, et à l'instigation de Berlioz, que la comédienne a eu l'idée de monter semblable soirée. Naturellement, Berlioz en sera le grand organisateur. Las ! C'est précisément en préparant ce spectacle que la jeune femme s'est cassé la jambe, et Berlioz devra s'occuper seul de l'organisation du concert-spectacle, courir Paris, les artistes. Mais nous n'en sommes pas encore là ! La correspondance avec le Dr Berlioz se poursuit, haletante, désespérée, théâtrale en somme. Tous les arguments sont bons : l'argent, oui, et aussi... allons ! lâchons le mot : le chantage au suicide. C'était là un art qui se pratiquait beaucoup parmi la jeunesse romantique. Surtout dans les romans, au théâtre, à l'opéra. On a vu Berlioz l'évoquer lors de son escapade vers Gênes et Nice. Alors, il récidive, un refus paternel l'y autorise. Tant qu'il n'aura pas épousé Harriett, il ne la quittera pas. Il perdra de ce fait la pension qu'on a enfin accepté de lui verser. « Il est possible que dans deux mois et même avant, elle soit obligée de partir pour Londres ; il faudra bien que je la suive. Mais si je manque d'argent, croyez-vous que j'irai accepter le sien ? ? ?... Je ne la quitterai pas ; je ne m'en séparerai jamais vivant. Si en perdant ma pension je me trouve dans l'impossibilité de la suivre, ou même sans la perdre, si elle refuse de me permettre (n'étant pas mariés) de l'accompagner, je me brûle la cervelle. Voilà la dernière fois qu'il m'arrivera de vous demander si vous voulez consentir à mon mariage avec miss Smithson. »

Le 23 février, nouvelle lettre au Dr Berlioz. Cette fois, l'argumentation du pauvre garçon est d'un autre genre. On imagine qu'à la lecture de la missive du fils, les bras du père lui en sont tombés. Qui Hector appelle-t-il alors à la rescousse ? Rien moins que le souvenir de Camille Moke et de leur idylle ratée. D'où cet argument de poids : « Vous avez cru pouvoir consentir à mon union avec Camille, qui est une coquette dévergondée (comme je le sais aujourd'hui) et vous me refusez votre assentiment pour Henriette qui est l'amour de toute ma vie d'artiste, qui a toujours conservé à mon égard une dignité qui m'a rendu bien malheureux, qui m'a mis un pied dans la tombe, mais qui n'en est pas moins honorable pour ses sentiments. Mon père, vous vous abusez complètement, cela est désespérant, mais cela est. »

Berlioz n'a pas tout à fait tort : comment ceux de La Côte ont-ils pu, en d'autres temps, accepter sans sourciller l'idée d'un mariage avec Camille ? La réponse est pourtant simple. A l'époque la future Mme Pleyel était probablement pour eux une vertueuse jeune personne, professeur de piano, qui vivait chez sa mère. Peu d'argent, certes... encore que la ruine de M. Moke n'ait probablement pas été connue dans l'Isère : peu d'argent mais un charmant parti. Alors qu'une comédienne ! Une actrice ! Qui se souvient du rigorisme prude et outragé de la bonne Mme Berlioz à l'idée de voir son fils devenir musicien – musicien et actrice, c'est à peu près la même chose ! – ne s'étonnera pas outre mesure de la différence d'attitude des parents en ces affaires de mariage. Ah ! bien sûr, si notre Hector avait épousé la gentille cousine Odile – qui ne l'aimait pas, mais là n'est pas la question ! –, il en serait allé différemment. Et Hector sent bien tout cela, qui termine la même lettre par un nouveau chantage. Affectif, celui-là, mais ce sont souvent les pires : « Puisque rien ne peut vous tirer d'erreur, il me reste une dernière prière à vous faire. C'est *de ne pas détruire dans mon cœur mon affection pour vous.* Je vous aime, mon père, avec tout l'amour que les soins dont vous avez environné mon enfance étaient faits pour inspirer, ne me l'ôtez pas, ne faites pas de moi un fils dénaturé... Si vous devez encore me dire que *je ferai le malheur de miss Smithson en l'épousant*, que *je l'abandonnerai pour une autre*, je dois vous avouer, mon père, que pour conserver mon affection pour vous je n'ouvrirai plus de lettres venant de La Côte et qu'il est inutile de m'en adresser. »

Et, pendant que, selon l'expression du fils, le père « bat la campagne » pour le forcer à renoncer à son projet, le fils bat lui aussi la campagne à Paris pour sauver les meubles de la pauvre Henriette, impotente pour deux mois au moins, avec sa jambe brisée. Le moral de l'actrice est maintenant au plus bas. Les scènes violentes dans le petit appartement où les trois Smithson vivent désormais cloîtrées sont devenues quotidiennes. Dans ce parler franco-anglais chaotique, les mots qu'on cherche et qu'on ne trouve pas, sur le bord des lèvres ceux qui blessent si aisément, les autres qui ne veulent pas venir, Hector s'efforce toujours de convaincre, Ann Smithson d'empêcher, la mère de persuader et Harriett d'implorer tour à tour les adversaires. Oui, c'est bien sur deux fronts qu'on se bat. Mais c'est la pauvre actrice, Ophélie ou Juliette à présent boiteuse, qui se bat maintenant à la fois contre Hector et contre sa famille. Et Berlioz de nous donner une idée de ce qu'est le bonheur à l'Hôtel du Congrès : « Ces tête-à-tête sont quelquefois bien pénibles ; comme vous pensez bien, je suis obligé de me consumer en efforts pour me contenir. [...] ; nous nous tourmentons mutuellement... Il ne manquait plus que son malheur à elle pour compléter le mien ! »

Plus grave peut-être : on devine entre les lignes un autre sentiment qui pointe, on l'a déjà nommé, c'est la pitié. Dangereuse pitié... « Quelle destinée sera donc la nôtre ? ... Le sort nous a évidemment faits pour être unis, je ne la quitterai pas vivant. Plus son malheur deviendra grand, plus je m'y attacherai. Si elle perdait, avec son talent et sa fortune, sa beauté, je sens que je l'aimerais également. C'est un sentiment inexplicable... »

Berlioz est parfois traversé par d'étonnants éclairs de lucidité. Se poserait-il des questions auxquelles il ne veut surtout pas répondre ? La tragi-comédie qui se joue autour du lit de repos d'Harriett Smithson devient de plus en plus lourde à supporter. Y compris pour Berlioz. Malgré de bonnes résolutions, les scènes se poursuivent, s'aigrissent. La vilaine petite sœur, la naine et la bossue, est là, pour les ranimer, les envenimer. Et même si l'amoureux fou l'affirme partout, le crie dans tout Paris, l'écrit à ses amis, « Harriett montre un grand courage dans l'adversité, face à la douleur », son courage doit parfois paraître exaspérant à un Berlioz qui n'a qu'une hâte : en finir avec cette comédie de boulevard en chambre dont il ne peut pas ne pas mesurer par instants tout le ridicule. Ainsi, pour quelques jours, décide-t-il d'en rester là. Fin de la procédure légale : « A présent, écrit-il à Edouard Rocher, *ne continue pas les sommations ; je n'ai plus besoin de me marier aujourd'hui.* Si Henriette le veut absolument plus tard, je pense que la première démarche que tu as faite comptera toujours. »

Ce n'est qu'une trêve. Moins de dix jours après, il a changé d'avis. Que, dès réception de sa lettre, Rocher présente la seconde sommation à son père sans perdre de temps. On nous pardonnera cette chronologie serrée des états d'âme de notre héros, mais ils sont bien représentatifs des allées et venues qu'il doit, de long en large, effectuer chaque jour dans la triste chambre d'hôtel, devant le fauteuil de la malade. Son désarroi est à son comble quand, à la fin du mois de mars, Edouard Rocher refuse à son tour d'effectuer pour lui la deuxième « sommation respectueuse ». Il suggère à Berlioz d'avoir recours à M. Simian, notaire à La Côte. Nouvelles « sommations respectueuses », donc. Nouvelles lettres, réponses dilatoires, scènes pénibles autour du lit d'Harriett : l'exaspération de tous monte encore d'un cran, mais le combat continue.

Entre-temps, le spectacle au bénéfice d'Harriett a eu lieu. Et tout s'est bien passé. Voilà au moins un sujet de satisfaction. Il faut dire que Berlioz s'en est donné, du mal. Il a rameuté tout le ban et l'arrière-ban des artistes du monde romantique. Ainsi Liszt et Chopin ont-ils donné un duo de piano. Le violoniste Urhan, mystique exalté et qui va bientôt créer *Harold en Italie*, a joué une fantaisie pour viole d'amour. Comme Harriett ne peut monter sur scène, on donne des scènes d'*Athalie* en français et un vaudeville, *Les Cabinets particuliers.* Fair-play, Berlioz refuse de diriger une œuvre de lui, pour ne pas donner l'impression qu'il se met en vedette alors que sa fiancée est impotente. Fair-play et noble de cœur. Paganini, qu'on a espéré convaincre de se joindre gracieusement aux musiciens et comédiens, s'est récusé. Les vrais amis de Berlioz lui en voudront longtemps, le traiteront de ladre, de rapiat. En revanche, Huertas a donné un solo de guitare. Le gala de la salle Favart aurait rapporté six mille francs. Berlioz l'écrit à sa sœur Adèle, la seule à refuser de prendre le parti de leurs parents : la soirée s'est fort bien déroulée, même si elle lui a coûté des « peines infinies ». Mais le grand frère de revenir aussitôt à ses préoccupations. Il est épuisé, oui, et Harriett, *elle*, souffre cruellement de son immobilité forcée, elle en a encore pour longtemps avant d'être guérie.

D'ailleurs, la belle réussite de la salle Favart a beau être brandie par l'amoureux Berlioz comme un étendard victorieux, qu'on paie le retour des acteurs anglais et quelques dettes bien voyantes d'Harriett et il ne reste bientôt plus rien des six mille francs.

Les deuxièmes sommations respectueuses du fils au père sont faites le 12 avril, sans plus de résultat. Les angoisses de Berlioz reprennent de plus belle, avec ses coups de colère suivis de longues repentances, mouillées de larmes. La malade guérit lentement, très lentement. Au lit ou dans une chaise longue, sa tendance naturelle à l'embonpoint s'accentue. Elle devient grasse, plus lourde. Et les efforts de rééducation ne lui en sont que plus pénibles, elle gardera toute sa vie une trace de cet accident. Mollement étendue, les oreillers, des vêtements très larges, en désordre, elle l'écoute, désarmée. Et lui parle sans fin, échafaude des projets d'avenir, s'imagine avec elle à Paris, certes, mais aussi à Londres. Ou en Allemagne – c'est vrai, l'Allemagne : il faudra bien qu'il se résolve à s'y rendre ! puisque, rappelons-le, après le séjour à Rome, le voyage en Allemagne – où la musique règne sans partage – constitue une seconde obligation pour tout lauréat du concours de Rome, désireux de se voir payer l'intégralité de la pension qu'il a méritée. Aller en Allemagne donc : Berlioz ne cesse d'en parler. Mais il parle de tout, de rien.... Et il parle, parle, parle... Il évoque sûrement devant celle qu'il aime l'idée d'un suicide. Et l'on tourne en rond, à l'Hôtel du Congrès.

Quand Berlioz s'en échappe, c'est d'abord pour retrouver ses amis et se plaindre amèrement de son sort. Se faire plaindre. Il claque alors la porte de l'hôtel, jure ses grands dieux de n'y pas remettre les pieds et parle, plus que jamais, discourt toujours et gémit sans fin. Ernest Legouvé rapporte à ce sujet une scène édifiante. Elle se déroule un peu plus tard, mais qu'importe ? Elle serait drôle, si elle n'était désespérée, désespérante.

« A minuit, arrive Berlioz les yeux tout chargés de nuages, les cheveux retombant sur son front en saule pleureur, et poussant des soupirs qu'il semblait tirer de ses talons.

– Eh bien, qu'y a-t-il donc ?

– O mes amis, ce n'est pas vivre !

– Est-ce que votre père est toujours inflexible ?

– Mon père ! s'écria Berlioz avec rage, mon père dit oui ! Il me l'a écrit ce matin.

– Eh bien, il me semble...

– Attendez ! Attendez ! Fou de joie en recevant cette lettre, je cours chez elle, j'arrive éperdu, fondant en larmes et je lui crie : “Mon père consent ! Mon père consent !” Savez-vous ce qu'elle m'a répondu ? “*Not yet, Hector ! not yet !* (Pas maintenant, Hector, pas maintenant.) Mon pied me fait trop de mal.” Qu'en dites-vous ?

– Nous disons, mon ami, que cette pauvre femme souffrait sans doute beaucoup.

– Est-ce qu'on souffre ? répliqua-t-il. Est-ce que la douleur existe quand on est dans l'ivresse ? Mais moi, moi, si l'on m'avait donné un coup de couteau en pleine poitrine au moment où elle m'a dit qu'elle m'aimait, je ne l'aurais pas senti. Et elle ! ... Elle a pu ... elle a osé ... Puis, tout à coup, s'interrompant : Comment l'a-t-elle osé ? ... Comment n'a-t-elle pas pensé que j'allais l'étrangler ?

» A cette phrase, dite avec autant de simplicité que de conviction, Eugène Sue qui était présent et moi nous partîmes d'un éclat de rire. »

Bons camarades, les compagnons de Berlioz parvinrent à le convaincre qu'il était malgré tout aimé. Berlioz se traite de « brutal », de « sauvage » et achève de se rassurer. Mais des scènes semblables se renouvelaient souvent.

Furieux et désolé, radieux, ou plein d'espoir, Berlioz passe par toutes les phases de ce malheur qui s'appelle le malheur d'aimer. Et les lettres à Adèle se succèdent. « [...] à tel point que cela inquiète Henriette ; elle me vit un jour tellement ému en lui parlant de toi que plusieurs fois depuis elle m'a dit : “Oh ! vous ne m'aimez pas autant que votre sœur, je le vois bien, je ne suis qu'en seconde ligne” » (27 avril). Les autres, le Dr Berlioz, la mère murée dans son silence outragé, Nanci, surtout, si longtemps la confidente, ne lui écrivent plus. Il est vrai que, dans quelques semaines (le 13 juin), Nanci Pal sera mère d'une petite Mathilde. C'est donc encore à Adèle qu'il donne des nouvelles de la santé d'Henriette, sa bonté, son abnégation et la méchanceté de la sœur : « Il y a aujourd'hui trois mois qu'Henriette s'est cassé la jambe et elle ne marche encore qu'à peine avec des béquilles. Elle s'exerce quelques heures dans le jour à traverser sa chambre et à rester levée ; tout le reste du temps, elle le passe tristement dans son lit à écouter, quand je n'y suis pas, l'infernal concert de la conversation de sa sœur, qui avec une persévérance vraiment diabolique s'obstine à la tourmenter à cause de moi. Il n'y a sorte d'absurdes calomnies qu'elle n'invente pour essayer de détacher Henriette de moi. Heureusement tout cela est sans effet ; mais te figures-tu quelle dose de patience il faut que j'aie pour ne pas exterminer cette *damnée petite bossue* qui poursuit son intérêt d'égoïsme envers et contre tous et vient me dire en face que *si elle était assez forte elle me jetterait par la fenêtre* ? »

Trois mois : le temps passe si vite quand les jours, pourtant, sont si longs. Nous sommes le 30 mai 1833. Le 5 juin, la troisième sommation respectueuse est faite au Dr Berlioz : l'enfer qu'est cette histoire d'amour continue et Berlioz s'en rend compte. Comme il se rend compte que lui-même devient de plus en plus insupportable. Il écrit à Ferrand à la mi-juin : « Vous savez combien je suis absorbé, comme ma vie ondule. Un jour, bien calme, poétisant, rêvant ; un autre jour, maux de nerfs, ennuyé, chien galeux, hargneux, méchant comme mille diables, vomissant la vie et prêt à y mettre fin pour rien, si je n'avais pas un délirant bonheur en perspective toujours plus prochaine, une bizarre destinée à accomplir, des amis sûrs, la musique et puis *la curiosité.* » Et il répète la phrase fameuse, qu'il a enjolivée : « Ma vie est un roman qui m'intéresse beaucoup. »

Au fond, ce qui le sauve, c'est cette distance qu'il sait toujours reprendre très vite, chaque fois qu'il s'égare avec trop de complaisance sur les sentiers du désespoir : sa vie est un roman, il le répète, nous le répète, se le répète, s'en émerveille presque. Et s'il décide un jour de mettre fin à cette ridicule comédie, trois jours plus tard il se promène à pas comptés dans le jardin des Tuileries avec son invalide, dont il suit « les progrès de la guérison avec l'anxiété d'une mère qui voit les premiers pas de son enfant ». Et si l'amour revient, c'est l'argent qui manque à présent. Désespérément. Aux deux amoureux.

L'été se poursuit, dans le même état de crise. Crise morale, crise physique aussi : Berlioz l'a dit à Ferrand, il y a les jours où il se sent bien portant – et les autres. Les maladies de Berlioz, ses fatigues, sa gorge, bientôt des problèmes intestinaux beaucoup plus graves. Et crise psychologique : le besoin d'argent, le dénuement. Cette fois, c'est une scène vraiment atroce qu'il raconte à Hiller. Les cris, l'opium, le suicide qu'il évoque à nouveau. « Les scènes sont devenues plus violentes ; il y a eu un commencement de mariage, un acte civil que son exécrable sœur a déchiré ; il y a eu des désespoirs de sa part ; il y a eu un reproche de ne pas *l'aimer ;* là-dessus, je lui ai répondu de guerre lasse en m'empoisonnant à ses yeux. Cris affreux d'Henriette ! ... désespoir sublime ! ... rires atroces de ma part ! ... désir de revivre en voyant ses terribles protestations d'amour ! ... émétique !... ipécacuana ! vomissements de deux heures ! ... il n'est resté que deux grains d'opium ; j'ai été malade trois jours et j'ai survécu... » Crise atroce, donc, que Berlioz narre dans sa langue inimitable et qui s'achève par une résolution : ce voyage en Allemagne, il va le faire, ce fichu voyage à Berlin. Et dès jeudi prochain, s'il vous plaît, s'exclame-t-il à son ami. C'est qu'« il faut en finir. »

Suit alors un curieux épisode dont on peut se demander s'il ne s'agit pas d'une plaisanterie, montée par quelques-uns de ses amis pour le distraire de son désespoir. En tout cas, lorsqu'il rapporte l'affaire à son ami Hiller, il paraît tout à fait sérieux.

Les faits ? « Pour m'aider à supporter cette horrible séparation, un hasard inouï me jette entre les bras une pauvre jeune fille de dix-huit ans, charmante et exaltée, qui s'est enfuie, il y a quatre jours, de chez un misérable qui l'avait achetée enfant et la tenait enfermée depuis quatre ans comme une esclave ; elle meurt de peur de retomber entre les mains du monstre et déclare qu'elle se jettera à l'eau plutôt que de redevenir sa propriété. On m'a parlé de cela avant-hier ; elle veut absolument quitter la France ; une idée m'est venue de l'emmener ; on lui a parlé de moi, elle a voulu me voir, je l'ai vue, je l'ai un peu rassurée et consolée ; je lui ai proposé de m'accompagner à Berlin et de la placer quelque part dans les chœurs, par l'entremise de Spontini ; elle y consent. Elle est belle, seule au monde, désespérée et confiante, je la protégerai, je ferai tous mes efforts pour m'y attacher. Si elle m'aime, je tordrai mon cœur pour en exprimer un reste d'amour. Enfin, je me figurerai que je l'aime. Je viens de la voir, elle est fort bien élevée, touche assez bien du piano, chante un peu, cause bien et sait mettre de la dignité dans son étrange position. Quel absurde roman ! Mon passeport est prêt, j'ai encore quelques affaires à terminer et je pars. »

On ne sait rien de la demoiselle en détresse achetée par un vieillard, réduite en esclavage et qui, « charmante et exaltée » (comme Camille), s'est enfuie pour mieux se jeter dans ses bras. On n'en sait rien surtout parce que l'affaire en est restée là. « Henriette est venue, je reste. Nous sommes annoncés (on a proclamé les bans). Dans quinze jours tout va finir... » (lettre à Ferrand du 3 septembre). Berlioz ne part pas. Harriett a dit oui. La date du mariage est presque fixée. On dédommagera la jolie inconnue : c'est sur une nouvelle pirouette, avec en prime un pied de nez au hasard, que s'achève la cour désespérée qu'Hector Berlioz, prix de Rome, a faite en somme depuis près de six ans à une Harriett Smithson, comédienne anglaise hier si belle, aujourd'hui un peu épaisse, vaguement boiteuse, mais tant aimée.

Officiellement fiancé, Berlioz va désormais s'adonner à la difficile entreprise de redonner à l'actrice la confiance en soi que son accident et les horribles semaines qui l'ont suivi lui ont fait perdre. Alors, il bat le rappel des amis. Il écrit à Alfred de Vigny, il veut lui présenter celle qui sera sa femme : « Elle se croit oubliée de la terre entière : l'espérance vague que je lui ai donnée d'une pièce de vous dans laquelle elle pourrait paraître la charme trop pour qu'elle puisse s'y abandonner. » La rencontre a lieu mais Harriett ne jouera jamais dans une pièce de Vigny. Après la visite à Vigny, une autre à Victor Hugo qui vient d'achever *Marie Tudor*. Chaleur et sympathie réciproques. Harriett boitille et, pas plus que dans une nouvelle pièce de Vigny, Harriett ne jouera dans *Marie Tudor*.

Pourtant, le 3 octobre 1833, Hector a enfin épousé Harriett Smithson. La cérémonie a eu lieu à l'ambassade de Grande-Bretagne à Paris, dans l'ancien hôtel de Pauline Borghèse, rue du Faubourg-Saint-Honoré, en présence de Hiller et de Henri Heine. Liszt est témoin du marié. Le mariage se déroule « selon les usages français et anglais ». C'est presque avec des accents de triomphe que Berlioz remarque dans ses *Mémoires* : « Le jour de son mariage, elle n'avait plus au monde que des dettes et la crainte de ne pouvoir reparaître avantageusement sur la scène à cause de son accident. » Lui-même ne dispose que de trois cents francs, prêtés par son ami Gounet – et il est à nouveau brouillé avec ses parents ! On s'embrasse, on se congratule. Liszt est le plus chaleureux. Berlioz sait qu'à l'avenir il pourra toujours compter sur lui. Dans un salon de l'ambassade, le beau nu allongé de Pauline, vue par Canova, sourit d'aise.

Ce qu'on se doit de souligner, c'est qu'au soir de la cérémonie, Berlioz a connu un incroyable moment d'euphorie dans la petite maison de Vincennes où ils ont trouvé refuge : une surprise telle, en fait, que sans la moindre fausse pudeur, il va vouloir la partager avec la terre entière, c'est-à-dire avec sa sœur Adèle, ses amis, tous ceux à qui il a l'occasion de le raconter. Ainsi, la lettre du 6 octobre à Adèle Berlioz, qui commence avec des accents de fête champêtre. « Le jour de notre mariage, sa sœur nous ayant laissés seuls, nous avons fait notre repas de noces de la plus comique manière du monde ; sans domestiques pour nous servir, nous avions fait apporter notre dîner du restaurant de Vincennes ; le dessert, nous l'avons cueilli au jardin, il faisait un temps délicieux, riant, doux, frais, superbe. Enfin c'était d'un bonheur insolent. De temps en temps je vais à Paris voir ce qu'on y fait et suivre le fil de mes occupations habituelles. Il me faut aujourd'hui redoubler d'activité et de travail. Quand je songe que j'ai mal employé une heure que j'aurais pu consacrer au bonheur de ma chère adorée, je me le reproche toute la journée. C'est une créature bien délicieusement *pure* et bonne que ma femme ; il n'est presque pas croyable de rencontrer chez une actrice de son âge tout ce que j'y ai trouvé. Ainsi arrière les calomnies, qu'elles retombent sur les infâmes auteurs, elle peut les braver ; je suis sûr d'elle. Oh ! que j'ai eu raison d'écouter la voix de mon cœur ; lui qui trompe si souvent ne m'a dit cette fois que la vérité. »

On l'a déjà laissé entendre, et c'est bien la réalité – ou du moins la réalité que Berlioz a trouvée au soir de ses noces – Harriett Smithson, comédienne de trente-trois ans dont on a pu lui dire tant d'horreurs, était « pure » à son entrée dans la petite maison de Vincennes. Pure. C'est-à-dire vierge. Berlioz en est tellement ému qu'il met encore les points sur les i dans d'autres lettres. Ainsi, au cher Humbert Ferrand : « Je puis [...] vous dire et vous affirmer sur l'honneur que j'ai trouvé ma femme aussi et aussi vierge qu'il soit possible de l'être ! » Pour en tirer une conclusion bouleversante : il n'y a pas beaucoup de mariages aussi originaux que le leur ! Il jubile. Il en pleure de joie. C'est sa revanche sur le monde entier, la *fair Ophelia*, idole des romantiques comme des bourgeois amateurs de théâtre, est à lui ! Actrice, comédienne, théâtreuse, tout ce que l'on voudra, mais qui n'a cédé à aucune des tentations ou sollicitations qui, pour Mme Berlioz, sont synonymes du métier qu'elle exerce.

On ne peut pas ne pas se souvenir aussi que c'est à Vincennes que Berlioz et Harriett Smithson ont couronné ce mariage si « original » – alors que c'était déjà à Vincennes, lors d'une fuite fameuse qu'Hector Berlioz s'était fait « putipharder » par la belle Camille. L'ombre d'un souvenir ou le besoin d'effacer un remords ? Trois ans plus tôt, comme aujourd'hui, il s'affirmait le plus heureux des hommes... Que Camille ait été aussi « pure » qu'Harriett aujourd'hui, c'est une autre affaire. Camille avait dix-huit ans et le feu au corps. Harriett en a trente-trois, Henri Heine, qui assistait pourtant au mariage rue du Faubourg-Saint-Honoré, nous l'a dit dans *De tout un peu* : c'est une « grosse Anglaise ».

4

Il faut bien vivre...

Berlioz marié, la miraculeuse histoire d'amour conclue dans le rustique bonheur de Vincennes, on doit revenir en arrière pour mesurer l'activité qui a cependant été la sienne depuis son retour à Paris, près d'un an auparavant. Qu'on se souvienne : la préparation active du concert du 8 décembre, le double triomphe de la *Fantastique* en partie récrite, de *Lélio* et du texte dit par l'acteur Bocage qui fit flancher le cœur d'Harriett, l'article de d'Ortigue dans *La Revue de Paris* puis le second concert du 30 décembre : sur le plan de la réussite professionnelle et sociale, l'année 1833 s'ouvre pour Berlioz sous les meilleurs auspices du monde. Et cela continue.

D'abord, dès le milieu du mois de janvier, on veut bien mettre à sa disposition le montant du premier semestre de la pension qui lui est due... à condition qu'il se rende en Allemagne, comme c'est la règle. On l'a vu, quelques semaines auparavant telle était bien son intention. Mais les retrouvailles avec Harriett l'ont cloué à Paris : pendant toute l'année 1833, la perspective de ce voyage restera ouverte devant lui. Il hésitera ... Pourtant, à la différence du séjour à Rome, qui était l'obligation *sine qua non* de son statut de pensionnaire, l'Allemagne et ses petites ou grandes cours, où il a la perspective de retrouver des amis qui pourraient lui être utiles, un Spontini, un Mendelssohn, lui paraîtra toujours une obligation un peu théorique. La preuve ? C'est qu'en fin de compte, il ne le fera pas, le voyage, ou il le fera bien plus tard. Et puis, l'argent de la pension lui est versé d'avance, à quoi bon s'encombrer d'autres soucis ? Ce qui ne l'empêchera pas de solliciter du ministre, qui, avec un bureau des Beaux-Arts dans sa mouvance, a la haute main sur ces questions-là, le remboursement des dépenses occasionnées par les concerts du mois de décembre. La somme lui sera refusée. La pension versée d'un côté, le refus d'un ministre de l'autre : rien de nouveau sous le soleil et, pendant toute cette période, Berlioz va continuer à courir après l'argent – pour lui, pour Harriett, pour eux deux. D'où l'énergie avec laquelle il reprend à *La Revue européenne* puis au *Rénovateur*, à partir de décembre 1833, son « second métier » de critique. On se souvient de la manière dont, lui qui méprisait du haut de son art tous les Fétis et autres plumitifs qui se font du lard sur le dos de la musique et des musiciens, il décida à son tour de se mettre à table.

L'affaire s'est faite en plusieurs temps. Après les premiers articles du *Corsaire* et du *Correspondant*, les articles allemands de la *Berliner allgemeine musikalische Zeitung*, on a vu la « Lettre d'un enthousiaste » publiée dans *La Revue européenne*. Puis à Paris : c'est dès le mois d'avril 1833, à *La Revue européenne*, ensuite à *L'Europe littéraire*, qu'il a repris la plume pour railler avec une verve sans pareille le concours du prix de Rome.

Ainsi, à peine revenu d'Italie, le compositeur déjà célèbre se fait-il connaître de tout Paris comme un polémiste hors pair, un historien de la musique aux opinions sans partage, un théoricien, un musicologue rempli de partis pris flamboyants, en un mot, un fulgurant écrivain.

Dès lors, les articles régulièrement publiés au *Rénovateur* lui assurent, de manière quasi institutionnelle, la tribune d'où il peut lancer diatribes ou cris d'admiration : encore une fois, faire aimer aux autres ce qu'il aime et mépriser le reste. Plus que jamais il va se comporter en critique partisan, intraitable (sauf lorsqu'il s'agit de ses amis ...) et continuer, dans la foulée de cet Henri Beyle qu'il appréciait pourtant si peu, à parler autant de lui que des œuvres qu'il traite, à se mettre en scène, à inventer des dialogues, à intercaler des anecdotes, voire de courtes nouvelles dans ses comptes rendus ironiques.

Un style d'écrivain est en train de se former à partir de 1833 et surtout en 1834. A cette époque, il noue des relations suivies avec une famille qui joue un rôle de premier plan durant toute la monarchie de Juillet et qui jouera un rôle essentiel dans la vie de Berlioz lui-même. Il s'agit des Bertin : Louis-François Bertin, dit Bertin l'Aîné (1766-1841), fondateur du *Journal des débats*, son fils Armand (1801-1854), voire Louise Bertin la sœur d'Armand, elle-même compositeur. Ces relations deviendront régulières, amicales sinon presque familiales.

Le grand Castil-Blaze qui faisait la pluie et le beau temps dans le monde musical parisien, ayant pris sa retraite par la grâce de Bertin, Berlioz, qui l'attaqua si souvent, va lui succéder aux *Débats*. Ainsi, par besoin d'argent, et aussi par sa soif inaltérable de touche-à-tout de la musique jusque dans ses banlieues souvent les plus improbables, Berlioz critique occupe-t-il en peu de mois une place importante non seulement dans la vie musicale, mais aussi dans la vie intellectuelle française.

A partir de maintenant, il se trouve en effet au cœur d'un univers romantique qui étend ses ramifications dans tous les domaines de l'activité intellectuelle de son temps. Il suffit de se souvenir du public qui assiste à ses concerts ou de ses correspondants. En quelques semaines, il a renoué avec tous ses amis et, surtout, il s'en est fait beaucoup d'autres. Et pas n'importe qui. Le temps semble bien loin où il a pu prier une Mme Vernet de lui adresser des lettres de recommandation à quelques hôtesses ou femmes auteurs vaguement en vogue. C'est au sein même du mouvement romantique le plus actif, le plus remuant, le plus en vue, qu'il a désormais sa place. Et une place de premier plan. Aux côtés des Dumas et des Hugo, des Gautier, des Janin et des d'Ortigue, d'un Henri Heine et d'une George Sand, de Chopin et de Liszt, il défraie un peu plus chaque jour la chronique. La grande presse et les petits journaux parlent de lui. Ses œuvres, mais aussi ses amours. On fait courir des bruits, vrais ou faux, on les dément, on s'agite, on annonce des concerts qui n'auront pas lieu et on prépare, des semaines à l'avance, l'accueil de ceux qui sont donnés. Berlioz écrit des lettres, les porte lui-même, fréquente les cafés, les salles de rédaction, les éditeurs. Malin comme un diable, habile et entreprenant avec, en outre, son métier de critique pour l'assurer dans ses démarches, il sait non seulement à quelles portes frapper, mais aussi comment les ouvrir, ces quelques dizaines de portes qui sont, à Paris, celles du succès. De la haute administration, avec un comte de Gasparin, ministre de l'Intérieur, dont il se fera un allié, à ces intermédiaires, ces « passeurs » que sont les éditeurs de musique, en passant par le bon Le Sueur et même ces messieurs de l'Académie qu'il n'hésite pas à solliciter lorsqu'il en a besoin, il est un spécialiste de la démarche administrative, un virtuose de l'intervention, un abonné de tous les cafés et de toutes les premières représentations. En ce monde de la musique où Rossini est un vieux dieu devenu gastronome, Paganini un vieillard génial et parfois diabolique, Liszt et Chopin les étoiles montantes d'une nouvelle manière d'aborder le piano, il sent confusément, et ses amis l'aident à le penser, qu'il peut jouer un rôle de premier plan. L'Opéra – d'Ortigue l'a écrit – doit s'ouvrir à lui. Même si la nouvelle a surtout amusé un Paris artiste et mondain, il considère que son mariage a défrayé la chronique puisque, grâce à l'article de d'Ortigue, on en a parlé jusqu'au fond de l'Isère. Déployant une énergie considérable à se placer au premier rang de ce que Théophile Gautier a appelé les Jeunes-France, on dira que ce sont ses courses incessantes à travers Paris, les peintures de lui dans la presse, le ton de scandale des articles qu'il va publier et sa réputation d'amoureux à tout crin qui font de lui ce qu'aujourd'hui on appellerait une vedette du tout-Paris – s'il n'était aussi l'auteur de la *Symphonie fantastique* hier, de *Lélio* aujourd'hui, d'*Harold en Italie* demain.

Parce qu'il veut aller plus loin, Berlioz. Aimer et être aimé, certes, mais aussi, dans ce petit monde autour duquel il gravite comme tant d'autres, devenir l'égal de ceux qu'il admire, les plus grands. Et de Beethoven au premier chef. Beethoven dont il peut enfin se saouler après l'assourdissant silence de la musique en Italie. Là-bas, il avait pour tout plaisir une flûte sauvage : il redécouvre le bonheur des grands orchestres. Il est à nouveau le plus assidu des auditeurs des concerts de la Société des concerts du Conservatoire. Dans un article de *La Revue européenne* du mois d'avril, il se lance dans un formidable exercice de louange de la Société des concerts : « Belle institution !! Noble monument élevé à l'art... C'est l'armée d'Egypte au milieu du désert applaudissant à la soudaine apparition des gigantesques Pyramides... » – les Pyramides étant Beethoven. Suivra la *Troisième symphonie*, avec l'ouverture de l'*Euryanthe* de son cher Weber. Et c'est tout Beethoven qu'il entend à nouveau dans la petite salle chaleureuse à laquelle il est si attaché.

Berlioz ne se contente pourtant pas d'écouter Beethoven, Weber ou Mozart. Il est entré dans une nouvelle phase de sa vie de compositeur, il a franchi une étape. C'est presque naturellement qu'on programme à présent ses propres œuvres. Ainsi Narcisse Girard, qui donnera la première audition d'*Harold en Italie*, l'année suivante, dirige-t-il l'ouverture des *Francs-Juges*, lors d'un concert Liszt donné au Vauxhall, avec l'orchestre de l'Opéra. Et même si c'est Berlioz qui l'a demandé à la Société des concerts, celle-ci donnera, le 14 avril, l'ouverture de *Rob Roy*, composée en Italie en 1831. Et Girard, à nouveau, qui dirige trois mouvements de la *Symphonie fantastique.* Si le public ne réclame pas encore du Berlioz, le monde musical s'ouvre davantage chaque mois à lui. Quant à la presse, elle en redemande... Ainsi, *L'Europe littéraire*, un journal, auquel Berlioz contribue régulièrement et aussi une sorte de cénacle qui rassemble régulièrement toute la fine fleur de la jeune littérature française, Dumas et Hugo, Gozlan, Alphonse Karr, Nodier, Michelet, Soulié, Eugène Sue... L'un des directeurs de *L'Europe*, Bohain, ne sait que faire pour montrer à Berlioz son enthousiasme. Déjà, avant même la création de la *Symphonie fantastique*, il avait voulu l'aider à faire jouer celle-ci. Lorsque Berlioz lui suggère d'organiser des concerts sous les auspices du journal, il accepte aussitôt. Le premier concert a lieu le 2 mai, les trois quarts du programme étant consacrés à Berlioz. Et l'on récidive. La critique s'enflamme – au premier chef, celle de *L'Europe littéraire.* Qu'on s'attaque à lui ? remarque un chroniqueur. « Le chien aboie, la caravane passe. » Et tandis que notre homme continuait à se lamenter tout le jour dans les chambres au plafond bas de l'Hôtel du Congrès où Harriett, alors, n'avait pas encore dit oui, il exultait le soir dans les salles de concerts puis, dans les cafés, Véry et autres lieux, où ses amis le fêtaient.

La politique s'en mêle d'ailleurs. Pour le meilleur et pour le pire. Le meilleur, pour Berlioz ? – : Louis-Philippe, qui vient d'échapper à un attentat, a décidé de poursuivre à Paris les travaux d'un Napoléon dont il ne connaît que trop la popularité parmi ses sujets. D'où le rétablissement au sommet de la colonne Vendôme de la statue de l'Empereur fondue sous la Restauration pour devenir celle d'Henri IV au Pont-Neuf. Or une telle festivité ne peut se passer de musique. Et qui serait mieux désigné pour cela que ce Jeune-France, bonapartiste enthousiaste soutenu par un autre bonapartiste, chenu et respecté de ses pairs celui-là, le vénérable Le Sueur ?

Ainsi, à la mi-juillet, pour l'inauguration de la statue, prévoit-on un grand concert en plein air où l'on entendra, entre autres, un « chœur avec marche » de Berlioz. Celui-ci doit se faire vite. Comme il n'a pas le temps d'écrire une œuvre nouvelle, il fouille dans ses cartons, pratiquant une fois de plus la méthode du réemploi dont il fera une technique privilégiée de composition. C'est l'ancienne *Révolution grecque* de 1826 devenue par la suite *Scène héroïque grecque* qu'il va transformer en *Triomphe de Napoléon*. L'œuvre avait déjà été mise à toutes les sauces puisque Berlioz avait même voulu en faire un *Triomphe de la Croix* pour le Concert spirituel de Kreutzer. Il suffit de changer une fois de plus les paroles. Une répétition, qui a lieu dans l'atelier du peintre Ciceri, se déroule bien.

Mais la politique continue à s'en mêler. Pour le pire : la tension est montée à Paris. On a manifesté contre le roi, contre ses ministres, on craint des émeutes. Un concert en plein air paraît soudain dangereux aux yeux du pouvoir. Aussi les deux concerts prévus pour le 28 juillet sur la place Vendôme et le 9 août à l'Opéra sont-ils annulés. A leur place, on montera une estrade de bois contre le palais des Tuileries. Berlioz va encore jouer de malchance. Le programme est long, très long... et les bougies viennent à manquer ! Plus de loupiotes pour éclairer les partitions des musiciens, plus de *Triomphe de Napoléon*. Et voilà une catastrophe de plus pour Berlioz qui entend les autres œuvres inscrites au programme, Auber ou Rossini, mais se voit frustré de la sienne. Non pas un cataclysme, cette fois : une simple panne de lumière, en somme... On en a déjà vu d'autres et on verra que, dans le genre, il peut y avoir beaucoup mieux.

Berlioz ne se contente pas de se démener pour faire jouer ses œuvres. En cette première moitié de 1833 qui correspond pour lui à l'ultime crise de ses années de jeunesse, entre scènes de ménage dans un ménage qui n'existe pas encore, rebuffades et lettres à sa famille, démarches légales et besoin d'argent, concerts et feuilletons, voire mise au goût du jour de partitions anciennes, il n'oublie pas son vrai travail de compositeur. Il le proclame haut et fort. Si haut et si fort que tous ses amis, la presse qui roule pour lui, le mouvement romantique tout entier attendent de lui une œuvre majeure, c'est-à-dire un opéra. C'est donc plus que jamais vers l'Académie royale de musique qu'il tourne ses regards. Un peu dans le désordre, d'ailleurs. D'abord il y a le grand projet caressé depuis ses années romaines de *Dernier Jour du monde*, où il veut tout mettre de lui, de la société qui l'entoure, de la corruption des grands et de la lâcheté, la bassesse des autres. Quand bien même Véron, le directeur de l'Opéra, l'a refusé, Berlioz y pense sans cesse, revient sur le sujet dans sa correspondance. On comprend ce qui l'attire dans un projet qui, par nature, ne peut être que démesuré. Au-delà d'un orchestre, de chœurs et de solistes, il lui faut un plateau immense où faire évoluer tout ce qu'il porte en lui. Mais qu'il porte bien seul, puisque tous les librettistes professionnels auxquels il a fini par avoir recours n'ont pas eu plus de chance que lui auprès du terrible Véron qui nous a laissé pourtant de bien passionnants Mémoires lui aussi, les

Mémoires d'un bourgeois de Paris qui nous apprennent tout sur le monde artistique du Paris d'alors – et où le nom de Berlioz n'est pas cité...

Aussi Berlioz garde-t-il l'idée en tête mais pense-t-il déjà à autre chose. On lui fait à nouveau miroiter une collaboration avec Alexandre Dumas, et son esprit s'échauffe. Mais Dumas, à qui il se flatte d'être comparé, a déjà trop d'ouvrages en chantier. Berlioz ne capitule pas. Legouvé a-t-il évoqué *Les Brigands* de Schiller ? Voilà une bonne idée ! C'est avec Gounet qu'il en parle. Plus tard, à Weimar, il rêvera sous les fenêtres de la maison où Schiller a écrit son drame, dont Verdi fera en 1847 ses *Masnadieri*. Mais l'affaire ne va pas plus loin. C'est que nous sommes encore au temps de l'attente et de l'angoisse. Après tout, Berlioz n'avait pas tort de prévenir son père que, tant qu'il n'aurait pas épousé Harriett, il n'écrirait rien. Il caresse des projets, oui... Il nous a déjà parlé de *Beaucoup de bruit pour rien*, la délicate comédie que, dans la foulée de la passion shakespearienne de sa fiancée, il a envisagé de mettre en musique. Là aussi, Berlioz parle et se contente de parler : les portes de l'Opéra doivent s'ouvrir devant lui, il a beaucoup de clefs mais n'a pas encore trouvé la bonne. Ce sera seulement l'année suivante qu'il pensera sérieusement à *Benvenuto Cellini*, sa première œuvre lyrique.

Qu'importe dès lors, dans cette atmosphère d'euphorie et de surexcitation, l'avis qu'exprimera l'Académie des beaux-arts au cours de sa séance publique solennelle de distribution des prix. C'est le 12 octobre, tout ce qu'on appellerait aujourd'hui l'*establishment* du monde musical est réuni sous la Coupole. Ah ! Avec ces vieillards et les vieux jeunes gens qui parviennent à se glisser parmi eux, on est loin de la fervente confraternité des Jeunes-France et de leurs amis musiciens. C'est l'ineffable Berton, l'ennemi des mauvais jours, qui préside la séance. Quatremère de Quincy, qui, en d'autres temps, voulut chasser Horace Vernet de la Villa Médicis pour ses idées trop avancées, est toujours secrétaire perpétuel. Lui aussi porte une haine tout à fait sereine à l'encontre des romantiques : leur travail est sans intérêt. Un point, c'est tout. Cherubini est de l'assistance, comme Paër, Boieldieu, Auber : tous ceux pour qui la musique telle que la conçoit Berlioz est un sacrilège. Le vainqueur de cette année n'a pas vraiment laissé de traces dans l'histoire de la musique de son siècle. C'est un certain Thys, qui a concouru sur un poème au titre pourtant presque romantique : *Le Contrebandier espagnol*. On l'écoute. On l'applaudit. Mais c'est à juger les derniers envois de Rome qu'on est maintenant occupé. Et Berlioz, que tout Paris acclame, est vertement tancé par ces messieurs en costume vert brodé, l'épée qui les encombre et le bicorne qui ne sert à rien. Il est vrai que son *Rob Roy*, qu'on examine aujourd'hui, même ses amis ne l'ont guère aimé, et que le second envoi, le *Quartetto e coro dei maggi*, n'était certainement pas du meilleur Berlioz. D'où le jugement de ceux qu'il refuse de considérer comme ses aînés : « Il est à regretter qu'un artiste doué d'une imagination aussi féconde ne veuille pas se dépouiller de ses formes bizarres. Espérons pourtant que l'expérience, ce grand maître, le fera rentrer dans les bons principes et que nous aurons un bon compositeur de plus dans M. Berlioz. » On devine le haussement d'épaules qui a pu accompagner ce vœu plein de perfidie. Berlioz est désormais sur une autre planète que celle où débattent gravement ces « nains empanachés ». Ses articles de *L'Europe littéraire* l'ont suffisamment montré : il n'a plus besoin d'« aurore aux doigts de rose » si tristement rouillée pour éclairer sa route.

Plus que jamais, la grande lumière qui enflamme ses jours s'appelle Harriett. Tandis que, à l'Institut, on dissèque sans pitié son maigre *Quartetto*, lui-même est toujours à Vincennes à couler des jours heureux avec sa jeune épousée. En fait, « les » Berlioz ne passeront que deux semaines dans la « jolie petite maison de campagne loin de tous les curieux importuns » trouvée par Hector pour ce qui était en somme un voyage de noces. Ce seront quinze jours de calme, de repos, de tendresse. Maintenant qu'elle est mariée et sûre de l'homme qu'elle aime, Harriett se laisse aller aux grands élans de douce tendresse qui sont sa vraie nature. Elle adore plus encore qu'elle adore être adorée. « C'est Ophélie elle-même ; non pas Juliette, elle n'en a pas la fougue passionnée ; elle est tendre, douce et *timide...* », écrit Berlioz à Ferrand. Lui-même a tant su dispenser pareils sentiments sans jamais les connaître qu'il en est bouleversé. Tout ce qui arrive lui semble exceptionnel. Chaque matin, il quitte la jeune femme pour passer la journée à Paris, certes, mais pour la retrouver chaque soir avec un renouveau de passion. Au fond, il n'en revient pas : être aimé de la sorte ! Mais aussi : être marié de la sorte, un mariage qui, « à Paris [...] fait un remue-ménage d'enfer » (lettre à Ferrand du 11 octobre). Et de s'émerveiller : « On ne parle que de ça. »

La lune de miel à la campagne sera donc courte. Dès le 16 octobre, les nouveaux mariés reviennent à Paris. Ils s'installent dans l'appartement du 1, rue Neuve-Saint-Marc. Harriett y a vécu seule, Hector y a vécu seul ensuite : les y voilà à présent tous les deux. Même rempli de souvenirs, leur logement est sinistre à souhait, mais il faut bien revenir sur terre. On caresse l'idée de se rendre en Allemagne. Hector répondrait ainsi aux obligations qui sont les siennes, Spontini l'aiderait et Harriett retrouverait l'occasion de monter sur la scène grâce au théâtre anglais qui vient de s'établir à Berlin. Mais ce projet de voyage ne va pas plus loin, l'harmonie qui règne entre eux n'a pas besoin de cette diversion. Les scènes de tendresse qu'il décrit à son cher ami Ferrand sont touchantes par leur naïveté. Deux pigeons s'aiment d'amour tendre : l'aigle roux au regard ardent s'est mis à roucouler.

« Quelquefois seuls, silencieux, appuyée sur mon épaule sa main sur mon front, ou bien dans une de ces poses gracieuses que jamais peintre n'a rêvées, elle pleure en souriant.

– Qu'as-tu, pauvre belle ?

– Rien. Mon cœur est si plein ! Je pense que tu m'achètes si cher, que tu as tout souffert pour moi... Laisse-moi pleurer, ou j'étouffe.

» Et je l'écoute pleurer tranquillement, jusqu'à ce qu'elle me dise :

– Chante, Hector, chante !

» Moi, alors de commencer la *Scène du bal*, qu'elle aime tant ; la *Scène aux champs* la rend tellement triste, qu'elle ne veut pas l'entendre. C'est une *sensitive*. »

Et lui, l'artiste, infatigable arpenteur du pavé de Paris comme des vallées immenses de l'Isère ou des Abruzzes, le voilà qui vit dans un étroit logement de la rue Neuve-Saint-Marc comme n'importe quel petit bourgeois. Et qui donne à Adèle les nouvelles que donnerait un couple de petits bourgeois qui reçoit après dîner : « Hier soir, nous avons reçu plusieurs amis ; entre autres Alphonse [Karr] et sa femme, laquelle femme est laide et raide comme une poupée de pain d'épices. Henriette s'est fatiguée toute la soirée pour la faire parler... » Ou encore : « Nous avons quelquefois nos amis, le soir. Joseph Rocher [cousin d'Edouard, l'ami de Berlioz] a fait partie de notre petite réunion de la semaine dernière ; Alphonse vient souvent, ainsi que les poètes Emile et Antoni Deschamps, A. Devigny, Legouvé, Brizeux, Liszt, Chopin, etc. » C'est avec une telle jubilation qu'Hector énumère pour sa sœur les noms de ceux qui fréquentent leurs soirées, rue Neuve-Saint-Marc. Non sans remarquer que lui-même va toujours de temps en temps seul dans le monde,

« par nécessité d'entretenir [ses] relations ; Henriette ne sort guère, elle aime mieux lire au coin du feu ».

La situation financière du couple demeure pourtant inquiétante. Et ce ne sont pas les quelques articles parus dans *Le Rénovateur* à la fin de l'année qui vont l'améliorer sensiblement. Aussi l'idée d'une nouvelle représentation à bénéfice – cette fois pour eux deux, Harriett et Hector – a-t-elle fait son chemin dans l'esprit de Berlioz. Ce sera l'occasion de faire remonter Harriett sur les planches. Et le mari modèle de s'agiter auprès de tous ses amis, solliciter Dumas, assiéger la grande Marie Dorval pour tenir ensuite informés ceux qui l'entourent des progrès de son entreprise. Il implore, menace parfois, assiège surtout. Il réunit quelques fonds, il envoie des dizaines de lettres. Tout Paris est au courant de son projet. La presse s'en fait à l'avance l'écho : ce sera une représentation exceptionnelle, le gratin du romantisme se déplacera, musiciens, poètes et comédiens vont se retrouver en une sorte d'union sacrée autour du théâtre et de la musique selon Harriett et Hector. Hélas, la soirée du 24 novembre au Théâtre-Italien, commencée avec une heure de retard devant un public pourtant convaincu d'avance, est un désastre sur toute la ligne. Pour Harriett d'abord, mal à l'aise et qui se voit ravir la vedette par la grande Marie Dorval qui a pourtant seulement accepté par amitié de paraître à ses côtés. Pour Hector ensuite.

Le concert commence. « Le *Konzertstück* de Weber, joué par Liszt avec la fougue entraînante qu'il y a toujours mise, obtint un magnifique succès. Je m'oubliai même dans mon enthousiasme pour Liszt, jusqu'à l'embrasser en plein théâtre devant le public... » Pourtant, comme d'habitude, Berlioz veut trop en faire. Le programme va cahin-caha, mais il est surtout trop long. Il n'en finit pas alors qu'on n'a pas encore donné sa pièce de résistance, la *Symphonie fantastique*. « [Mais les] règlements du Théâtre-Italien n'obligent pas les musiciens à jouer après minuit. En conséquence, mal disposés pour moi, ils attendaient avec impatience le moment de s'échapper, quelles que dussent être les conséquences d'une aussi plate défection. Ils n'y manquèrent pas... Ces lâches drôles, indignes de porter le nom d'artistes, disparurent tous clandestinement. Il était minuit. Seule une poignée de musiciens demeuraient en place, si bien que quand je me retournai pour commencer la symphonie je me vis entouré de cinq violons, de deux altos, de quatre basses et d'un trombone... Le public ne faisait pas mine de vouloir s'en aller. Il en vint bientôt à s'impatienter et à réclamer l'exécution de la symphonie. Je n'avais garde de commencer. Enfin, au milieu du tumulte, une voix s'étant écriée du balcon : "La Marche au supplice !" je répondis : "Je ne puis faire exécuter la Marche au supplice par cinq violons !... Ce n'est pas ma faute, l'orchestre a disparu, j'espère que le public..." J'étais rouge de honte et d'indignation. L'assemblée alors se leva désappointée. Le concert en resta là, et mes ennemis ne manquèrent pas de le tourner en ridicule en ajoutant que ma musique *faisait fuir les musiciens.* »

Sa revanche, Berlioz la prendra moins d'un mois plus tard, le 22 décembre. Faute de pouvoir faire monter à nouveau Harriett sur scène, c'est lui seul qui va sauver l'honneur du couple. Il la donne enfin, cette fois, sa *Symphonie fantastique*, mais se garde bien de la diriger, laissant son ami Girard la conduire au triomphe. L'effet est « foudroyant ». On bisse la *Marche au supplice*, la recette est bonne, la critique excellente. Même si – *Francs-Juges* ou *Fantastique*, *Waverley* et quelques romances... – le critique de *La Revue musicale* le dit sans ambages : « la fécondité n'est pas une des qualités de M. Berlioz... » Et c'est vrai que, depuis son triomphe de décembre 1830, Berlioz ne donne guère toujours que les mêmes œuvres. Mais il sait désormais suffisamment se servir de la presse pour que, hormis quelques grincheux, on ne le lui reproche pas.

L'année 1833 s'achève dans une euphorie un peu différente de celle de l'année précédente. En décembre 1832, Berlioz était encore un jeune homme fougueux, avide de gloire, d'amitiés célèbres et d'amour. Il a désormais acquis tout cela, mais il est devenu un homme marié. La différence est de taille et, avec les mois, elle lui apparaîtra de plus en plus nettement. Il est marié et bien marié : Harriett est enceinte. Lui qui avait écrit à la mi-décembre une belle lettre à Spontini afin de solliciter son appui à Berlin pour son épouse, il doit à nouveau renoncer à ce voyage en Allemagne où il ne se sent pas en droit d'emmener une épouse à la grossesse peut-être difficile. Harriett a trente-quatre ans, on a vu le poids qu'elle avait pris, sa fragilité, ce seront ses premières couches... Marié, oui, Hector Berlioz l'est bel et bien !

5
Frapper un grand coup

Un foyer, un couple, bientôt un enfant – et le papa qui s'active pour faire vivre sa petite famille. On semble loin des foucades du jeune artiste qui débarque à Paris pour y suivre des cours de médecine, résolu pourtant à « casser la baraque ». Ah ! mille espoirs l'étouffaient alors, même s'ils ne débouchaient sur rien. Mais le voilà en apparence bourgeoisement « rangé » sous la monarchie aussi bourgeoise que lui d'un roi bourgeois. On a vu qu'il fallait vivre... Eh bien, il faut continuer : même marié à une comédienne sans théâtre, on peut, on doit encore se battre. Même s'il faut frapper un grand coup, la vie d'Hector Berlioz va désormais adopter un régime de croisière. Et notre récit fera de même. Lors du retour à Paris, à la fin de 1832, on le devinait : la jeunesse de ce jeune fou de musicien s'achevait. Il lui restait cependant une ultime folie à accomplir. Il a épousé de force, fut-ce d'amour aussi, une actrice plus âgée que lui et déjà dangereusement sur le déclin : il voulait le faire, il le fera, il l'a fait. L'affaire s'est terminée comme prévu, par un mariage. Mme Berlioz est enceinte du petit Louis. Et Berlioz poursuivra, certes, ses éclats, ses coups de tête et ses coups de cœur, mais ses coups de folie, par lesquels nous l'avons tant aimé, seront plus sages. A partir de 1834, nous avons affaire à un compositeur marié, donc pour le moment « casé », et reconnu – quand bien même il a peu d'œuvres à son actif. Il ne lui reste plus maintenant qu'à composer. Et à continuer à vivre. C'est-à-dire à survivre... en homme très occupé. Jusque-là, on dira qu'il était surtout agité. Agité, tournant comme un toton, traversant tout Paris pour porter une lettre, quémander une faveur, gémir sur l'épaule d'un ami. Il écrivait tant de lettres. Des lettres très longues : il prenait le temps de s'asseoir devant une feuille blanche et de se raconter, à ses parents, à ses amis. Désormais, plus brouillé que jamais avec les Berlioz, à tous ses amis autour de lui, à l'exception de Ferrand, il n'écrit plus pendant quelques années que de courts billets, presque toujours intéressés. Seule Adèle reçoit encore de vraies lettres de lui. Mais il ne tournicote plus : il sait où il va. Méthodique, il construit sa stature de musicien. Se sert méthodiquement de ses amis, des journaux qui lui sont ouverts. Berlioz est marié, presque bourgeois, plus qu'occupé. Les six ou sept années qui vont suivre le verront achever de ciseler sa propre figure en s'ouvrant presque toutes les portes, oui, mais en refermant lentement celles de son cœur.

Au début de 1834, frapper un grand coup, pour un musicien comme Berlioz, c'est naturellement se faire jouer à l'Opéra. Une autre voie peut s'ouvrir pour conduire au vrai succès : être joué par le génie du violon de ce temps, un dieu de l'archet mais le diable en personne, Paganini. C'est dans ces deux directions qu'il va concentrer ses efforts.

Paganini, il le connaît. Du moins, il l'a rencontré. D'Ortigue nous a dit comment les deux hommes s'étaient embrassés d'enthousiasme au soir du concert du 9 décembre 1832. Le « vieux » musicien a de l'estime pour un « jeune » compositeur, de vingt et un ans son cadet. Comme tout le monde, ce dernier l'admire. Néanmoins, la statue de Paganini est en train de vaciller. Beaucoup lui ont reproché son refus de participer gratuitement au « bénéfice » Smithson. D'Ortigue l'a alors daubé sur une avarice, qui fait partie de sa légende. Plus grave est une croustillante affaire de mœurs qu'il traînait derrière lui. Vilaine histoire que celle de cette jeune fille mineure, qu'il aurait enlevée, couverte de bijoux, lui promettant dot et mariage. Le père, un nommé Watson, avait réussi à arracher l'adolescente à l'emprise du virtuose mais la presse entière en avait parlé. Paganini, alors à Paris, avait répondu dans *La Gazette musicale* en traitant Watson de canaille. Jules Janin avait pris le parti du père furibond dans *Le Journal des débats* : « Il est mort pour nous... son violon restera dans sa boîte, triste, muet, inutile !... » Et partout, en Angleterre, en Belgique, on commençait à bouder Paganini. Pourtant Berlioz continue à admirer le vieux virtuose. Et les deux hommes se sont sûrement revus au début de 1834 puisque Berlioz l'annonce à Joseph d'Ortigue le 24 janvier : « Tu sais que j'écris un ouvrage pour chœurs, orchestre et alto principal pour Paganini. Il est venu lui-même me le demander il y a quelques jours. Pourrais-tu faire annoncer cela en quatre lignes dans l'album de *La Revue de Paris* ? *Le Rénovateur* l'a annoncé et je suis allé aujourd'hui pour obtenir la même faveur de M. de Briant à *La Quotidienne* ; il n'y était pas. »

On admirera la stratégie de Berlioz en matière de carrière : réfléchie, calculée, politique. Dès que survient un événement qui pourrait déboucher sur un succès, il charge ses amis, voire s'occupe lui-même de le faire savoir au monde musical tout entier. Ainsi *Le Rénovateur* a-t-il bien annoncé le 21 janvier que Paganini a commandé une « fantaisie dramatique » à Berlioz, qui sera intitulée *Les Derniers Instants de Marie Stuart.* Vingt ans plus tard, Berlioz est plus explicite sur cette *demande* de Paganini – heureux possesseur d'un « alto merveilleux » de Stradivarius – qui n'est en rien une *commande* au sens propre, presque juridique du mot – et la nuance est d'importance. Même si c'est Paganini qui a eu l'idée des *Derniers Instants* pour alto, il est vraisemblable que Berlioz l'a, sinon sollicité, du moins encouragé avec chaleur dans cette voie.

En ce début de 1834, Berlioz se met assez vite au travail. Le choix d'une « fantaisie... pour alto solo... » est ambigu. Il s'agit de mettre en valeur le grand Paganini, soit. Mais Berlioz a ses idées à lui dans la tête. Ses musiques. L'Italie... Il se souvient. Aussi, *Les Derniers Instants* de la pauvre reine décapitée vont doucement s'effacer derrière l'ombre de Byron et celle de son *Childe Harold*, voire derrière la mémoire de Berlioz lui-même, pour devenir le superbe *Harold en Italie.* D'ailleurs, l'ambition de Berlioz monte d'un cran. « J'essayai donc pour plaire à l'illustre virtuose d'écrire un solo d'alto, mais un solo combiné avec l'orchestre de manière à ne rien enlever de son action à la masse instrumentale, bien certain que Paganini, par son incomparable puissance d'exécution, saurait toujours conserver à l'alto le rôle principal. La proposition me paraissait neuve, et bientôt un plan assez heureux se développa dans ma tête et je me passionnai pour sa réalisation. Le premier morceau était à peine écrit que Paganini voulut le voir. A l'aspect des pauses que compte l'alto dans l'allegro : "Ce n'est pas cela ! s'écria-t-il, je me tais trop longtemps là-dedans ; il faut que je joue toujours." "Je l'avais bien dit, répondis-je. C'est un *concerto d'alto* que vous voulez, et vous seul, en ce cas, pouvez bien écrire pour vous." Paganini ne répliqua point, il parut désappointé et me quitta sans parler davantage de mon esquisse symphonique. Quelques jours après, déjà souffrant de l'affection du larynx dont il devait mourir, il partit pour Nice, d'où il revint seulement trois ans après. »

Avec ou sans Paganini, le travail de Berlioz avance assez rapidement, même si les articles à écrire, ces « gribouillages journaliers », lui laissent peu de temps. A ce stade, il affirme encore que l'œuvre lui a été *demandée* par Paganini. Il comptait ne la faire qu'en deux parties. « [...] mais il m'en est venu une *troisième*, puis une *quatrième* ; j'espère pourtant que je m'en tiendrai là. » Si l'on sait ce que sont les deux dernières parties de l'actuel *Harold* – « Sérénade d'un montagnard des Abruzzes à sa maîtresse » et « Orgie de brigands » – on voit que la pauvre Marie Stuart a bel et bien vécu ses derniers instants. Quant à Paganini, déjà réticent mais qui devait créer l'œuvre à Londres, il n'en est plus question. Et à une date incertaine, entre juillet et octobre 1834, Berlioz écrit à son ami, le très croyant Chrétien Urhan, qu'il va lui « apporter dans quelque temps la partition de *Harold* pour qu'[il] puisse combiner [son] personnage avec l'ensemble ». Ainsi n'est-ce plus à Paganini qu'est destinée l'œuvre, mais au plus modeste Urhan. Et *Les Derniers Instants* sont devenus l'*Harold en Italie* frémissant de souvenirs, d'images et de musiques tout droit issus de son séjour romain.

L'œuvre est achevée et datée du 22 juin 1834. Le dédicataire en est Ferrand. Tout va alors assez vite. La première audition sera donnée dans la salle du Conservatoire, le 23 novembre suivant, sous la direction du fidèle Girard. Ce sera une des grandes soirées du romantisme. Le public ? Il y a d'abord le duc d'Orléans que Berlioz a dûment invité. Et qui est venu. On le reverra souvent. Surtout, une fois encore, le monde romantique est là tout entier. Toujours les mêmes : Chopin et Liszt, Hugo, Sue, Legouvé, Vigny, Dumas, mais aussi Nerval, qui aimera à son tour Camille Moke devenue Mme Pleyel. Et puis les nouveaux amis, les Bertin du *Journal des débats*. Et Henri Heine, qui laissera quelques lignes particulièrement percutantes sur la soirée... et méchantes pour la pauvre Harriett :

« On s'attend à quelque chose d'extraordinaire, car ce compositeur a fait déjà de l'extraordinaire. Sa direction d'esprit est le fantastique ; uni non pas au sentiment, mais bien à la sentimentalité : il a de grandes analogies avec Callot, Gozzi et Hoffmann. C'est ce qu'indique déjà son apparence extérieure. Quel dommage qu'il ait fait tailler sa chevelure immense, antédiluvienne, ces cheveux hérissés qui se dressaient sur son front comme une forêt sur quelque paroi de rochers escarpés ! c'est ainsi que je le vis, la première fois, il y a six ans, et tel il restera toujours dans mon souvenir. C'était au Conservatoire de musique, et l'on donnait de lui une grande symphonie, bizarre morceau nocturne, illuminé parfois seulement par une robe de femme, sentimentalement blanche, qui flottait çà et là – ou par un éclair d'ironie, jaune de soufre. Ce qu'il y a là de meilleur, c'est un sabbat de sorcières, où le diable dit la messe, où la musique d'église est parodiée avec la bouffonnerie la plus terrible et la plus sanglante. C'est une farce où toutes les vipères cachées, que nous portons dans le cœur, se dressent en sifflant joyeusement. Mon voisin de loge, un jeune homme communicatif, me montra le compositeur qui se tenait à l'extrémité de la salle, dans un coin de l'orchestre, et jouait de la timbale ; car la timbale est son instrument. "Voyez-vous à l'avant-scène, me dit mon voisin, cette grosse Anglaise ? C'est miss Smithson ; voilà trois ans que M. Berlioz est amoureux de cette dame à en mourir, et c'est à cette passion que nous devons la symphonie sauvage que vous entendez aujourd'hui." Effectivement, dans une loge d'avant-scène, était assise l'actrice célèbre de Covent Garden ; Berlioz ne cessait d'avoir les yeux fixés sur elle, et, chaque fois que son regard rencontrait le sien, il frappait sa timbale comme un furieux. Depuis lors, miss Smithson est devenue madame Berlioz, et c'est depuis lors aussi que son mari s'est fait couper les cheveux. Lorsque cet hiver, au Conservatoire, j'entendis de nouveau sa symphonie, il était toujours assis comme joueur de timbales à l'arrière-plan de l'orchestre, la grosse Anglaise était encore à l'avant-scène, leurs regards se rencontraient encore... mais il ne frappait plus sa timbale avec autant de fureur. »

L'accueil de la presse est enthousiaste. Et c'est vrai qu'*Harold en Italie* est l'un des chefs-d'œuvre de Berlioz. L'une de ses œuvres, aussi, les plus jouées aujourd'hui. La partie d'alto, qui se fond dans l'orchestre sans jamais le dominer comme dans un concerto – ce que Paganini avait reproché au compositeur –, constitue l'un des sommets de la musique écrite pour cet instrument. Et puis, dès le premier mouvement « Harold aux montagnes. Scènes de mélancolie, de bonheur et de joie », ce sont les souvenirs d'Italie, les meilleurs, ceux qui restent, qu'on entend affluer à travers l'orchestre comme au fil du chant magique de l'alto. Byron est certes là, un peu distant, sarcastique, mais déjà il se fond en Berlioz qui se rappelle Subiaco et son ami Crispino. Le deuxième mouvement, « Marche des pèlerins, chantant la prière du soir », est une vaste peinture de paysage. On devine le Latium, tel qu'on le découvre des hauteurs de Palestrina jusqu'à la mer. Un cor, une harpe font par instants sonner une cloche. Les pèlerins prient dans le soir,

Berlioz les regarde de loin, le soleil s'efface dans de somptueuses couleurs et la nuit de l'Abruzze enveloppe toutes choses. Avec la « Sérénade d'un montagnard des Abruzzes à sa maîtresse » qui constitue le troisième mouvement, on retrouve le chant de ces *pifferari* que Berlioz avait appris à tant aimer. C'est encore le personnage de Crispino qui apparaît, ce sont les traits de la douce Vicenza qu'on devine ou ceux de cette Mariuccia qui fut la maîtresse puis l'épouse du peintre Gibert, son ami. Les souvenirs se conjuguent, Tivoli et Albano, Arcino plus haut dans la montagne, Anticoli et toujours Subiaco. L'« Orgie de brigands » qui vient clore l'œuvre écrase dans sa bacchanale jusqu'aux sentiments de l'alto solo, emporté par cette vague. Crispino et ses amis boivent toute la nuit dans l'une de ces envolées de musiques violentes où Berlioz aime à se jeter, tête baissée.

Avec ses grands moments de nostalgie tendue et sa frénésie finale, l'œuvre reçoit un très bon accueil. On la redonne dès le 14 décembre. Peut-être le grand public n'a-t-il pas vraiment compris le rôle de cet alto solitaire et méditatif dans une partition qui l'engloutit parfois, mais le chroniqueur du *Chérubin* a su le remarquer : « Ah ! si l'on pouvait réduire le public à une assemblée de cinquante personnes sensibles et intelligentes, quel bonheur alors de faire de l'art ! C'est bon. Les cinquante personnes viendront. » L'assemblée « sensible » et les *happy few*. C'est le bonheur de Stendhal tout craché que l'on propose ici à Berlioz !

Prévu pour être créé par Paganini, *Harold* faisait en quelque sorte partie du « plan de carrière » – qu'on nous pardonne l'expression – de Berlioz en ce début de 1834. L'autre volet de ce projet de marche vers la gloire était, bien sûr, un opéra. Se « faire ouvrir l'Opéra » : voilà ce qu'il voulait obtenir à tout prix et qu'il priait ses amis de demander pour lui dans leurs articles, leurs rencontres... Dès lors, abandonnant des projets par trop hasardeux, comme cet *Hamlet* naturellement inspiré par une *fair Ophelia* qu'il a maintenant à domicile, un sujet s'imposera... Ce sera *Benvenuto Cellini.*

Jadis, à Florence, quand il attendait désespérément une lettre de Camille face au palais de la Signoria, il avait rêvé devant le beau *Persée* de bronze, la tête de la Gorgone à la main, fondu par cet aventurier artiste, assassin à l'occasion et amoureux de la vie, des femmes et de l'argent qu'avait été le grand sculpteur et orfèvre florentin. Les *Mémoires de Cellini*, traduits pour la première fois en français en 1822, constituaient à leur manière un ouvrage de référence pour les romantiques. L'exaltation de la création artistique s'y déployait, grisante, au cœur d'une vie de bon-à-rien à la Caravage, dont le génie venait justifier tous les forfaits. « Un bandit de génie », violent et orgueilleux, passionné : on sent ce qui pouvait séduire un Berlioz qui, à trois siècles de distance (Cellini était né en 1500), devait se plaire à voir en lui un double, sinon un modèle. On est loin des inspirations grandioses ou néogothiques du *Dernier Jour...* et autres *Brigands*. En Cellini, il trouve un héros d'une autre envergure et va tenter de créer à l'Opéra l'équivalent des drames qu'il admire chez Vigny, Hugo, Dumas : des drames où le grotesque et la folie se conjuguent avec le grandiose. Avec *Don Juan*, Mozart a inventé le *dramma giocoso*. Berlioz, lui, veut mélanger l'opéra-bouffe italien désitalianisé aux grandes orgues de *Robert le Diable*. Sans qu'il s'en doute, c'est un retour aux origines mêmes de l'opéra qu'il envisage, où la nourrice de Poppée selon Monteverdi est l'écho cocasse du grave Sénèque « suicidé » par Néron. Tout cela est dans la lignée de la *Fantastique* et d'*Harold*, le mélange des genres, le romantisme tour à tour échevelé et pittoresque. Le son des *pifferari* éclatera à sa manière dans le « Carnaval » de *Benvenuto*. La lecture d'un conte d'Hoffmann, *Signor Formica*, lui donne, avec des éléments empruntés à la vraie vie de Cellini, les grandes lignes d'une intrigue : voilà ce qu'il a en tête quand, en mai 1834, il se lance dans l'aventure. Si l'on peut réussir, à force de traversées de Paris, à se procurer quelques dizaines de musiciens pour organiser un concert aux Italiens ou dans la salle des Menus-Plaisirs, monter un opéra est une autre affaire.

« Mes affaires, à l'Opéra, sont entre les mains de la famille Bertin qui en a pris la direction », écrit-il pourtant avec confiance à l'ami Ferrand. Cette nouvelle amitié, essentielle pour les années à venir, a continué en effet à se développer depuis la fin de l'année 1832 entre Berlioz et plusieurs membres de l'une des plus puissantes familles de la France de Louis-Philippe. Revenons sur les Bertin, ils le méritent. Le temps des Polignac et autres Martignac est passé, ce sont les Guizot, les Thiers et les Bertin qui sont aujourd'hui en place. Et Berlioz a eu l'habileté de séduire les plus puissants. On connaît le portrait de Bertin l'Aîné peint par Ingres, sa carrure de bourgeois solide, ses deux mains de bourgeois bien solide bien solidement posées sur les genoux. Bertin a créé *Le Journal des débats*, l'organe quasi officiel de la monarchie orléaniste. Armand Bertin, son fils, joue un rôle de premier plan dans la rédaction du journal. En outre, Armand Bertin est commissaire du roi auprès du Conservatoire et des Théâtres royaux. Son frère, Edouard, est inspecteur des Beaux-Arts. Tout cela peut être utile et Berlioz saura utiliser les talents de chacun. On l'a déjà dit, notre homme sait choisir ses amis... C'est là l'un de ses multiples talents. Les Bertin sont très proches d'une autre famille influente, les Wailly. Aussi est-ce tout naturellement à Léon de Wailly, romancier, auteur dramatique et surtout traducteur du *Moine* de Lewis, et à Auguste Barbier, son « ami intime », auteur déjà célèbre des *Iambes*, qu'il demande d'écrire pour lui le livret de son *Cellini*. Le travail va très vite. Les trois hommes s'entendent bien. Aussi, dès la fin août, le trio se présente à M. Garnier, directeur de l'Opéra-Comique de 1834 à 1845, pour lui lire *Benvenuto Cellini*... et se le voir refusé ! « Comme des niais ! » s'écrie Berlioz. Les Bertin ont beau avoir les théâtres officiels en leur pouvoir, un fils d'ancien concierge de l'Opéra comme François-Louis Garnier peut dire « non » à MM. Wailly et Barbier parce qu'ils sont accompagnés de ce « sapeur » de Berlioz, ce « bouleverseur du genre national » dont « on ne veut pas ». Lucidement, ce n'est qu'à lui-même et non à ses librettistes que Berlioz attribue l'unique responsabilité de ce premier échec. Echec « officiel » qui ne l'empêchera pas de se mettre au travail, tant le sujet de *Benvenuto Cellini* le passionne. En quelques mois, l'essentiel de la musique – dont un « Chœur des ciseleurs » donné par Girard en même temps que la première audition d'*Harold en Italie*, le 23 novembre – est écrite. Pendant quatre ans encore, Berlioz va travailler et retravailler sur son *Benvenuto*. C'est seulement en 1838 que l'œuvre verra enfin le jour, et de quelle manière... La famille Bertin aura joué son rôle – et au-delà : l'investissement qu'a fait Berlioz en se mettant dans les bonnes grâces de cette grande famille rapportera des dividendes à très long terme. Et si, fin 1834, l'Opéra ne lui est pas encore ouvert, Berlioz ne s'en croit plus très loin.

Son réseau d'amis actifs est en place. Outre tous les Bertin qui, à un poste ou à un autre, peuvent lui être utiles, il existe maintenant autour de lui un groupe d'hommes d'influence que son élan, son cynisme ou ses grandes passions, la fougue qu'il met à combattre ce qu'eux-mêmes détestent, ont solidement attaché à ce petit personnage délirant, infatigable, dont ils devinent le talent. On a vu Ernest Legouvé, qui fera une belle carrière, bientôt très « académique », mais qui, « boulevardier » comme pas deux, sait rameuter les camarades lorsque c'est nécessaire. On a vu aussi Liszt, le plus considérable de tous, qui ne le trahira jamais, jouera ses œuvres en

France et le fera connaître dans le reste de l'Europe, lorsque Paris le boudera. Il y a Théophile Gautier, comme Berlioz Jeune-France par excellence, et qui, auteur d'une *Histoire du romantisme*, sait très vite la place qu'y occupe son ami. Poète de tout premier rang, Gautier est un journaliste infatigable. A partir de 1836, il sera le chroniqueur attitré de *La Presse*, créée par Emile de Girardin. A ce titre, c'est un homme puissant. Tout comme Jules Janin, auteur « visionnaire » de *L'Ane mort et la Femme guillotinée*, texte clef du romantisme, Jeune-France dans l'âme et, surtout, « prince des critiques », qui veut élever son métier au rang d'un art à part entière. Janin est dévoué corps et âme à Berlioz et, pilier pendant plus de quarante ans du *Journal des débats*, il saura le servir mieux que personne. Mieux que personne sinon Joseph d'Ortigue. D'Ortigue est, lui, le fidèle entre les fidèles. Il écrit parfois sous la dictée de Berlioz des articles à sa louange, pour mieux se faire l'écho de la pensée de son ami. Loin de Paris, en voyage aux quatre coins de l'Europe, Berlioz transmettra ses « bulletins de campagne » à d'Ortigue, pour que celui-ci les publie, certes, mais en informe aussi le reste de la presse.

Ainsi est-il à proprement parler incroyable, le magnétisme – et le magnétisme est un talent – d'un Berlioz qui a su constituer autour de lui une garde rapprochée que lui-même anime de ses propres articles.

Tout cela contribue à le remplir d'une incroyable confiance en soi. La place qu'il occupe à présent dans la presse, ses tribunes du *Rénovateur*, les journaux dont il affirme avec une désinvolture parfaitement feinte qu'ils le harcèlent pour d'autres articles sur les sujets qui lui sont familiers, l'Italie, l'Institut, tout cela lui monte sûrement à la tête. Son style s'affirme de mois en mois. Il peut avoir l'élégance amusée d'un Jules Janin, prince du morceau de circonstance, ou le faux sérieux d'un Fétis, qu'il méprise mais dont il ne rechigne pas à adopter, lorsque ce dont il parle ne l'enthousiasme guère, le style académique et ampoulé. Il s'amuse, Berlioz, il joue à déchaîner ses courroux ou à faire éclater sa mélancolie. Il se répète aussi, mais nous en avons déjà l'habitude dans sa musique, une *Révolution grecque* devenue un *Triomphe de Napoléon*, un *Paysan breton* qui deviendra *Le Jeune Pâtre breton* et ce *Rob Roy* dont des fragments s'intégreront à *Harold*. Aussi est-ce sans honte qu'il réutilise les textes sur l'Italie de *La Revue européenne* de 1832 ou ceux qu'il a donnés au *Rénovateur* au printemps 1834 pour participer à une

Italie pittoresque où une douzaine d'écrivains français, dont Nodier et Norvins, racontent leur Italie.

Rarement le jeu d'allées et venues entre l'écriture et la musique, entre musiciens et écrivains, n'a été aussi manifeste qu'en ces premières années du romantisme. Trois quarts de siècle plus tard, les symbolistes pratiqueront le même exercice d'emprunts de l'un à l'autre, d'illustrations de l'un par l'autre. C'est avec une véritable ivresse que s'y livre chacun des protagonistes de cette aventure qu'est la vie de Berlioz, tel Joseph d'Ortigue dans son *Balcon de l'Opéra*, où c'est tout le monde de la musique de son temps que le fidèle compagnon de notre héros raconte en même temps qu'il tisse à ce dernier sa première vraie couronne. En sens inverse, et reprenant à son compte la pratique qui existe déjà en Allemagne, celle d'un E.T.A. Hoffmann, compositeur non négligeable qui passa à la postérité surtout pour ses contes, souvent d'inspiration musicale, Berlioz compositeur ne néglige pas non plus la fiction en prose. A cet égard, l'année 1834 est capitale. Déjà dans l'épisode de « Vicenza », le jeune modèle romain maîtresse d'un pensionnaire de la Villa, il avait volontairement transformé une aventure un peu triste en véritable drame, digne, en plus populaire, des *Chroniques italiennes* stendhaliennes. C'est pendant l'été 1834 qu'il publie en trois fois, dans *La Gazette musicale de Paris*, son « Suicide par enthousiasme ». Ces articles constituent à eux trois une véritable nouvelle, annoncée comme telle, digne des pages les plus curieuses d'Hoffmann. Pour la première fois, Berlioz s'exerce ici à un genre nouveau où, d'un coup, il se révèle excellent. Il s'en rendra si bien compte que c'est toujours sous le signe d'Hoffmann qu'il réunira ses « nouvelles musicales » dans l'un des volumes les plus drôles, les plus enchanteurs qu'ait publiés toute la littérature romantique. Ce seront *Les Soirées de l'orchestre*, déjà évoquées lors de sa « carrière honteuse » au Théâtre des Nouveautés. L'imagination galopante de Berlioz – qui sait aussi flâner en route – inventera les récits en forme de contes et de nouvelles que se racontent des musiciens entassés dans leur fosse d'orchestre pendant les interminables représentations d'œuvres médiocres pour lesquelles ils doivent bien, entre deux remarques, un récit et une « demi-tasse » rapportée de chez le concierge, donner de-ci de-là un coup d'archet ou souffler dans leur flûte ou leur clarinette.

D'une manière plus générale, et cette fois c'est le procédé d'un

Stendhal qu'il reprend, même s'il n'apprécie guère l'auteur, l'écriture critique de Berlioz est tout enveloppée de souvenirs personnels, de notations à côté du sujet que seuls les initiés peuvent comprendre. Le miracle de cette écriture-là, c'est que, forte des milliers d'articles publiés sur plus de trente années, elle est celle d'un musicien qui s'amuse en écrivant de la prose. Qui s'amuse et qui enrage, qui se venge, qui se bat.

Il faut parler sérieusement du Berlioz critique qui achève de voir le jour. Avec ses injustices. Avec ses haines. Avec son ignorance aussi : flagrante. Il a des jugements à l'emporte-pièce d'une désolante méchanceté. Il ne s'intéresse pas à Bach, dit-il en quelques mots. Mais que connaît-il de Bach ? Et même de Beethoven, dont il a écouté à trois ou quatre reprises les symphonies dirigées par Habeneck mais dont il n'a, de la musique de chambre, qu'une idée d'autant plus vague que les quatuors, par exemple, n'ont pas encore été publiés intégralement. C'est au hasard des concerts auxquels il a assisté depuis son arrivée à Paris en 1822, ou à la bibliothèque du Conservatoire où il recopiait gravement les opéras de Gluck qu'il a acquis la quasi-totalité de ses connaissances. Sans chercher à aller voir, de l'autre côté du miroir, ce qui existait avant Mozart. Ce sera au fil des concerts, plus nombreux à présent, auxquels il assistera en tant que critique, qu'il en saura un peu plus sur ce qu'il ignorait jusque-là. D'où, d'année en année, d'article en article, un jugement de plus en plus solide...

Les deux premiers articles qu'il publie en 1834 sur le *Don Juan* de Mozart sont édifiants. Dans le premier (*Le Rénovateur* du 16 mars), il traite pour l'essentiel de la qualité du livret en français dû à la plume d'Emile Deschamps, qui est son ami, à qui il a demandé un an plus tôt de travailler sur son *Dernier Jour...* et qu'il ne peut que trouver excellente ! La petite vingtaine de vers qu'il en cite (la scène de séduction Don Juan-Zerline) nous paraît affligeante, lourde, ampoulée... Mais Berlioz ne pouvait qu'admirer : il renvoyait, en somme, l'ascenseur. Pour le reste, il s'élève contre les ballets dont on a truffé la première représentation à l'Opéra le 10 mars précédent, ce qui nous paraît aujourd'hui plus justifié que jamais. Mais il commence par critiquer les récitatifs parlés qui, inimitables, sont l'essence même du langage scénique mozartien, pour remarquer que même Rossini n'a pas cru devoir les « employer dans ses grands ouvrages », tant ils sont en contradiction avec « les convenances dramatiques d'un ouvrage grave et tragique d'un bout à l'autre ». Quel accès de purisme ! Le deuxième article sur la même série de représentations à l'Opéra, plus mesuré, contient en revanche des remarques tout à fait berlioziennes, passionnément berlioziennes même, sur l'utilisation des divers instruments de l'orchestre. Cette partie théorique n'est pas infligée au lecteur du *Rénovateur* en un exposé didactique, mais, et c'est là tout Berlioz, sous la forme d'un dialogue entre deux spectateurs de l'Opéra – dialogue intempestif pour leur voisin que vient interrompre l'arrivée de la statue du Commandeur !

Cependant, au cœur de cette année 1834, où nous avons affaire pour la première fois à un Berlioz marié, et en principe assagi, un événement considérable s'est produit dans sa vie : le 14 août, Harriett met au monde un fils, Louis, qui sera l'unique enfant du compositeur.

Après un hiver et un début de printemps passés dans l'appartement lourd de souvenirs, et triste, de la rue Neuve-Saint-Marc, le couple s'est installé à Montmartre autour du 1er avril. Plein d'attention pour son Henriette, Berlioz a en effet décidé qu'il serait plus sain pour elle d'achever sa grossesse au bon air. Ils ont trouvé une petite maison 10, rue Saint-Denis, notre actuelle rue du Mont-Cenis, face au village de Saint-Denis qu'on voit au loin. Montmartre, c'est encore la campagne, c'est une colline épinglée de moulins, des jardins clos, des vignes et des vergers. Les rues sont des sentiers qui escaladent les flancs du coteau. Nous sommes en un temps qui n'est pas encore celui d'Aristide Bruant et la rue Saint-Vincent n'est qu'un chemin de terre. La maison des Berlioz est petite mais elle a un jardin et les voisins sont agréables, un M. Thorel, leur propriétaire, et surtout une Anglaise avec ses enfants : la comédienne irlandaise se sentira moins dépaysée. Plus tard, quand ils reviendront une deuxième fois à Montmartre, Henriette fréquentera une autre voisine, « Mme Blanche, femme du médecin de la maison de santé de Montmartre » (à sa nièce, janvier 1836). Cette maison de santé est entrée dans l'histoire de la littérature : c'est celle qui, transférée en 1846 à Passy et tenue par Antoine-Emile Blanche, le fils du voisin des Berlioz, accueillera Maupassant et Nerval. Adolphe Boschot, l'un des biographes de Berlioz, qui a pu voir en 1920 la maison de la rue Saint-Denis, la décrit comme un havre de paix, le long d'une rue qui « dévale, rapide, pavée seulement pour le ruisseau du milieu, et doucement ombragée par les grands arbres qui se rejoignent au-dessus d'elle ; ils font une voûte transparente, aérienne, où brille, sur les pousses légères, la lumière du printemps... Le logement était modeste mais commode : deux pièces au rez-de-chaussée et deux au premier... Une entrée pour M. Thorel, une entrée pour les Berlioz, chacune abritée par une marquise de zinc... » Le jardin ? « Un mélèze, quelques massifs de lilas, un beau cerisier tout en fleur et des petites allées qui serpentaient pour aboutir... à une sorte de temple de l'amour ; un puits... avec un petit dôme. Près du puits, une tonnelle avec des bancs... » Pour qui vient de quitter la rue Neuve-Saint-Marc, c'est idyllique, naturellement. Et là, la vie du couple va s'organiser autour de la grossesse d'Harriett. Celle-ci ne bouge guère de chez elle. Avec le printemps qui s'avance, elle profite davantage du jardin. Sa voisine anglaise lui rend visite, elle joue avec ses enfants. Elle descend parfois la petite rue Saint-Denis, jusqu'à son croisement avec la rue Saint-Vincent. Un cimetière de village, des arbres, un estaminet où elle évite d'entrer. Mais il lui faut ensuite remonter jusque chez elle et la côte lui semble longue : inutile de préciser que, déjà lourde, la grossesse ne lui facilite guère la marche à pied. Mais elle est si heureuse quand son Hector rentre le soir. Car il descend à Paris chaque matin, Berlioz. Il ne peut se passer de Paris. Il a toujours quelque chose à y faire, un concert à entendre, un article à remettre, des amis à rencontrer, les Bertin ou Schlesinger, à caresser dans le sens du poil. Il s'agite : au fond, la distinction qu'on a faite plus haut entre un Berlioz « agité » et un Berlioz « occupé » a-t-elle grand sens ? Il est occupé, certes, très occupé, même, mais il s'agite toujours autant. Pour très vite remonter à Montmartre où sa « pauvre Henriette est si souffrante qu'elle est restée seule »...

Pour lui faire plaisir, il continue à réunir ses amis, qui font sans barguigner le voyage de Montmartre pour des « espèces de petites parties de campagne ». Au passage, Berlioz note, une fois de plus, que les amis en question ne sont pas n'importe qui : « C'étaient des célébrités musicales et poétiques, MM. Alfred de Vigny, Antoni Deschamps, Liszt, Hiller et Chopin. Nous avons causé, discuté art, poésie, pensée, musique, drame, enfin ce qui constitue la vie, en présence de cette belle nature, de ce soleil d'Italie que nous avons depuis quelques jours. »

Hector et Harriett ne sont pas mariés depuis un an que Mme Berlioz se conduit déjà en épouse très attentive – trop attentive... – aux allées et venues de son mari. Hector peut bien passer ses journées entières à Paris, voire retrouver des amis pour la journée, qu'on ne se leurre pas : elle est encore au monde. Elle aussi, sous le masque de l'humour, marque son territoire. Qu'on ne s'avise pas, parce qu'elle est enceinte, d'aller souper dehors. Et encore moins de découcher ! Doit-on voir dans cette boutade que Berlioz répète en s'amusant à Joseph d'Ortigue une simple taquinerie entre époux – ou le signe avant-coureur de ces terribles accès de jalousie qui empoisonneront un jour les relations entre les époux ?

Et puis, Berlioz marié retrouve ses angoisses familières, son spleen, qu'il exprime à ses correspondants. « Je ne puis te dire à quel point ce spectacle printanier me remue et m'attriste, écrit-il à Liszt qu'il rencontre de plus en plus souvent ; j'ai éprouvé hier, en outre, plusieurs *froissements dans mes affections d'art* qui me rendent malheureux jusqu'aux larmes [...] Et je ne crois pas au ciel ! ... C'est affreux. Mon ciel, c'est le monde poétique, et il y a une chenille sur chacune de ses fleurs... » On remarquera pourtant qu'en un autre domaine, lui qui avait témoigné d'un patriotisme presque républicain en 1830 n'est guère touché par les événements d'avril 1834, le procès des canuts lyonnais et, surtout, le massacre de la rue Transnonain, ordonné par Bugeaud et effroyablement passé à la postérité par le trait de Daumier.

On dira à sa décharge que mille inquiétudes ont recommencé à l'agiter : l'enfant à naître, la nourrice qu'il faudra trouver – et payer ; *Benvenuto*, dont l'idée croît en lui. Et l'argent, encore l'argent. Ses parents qui ne lui envoient toujours rien. La misérable facture d'une « Mademoiselle Léry, marchande de mode » qu'il s'excuse de ne pouvoir payer à temps ; les cinq cents francs prêtés « il y a longtemps », et qu'il ne peut pas *encore* rendre. L'argent l'obsède toujours et l'obsédera encore.

Surtout, en dépit des « travaux intéressants et vraiment fatigants auxquels [il est] obligé de [se] livrer sans relâche » (à E. Rocher, le 31 juillet) ; bien qu'il soit « toujours la plume à la main soit pour achever les compositions qu'[il] destine à [ses] concerts de cet hiver..., ou pour écrire des articles, nouvelles, contes et autres balivernes pour les journaux » (à Adèle, le même jour), il s'occupe de l'avenir de sa bien-aimée : il faut qu'Harriett revienne à la scène, elle en a besoin pour se prouver et pour lui prouver à lui aussi, qu'elle est toujours la *fair Ophelia.* On le voit ainsi s'engager dans la folle aventure du « Théâtre nautique », un projet délirant dans le goût de l'époque. Le directeur (Saint-Stephen – ou San Esteban) de la salle Ventadour a imaginé de transformer le dispositif scénique habituel en une sorte de piscine géante, avec de l'eau, de l'eau véritable sur laquelle les artistes, chanteurs, acteurs et même danseurs, se déplaceront en bateau ! C'est l'ami Girard qui a été chargé, au début du printemps, de recruter un orchestre. Berlioz a aussitôt sauté sur l'occasion. A Narcisse Girard, il assure que sa femme serait enchantée de jouer le principal rôle dans une « pièce géante ». S'agit-il, encore une fois du *Dernier Jour du monde* ? Berlioz s'enflamme. Il affirme que le Théâtre nautique sera « un *coup de portée* musicale et dramatique ». Puis, comme l'affaire ne semble guère évoluer, il oublie le coup de tonnerre et ses propres ambitions : ce qu'il souhaite, ce n'est plus qu'un rôle pour Harriett. Voire un rôle dans une pantomime ! C'est qu'entre-temps le Théâtre nautique a ouvert. Les critiques sont acerbes, mais il survit. En un temps où le théâtre est roi, on cherche tout ce qui peut en renouveler le genre. Alors, de l'eau, beaucoup d'eau, pourquoi pas ? Plus tard, on donnera bien l'opéra dans un cirque ! Aussi Berlioz tient-il toujours à y faire jouer sa bien-aimée, sitôt que celle-ci sera relevée de ses couches. Alors, comme tous les moyens lui sont bons pour arriver à ses fins, il va en convaincre le directeur en commençant par descendre en flèche son dernier spectacle. Pas plus qu'il n'hésite à dresser des couronnes de laurier, parfois indues, à ses amis, de même il se lance tête baissée dans ce qui ressemble à du chantage pour faire remonter Harriett sur scène. Dans *Le Rénovateur* du 15 juin, il affirme donc n'avoir vu au Théâtre nautique qu'« un essaim de danseuses, de tout âge, de toute dimension (j'allais dire de tout sexe), depuis l'enfant de quatre ans jusqu'à la mère de famille de quarante inclusivement ; [qui formaient] autour de l'eau des groupes de naïades, nymphes, hamadryades avec [...] des festons et des guirlandes sans fin ». Jusque dans ce type assez répugnant d'articles équivoques, Berlioz s'amuse et trouve le moyen de nous amuser. Le coup va porter, puisque Harriett sera engagée et, dès le mois suivant, l'heureux époux chantera cette fois les louanges de l'expérience humide de ce Théâtre nautique !

Le pauvre Berlioz en fait trop, c'est évident. Quelques semaines avant la délivrance d'Harriett, nous apprenons qu'il a « esquivé une pleurésie ». Enfin, le 14 août, Louis Berlioz voit le jour. « Nous avons un jeune homme... » (écrit-il à Thomas Gounet). Mais la « couche [...] a été terrible ». Tout s'est heureusement terminé « après quatre heures d'horribles souffrances ».

Louis Berlioz est né à Montmartre et se porte bien, Adèle sera sa marraine et Thomas Gounet son parrain, mais, pour les parents, c'est la même misère aux accents quelquefois pathétiques. N'empêche, rue Saint-Denis à Montmartre, on affirme toujours nager dans la félicité.

Berlioz est gâteux devant son fils, aux petits soins pour la maman. « Il est charmant, écrit-il à Adèle, très fort, des yeux bleus superbes, une petite fossette imperceptible au menton, des cheveux d'un blond un peu ardent comme je les avais dans mon enfance, un petit cartilage pointu aux oreilles comme ceux que j'ai, et le bas du visage un peu court. [...] Henriette en est plus folle qu'une folle. Elle est bien rétablie à présent ; quand je vais à Paris elle vient avec son fils et la nourrice m'attendre au milieu de la descente de Montmartre, sous une allée d'arbres, où bien souvent, il y a sept ans, je venais contempler Paris en rêvant *à elle.* » Si ce n'est pas un bonheur qui lui ressemble, c'est tout de même le bonheur. Le 1er octobre, toute la famille regagne Paris. L'hiver à Montmartre aurait été trop difficile pour le couple puisque Harriett a obtenu son engagement au Théâtre nautique et qu'Hector doit, plus que jamais, trouver de l'argent. Ils s'installent rue de Londres, au n° 34, dans « un appartement non garni, écrit-il à Adèle, ce qui au bout de l'année devient beaucoup plus économique ; mais c'est rude au premier moment ; il faut acheter des meubles, du vin, du bois, mille autres bêtises auxquelles on ne songe pas dans les maisons meublées ». Les lieux sont modestes. Un contemporain, Léon Gastinel, les décrit en termes éloquents. Berlioz « avait installé son cabinet de travail dans une mansarde sous les toits. Une chaise, une table, où se trouvait la guitare qui lui servit à composer ses premières œuvres, voilà tout l'ameublement du grenier où vivait ce génie ».

C'est de la rue de Londres que, douze soirs à partir du 22 novembre, Harriett, accompagnée de son mari, se rendra au Théâtre nautique, pour jouer dans une « scène pantomime tragique » de Henry, musique de Pugni : *La Dernière Heure d'un condamné.* Harriett, à qui « on a coupé la langue », selon Jules Janin, y joue la future veuve d'un condamné à mort. De l'instant du départ du condamné entre deux gendarmes à celui de son veuvage définitif – en coulisses, le feu du peloton d'exécution... –, elle qui fut la plus noble des tragédiennes shakespeariennes jouera tristement le grand jeu du théâtre muet – et nautique ! L'eau de l'Ourcq qui alimente la scène aidera peut-être le spectacle à mieux sombrer. Tout cela est « affligeant », remarque Jules Janin. Et Janin est un ami de la famille ! Seul *Le Rénovateur* consacrera au spectacle un article favorable. Son auteur y évoque « l'actrice célèbre qui joue la femme du condamné avec une si déchirante expression ». Il ne donne pas le nom de « l'actrice célèbre » mais nous savons, nous, qu'elle est sa femme. Car l'article est d'Hector Berlioz. Après la douzième représentation, le Théâtre nautique fermera ses portes. Berlioz lui intentera un procès. Mais au lendemain de la première représentation de *La Dernière Heure d'un condamné*, a eu lieu le 23 novembre, dans la salle du Conservatoire, sous la direction de Girard, la première audition d'*Harold en Italie*. Accablé d'articles qu'il doit fournir semaine après semaine s'il veut survivre ; époux d'une comédienne qu'il ne parvient pas à faire remonter sur un théâtre ; raillé par ses ennemis mais porté aux nues par ses amis, Hector Berlioz vient quand même de le frapper, son grand coup.

Mais à quel prix ! Toujours rempli de la même confiance aveugle en son génie, toujours plein de ce génie, il commence à comprendre qu'à côté de la vie d'artiste, il y a la vie. La vie tout court. Faite des soins à apporter à une famille – c'est nouveau pour lui. Et d'argent à gagner : ça, il y est habitué. Mais il y a aussi tout le reste, qui ternit en nous l'image de l'artiste idéaliste et intransigeant, que nous avons connu fougueux étudiant au Quartier latin ou randonneur infatigable dans les Abruzzes. Pour vivre, pour survivre à Paris quand on est un artiste sans fortune, il faut aussi composer (sans mauvais jeu de mots !), accepter des compromis, aller au-devant des compromissions. Il faut flatter les puissants. On a dit que la démarche est un art : il faut aussi y acquérir une véritable expertise si l'on veut « arriver ». Courir à droite et à gauche, sonner et frapper aux bonnes portes. Mais aussi courber l'échine pour dire merci... De même que le généreux révolutionnaire de 1830 va railler les canuts lyonnais, le Berlioz père de famille doit, pour survivre, se soumettre à un ordre social qu'il dénonce à Grenoble, mais qu'il flatte à Paris – si loin des grandes lumières de sa jeunesse.

Qu'on ne se méprenne pas. Le Berlioz de cette fin d'année 1834 n'a rien perdu de sa fougue. La musique demeure, plus que jamais, l'objectif même de sa vie. Pendant un quart de siècle, au rythme parfois chaotique qui sera le sien, il va continuer à donner des chefs-d'œuvre. Et s'il est parfois déjà amer, il l'a souvent été par le passé. Pourtant son amertume va peu à peu changer d'objet. La peur de ne pas pouvoir réaliser ce qu'il sent bouillonner en lui – il n'a pourtant que trente et un ans, que diable ! – va commencer à accaparer son esprit. Comme s'il sentait se multiplier devant lui les obstacles : le manque d'argent, encore et toujours, d'où l'éreintant labeur de critique ; et aussi les divers maux physiques qui déjà l'assaillent ; et ce mariage, voulu, obtenu à l'arraché mais qui, déjà, lui pèse.

Alors, il aura peur. Peur de ne pouvoir aller jusqu'au bout... Ce n'est encore qu'un sentiment diffus, imprécis. Il est beaucoup trop tôt pour en mesurer les effets. Mais les amertumes et les rancœurs qu'éprouve Berlioz ne sont plus les saines explosions de colère du Berlioz d'avant l'Italie ou du potache révolté des années romaines.

6

Les années grises : I

La passion-Harriett avait été aux couleurs du rideau des théâtres où se produisait la comédienne : d'un rouge héroïque et flamboyant. Puis le mariage, l'idylle à Vincennes ou les chaudes soirées de Montmartre, les amis, le petit Louis qui vous arrive : c'est presque de rose tendre que sont tendus les mois qui suivent. Qu'on ne s'attendrisse pas trop sur notre Berlioz, époux encore modèle qui vient de triompher avec *Harold*, sa symphonie pour alto en forme de souvenirs d'Italie. Les voiles du bonheur commencent pourtant à tomber lentement. Et l'année 1835 qui vient à présent sera une année grise pour Berlioz. Grise, non pas noire, car le noir peut vous avoir de grands déchirements bellement tragiques ; en 1835, Berlioz continue à s'échiner à mener cent tâches à la fois, besognes journalistiques, démarches administratives, soins du ménage, lettres inutiles à sa famille, carrière d'Harriett à tenter de faire repartir et, quand il en a le temps, son travail propre de compositeur. Tout cela en demi-teintes... mais le gris de la vie de tous les jours envahit peu à peu le reste.

Le moteur-Berlioz lancé dans la presse ne tournait pas, jusqu'en 1834, à plein régime. Il fonctionnait par à-coups plus ou moins sollicités. En 1834, au contraire, notamment avec un article hebdomadaire pour *Le Rénovateur*, Berlioz tient déjà une place de choix parmi les voix qui, du haut d'une tribune journalistique, croient faire la pluie et le beau temps. On a vu de quelle manière il pouvait s'en servir pour soutenir ses amis, voire faire châtier ses ennemis. En 1834, avec sa nouvelle *Gazette musicale*, son ami Maurice Schlesinger, à la fois éditeur, libraire, bon vivant et mari roublard, l'a lancé sur une autre voie : celle des articles destinés à un plus large public, traitant, souvent sur le mode désinvolte, de larges questions, vaguement liées à l'actualité mais toujours avec un arrière-plan musical. D'où ses articles sur l'Italie, compilation de compilation, ou ses hilarantes mais dangereuses peintures de l'Académie des beaux-arts et du prix de Rome. Ce sont aussi, on s'en souvient, ses premières nouvelles. Et même si, *Rénovateur* ou *Gazette musicale*, Berlioz se plaint du pain qu'il a sans cesse sur la planche, il s'amuse à laisser aller sa plume et son humour.

En 1835, avec les articles du *Journal des débats*, il entre dans une nouvelle phase de son activité de journaliste. Déjà, en octobre 1834, *Les Débats* avaient reproduit un article de lui particulièrement savoureux publié dans *La Gazette musicale* quelques jours auparavant. L'histoire de « Rubini à Calais » est le type du récit drôle et enlevé qui plaisait aux abonnés de la revue de Schlesinger. En deux mots, Berlioz raconte comment, par deux fois, un imprésario italien annonça la venue pour un soir à Calais du grand ténor Rubini et comment, par deux fois, celui-ci ne vint pas. Rubini ayant enfin promis de venir tel soir l'imprésario organise un nouveau concert mais la vieille histoire de « Au loup, au loup » se répète et les habitants de Calais, malins, cette fois ne sont pas au rendez-vous. Rubini, lui, y est. Il chante devant une salle presque vide et l'imprésario en est pour ses frais. Notamment pour le prix d'une paire de bottes neuves qu'il a acquises pour l'occasion et sur laquelle Berlioz revient à plusieurs reprises, jouant l'effet classique du comique de répétition. La parution de ce premier article n'était cependant qu'un geste amical des Bertin. C'est le départ de Castil-Blaze, on l'a vu, qui va donner à la toute-puissante famille l'occasion de procurer à son protégé une tribune à sa hauteur. Ou presque. Car Castil-Blaze ne traitait que des concerts, et non pas de l'opéra, le grand genre par excellence. Berlioz va accepter cette succession « en l'état », d'autant que les saisons de la Société des concerts sont l'occasion d'analyses musicales beaucoup plus sérieuses. Ainsi dispose-t-il désormais d'une formidable panoplie de fusils de chasse ou d'encensoirs pour tirer à vue sur les uns ou encenser les autres. Trois journaux lui servent de tribune. Le dernier venu, *Les Débats*, le journal le plus lu de la France louis-philipparde, lui permet de parler sérieusement des concerts qu'il admire ou de critiquer, presque sérieusement, les musiques qui lui déplaisent. A *La Gazette musicale*, il peut continuer à s'amuser de traiter de tout et de n'importe quoi, voire ébaucher des nouvelles ou dauber à longueur de colonnes les compositeurs italiens qu'il méprise. Enfin, au *Rénovateur*, son gagne-pain régulier, le seul hebdomadaire, il aborde tous les genres musicaux qui l'intéressent, y compris les opéras qu'il admire – et les autres. Il devient la bête noire des médiocres en même temps que le meilleur ami de ses amis. De même est-ce aussi en moraliste qu'il étudie non seulement les œuvres qu'il écoute, mais le caractère de leur auteur, celui des musiciens qui les interprètent, voire du public qui les applaudit. Pour lui, les « Parisiens » constituent une race particulière de snobs, d'amateurs non éclairés, de béotiens qu'il raille avec de grands éclats de rire sardoniques. Ou, pince-sans-rire, et c'est plus drôle encore, qu'il peint tels qu'ils sont : nus et nuls en matière de musique.

Le revers de la médaille d'un travail de critique aussi complet et qui couvre la quasi-totalité de la vie musicale parisienne, c'est que la régularité des papiers qu'il doit donner l'oblige à parler souvent, et plus souvent encore, de musiques médiocres, de créations nouvelles à la vogue passagère. Bien sûr, il se servira de cette expérience comme de son activité de jeunesse dans de miteux petits théâtres lorsque, dans ses *Soirées de l'orchestre*, il se moquera de toutes les musiques qui sont pour lui mauvaises. Mais c'est cette astreinte qu'il a de se rendre dans les salles de Paris pour à peu près tout écouter *puis* d'écrire à ce propos qui lui rendra le métier de critique si odieux, et c'est ce dont il se plaindra si souvent.

Et puis, ce rôle de censeur qu'il prend parfois trop au sérieux, en particulier à l'encontre de l'opéra italien, lui amènera de nouveaux ennemis. D'abord ceux des critiques qui, comme à l'époque des *dilettanti* de sa jeunesse, défendent maintenant les œuvres de Donizetti, données en rafale à Paris. Il rencontrera aussi l'hostilité des directeurs de théâtres, surtout du directeur de l'Opéra en personne, Véron.

Véron : justement parlons-en, de Véron. Médecin de son état, il n'est sûrement pas l'abruti ignare que nous dépeint Berlioz. C'est la dernière année que Louis-Désiré Véron va présider aux destinées de l'Opéra. Berlioz le connaît bien et Véron, lui, ne connaît que trop Berlioz. Il n'a pas oublié son insistance à faire jouer sur sa scène une œuvre de lui. Il n'a pas oublié non plus l'insistance de ses amis, les démarches de ses protecteurs, si haut placés fussent-ils. Et il a peu goûté les critiques railleuses de Berlioz envers certaines de ses productions. Alors Louis-Désiré Véron va se venger. Comme on peut se venger quand on dispose, non pas d'un journal, mais d'une salle entière, scène et fosse d'orchestre, parterres et balcons, où certains jours on peut faire ce que l'on veut. C'est notamment le cas des « bals de l'Opéra », rituels souvent débridés où tout est permis. Sous le masque du domino, la duchesse s'amuse à jouer à la dévergondée et la catin à la duchesse. Ces messieurs les vieux habitués frôlent de plus près encore ces demoiselles du ballet, des premiers sujets aux petits rats – surtout les petits rats. On monte des spectacles inattendus, des ballets d'animaux, des chœurs de repasseuses, des pantomimes où le Pierrot pas plus que le cocu ne sont toujours qui l'on croit. Bref, Véron, surtout alors qu'il est sur le départ, profite du bal de l'Opéra pour monter une comédie cruelle et ridiculiser qui l'irrite. Berlioz veut être joué à l'Opéra ? Qu'à cela ne tienne, on va donner du Berlioz à l'Opéra.

L'histoire est représentative de la société parisienne de l'époque et de la place ambiguë qu'y tient déjà un Berlioz à la fois puissant et démuni. Le 10 janvier 1835, Véron profite donc du premier bal masqué de l'année pour monter une parodie de Berlioz. L'acteur Arnal et le compositeur Adolphe Adam – auteur, méprisé par Berlioz, de pochades néanmoins charmantes... – vont conjuguer leur humour douteux pour offrir en intermède aux danseurs une version burlesque et satirique de la *Symphonie fantastique* et de *Lélio.* Comme dans le « mélologue », l'acteur, qui s'est coiffé le chef d'une perruque rousse ébouriffée, interpelle le public sur un mode emphatique mais ici aussi grotesque. « L'épisode de la vie d'un artiste » devient « L'épisode de la vie d'un joueur » et la *Fantastique* une *Symphonie pittoresque.* Harold lui-même apparaît, parfaitement ridicule.

Berlioz, qui savait ce qui allait se passer, a tenu à venir à l'Opéra ce soir-là. Pour voir. Entouré de quelques-uns de ses amis. Le public s'esclaffe, puisque tout le monde l'a reconnu et que l'excès d'autopublicité qu'il ne cesse de se faire a fait de lui un personnage presque célèbre, oui, mais aussi un quelque peu risible. Si ses amis l'admirent, il en irrite beaucoup d'autres. Alors on rit de plus belle et Berlioz, qui ne veut rien laisser paraître, rit comme les autres. Il est joué. « Voyez comme Harold met sa cravate ! » lance le bonimenteur. Et nous, qui connaissons bien la grosse cravate nouée sur l'habit rouge du portrait peint à la Villa Médicis par Signol, nous pouvons peut-être en rire aussi. Beau joueur, Berlioz va jusqu'à rendre compte de la soirée sur le mode amusé, dans *Le Rénovateur* et *La Gazette musicale*, se plaisant à souligner que d'aucuns, dans l'assistance, n'ont pas compris qui visait cette charge. « Pour moi, conclut-il, j'ai ri du meilleur de mon cœur. » Cependant ni dans les *Mémoires* ni dans aucune lettre à sa famille il ne parlera de la soirée du 10 janvier. Ce n'est, en tout cas, pas un très bon début d'année.

On va pourtant beaucoup jouer les œuvres de Berlioz, dans les mois qui vont suivre. Au moins une demi-douzaine de concerts où l'on entend toujours les mêmes choses, *Harold* et *Lélio* ; *Lélio* et la *Fantastique* ; *Harold*, *Le Roi Lear* et *Le Paysan breton* devenu *Le Jeune Pâtre breton*, etc. Dans tout cela rien de neuf, hormis ce *Cinq Mai*, ou *Chant sur la mort de Napoléon*, une cantate de douze minutes sur un poème de Bérenger. L'idée en remonte, une fois de plus, au voyage à l'île d'Elbe raté et à la visite du pont de Lodi.

Douze minutes de musique nouvelle, fût-elle héroïque et patriotique, c'est peu en une année. L'autre pièce également héroïque à laquelle Berlioz a pu penser à la même époque est une *Fête musicale funèbre à la mémoire des hommes illustres de la France*, destinée à commémorer la révolution de Juillet. Mais, surchargé des besognes que l'on a dites, il n'aura pas vraiment le temps de pousser le projet très loin : non, cette année-là, Berlioz n'a pas vraiment le temps de travailler pour lui. Son seul grand et vrai projet demeure *Benvenuto Cellini*.

Ah ! *Benvenuto Cellini* ! L'œuvre a certes été refusée à l'Opéra-Comique mais, à l'Opéra même, la situation a changé. Arrivé au pouvoir par intrigue – en ce temps-là, on faisait dès sept heures du matin le siège des cabinets des ministres qu'on voulait convaincre –, Véron va devoir quitter la maison. Du coup, on intrigue ferme pour sa succession. Le favori semble Edmond Duponchel. D'abord architecte, Duponchel « n'est guère plus musical que Véron », écrit Berlioz à Ferrand. Dès le mois de janvier, il devine néanmoins en lui le futur directeur, et prend un premier contact avec lui. Il lui parle de son opéra. Dans une lettre à Liszt, il évoque la « Commission de l'Opéra », où les Bertin sont très influents : celle-ci aurait insisté pour qu'un accord soit conclu avec lui alors même que Duponchel n'est pas désigné... et que l'œuvre n'est pas écrite ! La nomination est retardée par l'attentat de Fieschi, le 28 juillet, qui cause une quarantaine de morts autour du roi. Mais aussitôt Duponchel en fonction, le 23 août précisément, Berlioz va revenir à la charge, usant d'ailleurs d'un nouveau stratagème. Il lui semble en effet que Duponchel aime ledit livret mais « se méfie tous les jours davantage » de sa musique (qu'il ne connaît pas, comme de juste !). Il va donc demander à Alfred de Vigny, au sommet de sa gloire littéraire, de cosigner, voire de relire et de modifier, le livret de Wailly et Barbier.

Protégé sur tous ses flancs (Wailly, l'ami des Bertin et Vigny, le grand homme), il peut donc écrire à sa mère, le 11 octobre, qu'il vient d'être reçu à l'Opéra « avec le plus vif empressement ». Il ne lui reste plus qu'à écrire sa musique, à peine commencée !

Le temps étant peu propice au travail, c'est seulement l'année suivante que Berlioz va s'y remettre.

Pourquoi ? Parce qu'entre-temps il a toujours besoin d'argent ! Et que, peu à peu, à ses carrières de compositeur – sa vraie vocation – et de critique va s'ajouter et prendre de plus en plus de place une autre carrière, celle d'organisateur de concerts. Et plus ces concerts seront fantaisistes ou « monstres », plus il se dépensera pour eux. Comment, dès lors, avoir le temps d'écrire un *Benvenuto Cellini* ? Au lieu de composer le chef-d'œuvre qui lui tient à cœur, c'est dans une autre aventure qu'il va tenter de se lancer : et s'il devenait lui-même « patron » d'un théâtre où il pourrait faire jouer ce qu'il voudrait ? Voilà en effet la solution à tous ses problèmes. Non seulement il pourrait donner sa musique, mais encore – il y croit, l'innocent ! – il y gagnerait de l'argent. Le Théâtre nautique a pris l'eau de la manière qu'on a vue, Berlioz poursuit le même rêve, mais d'une manière différente. Pourquoi pas un Gymnase musical, maintenant ? On l'a dit, cette première partie d'un siècle fou de théâtre est celle de tous les accès de folie théâtrale. Le Gymnase en question est cette fois une nouvelle entreprise de concert, qui a ouvert ses portes le 28 mai 1835. Tout de suite, Berlioz a flairé l'occasion qui pourrait lui être offerte. Avant toute autre tractation, il en annonce la création, article après article. Et le 4 juin, le Gymnase donne bien, pour le remercier, une soirée Berlioz, dirigée par Telmant, où seul un air de Gluck parvient à se glisser entre *Harold*, *Le Roi Lear* et *Le Pâtre* plus « breton » que jamais. Trois semaines après, nouveau concert Berlioz au Gymnase. Les choses ont l'air d'aller pour lui au mieux. Et voilà qu'on lui propose effectivement la direction de la nouvelle salle. On lui offre même un salaire royal et annuel garanti de six mille francs, auxquels s'ajouteront ses droits d'auteur et la recette de deux soirées à bénéfice par an. C'est trop beau pour être vrai. Seul problème : le Gymnase ne peut se développer comme le souhaite Berlioz que s'il obtient l'autorisation ministérielle nécessaire pour qu'on y donne de la musique vocale. Car telle est l'organisation de la musique dans la France d'alors : seuls les théâtres parisiens qui en ont le privilège peuvent programmer oratorios, messes et cantates. Pour ne pas parler des opéras. Alors Berlioz se met à nouveau en campagne. Il multiplie les rendez-vous, fait intervenir tous ses amis haut placés, au premier chef les Bertin. Tout Paris s'agite. Harriett espère. Berlioz fait antichambre dans les cabinets, harangue dans les cafés des camarades convaincus, s'indigne, insiste... Pour écrire enfin à sa mère, à la fin du mois de juin 1835 : « Eh bien malgré tous les efforts combinés de la famille Bertin qui est très puissante, des propriétaires intéressés, et d'un chef de division du ministère, il a été impossible d'obtenir de M. Thiers cette autorisation. En conséquence pour mon compte je me vois privé d'une place très belle, et le pauvre propriétaire du Gymnase musical, qui avait mis dans cette entreprise cent soixante mille francs, se trouve ruiné, ses concerts n'ayant pu se soutenir privés du secours de la musique vocale... »

La déception est immense. Non seulement Berlioz aurait gagné, affirme-t-il, à peu près douze mille francs par an – et douze mille francs sûrs, pour lesquels il n'aurait plus eu besoin de se battre ni de courir tout Paris de théâtre en salle de concert – mais encore, après les tribunes qui sont les siennes dans la presse, il aurait eu sur la scène parisienne un véritable pouvoir en matière de musique. On remarquera que le refus opposé par le vilain M. Thiers est d'autant plus absurde que l'autorisation demandée de pouvoir chanter au nouveau Gymnase ne concernait que les seules soirées puisque le chant y était de toute façon autorisé en matinée : l'administration française, ses pompes et ses mystères, sera merveilleusement décrite quelque dix ans plus tard par Balzac dans *Les Employés*. On y voit les limites imposées à l'action de pauvres directeurs inventifs et l'indifférence active de leurs subordonnés. Dans ce cas précis, ce sont probablement les intrigues de la direction de l'Opéra-Comique qui ne voulait pas voir surgir une concurrence inattendue qui l'ont emporté, sinon sur le génie malheureux de Berlioz, du moins sur le simple bon sens.

L'année 1835 est décidément une année bien grise. Seule sa vie familiale semble lui apporter les satisfactions dont il a besoin. Le couple a retrouvé aux beaux jours la petite maison de Montmartre, qu'il a d'ailleurs conservée tout l'hiver, amené de la sorte à payer deux loyers, ce qui était extravagant. Mais Hector veut le bonheur de son Harriett et du petit Louis. Face à l'enfant, c'est l'attendrissement perpétuel du père. A Adèle, le 10 janvier : « Notre petit garçon est toujours délicieux, tu n'as pas idée de la beauté de cet enfant ; il ne crie jamais et rit aux éclats dès qu'on veut bien jouer avec lui ; Henriette en est toujours plus fière. » Ou le 17 avril : « Il est le phénix du quartier et de la *plaine de Mousseaux* où Marie [la domestique] le promène chaque jour au milieu de beaucoup d'autres enfants. Il les écrase tous. Mme Legouvé est venue avec sa petite nous voir dernièrement ; Henriette rayonnait en voyant la différence qu'il y a entre son fils et la riche mais laide petite fille. » Négligemment, Berlioz continue aussi à faire état de ses belles relations. « Par-ci par-là mes amis viennent passer une demi-journée à la maison ; dernièrement pour l'anniversaire de la naissance de Louis, nous avons eu une réunion brillante. L'élite de la jeune littérature contre-révolutionnaire, c'est-à-dire celle qui a secoué le joug de Victor Hugo, s'y trouvait. Nous avons joué aux barres dans le jardin comme de vrais écoliers. »

Pourtant la réalité est plus sombre. Le gris est bien là, qui l'envahit. C'est un cercle vicieux : Hector Berlioz a besoin d'argent pour composer mais, pour gagner de l'argent, il doit écrire des articles – qui ne lui laissent pas le temps de composer. Dans ses lettres à sa sœur Adèle et à sa mère, il donne l'image parfaite de l'artiste romantique que le manque d'argent et l'incompréhension tenaillent jusqu'à le pousser à imaginer un départ en Amérique. Déjà, étudiant à Paris, il envisageait de tels exils. Mais il était alors seul, indépendant, libre. Il est à présent marié. Il a un enfant. Et Harriett n'est pas une épouse comme les autres...

Harriett : voilà où le bât commence à blesser le plus. Il y a le manque d'argent, les échos, les railleries, les maladies de Berlioz qui, plusieurs fois par an, le terrassent : vraie ou fausse pleurésie, et surtout ces maux de gorge, ces angines terribles dont il souffre depuis toujours. Et il y a surtout Harriett. Harriett qui ne se résout pas à regarder la réalité en face et à admettre que sa carrière est terminée. Tout joue désormais contre elle : le moindre goût des spectateurs français pour le théâtre anglais, certainement, mais surtout le style de jeu qui était celui d'Harriett au temps de sa splendeur. Pour ne pas parler de son fort accent anglais, sinon irlandais, qui ne lui permet pas de jouer en français. En outre, sa situation financière à l'égard de sa troupe anglaise, pourtant dissoute, n'est pas réglée. Elle signe des billets, avec le nom de Berlioz pour « garantie ». Plus encore, il y a l'âge d'Harriett. Une comédienne de trente-cinq ans, une comédienne finie ? Allons donc ! Mais, depuis son mariage, ses couches ensuite, Harriett s'est laissée aller. Elle était déjà « la grosse Anglaise » lorsque, avant de devenir Mme Berlioz, Henri Heine la voyait dans une salle de théâtre assister à un concert d'Hector. Après deux ans, elle a encore forci. Ajoutons qu'elle a commencé à boire. Oh ! un peu seulement. Les grandes crises, l'alcoolisme précisément, ce sera pour plus tard. Ajoutons enfin qu'elle est la femme de son mari. Et ce qui a réussi une fois au Théâtre nautique lors du chantage par *Moniteur* interposé ne peut se renouveler tous les mois. Les Berlioz forment un couple mais seul Hector, on le sent bien, a aujourd'hui du talent. Harriett en a eu, mais on se méfie d'elle. On se méfie aussi des réactions qu'en cas d'échec pourrait avoir le mari. Alors on hésite de plus en plus à employer Harriett. Bientôt on ne l'emploiera plus du tout. « Harriett se désespère de me voir travailler tout seul et de ne pouvoir rien faire, écrit-il à Adèle, habituée qu'elle a été toute sa vie à être au contraire le soutien de tous les siens. Quelquefois le chagrin la prend à la rendre folle ; les consolations que je puis lui donner ne sont pas trop bonnes ; il n'y a rien à dire contre les faits... » C'est un peu la raison pour laquelle le couple a pu envisager un moment de se rendre aux Etats-Unis. Là, au moins, avait dû se dire Harriett Smithson-Berlioz, elle aurait pu trouver une scène à sa mesure. De même a-t-on évoqué aussi la possibilité d'une tournée en Angleterre. Mais il aurait fallu l'organiser de Paris et tout paraissait de plus en plus difficile ; aussi le couple est-il resté en France.

Outre le fait de ne pas jouer, les souffrances d'Harriett, c'est aussi de n'avoir pas de quoi s'habiller quand un ami leur rend visite à l'improviste ou de ne pas trouver de domestique à sa convenance. « Oh voilà un fléau, les domestiques de Paris ! écrit Berlioz à sa mère en janvier 1836. Vous ne pouvez vous faire une idée de leur improbité, de leur paresse et de leur immoralité... Henriette prétend que c'est plus fort depuis la révolution de Juillet, je crois qu'elle a raison !... Ajoutons à cela qu'ils sont fort dispendieux, qu'il leur faut du *café*, etc. » Il y a quelque chose de déchirant à voir Berlioz partager de la sorte les « souffrances » domestiques de sa femme, qui doit fournir du café à sa femme de chambre et qui refuse maintenant de s'embourber « pour rendre visite à sa voisine, la femme du docteur Blanche, et moins encore se trouver au milieu de tous ces fous au regard étrange errant dans les salons et les jardins de M. Blanche ».

Malgré tous les efforts de Berlioz, l'actrice ne remontera plus que trois fois sur une scène. Encore, le premier retour, en mars 1836, aura lieu non dans un théâtre, mais dans un salon. Celui de l'hôtel de Castellane où, après avoir un moment songé à des morceaux de *Jane Shore* – elle y fut si applaudie... –, elle ne joue finalement qu'un rôle et que quelques scènes : Ophélie. Devant un public de gens du monde, elle obtient son avant-dernier succès. On l'applaudit, on la redemande, elle revient sur scène, rayonnante. Pour Berlioz, c'est plus qu'un sujet de satisfaction : pour un temps au moins, Harriett va cesser de se plaindre. La mort d'Ann Smithson, la méchante naine du temps de leurs orageuses fiançailles, va pourtant, très vite, lui redonner l'occasion de se lamenter : « C'est un sujet continuel de chagrin qui ne s'adoucit que fort lentement, écrit Berlioz en juillet 1838 à Adèle. On s'attache d'autant plus aux êtres qu'on aime qu'on a fait pour eux plus de sacrifices, et Henriette en a fait pour sa sœur toute sa vie... »

La dernière apparition d'Harriett au théâtre – sur une vraie scène, cette fois – aura lieu aux Variétés, le 15 décembre 1836. La soirée est donnée au bénéfice de Frédérick Lemaître, l'acteur tant aimé du boulevard du Crime, le Pierre Brasseur des *Enfants du paradis*. « C'est A. Dumas qui avait donné à Frédérick une lettre de recommandation à laquelle il était presque impossible de refuser ce service... » On voit alors Harriett jouer la folie d'Ophélie après des scènes de vaudeville d'une épaisse vulgarité. Et c'est pour elle un désastre. Seul Jules Janin, dans *Les Débats*, ne critiquera sévèrement que le spectacle, « triste et affligeant ». A Harriett, il conseille seulement de ne plus apparaître que dans ces pièces entières où elle excella voilà près de dix ans, et non plus dans ces morceaux lamentablement choisis. Hector ne voudra se rendre compte de rien. D'ailleurs, l'article de Janin est plutôt gentil pour sa femme, non ?

En mai 1837 enfin, dans le même hôtel de Castellane où elle s'est produite l'année précédente, l'amitié du maître des lieux permet à la jeune femme de se produire encore une fois. Et à nouveau dans *Jane Shore*. Devant une assistance choisie où Berlioz compte beaucoup d'amis, elle joue le cinquième acte du drame de Rowe, obtient alors son ultime succès. Victor et Adèle Hugo admirent son jeu. En outre, la duchesse d'Orléans, dont l'époux a assisté à plusieurs concerts de Berlioz, voudra lui faire un cadeau. Un chevalier d'honneur de la princesse Hélène viendra en personne lui remettre cinq cents francs à domicile ; Berlioz en est presque gêné : « Il y a quelque chose de gauche et de beau en même temps dans cette démarche, que nous sommes encore à comprendre », écrira-t-il, fin juillet, à son père.

Harriett n'entendra pourtant pas en rester là. Aussi Hector multipliera-t-il d'autres démarches pour Harriett. Pour approcher plus aisément George Sand, il écrit à Marie d'Agoult, en Italie avec Liszt. Tous deux filent le parfait amour ; Liszt ne peut que l'aider. Au passage, il évoque ses souvenirs d'Italie, conseillant à la maîtresse du compositeur de lui faire gravir « un soir le Pausilippe, [et] que du sommet de cette colline chère à Virgile, il écoute les arpèges infinis de la mer pendant que le soleil, ce fastueux soleil si différent du matin, descendra lentement derrière le cap Misène, coloriant de ses derniers rayons les pâles oliviers de Nisita ». Une bouffée de regret pour cette Italie abhorrée mais perdue dont Berlioz fait à présent, et si bellement, objet de musique et de poème. Bien loin d'Italie, parmi les « pauvres galériens » que Marie d'Agoult a laissés à Paris, il écrit ensuite à George Sand. Imprésario d'une actrice à la dérive, il tente une dernière fois de la vendre et va jusqu'à suggérer à l'auteur de *Mauprat* qu'il admire le thème de la pièce qu'elle pourrait écrire pour sa femme : « La proposition est neuve : il s'agit de placer dans un drame français une Anglaise qui parle le français avec peine et avec un accent qu'il faut justifier, ou qui n'en sait pas assez pour exprimer certaines idées et qui alors parle dans sa langue maternelle en appelant même parfois la pantomime à son aide. Il y a certainement quelque drame terrible suspendu à l'inintelligence ou à la fausse interprétation d'une langue ou d'un mot ; vous le trouverez, j'en suis sûr, et en l'écrivant vous ferez une bonne et belle œuvre dont tous les amis de l'art vous sauront un gré infini. De plus vous tendrez la main à une grande artiste qui se désespère avec trop de raison et dont la souffrance est tout à fait digne de votre sympathie... » Pour conclure avec un bel optimisme : « Quant au théâtre qui monterait la pièce, je crois qu'il n'y aurait que l'embarras du choix... »

Jamais George Sand n'écrira la pièce demandée aussi ingénument par Berlioz. Et Harriett s'enfoncera davantage dans sa mélancolie, faisant des scènes de plus en plus nombreuses à un mari qui pourtant se démène pour elle au-delà de la décence. Mais cette fois, la carrière de la belle Juliette des temps heureux de l'Odéon est bien terminée.

7

Les années grises : II

L'échec du Gymnase musical et le désespoir d'Harriett : 1836 ne se déroule guère mieux que l'année précédente. Dans l'histoire de la musique française, c'est pourtant une année éclatante puisque c'est celle des *Huguenots.* Aujourd'hui que Meyerbeer sort peu à peu du purgatoire où il a végété pendant une bonne partie du XXe siècle, on comprend un peu mieux qu'hier le formidable coup de tonnerre que, cinq ans après son *Robert le Diable*, Meyerbeer a fait éclater sur la grande scène de l'opéra du monde. *Les Huguenots* devient pour toute une génération de romantiques le modèle absolu vers lequel doit tendre la musique qu'ils admirent. *Les Huguenots* est à l'opéra ce que sont *Hernani* ou *Marion Delorme* au théâtre, *La Légende des siècles* à la poésie : un drame immense, historique et boursouflé, plein d'éclats, de grandeur et d'héroïsme. Berlioz, qui assiste à la première représentation le 29 février, est enthousiaste : « Le succès a été colossal... Il faut avoir le temps d'étudier à fond cette œuvre immense dans laquelle M. Meyerbeer a semé des richesses musicales suffisantes pour la fortune de vingt opéras... » (*La Revue musicale* du 6 mars 1836).

Les Huguenots : voilà ce à quoi Berlioz aspire désormais. Si, dès la fin du mois de janvier, il a pu se remettre sérieusement au travail et commencer la composition de *Benvenuto Cellini*, le triomphe de Meyerbeer devrait lui donner des ailes. Hélas, une nouvelle tâche lui est, si l'on ose dire, « tombée dessus ».

On a déjà évoqué le nom de la nouvelle « Mademoiselle Louise » : c'est la fille, qualifiée par Berlioz lui-même de « disgracieuse », de Bertin l'aîné, son protecteur. La jeune femme non seulement n'est pas des plus jolies, mais elle croit avoir quelque talent de compositeur. L'année précédente, Berlioz affirme que Victor Hugo lui a offert son *Notre-Dame de Paris* dont il aurait voulu qu'il fît un opéra mais, trop occupé ailleurs et surtout par son *Benvenuto Cellini*, il n'a pas relevé la proposition. Vrai ou faux... On serait plutôt enclin de ne voir là qu'une rodomontade de plus de notre fougueux héros. Mais voilà que le projet lui revient en quelque sorte entre les mains. Par ricochet. Il l'explique à sa mère, à la fin du mois de janvier 1836 : sans illusion ni sur le talent de la jeune personne ni sur les raisons qui vont l'amener à s'en faire le « secrétaire musical » : « Les directeurs du *Journal des débats*, ces MM. Bertin, sont d'une bonté extrême pour moi, c'est une famille qui m'est je crois vraiment dévouée. Mlle Louise Bertin [...] vient de finir la musique d'un grand opéra sur *Notre-Dame de Paris* dont V. Hugo a fait les paroles. Le père Bertin m'a prié de revoir la partition et d'en diriger les répétitions [...] Les répétitions commenceront à l'Opéra peut-être dans deux mois. C'est une tâche difficile, délicate et pénible. Le père est persuadé du génie musical de sa fille ; les musiciens me rient au nez quand je leur parle sérieusement de la nouvelle partition. Hugo s'attend à un grand succès, il juge la musique comme tous les poètes, c'est-à-dire que le sens de cet art lui manque complètement. C'est la puissance seule du *Journal des débats* qui fait accepter cet ouvrage par l'administration de l'Opéra. Enfin, nous verrons bien... »

Dans les *Mémoires*, il est à la fois plus indulgent pour la sœur de son rédacteur en chef et plus précis quant aux raisons qui l'ont poussé à accepter le travail : on l'indemnisera très généreusement du temps qu'il consacrera à cette tâche. Comment résister à de tels arguments et ne pas remettre à plus tard ce pauvre *Benvenuto* ? D'autant qu'à cette date Berlioz a perdu l'une de ses principales sources de revenus, et la plus régulière. *Le Rénovateur*, où il publiait un article chaque semaine, a fusionné avec la très ultra *Quotidienne*, où il n'y a pas de place pour lui puisque le chroniqueur musical en est son ami d'Ortigue. Mais l'argent des Bertin peut-il vraiment compenser le temps perdu ? Souvent, dans ses lettres, Berlioz remarque que le temps est devenu pour lui de l'argent... Pour léger qu'il puisse paraître à première vue, le travail auprès de Louise Bertin va l'occuper beaucoup plus qu'il ne l'imaginait. C'est qu'il se pique au jeu et tente, comme il le peut, d'améliorer la partition de cette *Esmeralda* qu'il relit et corrige avec soin. « C'est un rude travail qu'un grand opéra », écrit-il à son ami Ferrand. C'est un rude travail, oui, surtout quand le grand opéra en question a été écrit par un autre. Mais Berlioz le mène à bout, ce travail, et les répétitions commencent dès le mois de mai. L'Opéra tout entier se met en quatre : rien n'est trop beau pour Mlle Bertin. Pourtant personne, ni parmi les interprètes ni dans le tout-Paris de la musique, ne manifeste un véritable intérêt pour la nouvelle création. Berlioz l'a dit lui-même : « Le compositeur n'aurait-il été la fille de son père... » Les répétitions se poursuivent, mornes. On se donne du mal, mais on n'en fait pas beaucoup. Enfin, Rossini assiste à la générale. Sans un mot. On rapporte qu'il se lèvera pendant le second acte pour s'adresser à Habeneck, qui dirige l'œuvre. On attend un commentaire de lui, un encouragement, c'est simplement pour lui signaler qu'un quinquet, sur la scène, fume un peu trop...

Vient enfin la date de la première, qui a été retardée jusqu'au 14 novembre. Les Berlioz invitent Victor Hugo à leur rendre visite pendant le spectacle : ils sont dans la loge 81. Tous attendent le triomphe de Mlle Louise, sauf Berlioz, qui sait à quoi s'en tenir. Et le résultat ? Un four dont on ne donnera que deux représentations. Berlioz est pourtant indulgent. D'ailleurs Mlle Louise a sûrement quelque talent. Une lecture contemporaine de sa partition y relève de vraies qualités. Mais ce soir-là, on se refusera à en reconnaître à « ... cette œuvre de beaucoup supérieure à tant de productions que nous voyons journellement réussir ou du moins être acceptées ». Mais le public, une partie de la critique n'ont-il pas voulu attribuer à Berlioz lui-même la paternité de certains morceaux de la partition ? Selon certains, Berlioz ne se serait dès lors pas contenté « d'aider la malheureuse jeune personne ».

La première représentation, devant un parterre d'amis de la famille Bertin, se déroule donc fort mal. Le grand ténor Nourrit, qui chante le rôle de Phoebus, considère que le chahut qui accueille la pièce est surtout une cabale contre les Bertin et *Les Débats*, dont le louis-philippardisme irrite beaucoup de monde. Mais la seconde représentation est plus désastreuse encore : il n'est jusqu'au chroniqueur lyrique des *Débats* lui-même pour le reconnaître. Et la direction de l'Opéra aura beau tenter de sauver la situation en incluant dans l'œuvre un ballet avec la grande Taglioni, le dernier rideau tombera sur des sifflets cette fois sans équivoque à l'encontre de la famille de financiers et de journalistes qui avaient cru pouvoir s'imposer jusque sur la première scène lyrique française. Public sans pitié que le public de l'Opéra de Paris. Car, même si l'œuvre a été

« imposée » par le père de l'auteur, celle-ci était une bien touchante figure sur laquelle on aurait pu s'apitoyer. Non seulement « disgracieuse » et « disgraciée », elle était en outre à peu près invalide et ne pouvait guère quitter la chaise sur laquelle elle passait ses journées. Mais le plus grave, c'est qu'il ne semble pas que ce soit le public seul qui, avec tant d'énergie, ait hurlé : « A bas les Bertin ! », mais les musiciens de la fosse eux-mêmes. Ça, même dans ses *Soirées de l'orchestre* où les instrumentistes se montrent parfois fort indisciplinés, Berlioz ne l'aurait pas imaginé !

A la chute de la pauvre *Esmeralda* – qu'il rapproche, dans ses *Mémoires*, du destin qui va frapper son *Benvenuto* –, Berlioz a du moins la satisfaction de se dire que si l'œuvre de Mlle Bertin avait été maintenue au programme, son propre opéra n'en aurait été que davantage retardé. Car on prend son tour pour une création à l'Opéra. A la signature de l'accord avec Duponchel, en 1835, *Benvenuto* ne pouvait être donné avant deux ans au moins, d'autres œuvres nouvelles ayant la priorité. Pourtant, en dépit de son salaire de « secrétaire musical » et comme l'argent fait toujours défaut, Berlioz cherche toujours de l'argent. Mais les courses incessantes dans Paris l'épuisent, tandis qu'Harriett, toujours isolée à Montmartre, commence à surveiller d'un peu trop près les déplacements de son diable roux de mari dont elle se demande parfois s'il lui est toujours fidèle. On ne saura jamais grand-chose de la vie intime de Berlioz, surtout dans cette période d'euphorie conjugale, fût-elle de façade. Si l'on se réfère aux petites notes qu'il prend sur des morceaux déchirés de partition musicale afin de se fixer le programme des courses de la journée, il n'y a guère de place pour les femmes dans cet agenda qui ressemble à celui d'un commissionnaire. Ainsi, une journée type : « Aujourd'hui, lundi 28 / Chez Liszt / Aller chez Schlesinger prendre de l'argent / chez L. Montou pour le droit des pauvres [cette taxe de 10 % perçue sur toutes les recettes théâtrales contre laquelle Berlioz ne cessera de se battre] / Aller aux *Débats* / – rue de la Victoire pour l'affaire d'Urhan [le violoniste et altiste, créateur d'*Harold*] / Ecrire à Thomas / Aller chez Pope / Porter les loges chez Pachini, etc., etc. J'ai pris 50 francs chez M. Réty – 10 francs chez Schlesinger / plus les 10 francs que je lui dois... » Berlioz s'agite, tourne et retourne dans Paris. Certes il y a le théâtre le soir, les cafés, les amis qu'on retrouve aux Trois Frères provençaux, au café Riche ou chez Véry, mais le Berlioz qui s'ébat au milieu de ses camarades doit ensuite faire tout le chemin qui le ramène à

Montmartre. Jalouse, Harriett, d'un mari secrétaire musical transformé en coursier ? Ce serait à en pleurer. D'ailleurs, Hector le remarque au détour d'une lettre : d'une certaine façon, les privations qu'ils endurent, leur perpétuelle inquiétude du lendemain, que ce soit dans le domaine financier ou sur le plan de leur carrière, ces souffrances communes les rapprochent.

Elément de satisfaction pour Berlioz, l'amélioration de ses relations avec ses parents, que la naissance de Louis a attendris. Certes, l'aide financière supplémentaire qu'il aurait pu espérer n'est pas arrivée. Mais le Dr Berlioz est de plus en plus fatigué, absent. Il s'enferme parmi ses livres sans plus les ouvrir. Il souffre de tout et de rien. Il est vraiment malade, mais aussi plus hypocondriaque que jamais. Ce qui n'empêche pas la famille d'envoyer des layettes et des bonnets. Et surtout, des lettres. La correspondance avec Mme Berlioz, plus suivie, a pris un tour nouveau. Hector se sent presque en confiance avec sa mère. Bien sûr, il enjolive un peu les choses, quand il lui écrit. Il rend la situation moins noire, mais se plaît surtout à faire d'Harriett une peinture tendre, amoureuse et passionnée. « Henriette est aux anges des joujoux que Prosper envoie à Louis, elle me charge de l'en remercier directement. Pour vous chère maman, pour vos bontés de toute espèce, je ne saurais vous dire combien nous en sommes touchés l'un et l'autre. Henriette est bien, comme vous le dites, accoutumée au luxe, mais sa patience et sa résignation dans notre mauvaise fortune n'en sont pas moins exemplaires... »

C'est surtout sa réconciliation avec Nanci qui va le réconforter. Mme Berlioz a tendu une perche, c'est elle qui suggère à la sœur aînée d'accepter l'entrée d'Harriett dans la famille. Jusqu'ici, Mme Pal était demeurée barricadée dans sa vertueuse indignation. Nanci finit par écrire. Hector lui répond, le frère « tend la main » à sa sœur et, pour le reste, évoque des sujets, pose des questions qui peuvent intéresser une femme de magistrat : « As-tu fini tes déménagements, tes achats de mobilier, tes bals, tes noces et festins ? Ta belle-sœur nouvelle permettra-t-elle à Henri de fumer ? C'est un point important et que peut-être tu as oublié de débattre dans les négociations du mariage, etc. » Il termine sur une note familiale : « Adieu, Henriette m'appelle pour dîner, Louis crie devant la table, il faut que je te quitte, il me reste à peine le temps de m'habiller et de descendre à Paris... » La brouille fraternelle semble terminée, Hector peut respirer et redescendre à Paris où le devoir l'appelle !

C'est au milieu de ces mille allées et venues, de son secrétariat musical, de plus de quarante articles publiés en 1836 – des centaines de pages ! –, qu'il parvient à mener à bien son *Benvenuto Cellini.* Et il y travaille relativement vite. En 1836, il écrit à l'un des librettistes qu'il a achevé le premier acte et qu'il attend à présent le livret définitif de la suite pour écrire la musique « avec plus d'assurance ». Six mois plus tard, c'est à Adèle qu'il l'annonce : « ... Voilà où j'en suis : j'ai fini, il me reste seulement à écrire la scène du dénouement et à instrumenter une grande partie de la partition. » Quant à le faire jouer, un engagement a été pris par la direction de l'Opéra. En décembre 1836, Duponchel n'a plus que trois opéras à monter avant celui de Berlioz, et si Halévy, l'auteur de *La Juive*, n'a pas terminé à temps sa nouvelle œuvre, Berlioz gagnera sa place. Dès lors, « Halévy se consume en efforts pour ne pas rester en arrière et écrit sa partition au grand galop pour arriver à temps. C'est donc une lutte *à la course*, où l'un des lutteurs touche le but et doit regarder *sans courir* si son antagoniste arrivera au même point que lui dans un temps donné. En tout cas, je suis prêt à entrer en répétitions, et il y a longtemps que toute ma musique serait complètement achevée si, comme mon héros Cellini, j'avais eu *du métal pour fondre ma statue...* »

Heureusement, Berlioz connaît d'autres succès. Les 14 et 18 décembre, dans la salle du Conservatoire, on a entendu deux concerts de lui. Le premier soir, l'assistance est de choix : Meyerbeer, que Berlioz admire encore tant – il changera bientôt d'avis... –, mais aussi le duc d'Orléans, fils du roi – et Vigny, George Sand. Le programme ne change guère : la *Fantastique* et les deux premières parties d'*Harold en Italie*, le 14 décembre. La presse est bonne, très bonne même. *Le Courrier français* lui reproche pourtant ce qu'il pressentait : « Maintenant, nous nous attendons à quelque chose de neuf... » Mais, pour le chroniqueur du *Monde*, Berlioz est « un artiste qui, aux yeux de beaucoup de critiques, a le tort grave d'être contemporain et d'oser tenter de son temps ce que Haydn, Mozart et Beethoven ont tenté du leur ». Le même chroniqueur parle un peu plus loin de « Berlioz luttant, pour ainsi dire, corps à corps pendant toute sa première jeunesse avec un public peu compréhensif, répondant par une intrépide persévérance aux sarcasmes grossiers, à la prévention inintelligente, aux réprobations absolues, marchant comme le philosophe auquel on niait le mouvement, et se bornant pour tout argument à faire entendre, par un orchestre, de plus en plus exercé, son œuvre que le flot grondeur de la critique élevait toujours plus haut comme un noble trois-mâts porté par la tempête ». Le rédacteur de l'article du *Monde* s'appelle Liszt – on ne s'en étonnera pas outre mesure.

Ce sera encore Liszt qui participera au véritable triomphe du deuxième concert du 18 décembre, en jouant d'une manière éblouissante deux extraits de sa très belle transcription pour piano de la *Fantastique* et sa fantaisie sur *Lélio.* Berlioz dirige le reste du programme. Les deux amis reçoivent une ovation. Berlioz et Harriett vont retrouver leur rue de Londres, où ils sont revenus dès la fin de l'été. La rue de Londres et la vie de tous les jours. En dépit de ce succès, l'année s'achève dans la même grisaille conjugale.

8

Le *Requiem*, ou scènes de la vie de bureau

La grande affaire de l'année 1837, ce sera le *Requiem.* « Quel *Dies irae* !!! » s'écrie Berlioz dans une lettre à son père (8 mars), avec les trois points d'exclamation de rigueur, dès qu'il apprend que la commande va lui être passée d'une « grande composition pour l'anniversaire de la mort du maréchal Mortier » – tué lors de l'attentat de Fieschi l'année précédente. « Je sors de chez le ministre de l'Intérieur, qui veut me charger... » Quel *Dies irae* ne va-t-il pas écrire ! Les accents de la lettre sont triomphants, ils donnent le ton de ce que sera l'année du *Requiem.* En dépit de quelques aléas et autres déboires administratifs, dont, au jour le jour, Berlioz saura faire des tragédies.

Ce fou de Berlioz qui passe des sanglots les plus démonstratifs et des fureurs les plus triviales aux plus sublimes marques de génie ! C'est sous ce signe-là, le génie, qu'il commence son année par l'une des plus belles lettres qu'il ait jamais écrites. Elle s'adresse à Robert Schumann qui, enthousiaste de son œuvre – il a consacré en 1835 un long article à la *Symphonie fantastique*, un autre en 1836 à l'ouverture des *Francs-Juges* –, vient précisément de faire donner cette œuvre à Leipzig. Datée du 14 février, la lettre de Berlioz prend prétexte des mauvaises exécutions de ses œuvres ici ou là pour défendre une conformité si absolue des exécutants, chef et interprètes, que celle-ci se révèle la plupart du temps impossible car « il faut un génie bien rare pour créer de ces choses que les artistes et le public saisissent de prime abord, et dont la simplicité est en raison directe de la masse, comme les pyramides de "Dizeh". Malheureusement, remarque-t-il alors, je ne suis pas de ceux-là ». En d'autres termes, ses œuvres seraient si difficiles à produire qu'il préfère qu'on ne les joue pas. Sauf exception : s'il est là pour en surveiller l'exécution – ou s'il se trouve un Schumann pour y veiller ! Comme à Leipzig. La lettre est longue, démonstrative. Pour lui, un compositeur qui préfère se faire jouer dans de mauvaises conditions (et empocher une partie des recettes du concert) est en somme un criminel cupide. Il établit même une comparaison entre les arts pour esquisser en quelques lignes la matière d'un nouveau conte fantastique à la Hoffmann : « Je n'ai jamais compris, je l'avoue, au risque de paraître ridicule, comment les peintres riches pouvaient, sans un déchirement d'entrailles, se séparer de leurs plus beaux ouvrages pour quelques écus, et les disséminer aux quatre coins du monde, ainsi que cela se pratique journellement. Cela m'a paru toujours ressembler beaucoup à la cupidité du célèbre anatomiste Ruysch qui, à la mort de sa fille, jeune personne de seize ans, ayant trouvé le moyen, grâce aux ingénieux procédés d'injection dont il est l'inventeur, de rendre pour toujours à ce cadavre chéri l'aspect de la vie et de la santé, ne sut pas résister aux séductions de l'or d'un souverain, et lui abandonna, avec ce chef-d'œuvre d'un art alors nouveau, le corps de sa propre fille. »

Avec sa longue digression sur ce Frédéric Ruysch, Hollandais du XVIIIe siècle, des remarques sur l'ignominie que fut la production du *Freischütz* à Paris ou les altérations que subit sur scène le *Marino Faliero* de Byron, c'est à toute une réflexion sur la probité du créateur et la nécessaire authenticité de l'œuvre que se livre Berlioz. Que le destinataire de la lettre soit Robert Schumann est plus émouvant encore. A travers l'Europe, se devine une solidarité des vrais musiciens face aux débordements de la musique à la mode. Ainsi Berlioz demandera-t-il à Franz Liszt de lui faire « le plaisir d'analyser pour *La Gazette musicale* les œuvres de Schumann » qu'il lui a envoyées, car il est « le seul [...] qui puisse le faire d'une manière complète ».

Au-delà, pourtant, de l'existence de ce « réseau » d'amitiés musicales, la lettre à Schumann constitue à sa manière une véritable profession de foi de la part d'un Berlioz qui peut se laisser aller à de véritables compromissions quand il s'agit des autres (hier encore Harriett, plus tard cette Marie Recio, qui n'est pas encore apparue dans sa vie mais pour qui il en fera tant), mais qui demeure intraitable sur le chapitre où il est le plus grand : son œuvre.

A la fin du mois de février, il connaît une satisfaction de taille. Lui qui, aux *Débats*, était relégué aux comptes rendus des seuls concerts, sans pouvoir traiter de l'opéra dont Jules Janin avait l'apanage, se voit céder par celui-ci « de fort bonne grâce » le feuilleton des théâtres lyriques. Seuls lui échappent le Théâtre-Italien et les ballets. Il exulte. Toujours est-il qu'à partir du début de 1837, Berlioz truste les feuilletons des *Débats*, de *La Gazette musicale* et de *La Chronique de Paris.* A cela s'ajoutera, au printemps de 1837, la direction par intérim de *La Gazette musicale.* Maurice Schlesinger s'est éloigné pour un temps, laissant les rênes à son collaborateur le plus proche : sur tout ce qui concerne les activités musicales à Paris, Berlioz joue désormais un rôle incontournable.

Dans le domaine des « affaires intérieures », comme il l'écrivait l'année précédente à sa famille pour parler de son existence personnelle, les relations d'Hector avec ceux de La Côte-Saint-André se sont encore améliorées. Le Dr Berlioz a même envoyé à son fils de quoi payer son costume de la garde nationale puisque, sous la monarchie de Juillet, n'importe quel bourgeois – jusqu'aux artistes bourgeois ! – pouvait revendiquer l'honneur de servir dans cette garde nationale à usage de police intérieure. Il suffisait de se faire inscrire, d'être admis et... de payer son uniforme. Nanci, de son côté, écrit plus souvent. Elle s'attendrit sur le petit Louis auquel elle offre, pour ses étrennes, un couvert d'argent. Comme son parrain Gounet « lui a justement donné le jour de l'an une timbale, le voilà riche ! ». Il n'est jusqu'à l'oncle Félix Marmion, qui avait tenté d'empêcher le mariage avec Harriett, qui ne soit revenu lui aussi à de bons sentiments. C'est en sa compagnie que les Berlioz ont assisté à la première des *Huguenots.* Le beau militaire va maintenant quitter Paris et Hector semble le regretter. Seule triste nouvelle dans cette réconciliation générale, la mort, en mars, du cher grand-père, Nicolas Marmion. Le faiseur de couplets de circonstances est mort à Meylan, à l'âge de quatre-vingt-six ans. Une autre mort attristera Berlioz, cette année-là, celle de Le Sueur, son « maître, protecteur et ami ». Le Sueur, par qui tout était arrivé, n'aura donc pu assister à la première audition du *Requiem* de son élève préféré.

L'épopée du *Requiem* est longuement racontée par Berlioz dans ses *Mémoires.* Avec quelques approximations. Le combat en règle qu'il va mener contre une administration obtuse dont le plus délicat des plaisirs est de contrer les volontés d'un ministre, surtout si celui-ci ne doit plus rester longtemps en poste, constitue, il est vrai, une des grandes pages de la lutte des fourmis contre l'hydre bureaucratique. Tous les biographes, tous les admirateurs ont raconté cette lutte du héros contre des fonctionnaires bornés et des rivaux jaloux pour monter sa spectaculaire messe des morts. Le déroulement de ce combat est bien, jour après jour, représentatif de la guerre acharnee que, toute sa vie, Berlioz mènera contre la terre entière. Le combat en question mérite donc une attention particulière : par quel miracle, fait d'amitié et de ténacité, Berlioz est-il parvenu à faire jouer son *Requiem* aux Invalides le 5 décembre 1837 ?

Selon lui, l'affaire a commencé le 8 mars précédent, quand le comte de Gasparin, ministre de l'Intérieur (sur le départ...), le reçoit pour lui confier la composition d'une œuvre dédiée à la mémoire du maréchal Mortier. En réalité, tout a débuté cinq mois plus tôt. Gasparin, ce fonctionnaire éclairé, plus au fait de l'économie rurale que de l'art de la composition musicale, se flattait pourtant d'être amateur de musique. Et d'avoir des amis dans les rangs des musiciens. Son fils lui-même, Agénor de Gasparin, qui était aussi son chef de cabinet, était lié aux Wailly et, par eux, aux Bertin. C'est ainsi que le 21 novembre, lors de la cérémonie de distribution des prix au Conservatoire, qu'il présidait avec le duc de Choiseul, le ministre avait annoncé son intention de faciliter le retour de Rome des pensionnaires musiciens de la Villa Médicis, en leur passant notamment commande d'œuvres religieuses, autrement difficiles à monter qu'un morceau symphonique. Une somme de trois mille francs devait, chaque année, être attribuée à un jeune musicien et Berlioz avait salué en termes chaleureux, dans *Les Débats*, l'initiative du ministre. Celui-ci avait assisté au premier concert du Conservatoire, le 14 décembre suivant : les deux hommes s'étaient mutuellement séduits. Il ne reste plus à Berlioz qu'à monter l'opération dont il rêvait : obtenir une grande commande par l'Etat pour une œuvre spectaculaire que, faute de moyens, il ne parviendra pas à monter seul. Ainsi, Gasparin l'a décidé, c'est Berlioz qui bénéficiera de la première commande d'une musique religieuse.

Tous les familiers de la capacité de nuisance des ronds-de-cuir savent bien qu'entre la parole d'un ministre et son exécution, il y a un gouffre que règlements et rapports administratifs n'aident pas, loin de là, à franchir. Le 8 mars, donc : « Pour m'assurer de la vérité, raconte Berlioz, je sollicitai une audience du ministre, qui me confirma l'exactitude des détails qu'on m'avait donnés. “Je vais quitter le ministère, ajouta-t-il, ce sera mon testament musical. Vous avez reçu l'ordonnance qui vous concerne pour le *Requiem* ? – Non, monsieur, et c'est le hasard seul qui m'a fait connaître vos bonnes intentions à mon égard. – Comment cela se fait-il ? J'avais ordonné il y a huit jours qu'elle vous fût envoyée ! C'est un retard occasionné par la négligence des bureaux. Je verrai cela." »

Les raisons du retard ? D'abord, le ministre a eu beau promettre de l'argent – non pas trois mille francs, en fait, mais quatre mille –, il faut bien les trouver quelque part. En outre, depuis toujours, dans des circonstances telles que celles que veut célébrer le gouvernement – la mort du maréchal Mortier –, c'est le très officiel *Requiem* à toute épreuve, composé par le très officiel Cherubini, auquel on a recours. Or voilà que le vieux maître, l'irascible directeur du Conservatoire Luigi Cherubini, a, de son côté, composé l'année précédente un nouveau *Requiem* ! Et que, jamais joué, celui-ci n'est même pas encore imprimé. L'occasion était trop belle. On imagine sa fureur et celle de ses amis. Ce n'est pas la musique de ce freluquet de Berlioz (on peut tout en redouter !) qui va remplacer celle de l'illustrissime vieillard ! Berlioz va jouer serré et, dès le 24 mars, écrire à Cherubini une lettre ironique pour le remercier « de la noble abnégation qui [le] porte à refuser son admirable *Requiem* pour la cérémonie des Invalides ». Evidemment, Berlioz se moque ouvertement de son ancien tourmenteur, puisqu'il lui annonce d'un même souffle le caractère irrévocable de la décision du ministre en ce qui le concerne et... son humilité à lui, qui serait prêt à s'effacer devant son maître, si les ordres du ministre n'étaient pas ce qu'ils sont !

Cherubini vaincu, il fallait aussi triompher des « bureaux ». « [...] plusieurs jours se passèrent et l'ordonnance n'arrivait pas. Plein d'inquiétude, je m'adressai alors au fils de M. de Gasparin qui me mit au fait d'une intrigue dont je n'avais pas le moindre soupçon. M. XX..., le directeur des Beaux-Arts, n'approuvait point le projet du ministre relatif à la musique religieuse, et moins encore le choix qu'il avait fait de moi pour ouvrir la marche des compositeurs dans cette voie. Il savait, en outre, que M. de Gasparin, dans quelques jours, ne serait plus au ministère. Or, en arrêtant jusqu'à sa sortie la rédaction de son arrêté qui fondait l'institution et m'invitait à composer un *Requiem*, rien n'était plus facile ensuite que de faire avorter son projet en dissuadant son successeur de le réaliser... Mais M. de Gasparin n'entendait pas qu'on se jouât de lui, et, en apprenant par son fils que rien n'était encore fait la veille du jour où il devait quitter le ministère, il envoya enfin à M. XX... l'ordre très sévèrement exprimé de rédiger l'arrêté sur-le-champ et de me l'envoyer ; ce qui fut fait. Ce premier échec de M. XX... ne pouvait qu'accroître ses mauvaises dispositions à mon égard, et il les accrut en effet. »

Les deux X désignaient – tout le monde le savait – un certain Edmond Cavé, alors âgé de cinquante et un ans, directeur des Beaux-Arts depuis 1832. Berlioz le raille un peu plus loin : c'est un rossinien pur et dur qui en a même *oublié* le nom de Beethoven, « cet Allemand... dont on joue les symphonies au Conservatoire..., lui dira-t-il un jour. Vous devez connaître *ça*, monsieur Berlioz ? ».

De mauvais gré, Cavé a donc signé le fameux arrêté. Gasparin, lui, a quitté le gouvernement mais son successeur, Montalivet, est également favorable à Berlioz. Alors celui-ci peut rêver. Dans une lettre à Ferrand, il revient sur son entrevue avec Gasparin qui lui a « offert pour cet immense travail *quatre mille francs* ». « J'ai accepté sans observation, en ajoutant seulement qu'il me fallait cinq cents exécutants. Après quelque effroi du ministre, l'article a été accordé en réduisant d'une cinquantaine mon armée de musiciens. J'en aurai donc quatre cent cinquante au moins. »

Il s'est déjà mis au travail. « [Dans] deux mois j'aurai fini, je l'espère, écrit-il à Adèle le 17 avril. J'ai eu de la peine à dominer mon sujet ; dans les premiers jours, cette poésie de la *Prose des morts* m'avait enivré et exalté à tel point que rien de lucide ne se présentait à mon esprit, ma tête bouillait, j'avais des vertiges. Aujourd'hui l'éruption est réglée, la lave a creusé son lit et, Dieu aidant, tout ira bien. C'est une grande affaire. Je vais encore sans doute m'attirer le reproche d'*innovation*, parce que j'ai voulu ramener cette partie de l'art à une *vérité* dont Mozart et Cherubini m'ont paru s'éloigner bien souvent. Puis il y a des combinaisons formidables qu'on n'a heureusement pas encore tentées et dont j'ai eu, je pense, le premier l'idée. »

Faire mieux que Cherubini, soit. Mais atteindre à une « vérité dont Mozart [a paru] s'éloigner bien souvent » ? Berlioz a trente-quatre ans. Il attendait ce moment depuis quinze ans peut-être : il ne doute vraiment de rien. Et surtout pas de lui – maintenant que « vertiges » et « éruptions » sont passés ! Entre les cent démarches habituelles, les lettres à Mme d'Agoult ou à George Sand en faveur d'Harriett, l'inquiétude qu'il continue de ressentir sur le sort de son *Benvenuto Cellini*, il travaille donc d'arrache-pied. Le 22 mai, il écrit à Liszt qu'il achève son *Requiem* ; le 29 juin, il le termine réellement. « L'ouvrage existe, c'est toujours ça ! » écrit-il enfin le 18 juillet à Auguste Bottier de Talmont, bibliothécaire du Conservatoire.

L'ouvrage existe. Mais Berlioz, lui, est anéanti : la cérémonie prévue aux Invalides a été annulée. Le *Requiem* existe, oui. Mais on ne le jouera pas.

La raison de cette décision est politique. Uniquement politique, cette fois. Prévue pour l'anniversaire de la mort d'un maréchal assassiné l'année précédente avec dix-huit autres victimes innocentes par un conspirateur corse qui voulait tuer le roi, le *Requiem* avait, si l'on ose dire, changé de destination puisqu'on l'intégrait maintenant aux cérémonies organisées pour l'anniversaire des Trois Glorieuses. Or voilà que les cours européennes ont fait pression sur le roi-citoyen pour que celui-ci mette en veilleuse des célébrations trop ouvertement destinées à glorifier une révolution qui n'a guère plu en Autriche ou en Russie. De plus, l'entourage de Louis-Philippe redoute, selon *Le National*, que « beaucoup de gens ne célèbrent plus la révolution de Juillet qu'avec l'extrême désir de la recommencer ou d'en faire une autre ». Ainsi le *Requiem* aux Invalides est-il passé à la trappe avec quelques autres manifestations de moindre importance.

Dans une longue lettre au Dr Berlioz en date du 29 juillet, Hector fulmine. L'exécution du *Requiem* aurait dû avoir lieu la veille. « Malgré cela, la cérémonie des Invalides *ayant été supprimée cette année par raison politique*, on s'est dispensé d'exécuter mon ouvrage, bien que toutes les églises de Paris tendues de noir aient célébré des messes de morts pour les victimes de Juillet. Mais les raisons véritables ne sont autres qu'une sale lésinerie et l'impudeur avec laquelle on se joue aujourd'hui des engagements contractés. On économisera de la sorte une quinzaine de mille francs, et Dieu sait où ils passeront. M. de Montalivet m'a fait demander comment il pourrait me dédommager de ce contretemps dont *la raison politique est seule cause*, proteste-t-il ; j'ai répondu que dans une affaire de cette nature il n'y avait pas de dédommagement possible autre que l'exécution de mon ouvrage. »

Et l'histoire du *Requiem* continue. Pendant les semaines qui vont suivre, Berlioz arpente les couloirs des ministères, frappe à dix portes, dérange la terre entière – c'est-à-dire la demi-douzaine de personnes qui pourraient l'aider – afin d'obtenir d'être payé. Non pas un *dédommagement.* Il n'en a cure : il veut être joué. Mais avant cela, il veut qu'on lui règle les sommes qu'il a engagées. Et voilà qu'éclate un autre coup de tonnerre, ou plus précisément un roulement de tambour aux Invalides. Qui donc a dit que, des *Requiem*, il y aurait toujours des clients pour en avoir besoin ? Voilà que la conquête de l'Algérie, que Louis-Philippe poursuit par diversion pour faire oublier les problèmes intérieurs, connaît un jour de gloire en même temps qu'un grand mort. Constantine est prise le 16 octobre, mais le général Damrémont y a trouvé la mort trois jours avant. La mort d'un général, quelle meilleure occasion pour donner un *Requiem*, non ? L'artillerie Berlioz est à nouveau mise en place.

D'abord, Cavé s'étant encore dérobé, il adresse une lettre au directeur des Monuments publics, Jean Vatout, jugé lui aussi responsable de ce qui s'est passé les mois précédents. Le ton de la lettre est sans équivoque, cela s'appelle du chantage : « C'est avec toute l'insistance possible que je vous prie de terminer promptement cette affaire ; les poursuites dont me menacent les chanteurs et copistes que j'ai employés par ordre supérieur ne me permettent pas de rester plus longtemps dans une position aussi désagréable et aussi *imprévue*. Je me verrais donc obligé d'employer toutes ressources que la presse met à ma disposition pour expliquer ma conduite qui, j'en suis sûr, est au-dessus de tout reproche. »

Nouvel aller-retour dans le bureau du méchant M. Cavé. Damrémont est mort, vive Damrémont ! Puis lettre à Alexandre Dumas le 30 octobre : qu'il l'aide à faire intervenir le duc d'Orléans pour que la mort de Danrémont soit dûment célébrée. D'où deux lettres encore, au ministre de la Guerre, ce même 30 octobre : « Monsieur le comte de Montalivet veut bien s'intéresser à l'exécution de mon ouvrage. Une circonstance se prépare à l'occasion de la mort du général Damrémont où il pourrait se placer tout naturellement. Veuillez, monsieur le baron, le choisir pour cette solennité, et, dans le cas où ma demande serait accueillie, me faire prévenir assez tôt pour que je puisse me mettre en mesure. C'est un ouvrage nouveau, conçu sur un plan très vaste ; il exige en conséquence plusieurs répétitions. Les frais de copie et de composition ont été faits déjà par le ministre de l'Intérieur. »

Le dernier paragraphe ne correspond pas vraiment à la réalité : ce sera l'occasion, après coup, de nouvelles discussions. Mais Berlioz va de l'avant. Il écrit à nouveau (toujours le 30 octobre) à M. Vatout : « Comme c'est vous, monsieur, qui devez organiser la cérémonie, je voulais vous prier de me faire savoir le plus tôt possible quand je dois commencer à me mettre en mesure et faire les répétitions. En outre, j'avais besoin de vous expliquer quelles sont les dispositions du local nécessitées par la forme et le plan de ma composition... Il faudrait *un amphithéâtre* ou échafaudage en gradins, etc. »

Il prévoit tout, Berlioz. Il met en scène son *Requiem* avant que le principe en ait été vraiment décidé, il décrit voluptueusement la disposition de ses musiciens à l'intérieur de la nef des Invalides. Et c'est le 15 novembre que le ministre de la Guerre lui annonce officiellement, par la voix de la direction des Affaires d'Afrique, que « sur la proposition de M. le Ministre de l'Intérieur, j'ai consenti à ce que la Messe de Requiem, qui vous avait été commandée par le Gouvernement pour l'anniversaire des fêtes de Juillet, soit exécutée aux Invalides à la cérémonie funèbre célébrée en l'honneur de M. le Général Damrémont ». Suivent de nouvelles précisions financières qui seront l'occasion d'autres discussions encore. Puis la précision importante : « Je viens d'inviter MM. F. Halévy et Habeneck à vouloir bien vous assister de leur concours pour l'exécution de votre messe. Les indemnités auxquelles ils auront droit seront imputées sur les dix mille francs mis à votre disposition. »

Le 5 décembre 1837, dans l'église des Invalides, devant les princes, les ministres, les pairs, les députés, toute la presse française, les correspondants des presses étrangères et une foule immense. Mais Berlioz se méfie de quelque chose : il se place derrière Habeneck. Quelque chose peut arriver et, en effet, l'incroyable se produit. « Il y a peut-être mille mesures dans mon *Requiem*. Précisément sur celle où les instruments de cuivre lancent leur terrible fanfare, sur la mesure *unique* enfin dans laquelle l'action du chef d'orchestre est absolument indispensable, Habeneck *baisse son bâton, tire tranquillement sa tabatière et se met à prendre une prise de tabac.* J'avais toujours l'œil de son côté ; à l'instant je pivote rapidement sur un talon, et m'élançant devant lui, j'étends mon bras et je marque les quatre grands temps du nouveau mouvement. Les orchestres me suivent, tout part en ordre, je conduis le morceau jusqu'à la fin, et Habeneck vit le *Tuba mirum* sauvé : “Quelle sueur froide j'ai eue, me dit-il, sans vous nous étions perdus ! – Oui, je le sais bien”, répondis-je en le regardant fixement. Je n'ajoutai pas un mot... L'a-t-il fait exprès ?... Serait-il possible que cet homme, d'accord avec M. XX..., qui me détestait, et les amis de Cherubini ait osé méditer et tenter de commettre une aussi basse scélératesse ?... Je n'y veux plus songer... Mais je n'en doute pas. Dieu me pardonne, si je lui fais injure. »

Vrai ou faux, le « coup de la tabatière » ? Berlioz en jure ses grands dieux. Mais beaucoup de commentateurs qui savent qui était Habeneck se refusent à y croire. Ni par vilenie, ni par distraction, un maestro tel que celui qui a introduit Beethoven en France n'aurait pu se laisser aller à un geste pareil. On peut donc imaginer que Berlioz a rêvé de bondir de la sorte au milieu de ses musiciens, les cheveux en bataille et le regard en feu. Ainsi, non seulement l'a-t-il composé, le *Requiem*, mais encore il l'aurait sauvé ! Parue bien après coup dans la presse, l'anecdote n'a jamais été prouvée. Quant au *Requiem* lui-même, Berlioz conclut le reste de la journée du 5 décembre par une phrase : « Le succès du *Requiem* fut complet, en dépit de toutes les conspirations, lâches ou atroces, officieuses et officielles, qui avaient voulu s'y opposer. »

Le succès est, en effet total. Mais devant un « non-public » : des officiels venus pour célébrer une victoire et pour rendre hommage à un mort. Berlioz croit qu'il triomphe mais, sans qu'il s'en doute le moins du monde, sa flamboyante étiquette de musicien du gouvernement, de protégé des ministres et des Bertin, va désormais lui coller à la peau. Qu'importe : c'est un concert de louange qui suit le concert des Invalides.

Dans les semaines qui vont suivre, il lui faut encore se battre. Pour qu'on lui paie ce qu'on lui a promis cette fois. Le ministre de la Guerre et celui de l'Intérieur se renvoient la balle. Dans ses lettres, ses rencontres avec ses amis, Berlioz y reviendra jusqu'à épuisement du sujet, c'est-à-dire jusqu'au règlement de tout ce qui lui est dû. A lui. A ses copistes. Aux musiciens. Ce n'est pas, nous dit-il, qu'il attache du prix au « vil métal », mais le métal en question lui est dû, il le réclame, qui irait le lui reprocher ? Il a les honneurs, la gloire, son *Benvenuto Cellini* est en bonne position à l'Opéra, quoi de plus naturel qu'il veuille se faire payer ! Et il y réussit enfin.

Berlioz est heureux. Dans une lettre du 17 décembre, il fait à Ferrand le récit de son succès : « Les journaux en masse ont été excellents, à part *Le Constitutionnel, Le National* et *La France*, où j'ai des ennemis intimes. Vous me manquiez, mon cher Ferrand, vous auriez été bien content, je crois ; c'est tout à fait ce que vous rêviez en musique sacrée. C'est un succès qui me popularise, c'était le grand point ; l'impression a été foudroyante sur les êtres de sentiments et d'habitudes les plus opposées ; le curé des Invalides a pleuré à l'autel un quart d'heure après la cérémonie, il m'embrassait à la sacristie en fondant en larmes ; au moment du *Jugement dernier*, l'épouvante produite par les cinq orchestres et les huit paires de timbales accompagnant le *Tuba mirum* ne peut se peindre ; une des choristes a pris une attaque de nerfs. Vraiment, c'était d'une horrible grandeur. Vous avez lu la lettre du ministre de la Guerre ; j'en ai reçu je ne sais combien d'autres dans le genre de celles que vous m'écrivez quelquefois, moins l'amitié et la poésie. Une entre autres de Rubini, une du marquis de Custine, une de Legouvé, une de Mme Victor Hugo et une de d'Ortigue (celle-là est folle) ; puis tant et tant d'autres de divers artistes, peintres, musiciens, sculpteurs, architectes, prosateurs. [...] Le duc d'Orléans, à ce que disent ses aides de camp, a été aussi très vivement ému. On parle, au ministère de l'Intérieur, d'acheter mon ouvrage, qui deviendrait ainsi propriété nationale. M. de Montalivet n'a pas voulu me donner les quatre mille francs tout secs ; il y ajoute, m'a-t-on dit aujourd'hui dans ses bureaux, une assez bonne somme ; à présent, combien m'achètera-t-il la propriété de la partition ? Nous verrons bien.

» Le tour de l'Opéra arrivera [*Cellini*, enfin !] peut-être bientôt ; ce succès a joliment arrangé mes affaires ; tout le peuple de chanteurs et choristes est pour moi plus encore que l'orchestre. Habeneck lui-même est tout à fait revenu. Dès que la partition sera gravée, vous l'aurez. Je crois que je pourrai faire entendre une seconde fois la plupart des morceaux qu'elle contient au concert spirituel de l'Opéra. Il faudra quatre cents personnes, et cela coûtera dix mille francs, mais la recette est sûre. »

9

Benvenuto Cellini, ou un succès sans public

« Le tour de l'Opéra arrivera peut-être bientôt... » Après le *Requiem* aux Invalides, c'est *Benvenuto* à l'Opéra que Berlioz attend à présent. Après les officiels en habits chamarrés, uniformes et décorations de la messe pour Damrémont, il veut, il veut désespérément le public, le vrai, la vraie foule des amateurs de vraie musique : à l'Opéra.

D'abord, encore une mort dans la vie de Berlioz. Celle de sa mère. Joséphine Marmion, épouse Berlioz, meurt à La Côte-Saint-André le 18 février 1838. Un mois exactement avant, le 18 janvier, Hector lui avait envoyé la dernière lettre qui nous soit restée de lui à sa mère.

Toutes les lettres qu'il a adressées à sa famille après la mort de Mme Berlioz ne nous sont pas parvenues. Dans celles dont nous disposons, il fait preuve d'une tristesse des plus convenues. A son beau-frère, il explique qu'il aurait « bien voulu, dans ces tristes circonstances, aller remplir de [son] mieux la tâche » dont les autres se sont chargés : il lui était impossible de se rendre à La Côte pour les funérailles. Il explique aussi que, si sa mère a quelque peu avantagé leur sœur Adèle dans sa succession, celle-ci le mérite bien. La lettre qu'il envoie à son père le 19 mars revient sur ce sujet : il ne veut pas parler « de ces questions d'intérêt que vous me proposez avec un si triste sang-froid ». C'est seulement à Adèle que, deux mois après le décès de leur mère, il évoque une miniature « de notre pauvre mère » qu'on aurait dû lui faire parvenir et qui n'est pas arrivée.

Est-ce le travail sur *Benvenuto Cellini* qui aurait empêché Hector d'assister à l'enterrement de sa mère ? C'est possible. En deux ans, *Benvenuto* est devenu le but ultime vers lequel tendaient tous ses efforts. Et fin mars, l'opéra est enfin terminé. Il entre à peu près immédiatement en répétition. C'est encore une fois Habeneck qui doit diriger. Tout de suite, Berlioz se méfie. Prompt à deviner les pires intentions chez tous ceux qui ne sont pas ses amis, il écrit à Adèle dès le 10 mai : « Pour en revenir à mes répétitions, je marche à l'Opéra comme dans un nid de vipères, grâce aux deux ou trois ennemis intimes que j'ai dans la maison. On tâche de me préparer de longue main de petites cabales, dont je tiens les fils heureusement. Bien que plusieurs circonstances puissent me faire espérer un succès et que tous mes amis croient fermement que nous l'aurons, je crois que la première soirée sera orageuse, j'ai l'honneur d'avoir contre moi *tous* les compositeurs qui ont passé la quarantaine, les jeunes seuls me soutiendront, encore pas tous. Mais la grande affaire c'est le public, indifférent, impartial ; et c'est à l'obtenir que je vise. Si j'ai un succès, ce sera un succès scandaleux et violent, à cause du sujet même de ma pièce et des intentions satiriques qu'elle contient. »

Plus tard, il fera porter la méfiance initiale de ses interprètes sur le livret de ses amis. Mais Barbier et Wailly – il oublie Vigny en route – ne sont pas seuls responsables de l'atmosphère pesante qui entoure la répétition. Il y a aussi Habeneck, en qui il n'a toujours qu'une confiance limitée. De même de certains des musiciens de l'orchestre. Il n'a pas tort. C'est qu'il a souvent traité avec mépris les ouvrages présentés sur la première scène nationale. A présent, pendant les répétitions, il doit être à proprement parler insupportable. Sa double position de critique et de compositeur rend, en outre, sa situation ambiguë. Enfin, on n'a pas oublié le désastre de cette *Esmeralda*, imposée par les puissants et à laquelle il a participé. Pour ne pas parler du costume « officiel » dans lequel le *Requiem* aux Invalides l'enveloppe maintenant.

Pourtant, à la fin du mois de mai, la tension qui régnait autour de *Benvenuto* semble peu à peu se relâcher : « Tout commence à marcher, mon opéra sera *su* par les acteurs et les chœurs dans un mois, écrit-il à Adèle, le 20 mai. Déjà les exécutants commencent à s'échauffer, on applaudit aux répétitions ; enfin je suis content, tout en observant de l'œil les bêtes venimeuses qui m'entourent. Duponchel fait de son mieux, les acteurs sont bien disposés ; quand Duprez sera revenu de son congé, c'est-à-dire au mois de juillet, nous commencerons les répétitions d'orchestre. Ce sera prêt pour le commencement du mois d'août. »

Mais le congé du ténor Duprez, l'interprète du rôle de Benvenuto, dure plus longtemps que prévu : le 28 juin (autre lettre à Adèle), il n'est toujours pas de retour. Enfin il revient et les répétitions peuvent reprendre : deux par jour. Duprez est « superbe ». Seul problème : des démêlés avec la censure qui refuse de faire voir un pape sur une scène de théâtre. Clément VII est remplacé par un cardinal : tout va bien. La première représentation est d'abord prévue pour le 21 ou le 25 août. Avec encore quelques mouvements d'humeur et autres « polissonneries » de la part de ses interprètes, mais Berlioz constate que beaucoup d'entre eux se rallient à lui et à son œuvre. « Malgré la réserve prudente que l'orchestre gardait à mon égard pour ne point contraster avec la sourde opposition que me faisait son chef, néanmoins les musiciens à l'issue des dernières répétitions ne se gênèrent pas pour louer plusieurs morceaux, et quelques-uns déclarèrent ma partition l'une des plus originales qu'ils eussent entendues. Cela revint aux oreilles de Duponchel, et je l'entendis dire un soir : "A-t-on jamais vu un pareil revirement d'opinion ? Voilà qu'on trouve la musique de Berlioz charmante et que nos imbéciles de musiciens la portent aux nues !" Plusieurs d'entre eux néanmoins étaient fort loin de se montrer mes partisans. Ainsi on en surprit deux un soir qui, dans le final du second acte, au lieu de jouer leur partie, jouaient l'air : *J'ai du bon tabac*. Ils espéraient par là faire la cour à leur chef. Je trouvais sur le théâtre le pendant à ces polissonneries. Dans ce même final [...] les danseurs s'amusaient à pincer les danseuses, joignant leurs cris à ceux qu'ils leur arrachaient ainsi et aux voix des choristes dont ils troublaient l'exécution. Et quand dans mon indignation, pour mettre fin à un si insolent désordre, j'appelais le directeur, Duponchel était toujours introuvable ; il ne daignait point assister aux répétitions. »

Dans la deuxième quinzaine du mois d'août, l'atmosphère du tout-Paris musical est littéralement survoltée. On attend avec une véritable curiosité ce *Benvenuto Cellini* dont tous les amis de l'auteur parlent avec peut-être un peu trop de complaisance. D'autres attendent simplement Berlioz au tournant. Ah ! s'il pouvait tomber d'aussi haut qu'il s'imagine être monté ! Et, peut-être, entraîner quelques-uns de ses plus fidèles partisans dans sa chute.

Les attaques commencent. Un certain Mainzer, prêtre défroqué qui fut un temps ami de Berlioz, fait paraître quelques jours avant la date fixée pour la première représentation une brochure intitulée *De M. Berlioz, de ses compositions et de ses critiques musicales*. C'est un tissu d'infamies dont on ne retiendra qu'un passage, celui où l'auteur explique en substance que ce dernier a multiplié les extravagances et exagéré son « martyre du besoin de novation » pour en arriver à « exploiter ses positions pour faire de l'art une industrie ». Ce que Mainzer reproche à Berlioz, c'est d'être Berlioz – et de s'en servir. Il cite à ce propos une phrase de Schiller : « Pour certains artistes, l'art est une divinité céleste ; pour les autres, c'est une vache à lait qui les approvisionne de beurre. » Si beurre il y a eu, grâce à l'art, ce n'est sûrement pas dans la triste cuisine du couple Berlioz qu'on a pu le trouver...

Dans cette atmosphère tendue, la répétition générale a lieu le 1er septembre. Le public d'amis et de critiques, d'ennemis aussi et de gens du métier, fait son métier : ce sont les bruits de couloir. Pour les uns, *Benvenuto* est tout bonnement un chef-d'œuvre. D'autres prennent les mines réservées qu'on a dans ces moments-là. Ce n'est pourtant pas l'enthousiasme escompté par Berlioz, celui-ci le comprend vite. Du coup, notre auteur décide d'écrire à ceux qui vont être ses interprètes une lettre de remerciement mais aussi une lettre d'encouragement : les encourager à se surpasser.

La date de la première est maintenant fixée au 3 septembre. La salle est pleine, bourdonnante de rumeurs mais le rideau ne se lève pas. On apprend que Duprez est enrhumé et qu'aucune doublure n'a été prévue ! On remet donc au 10. La presse commence à ironiser. Un article plutôt drôle de Frédéric Soulié : le prolifique auteur de romans à la mode raille l'agitation qui entoure la soirée ratée. Berlioz a lui-même attrapé le rhume de l'interprète de son Cellini. Il est rentré chez lui à l'improviste plus tôt que prévu, a trouvé sa maison sens dessus dessous. D'autres spectateurs ont découvert pire, s'amuse Soulié : des époux ou épouses en galante compagnie ont ainsi été surpris par un conjoint qui n'aurait pas dû rentrer avant minuit. « Je vous dis qu'il y a deux mille anecdotes, dix mille romans dans cette simple remise de l'opéra de Berlioz... Cette *non-représentation* a donné lieu à des procès, à des suicides et à des assassinats. »

C'est drôle, oui. Mais, chez Berlioz, l'inquiétude monte. Il se souvient de la cabale qui a accueilli *Esmeralda* : et si une partie du public se retournait à nouveau contre le protégé du père de Louise Bertin ? Les amis se mettent alors au travail. Ils publient ce qu'on appelle aujourd'hui des pré-papiers. Théophile Gautier qui a assisté, avec Vigny et d'autres, à des répétitions, fait l'éloge d'une « orchestration nourrie, touffue, dense, d'une complication extrême, mais pleine d'originalité et d'audace ». Peut-être ces efforts sont-ils mal calculés. D'aucuns jugent, une fois de plus, que les amis de Berlioz en font trop.

La soirée du 10 septembre est un moment des plus difficiles dans la vie du compositeur. Celui-ci ne le reconnaît qu'à moitié dans les *Mémoires*. Il y consacre moins de trente lignes : « Bref, l'opéra fut joué. On fit à l'ouverture un succès exagéré, et l'on siffla tout le reste avec un ensemble et une énergie admirables. Il fut néanmoins joué trois fois, après quoi, Duprez ayant cru devoir abandonner le rôle de Benvenuto, l'ouvrage disparut de l'affiche et n'y reparut que longtemps après. »

Berlioz ne dit même pas que Mme Gras-Dorus ne chante que les trois premières représentations, se retirant ensuite sous prétexte que son contrat s'arrêtait là. Le départ de Duprez sera plus remarqué et l'on reprochera au célèbre ténor d'avoir quitté en route un navire en train de sombrer. Lui-même tentera sans conviction de s'en expliquer dans ses *Souvenirs d'un chanteur*. « On sait que le talent de Berlioz, d'ailleurs excellent musicien, n'était pas précisément mélodique. J'avais chanté de lui, au service funèbre célébré aux Invalides en l'honneur du maréchal Damrémont, une messe qui faisait dire à mon ami Monpou que, "si Berlioz allait en enfer, son supplice serait d'avoir à mettre en musique une pastorale de Florian". *Benvenuto* était écrit sous la même inspiration étrange pour mes oreilles italianisées. »

En fait, la première est bel et bien un four. On applaudit l'ouverture, oui. Mais, aussitôt après, les dialogues font rire. Le style en est trop familier. On prononce le mot de trivialité. Il y a du drame et de la comédie, dans ce *Benvenuto*, et le public de l'Opéra n'est pas habitué au mélange des genres. Et puis, regrettent certains, avouez que la musique de Berlioz n'est pas accessible à tout le monde. L'orchestration est touffue ? a remarqué Gautier. Elle l'est beaucoup trop. Elle est trop lourde. Les airs des deux chanteuses principales, Mme Gras-Dorus et Mme Stoltz, sont applaudis, mais le reste va à la dérive. Les rires enflent dans la salle. Bientôt les sifflets : cela, Berlioz l'a reconnu. Puis ce sont les cris d'oiseaux, les messieurs en habit qui s'amusent à faire rire leurs compagnes empanachées. « Bref, dira Berlioz, l'opéra fut joué ; bref, c'est le désastre. »

Il est vrai, l'intrigue, qu'ils se sont mis à deux, à trois pour mitonner à Berlioz, est un peu boiteuse. Mais n'est-ce pas le cas de la majorité des livrets d'opéra ? On la décrira en quelques lignes. Le célèbre sculpteur et orfèvre Cellini (dont la légende veut que, dans une autre vie, il ait été aussi un peu assassin) est amoureux de la belle Teresa, fille de Balducci, le trésorier du pape, qui veut la donner au ridicule Fieramosca. Scène d'amour entre les deux amants épiée par Fieramosca, orfèvre médiocre et donc deux fois jaloux de Cellini. Celui-ci complote avec sa bien-aimée de ridiculiser Balducci pendant la fête du mardi gras le lendemain, sur la place Colonna, et de profiter du désordre pour enlever la belle. Quiproquos entre Balducci, revenu à l'improviste, et Teresa qui a découvert Fieramosca caché et le fait rosser par son père – alors précisément que le jaloux est le fiancé que celui-ci lui a choisi. La scène est peu crédible.

Mardi gras, piazza Colonna. Carnaval romain, donc. Cellini et son élève Ascanio (le rôle est tenu par une femme) boivent et chantent avec les autres orfèvres. On raille Balducci comme prévu mais Fieramosca, qui a surpris le stratagème prévu par les amoureux, veut enlever Teresa. Confusion. Duel : Cellini tue un complice de Fieramosca. La fin du carnaval amène l'extinction de toutes les lumières de Rome : Cellini qui va être mis à mal par la foule en profite pour s'échapper.

Troisième acte. Benvenuto Cellini doit fondre la fameuse statue de Persée qu'il a promise au pape, sinon il lui faudra payer pour la mort de sa victime. Suspense : la fonte est difficile et semble ne pas réussir. Faute d'autre métal, les ouvriers de Cellini jettent dans la fonte en fusion tous les anciens chefs-d'œuvre du maître. Teresa, Balducci, le pape – pardon : le cardinal ! – sont présents. Le bronze est coulé. Le suspens devient insoutenable. Enfin, du moule brisé à coups de pique par le sculpteur surgit, encore incandescente, la statue de Persée. Triomphe de l'art sur la vilenie, la jalousie, la méchanceté et les calomnies. Triomphe de l'amour. Triomphe de Benvenuto et pardon final.

Ç'aurait dû être une apothéose ; on l'a dit, c'est un four. Même certains des premiers laudateurs de Berlioz ont longtemps été très sévères pour l'organisation des scènes. Selon eux, beaucoup d'effets ont été gâchés par des maladresses de construction. La critique moderne a depuis longtemps fait l'impasse sur ces détails, pour ne plus reconnaître que la hardiesse du propos orchestral, l'hymne à la liberté de création, la folie romaine qui enveloppe tout l'opéra. A Paris en 1838, la presse, elle, est plutôt favorable. Elle s'indigne surtout... de l'accueil du public. « Que faire devant un parterre qui rit au nez de votre poème ? » s'exclame Janin qui, pour l'occasion, a repris son feuilleton lyrique des *Débats*. Pour *L'Artiste*, l'opéra de Berlioz est, tout bonnement, « un chef-d'œuvre ». *Le Constitutionnel*, *La France musicale* font également des comptes rendus circonstanciés, mais favorables. En fait, toute la presse accuse le public, et seulement le public, d'avoir fait chuter l'œuvre : « M. Berlioz [...] ne va pas au-devant du public ; il veut que le public aille à lui », peut-on lire dans *Le Constitutionnel*. Et dans *La Revue du dix-neuvième siècle*, un article mystérieusement signé le « Vicomte de C... » est d'une telle violence contre les détracteurs de Berlioz que de tout aussi mystérieux adversaires manquent se battre en duel à cette occasion. A-t-on deviné qui est le comte en question ?

Il faudra un Henri Blaze, fils du vieux Castil-Blaze, pour dauber à longueur de page dans *La Revue des Deux Mondes* « l'Ecole fantastique de M. Berlioz ». Mais ce dernier a compris. Fiévreusement, entre les représentations, il tente de couper et de recoller. Après tout, c'est une technique qui lui a servi toute sa vie et dont il se servira encore : prendre des morceaux ici, d'autres là, pour pondre un nouveau texte de circonstance ou créer une œuvre nouvelle.

Peine perdue. Après les représentations des 12 et 14 septembre, on annule les suivantes. Le 21 novembre, on annonce une quatrième représentation, qui est remplacée au dernier moment par *Le Siège de Corinthe* : Rossini à la place de Berlioz ! C'est un crime contre l'esprit pour tous les amis du compositeur. C'est seulement le 11 janvier 1839 qu'on reprendra *Benvenuto* avec, cette fois, le ténor Alexis Dupont. Berlioz ne sera pas satisfait de la direction de l'ouverture. Et c'est fini. Le 20 février on ne donnera que le premier acte de l'opéra. Suivi d'un ballet, *La Gipsy*, avec Fanny Essler, immense et très populaire danseuse. On reprendra ce premier acte, toujours seul mais avec un autre ballet, en mars. Pourtant, en dépit du désastre public, l'échec de *Benvenuto Cellini* est loin d'être total. Pour reprendre l'expression de Stendhal, les *happy few* savent. Pour les autres, Berlioz a composé un opéra qui ne peut s'intituler que *Malvenuto Cellini* !

L'année 1838 a été occupée par *Benvenuto Cellini*. Et pourtant, tout en achevant son opéra puis en surveillant les répétitions, Berlioz n'a cessé de se lancer dans d'autres entreprises. Toutes, ou presque, visent à se donner une place, un rôle dans les institutions musicales de la France. C'est l'un des paradoxes les plus surprenants de sa personnalité. Cet homme solitaire, en grande partie autodidacte, qui a dénoncé à vingt-cinq ans l'Institut, son concours, ses pompes et ses ors, qui n'a cessé de pester contre l'ordre musical établi de son temps, a une obsession : s'y associer lui-même. Faire partie de cet *establishment* contre lequel il a entrepris de si belles guerres. L'argent ? Certes. Avoir des revenus assurés annuellement ne lui serait pas indifférent. On a vu que ce sont des calculs financiers qui lui ont fait désirer si ardemment la direction du Gymnase lyrique : douze mille francs par an, au bas mot ! Mais pas seulement. Il a une vraie revanche à prendre sur tous ceux qui ont entravé sa vocation – sa famille, ces messieurs de l'Institut, Cherubini –, leur montrer qu'il peut être l'égal des plus grands en matière d'emploi, d'honneurs et de décorations. Alors il se laisse entraîner dans les projets les plus fous.

On a dit Cherubini ? Dès le début de janvier 1838, celui-ci a pourtant tenté un geste en faveur de son ancien étudiant récalcitrant, en essayant, sans succès, de lui faire obtenir le très modeste poste de sous-bibliothécaire au Conservatoire. Cherubini le souhaitait-il vraiment ? La nomination effective n'interviendra qu'en décembre. Il y a quelque chose d'ironique à voir un Berlioz revenir en sous-maître dans cette bibliothèque dont, au beau temps de l'*Alceste* de Gluck qu'il y copiait fiévreusement, c'était *précisément* Cherubini qui voulait l'en chasser.

Plus important pour Berlioz sera un autre projet, tout à fait paradoxal celui-là. Dans la nuit du 14 au 15 janvier, le Théâtre-Italien a brûlé. Son directeur est mort dans l'incendie. Le ministère imagine un moment profiter de la situation qui s'est ainsi créée pour fusionner l'Opéra et le Théâtre-Italien. L'économie de moyens serait certaine. Alors Berlioz s'emballe. Dans une longue correspondance adressée au ministre Montalivet, il lui fait parvenir un « Mémoire contre la réunion des deux directions de l'Académie royale de musique et du Théâtre-Italien ». L'argumentation développée repose sur la spécificité des genres qu'il serait absurde de vouloir mêler, comme sur l'émulation qui naît de la concurrence. Surtout, si Berlioz défend avec un bel acharnement l'autonomie du Théâtre-Italien et son installation salle Ventadour, c'est qu'il souhaite s'en voir confier la direction. Ce document n'est que le premier d'une longue liste de projets par lesquels, toute sa vie, Berlioz va désormais vouloir réformer l'administration qui gère en France l'organisation de la musique.

On a dit paradoxe. Paradoxe il y a, en effet, à découvrir un Hector

Berlioz, éternel pourfendeur des Rossini, Bellini et Donizetti, souhaiter se voir brusquement investi d'une mission : diriger l'opéra italien en France. Et le sauver par la même occasion d'un possible désastre. Lorsqu'on se souvient de la « Lettre d'un enthousiaste » qui expliquait au bon public français la totale nullité de la musique italienne, on croit rêver. Mais Berlioz lui aussi rêve. D'ailleurs, *Benvenuto* sur lequel il travaille en ce moment (nous sommes en janvier, février 1838...) n'est-il pas précisément un « opéra italien » ? Bien différent de Rossini et de Bellini, soit. Mais italien tout de même !

La proposition de Berlioz sera prise très au sérieux. En avril, il ira plus loin et présentera le projet d'une « Société générale, Berlioz, Ruolz et Cie », pour l'exploitation du Théâtre-Italien. L'affaire devient officielle. Le 8 mai, Montalivet convoque au ministère Berlioz et ses associés. Il se fait expliquer le projet de la salle Ventadour. Mais un rival se présente déjà, avec un projet concurrent, et soutenu par un Grenoblois ami de Félix Marmion, le député Félix Réal, « qui n'y va pas de main-morte quand il s'agit de chauffer ses intérêts » et de faire nommer son propre cousin, Robert Réal. Une fois de plus, un ministre ne pourra faire aboutir un projet auquel il tient. Car Montalivet soutient le projet de Berlioz, mais la commission chargée de l'étudier le refuse. La presse s'en mêle. *Le Constitutionnel* s'oppose à Berlioz, *La France musicale* lui est favorable. Finalement, l'affaire va remonter haut, puisqu'elle sera tranchée par la Chambre des députés. Celle-ci repousse par 196 voix contre 36 ce qui était devenu un projet de loi : jusqu'aux députés qui sont contre Berlioz ! A Adèle, il écrit le 28 juin cette lettre blasée : « Tout cela m'a donné un tel tracas et des ennuis de telle nature que je suis bien déterminé à ne pas poursuivre l'année prochaine ce lièvre-là. Je ne suis pas né pour m'occuper d'affaires d'argent, et la question de la *reconstruction* de la salle qu'on s'obstine à imposer au futur directeur en est une des plus graves et des plus compliquées. Montalivet est très contrarié et beaucoup plus que moi de cet échec de son projet de loi, *échec dont il est seul la cause* ; il manifeste les meilleures intentions de me dédommager ; nous allons voir à quoi cela aboutira. »

Montalivet le programme en effet pour la Légion d'honneur qui lui sera attribuée l'année suivante. Entre-temps, le trop fidèle d'Ortigue aura une fois de plus volé, fort maladroitement, au secours de son ami en publiant un ouvrage de compilation : *De l'école musicale italienne et de l'administration de l'Académie royale de musique à l'occasion de l'opéra de M. H. Berlioz* : échec du projet de la salle

Ventadour et chute de *Benvenuto* y sont mêlés. Ce n'était pas nécessaire. Pour toute consolation « administrative », on a dit que Berlioz obtiendra dans les tout derniers jours de l'année le poste de sous-bibliothécaire au Conservatoire.

Avant cette maigre consolation – il ne sera nommé bibliothécaire titulaire qu'en 1850 – Berlioz aura eu deux autres sujets de satisfaction. Et de satisfaction purement musicale. Le premier sera l'exécution en juin à Lille du « Lacrimosa » de son *Requiem* par Habeneck au même programme qu'une messe de Cherubini. Le succès de ce concert sera immense. « Il y eut des auditeurs impressionnés jusqu'aux larmes », note-t-il. Habeneck lui envoie un billet chaleureux.

L'autre satisfaction de cette fin d'année est plus éclatante encore. C'est un coup de tonnerre dans le ciel de la vie musicale parisienne. Abattu par la chute de *Benvenuto*, Berlioz est à nouveau malade, une inflammation des bronches. « Mais il fallait vivre pourtant, moi et les miens. Résolu à un effort indispensable, je donnai deux concerts dans la salle du Conservatoire... Le second eut lieu le 16 décembre 1838... Au programme, la *Fantastique* et surtout *Harold*. Le concert venait de finir, j'étais exténué, couvert de sueur et tout tremblant, quand, à la porte de l'orchestre, Paganini, suivi de son fils Achille, s'approcha de moi en gesticulant vivement. Par suite de la maladie du larynx dont il est mort, il avait alors déjà entièrement perdu la voix, et son fils seul, lorsqu'il ne se trouvait pas dans un lieu parfaitement silencieux, pouvait entendre ou plutôt deviner ses paroles. Il fit un signe à l'enfant qui, montant sur une chaise, approcha son oreille de la bouche de son père et l'écouta attentivement. Puis Achille redescendant et se tournant vers moi : “Mon père, dit-il, m'ordonne de vous assurer, monsieur, que de sa vie il n'a éprouvé dans un concert une impression pareille ; que votre musique l'a bouleversé et que s'il ne se retenait pas il se mettrait à vos genoux pour vous remercier.” Paganini, me saisissant le bras et râlant avec son reste de voix des *oui ! oui !*, m'entraîna sur le théâtre où se trouvaient encore beaucoup de mes musiciens, se mit à genoux et me baisa la main. »

Là-dessus, toujours épuisé, il se remit au lit plus malade qu'auparavant. « Le surlendemain j'étais seul dans ma chambre, quand j'y vis entrer le petit Achille. “Mon père sera bien fâché, me dit-il, d'apprendre que vous êtes encore malade, et s'il n'était pas lui-même si souffrant, il fût venu vous voir. Voilà une lettre qu'il m'a chargé de vous apporter.” Comme je faisais le geste de la décacheter, l'enfant m'arrêta : "Il n'y a pas de réponse, mon père m'a dit que vous liriez cela quand vous seriez seul." Et il sortit brusquement. Je supposai qu'il s'agissait d'une lettre de félicitations et de compliments, je l'ouvris et je lus : "Beethoven mort, il n'y avait que Berlioz qui pût le faire revivre..." » Vingt mille francs accompagnaient cette déclaration...

L'affaire fait grand bruit. Les amis de Berlioz le félicitent, chacun veut voir la fameuse lettre. « Puis vinrent au-dehors les commentaires, les dénégations, les fureurs de mes ennemis, leurs mensonges, les transports de joie, le triomphe de mes amis, la lettre que m'écrivit Janin, son magnifique et éloquent article dans *Le Journal des débats*, les injures dont m'honorèrent quelques misérables, les insinuations calomnieuses contre Paganini, le déchaînement et le choc de vingt passions bonnes et mauvaises. »

C'est qu'en effet Paganini s'était fait la solide réputation d'avarice qu'on a vue. Et Jules Janin, qui va le porter aux nues pour son geste envers Berlioz, n'avait pas été le dernier à l'accabler d'incivilités, au moment même où le vieux virtuose était l'objet d'une campagne de calomnies et d'accusation de « détournement de mineure ». D'où, chez beaucoup d'ennemis de Paganini – ou de Berlioz –, le sentiment que les vingt mille francs en question, qui venaient à point nommé tant la situation financière du compositeur était alors délicate, correspondaient pour Paganini à la fois à la démonstration de la perfidie des accusations de pingrerie portées contre lui, et à un souci qu'on dirait aujourd'hui d'autopublicité. Mais Berlioz ne s'arrêta pas à ces considérations.

« Enfin, au bout du sixième jour me sentant un peu mieux, je n'y pus tenir, je m'habillai et courus aux Néothermes, rue de la Victoire, où demeurait alors Paganini. On me dit qu'il se promenait seul dans la salle de billard. J'entre, nous nous embrassons sans pouvoir dire un mot. Après quelques minutes, comme je balbutiais je ne sais quelles expressions de reconnaissance, Paganini, dont le silence de la salle où nous étions me permettait d'entendre les paroles, m'arrêta par celles-ci :

– Ne me parlez plus de cela ! Non ! N'ajoutez rien, c'est la plus profonde satisfaction que j'aie éprouvée dans ma vie ; jamais vous ne saurez de quelles émotions votre musique m'a agité ; depuis tant d'années je n'avais rien ressenti de pareil !... Ah ! maintenant, ajouta-t-il, en donnant un violent coup de poing sur le billard, tous les gens qui cabalent contre vous n'oseront plus rien dire. [...]

» Quoi qu'il en soit, le grand artiste se trompait ; son autorité, si immense qu'elle fût, ne pouvait suffire à imposer silence aux sots et aux méchants. Il ne connaissait pas bien la racaille parisienne, et elle n'en aboya que davantage sur ma trace bientôt après. »

Berlioz peut une fois de plus fulminer contre Paris et les Parisiens, grâce à Paganini, il va payer ses dettes. Il va pouvoir aussi, dit-il, se lancer dans la composition d'« une maîtresse œuvre, sur un plan neuf et vaste, une œuvre grandiose, passionnée, pleine aussi de fantaisie, digne enfin d'être dédiée à l'artiste illustre à qui [il doit] tant ». Paganini, lui, « dont la santé empirait à Paris, se vit contraint de repartir pour Marseille, et de là pour Nice, d'où, hélas, il n'est plus revenu ».

C'est vrai que le concert du 18 décembre – après celui du 25 novembre où Berlioz, déjà malade, avait été remplacé par Habeneck – avait eu un succès considérable. C'est vrai qu'*Harold en Italie* avait d'abord été conçu pour Paganini. C'est vrai que le vieil homme avait été vu par tous en train d'embrasser la main de Berlioz – quelle plus grande satisfaction celui-ci aurait-il pu éprouver ? Et pourtant, elle ne remplaça pas les tracasseries d'une administration tatillonne et le public absent d'une œuvre qu'il n'a montée que pour lui, ce public ingrat qui s'obstine à ne pas reconnaître en lui un maître.

10
Misères familiales et succès musical

Depuis sa dernière apparition sur une scène privée, à l'hôtel de Castellane, celle qui n'est plus que Mme Berlioz alors qu'elle se sent encore si fort Harriett Smithson, comédienne irlandaise qui mit Paris à ses genoux dix ans auparavant, est une femme malheureuse. Physiquement, on l'a décrite : le poids qu'elle a pris, les chemises trop amples dans lesquelles elle traîne toute la journée, le désordre sûrement de ses cheveux. On a dit aussi que, de temps en temps et pour se donner du courage, elle buvait un peu.

Qu'on imagine en face d'elle le fringant Hector, qui n'a pas encore quarante ans, qui continue à se plaindre de la terre entière, à dénoncer des cabales sinon des complots tout en commençant à bénéficier largement de la générosité de l'Etat. En 1839, il a enfin la « croix ». A trente-six ans. Que ce soit l'administration ou la personne du ministre de l'Intérieur, Gasparin ou Montalivet ; la grande presse politique avec ce qu'elle représente de puissance occulte ; le cercle des amis et admirateurs, tous aux commandes ici d'un feuilleton, là d'une chronique, les Janin et les d'Ortigue ; jusqu'au duc d'Orléans, fils du roi, héritier de la Couronne : Berlioz n'est entouré que d'hommes qui lui sont étonnamment dévoués. Il se plaint de voir chahuter son *Benvenuto* à l'Opéra, mais on l'y a joué et les *happy few* ont reconnu sa valeur. Paganini lui baise les mains. Toute la journée par monts et par vaux, salles de rédaction ou coulisses de théâtre, antichambres de ministère ou cafés à la mode, il retrouve ses laudateurs et ses complices. Il discute sans fin de théories musicales et littéraires, il met en place des batteries pour l'avenir, allume à l'avance des contre-feux, prévoit tel article que Janin va publier et lui en écrit, d'avance aussi, la substance ; à Liszt en Italie, il adresse des lettres en cinq points dont chacun est une recommandation de l'aider en ceci ou en cela. Victor Hugo lui envoie des lettres admiratives. Balzac parle de son cerveau comme d'« une salle de théâtre ».

En mai 1839, Berlioz raconte d'ailleurs à son père ce qu'est sa vie de critique redouté et fêté : description complaisante de ses mille occupations, des démarches qu'on fait pour le flatter, des supplications qu'il reçoit s'il écrit un article méchant. « Ce sont alors des désespoirs, des larmes, des ambassades pour demander la paix ; des lettres des hommes humbles, courbés jusqu'à terre, ou des invectives *anonymes* ; des visites des femmes avec recommandations de mes meilleurs amis. Puis des vengeances (*anonymes toujours*), dans les petits journaux. Puis des invitations à dîner, des soirées données dans un but de captation. Exemple la nouvelle débutante, Mlle Nathan, pour laquelle M. Crémieux, le célèbre avocat et sa femme, m'ont fait des prévenances et des flagorneries à tomber à la renverse. Je n'ai pas voulu aller à leur dîner : sans se tenir pour battus, ils ont arrangé une soirée immense chez M. de Custine où étaient Lamartine, Balzac, Hugo, T. Gautier, Chateaubriand, Mme de Girardin ; toute la littérature, la peinture, la musique du Paris fashionable avaient été invitées. J'ai accepté cette fois parce que la famille Bertin y allait aussi et que je voyais bien qu'il fallait céder. »

Et c'est ce critique redoutable et fêté, cet homme du monde où l'on s'amuse, où l'on échange cancans inutiles et recettes pour mieux réussir, qui rentre de plus en plus tard dans l'appartement de la rue de Londres où Harriett, déjà déshabillée ou même pas encore habillée, traîne et se lamente. Elle gémit sur son amour, se souvient avec de gros soupirs de celui de son mari et en exige, semble-t-il, des preuves précises. Et étale ses rancœurs, ses regrets, bientôt ses jalousies.

Ernest Legouvé, toujours lui, a fait un tableau très noir de l'évolution de ce mariage qui fut, selon lui, « semblable à la *Symphonie pastorale*, débutant comme la plus pure matinée de printemps, et finissant par le plus effroyable orage. Le désaccord se produisit assez vite, et sous une forme assez singulière. Quand Berlioz épousa miss Smithson, il l'aimait comme un fou ; mais quant à elle, pour me servir d'un mot qui le jetait dans une sorte de fureur, *elle l'aimait bien* ; c'était une tendresse blonde. Peu à peu, cependant, la vie commune l'apprivoisa aux farouches transports de son lion, peu à peu, elle y trouva du charme, et bientôt enfin, ce qu'il avait d'original dans l'esprit, de séduisant dans l'imagination, de communicatif dans le cœur, gagna si bien la froide fiancée, qu'elle devint une épouse ardente, et passa de la tendresse à l'amour, de l'amour à la passion, et de la passion à la jalousie. Malheureusement il en est souvent d'un mari et d'une femme comme des deux plateaux d'une balance ; ils se maintiennent rarement de niveau ; quand l'un monte, l'autre descend. Ainsi en arriva-t-il dans le nouveau ménage. A mesure que le thermomètre Smithson s'élevait, le thermomètre Berlioz baissait. Ses sentiments se changèrent en une bonne amitié, correcte et calme ; mais en même temps éclatèrent chez sa femme des exigences impérieuses, des récriminations violentes et malheureusement trop légitimes. Berlioz, mêlé par l'exécution de ses œuvres et par sa position de critique musical, à tout le monde des théâtres, y trouvait des occasions de faillir qui auraient troublé de plus fortes têtes que la sienne ; en outre, son titre de grand artiste méconnu était un prestige qui changeait facilement ses interprètes en consolatrices. Mme Berlioz cherchait dans les feuilletons de son mari les traces de ses infidélités ; elle les cherchait même ailleurs, et des fragments de lettres interceptées, des tiroirs indiscrètement ouverts, lui faisaient des révélations incomplètes, qui suffisaient pour la mettre hors d'elle-même, mais ne l'éclairaient qu'à demi. Sa jalousie retardait toujours. Le cœur de Berlioz allait si vite qu'elle ne pouvait pas le suivre ; quand, à force de recherches, elle était tombée sur l'objet de la passion de son mari, cette passion avait changé, il en aimait une autre [...], et alors, son innocence actuelle lui étant facile à prouver, la pauvre femme restait confuse comme un limier, qui, après avoir couru une demi-heure sur une piste, arrive au gîte quand l'oiseau est envolé. Il est vrai que quelque autre découverte la faisait bientôt repartir sur une autre trace, et de là, des scènes de ménage effroyables. Miss Smithson était déjà trop âgée pour Berlioz quand il l'avait épousée ; le chagrin précipita pour elle les ravages du temps ; elle vieillit jour à jour au lieu de vieillir année à année ; et malheureusement plus elle vieillissait de visage, plus aussi elle rajeunissait du cœur, plus son amour s'accroissait, s'aigrissait, devenait une torture pour elle et pour lui, si bien qu'une nuit leur jeune enfant, qui couchait dans leur chambre, fut éveillé par de si terribles éclats d'indignation et d'emportement de la part de sa mère, qu'il se jeta à bas de son lit, et courant à elle : “Maman ! maman ! ne fais pas comme Mme Lafarge !” »

Même si l'épisode du petit Louis citant Mme Lafarge (criminelle alors célèbre qui assassina son mari) n'a dû se dérouler que plus tard, il démontre bien l'état d'exaspération auquel vont bientôt parvenir les relations entre les deux époux. En ce début de 1839, on est loin de l'amour fou de ce fou de Berlioz pour la *fair Ophelia* des années Shakespeare.

En outre, un chagrin familial est venu troubler notre homme. On se souvient de son petit frère, ce Prosper né après lui, en 1820, maladif et intenable, fugueur, avec lequel Hector chassait au filet lors de son retour d'Italie. Peu aimé, mal aimé, Prosper Berlioz avait tout de l'enfant retardé dont les parents ne savent que faire. Le grand frère s'inquiétait parfois de lui. Il aurait voulu que celui-ci lui écrive. Il avait voulu au moins de ses nouvelles. Et voilà que ce gosse malheureux, incapable de suivre une scolarité normale, se révèle soudain un véritable génie des mathématiques. Si bien que le Dr Berlioz a la malheureuse idée de l'envoyer à Paris, où son frère aîné pourra, de loin en loin, veiller sur lui. Prosper débarque donc à Paris autour du 20 octobre 1838 et, tout de suite, Hector l'installe dans un pensionnat de la rive gauche, rue Notre-Dame-des-Champs. Les nouvelles que donne Hector de lui à leur père sont d'abord bonnes : « Prosper travaille beaucoup, le directeur de son institution m'a dit plusieurs fois qu'il était très content de lui. Vous savez que nous avons toujours été fort bien ensemble, mon frère et moi, je puis vous assurer que j'ai toute sa confiance et que le meilleur moyen de l'obtenir c'est de montrer qu'on en a en lui. Il se plaint d'être entouré exclusivement de petits garçons ; je ne sais si c'est à dessein que vous l'avez placé dans cette institution. Il aurait besoin de couvertures. Il meurt de froid dans son lit. Il voudrait aussi pouvoir, comme quelques autres, travailler dans une chambre à part. Je le trouve plus avancé que je ne m'y attendais. Sa tête est assez bien meublée. Il me semble que mes sœurs l'ont jugé bien sévèrement. C'est un esprit lent, mais qui se développera tôt ou tard d'une manière fort remarquable. Il est transporté de joie quand je puis le faire sortir et pour moi j'en ai beaucoup aussi à le voir. »

C'est le 26 novembre. Le 5 décembre, Hector réécrit à son père : « Prosper a besoin de couvertures ; vous vous imaginez que le directeur de pension fait ce qu'il devrait faire ; mais ces pauvres enfants n'en sont pas moins à se disputer chaque soir un *matelas* pour *s'en couvrir* à tour de rôle. » On peut se poser la question : au lieu de réclamer au Dr Berlioz une couverture pour son frère, Hector ne pourrait-il la lui acheter ? Le 20 décembre, tout Paris sait que, deux jours plus tôt, Paganini lui a donné vingt mille francs. Il écrit au

Dr Berlioz : « Prosper a été un peu malade, il va beaucoup mieux. » Le 9 janvier 1839, Berlioz écrit à son ami Rocher qu'il le « quitte pour aller voir [son] frère, qui est toujours malade ». Le 11, le jeune garçon sort de sa pension pour assister à la quatrième représentation de *Benvenuto Cellini*. L'œuvre de son aîné provoque chez lui un effet immense. Et voilà que, cinq jours plus tard, Berlioz écrit à Janin : « Je suis bien triste aujourd'hui, je viens de perdre un frère, un pauvre garçon de dix-neuf ans que j'aimais... » Prosper est mort la veille, le 15 janvier, à sa pension. De quoi ? Berlioz éprouve-t-il quelque remords ? On n'en saura rien. Pour Edouard Rocher, deux semaines plus tard, il l'évoque en deux lignes : « La perte que je viens d'éprouver [...] : la perte de mon frère » – pour parler aussitôt après de son inquiétude devant l'état de santé de sa femme, atteinte d'une fluxion de poitrine. Il est vraisemblable que des lettres ont été échangées avec La Côte-Saint-André après ce triste événement, mais aucune ne nous est parvenue. On ne retrouve de trace de Prosper dans la correspondance de son frère qu'en 1841, pour une affaire de succession, les hoiries de sa mère et du pauvre Prosper pour lesquelles le Dr Berlioz lui a versé six mille francs à valoir. Jamais le nom de Prosper n'apparaît dans les *Mémoires*. Nul ne sait où le pauvre enfant a été enterré.

Que penser de la conduite de Berlioz ? Un an auparavant, il a tout juste manifesté un peu plus d'émotion à la mort de sa mère. En sens inverse, on remarquera pourtant qu'en dépit de toutes les avanies dont il a souffert de la part de son père, Hector a toujours gardé une place à part dans son cœur pour le Dr Berlioz. Quelques mois après la mort de Prosper, on le voit même insister pour que Louis Berlioz fasse un voyage à Paris : « Quelles raisons solides pouvez-vous donner, cher père, contre ce voyage à Paris ?... Au commencement de l'hiver votre présence n'est point nécessaire à La Côte, les vacances sont alors terminées et vous êtes libre. » De même, le mariage de sa sœur Adèle, sa seule vraie confidente depuis la « trahison » de Nanci, le touche-t-il infiniment. Il en est d'autant plus ému qu'à la différence de Camille Pal, le notaire qu'elle épouse, Marc Suat, est un brave garçon dont l'un des moindres mérites n'est pas celui d'admirer son déjà illustre beau-frère. Face à la froideur apparente de notre héros à la mort de sa mère, à celle du petit Prosper, ces émotions-là semblent pourtant de peu de poids.

Ainsi commence à se fortifier, jusque dans l'esprit des berlioziens les plus acharnés à la défense de leur idole, l'image d'un Hector

Berlioz égoïste, préoccupé seulement de sa carrière, des amitiés qu'il faut se ménager pour l'assurer et, Dieu merci, de son œuvre. Ses autres faiblesses, on n'en parle guère. Qu'il suffise cependant de se souvenir de Camille et de « toutes les flammes et tous les diables de l'enfer... » qu'elle lui a mis au corps. Au milieu de ses courses effrénées à travers Paris, Berlioz s'arrête-t-il parfois en route pour se laisser brûler à ces flammes-là ? On a dit que la pauvre Harriett commençait à se méfier. Ce n'est qu'au début de 1840 que ses doutes deviendront réalités...

Pour Berlioz, l'année 1839 est d'abord celle de *Roméo et Juliette*, la « maîtresse œuvre » à laquelle il peut enfin travailler grâce à la générosité de Paganini. Rarement une œuvre a été composée par lui avec une telle aisance, une telle allégresse d'esprit. Il semble que l'idée lui en soit venue dans la deuxième quinzaine de janvier lorsqu'il écrit à Liszt : « Je rumine en ce moment une nouvelle symphonie, je voudrais bien aller la finir près de toi, à Sorrente ou à Amalfi (va à Amalfi) mais impossible, je suis sur la brèche il faut y rester. Je n'ai jamais mené une vie aussi agitée... » Les souvenirs d'Italie le hantent. « Ah ! poursuit-il, tu vas à Rome ! Tu vas faire connaissance avec le *sirocco* ! Tu me diras des nouvelles de ce vent d'Afrique qui fait tant souffrir les organisations nerveuses. Je te recommande une chose sans laquelle tu ne connaîtras que fort incomplètement le sens poétique de ce grand nom de la Ville éternelle : prends un fusil (c'est un prétexte) et va chasser pendant deux ou trois jours dans la plaine, du côté du lac de Gabia ; il y a là des ruines, des oasis, des monticules qui te diront bien des choses... » Lui qui maudissait l'Italie, Rome et même son sirocco. La « nouvelle symphonie » ruminée par Berlioz est une œuvre unique, inspirée de *Roméo et Juliette* de Shakespeare mais aussi de l'Harriett Smithson d'autrefois. L'histoire même des amants de Vérone y est racontée, avec de la musique mais aussi avec des mots. C'est tout ce qui a été accumulé de souvenirs en Italie qui lui revient au cœur, et devient musique... Les moments heureux de Subiaco ou la jeune morte de Florence. Rappelons-nous la dernière ligne du chapitre XXXVII des *Mémoires* : « Cruelle mémoire des jours de liberté qui ne sont plus ! Liberté de cœur, d'esprit, d'amie, de tout... Liberté de mépriser l'ambition, de rire de la gloire, de ne plus croire à l'amour... Liberté vraie, absolue, immense ! O grande et forte Italie ! Italie sauvage ! insoucieuse de ta sœur, l'Italie artiste, *La Belle Juliette au cercueil étendue.* » Ces six mots qui viennent conclure abruptement, comme sans raison, un grand élan de nostalgie : Juliette semble soudain partout dans les images que Berlioz se fait d'un bonheur envolé.

Dirons-nous que c'est le voyage de Liszt en Italie qui amènera Berlioz à se souvenir ainsi de toutes ses Italies à lui – et à composer ce qui restera l'une de ses plus belles pages ? Certes non. On constatera seulement quelle place ont tenue dans la carrière de Berlioz compositeur les quinze mois que Berlioz, pensionnaire malgré lui de l'Académie de France à Rome, a passés en Italie. Dès le mois de février 1839, il écrit à son ami Emile Deschamps à qui il demande de lui composer un texte : « En attendant vivent *Roméo et Juliette !!!* Occupons-nous d'eux. » Le sujet est donc choisi. Le résultat, ce sera cette œuvre unique, qui ne ressemble à aucune autre.

Car, en dépit d'un sujet très « opératique », *Roméo et Juliette* de Berlioz n'est en rien un opéra. C'est bel et bien une symphonie, qualifiée par l'auteur de « Symphonie dramatique avec chœur, solos de chant et prologue en récitatif choral », dont on reconnaît cependant à peine l'architecture en quatre parties classiques. Mais pour le reste, rien de classique dans cette œuvre en apparence hybride, où une voix d'alto évoque les évangélistes des Passions de Bach tandis que seul le frère Laurent de la tragédie shakespearienne se voit attribuer nommément un interprète. Naturellement, Berlioz aurait préféré écrire un opéra. Mais il sait à quelles difficultés il se heurterait encore. Alors, comme avec *Harold* et son alto solo qui plane dans les Abruzzes, il invente un genre nouveau. Et sa réussite sera si complète que le regret qu'il avait pu éprouver de ne pas écrire une version scénique du drame qui lui tient tant à cœur est dépassé, transfiguré par une dimension orchestrale qui dit cent fois mieux tout ce que, du côté de *Benvenuto*, exprimaient parfois maladroitement des chanteurs. Avec un si mince livret, Berlioz fait de son *Roméo et Juliette*, un demi-siècle avant Wagner, le pendant latin de *Tristan et Isolde*. Mais ici tout est lumineux, pur, enfantin parfois, impalpable et léger. La « Scène d'amour » devient un des sommets de la musique d'amour de tous les temps, le « Scherzo de la reine Mab » une fête de l'intelligence et des sens, un divertissement à proprement parler arachnéen. Et tout cela au nom d'une symphonie.

Les *Mémoires* relatent brièvement, mais sur un ton extatique, le composition de *Roméo* : « Ah ! cette fois, plus de feuilletons, ou du moins presque plus, j'avais de l'argent, Paganini me l'avait donné pour faire de la musique, et j'en fis. Je travaillai pendant sept mois à ma symphonie, sans m'interrompre plus de trois ou quatre jours sur trente pour quoi que ce fût. De quelle ardente vie je vécus pendant tout ce temps ! Avec quelle vigueur je nageai sur cette grande mer de poésie, caressé par la folle brise de la fantaisie, sous les chauds rayons de ce soleil d'amour qu'alluma Shakespeare, et me croyant la force d'arriver à l'île merveilleuse où s'élève le temple de l'art pur ! »

Sa correspondance traduit le même enthousiasme. A Emile Deschamps, l'auteur du poème, en février : « C'est excellent, charmant et la musique va à merveille là-dessus ! Mon Dieu ! quel bonheur de composer avec vous !... » A Adèle, le 29 juillet : « Je suis dans le grand coup de feu de la terminaison de ma symphonie, dans huit ou dix jours, j'espère, elle sera finie. Cela m'enivre ; ce travail me met dans une exaltation que tu peux comprendre puisque tu me connais. Hier j'étais rayonnant, effervescent de joie. Aujourd'hui je me repose. Je ne dors plus depuis que je vois cette grande machine prendre la tournure et la physionomie que je lui voulais. Enfin j'espère que ça ira bien. »

Au milieu de l'été, *Roméo et Juliette* est achevé. Dans le même enthousiasme, Berlioz écrit à Ferrand, le 22 août : « Je vous tiendrai au courant des répétitions de *Roméo et Juliette.* Je suis occupé à corriger les copies en ce moment, et je vais de ce pas chez un littérateur allemand qui se charge de la traduction de mon livret. Emile Deschamps m'a fait là de bien beaux vers... » A l'avocat Lecourt, le 23 septembre : « Ma symphonie est finie, je passe des journées à collationner le travail des copistes et lithographes. Nous commençons dans peu les répétitions des chœurs. »

A peine l'œuvre terminée, Berlioz n'a plus eu qu'une hâte, la monter. Et tout se déroule, miraculeusement, le mieux du monde. La première de *Roméo* est fixée au 24 novembre. Bien sûr, l'excitation du compositeur ne va pas, quelquefois, sans mauvaise humeur. Mais, on le sait bien, même en pleine euphorie Berlioz reste un râleur. La salle du Conservatoire lui est acquise. Encore veut-il en être sûr. Le 28 septembre, il écrit à Nanci : « [...] je peste contre les lenteurs de la liste civile qui me laisse sans réponse, pour la salle dont j'ai besoin pour mes concerts et que j'ai demandée à M. de Montalivet. Puis ce remue-ménage des journaux, et par-dessus le marché un temps ignoble, une boue infernale, du vent, de la pluie ; je suis d'une humeur furibonde. » Un mois plus tard (lettre à Nanci datée du 21 octobre), c'est toujours la même effervescence. « J'ai depuis deux ou trois jours un peu de répit avec mes feuilletons, il n'y a rien de nouveau dans *mes théâtres* (comme dit Duprez). Je cours pour la grande affaire du *24 novembre*, c'est-à-dire pour la 1re exécution de ma *nouvelle symphonie*. J'ai obtenu à peu près ce que je voulais pour l'arrangement de la salle. J'ai fait répéter plusieurs fois le *Père Laurence* et le rôle de ce bon moine va parfaitement à la voix grave et onctueuse d'Alizard. Il s'agit maintenant d'instruire les *cinquante* Capulets et les *cinquante* Montagues [*sic*], plus les *14 voix* du prologue et *l'orchestre*. Tu vois que j'ai fort à faire. Tout le monde veut en être ; mais la salle du Conservatoire ne s'agrandit pas à volonté et je suis obligé de faire des mécontents. Je vais aller flatter Duponchel tout à l'heure, en lui demandant conseil sur la manière de costumer mes femmes ; je voudrais distinguer les Capulets des Montagues [*sic*] par deux couleurs tranchées, je ne sais comment les *enrubanner* ; elles sont *trente-neuf*, et le moyen de faire consentir tout ça à porter du blanc. Mais l'important est de le faire chanter juste et s'animer un peu. Je ne ferai pas de répétitions générales d'ici à trois semaines, mais ne compte pas trop néanmoins sur ma correspondance. »

Berlioz n'est pas le seul à manifester une excitation extrême à l'approche de la première. Ses amis y participent. D'ailleurs, le compositeur le leur demande. Et tous acceptent. Prie-t-il Janin de l'annoncer dans son feuilleton du lundi suivant ? Janin s'exécute aussitôt et annonce en effet : « N'oubliez pas ce que je vais vous dire. Ne faites pas de ceci une lecture en l'air. Ecoutez donc : le *concert de M. Hector Berlioz aura lieu dimanche prochain, le 24 de ce mois, dans huit jours*. Ceci est important pour vous et pour lui » (*les Débats*). De même, et pour lui faire plaisir, Delphine de Girardin à son tour, dans une chronique dialoguée amusante du *Courrier de Paris*, explique à l'avance qu'il est impossible de se procurer des places pour le 24.

Et cette fois, la date de la première n'est pas repoussée. Le 24 novembre, dans la salle du Conservatoire, c'est l'affluence des grands jours. Non seulement les ducs d'Aumale et de Montpensier sont au rendez-vous mais, surtout, tous les amis de Berlioz sont là. Celui-ci a été généreux dans sa distribution de billets : Habeneck, Balzac, Vigny, Sainte-Beuve, Legouvé, Eugène Sue, Cherubini lui-même et Marie d'Agoult, revenue d'Italie sans Liszt. Mais la mère de Liszt est présente. Berlioz a même mis de côté six billets pour ses domestiques et un billet a été réservé à un certain « R. Wagner ». Les amis sont là, donc. Au complet.

Les ennemis aussi. L'effet immédiat sur l'assistance varie selon les morceaux. On adore la « Fête chez les Capulets », on semble s'ennuyer un peu à la sublime « Scène d'amour », la « Reine Mab » enchante, on aime moins le « Convoi funèbre de Juliette ». Le finale soulève les applaudissements de la salle.

Dans l'ensemble, les réactions de la presse sont plus que favorables : dithyrambiques ! Les fidèles, bien sûr : Janin, qui brode sur « l'idée de cette symphonie qui vint à Berlioz [quand] il était bien jeune et [quand] il était encore plus pauvre. A peine s'il avait de quoi remplacer, quand elle se brisait, l'une des deux cordes de la guitare sur laquelle il a composé tous ses ouvrages... » A sa façon, Jules Janin contribue à figer la légende d'un Berlioz hâve, famélique, une guitare à la main. Toujours sur le qui-vive au nom du principe sacré de *la famille* dont elle est devenue la vestale chez les Berlioz, Nanci va remercier Janin de son article mais protestera énergiquement, dans une lettre qui peut à cet égard constituer un véritable morceau d'anthologie d'orgueil bourgeois froissé, contre l'impression qu'on a, à lire le critique, que son frère serait « parti des classes les plus basses de la société ». Elle n'a notamment pas apprécié la référence à la corde de guitare cassée. Pauvre Nanci devenue l'épouse du juge Pal !

D'Ortigue est aussi enthousiaste : « Que faire dans la symphonie après Haydn, après Mozart, après Beethoven ?... Berlioz a fait autrement... » Pour lui, le drame lyrique et la symphonie se retrouvent dans « une magnifique unité » et contractent ensemble « une union intense ». Les autres critiques partagent le même point de vue. Et d'autres témoignages d'admiration, plus émouvants encore, se succèdent. Rosine Stoltz, qui chante Asconio dans *Benvenuto Cellini*, écrit à Berlioz son émotion. Un amateur anglais inconnu achète pour cent vingt francs la baguette avec laquelle il a dirigé. Le bibliothécaire en chef de l'Académie royale de musique lui écrit : « Oui, si ma voix avait de l'autorité, elle vous eût proclamé le prince des symphonistes et le souverain absolu des hautes régions musicales où vous m'avez transporté. Agréez mon dévotieux hommage. » Signé : Gentil. Custine, l'auteur de *La Russie en 1838*, lui écrit aussi. C'est un délicat, un dandy qui ne mâche pas ses mots. Il se montre d'abord ironique : « Je me serais bien repenti de n'être pas venu écouter tout ce que vous faites dire à votre orchestre ; vous pourriez retourner l'œuvre et faire expliquer les voix par les instruments tant vous les rendez éloquents, et tant les demoiselles de l'Opéra prononcent mal ce qu'elles chantent. » Très vite, c'est une admiration sans réserve qu'il exprime : « J'espère penser toute ma vie à ce chœur de la fée où l'on voit de charmants papillons voler à travers un réseau de fils d'araignée : c'est fin, spirituel, neuf, et la science y est cachée sous l'inspiration et l'on oublie l'inspiration à force d'admirer l'art. Et quel style distingué !... Enfin vous êtes aussi poète que musicien, et vos deux natures s'aident merveilleusement l'une l'autre comme vos deux arts se servent. Vous m'avez charmé, éclairé, instruit... »

Quant à Hector, il n'évoque pour son père aucune des réserves qu'on a pu faire : il s'agit de prouver au Dr Berlioz que son fils est un grand homme... et qu'il gagne enfin de l'argent. « L'affluence a été telle qu'on a refusé au bureau pour plus de quinze cents francs de location. Malgré l'énorme quantité de billets que les exigences incroyables de la presse m'ont arrachée, le résultat de la recette a été de *4 559 francs.* »

La réponse du docteur sera à la mesure des indignations habituelles à La Côte-Saint André : loin de partager l'euphorie de son fils, il partage la fureur de sa fille Nanci... contre l'article de Janin ! En fait, l'article en question va être l'occasion d'une véritable surenchère dans l'indignation épistolaire de tous les Berlioz et Marmion survivants – à l'exception de la douce Adèle. Et l'on découvre brusquement le fossé qui sépare les deux mondes : celui où vit Berlioz, Paris et les amis, la musique et l'argent, certes, mais qu'on se plaint seulement de ne pas voir couler comme une pluie d'or ; et l'univers clos sur lui-même de La Côte-Saint-André, barricadé dans ses préjugés, son sens étroit de la famille, sa méfiance vis-à-vis de ces messieurs de Paris qui ne savent pas qu'un sou est un sou et qu'une maigre pension chichement accordée à un fils ingrat mérite plus de considération que n'en témoignent les propos désinvoltes d'un journaliste en quête d'effets de plume. A cet égard, la lettre du docteur à son fils, cette nouvelle leçon de morale bourgeoise, mérite d'être citée longuement : mieux que la référence à la corde de guitare cassée, elle montre de quel entourage familial et social a dû s'extraire Hector Berlioz pour devenir ce qu'il est. « La famille entière, mon cher Hector, et tous ceux qui lui portent de l'intérêt ont été frappés d'étonnement quoique remplis de satisfaction, en lisant le feuilleton du *Journal des débats*, dans lequel on rend compte du succès extraordinaire de ton concert. Etonnés d'abord, bientôt nous avons été indignés, en voyant la vérité tellement méconnue, et obscurcie par un épisode romanesque qui, dans les circonstances, se trouve être cependant une plate et bête calomnie. L'hyperbole peut bien être permise lorsqu'il s'agit d'un chou aussi grand qu'une église mais lorsqu'on attaque la réputation d'un homme, qui, bien loin d'avoir méconnu les devoirs de la paternité, s'en est montré le martyr, ce n'est plus un jeu de mots, c'est un délit contre la société ; c'est une injure que nous avons tous profondément ressentie. Ta sœur Nanci, instruite avant moi, a pris la plume de suite pour s'adresser à M. Janin. Elle lui a exposé les faits dans toute leur vérité, en demandant que sa lettre soit très prochainement insérée dans *Le Journal des débats...* »

Nanci, dans sa lettre, était allée jusqu'à apprendre au « prince des critiques » le montant de l'héritage que le docteur allait laisser à son fils. Aussi Janin de répondre à son tour – indignation pour indignation : « Maintenant que Berlioz soit riche ou pauvre, que nous importe ? Et à lui donc ? Que la fortune l'attende plus tard *quand son père sera mort*, comme vous dites ; je vous assure qu'il n'y a jamais pensé et il a eu bien raison... Dans tous les cas je ne vois pas pourquoi votre réclamation ? Mon histoire est vraie, Berlioz s'en glorifie, il écrira demain lui-même si je veux ; je comprends bien que ce récit pourra affliger peut-être les proches parents de ce grand artiste qui ont voulu à ce prix-là en faire un médecin, mais cependant ils peuvent se rassurer sur leurs bonnes intentions. Ce qui importe, c'est que riche ou pauvre, pensionné ou non pensionné, Berlioz soit arrivé où il est. M. Laffitte se vante souvent d'être le fils d'un gardien de moutons et tant d'autres ! »

Et l'affaire va continuer. Marmion, le militaire, va écrire à son tour à la sœur pour la féliciter de sa réaction. Nanci va répondre, Marmion écrira à nouveau pour conclure avec une sentence morale d'apothicaire : « ... ce qui doit nous consoler, c'est que les meilleurs feuilletons du monde, même ceux de M. Janin, sont de la littérature bien éphémère... » Il est vraisemblable que le drame de la corde de guitare cassée continuera à agiter les esprits à La Côte-Saint-André et dans ses environs pendant encore plusieurs mois.

On en restera pourtant là. On se contentera de constater que Berlioz est désormais devenu une personnalité, une « vedette », en somme, dont la presse estime qu'elle a le droit de s'occuper, fût-ce contre le droit de ses proches à clamer leur vérité à eux. Personnalité de premier plan du monde où il vit, Berlioz l'est à présent véritablement. Déjà, l'accueil de Paris à *Roméo et Juliette* n'est que le prélude à un succès européen vite assuré. On publiera bientôt une édition de la « symphonie » en allemand et quand bien même Berlioz affirme dans les *Mémoires* qu'on n'entendra jamais cette œuvre à Londres (« où l'on ne peut obtenir les répétitions nécessaires. Les musiciens, dans ce pays-là, n'ont pas le temps de faire de la musique »), l'Angleterre sera sûrement l'un des pays à accueillir *Roméo* avec le plus de chaleur, dès 1852 mais sous la direction du compositeur. D'ailleurs, au mois de mars 1834, son ouverture de *Waverley* a été jouée avec succès à la Royal Academy of Music. On a dit l'Europe : on y joue Berlioz un peu partout et lui-même aux côtés de Cherubini et du violoniste Bériot, qui fut le mari de Maria Malibran, représente la France à l'Association nationale allemande, société musicale présidée par le compositeur Spohr et patronnée par le prince de Hohenzollern-Hechingen.

En France même, Berlioz continue à affirmer sa stature officielle. Dès le mois de février 1839, sa nomination de « conservateur adjoint de la bibliothèque du Conservatoire », jusque-là officieuse, est régularisée avec effet rétroactif au 1er février de l'année. Il gagnera mille cinq cents francs par an... à ne rien faire. Surtout, il va se présenter pour la première fois à l'Institut. Le voilà bien, notre Berlioz ! Il a tant daubé l'Académie qu'on l'imaginerait continuant à la traiter par le mépris. Mais ce serait bien mal le connaître. Le compositeur Ferdinand Paer meurt le 3 mai 1839. Berlioz assiste dûment à ses funérailles puis pose sa candidature à son fauteuil. Ironie du sort, voilà que Spontini, dont il a tant admiré l'œuvre – souvenons-nous de ses débuts de journaliste pour défendre le respect de la partition de *La Vestale* –, postule au même fauteuil. Du coup, l'admiration de Berlioz pour le maître de ses premiers enthousiasmes fléchit quelque peu. Il parle même de lui, l'ingrat, sur un mode ironique. Mais, semble-t-il, retire sa candidature. Si, le 15 juin, Spontini est élu au premier tour, contre Adam, Onslow et Rigel, Berlioz a le sentiment d'avoir joué avec élégance dans cette affaire. Il n'empêche que l'Institut va maintenant demeurer son objectif pendant longtemps. Même s'il est fêté par ses amis, si le public semble s'intéresser à lui, ce sont toujours les mêmes déceptions, les mêmes accrocs à son orgueil : plus que jamais Berlioz est insatisfait.

11
Un musicien officiel

Au lendemain du succès de *Roméo et Juliette* – et de la remise de la croix dont il a refusé que ce soit Spontini qui l'épingle au revers de son habit –, la marche de Berlioz vers le statut d'*officiel* de la musique en France semble inéluctable. Certes, d'autres que lui, toujours les Cherubini, les Habeneck, tiennent les emplois que l'âge ou la quasi-pérennité de leur fonction continuent à leur assurer : pour ce type de poste, Berlioz n'est pas prêt. Les vieux sages – sinon les vieux singes, aurait dit Berlioz – qui occupent officiellement le devant de la scène ne céderont leur place qu'à leur mort. Mais il est un autre statut officiel auquel on peut prétendre : celui du jeune musicien naviguant entre le triomphe et l'abîme, mais à qui sourient les dieux. Les dieux ? Entendons-nous. Dans cette république-là, qui n'est pas celle des talents, on veut parler des ministères, de l'entourage du prince, de la presse influente et d'un formidable réseau de connivences, bâti au prix d'incroyables efforts... Ainsi ce Berlioz de moins de quarante ans que nous voyons se débattre au milieu d'intrigues absurdes, de mesquineries sordides et de tristes jalousies, ce musicien en marge de la musique officielle, que les grands anciens boudent et que le public est loin de suivre, bénéficie-t-il néanmoins d'une incroyable faveur de la part de ceux qu'on appellerait aujourd'hui les décideurs.

L'année 1840 verra les plus éclatantes démonstrations de cette position unique dans le monde politique et artistique de son temps. – même si une catastrophe conclut cette victoire. 1840 : c'est le dixième anniversaire de la révolution de Juillet. Cette fois, nul aux Tuileries ou dans l'entourage du roi n'a l'intention de lésiner sur les moyens. La commande du *Requiem*, deux ans auparavant, avait connu des ratés dont Berlioz s'était plaint haut et fort. En 1840, chacun va s'efforcer d'éviter ce genre d'incident ou de malentendu. D'abord, personne ne peut se permettre d'hésiter lorsqu'il s'agit de commander une œuvre d'envergure, une composition spectaculaire pour une manifestation musicale et publique de masse, exécutée en plein air de surcroît quand l'affaire est d'une importance aussi considérable. Il s'agit en effet du transfert des cendres des victimes des Trois Glorieuses jusqu'à la place de la Bastille où Louis-Philippe a décidé d'élever un monument du souvenir. Ce sera la colonne de Juillet dont l'architecte sera un ancien condisciple de Berlioz à la Villa Médicis, Joseph-Louis Duc. Dès la chute du ministère Soult au mois de mars, le projet s'est précisé et c'est le nouveau ministre de l'Intérieur, M. de Rémusat, qui va passer aux actes. Ce n'est un secret pour personne que la nomination de Rémusat a été soutenue par *Les Débats*. C'est-à-dire par les amis de Berlioz. Dès lors, le nom du musicien s'impose pour ce qui constitue la plus officielle des commandes.

A ses yeux, le choix qu'on a fait de lui ne se discute pas : c'est l'évidence même. Il conçoit aussitôt ce qu'il fera : « Je crus que le plan le plus simple, pour une œuvre pareille, serait le meilleur, et qu'une masse d'instruments à vent était seule convenable pour une symphonie destinée à être (la première fois au moins) entendue en plein air. Je voulus rappeler d'abord les combats des trois journées fameuses, au milieu des accents de deuil d'une marche à la fois terrible et désolée, qu'on exécuterait pendant le trajet du cortège ; faire entendre une sorte d'oraison funèbre ou d'adieu adressée aux morts illustres, au moment de la descente des morts dans le tombeau monumental, et enfin chanter un hymne de gloire, l'apothéose, quand, la pierre funèbre scellée, le peuple n'aurait plus devant ses yeux que la haute colonne surmontée de la liberté aux ailes étendues et s'élançant vers le ciel, comme l'âme de ceux qui moururent pour elle. »

La *Symphonie funèbre et triomphale* se divise donc en trois parties bien distinctes : la « Marche funèbre » correspond directement aux vœux du gouvernement d'une lente et solennelle traversée de Paris, char funèbre lourdement chargé des dépouilles des victimes et orchestre aux accents fracassants et réguliers qui marquent le pas d'un cortège énorme à travers les rues. L'orchestration est gigantesque, faite d'abord seulement de vents et de percussions, trompettes et cors, cornets à piston, six de ces fameux « ophicléides » dont Berlioz fut l'un des derniers à développer l'usage, ensemble de cymbales, de grosses caisses, de timbales et de tam-tams avec, entre autres, violoncelle facultatif. C'est, d'entrée de jeu, immense.

A ce stade, la marche funèbre achevée, Berlioz redoute un moment que les cérémonies du mois de juillet n'aient pas lieu. Il rencontre par hasard le ministre, qui le rassure : « Le bruit qui vous a alarmé est complètement faux, me dit-il, rien n'est changé ; l'inauguration de la colonne de la Bastille, la translation des morts de Juillet, tout aura lieu, et je compte sur vous. Achevez votre ouvrage au plus vite. »

Berlioz respire : même avec le recul du temps, il ne peut résister au bonheur de se faire peur, fût-ce a posteriori. La vérité, c'est qu'on craignait peut-être, encore une fois, des manifestations d'hostilité de la population parisienne à une initiative d'un souverain de plus en plus contesté, sinon brocardé, qui célébrait en quelque sorte – et de quelle manière spectaculaire ! – son propre avènement. La construction en cours des fortifications – les fameuses « fortifs » de la Belle Epoque – avait accentué le malaise de l'opposition, qui voyait là moins une défense contre d'éventuelles troupes étrangères qu'un moyen efficace de tenir enfermé le peuple parisien en cas d'émeute. Mais la prudence officielle n'ira jamais jusqu'à annuler la cérémonie. Tout au plus le souverain ne suivra-t-il pas la marche du cortège et se rendra-t-il directement place de la Bastille. « Malgré ma méfiance trop bien motivée, cette assertion de M. de Rémusat dissipa mes inquiétudes, et je me remis à l'œuvre sur-le-champ. La marche et l'oraison funèbre terminées, le thème de l'apothéose trouvé, je fus arrêté assez longtemps par la fanfare que je voulais faire s'élever peu à peu des profondeurs de l'orchestre jusqu'à la note aiguë par laquelle éclate le chant de l'apothéose. J'en écrivis je ne sais combien qui toutes me déplurent ; c'était ou vulgaire, ou trop étroit de forme, ou trop peu solennel, ou trop peu sonore, ou mal gradué. Je rêvais une sonnerie archangélique, simple mais noble, empanachée, armée, se levant radieuse, triomphante, retentissante, immense... » La deuxième partie de la *Symphonie* en sera donc une « Oraison funèbre », mêlant des souvenirs de Beethoven et, une fois de plus ! la méditation du jeune Berlioz au pont de Lodi. L'« Apothéose », enfin, les tambours qui sonnent clair, un éclat fulgurant de lumière, va clore l'œuvre. Celle-ci est achevée. Le grand jour approche. Berlioz exulte. Il se voit chef d'orchestre en même temps que chef d'armée, conduisant d'un même pas ses troupes musicales à travers Paris. C'est exaltant, il en pleure de joie...

En fait, la déception sera immense, et Berlioz tombera de haut. C'est que tout se passe très mal, ce 28 juillet 1840. Les journaux d'opposition ont déjà démoucheté leurs fleurets. *Le Charivari* fait paraître un numéro funèbre à souhait, lettres, dessins de cercueils et d'urnes en blanc sur un fond uniformément noir. Avec cette mention du compositeur de l'œuvre qu'on jouait pour l'occasion : « *M. Emberlificoz* fera exécuter sa défunte marche funèbre... Quelques charrettes mal graissées augmenteront le pittoresque de sa composition... »

Le grand jour, donc, on va la donner deux fois, la *Symphonie* en fanfare. D'abord, pendant que le cortège s'avance en suivant la Seine du Louvre à la Madeleine, c'est la « Marche funèbre ». Puis l'« Oraison funèbre » et l'« Apothéose » sur les boulevards, jusqu'à la Bastille. Mais la musique se perd dans toutes les directions : le char funèbre cahote et manque accrocher arbres et coins de rues sur son passage, les avenues trop larges et rien (sauf les arbres du boulevard Poissonnière !) pour empêcher la musique de Berlioz de monter un peu trop vite au ciel. L'exécution prévue ne peut qu'être un échec. L'œuvre est ensuite donnée dans sa totalité devant la Colonne. On vient de descendre les cinquante cercueils dans le caveau situé à sa base. L'Eglise est là, qui officie. Et Berlioz en uniforme de la garde nationale – payé par son père –, sabre au clair. Mais tout cela dure depuis le début de la matinée. La marche dans Paris, les uniformes, le poids des instruments : tout le monde est épuisé. La musique, oui... et quelques cris aussi. La foule devient houleuse. On commence à conspuer le ministre. Tout s'effiloche et la musique cette fois se perd plus haut encore dans le ciel.

Le vrai concert Berlioz, la vraie première de cette très officielle commande d'Etat, a donc été la répétition dans la salle Vivienne, où le compositeur a pris soin de convoquer ses amis, la presse, tous ceux qui, il l'espère, voudront apprécier réellement son œuvre. Ce qui ne l'empêche pas, au lendemain de l'aventure, de recevoir les très officielles félicitations du ministre, et de la main de son ennemi par excellence, ce Cavé qui lui fit mille misères l'année du *Requiem*. Cavé, qui a mis de l'eau dans son vin et qui va devenir presque son ami, qualifie le style de Berlioz de « large et élevé... beau et neuf... ». Il constate que même les envieux le reconnaissent aujourd'hui et exprime le regret du ministre « de n'avoir pu rester jusqu'au bout du défilé qui a duré trois heures ». Il ajoute : « Le même ministre a manifesté le vœu qu'il vous soit donné une prompte occasion de faire exécuter de nouveau vos deux morceaux, c'est aussi mon désir, car je ne vous ai pas suffisamment entendu. Mais comment faire ? Avez-vous quelque idée à ce sujet ? Venez me le dire. »

Cavé qui invite Berlioz à lui rendre visite : c'est le monde renversé. Et la prompte occasion viendra vite. Ce sera, le 7 août suivant, une deuxième exécution, salle Ventadour, de la *Symphonie* – avec des mouvements des inusables *Harold* et *Fantastique*. Puis une troisième le 14 août. Enfin, on y reviendra, ce sera l'Opéra lui-même, le 1er novembre, avec l'« Apothéose » de la *Funèbre et triomphale*. Le concert du 7 août attire un large public. A celui du 14, l'assistance est moindre. Outre le berliozien fidèle qu'est le duc d'Orléans, qui semble avoir été présent, Berlioz a cependant un auditeur de marque : il vit à Paris depuis l'automne 1839 et s'appelle Richard Wagner. C'est pour lui une époque ingrate. Il n'a encore fait jouer aucune œuvre majeure, pas même son *Rienzi* qui précédera d'un an *Le Vaisseau fantôme*. Pour survivre, il en est réduit à écrire des transcriptions pour piano de Donizetti... et la musique d'un vaudeville pour les Variétés, *La Descente de la Courtille*, qui ne sera même pas exécutée ! Mais il assiste à ce concert du mois d'août. Et même s'il s'amuse à dire que Berlioz, c'est Beethoven plus Auber – la grandeur plus la gaudriole ou presque ! –, pour lui la *Symphonie funèbre* est « grande, de la première à la dernière note ». Il n'est jusqu'à ce jaloux d'Adolphe Adam qui écrira qu'il « n'aime ni l'homme ni sa manière mais la justice [le] force de convenir que dans le deuxième de ces morceaux [de la *Symphonie funèbre et triomphale*] il y a une péroraison qui est d'un grand effet et bien supérieure à tout ce qu'il a fait jusqu'à présent. Le premier morceau et la première partie du deuxième sont un fouillis inextricable, mais le dernier mouvement est réellement fort bien ».

Quant au reste de la presse, ce qu'en dit Adam est suffisant : éloges à peu près unanimes. D'où la satisfaction de Berlioz qui peut tout juste former ses lettres tant le maniement du bâton – la « baguette » était alors le « bâton » – l'avant-veille lui a fatigué la main, pour écrire à son père, le 30 juillet : « Tout a marché à merveille ; le grand succès a été celui de la répétition générale devant le public le plus intelligent de Paris. Il n'y a pas eu que les femmes qui ont pleuré. Après cette épreuve, décisive quant à l'ouvrage lui-même, restait celle de l'exécution *en scène*. Notre scène était

Paris, ses quais, ses boulevards. Et les vieux malins de la musique militaire soutenaient que je ne parviendrais jamais à faire exécuter la marche funèbre *en marchant*, et que mes deux cent dix musiciens n'iraient pas ensemble pendant vingt mesures. L'expérience a démenti ces prévisions routinières... »

Aucune allusion, naturellement, aux conditions dans lesquelles s'est réellement déroulée la double exécution en plein air : il ne faut pas désespérer La Côte ! Et puis, après coup, Berlioz est si content de lui !

On a évoqué un concert à l'Opéra. C'est que l'insaisissable Duponchel avait cédé sa place à la tête de l'Académie royale de musique à un nouveau venu, Pillet, dont Berlioz s'est activement occupé à faire aboutir la nomination : Pillet pouvait devenir un allié. D'où le geste du nouveau directeur de lui ouvrir aussitôt les portes de sa maison : le statut « officiel » de Berlioz se confirme plus que jamais. C'est un « Festival » qu'il va donner à l'Opéra. Ce mot *festival* reviendra souvent dans la vie, et sous la plume, de Berlioz. Un festival, c'est pour lui un concert – et quelque chose de plus. Ce peut être un concert qui lui est totalement consacré, ou un concert dont il choisit seul et arbitrairement le programme pour son seul plaisir – en y incluant, en bonne place, quelques-unes de ses propres œuvres. Festival, donc, le 1er novembre, à l'Opéra : énorme succès pour une soirée qui se déroule non sans mal. Et les différents récits qu'en donnera Berlioz en font une manière d'épopée.

C'est que l'orchestre de l'Opéra appartient à Habeneck, qui en est le chef officiel. Et voilà l'essentiel : Habeneck. Habeneck tour à tour hostile ou chaleureux, mais Habeneck que Berlioz a bel et bien l'intention de détrôner. Car l'amitié de Pillet a pu lui laisser espérer entrer à l'Opéra par la grande porte pour en devenir rien moins que le directeur musical, à la place du vieil Habeneck. Et le « Festival » de novembre est une première étape vers cette conquête-là.

Ceci entraînant cela, des démêlés avec les musiciens de l'orchestre donnent soudain à la salle de l'Académie royale de musique une allure de fosse aux lions : « Je voyais chaque soir les conciliabules tenus dans l'orchestre pendant les entractes, l'agitation de tous, la froide impassibilité d'Habeneck, entouré de sa garde courroucée, les furieux coups d'œil qu'on me lançait et la distribution qui se faisait sur les pupitres des numéros du journal *Le Charivari*, dans lequel on me déchirait à belles dents. Lors donc que les grandes répétitions durent commencer, voyant l'orage grossir, quelques-uns des séides d'Habeneck déclarant qu'ils ne marcheraient pas *sans leur vieux général...* »

Berlioz décide d'y aller de sa poche pour se les concilier. Il leur abandonne les cinq cents francs de cachet qui ont été prévus pour lui. Se met alors en place l'un des plus importants dispositifs orchestraux jamais utilisés à Paris. Et Berlioz se dédouble, se surpasse, s'excite et se retrouve pour diriger Dieu sait combien de répétitions à la fois. C'est bien un festival, oui : celui de l'ingéniosité, du courage de notre compositeur. Et, comme d'habitude, de son autosatisfaction : « J'avais un personnel de six cents exécutants, choristes et instrumentistes. Le programme se composait du 1er acte de l'*Iphigénie en Tauride* de Gluck, d'une scène de l'*Athalie* de Haendel, du "Dies irae" et du "Lacrimosa" de mon *Requiem*, de l'"Apothéose" de ma *Symphonie funèbre et triomphale*, de l'adagio, du scherzo et du finale de *Roméo et Juliette*, et d'un chœur sans accompagnement de Palestrina. Je ne conçois pas maintenant comment je suis venu à bout de faire apprendre en si peu de temps (en huit jours) un programme aussi difficile avec des musiciens réunis dans de semblables conditions. J'y parvins cependant. Je courais de l'Opéra au Théâtre-Italien, dont j'avais engagé les choristes seulement, du Théâtre-Italien à l'Opéra-Comique et au Conservatoire, dirigeant ici une répétition de chœurs, là les études d'une partie de l'orchestre, voyant tout par mes yeux et ne m'en rapportant à personne pour la surveillance de ces travaux. Je pris ensuite successivement dans le foyer du public, à l'Opéra, mes deux masses instrumentales ; celle des instruments à archet répéta de huit heures du matin à midi, et celle des instruments à vent de midi à quatre heures. Je restai ainsi sur pied, le bâton à la main, pendant toute la journée ; j'avais la gorge en feu, la voix éteinte, le bras droit rompu ; j'allais me trouver mal de soif et de fatigue, quand un grand verre de vin chaud, qu'un choriste eut l'humanité de m'apporter, me donna la force de terminer cette rude répétition. »

Jusqu'à la dernière minute, Berlioz surveille tout. Même les partitions disposées sur les pupitres, de peur qu'on les lui trafique. Même les instruments. Et, le soir du concert, rien ne manque dans l'exécution et le *Requiem* produit tout son effet. Même si la soirée est des plus agitées. D'abord quelques « habeneckistes » tentant bien, pendant l'entracte, de demander une *Marseillaise* qui n'avait pas sa place là. Ensuite un rédacteur du *Charivari* soufflette Emile de Girardin dont l'épouse, échevelée, appelle au secours. Enfin le ministre Montalivet est pris à partie à l'entracte par des énergumènes, ce qui provoque la fuite précipitée de M. Thiers.

Qu'importe : cette fois, Berlioz a vraiment gagné. Ainsi poursuit-il sa politique de carrière personnelle. Sans pourtant que Habeneck lui laisse sa place. Ses œuvres sont de plus en plus jouées en Europe (le *Requiem* à Munich ; l'ouverture des *Francs-Juges* à Mayence...), et il s'est remis à travailler sur un projet d'opéra. Ç'aurait dû être *La Nonne sanglante*, sur un livret d'Eugène Scribe et Germain et Casimir Delavigne, d'après un célèbre roman gothique, *Le Moine*, de Matthew Lewis, traduit de l'anglais par Léon de Wailly. C'est une histoire sombre à souhait où fantômes et apparitions, ermites et disparitions se mélangent dans un conte très noir qui, dans la lignée d'un *Robert le Diable*, avait tout pour plaire au Paris des années romantiques. En tout cas, avec Pillet à la tête de l'Opéra, Berlioz aurait été alors bien placé pour monter son œuvre, s'il avait eu le temps de persévérer dans cette voie. Mais le projet fera long feu. Etait-ce seulement une question de temps ? Pas forcément. Beaucoup plus tard, en 1847, les nouveaux directeurs de l'Opéra, Roqueplan et encore une fois Duponchel, accepteront l'œuvre – à condition de la mettre aussitôt en répétition. Le temps, oui... Berlioz ne l'a plus guère. A cette époque, cette histoire de nonnes maudites et de fantômes sanglants a cessé de lui tenir à cœur. Et puis, il pense à *La Damnation de Faust*...

En revanche, un projet, de moindre envergure il est vrai, est en train d'aboutir : l'une de ses œuvres les plus enchanteresses et les plus novatrices, le cycle de mélodies des *Nuits d'été*, sur huit poèmes de Théophile Gautier. Les *Nuits d'Eté*, l'un des chefs-d'œuvre de la mélodie française, se situent dans l'histoire du chant français à ce point très précis où la romance traditionnelle, genre français par excellence, devient la mélodie. Où, aux strophes à couplets réguliers de la romance, succède un autre type de composition, influencée par le lied allemand, mais emportée par un souffle nouveau, une invention mélodique d'un autre type. Aussi, si « Villanelle », la première des *Nuits*, composée en mars 1840, appartient encore au genre romance, les deux suivantes, qui seront données pour la première fois en novembre de cette même année, « Absence » et surtout « Le spectre de la rose », apparaissent aux auditeurs comme des morceaux lyriques d'un genre totalement neuf. Aujourd'hui, ils sont nombreux ceux que le premier vers de Gautier – « Soulève ta paupière close... » – murmuré par un mezzo-soprano aimé peut bouleverser. Avec *Les Nuits d'été*, Berlioz devient, en un peu plus d'un an (1840-1841), le premier mélodiste français. Il flotte, agité mais aérien, au firmament de la musique de son temps.

Pendant ce temps, Henriette souffre des amygdales ou pleure de bonheur aux succès de son mari, qui ne s'en rend probablement pas compte. Car telle est l'autre vie de famille d'Hector Berlioz : sa femme qui remercie sa belle-sœur des vêtements tricotés pour le petit Louis ou adresse, avec son mari, toutes ses félicitations à Adèle – qui a accouché, en février, d'une petite Joséphine, qui deviendra vingt ans plus tard, après sa mère, une fidèle confidente de Berlioz.

Pourtant, cette même année 1840, Hector va resserrer ses liens avec sa famille. Déjà, deux ans auparavant, il avait imaginé envoyer le petit Louis passer quelques semaines ou quelques mois dans l'Isère. Mais les jérémiades d'Harriett à l'idée de se séparer de son fils et, peut-être aussi, le manque d'enthousiasme de Nanci devant cette idée, la lui avaient fait abandonner. De même avait-il insisté à plusieurs reprises pour que son père, devenu veuf, lui rende visite à Paris : rien ne le retenait à La Côte, les vendanges allaient se terminer. Le Dr Berlioz, très fatigué par la maladie qui le minait, avait dû renoncer au voyage. En revanche, ce sont les Suat, Adèle et son jeune mari, qui avaient fait le voyage de Paris en 1839. Et Berlioz s'était plu, avec une pointe de vanité, à leur faire admirer le monde où il vivait, les cafés, les théâtres, l'Opéra... En cette année 1840, c'est lui qui parviendra à échapper quelques jours à l'engrenage épuisant des soirées de concert ou d'opéra et des articles pour en rendre compte, de ses propres projets qu'il veut ou doit mener à bien – et à l'atmosphère de plus en plus lourde de la rue de Londres... Pour une petite semaine, à la mi-septembre, il va repartir pour La Côte-Saint-André, le père et le fils passeront quelques jours ensemble.

On ajoutera que le vieux Bertin est malade. On craint le pire. Bertin l'Aîné, c'était un peu, après Le Sueur, le second père de Berlioz. Il va mourir l'année suivante.

12
Les années noires

Il y a eu les années grises : celles qui vont suivre seront des années sombres, très sombres : des années noires. Qu'une sinistre prémonition musicale conclura, à la fin de 1842, d'un point d'orgue angoissant. C'est en 1842 que Berlioz achève la composition d'une mélodie sur des vers de Legouvé maladroitement traduite de Shakespeare : *La Mort d'Ophélie.* Et tous les berlioziens savent bien que cette *Mort*-là marque d'une pierre noire la fin du rêve d'amour commencé treize ans plus tôt à l'Odéon.

Les scènes entre les époux sont devenues quotidiennes. Harriett a encore pris du poids, elle reste enfermée chez elle, boit de plus en plus. « Henriette ne sort jamais et je suis très tourmenté parce que je sors toujours. Il faut pourtant faire mes affaires, voir mon monde... », écrit Hector à Nanci en février 1842.

Et l'argent manque. La manne que lui a laissée Paganini s'est envolée. D'ailleurs Paganini est mort : vieilli avant que d'être un vrai vieillard, couvert de dettes et de procès. On a même mis sous séquestre ses instruments. On disait Paganini diabolique, il est mort comme un pauvre diable. C'était pourtant, fût-ce de loin, une protection. Bertin aussi est mort, Bertin l'Aîné qui jamais ne recula devant un service à rendre à son ami compositeur. Quant au duc d'Orléans, le protecteur par excellence, le mari de cette princesse Hélène qui, dans sa munificence, a pu donner quelques centaines de francs à la pauvre Harriett, il s'est tué dans un accident de voiture le 13 juillet 1842, près de la porte Maillot.

Les amis, les protecteurs disparaissent. Et pourtant il est connu de tout Paris, Berlioz. Son nom circule en Europe comme celui d'un compositeur hardi, novateur. On lui refuse l'Institut mais on lui donne la croix, il flatte les ministres et les ministres le flattent, néanmoins tout lui échappe. On dirait que tout glisse, tout se dérobe, tout s'en va. Alors il faut se battre. D'abord, cette succession d'Habeneck à la tête de l'orchestre de l'Opéra, il y tient. Et il veut l'avoir. Par tous les moyens. Il n'en intrigue que davantage. Le bruit court que Cherubini va (enfin !) quitter son poste au Conservatoire ; Habeneck lui succéderait : l'emploi de ce dernier serait alors à prendre. Un peu trop vite, *Le Constitutionnel* du 24 février 1841 annonce que Berlioz sera nommé à l'Opéra. Et Berlioz d'en rêver. Mais, en février 1842, quand Cherubini donne sa démission, c'est Auber qui lui succède : Habeneck reste en place. Et Berlioz aussi, c'est-à-dire sans place. Il était au fond sans illusions. L'année précédente, il écrivait à son beau-frère Suat en reprenant une phrase d'*Hernani* : « Toutes les avenues et places sont occupées ou convoitées d'avance par des *vieillards stupides* et la faiblesse du gouvernement des arts les leur laisse... »

Ce qui ne l'empêche pas de s'activer comme un beau diable à l'Opéra, fût-ce avec un Habeneck dans son dos. S'abritant derrière l'amitié de Pillet, en tirant tous les profits possibles, il ne quitte guère la salle, et surtout la scène, les coulisses, le couloir de l'administration de l'Académie royale de musique. Il est partout, veille à tout, s'occupe de tout.

Officiellement, il a deux objectifs. D'abord cette *Nonne sanglante* qu'il a peut-être trop rapidement expédiée *ad patres*. Car l'opéra prévu avec la collaboration de Scribe et des Delavigne continue à occuper une partie de son temps. Du moins à le préoccuper chaque fois qu'il a le temps de se remettre à y penser. Alors il se plaint de Scribe, qui laisse « chômer la *Nonne*, sa lampe n'a plus d'huile ». Il se plaint des chanteurs : « Duprez n'a plus que six ou sept notes et les autres en ont trop. » Duprez, ou Mlle Nathan, Mme Stoltz, qui a créé pour lui Ascanio dans *Benvenuto Cellini* : Berlioz ne sort pas des coulisses de la maison Pillet. Peut-être que la pauvre Harriett a raison de s'inquiéter... Berlioz en profite-t-il ou n'en profite-t-il pas pour s'égarer du côté des demoiselles de l'Opéra ? Il en profite, en tout cas, pour régler ses comptes avec ceux qui lui ont manqué.

Si encore il ne s'occupait, ou ne se préoccupait, que des ténors sans voix ! Mais il a une autre raison, plus sérieuse, plus professionnelle, de passer beaucoup de temps à l'Opéra. Pillet lui a demandé de composer des récitatifs pour l'Académie royale de musique. Et là, par un singulier détour, nous sommes à nouveau au cœur de la grande, de la très grande création berliozienne. Jusqu'ici, Paris avait surtout connu le *Freischütz*, le chef-d'œuvre de Weber, sous la forme du *Robin des Bois* arrangé par Castil-Blaze et donné à l'Opéra-Comique. Même abâtardi par Castil-Blaze, le *Freischütz* avait été l'une des clefs qui avaient ouvert à Berlioz l'univers la musique de son temps. On le sait, ou on ne le sait pas, mais la version originale du *Freischütz* elle-même est faite, en partie, de dialogues parlés. Or Pillet veut le donner à l'Académie royale. Et voilà l'une des absurdités de la réglementation qui régit les théâtres parisiens : on ne peut pas, on n'a pas le droit de *parler* sur cette auguste scène. On ne peut qu'y *chanter* : on demande donc à Berlioz de composer une musique pour ces dialogues. Il va renâcler, puis s'y mettre. C'est au mois de mars 1841. Il manifeste l'intransigeance qu'on peut imaginer. D'abord il sait ce qu'il veut : le retour aux sources, à la volonté de Weber. « Le *Freischütz* sera joué absolument tel qu'il est, sans rien changer dans le livret ni dans la musique » (à Léon Pillet, début 1841). Ou encore (à Adèle, en mars) : « J'ai accepté à la condition expresse qu'il n'y aurait aucun tripotage, aucune castilblazade dans le chef-d'œuvre allemand, je suis le bouclier de l'auteur et je le défendrai contre toutes les mutilations qu'on avait déjà commencé à lui faire subir ; et en montant les répétitions j'espère animer un peu tous ces gueux de chanteurs lymphatiques. »

Même si, sur le moment, Berlioz donne – ou veut donner – l'impression de n'avoir accepté là qu'une corvée, l'importance réelle qu'il a pu attacher à ce travail est parfaitement en harmonie avec ce qu'il professe. Il est donc intraitable quant aux modifications que va apporter Pillet à l'œuvre. Il surveille de très près la distribution et refuse Duprez qui, ne pouvant plus chanter le rôle de Max, lui propose « les plus singulières transpositions entremêlées nécessairement des modulations les plus insensées, des soudures les plus grotesques ».

Le ténor insiste, mais Berlioz tient bon. Ce qu'il ne peut empêcher, en revanche, c'est l'introduction dans l'œuvre de Weber d'un ballet qui n'existe pas dans l'original. Contre Pillet, là, il ne peut rien. Il est en effet à l'époque inconcevable de donner sur la scène de l'Opéra de Paris une œuvre lyrique qui ne comporte pas de ballet. Ce serait à désespérer les amateurs à lorgnons qui ne s'y rendent que pour lorgner le mollet des demoiselles.

Le résultat, c'est la « version Berlioz » du *Freischütz* : un chef-d'œuvre. Le *Freischütz* de Weber donné en français avec les récitatifs de Berlioz, c'est peut-être le grand opéra romantique dont, toute sa vie, Berlioz a rêvé. L'enchaînement entre la musique de Weber et celle qu'il y a ajoutée est d'une surprenante justesse. Osera-t-on le dire ? On peut préférer à l'original la version que Berlioz nous en a donnée...

Ses ennemis, au premier chef l'arrangeur du *Robin des Bois* de l'Opéra-Comique, Castil-Blaze et son fils Henri, tentèrent de monter une nouvelle cabale contre ce « dérangeur » d'« arrangeur » qui donnait des leçons de pureté musicale à la terre entière mais n'hésitait pas à transformer *L'Invitation à la valse*, le rondo de Weber, écrit pour piano, en un morceau symphonique de ballet. Cette hostilité ne mena à rien. Les chanteurs furent médiocres, les décors étriqués, pourtant le public vint, et nombreux, parce que l'on voulait revoir *Robin des Bois* dans son nouveau costume.

Ainsi, au nom de Weber outragé et qui n'en peut mais, Berlioz prend sa revanche sur les Castil-Blaze et autres Fétis, arrangeurs maigrichons des grandes musiques des autres, maîtres ès pastiches et faux penseurs de la vraie beauté qu'ils n'ont même pas vue au passage... Dès lors, Berlioz, sans être nommé à la direction de l'orchestre de l'Opéra, a-t-il le sentiment d'y régner. Et peu à peu, d'y régner en maître. C'est qu'il se croit intouchable, Berlioz.

D'où l'erreur qu'il va commettre : emporté par un élan d'admiration incontrôlée pour une nouvelle interprète du rôle du page, Isollier, dans *Le Comte Ory* de Rossini, il va dénigrer dans *Les Débats* celles qui l'ont précédée, s'en prenant même à leur physique. Or la dernière Isollier en date à Paris n'était autre que Rosine Stoltz, la maîtresse en titre de Pillet, la « patronne », en fait, de la grande maison. L'article qui, sans la nommer, comparait sa silhouette à un « sac de noix » mit un terme aux relations amicales qu'entretenait Berlioz avec Pillet : l'heure de la prise de l'Opéra n'était pas encore arrivée.

Pourtant, les derniers concerts qu'il a donnés en février 1842 ont été des succès. N'ayant pu obtenir la salle du Conservatoire ni les musiciens de l'Opéra, il s'est rabattu sur la salle Vivienne où il a fait entendre pour la première fois son orchestration (discutée par Castil-Blaze !) de *L'Invitation à la valse* et surtout une pièce pour violon et orchestre, *Rêverie et Caprice*, destinée au violoniste Alard, que le public applaudit longuement. Mais entre concerts en plein air où l'on n'entend pas sa musique, « Festival » à l'Opéra au bénéfice du directeur de la maison, « arrangements » et billets gratuits, on peut se demander qui, en France, veut entendre la musique de Berlioz. A-t-il un public ? Qui est ce public ? Parfois l'inquiétude de Berlioz touche à la paranoïa. Sa seule réussite, ces années-là, est son *Grand*

Traité d'instrumentation et d'orchestration modernes qui ne paraîtra en volume qu'en 1843, mais dont il a publié les premières parties. Et c'est une réussite, une réussite véritable. Pas à pas, en une démarche pédagogique exemplaire, le compositeur y dévoile ce qui fait la richesse de sa musique. C'est dans le *Traité* qu'on voit pourquoi – et comment – Berlioz est devenu Berlioz. Contrepoint des *Mémoires* qui donnent la quintessence de la vie de Berlioz, le *Traité* déploie et dissèque son œuvre. Même s'il n'avait fait qu'écrire son *Traité*, ces sombres et tristes années 1841-1842 n'auront pas été vaines.

Mais en cette même année 1842, il y aura le voyage à Bruxelles – puis le grand départ, la très pénible année 1842 marque aussi un tournant décisif dans la vie de Berlioz. La première mort d'Ophélie, en somme.

Voilà longtemps que Berlioz aurait dû faire son voyage en Allemagne, ne fût-ce que pour toucher le solde de sa pension, à son retour de Rome. Mais, tergiversations habiles, entregent et arguments sentimentaux, il avait réussi à y échapper. A peine l'obligation est-elle devenue sans objet que Berlioz en rêve, du voyage en Allemagne. Ses amis Spontini et Hiller l'y encouragent, lui promettent monts et merveilles, ou presque. On joue ses œuvres dans l'Allemagne entière. Il y a Robert Schumann qui lui a écrit de belles lettres, Clara Wieck, devenue Clara Schumann, à qui il s'était lié : mille raisons le poussent à présent à quitter Paris qu'il juge ingrat et si peu musical. D'où l'idée d'un départ qui se développe à présent de manière beaucoup plus réelle. Quitter Paris, le capharnaüm de ses obligations – et Harriett devenue totalement, irrémédiablement impossible. Alors qu'il n'a cette fois aucun projet précis, nulle « tournée » de concert organisée, Berlioz finit par se dire qu'il lui faut partir, il s'en persuade, maintenant, c'est décidé : il partira.

En attendant de faire le pas, il se rendra d'abord à Bruxelles où on le demande vraiment. A la fin de septembre 1842, on doit y célébrer les fêtes commémoratives de la Révolution belge. On promet de réunir pour l'occasion un nombre impressionnant de musiciens : Berlioz y voit l'occasion de tester sa popularité hors de France et avant le voyage en Allemagne à présent décidé. Il accepte donc très vite les propositions de Jean-François Snel, le directeur de la Grande Harmonie de Bruxelles. Deux lettres pour mettre au point le voyage. La première, datée du 28 août, est un long énoncé de questions et surtout d'exigences pour que ce concert, où il dirigera non seulement des œuvres de lui (le fameux *Pâtre*, la « Marche des pèlerins » d'*Harold* et la première audition avec chœur de la *Symphonie funèbre*) mais... du Rossini et du Bellini ! Bellini qu'il méprisait tant ! La seconde lettre, à quelques jours du concert, est enthousiaste. Berlioz donne des détails sur son voyage, la diligence qui l'amènera, le jour et l'heure de son arrivée, multiplie à nouveau recommandations et questions inquiètes.

Et il se met en route. A peine arrivé à Bruxelles, et selon son habitude qui consiste à se placer sous l'aile protectrice des grands de ce monde, il écrit au roi des Belges, Léopold Ier. « Permettez-moi de mettre sous les yeux de Votre Majesté le programme d'un concert que je donne lundi prochain à une heure dans la salle de la Grande Harmonie. Ce serait pour moi un puissant encouragement si la première fois que je fais entendre mes compositions en Belgique, la haute faveur de le présence du roi m'était accordée... »

Tout de suite, l'accueil de la capitale belge lui paraît favorable. On a mis deux cents musiciens à sa disposition et Snel assiste aux répétitions. Ainsi que Fétis, qui dirige à présent le Conservatoire de Bruxelles. En dépit de leurs anciennes querelles, ce dernier lui propose d'emblée ses élèves. Et les répétitions se déroulent bien. La presse annonce à l'avance un succès considérable. On affirme même que les musiciens se sont levés pour acclamer leur chef et compositeur entre chacun de ses morceaux : bref, Berlioz est aux anges. Les fêtes durent quatre jours : la Belgique célèbre dans l'euphorie le douzième anniversaire de ses « Glorieuses ». Arrivent le 26 septembre et le concert prévu dans la salle de la Grande Harmonie de la Société de musique. Berlioz, survolté, s'enflamme. La presse sera des plus favorables – mais le public reste de glace. Même les accents triomphants de la *Symphonie funèbre* ne parviennent pas à éveiller son élan. Quant aux airs chantés, notamment *Le Jeune Pâtre breton*... On y reviendra.

Fort pourtant de l'accueil des journaux, Berlioz décide de donner un second concert. Non pas dans la salle de la Grande Harmonie mais au temple des Augustins. Et le grand jeu : la *Fantastique.* Cette fois, c'est l'échec. La Belgique en fête a fermé boutique, le souvenir des « Glorieuses », c'était bon pour la quinzaine précédente. Le 9 octobre, le public est clairsemé. Au *Jeune Pâtre breton*, il a pourtant ajouté d'autres romances, chantées par la même soprano, sans plus de chance. La soprano s'appelle Marie Recio. Elle et Berlioz partagent le même appartement à l'Hôtel de la Monnaie. Pour tout dire : ils sont partis ensemble.

Nous y voilà. 1842, on l'a dit, marque un tournant décisif dans la vie de Berlioz. Dans sa première lettre à Snel, Berlioz l'avait écrit : « J'ai encore engagé Mlle Recio, soprano également de l'Opéra, qui chantera, avec un petit orchestre... », mais il avait pris la peine de préciser : « Nous mettrons plus tard les noms des cantatrices sur le programme mais il ne faut pas les mettre dans les journaux. J'ai de fortes raisons pour ne pas le faire. Mettez seulement Mmes... *de l'Académie royale de musique de Paris.* Il me semble que le programme, ainsi conçu, sera très respectable et que le public l'approuvera. » C'est qu'il fallait ruser, finasser. Que la presse belge n'imprime pas le nom de Mlle Recio, Harriett en ferait une maladie. Pourtant tout est joué : Berlioz vit presque officiellement avec Mlle Recio. Depuis quelques mois, il est entré dans l'ère Recio – grise et sans joie, mais qui va durer longtemps. Après un bref détour de Bruxelles à Francfort, où il croit être attendu, Berlioz est de retour à Paris. Avec Marie Recio.

La passion-Recio ? Et si, dans ce dernier cas, le mot passion devait, dès le début, être pris au sens qu'on lui a donné pour la fin des amours avec Harriett : un douloureux chemin vers le vide, la croix qu'il faut porter ? Il n'y a d'ailleurs même pas de Marie Recio. Il n'y a qu'une Marie Martin, née d'un père militaire, chef de bataillon, et d'une mère espagnole au nom ronflant choisi précisément pour ses sonorités trop authentiques : Sotera de Villas-Recio. Avec une ascendance aussi superbement espagnole, on ne pouvait naître qu'à Châtenay, le 10 juin 1814.

M. Martin va très vite mourir et, comme jadis cet « éléphant » de Mme Moke, Mme Martin (Sotera de Villas-Recio !) va se servir de sa fille pour vivre. Si on a vu le talent de Camille, Marie, elle, n'était que belle. Très belle, semble-t-il. Mince et brune, grande, fort bien faite. Une photographie de l'époque nous la montre assise et l'air plus désabusé que rêveur, le front haut et les cheveux en bandeaux séparés par une raie.

Dès ses premières années, Marie Martin a voulu être chanteuse. Elle a suivi les cours de Banderali. David Banderali n'était pas n'importe qui. C'est Rossini qui avait suggéré de le faire venir en France. Maître de chant au Conservatoire de 1828 à sa mort, en 1849, il y forma de nombreux élèves, mais il avait aussi ses élèves particuliers. Marie Martin suivait son enseignement et, l'opéra italien étant à la mode et Bondarelli italien, elle s'italianisa et devint Marie Recio. Chanteuse médiocre, mais chanteuse tout de même, dont l'ambition suprême était de chanter à l'Opéra. En attendant, elle chantait ici et là...

Berlioz est discret sur le sujet et ni Legouvé ni d'Ortigue ne nous apprennent comment il la rencontra. On peut imaginer que les perpétuelles scènes de jalousie de l'*Ophelia* délaissée n'étaient jamais sans fondement. A traîner dans les coulisses de l'Opéra, dans les cafés à la mode, elles sont nombreuses, les chanteuses en mal de rôle, danseuses émoustillantes et autres comédiennes plus ou moins dans la panade dont – Florine ou Jenny Cadine, Olympe Cardinal ou Malaga – Balzac nous a laissé de voluptueux et sulfureux portraits. Marie Recio est de cette race. Sa chance sera d'avoir rencontré, au lieu d'un baron Hulot ou un marquis de Ronquerolles, un Hector Berlioz auquel elle saura s'accrocher pendant plus de vingt ans. Plutôt, un Berlioz qu'elle saura accrocher. C'est qu'on ne la sait que trop, la grande faiblesse du grand Berlioz. On doit à présent l'appeler par son nom : c'est la chair. Elle est faible, la chair de Berlioz. Marie Recio l'a vite compris : elle saura faire tout ce qu'on attend d'une maîtresse de vingt-sept ans, qui vit avec sa mère et veut les mettre à son tour, tous les feux du diable et de l'enfer, au corps de celui sur qui elle a jeté son dévolu.

La liaison a commencé à l'automne 1841. Elle enflamme Berlioz, le surprend et le porte à vouloir se surpasser. Etre Berlioz plus que Berlioz, retrouver l'ardeur et l'élan créatif de ses vingt ans. C'est elle, affirment certains, qui lui a redonné l'énergie de se lancer dans la fameuse *Nonne sanglante*, qu'il n'achèvera pas. Au spleen a succédé l'excitation, un nouvel enthousiasme. Il la voit souvent, sa voluptueuse chanteuse. Mme Martin, la mère, est parfaite et sait parfaitement ce qu'elle fait. Son intérieur est douillet, chaleureux, probablement d'un si charmant mauvais goût ! Elle y accueille l'amant de sa fille avec tous les soins d'une future belle-mère – ce qu'elle finira par être – et d'une maquerelle avisée, ce qu'elle a déjà été et saura être le temps qu'il faudra.

Comment l'infortunée Harriett ne se douterait-elle de rien ? C'est un secret de Polichinelle dans le monde où se meut Hector : tout le monde sait que le mari de la comédienne déchue, au cœur jusqu'ici volage mais prudent, est fort bien accroché, cette fois. Pour Harriett, l'enfer va peu à peu prendre des couleurs plus précises.

Mais cet enfer-là, c'est précisément pour Berlioz le paradis. Celui-là ne va pas durer : disons que c'est seulement l'évasion...

Car il s'est d'abord évadé, Berlioz. Il respire enfin, Hector, loin de ce faux foyer qui part à vau-l'eau, cette maison mal tenue, Louis, le pauvre gosse, qui est malade et qui pleure – et l'énorme Ophélie de jadis qui se lamente dans ses vêtements en désordre et le supplie, chaque matin, de ne pas rentrer tard le soir. Il étouffait ; il respire.

Ces bouffées d'air neuf ont leur prix. Et Marie Recio veut chanter à l'Opéra. Alors Berlioz va s'y attacher. Pillet est encore son ami, il parvient à lui faire signer un engagement d'un an pour sa maîtresse. Marie fait ses débuts le 5 novembre 1841 sur la première scène lyrique de France, dans le rôle d'Inès, la suivante de la belle Leonore de Guzman, maîtresse du roi de Castille Alphonse XI, dans *La Favorite*, l'opéra de Donizetti. Le rôle est secondaire, il n'y a rien à dire de la débutante sinon – c'est Berlioz qui se plaît à l'écrire dans *La Gazette musicale* – qu'elle est « douée d'une voix fraîche et pure, d'une taille élevée, élégante ». Et de se borner à prédire que, « quand elle aura acquis l'habitude de la scène, des succès plus importants lui sont évidemment réservés ». Le reste de la presse, qui n'a pas les bonnes raisons de son protecteur, est plus réservé. Viennent d'autres débuts, dans le rôle du page Isollier. C'est à cette occasion que Berlioz a la maladresse de la comparer à celle qui l'a précédée, Mlle Stoltz, « un sac de noix posé sur un escabeau ». La presse n'est pas meilleure mais Marie Recio a réussi son premier coup dans ce qui pourra passer plus tard pour une politique parfaitement mise au point par l'ambitieuse chanteuse, à savoir : brouiller son protecteur avec la terre entière.

Jusqu'au voyage à Bruxelles, Berlioz avait pu « faire comme si... » et cacher son double jeu à Harriett. Pendant les quinze jours passés en Belgique, celle-ci aura le temps de pousser plus avant ses investigations. Et au retour de Bruxelles, la situation devient intenable. Nous sommes le 30 octobre. Dernière tentative de Berlioz pour rester en France, cette candidature qu'il pose à l'Institut au fauteuil de Cherubini : le 12 novembre, la section musique de l'Académie ne la retient pas, c'est le pâle – et, en dépit de son nom, auvergnat ! – Onslow qui est élu le 25 novembre. Allons, il faut en finir ! C'est décidé, Berlioz partira – plutôt, cette fois *ils* partiront – pour l'Allemagne. Le 12 décembre 1842, Berlioz reprend la route de Bruxelles avec l'incandescente et bien médiocre compagne Marie Recio : une nouvelle vie commence.

TROISIÈME PARTIE

BERLIOZ LE VOYAGEUR

1
Il faut voyager

Il faut voyager, dit le vieillard Arkel au jeune Pelléas dans l'opéra de Debussy. Mais ce n'est pas Mélisande qui a remplacé Ophélie et si Berlioz décide de quitter si souvent la France, c'est que l'horizon musical français lui paraît bouché de tous les côtés. Pas de public, pas assez d'honneurs, beaucoup d'amis mais une épouse qu'il doit quitter : pendant les années qui vont suivre, Berlioz voyagera... Il voyagera, inlassablement, n'interrompant cette perpétuelle errance que pour des séjours à Paris qu'il n'aura qu'une idée, écourter. A travers l'Europe entière, il cherchera désespérément ce qu'il ne trouve pas en France : jouer ce qu'il veut où il veut avec les orchestres qu'il veut, colossaux et superbes, les salles pleines d'un vrai public et pas seulement d'amis, une presse favorable qui ne soit pas faite que d'articles de complaisance – en un mot : la gloire.

Il va, dès lors, arpenter l'Europe et, peu à peu, la connaître, cette gloire. Avec Wagner, Verdi et toujours Liszt, il va devenir l'une des toutes premières personnalités du monde musical de son temps. Combattu en France, parfois humilié, il va triompher ailleurs. Il continuera à se battre comme un beau diable pour faire jouer les grandes œuvres de sa maturité, *La Damnation de Faust* et, surtout, *Les Troyens*, mais il rencontrera toujours l'indifférence de ses concitoyens. Les caricaturistes, et cela aussi, c'est la gloire, en feront l'une de leurs têtes de Turc. Mais à Londres ou Vienne, Berlin ou Weimar, des salles entières vont se lever pour l'acclamer. Dressé comme un petit coq sur ses ergots, la crête en bataille et le bec plus acéré que jamais, il pourra enfin triompher. Mais il sera seul, malade, désespérément à la recherche d'un jeune cœur auquel confier le sien.

Grâce aux témoignages qu'il nous en a lui-même laissés, et qu'on retrouve dans l'édition, parue en 1844, de son *Voyage musical en Allemagne et en Italie*, nous savons tout de ses premières tournées à travers l'Europe. Ces textes constituent, en outre, une source inégalable d'anecdotes sur la vie musicale en Europe au milieu du XIXe siècle. Suivre Berlioz au cours de ces six mois d'errance, c'est tout à la fois découvrir les petits secrets et les grands mystères de la musique européenne. Mais ces mêmes notes sont aussi une description passionnante de l'art du voyage à une époque charnière où l'on passe encore les frontières avec une simple carte de visite mais où, déjà, le chemin de fer commence à l'emporter sur les grands-routes.

Lorsque, le 12 décembre 1842, Berlioz quitte pour la deuxième fois Paris avec Marie Recio, il sait seulement qu'il veut aller en Allemagne où, de Spontini à Ferdinand Hiller en passant par Schumann et d'autres connaissances de moindre importance, il croit disposer d'un réseau d'amitiés qui va lui permettre de jouer, déjà, ce qu'il voudra. Face à ce qu'il considère comme la situation détestable de la musique en France, l'absurde réglementation qui gouverne les salles de concert, la répartition aberrante des genres lyriques entre les diverses salles parisiennes, la taxe prélevée pour les pauvres sur chaque concert et le laisser-aller des musiciens d'orchestre, les cabales et les intrigues qui entourent les décisions d'un ministre à la fois tout-puissant et totalement démuni devant l'inertie de ses administrateurs, l'Allemagne lui apparaît comme un paradis. D'abord, jusque dans les plus petites villes, il existerait – ses amis le lui ont affirmé : il les croit sur parole – d'excellents orchestres, des salles toujours ouvertes aux nouvelles musiques, des chefs prêts à travailler d'arrache-pied au côté des compositeurs. Son évasion, la fuite à présent nécessaire loin de l'enfer parisien, ne peut avoir lieu qu'en Allemagne. Il veut partir, c'est décidé, il partira : depuis combien d'années au juste doit-il le faire, son voyage en Allemagne ? Il va partir, il est parti.

Il est parti sans rien préparer, ou presque, de ce qui s'appelle aujourd'hui une tournée. Ce n'est pas un coup de tête. Sa décision, il l'a mûrement réfléchie, mais il n'a pris aucune véritable disposition pour la mettre en œuvre. A presque quarante ans, il continue à se conduire en adolescent impulsif, toujours si sûr de son génie qu'il ne doute de rien : il lui suffira d'arriver – n'importe où ! – et les portes s'ouvriront devant lui. Quelques lettres écrites à Francfort, à Berlin devraient suffire. Des malles préparées en cachette et près de trois cents kilos de partitions dans ses bagages pour pouvoir tout jouer : pour le reste, on improvisera.

A sa sœur Nanci, il décrit le 9 décembre son itinéraire : « Bruxelles, concert le 17 décembre – Francfort, concerts le 25 décembre et le 1er janvier – Stuttgart, concert le 10 janvier et peut-être un second le 15 – Munich... » Vienne... Berlin... Leipzig... Rien n'est fixé, en fait, ou presque rien.

En quittant la rue de Londres, il a laissé sur un meuble une lettre adressée à Harriett. Le plus dur est fait. A Nanci, il ne parle ni de Marie ni de sa fuite, se contentant de remarquer qu'Harriett « prend bien difficilement son parti ». Mais comme il a le temps avant ce qu'il croit être le premier concert prévu en Allemagne, il va d'abord s'arrêter en route, à Bruxelles, dont il a, somme toute, conservé un bon souvenir.

Avant de partir, pourtant, Berlioz a pris une précaution. Il veut conserver sa chronique aux *Débats* : il aura plus que jamais besoin de cette tribune à son retour. Ce qu'il y écrira lui permettra à la fois d'assurer une partie de ses frais de voyage et de subvenir aux besoins d'Harriett et de leur fils qu'il a, ne mâchons pas les mots, abandonnés. Il va dès lors s'engager à rendre compte de son voyage dans *Les Débats.* Afin de donner plus de vie à ses articles, qu'il publiera à son retour, de la mi-août 1843 au tout début 1844, il choisit de les écrire sous forme de lettres qui sembleront rédigées régulièrement, à l'issue de chacune des étapes. Des lettres en fait écrites six mois plus tard, de mémoire, dont les destinataires varieront, au gré de ses impulsions ou de ses rencontres du moment, c'est-à-dire d'après son retour : le violoniste et compositeur Auguste Morel, son ami le chef d'orchestre Girard, voire Liszt ou de nouveaux venus dans sa correspondance. Ainsi, à la manière de ces romanciers qui, au XVIIIe siècle, multiplièrent les romans épistolaires afin de « faire plus vrai », Berlioz va-t-il donner l'impression à ceux de ses lecteurs qui peuvent ne pas être dupes – il y en aura tout de même – qu'il écrit au fil des jours et raconte sur le vif le voyage qu'il est en train d'effectuer. On a parlé de roman ? Si ce n'est certes pas un roman qu'il donne aux *Débats*, puisque la partie strictement privée de sa vie n'y paraît guère, il n'en reste pas moins que, dans ces « lettres » rassemblées dans le *Voyage musical* publié en 1844, Berlioz enjolive parfois la réalité, affabule aussi. En outre, comme il s'agit d'une chronique musicale, les passages à proprement parler techniques y sont beaucoup plus nombreux : c'est le Berlioz critique qu'on retrouve là. Notations personnelles, jusqu'à des fragments de dialogues reproduits avec un clin d'œil aux lecteurs, y alternent avec des analyses musicales quelquefois très poussées. On remarquera une dernière fantaisie – erreur involontaire ? mystification inutile ? – alors que c'est de la fin 1842 à la mi-1843 que Berlioz a connu les grandes et les petites villes d'Allemagne, c'est de « 1841-1842 » qu'il date ce « Premier voyage » dans les *Mémoires*.

C'est donc le 12 décembre 1842 qu'une voiture froide et empuantie emmène Berlioz et Marie Recio vers la frontière belge. Les malles de vêtements et de musique forment une importante pyramide et eux, tout à leur liberté, doivent néanmoins éprouver des sentiments bien différents. Elle, Marie, exulte : elle le possède enfin, son grand homme. Il est tout entier à elle et non plus à l'*autre*, la grosse Anglaise avinée à laquelle il revenait chaque fois : à présent, il ne peut plus revenir. Il a trop besoin d'elle, son corps dont elle sait si bien se servir, ses caresses, quoi ! Elle-même a cependant encore plus besoin de lui. D'abord, elle l'aime, c'est certain. Et surtout, sa carrière dépend de lui. Déjà, elle était une chanteuse médiocre – aucun critique ne le disait vraiment pour ne pas peiner son Berlioz –, mais voilà que Pillet, le directeur dont, pour elle, Berlioz a insulté la toute-puissante maîtresse, lui a refusé le congé qu'elle demandait pour suivre son protecteur. Comme elle a dû rompre un contrat de complaisance, c'est au destin de Berlioz que le sien est maintenant arrimé. On imagine que, conquis de haute lutte, Marie Recio ne le laissera pas échapper. Démonstrations de tendresse et chatteries dans une patache lancée sur les routes du Nord...

Lui savoure le coup d'Etat qu'il vient d'oser accomplir. Pourtant, la lettre posée quelque part sur un meuble dans le sinistre appartement de la rue de Londres, quand la pauvre Harriett, son Henriette, la triste et jolie Ophélie de jadis, va-t-elle l'ouvrir ? Et, même si elle n'a pas pu ne pas subodorer quelque chose, sa surprise, sa désolation doivent être effroyables. Quant au chagrin du pauvre petit Louis... On devine que ce n'est pas sans idées sombres que le mari en fuite s'abandonne aux caresses d'une maîtresse entreprenante.

Arrivée à Bruxelles, installation à l'Hôtel d'Europe, mais... premier désappointement, le concert que Berlioz a essayé d'organiser avant son départ est d'abord remis, puis annulé. Pour une fois, ce n'était pas Marie Recio qui devait chanter avec lui, mais l'illustre Mlle Nathan, devenue Mme Nathan-Treillet, et elle a déclaré forfait.

A l'Hôtel d'Europe, Marie Recio ronge son frein : ah ! si Hector lui avait fait confiance. Berlioz, lui, tue le temps en rédigeant pour *La Sylphide*, qui publie tout ce que le Paris d'alors compte de noms illustres et moins illustres, un article d'une méchanceté extrême sur « Le monde musical » parisien, précisément, où il met en scène un compositeur français dans l'incapacité de se faire jouer en France et qui décide de tenter sa chance au-delà des frontières ! La fable, la satire et l'autobiographie se retrouvent à l'enseigne de la minuscule danseuse qui virevolte sur la couverture du journal. Puis, à la hâte, il tente d'organiser un autre concert. Mais le temps presse : il se croit, une fois encore, attendu à Francfort, persuadé qu'un concert a été organisé pour lui. Peut-être aussi que la volcanique Marie commence à lui porter sur les nerfs : infortuné Berlioz qui ne se doute pas qu'il devra la supporter pourtant vingt ans !

Alors, le couple, toujours en fuite, traverse le Rhin. Le Rhin est alors à la mode. Hugo a écrit le livre paru un an auparavant qui en porte le titre, Berlioz l'évoque au passage. Déferlements romantiques, vagues d'images : que c'est bon de vivre sous d'autres horizons ! Puisqu'ils sont à Mayence, pourquoi ne pas y tenter leur chance ? Avant le triomphe qu'il espère à Francfort, un concert réussi à Mayence serait de bon augure. Deuxième déception, le vieux M. Schott, « le patriarche des éditeurs de musique, ce digne homme [qui] a l'air, comme la Belle au bois dormant, de dormir depuis cent ans », lui répond qu'à Mayence il n'y a ni orchestre, ni public, ni argent !

Les éditions musicales Schott existent toujours et il y a aujourd'hui un orchestre à Mayence, du public et de l'argent. Mais en cette fin de 1842, ce sont deux concerts ratés pour Berlioz. Qui reprend aussitôt la route. Ou plutôt, le chemin de fer. Le voyage se poursuit, toujours plein d'espoir, jusqu'à Francfort.

Là, nouvelle déception : les sœurs Milanollo, Teresa et Maria, de petites violonistes nées près de Turin et qui se produisirent dans l'Europe entière jusqu'à la mort, à seize ans, de la plus jeune, Maria, en 1848, donnent cette année à Francfort une série de concerts qui connaissent un tel succès, explique Guhr, le directeur du théâtre, qu'il faut garder pour un autre moment « la grande musique et les grands concerts ».

Troisième concert raté de la tournée plus qu'improvisée de Berlioz en Allemagne. Heureusement que, lors de son passage rapide à Francfort, au mois de septembre, on lui avait dit que le temps de

Noël serait pour lui le moment idéal pour s'y produire... Il se consolera donc en écoutant un *Fidelio* superbe.

Dans une loge, il aperçoit quand même une vieille connaissance : son ami Ferdinand Hiller, à qui il « enleva » Camille. De retour en Allemagne, après un séjour en Italie, Hiller dirige les concerts de la Gewandhaus de Leipzig, puis ceux de Dresde. Il est alors à Francfort pour faire jouer un oratorio, *La Destruction de Jérusalem*, et tente de retenir Berlioz. Mais celui-ci préfère aller plus loin pour entendre sa propre musique que rester à Francfort pour écouter celle de son ami. On s'embrasse, on se quitte en se promettant de se revoir – on se reverra très vite – et on reprend la route. Cela ne fait que quinze jours qu'ils sont partis. En quinze jours, Berlioz et Marie ont traîné à Bruxelles et franchi le Rhin, admiré Francfort et tenté quatre fois leur chance, en comptant le concert annulé de Bruxelles : le temps passe si vite lorsqu'on est à deux et qu'on s'aime. La question est : s'aiment-ils ?

C'est à Hyacinthe Girard qu'est adressée la « Seconde lettre » de voyage. La première, datée du 13 août, sera traduite en octobre dans le *Neu Zeitschrift für Musik*. Comme à son habitude, Berlioz publie deux fois, trois fois le même article et ne laisse plus rien perdre de ce qu'il écrit. Il est loin le temps où il brûlait celles de ses œuvres qu'il n'aimait pas ! La lettre « à M. Girard » paraît dans *Les Débats* le 20 août : « L'une des grandes difficultés de mon voyage en Allemagne, et celle qu'on pouvait le moins aisément prévoir, était dans les dépenses énormes du transport de ma musique. Vous le comprendrez sans peine en apprenant que cette masse de parties séparées d'orchestre et de chœurs, manuscrites, lithographiées ou gravées, pesait énormément et que j'étais obligé de m'en faire suivre à grands frais presque partout, en la plaçant dans les fourgons de la poste. Cette fois seulement, incertain si après ma visite à Stuttgart j'irais à Munich, ou si je reviendrais à Francfort pour me diriger ensuite vers le nord, je n'emportai que deux symphonies, une ouverture et quelques morceaux de chant, laissant tout le reste à ce malheureux Guhr... »

Tout son naturel de conteur se retrouve ensuite dans la manière dont, après les splendeurs rugueuses des Abruzzes, il décrit un paysage allemand qui ne ressemble à rien. « La route de Francfort à Stuttgart n'offre rien d'intéressant, et en la parcourant je n'ai point eu d'impressions que je puisse vous raconter ; pas le moindre site romantique à décrire, pas de forêt sombre, pas de couvent, pas de chapelle isolée, point de torrent, point de grand bruit nocturne, pas même celui des moulins à foulons de Don Quichotte ; ni chasseurs, ni laitières, ni jeune fille éplorée, ni génisse égarée, ni enfant perdu, ni mère éperdue, ni pasteur, ni voleur, ni mendiant, ni brigand ; enfin, rien que le clair de lune, le bruit des chevaux et les ronflements du conducteur endormi. Par-ci par-là quelques laids paysans couverts d'un large chapeau à trois cornes, et vêtus d'une immense redingote de toile jadis blanche, dont les pans, démesurément longs, s'embarrassent entre leurs jambes noueuses ; costume qui leur donne l'aspect de curés de village en grand négligé... »

A Stuttgart, un Dr Schilling, auteur d'un grand nombre d'ouvrages théoriques et critiques sur l'art musical, explique à Berlioz qu'il a tout intérêt à donner son concert dans la salle destinée aux « solennités musicales » et qu'on nomme salle de la Redoute. Outre l'avantage, énorme dans une ville comme Stuttgart, de la présence du roi et de la cour, il aura encore une exécution gratuite, sans avoir à s'occuper ni des billets, ni des annonces, ni d'aucun détail matériel de la soirée. Sur ce conseil, Berlioz présente sa requête au baron de Topenheim, grand maréchal de la cour et intendant du théâtre, qui le reçoit « avec une urbanité charmante, [l']assurant qu'il parlerait le soir même au roi de [sa] demande et qu'il croyait qu'elle [lui] serait accordée ». Berlioz remet alors son sort entre les mains du maître de chapelle Lindpaintner.

Peter Joseph von Lindpaintner était, dans tous les sens du mot, une sommité du monde musical européen. Alors âgé de quarante-quatre ans, il était maître de chapelle d'un roi de Wurtemberg qui ne s'intéressait pas à sa musique, seulement à celles venues de l'étranger, et, de toute façon, n'assistait jamais à un concert. Les répétitions dans la salle de la Redoute se déroulent sans incident et Berlioz ne tarit pas d'éloges sur l'orchestre qu'on lui a donné (« Un autre mérite de l'orchestre de Stuttgart, c'est qu'il est composé de lecteurs intrépides, que rien ne trouble, que rien ne déconcerte, qui lisent à la fois la note et la nuance... »). Le programme ne pèche pas par originalité : quatre mouvements de la *Fantastique*, l'ouverture des *Francs-Juges* et deux mouvements d'*Harold*. Avec quelques romances. Et un air de Meyerbeer.

Le soir du concert, pourtant, nouvelle déception. Le concert a lieu, certes, mais des « maladies vraies ou simulées » lui « enlèvent la moitié des violons ». L'épidémie du 29 décembre 1842, à Stuttgart, n'a frappé que les cordes, mais pas toutes. Ni les altos ni les violoncelles, pas plus que les contrebasses : seulement les violons. Le pauvre Berlioz remarque qu'en pareilles circonstances, il aurait pu faire comme Max, le héros du *Freischütz* et, pour obtenir les instruments qui lui manquent, signer un pacte avec « tous les diables de l'enfer ». « Nonobstant cette défection », le concert rencontre un vrai succès et il a tout lieu d'être satisfait. D'ailleurs, en dépit de la prédiction de Lindpainter, le roi Guillaume Ier était dans la salle : cela faisait dix ans qu'il n'avait mis les pieds à un concert.

Dans une lettre à son ami Morel, Hector décrit les marques de satisfaction qu'il a reçues de son illustre auditoire. Il n'oublie pas pour autant de demander à Morel l'habituel service qu'il prie tous ses alliés de lui rendre : « Voulez-vous être assez bon pour faire un peu mousser cela dans les journaux de nos amis ? »

Cependant, ni dans la vraie lettre à Morel, ni dans la fausse lettre à Girard, Berlioz n'évoque les romances, pourtant de lui, ou l'air de *Robert le Diable* qu'on y a chanté. La raison de ce silence ? Ce n'était plus Mlle Nathan qui était prévue cette fois au programme, mais Marie Recio. Et, on s'en doute, Marie s'est montrée ce qu'elle était : une chanteuse médiocre. Aussi Berlioz préfère-t-il se taire lorsque c'est elle qui chante. Si, pour l'avoir dans son lit, il faut aussi l'avoir sur scène, autant faire comme si on ne l'entendait pas. Destin fatal que celui de Berlioz : rue de Londres, il lui fallait ne pas entendre les jérémiades d'Harriett ; dans un théâtre allemand, ce sont les roulades de Marie qu'il lui faut ignorer...

C'est toujours avec elle qu'il poursuit néanmoins sa route. Vers Hechingen, résidence princière, petite ville au sud-ouest de Stuttgart, berceau des Hohenzollern qui vont régner sur la Prusse jusqu'à la fin de la guerre de 1914. « Hechingen n'est qu'un grand village, tout au plus un bourg, bâti sur une côte assez escarpée, à peu près comme la portion de Montmartre qui couronne la butte, ou mieux encore comme le village de Subiaco dans les Etats romains. Au-dessus du bourg, et placée de manière à le dominer entièrement, est la villa Eugenia, occupée par le prince. [...]

» Le souverain actuel de ce romantique paysage est un jeune homme spirituel, vif et bon, qui semble n'avoir au monde que deux préoccupations constantes, le désir de rendre aussi heureux que possible les habitants de ses petits Etats, et l'amour de la musique. Concevez-vous une existence plus douce que la sienne ? Il voit tout le monde content autour de lui : ses sujets l'adorent ; la musique l'aime ; il la comprend en poète et en musicien ; il compose de charmants lieder ; il a, sinon un théâtre, au moins une chapelle [un orchestre] dirigée par un maître d'un mérite éminent, Täglichsbeck. [Encore un violoniste, toujours un compositeur.] Tel est l'aimable prince dont l'invitation m'avait été si agréable et dont j'ai reçu l'accueil le plus cordial. »

Ce Frédéric-Guillaume ressemblait bien à ces autres aimables souverains de petites cours germaniques qui traversent si souvent *Les Pléiades*, le roman de Gobineau. Il nous vaut ainsi une jolie description de l'une de ces petites cours, où la vie semblait s'être arrêtée au XVIIIe siècle. On y vit pour la musique et le moindre fonctionnaire y est musicien amateur. C'est le paradis des concertos en dentelles et des symphonies pour souliers à boucle d'argent. Lors du concert qu'il organise avec mille prévenances pour son hôte, le prince d'Hechingen se tenait à côté du timbalier pour lui compter ses pauses et le faire partir à temps.

« Il fallait voir dans cette jolie salle de concert, où Son Altesse avait réuni un nombreux auditoire, comme les impressions musicales circulaient vives et rapides ! [...] Il y eut, après le concert, souper à la villa Eugenia. La gaieté charmante du prince s'était communiquée à tous ses convives ; il voulut me faire connaître une de ses compositions pour ténor, piano et violoncelle ; Täglichsbeck se mit au piano, l'auteur se chargeant de la partie du chant, et je fus, aux acclamations de l'assemblée, désigné pour chanter la partie de violoncelle. On a beaucoup applaudi le morceau et ri presque autant du timbre singulier de ma chanterelle. Les dames surtout ne revenaient pas de mon *la*.

» Le surlendemain, après bien des adieux, il fallut retourner à Stuttgart. La neige fondait sur les grands pins éplorés, le manteau blanc des montagnes se marbrait de taches noires... c'était profondément triste... Le ronge-cœur put travailler encore... »

La troisième « lettre » est adressée à Liszt. Elle commence par une admirable réflexion sur la plénitude qui ne peut qu'emplir un virtuose tel que son ami face à sa solitude à lui, le chef d'orchestre. Son désespoir aussi. Trois temps dans cette démonstration. D'abord le soliste qui peut s'écrier : « "L'orchestre, c'est moi ! le chœur, c'est moi ! le chef, c'est encore moi. Mon piano chante, rêve, éclate, retentit ; il défie au vol les archets les plus habiles ; il a, comme l'orchestre, ses harmonies cuivrées ; comme lui et sans le moindre appareil, il peut livrer à la brise du soir son nuage de féeriques accords, de vagues mélodies ; je n'ai besoin ni de théâtre, ni de vastes gradins ; je n'ai point à me fatiguer par de longues répétitions ; je ne demande ni cent, ni cinquante, ni vingt musiciens ; je n'en demande pas du tout, je n'ai pas même besoin de musique. Un grand salon, un grand piano, et je suis maître d'un grand auditoire. Je me présente, on m'applaudit ; ma mémoire s'éveille, d'éblouissantes fantaisies naissent sous mes doigts, d'enthousiastes acclamations leur répondent, je chante l'*Ave Maria* de Schubert ou l'*Adélaïde* de Beethoven, et tous les cœurs de tendre vers moi, toutes les poitrines de retenir leur haleine... c'est un silence ému, une admiration concentrée et profonde. Puis viennent les bombes lumineuses, le bouquet de ce grand feu d'artifice, et les cris du public, et les fleurs et les couronnes qui pleuvent autour du prêtre de l'harmonie frémissant sur son trépied ; et les jeunes belles qui, dans leur égarement sacré, baisent avec larmes le bord de son manteau ; et les hommages sincères obtenus des esprits sérieux, et les applaudissements fébriles arrachés à l'envi ; les grands fronts qui se penchent, les cœurs étroits surpris de s'épanouir..." Et le lendemain, quand le jeune inspiré a répandu ce qu'il voulait répandre de son intarissable passion, il part, il disparaît, laissant après soi un crépuscule éblouissant d'enthousiasme et de gloire... C'est un rêve !... C'est un de ces rêves d'or qu'on fait quand on se nomme Liszt ou Paganini. » Liszt est seul devant son piano : quel bonheur !

Deuxième temps de la démonstration : contrairement aux Liszt et aux Paganini, le compositeur-chef d'orchestre traîne derrière lui le boulet de mille et une contingences, nécessités, absurdités dont il vaut mieux rire. Alors Berlioz commence par en rire. « [...] Sait-on ce que peut être pour lui la torture des répétitions ?... Il a d'abord à subir le froid regard de tous ces musiciens médiocrement charmés d'éprouver à son sujet un dérangement inattendu, d'être soumis à des études inaccoutumées. – Que veut ce Français ? Que ne reste-t-il chez lui ? Chacun néanmoins prend place à son pupitre ; mais au premier coup d'œil jeté sur l'ensemble de l'orchestre, l'auteur y reconnaît bien vite d'inquiétantes lacunes. Il en demande la raison au maître de chapelle : "La première clarinette est malade, le hautbois a une femme en couches, l'enfant du premier violon a le croup, les trombones sont à la parade ; ils ont oublié de demander une exemption de service militaire pour ce jour-là ; le timbalier s'est foulé le poignet, la harpe ne paraîtra pas à la répétition, parce qu'il lui faut du temps pour étudier sa partie, etc., etc." On commence cependant, les notes sont lues, tant bien que mal, dans un mouvement plus lent du double que celui de l'auteur ; rien n'est affreux pour lui comme cet alanguissement du rythme ! Peu à peu son instinct reprend le dessus, son sang échauffé l'entraîne, il précipite la mesure et revient malgré lui au mouvement du morceau ; alors le gâchis se déclare, un formidable charivari lui déchire les oreilles et le cœur... »

Les âneries des instrumentistes face au désespoir du compositeur se poursuivent jusqu'à ce que débute le concert : « Le public arrive l'heure sonne... Et la compensation commence. » C'est le troisième moment de la démonstration. Le ton de la lettre change, on découvre le bonheur du maître face à *son* orchestre qui joue *sa* musique qui le transporte : cette fois, c'est Berlioz, le vrai Berlioz, tout feu tout flamme, la crinière au vent et le geste impérieux, qui soulève des tempêtes et apaise des océans. « Ah ! c'est alors, j'en conviens que l'auteur-directeur vit d'une vie aux virtuoses inconnue ! Avec quelle joie furieuse il s'abandonne au bonheur de *jouer de l'orchestre* ! Comme il presse, comme il embrasse, comme il étreint cet immense et fougueux instrument ! [...] Il a l'œil partout ; il indique d'un regard les entrées vocales et instrumentales, en haut, en bas, à droite, à gauche ; il jette avec son bras droit de terribles accords qui semblent éclater au loin comme d'harmonieux projectiles ; puis il arrête, dans les points d'orgue, tout ce mouvement qu'il a communiqué ; il enchaîne toutes les attentions ; il suspend tous les bras, tous les souffles, écoute un instant le silence... et redonne plus ardente carrière au tourbillon qu'il a dompté. [...]

» Puis à la fin de la soirée, quand le grand succès est obtenu !, sa joie devient centuple, partagée qu'elle est par tous les amours-propres satisfaits de son armée. Ainsi, vous, grands virtuoses, vous êtes princes et rois par la grâce de Dieu, vous naissez sur les marches du trône ; les compositeurs doivent combattre, vaincre et conquérir pour régner. Mais même les fatigues et les dangers de la lutte ajoutent à l'éclat et à l'enivrement de leurs victoires, et ils seraient peut-être plus heureux que vous... s'ils avaient toujours des soldats.

» Voilà, mon cher Liszt, une longue digression, et j'allais oublier, en causant avec toi, de continuer le récit de mon voyage. J'y reviens... »

Après cette envolée, Berlioz de revenir à Mannheim et Weimar. En passant par Karlsruhe, il tente, à tout hasard, d'improviser un concert. Mais il lui faudrait patienter huit ou dix jours, il se hâte de gagner Mannheim. Arrivé là, il s'ennuie. Il pleut. La cloche d'une horloge, avec « pour résonance harmonique la tierce majeure », et les « cris aigus » d'un épervier dans une tour voisine l'empêchent de dormir. Triste jour et triste nuit... L'orchestre n'est ni bon ni mauvais, il manque d'ophicléide, ce qui, pour lui qui en fait grand usage, est un grave défaut. Mais il y a pire. Dans une lettre à Morel, il avoue : « Plaignez-moi, mon cher Morel ; Marie a voulu chanter à Mannheim et à Stuttgart et à Hechingen. Les deux premières fois, cela a paru supportable, mais la dernière !... et l'idée seule d'une autre cantatrice la révoltait... » Cette fois tout est dit. Pour Auguste Morel, véritable artiste qui sait ces choses-là, il a lâché la vérité. Marie Recio, que nul parmi les biographes de Berlioz, eussent-ils été les plus enclins à cette sorte de sympathie, n'a jamais réussi à plaindre, la « pauvre » Marie Recio qui mérite bien ce qu'on a dit d'elle est, même pour son amant, une déplorable, une lamentable chanteuse. La cloche, l'épervier, Marie Recio : c'en est trop pour Berlioz qui a donné un concert de routine devant des habitants de Mannheim « que la passion de la musique [n'empêche pas] de dormir ». A cela s'ajoute l'un de ces maux de gorge auxquels il nous a habitués. Avant de partir pour Weimar, il revient donc à Francfort. Et là, il tente le tout pour le tout. Quoi ? Se débarrasser de Marie ! La planter là ! Harriett à Paris, Marie à Francfort qui reviendra à Paris : quelle liberté pour lui ! la vraie liberté...

L'histoire, tout à fait anecdotique puisqu'elle n'aboutira pas, est simple et compliquée. Simple parce que Berlioz retient une seule place dans la diligence de Weimar et, comme il l'a fait rue de Londres, laisse une enveloppe dans la chambre de l'Hôtel de la Grenouille Verte où les deux amants sont descendus : une lettre et l'argent du retour. Qu'elle se débrouille, maintenant, Marie. Simple, donc, mais compliquée, car ce chenapan de vieil ami de Hiller emmêle les fils du stratagème. Il aurait voulu que, de nouveau de passage à Francfort, son ancien camarade puisse écouter sa *Destruction de Jérusalem*. Mais de là à insister pour le faire rester un peu plus ; puis à lui écrire une lettre révélant à Marie Recio ce qui s'est passé... Ou même à faire tomber par hasard entre les mains de la chanteuse une lettre vendant la mèche... Toujours est-il que, se retrouvant brusquement seule à l'enseigne de la Grenouille Verte, Marie fond en larmes puis écume de rage. Tout son plan aurait échoué ? Son Hector se serait envolé, sans elle ? Mais voilà que, « par le plus grand des hasards » – les guillemets sont de nous – elle retrouve sa piste et le rejoint.

Nous sommes le 17 janvier 1843, le 18 au matin. Berlioz, cette fois, exulte. Il est à Weimar, la ville mythique, la patrie de Goethe et de Schiller. Ici se croisent tous les vents de l'esprit allemand. Que Bach y vécût lui importe peu, mais les autres... On imagine l'auteur des *Huit scènes de Faust* passant devant la maison fameuse où le grand homme a habité. Il est libre, cette fois, totalement libre, affranchi de toutes celles qui ont voulu l'enfermer dans un amour éreintant dont il ne veut plus. Weimar s'ouvre à lui comme une terre nouvelle. Qu'on l'entende délirer de bonheur : « A la bonne heure, je respire ici ! Je sens quelque chose dans l'air qui m'annonce une ville littéraire, une ville artiste ! [...] Comme le cœur me bat en la parcourant ! Quoi ! c'est là le pavillon de Goethe ! Voilà celui où feu le grand-duc aimait à venir prendre part aux doctes entretiens de Schiller, de Herder, de Wieland ! Cette inscription latine fut tracée sur ce rocher par l'auteur de *Faust* ! Est-il possible ? ces deux petites fenêtres donnent de l'air à la pauvre mansarde qu'habita Schiller ! [...] Mes yeux ne peuvent quitter ces étroites fenêtres, cette obscure maison, ce toit misérable et noir ; il est une heure du matin, la lune brille, le froid est intense. Tout se tait, ils sont tous morts... Peu à peu ma poitrine se gonfle ; je tremble ; écrasé de respect, de regrets et de ces affections infinies que le génie à travers la tombe inflige quelquefois à d'obscurs survivants, je m'agenouille auprès de l'humble seuil, et, souffrant, admirant, aimant, adorant, je répète : Schiller !... Schiller !... Schiller !... »

Une jubilation poétique, créatrice. Il arpente les rues étroites avec bonheur, il respire plus fort dans les jardins fameux, parmi les buis taillés et les Vénus de marbre baroques. Il est libre et, il se le redit, tout peut arriver. Mais c'est Marie Recio qui arrive. Et c'est fini. Alors Berlioz va faire contre mauvaise fortune bon cœur. Il a déjà laissé une femme derrière lui, l'autre l'a rattrapé, il ne la chassera pas. Le concert qu'il donne le 25 janvier – la *Fantastique*, les *Francs-Juges* – est un succès. Marie chante, la presse est indulgente pour elle – et la signale. La grande-duchesse offre à Berlioz une tabatière en or : il ne se fait pas faute de le signaler dans ses lettres et, à Paris, on n'a pas oublié de le rapporter. C'est d'ailleurs toute cette tournée allemande qu'on présente en France comme un triomphe. Les articles sur lui affluent sous la plume de ses amis. Lui-même envoie deux cents francs à Harriett.

Après Francfort, départ pour Leipzig. Haut lieu de la musique allemande, Leipzig constitue une étape obligatoire. Encore que Berlioz ait quelques doutes sur l'accueil qu'il y recevra. A Leipzig, Mendelssohn règne en maître. Certes, on se souvient des bonnes conversations que les deux jeunes musiciens eurent jadis ensemble, dans les ruines du Colisée ou dans la campagne romaine. Ils n'étaient pas toujours du même avis mais, dans la torpeur de Rome, leurs discussions souvent très vives étaient stimulantes pour Berlioz. Seulement, des années ont passé. Berlioz a gravi le premier échelon du succès, Mendelssohn, lui, est au sommet de l'échelle. Et il a tenu sur son ancien compagnon des propos peu amènes qu'on a rapportés, naturellement, à Berlioz. C'est simple : Félix Mendelssohn n'aime pas la musique de Berlioz. Cela lui fait de la peine parce que « Berlioz est intelligent, froid et de bon sens dans ses jugements, et toujours réfléchi ; mais il ne voit pas tout ce qu'il y a d'absurde dans ses œuvres ». On peut ne pas aimer la *Symphonie fantastique* ou *Harold* et être un fin connaisseur de l'âme humaine...

En outre, à Leipzig, Mendelssohn vit dans l'intimité de Robert et de Clara Schumann. Schumann a eu pour Berlioz des mots très encourageants. Il a écrit sur lui dans la presse allemande. Il a fait jouer son œuvre en Allemagne. Mais sur le point d'être nommé à la tête du Conservatoire de la ville, il subit l'ascendant de Mendelssohn. Quant à Clara Schumann, elle a croisé Berlioz à Paris en 1839. La rencontre a été brève, suivie d'une visite, mais elle a eu, du musicien français « aux cheveux en désordre et aux yeux résolument baissés vers le plancher », une impression ambiguë. Surtout, Leipzig est, par excellence, la ville des traditions musicales. Tout ce qui concerne la musique y est pris gravement au sérieux ; on y dissèque un quatuor comme un sujet de laboratoire dans n'importe quelle école de sciences exactes. On se méfie de ce qui vient de l'étranger : bref, Berlioz s'est posé mille questions avant de prendre la décision de s'y arrêter. Mais il a écrit à Mendelssohn, et celui-ci lui a répondu de la manière la plus amicale : « Mon cher Berlioz, je vous remercie bien de cœur de votre bonne lettre et de ce que vous avez encore conservé le souvenir de notre amitié romaine ! Moi, je ne l'oublierai de ma vie, et je me réjouis de pouvoir vous le dire bientôt de vive voix. Tout ce que je puis faire pour rendre votre séjour à Leipzig heureux et agréable, je le ferai comme un plaisir et comme un devoir. Je crois pouvoir vous assurer que vous serez content de la ville, c'est-à-dire des musiciens et du public. Je n'ai pas voulu vous écrire sans avoir consulté plusieurs personnes qui connaissent Leipzig mieux que moi, et toutes m'ont confirmé dans l'opinion où je suis que vous y ferez un excellent concert. »

Mendelssohn lui donne également des indications pratiques, frais de location de la salle, recette probable. Et lui transmet l'invitation de la Société des concerts à donner une de ses œuvres dans un second concert, au bénéfice, celui-là, des pauvres de la ville, le 22 février suivant. Leipzig est donc une étape de première importance. C'est là qu'au nom de toute l'Allemagne, ou presque, on déclare bonnes ou mauvaises les musiques venues d'ailleurs. Et Berlioz y arrive donc sans trop d'arrière-pensées. Mendelssohn s'y montre fidèle à ce que ses lettres laissaient augurer : chaleureux, fraternel. Tous deux évoquent leurs souvenirs communs. Rome qui semble si loin, les thermes de Caracalla. Puis c'est l'échange rituel des bâtons des deux chefs. Berlioz s'en amusera. Le tomahawk, les squaws : Fenimore Cooper était à la mode. « Grand chef ! nous nous sommes promis d'échanger nos tomahawks ; voici le mien ! il est grossier, le tien est simple ; les squaws seules et les visages pâles aiment les armes ornées. Sois mon frère ! et quand le Grand Esprit nous aura envoyés chasser dans le pays des âmes, que nos guerriers suspendent nos tomahawks unis à la porte du conseil. » La presse française se gaussera du style fleuri de Berlioz qui, naïvement, s'est vanté de l'échange des bâtons auprès de ses amis pour qu'ils le rapportent consciencieusement. Cette fois, la vantardise fait flop.

Le concert du 4 février (encore la *Fantastique*, etc.) est applaudi, oui. Mais discuté. « On débat [...] de la moralité de mes faits et gestes harmoniques... », note ironiquement Berlioz. Mendelssohn accompagne pas à pas l'ami retrouvé dans son séjour dans sa ville. Pourtant celui-ci se rend bien compte que la modernité de son style a décontenancé les amateurs de musique allemande. Mais il est déjà parti. Et à Dresde, il en ira tout autrement.

D'abord il y retrouve Wagner, déjà croisé à Paris entre 1839 et 1842, lorsque celui-ci, au comble de la misère morale, écrivait n'importe quoi pour survivre. Pas plus qu'à Paris la rencontre des deux grands hommes ne sera réellement réussie. Wagner est sorti de l'ornière où il végétait. De dix ans le cadet de Berlioz, il est déjà, comme Mendelssohn, sur le chemin des honneurs officiels : *Kapelmeister* royal, il est devenu en quelques mois un vrai notable de la musique allemande. Berlioz assiste d'ailleurs à sa « présentation » à la Chapelle royale, qu'à ne pas en douter Marie Recio ne voit pas d'un bon œil. C'est elle qui, dans les années à venir, travaillera assidûment à éviter un rapprochement entre les deux musiciens : son « génie » à elle vaut tellement mieux que celui, ambigu et teuton, de Wagner. Dès son arrivée, Berlioz entend une partie du *Rienzi*, puis *Le Vaisseau fantôme*, et il est impressionné par ce projet. Mais il est peut-être plus impressionné encore par la faveur royale dont le compositeur bénéficie en Saxe, même si sa musique ne le convainc pas : abus du trémolo, « musicalité » qui le déroute. Les deux hommes s'estiment, mais l'amitié n'est toujours pas au rendez-vous. En revanche, ses deux concerts à lui, les 10 et 17 février, connaissent un vrai succès. Même Marie Recio est applaudie dans cette « Absence » dont elle a fait son cheval de bataille et qu'entre les deux concerts son amant a orchestrée pour elle. On l'applaudit, elle est heureuse. Heureuse aussi de l'aubade qu'une musique militaire – « les tambours même sont musiciens » !... – est venue donner sous leur fenêtre. Désormais, elle se sent vraiment Mme Berlioz. On boit le punch entre camarades, elle fait à présent partie de la famille. Ce qui n'empêche pas Berlioz d'envoyer cinq cents francs à la pauvre Harriett puisque tout s'est si bien passé...

Retour à Leipzig pour le concert au bénéfice des pauvres de la ville que Berlioz avait promis de diriger. Robert Schumann lui affirme que son *Offertarium* dépasse tout. Entamé sous de gris auspices, le premier « voyage musical » de Berlioz en Allemagne commence à s'éclairer. Au fidèle Joseph d'Ortigue, il adresse des bulletins de victoire qu'il s'agit toujours de faire passer dans la presse française. Il donne lui-même le ton : « Tous ces gens-là sont dans un ravissement, un enthousiasme, qu'ils ne savent exprimer qu'en me pressant les mains, en me faisant des saluts et des embrassades, puisque je ne sais pas un mot d'allemand. »

A Brunswick, le succès est le même. On le manifeste même trop bruyamment au goût de Berlioz. « A peine le dernier accord [de la "Fête chez Capulet", de *Roméo et Juliette*] était-il frappé, qu'un bruit terrible ébranla toute la salle ; le public en masse criait, au parterre, dans les loges, partout ; les trompettes, cors et trombones à l'orchestre, sonnaient qui dans un ton, qui dans un autre, de discordantes fanfares accompagnées de tous les fracas possibles par les archets sur le bois des violons et des basses, et par les instruments à percussion. Il y a un nom de la langue allemande pour désigner cette singulière manière d'applaudir (on dit : *Tusch*). En l'entendant à l'improviste, ma première impression fut de la colère et de l'horreur ; on me gâtait ainsi l'effet musical que je venais d'éprouver, et j'en voulais presque aux artistes de me témoigner leur satisfaction par un tel tintamarre. » Ce qui n'empêche pas l'heureux compositeur de se souvenir à nouveau de la pauvre Harriett et d'écrire au caissier de l'Opéra de Paris pour demander qu'on verse à la vraie Mme Berlioz les honoraires qui lui sont dus pour la dernière représentation du *Freischütz*, en février. Berlioz est un mauvais mari, il s'est conduit en mufle mais il a le sens du devoir, même si ce devoir porte un nom : le remords.

Brunswick, donc, puis enfin Berlin, après une étape à Hambourg où Berlioz se félicite de la manière dont sa Marie chante les vers de Théophile Gautier : « Reviens, reviens, ma bien-aimée... » A Berlin, le couple séjourne un mois. Cette fois, c'est l'illustre Meyerbeer qui joue les mentors. Dès la mi-mars, il a longuement écrit au « Cher Maître », son ami Berlioz, pour lui annoncer ce qui a été organisé par lui dans la capitale prussienne : tout se passera bien, « on se mettra corps et âme aux répétitions » de son concert. Et tout se passe, en effet, le mieux du monde. Berlioz et sa compagne ont un autre pilote dans la ville en la personne du grand Humboldt, Alexandre de Humboldt, le physicien qui les a pris sous son aile. Et puis, Berlioz entend des musiques qu'il admire, l'*Armide* de Gluck, *Les Noces de Figaro* et même un *Freischütz*. Remarque amusante de l'auteur des récitatifs de la version française de l'Académie royale de musique : s'il arrive de voir à Paris de tels chefs-d'œuvre en *grand débraillé*, c'est seulement en *petit négligé* qu'on se permet de les montrer en Prusse. Il assiste aussi à une représentation triomphale des *Huguenots* et même à la *Passion selon saint Matthieu* de Bach. Pour la première fois, Berlioz donne l'impression d'admirer – et de comprendre ! – Bach. « L'exécution de ces masses vocales a été pour moi quelque chose d'imposant, le premier *tutti* des deux chœurs m'a coupé la respiration ; j'étais loin de m'attendre à la puissance de ce grand coup de vent harmonique. »

D'où encore une « vignette » musicale à la Hogarth – ou l'envers de la salle d'opéra. Le style de l'écrivain Berlioz est aussi incisif que celui du compositeur qui raconte la Reine Morb ou du graveur anglais qui nous dit le *Rake's Progres* : « Il y a malheureusement à Berlin, comme à Paris, comme partout, certains jours où il semble que, par suite d'une convention tacite existant entre les artistes et le public, il soit permis de négliger plus ou moins l'exécution. On voit alors bien des places vides dans la salle et bien des pupitres inoccupés dans l'orchestre. Les chefs d'emploi, ces soirs-là, dînent en ville, ils donnent des bals ; ils sont à la chasse, etc. Les musiciens sommeillent, tout en jouant les *notes* de leur partie ; quelques-uns même ne jouent pas du tout : ils dorment, ils lisent, ils dessinent des caricatures, ils font de mauvaises plaisanteries à leurs voisins, ils jasent assez haut ; je n'ai pas besoin de vous dire tout ce qui se pratique à l'orchestre en pareil cas [...]

» Quant aux acteurs, ils sont trop en évidence pour se permettre de telles libertés (cela leur arrive quelquefois cependant), mais les choristes s'en donnent à cœur joie. Ils entrent en scène les uns après les autres, par groupes incomplets ; plusieurs d'entre eux, arrivés tard au théâtre, ne sont pas encore habillés, quelques-uns, ayant fait dans la journée un service fatigant dans les églises, se présentent exténués et avec l'intention bien arrêtée de ne pas donner un son. Tout le monde se met à son aise... Le public s'aperçoit-il de cela ? Le directeur n'en sait rien, et si l'auteur se plaint, on lui rit au nez et on le traite d'intrigant. Ces dames surtout ont de charmantes distractions. Ce ne sont que sourires et correspondances télégraphiques, échangés soit avec les musiciens de l'orchestre, soit avec les habitués du balcon. Elles sont allées le matin au baptême de l'enfant de Mademoiselle ***, une de leurs camarades ; on en a rapporté des dragées qu'on mange en scène, en riant de la mine grotesque du parrain, de la coquetterie de la marraine, de la figure réjouie du curé. Tout en causant on distribue quelques taloches aux enfants de chœur qui s'émancipent... »

Pourtant, les trois concerts qu'il donne se déroulent admirablement. Il est reçu par le roi – sans Marie Recio, qui ronge son frein, mais étiquette oblige. Aussi se donne-t-il la peine d'organiser un concert pour elle seule écrivant pour cela une lettre très humble, humiliante même, au pianiste Taubert pour lui demander de l'aider à se faire pardonner l'affront fait à Marie. Pauvre Berlioz qui se couche comme un caniche aux pieds de sa maussade maîtresse pour peu qu'il se sente coupable...

De son côté, le roi organise une matinée musicale en son honneur. On lui promet un petit concert, une poignée d'invités d'honneur. Ce ne sont pas moins de trois cents musiciens qui, dans l'enthousiasme, lui font entendre son ouverture des *Francs-Juges*. La grande salle du palais de Berlin retentit de sa musique jouée par un « orchestre monstre », comme il l'espérait, et jouée pour lui seul. Ou presque.

Magdebourg, Darmstadt, le voyage s'achève. A la fin du mois de mai, Berlioz est de retour à Paris. Ce voyage lui a permis de constater amèrement qu'hors des frontières étroites de la France bourgeoise d'après 1830, il est bel et bien une personnalité à part entière, voire hors du commun, de la scène musicale européenne, alors qu'à Paris il n'est qu'un compositeur perpétuellement frustré qui, faute d'avoir le temps et les moyens de réaliser sa grande œuvre, s'épuise à monter des concerts, tirer des plans sur la comète de l'administration musicale de son pays et écrire article sur article pour survivre. Sans parler de sa situation familiale, désespérante, et qui devient, peu à peu, désespérée...

2

Le retour sur terre

Le retour en France sera très dur. Berlioz est jeune encore, à peine quarante ans, mais il se sent épuisé. Le voyage, l'excitation des rencontres, les nuits souvent trop courtes dans des hôtels inconnus l'ont fatigué, oui. Mais il y avait l'attente, chaque jour, d'une nouvelle fête. D'un orchestre à découvrir. Et même si Marie Recio était d'une compagnie parfois difficile, c'était sans retenue qu'il pouvait s'abandonner à ce qu'elle savait lui donner à profusion, ses désirs de jeune femme avide de plaire. Alors que Paris... Paris où Harriett l'attend sans l'attendre, l'appartement de la rue de Londres trop étroit et le petit Louis qui sent bien que son père est un papa absent... Revenir rue de Londres ? Il n'en est pas question. D'ailleurs, Marie Recio sait s'y prendre et sa mère, bourgeoise et avisée, sait encore mieux ce qu'il faut faire pour garder un homme, surtout s'il s'agit d'un compositeur, amant d'une fille qui veut être chanteuse mais qui sait si peu chanter. Aussi la bonne Mme Martin-Sotera de Villas, qui baragouine un français approximatif, n'a-t-elle pas besoin de se donner beaucoup de mal pour convaincre son gendre par la main gauche de s'installer chez elle. Elle le soigne, le dorlote et lui, Berlioz, lui paie une pension. Comme n'importe quel locataire : sept cents francs par an, chauffage et repas compris.

Très vite, Marie Recio va vouloir être également payée en nature. Entendons-nous : la médiocre cantatrice voudra que son amant, qui ne manque pas de relations, la fasse chanter. L'Opéra lui restant interdit – elle s'y est trop mal conduite et les relations de Berlioz avec Pillet demeurent un sujet sensible –, c'est à l'Opéra-Comique qu'elle fait de nouveaux débuts, à la mi-août 1843. Grâce à Hector qui l'impose aux amis qu'il a dans la place. Sans fausse pudeur : elle est protégée par lui, critique qui tient le haut du pavé, qu'on en tire les conséquences ! L'accueil est réservé, c'est le moins que l'on puisse dire. La presse établit maintenant sans gêne le lien entre la triste Mlle Recio et Berlioz. « On dit Mlle Recio (est-ce bien là son nom ?), élève de M. Berlioz. Il en est bien capable ! » ironise *Le Corsaire* où Berlioz publia pourtant, il y a si longtemps, ses premiers articles. Marie n'est pas satisfaite du tout. Elle tente en vain de convaincre son protecteur d'en faire plus pour elle. Celui-ci, prudent, n'écrira pas, cette fois, de contre-vérité dans la presse à propos d'un talent sur lequel il ne se fait guère d'illusions.

Et la routine parisienne reprend : jérémiades d'Harriett qu'il continue à voir régulièrement, récriminations de Marie, et le petit Louis qui observe, tristement ; aller de l'une à l'autre, deux foyers, deux femmes, un enfant ; caresser la tête de l'enfant, soupirer auprès de l'une, se laisser faire par l'autre. Et écrire, écrire et écrire encore des articles. Pour payer les deux ménages. C'est alors qu'il envisage de publier en volume ses lettres d'Allemagne. A ceux qui ne veulent pas comprendre les besoins qui le pressent, qui l'imaginent roulant sur l'or, il s'en explique tristement. Ainsi, à sa sœur Nanci, il écrira plus tard, le 26 septembre 1845 : « Comment se fait-il que tu ne saches pas encore que je suis payé au *Journal des débats* par *article* et non par *lignes* ? Un feuilleton de huit (*ou de douze*) colonnes me vaut *cent francs*, mais s'il n'a que quatre colonnes on ne paye que cinquante francs.

» J'ai été payé autrefois par *L'Europe littéraire* cinquante francs la ligne ; ce généreux journal n'a pas vécu longtemps. *Le Journal des débats* est pourtant celui de toutes les feuilles de ce genre qui paye le mieux [...] A ce sujet quelqu'un me disait l'autre jour qu'on devait me donner au moins *cinq cents francs* d'une lettre comme la dernière (sur Brunswick).

» Jacques Arago m'avouait il y a deux mois que je passais pour avoir aux *Débats dix mille francs fixes*... voilà bien le public ! Ces lettres ont une grande vogue parmi le monde artiste et lettré, on me dit de toutes parts : Vous avez à votre tour *Vos petits mystères de Paris*, c'est un succès à la manière de Sue, etc. ; et je ne puis encore trouver un libraire pour m'acheter deux volumes où ces lettres doivent figurer. La plupart de ces prudents industriels trouvent que cela s'adresse à un public trop restreint, le public *musical et lettré*. S'il s'agissait d'un roman à la façon de Paul de Kock, lisible surtout pour les cuisinières, j'aurais déjà fait une très bonne affaire.

Ils ont raison. En attendant il y a déjà six ou sept traductions et contrefaçons de ces lettres en Belgique et en Allemagne. Il est toujours agréable de savoir qu'on est utile aux autres quand on ne peut l'être à soi... »

Plus que jamais, il déclare haïr ce métier de feuilletoniste qui le dépouille de tant d'heures qu'il pourrait consacrer à la musique : à *sa* musique. Dans la deuxième partie des *Mémoires*, il évoque cet esclavage, opérant un distinguo subtil entre le métier de « critique » somme toute supportable, et celui de « feuilletoniste », la corvée régulière qu'il est obligé de s'imposer. Il raconte ici les mois plus heureux de Montmartre, autour de 1840, mais, trois ans plus tard, rien n'a changé. « Mon existence [à] cette époque ne présente aucun événement musical digne d'être cité. Je restai à Paris, occupé presque uniquement de mon métier, je ne dirai pas de *critique*, mais de feuilletoniste, ce qui est bien différent. Le critique (je le suppose honnête et intelligent) n'écrit que s'il a une idée, s'il veut éclairer une question, combattre un système, s'il veut louer ou blâmer. Alors, il a des motifs qu'il croit réels pour exprimer son opinion, pour distribuer le blâme ou l'éloge. Le malheureux feuilletoniste obligé d'écrire sur tout ce qui est du domaine de son feuilleton (triste domaine, marécage rempli de sauterelles et de crapauds !) ne veut rien que l'accomplissement de la tâche qui lui est imposée ; il n'a bien souvent aucune opinion au sujet des *choses* sur lesquelles il est forcé d'écrire ; ces *choses*-là n'excitent ni sa colère, ni son admiration, elles ne *sont pas*. Et pourtant, il faut qu'il ait *l'air* de croire à leur existence, l'air d'avoir une raison pour leur accorder son attention, l'air de prendre parti pour ou contre. La plupart de mes confrères savent sans peine, souvent même avec une facilité charmante, se tirer de ce mauvais pas. Pour moi, quand je parviens à en sortir, c'est avec des efforts aussi longs que douloureux. Je suis demeuré une fois trois jours entiers enfermé dans ma chambre, pour écrire un feuilleton sur l'Opéra-Comique sans pouvoir le commencer. Je ne me souviens pas de l'*œuvre* dont j'avais à parler (une semaine après sa première représentation, j'en avais oublié le nom pour jamais), mais les tortures que j'éprouvai pendant ces trois jours avant de trouver les trois premières lignes de mon article, certes ! je me les rappelle. »

Dans son « feuilleton », Berlioz continue si bien à mêler sa vie personnelle aux remarques sur les concerts auxquels il assiste que les rivaux, la presse qu'il ne contrôle pas, l'en raillent avec davantage encore de férocité. Après les dizaines d'allusions à ses succès allemands publiés pendant son voyage grâce à ses amis, la parution des « Lettres », faussement adressées au brave Morel ou à la pauvre Mlle Bertin, fait sourire : c'est la confirmation officielle, par le général au front ceint de lauriers, des bulletins de victoire de la Grande Armée qu'on a semés pour lui à tout vent. Les caricaturistes s'en donnent à cœur joie. Plus que jamais, sa courte taille et sa maigreur, la masse imposante de ses cheveux et son nez busqué, énorme tête sur un corps de nain rachitique, sont une mine d'idées pour des dessinateurs méchants. Alors Berlioz en voiture enseveli dans ses fourrures, Berlioz sautillant, son « bâton » de chef à la main, Berlioz baragouinant en mille langues les succès qu'il a accumulés, babioles offertes par des souverains ou « tomahawk » de confrère, il y a là une veine inépuisable de profils ironiques que la presse diffuse avec délectation.

Tout cela montre qu'il est connu, célèbre. Tout cela fait qu'on parle de lui. Mais l'intéressé s'en offusque. Il en souffre. Il allume des contre-feux. Il rentre d'une tournée triomphale en Allemagne ? D'Ortigue, Janin viennent à la rescousse. Déjà le souvenir de la tournée s'estompe et les fameuses « Lettres », publiées dans *Les Débats* jusqu'à la fin de l'année 1843, arrivent à contre-temps.

Dieu merci, d'autres soucis l'entraînent plus loin. Berlioz ne compose peut-être rien, mais il conduit beaucoup. C'est d'abord et surtout comme chef d'orchestre qu'il revient en France. De mars 1843 à la fin de la même année, il ne donnera pas moins de quatorze concerts et dirigera quarante-sept répétitions. Chaque fois il descend du podium un peu plus fatigué, en nage, le plastron fripé et les cheveux en désordre, à bout de souffle et pestant contre ses musiciens. Pourtant ce ne sont là que des concerts « ordinaires », oserons-nous dire, alors qu'il rêve de grands « festivals », d'immenses fêtes musicales dont il serait à la fois l'ordonnateur... et le principal compositeur. D'où l'idée d'un « Festival Berlioz »... à la Scala de Milan ! Retourner ainsi en Italie sur les lieux où il a honni Bellini ? Quelle revanche ! Mais il ne va pas très loin. C'était en juin. En août, il se met dans la tête d'intercaler son ouverture du *Roi Lear* entre la *Cinquième symphonie* de Beethoven et un morceau de sa chère *Vestale* de Spontini. Ce serait au Théâtre-Italien, au bénéfice d'une association de musiciens dont il fait partie : nouveau projet gigantesque, soutenu pourtant par le richissime baron Taylor, nouvel échec. De même caresse-t-il le projet d'un festival « monstre » à l'Opéra. Pour cela, il lui faut regagner les faveurs des patrons de l'Académie royale de musique. Pillet et la Stoltz sont toujours en place, Berlioz recommence à leur faire la cour. Il ne quitte plus les bureaux, les couloirs de la grande maison. Les musiciens soutiennent son projet. Alors il se remet à rêver. Il voit plus grand, va plus loin... et naturellement sa vieille idée de devenir directeur musical de l'Opéra le reprend. Bien sûr, Habeneck est encore là. Les amis de Berlioz participent au nouvel assaut. Un concert qu'il donne le 19 novembre dans la salle du Conservatoire renforce sa position. Il ne dirige que du Berlioz. Et du meilleur : *Harold* et des extraits de *Roméo*, de *Benvenuto*, du *Roi Lear*. C'est un triomphe. Il faut dire que le chef-compositeur n'a pas ménagé ses efforts envers la presse. Ainsi, cette lettre qu'il écrit au cher Théophile Gautier : qu'il mette toute la gomme, qu'il hurle même avec les loups sur les bulletins de victoire envoyés pendant la tournée allemande. « Vous pouvez dans votre feuilleton blaguer à mort sur mon voyage d'Allemagne, puis dire que dimanche 19 au Conservatoire il y aura Duprez, Massol, Mme Gras-Dorus, chantant un grand trio de ma façon... »

Triomphe, oui. Meyerbeer et Spontini y assistent. Berlioz a même fait venir son fils, qui a déjà neuf ans. La recette frôle les trois mille francs, elle laisse un bénéfice de près de cinq cents francs : cette fois, il l'a bien démontré, nul n'est plus digne que lui de diriger l'orchestre de l'Opéra, susurrent ses amis. Et la presse qui le soutient d'approuver. Une fois encore, il a voulu jouer l'originalité. La jolie lettre que lui écrit Spontini au lendemain du concert en témoigne. Enthousiasme, oui... Mais un peu de ridicule, aussi : « *Vivat ! terque quaterque vivat*, vous d'abord, mon très cher Berlioz, vos gigantesques, fantastiques et ébranlantes compositions, à votre génie *toutes propres*, et votre brave et très vaillante Armée, pour sa parfaite et admirabilissime exécution jusques à l'extrême borne de la signification de ces mots ! Oui, elle vous aurait remporté une aussi éclatante victoire et conduit en triomphe sur les invulnérables boucliers [*sic*], même aux signes d'un bâton de commandement *non blanc*, et d'un pied *moins long*, qui, parcourant dans ses rotations moins longues et larges, moins d'espace, et fatiguant ainsi beaucoup moins votre bras, votre tête et tout votre corps, aurait parfois rendu plus sûr, plus précis et plus clair l'équilibre des mouvements excessivement variés et la régularité en général de votre direction !! Ne méprisez pas, je vous prie, cette innocente observation tout amicale, mon très cher Berlioz, que la franchise, la sincérité, etc. »

C'était l'une des ambitions de la vie de Berlioz : émouvoir l'auteur de *La Vestale*, et il y est parvenu. Même si celui-ci a raillé tout à la fois la couleur et la longueur de son bâton et sa gesticulation démente. La direction de l'Opéra n'en est pas pour autant acquise. Habeneck a plus d'amis, et plus puissants, qu'il n'en a lui-même. Pillet n'a pas oublié les propos que celui qui veut à présent faire sa conquête a pu tenir sur lui, sur Mme Stolz. Et le projet s'écroule. Non seulement Berlioz ne l'obtiendra pas, sa « dictature » sur l'orchestre – et sur la programmation ! – de l'Opéra, mais le nouveau Festival dont il rêvait sur la première scène de Paris ne voit pas le jour. L'année 1843 s'achève dans la déception. Harriett a été malade, elle va mieux, boit davantage ; faute de chanter où elle veut et quand elle veut, Marie Recio multiplie les scènes à son protecteur. Elle est à ce moment de sa carrière où toute nouvelle éclipse risquerait fort d'être définitive.

L'année 1844 commence mieux pour Berlioz : son *Traité d'instrumentation* est en librairie et il compose ce qui va devenir l'un de ses « tubes » (qu'on nous pardonne l'expression...) : *Le Carnaval romain*.

Le *Traité*, qu'on a déjà entrevu, c'est la grande œuvre théorique de Berlioz. Tout ce qu'il a mis en œuvre dans sa musique, jusque dans les admirables récitatifs du *Freischütz* qui ont aujourd'hui l'air d'une démonstration de virtuose, y est expliqué, analysé, développé. Le compositeur de la *Fantastique* comme de *Benvenuto Cellini* y révèle pas à pas les moyens du déploiement sans pareil d'une palette orchestrale qui effraya les censeurs sourcilleux et bougons de Leipzig mais qui va entraîner dans son sillage tous les maîtres de l'Ecole russe, jusqu'aux symbolistes de la musique française du tournant du siècle. C'est une œuvre de technicien de la musique d'autant plus rigoureux que, autodidacte, c'est sur le tas, face à l'orchestre ou aux grandes partitions déployées dans la bibliothèque du Conservatoire qu'il a appris son métier. C'est aussi l'œuvre d'un visionnaire qui, à la manière d'un Wagner contre lequel il rompra des lances, tente d'imaginer lui aussi la « musique de l'avenir », quand bien même la formule lui déplaît. Et puis c'est l'œuvre d'un poète, qui parle en écrivain et poète de ce qu'il aime par-dessus tout : faire jouer les couleurs de l'orchestre, en combiner les tonalités, varier les instruments, voire tenter d'inventer d'autres couleurs, d'autres tonalités, sinon d'autres instruments.

Le succès du *Traité* sera lent à venir. D'abord, l'ouvrage ne s'adresse pas seulement à ceux « qui savent », mais aussi à ceux qui « veulent » savoir. Il faut être décidé à franchir un pas décisif pour avancer dans le texte au-delà des premières pages – et ils sont peu nombreux ceux qui, en 1844, sont prêts à suivre l'auteur d'*Harold* ou de *Cellini* sur cette voie-là. Bien sûr, Berlioz va « arroser » les plus importants de ses amis, ses maîtres aussi, de ce volume qui pèse pour lui mille fois le poids de dix mille de ses feuilletons. Berlioz l'envoie aussi à un Victor Hugo, dont l'éditeur de la *Correspondance* nous précise que, « si peu versé dans la musique », celui-ci en remerciera l'auteur sur-le-champ – c'est le 14 février, il suggère à Berlioz de venir « serrer la main tendue vers [lui] »... – mais qu'il rangera le livre au plus profond de sa bibliothèque, sans l'ouvrir. Pour Berlioz, le *Traité* est en quelque sorte la clef de voûte qui tient en équilibre l'ensemble de son œuvre. Du coup, il se prend à espérer la création au Conservatoire d'une chaire d'instrumentation. Fort de l'appui de son ami Armand Bertin et de celui d'Edmond Cavé qui lui est désormais acquis, il écrit au ministre de l'Intérieur, le comte Duchatel. Il va jusqu'à préciser la somme qu'il reçoit à la bibliothèque du Conservatoire (« *Cent dix-huit francs* par mois : c'est tout ce que je possède d'assuré ») pour obtenir, en même temps que la chaire en question, la pension qui l'accompagnerait. Il plaide : son *Traité* suffit à justifier cette chaire et la pension qui lui permettrait d'avoir *le temps de travailler* (il souligne lui-même les mots), épuisé qu'il est par les « bizarres difficultés de sa vie ». « La création en ma faveur d'une chaire d'instrumentation au Conservatoire m'aiderait à atteindre ce but. Y a-t-il de la présomption de ma part à l'espérer ? » Duchatel, successeur du comte de Montalivet, ne voudra pas le comprendre : on ne créera pas de classe au Conservatoire pour Berlioz.

Le Carnaval romain, en revanche, tout le monde va le comprendre : ce sera un coup d'éclat !

L'idée lui en vient après une relecture de *Benvenuto Cellini*. Subitement, l'Italie qu'il a connue, cette Rome qu'il a haïe, mais qui l'a fasciné, lui reviennent à la mémoire. Ainsi que les personnages de son opéra. L'échec public de celui-ci ne doit pas lui faire perdre de vue l'essentiel : Rome était déjà tout entière dans son œuvre. Quant au « Carnaval » du deuxième acte, c'était déjà un moment de bonheur pour ses auditeurs. Alors, reprenant les thèmes de son œuvre, il se met à l'ouvrage. Sans avoir à s'inquiéter désormais de l'effet produit sur une scène de théâtre, il laisse aller son cœur, son imagination, ses souvenirs. Il est heureux. Avec quel mordant il a pu railler le vrai carnaval auquel il a assisté à Rome pendant les « jours gras » de 1832 : avec quel bonheur il transforme aujourd'hui tout cela en musique ! Il déverse dans ses élans joyeux tout ce qu'il a de meilleur en lui, la part de gaieté, folle parfois, qui ne s'éteint jamais sous les cendres de la désespérance. Et, dans son euphorie bienfaisante, *Le Carnaval romain* vient au jour avec éclat. A peine l'a-t-il achevé, à la fin du mois de janvier 1844, qu'il veut déjà le faire jouer. Il sait que ce sera un succès. Alors il se met en quête d'une salle. Il trouve la petite salle Herz, à l'acoustique incertaine, mais qu'importe. Il complète son programme avec *L'Invitation à la valse* et quelques succès habituels, dont la sempiternelle *Absence* toujours chantée par l'incontournable Marie Recio. Et, le 3 février 1844, c'est une victoire sans précédent. La salle entière se lève et applaudit, on bisse le morceau. *Le Carnaval romain*, qualifié d'« ouverture » – mais c'est un moment de musique qui ne ressemble à rien –, entre d'un coup dans la légende. Mieux, dès le 1er avril, lors d'un concert offert par *La Gazette musicale* à ses abonnés, on en donne une version arrangée à huit mains pour deux pianos. Cinq jours plus tard, le 6 avril, Berlioz dirige à nouveau l'œuvre dans sa version orchestrale à l'Opéra-Comique : dans la période sombre qu'il traverse depuis son retour d'Allemagne, Berlioz a trouvé là un succès surprenant et aisé qui a bien de quoi lui remonter le moral.

A la même époque, il va faire paraître dans *La Gazette musicale* l'une de ses nouvelles les plus célèbres. On l'a déjà évoquée lorsque Camille Moke a si ignominieusement trahi son fiancé : c'est « Euphonia ». Publiée sur huit numéros de la revue, du 18 février à la fin du mois de juillet, la nouvelle apparaît bien comme ce qu'elle est : une vengeance. Et le public ne s'y trompe pas. Une fois de plus, les amis applaudissent.

Puisque, à l'exception du *Carnaval romain*, le Berlioz de ces années-là paraît davantage un littérateur qu'un compositeur, il enfonce le clou pour ses détracteurs, préparant la publication en volumes de ce qui, à partir de ses « Lettres d'Allemagne », paraîtra sous le titre de *Voyage musical en Allemagne et en Italie*. La mise en forme du manuscrit est un travail délicat. Rassemblant les fameuses lettres de l'année précédente mais aussi ses souvenirs italiens déjà publiés à plusieurs reprises, Berlioz marche sur des œufs : il ne veut peiner personne. Or Harriett risquerait d'être émue par des souvenirs trop précis de Camille. Dans le même temps, c'est Marie qui pourrait mal interpréter sa passion première pour Harriett qui risque de transparaître entre les lignes. Quant à Camille, tant pis pour elle, il en dira ce qu'il voudra. C'est dommage, d'ailleurs, qu'il n'en dise pas plus. Dédiés à « Son Altesse royale Monseigneur le duc de Montpensier », les deux volumes vont paraître dans l'année chez Jules Labitte, libraire-éditeur, quai Voltaire, à Paris. L'ordre chronologique en est singulièrement bouleversé puisque Berlioz commence par y raconter le plus facile, ce dont il se souvient le mieux, à savoir son voyage en Allemagne. Les souvenirs italiens, ainsi que les passages humoristiques concernant le concours de Rome et ses démêlés avec l'Institut, apparaissent ensuite dans le deuxième volume. Assez curieusement, le livre ne sera jamais réédité. C'est que, pour la plus grande partie, il va être repris dans le corps des *Mémoires*. Il n'en reste pas moins que, dans sa forme originale, le *Voyage musical* de 1844 est le premier ouvrage littéraire de Berlioz.

Cette activité purement éditoriale ne l'empêche pas de continuer à diriger de nombreux concerts. On donne aussi de la musique de lui. Ainsi, le 4 mai, au Théâtre-Italien, c'est Liszt qui entreprend, une fois de plus, de venir à la rescousse de son camarade qui craint toujours de se faire oublier. D'où une véritable compétition organisée entre l'orchestre et le grand pianiste autour de la scène de bal de la *Symphonie fantastique*. Berlioz dirige l'orchestre, il obtient un franc succès. Puis Liszt joue la transcription pour piano seul. C'est un défi, un jeu, presque une bonne blague, la salle est en délire. Et, comme si la presse ne devait pas parler assez de ce succès, Berlioz décide d'en rendre compte en son nom propre, dans un article du *Journal des débats*. Sous forme de dialogue, l'article commence par une satire de Berlioz par lui-même : « Je ne peux pas souffrir cet homme-là ! affirme le critique imaginaire qui n'est autre que lui. C'est un des caractères les plus mal faits, un des esprits les plus malvenus, une des imaginations les plus absurdes [...] et c'est moi qu'on vient de choisir pour écrire sur lui ! » Ses amis se moquent, lui-même s'en moque bien.

C'est qu'il a un autre projet en vue. Un projet colossal, à la mesure des défis qu'il aime se lancer en rêve, sans avoir jamais les moyens d'y répondre. Mais, pour une fois, les moyens lui en sont donnés. Une grande Exposition industrielle vient de s'ouvrir à Paris. On doit y donner un concert en clôture : et si c'était un concert Berlioz ? Ses amis, chacun autour de lui, intriguent. Et lui le premier, qui sonne à toutes les sonnettes qu'il est désormais si habitué à tirer. Finalement, on décide d'une manifestation qui mêlera un grand banquet, un bal et un concert. C'est l'ami Schlesinger, l'éditeur de *La Gazette musicale* et des *Valses* d'un Strauss qui n'est pas le Viennois que nous aimons, qui organise les choses. Ce Strauss-là est habitué à diriger des bals-concerts et des concerts-promenades avec lesquels il obtient toujours un grand succès. Après un moment de panique de la part du préfet de police qui redoute des manifestations populaires, la fête prévue est déplacée au Cirque olympique. Et Berlioz l'aura vraiment, son grand festival animé par un orchestre et des chœurs colossaux. Devant huit mille spectateurs, aidé de deux chefs d'orchestre assistants et de cinq maîtres de chant, il va diriger plus d'un millier de musiciens. Très exactement mille vingt-deux, si l'on en croit les *Mémoires*. Le programme est titanesque : Spontini, Auber, des extraits de la *Cinquième symphonie* de Beethoven, la prière du *Moïse* de Rossini, du Mendelssohn, du Meyerbeer et du Halévy, le chœur de *Charles VI*. De lui, Berlioz dirigera sa « Marche au supplice » de la *Symphonie fantastique* et, en première audition, un *Hymne à la France*. Ce sera un triomphe qu'il décrit longuement dans les *Mémoires*.

« Mes mille vingt-deux artistes marchaient unis comme eussent fait des concertants d'un excellent quatuor. J'avais deux seconds chefs d'orchestre : Tilmant, chef d'orchestre de l'Opéra-Comique, dirigeant les instruments à vent, et mon ami Auguste Morel, aujourd'hui directeur du Conservatoire de Marseille, conduisant les instruments à percussion. De plus, cinq maîtres de chant, placés l'un au centre et les autres aux quatre coins de la masse chorale, étaient chargés de transmettre mes mouvements aux chanteurs qui, me tournant le dos, ne pouvaient les voir. Il y avait ainsi sept batteurs de mesure, qui ne me quittaient jamais de l'œil, et nos huit bras, quoique placés à de grandes distances les uns des autres, se levaient et s'abaissaient simultanément avec la plus incroyable précision. De là ce miraculeux ensemble qui étonna si fort le public. [...]

» Les plus grands effets furent produits par l'ouverture du *Freischütz*, dont l'andante fut chanté par vingt-quatre cors ; par la prière de *Moïse* qu'on fit répéter et dans laquelle les harpistes, au nombre de vingt-cinq, au lieu d'exécuter des arpèges en notes simples, jouèrent des arpèges formés d'accords à quatre parties, ce qui, quadruplant le nombre de cordes mises en vibrations, semblait porter à *cent* le nombre des harpes ; par l'*Hymne à la France* qu'on redemanda également, mais que je m'abstins de répéter ; et enfin par le chœur de la bénédiction des poignards des *Huguenots*, qui foudroya l'auditoire. J'avais redoublé vingt fois les *soli* de ce morceau sublime, il y avait en conséquence quatre-vingts voix de basse employées pour les quatre parties des trois moines et de Saint-Bris. [...] Quant à moi, je fus pris, en conduisant, d'un tremblement nerveux tel que mes dents s'entrechoquaient, comme dans les plus violents accès de fièvre. Malgré la non-sonorité du local, je ne crois pas qu'on ait souvent entendu d'effet musical comparable à celui-là. [...]

» J'étais dans un tel état après cette scène qu'il fallut suspendre assez longtemps le concert. On m'apporta du punch et des habits. Puis sur l'estrade même, réunissant une douzaine de harpes revêtues de leur fourreau de toile, on en forma une sorte de petite chambre dans laquelle, en me baissant un peu, je pus me déshabiller et changer même de chemise en face du public, sans être vu. »

La tension nerveuse, l'effort physique que Berlioz a dû dispenser pendant toute l'organisation de ce concert ont été considérables mais, pour la première fois, bien plus qu'à l'Opéra l'année précédente et dans toutes les fêtes musicales qu'on a pu organiser pour lui en Allemagne, il les a enfin dirigés, ces ensembles « pyramidaux » dont il avait tant rêvé. Multipliant les dizaines de cors par vingt fois plus de choristes, assistants et batteurs de mesure venus en renfort, il s'est vraiment fait plaisir. C'est que – et on le découvrira de plus en plus au fil de cette deuxième partie de sa vie – si notre héros se veut d'abord le compositeur qu'il est resté pour nous, il ambitionne aussi de marquer l'histoire de la musique de son temps par le formidable déploiement de moyens orchestraux qu'il va sans cesse vouloir diriger. De même sommes-nous au siècle de l'invention du véritable orchestre symphonique. Nous sommes aussi à celui des machines, des instruments de musique les plus sophistiqués, les plus farfelus aussi. Face à la noble retenue des graves morceaux néoclassiques qu'il a tant admirés dans sa jeunesse, ce sont maintenant des masses colossales que Berlioz rêve de mettre en branle, bien au-delà de la symphonie romantique allemande de la même époque. Dans son ambition folle de dominer la musique de son temps, il veut que cette toute-puissance se manifeste aussi par le nombre prodigieux de musiciens qui jouent sous sa baguette. Cette aspiration, qui va parfois jusqu'au délire, le conduira à d'absurdes excès, compensant le nombre impossible à trouver de musiciens qu'il voudrait par l'exotisme des lieux où il les dirigera, mais qu'importe. Seul Berlioz est en mesure de se mesurer à cette démesure !

Mais revenons sur terre avec lui. Douloureusement, dans le même temps, sa vie familiale continue à se dégrader. Au milieu de l'été, Harriett a quitté Paris pour s'installer à Sceaux avec le petit Louis. De son côté, Hector a décidé quasi officiellement de changer de domicile. Il ne vit plus avec Harriett, et déclare habiter au 43 de la rue Blanche, chez la mère de Marie Recio. Il faut bien qu'il s'en explique à sa famille, d'où la grave et triste lettre à Nanci, en date du 24 août : « La vraie raison de ce long silence je ne saurais précisément la donner ; il y en a mille, dont la principale est le tourment permanent de mon intérieur. Les choses enfin ont été poussées à tel point, même pendant ces terribles répétitions du festival, qui me renvoyaient à demi mort à la maison, que faute de pouvoir supporter plus lontemps des nuits blanches ainsi passées l'œil ouvert et l'oreille obsédée de cris et d'injures, j'ai dû prendre une chambre dehors où je vais coucher tous les soirs. Je ne parais à la maison que le moins possible. [Henriette] a enfin consenti à retourner à la campagne et j'ai donné congé pour mon appartement de Paris. Son adresse est : *Rue des Imbergères n° 4 à Sceaux* près de Paris. Louis à cause des vacances y restera quelque temps.

» N'envoie pas le quartier de ma pension du mois d'octobre avant d'avoir reçu une lettre de moi. Je craindrais qu'il n'arrivât malheur au billet ; d'ailleurs je lui laisserai assez d'argent pour qu'elle n'en ait pas besoin.

» Ce ne serait rien encore si elle ne souffrait pas réellement ; mais il m'est impossible absolument de changer mon existence au point où il le faudrait pour la tranquilliser et également impossible malgré toutes ses bonnes qualités et son affection pour moi de supporter cette effroyable habitude et les conséquences qu'elle entraîne. »

Une anecdote à laquelle la plupart des biographes de Berlioz ajoutent foi, bien que rapportée beaucoup plus tard par Legouvé, témoigne bien de l'horreur de la vie d'Harriett et de la méchanceté de Marie Recio. L'histoire veut que, alors qu'Hector se débattait comme il le pouvait entre ses deux compagnes, la Recio ait eu l'idée perverse de venir sonner à la porte d'Harriett. Introduite devant l'ancienne comédienne, elle lui aurait d'abord déclaré qu'elle voulait voir « Madame Berlioz ». Harriett, ravie de la visite, de se présenter : « Je suis Madame Berlioz. » Mais la perfide Marie éclate alors d'un rire mauvais : « C'est de la jeune Madame Berlioz que je parle. Non pas de la vieille ! » Puis, avant de tirer sa révérence, la Recio aurait encore ajouté : « De toute façon, la jeune Madame Berlioz, c'est moi ! » On imagine la douleur de la pauvre Harriett, plus mal en point que jamais.

Berlioz lui-même ne va guère mieux. Excitation, nervosités, névralgies aussi, les premières douleurs intestinales qui vont bientôt le frapper si douloureusement. Il se trouve dans un Paris écrasé par la touffeur de l'été. Alors, pour la première fois de sa vie, il entreprend un vrai voyage sans autre but que de se reposer. L'Exposition industrielle vient juste de fermer ses portes. L'organisateur du spectacle, plus encore que le compositeur ou que le chef d'orchestre, a obtenu le succès que l'on a dit, mais il est à bout de forces. Son ancien maître d'anatomie, le Dr Amussat, venu le voir est effrayé par sa mauvaise mine.

« Mon cher, vous allez avoir une fièvre typhoïde. Il faudrait vous saigner.

– Eh bien, n'attendons pas à demain, saignez-moi !

» Je quitte aussitôt mon habit. Amussat me saigne largement et me dit :

– Maintenant, faites-moi le plaisir de quitter Paris au plus vite. Allez à Hyères, à Cannes, à Nice, où vous voudrez, mais allez dans le Midi respirer l'air de la mer, et ne pensez plus à toutes ces choses qui vous enflamment le sang et exaltent votre système nerveux déjà si irritable. Adieu, il n'y a pas à hésiter.

» Je suivis son conseil ; j'allai passer un mois à Nice, grâce aux *huit cents francs* que le festival m'avait rapportés, et pour réparer autant que possible le mal qu'il avait fait à ma santé.

» Je ne revis pas sans émotion les lieux où je m'étais trouvé treize ans auparavant, lors d'une autre convalescence, au début de mon voyage d'Italie... Je nageai beaucoup dans la mer ; je fis de nombreuses excursions aux environs de Nice, à Villefranche, à Beaulieu, à Cimiez, au Phare. Je recommençai mes explorations des rochers de la côte, où je retrouvai, toujours dormant au soleil, de vieux canons de ma connaissance ; je revis des anses fraîches et riantes, tapissées d'algues marines, où je me baignais autrefois. La chambre où j'avais, en 1831, écrit l'ouverture du *Roi Lear*, étant occupée par une famille anglaise, j'étais allé me nicher dans une tour appliquée contre le rocher des Ponchettes, au-dessus de la maison.

» J'y jouis avec délices d'une vue admirable sur la Méditerranée et d'un calme dont je sentais plus que jamais le prix. Puis, guéri tant bien que mal de la jaunisse, et à bout de mes huit cents francs, je quittai cette ravissante côte de Sardaigne qui a toujours pour moi un si puissant attrait, et je revins à Paris reprendre mon rôle de Sisyphe. »

Ainsi, s'arrachant à Paris, un Berlioz à bout de souffle a retrouvé pendant quelques jours les délices de Nice. C'est une véritable plongée dans ses souvenirs. Alors, Camille l'avait trahi, il se rendait peut-être déjà compte qu'il aimait à nouveau Harriett. Treize ans ont passé. Camille vole de ses propres ailes, et combien magnifiquement, loin de lui. Mais Harriett est toujours là, quasi grabataire, épaisse, tragique. A Nice, il ne nous le dit pas, mais il a probablement composé ou commencé à composer une ouverture qui deviendra *La Tour de Nice*, puis *Le Corsaire rouge*, enfin *Le Corsaire*. Mais qu'on ne se leurre pas : ces jours de bonheur n'auront duré que quelques semaines. Un mois, au plus. Un mois pendant lequel il s'est évadé parmi les images de sa jeunesse : la tour des Ponchettes, oui, mais aussi cette plage où, roulé par les vagues, il a rompu la chasteté qu'il s'était imposée en quittant Camille. Un mois à regarder passer d'autres visages de femmes, à se promener son carnet avec lui, au-dessus des rochers, comme lorsqu'il était jeune et réapprenait à vivre. Un mois, pas plus... A ceux qui sont restés à Paris, le temps a dû sembler plus long. Il y a Marie, il y a Harriett, il y a aussi le petit Louis, dont la personnalité commence peu à peu à s'affirmer. L'enfant a tout juste dix ans, mais l'attitude de son père, les maladies de sa mère, cette dégradation physique d'une Ophelia qu'il n'a même pas connue mais qu'il a peut-être devinée, le bouleversent. D'où la lettre qu'il écrit en octobre de cette année-là à sa tante Nanci. On en respecte l'orthographe : « Cher tante, papa m'a fait beaucoup de chagrin parce qu'il ne m'écrit pas un mot. Il nous a écrit qu'il était à Nice mais qu'il fallait lui écrir à francfort postrestante et quand passant a Marseille il y donnerait des concert et quil reviendrait le plus tot le 15 octobre, cher tante, tu écrira a mon grand père que je lui est ecrit une dixene de lettre et que papa n'en a pas mis une seule a la poste car je les ai retrouve tous dans la tailles ou nous avions coutumes de mettre les lettres et les cartes [...] maman m'a dit de tecrire quelle était très triste sur le rapport de papa... »

Ainsi, si Berlioz crie haut et fort sa souffrance, Sisyphe qui tente de se montrer aux yeux du monde davantage qu'un organisateur de concerts, un feuilletoniste-pamphlétiste, un époux malheureux et un amant ridiculement soumis, d'autres que lui souffrent comme lui. Quant à sa propre douleur, elle éclate tout entière dans une terrible lettre adressée cette fois à sa sœur Adèle, le 18 octobre 1844, à son retour de Nice : « Je viens de faire un voyage dont le but principal était d'accoutumer Henriette à se passer de ma présence et à vivre hors de Paris. J'ai eu le cœur déchiré en la quittant. Pendant mon absence je lui ai écrit les lettres les plus tendres en la pressant de faire de nouveaux efforts pour déraciner l'affreuse habitude qui l'avilit et la détruit peu à peu. Elle m'a répondu que j'avais tort de douter du succès de sa tentative, que je la connaissais bien mal, et qu'à mon retour ce funeste défaut aurait disparu à tout jamais. Hier j'arrive à Sceaux sans la prévenir, j'entre dans sa chambre et je la vois dans le plus déplorable état, ne pouvant qu'à peine parler, un verre sur sa table et l'odeur de l'eau-de-vie infectant l'appartement. Oh ! te dire ce que j'ai éprouvé est impossible ! C'est hideux ; elle est devenue énorme ; l'eau-de-vie engraisse dit-on, en voilà la preuve. Elle n'a su que répondre, une heure après que son bon sens lui est un peu revenu, à l'observation que je lui ai faite sur le redoublement de son étrange manie. C'est incurable ! Notre médecin, Berton, un excellent ami, le croit. Il a même des craintes sur la manière dont cette pauvre créature finira. J'ai voulu essayer hier de lui donner à entendre qu'il serait bon d'*habiter séparément* ; elle ne veut rien admettre à ce sujet ; elle veut revenir à Paris avec moi et chez moi, elle jure ses grands dieux qu'elle ne me tourmentera plus, qu'elle ne troublera plus mes jours, ni mes nuits !... Mais est-ce possible ?... d'un autre côté... oh j'aurais trop à te désoler en te disant tout. Je suis navré, abîmé, et pourtant je vais faire encore un effort. Je reprendrai un appartement avec elle ; mais dieu sait ce qui en va résulter pour moi. Elle est si malheureuse, il faut l'excuser et ne pas l'accabler encore par un dernier désespoir, celui de mon abandon. J'irai demain la voir à Sceaux. »

La situation que décrit Berlioz ne serait pas aussi triste, qu'on admirerait le réalisme de son écriture pour évoquer, à la Zola et bien avant la lettre, un verre sur une table et l'eau-de-vie dont l'odeur empeste un appartement. Ah ! lorsqu'il s'égare du côté de Sceaux, plus encore que lorsqu'il revient sagement au bercail dans l'appartement de la rue Blanche, le Berlioz d'après son voyage en Allemagne et de retour de Nice est loin du poète flamboyant qui retrouva si brièvement des souvenirs les plus chers sur les bords d'une Méditerranée où il ne reviendra que pour s'y effondrer tout à fait. Et plus loin encore de l'artiste fêté à Brunswick ou à Weimar, à qui des fanfares militaires donnaient des aubades sous ses fenêtres.

Dans les premiers jours de décembre, une représentation de *Hamlet* ravive encore sa nostalgie pour tout ce temps passé, tant de temps perdu. Une troupe anglaise est à nouveau à Paris. Mais le métier de feuilletoniste le ligote, il n'assistera pas à la représentation, forcé d'être à l'Opéra pour entendre et maudire « un pâle opéra ».

A Nice, la nostalgie lui a tout de même apporté l'ouverture du *Corsaire* : la réapparition de *Hamlet* et de ses fantômes ne nourrira que sa tristesse... L'année 1844 s'achève sans autre inspiration. Au même moment, un nouveau prodige, un compositeur miracle dont on ne sait encore rien, fait son apparition. Il est l'auteur d'un *Désert*, d'une *Suite orientale*, d'une *Marche de la caravane*, d'une *Danse des almées...* c'est Félicien David. On l'applaudit très fort, en un seul concert il a donné quatre œuvres qui paraissent des chefs-d'œuvre. Il devient la coqueluche du jour. *Le Désert* est redemandé partout, Berlioz en parle dans *Le Journal des débats*, il n'en reste pas moins que c'est là un nouveau sujet d'amertume. On admire un autre jusqu'au délire tandis que lui, il n'est apparemment capable que de se produire dans des cirques !

Car ce sera là sa nouvelle folie, à la fin de l'hiver et au début du printemps 1845. La salle Herz ou celle du Conservatoire ne lui suffisent pas, ou ne sont pas disponibles. Il lui faut de grands espaces, les fameuses masses instrumentales à la mesure de ses aspirations. D'où l'étrange accord qu'il va signer avec un personnage plus étrange encore, Adolphe Franconi. Franconi ? C'est d'abord un cavalier, un dresseur de chevaux, un artiste équestre. C'est également le directeur du Cirque olympique, où Berlioz a déjà donné un concert. Et ce Franconi, sympathique et rempli d'entregent, a éprouvé, il n'y a pas d'autre mot, un véritable coup de foudre pour Berlioz. Derrière l'organisateur de spectacles anxieux, il a su deviner à la fois l'immense compositeur et le grand chef d'orchestre, capable de manier des ensembles colossaux et d'attirer les foules. D'où son idée d'offrir à Berlioz une salle digne de ses ambitions. Et de lui fournir les moyens de l'utiliser. Cette salle, c'est naturellement son domaine à lui, le Cirque olympique.

Le Cirque olympique occupe une place particulière dans la géographie théâtrale de Paris. On n'y donne guère de concerts, plutôt des démonstrations hippiques, des bals, des fêtes populaires.

L'acoustique y est désastreuse, la salle n'est en rien faite pour accueillir un orchestre, mais qu'importe. Tout de suite, Berlioz croit sentir la bonne affaire. En cas de réussite, il touchera sa part ; en cas de perte, c'est Adolphe Franconi qui paiera tout. Bien sûr, l'idée d'offrir sur un plateau d'argent son établissement des Champs-Elysées à Berlioz était généreuse. Il n'en reste pas moins que, au vu des recettes du concert de clôture de l'Exposition industrielle, Franconi espérait lui aussi réaliser une bonne affaire. Reste à trouver un orchestre. Ni les musiciens de l'Opéra ni ceux du Conservatoire, tous sous l'influence d'Habeneck, ne semblent pouvoir être débauchés. Ce sont donc des musiciens cueillis un peu partout qui vont s'engager avec Berlioz dans une opération en réalité à très haut risque. Naturellement, la presse prépare l'événement. Jules Janin laisse s'enflammer son exaltation : « Enfin, enfin, dimanche prochain, la grande fête, le grand rêve de Berlioz va s'accomplir ! Il a conquis, l'obstiné, sa domination universelle, chantante et passionnée, en cette immense salle des Champs-Elysées ! »

Du côté de ce qu'on appellera la presse d'opposition – à Berlioz, cela s'entend... –, les mêmes caricatures, les mêmes perfidies ironiques déferlent. Lui-même n'en a cure. Sans cesse à mi-chemin entre la rue Blanche et les Champs-Elysées, le domicile d'Harriett où il se croit toujours obligé d'aller consoler la malheureuse, et les bureaux des journaux qu'il lui faut séduire, il passe encore des soirées chez Tortoni, à discuter avec ses amis, à tirer de nouveaux plans sur une nouvelle comète qui s'appelle Franconi. Il n'a que quarante et un ans, son visage est de plus en plus émacié, ses gestes saccadés. A ses anciennes douleurs de la gorge, qui ne l'ont pas quitté, se sont ajoutées cette fois pour de bon – et dans l'horreur ! – les terribles douleurs intestinales qu'on a dites et qui viennent parfois lui couper le souffle. Qu'importe : il a un théâtre à lui !

Le premier concert, le premier « festival » comme Berlioz et Franconi se plaisent à appeler leurs manifestations, se déroule le dimanche 19 janvier 1845. A deux ou trois exceptions près, c'est un festival Berlioz. *Le Carnaval romain* enchante toujours les foules, les morceaux du *Requiem* que Berlioz a choisis sont spectaculaires. En outre, il donne là pour la première fois son ouverture de *La Tour de Nice*.

Le concert suivant est d'une autre tonalité : il s'enivre de musiques orientales. Il lui a fallu courir après le jeune Félicien David pour arriver à le rencontrer une première fois. Désormais, c'est autour de son *Désert* et d'un *Chœur de janissaires* ainsi que d'une *Marche marocaine* composée par le pianiste Léopold von Meyer qu'il organise sa soirée. Le premier concert a suscité un intérêt certain, les musiciens étaient plus que médiocres, mais le public est venu. Le deuxième concert – pardon : le deuxième festival – est nettement moins suivi. Ce qui n'empêche pas Berlioz d'écrire à son oncle Félix Marmion, désormais au XIe dragons de Moulins, une lettre enthousiaste. Enthousiaste ? Pas vraiment : à l'aune des enthousiasmes de Berlioz, le ton en est modéré. Mais le grand homme reste satisfait : « La recette a été d'autant plus flatteuse qu'il y avait dans les Champs-Elysées un demi-pied de neige fondante embourbée. De sorte que le soleil nous favorisant on peut croire maintenant à la salle pleine en toute occasion. Cela étant j'aurai organisé une belle institution. »

C'est à partir du troisième concert, le 16 mars, que les choses vont se gâter. Non que Berlioz ne continue, contre toute évidence, de clamer que sa salle, son orchestre sont parfaits. Le programme qu'il propose cette fois-là est tout à fait passionnant et particulièrement novateur. Un peu à la manière d'un Liszt qui savait l'accueillir en Allemagne, Berlioz joue à l'endroit du grand Glinka, le compositeur russe, un rôle de « passeur ». Ainsi la totalité du troisième festival lui est-elle consacrée, avec notamment des extraits de la *Vie pour le tsar*, ainsi que des airs de danse de *Rouslan et Lioudmila*. Qu'on ne se méprenne pas : Berlioz admire la musique de Glinka, qu'il a rencontré pour la première fois à Rome, voilà longtemps. Dans le même temps, il caresse le projet d'aller un jour prochain en Russie. On y raconte que les musiciens étrangers y sont très bien accueillis, qu'on leur ouvre des salles immenses, qu'on les couvre de cadeaux, que chaque fois les recettes qu'on y recueille sont phénoménales. D'où l'idée du directeur musical du Cirque olympique d'offrir un accueil princier à Glinka qui pourra peut-être le lui rendre un jour ! La musique de Glinka enchante Paris, effectivement. Ou, du moins, ceux des Parisiens qui sont venus jusqu'à lui. Car les auditeurs viennent de plus en plus rarement jusqu'à ce « cirque équestre des Champs-Elysées », la plus grande et la plus belle salle de Paris... mais elle est située presque hors de la ville et, s'il y a de la boue, la recette peut s'en ressentir cruellement. Berlioz commence à laisser entendre sa déception à ses correspondants.

Le dernier festival, le 6 avril, est celui du désespoir. Quand on ne dispose ni de la salle du Conservatoire ni de celle de l'Opéra, solidement tenue par un Habeneck tenace et rancunier, que l'Opéra-Comique ne sera jamais une solution pour le compositeur inspiré que Berlioz sait être, le cirque Franconi ne peut être une alternative valable : immense, circulaire et mal fichu, une estrade placée n'importe où et le son qui tourne autour de spectateurs de moins en moins nombreux même s'ils sont toujours aussi enthousiastes. Pour terminer comme il a commencé, Berlioz organise donc un ultime festival autour de sa propre musique. Il y intercale un nouvel hommage à Glinka, un air de l'*Esmeralda* de la pauvre Louise Bertin – en souvenir, l'ouverture du *Freischütz*, en hommage à Weber qui lui a ouvert la voie et un petit clin d'œil du côté de Félicien David. Pour le reste, il joue du Berlioz. On l'écoute. On l'applaudit, mais on n'est plus très nombreux. Il passe sa rancœur sur Marie Pleyel, sa Camille Moke qui brille toujours au firmament de l'univers pianistique, en critiquant violemment un concert qu'elle vient de donner à Paris. Lui-même, il sait qu'il n'a plus rien à faire à Paris. Harriett va de plus en plus mal. Il s'est cru obligé de lui enlever son fils, le petit Louis, qu'il a mis en pension à Rouen, où il lui a obtenu une demi-bourse. Quant à Marie Recio, furieuse de n'avoir chanté à aucun des concerts du Cirque olympique, il lui doit un dédommagement. Hier, c'est à travers l'Allemagne qu'il voyageait, maintenant ce sera à travers un petit bout de France.

Dans *Les Grotesques de la musique*, qu'il publiera en 1859, Berlioz a repris sous le titre « Voyages en France – Correspondance académique » quelques-uns des articles qu'il a publiés au jour le jour, à l'occasion d'un voyage à Marseille et à Lyon qui, en juin et juillet 1845, ne lui a pourtant apporté que de nouveaux sujets d'amertume. A son habitude, les feuilletons qu'il tire de ses déceptions sont ironiques, empreints d'une immense drôlerie grinçante.

Rien de drôle, cependant, dans ce qui se passe à Marseille ou à Lyon, puisque tout, en fait, s'y déroule le plus mal du monde. Le premier « festival » a lieu le 19 juin à Marseille. Berlioz ne donne que du Berlioz. La salle est à moitié pleine, plutôt froide. Quelques jours plus tard, le 25 juin, le résultat est à peu près le même. Pourtant, un M. Lecourt, qu'il affirme avoir rencontré par hasard, avait en réalité tenté de préparer à l'avance les opérations. Mais la galéjade du Marseillais l'a emporté sur le sérieux d'un organisateur maladroit. Alors Berlioz en rit, il veut nous en faire rire, et c'est ce à quoi s'emploie ce bref voyage musical en France des *Grotesques de la musique*.

Début juillet, Berlioz et Marie Recio, à qui son amant ne pouvait refuser le voyage, remontent le Rhône à partir d'Avignon. Ils s'arrêtent à Lyon. De là, Hector va passer une journée mélancolique à La Côte-Saint-André, où il reverra son père. Encore une fois. La dernière ? Le vieil homme est fatigué, il n'est plus hypocondriaque : il est tout simplement malade, usé par la maladie qui le tenaillait depuis la jeunesse d'Hector. C'est le plein été, la chaleur est peut-être accablante, mais Berlioz ne pense pas, cette fois, à s'emplir du paysage de son enfance retrouvé. L'humeur est morose, il rentre très vite à Lyon. Une partie de sa famille est venue assister au premier concert, qui a lieu le 20 juillet. Nanci et Adèle sont là, le mari d'Adèle, Mathilde, la fille aînée de Nanci. Parmi les musiciens de l'orchestre, Berlioz reconnaît le vieux maître qui lui enseigna jadis la guitare. Ces souvenirs paraissent davantage l'émouvoir que la visite rendue à son père. Toute la famille est donc là, le 20 juillet, mais pas le public. On a parlé du Victor Hugo, du Michel-Ange de la musique. La presse prédit un grand succès. Comme en Allemagne, on vient donner une aubade sous les fenêtres de Berlioz. Marie doit sourire béatement : elle fait maintenant partie de la famille. Mais le 20 juillet est un dimanche, c'est l'été, on peut imaginer que les Lyonnais avaient autre chose à faire qu'à s'enfermer au Grand-Théâtre pour écouter une musique dont on parlait, certes, beaucoup, mais dont on se moquait. Le deuxième concert n'attire pas davantage de monde. On a baissé le prix des places, mais Berlioz a conservé le même programme. Le voyage musical tourne court. Dans le texte publié dans *Les Grotesques de la musique*, Berlioz y adjoint une étape supplémentaire, celle de Lille, qu'il fera plus tard. Ce sera pour y donner l'immortel *Chant des chemins de fer*. Ce sera une autre histoire...

Pour le moment, faute d'autres villes de province à visiter et face à un Paris qui paraît toujours aussi solidement fermé à son art, Berlioz décide une escapade. Il va se rendre à Bonn, où l'on fête Beethoven.

Une fois de plus, il est épuisé. Le voyage musical en province et la société qu'il a pu y rencontrer, ces amateurs de musique bourgeois, notaires ou avocats de la France bourgeoise, lui ont trop rappelé les sinistres salons de Grenoble où il s'ennuyait tant lors de ses retours de Paris, futur musicien en quête d'un grand prix de Rome. Ce sont les mêmes caquetages, les mêmes prétentions, la même ardeur de montrer que l'on s'y connaît en musique, et d'étaler de superficielles, de vaines connaissances. C'est donc avec un sentiment d'exaltation qu'il part pour Bonn, autour du 10 août. Cette fois, Marie ne l'accompagne pas, il pourra respirer un autre air.

Liszt, devenu le grand organisateur de la vie musicale européenne, a décidé d'inaugurer à Bonn une statue de Beethoven. C'est pour lui l'occasion de réunir des musiciens et des amateurs venus du monde entier. Au début de la longue vingtaine de pages qu'il consacre à l'événement dans un article repris par *Les Soirées de l'orchestre*, Berlioz dresse la liste des invités, de Meyerbeer à la reine Victoria, naturellement accompagnée de son prince Albert, de Félicien David à la belle Marie Pleyel. Chacun des noms est précédé de celui de la ville d'où il vient : de Paris, Félicien David et Pauline Viardot ; de Bruxelles, Fétis, etc. Lorsqu'il s'agit de Franz Liszt, l'« âme de la fête », Berlioz précise qu'il vient « de partout ». Et c'est vrai que l'ardeur de Liszt à réunir ceux qu'il aime, son art de l'ubiquité, son entregent, et aussi son immense générosité font ici merveille. Si, à Bonn, les fêtes vont être épuisantes, Berlioz y sera parmi ses amis. Plus précisément, parmi ceux qu'il considère comme ses pairs. Alors il assiste à un premier concert où l'on donne rien moins que la *Messe* en ré et la *Neuvième symphonie* de Beethoven, puis à un deuxième, où Liszt joue le *Cinquième Concerto* pour piano, le grandiose « Empereur ».

Entre les concerts, on se retrouve, on parle musique et art. Pour Berlioz, c'est l'occasion d'immenses, de fulgurantes retrouvailles avec Beethoven. Il est loin, le temps de la première découverte, grâce aux concerts dirigés par Habeneck dans la salle du Conservatoire ; loin aussi celui où l'on lisait ardemment les immenses partitions dans la bibliothèque du Conservatoire. Berlioz, qui sait ce qu'il a appris de Beethoven, vit intensément ces moments où l'âme du maître et tous ceux qu'il admire se retrouvent dans une même ferveur. Il se retrouve lui-même et nous le retrouvons, tel que nous l'aimons : vibrant, enthousiaste, comme rajeuni par la musique. A Bonn, Beethoven et la grandeur d'âme de Liszt sont pour ce Berlioz-là une formidable cure de jeunesse.

L'inauguration de la statue, après une messe solennelle, est l'occasion d'une immense bousculade, qu'importe. Berlioz fait usage de ses poings pour braver la foule, il saute une barrière, conquiert une place dans l'enceinte réservée et, entassé pendant une heure avec une flopée de notables et de musiciens, attend l'arrivée de la reine

Victoria et du prince Albert. Coups de canon, cloches, fanfares, les souverains britanniques sont là, on entend par-ci par-là des lambeaux d'ouverture d'*Egmont* ou de *Fidelio* donnés par une musique militaire : qu'importe. Qu'importe aussi que nul n'entende le discours officiel prononcé avant l'inauguration de la statue : c'est l'ombre de Beethoven qui plane. Et cette foule en délire soudain assagie pour entendre un orateur que l'on n'entend pas, partage avec Berlioz la même émotion.

La fête se poursuivra avec un nouveau concert monstre dirigé par Liszt. C'est Marie Pleyel qui jouera le *Concerto pour piano* de Weber. Berlioz n'en parle pas. Après quatre heures de musique ininterrompue, épuisés, les invités se dispersent. Il n'en reste pas moins que, pendant quatre jours, c'est l'Europe musicale entière qui a communié sous le signe de Beethoven. Exalté au plus haut point, comme il avait été « foudroyé » en 1827, Berlioz peut quitter Bonn après une ultime soirée au château de Brühl, invité du roi de Prusse. Il est à bout de forces, à bout de nerfs, mais c'est une fatigue autrement plus riche que celle des concerts au cirque Franconi ou des voyages à Marseille et à Lyon. D'une certaine manière, en ce milieu de 1845, c'est bien avec lui-même qu'il a renoué, lui-même qu'il a retrouvé sur les bords du Rhin et sous le signe de Beethoven. Ses articles sur Bonn paraîtront dans *Le Journal des débats* des 22 août et 3 septembre. Mais déjà, quand bien même il n'a pas oublié le projet de sa *Nonne sanglante* qu'envers et contre tout il voudrait donner à l'Opéra, une nouvelle idée germe dans sa tête et dans son cœur, une idée fulgurante : le génie ouvre à nouveau devant lui les portes de la plus grande musique.

Ce sont seulement les émotions profondes qui réveillent à présent les facultés créatrices de Berlioz. Face à Beethoven et à cette Europe musicale qui l'acclame bien, qui sourit souvent de lui mais dont il se sent si proche et si différent, il retrouve sa volonté première : reprendre la musique, son histoire et sa prodigieuse richesse là où Beethoven l'a laissée. Alors, de retour, rue Blanche, Marie Recio qui l'accable de ses prévenances en même temps que de ses récriminations car elle ne chante toujours pas là où elle le souhaiterait ; à Sceaux, Harriett qui divague, boit plus que jamais et le saoule à chaque visite de ses gémissements ; à Rouen, le petit Louis pensionnaire : Berlioz s'échappe par la musique.

Allons, pas d'illusions ! Il a beau parler de sa *Nonne sanglante* à qui veut l'entendre, harceler la direction de l'Opéra, mettre en marche la formidable armée de ses amis, il se doute que cette *Nonne*-là, sanglante ou pas, restera un fantôme. Aussi se met-il à réfléchir. Une fois de plus, il revient sur ses œuvres de jeunesse. Il se souvient de ce qu'il a aimé écrire, de son exaltation lorsque, une à une, les *Huit scènes de Faust* lui venaient si aisément au cœur et sous la plume. Du sentiment qu'il avait d'écrire une œuvre différente lorsqu'il abordait *Roméo et Juliette* : Shakespeare, non pas un opéra, une symphonie. Non pas une symphonie comme le demi-siècle romantique qu'il est en train de vivre a pris l'habitude d'en composer, une sorte de légende lyrique. Une symphonie dramatique avec des solistes, des chœurs. Et brusquement, l'idée s'impose à lui. C'est à la fois les *Huit scènes* et *Roméo* qu'il va entreprendre. Non plus Shakespeare, mais Goethe. Non plus *Huit scènes* mais une symphonie entière, dramatique et lyrique à souhait. Une histoire qu'il racontera sans avoir besoin d'entrer dans les détails d'un livret. Sans le recours besogneux aux récitatifs qui sont la charpente d'un opéra sur laquelle on pose des airs comme autant de morceaux de bravoure réunis par des coutures inutiles. En cette fin d'été 1845, sous le signe de Beethoven et de Goethe, de son passé dont il a la nostalgie et d'un avenir auquel il aspire encore, Berlioz commence à concevoir *La Damnation de Faust*.

Et de se lancer aussitôt dans les travaux préparatoires. Assez curieusement, alors que la traduction du *Faust* de Goethe par Gérard de Nerval constitue, depuis plusieurs années, un classique de la littérature allemande en langue française, ce n'est pas à Nerval que Berlioz s'adresse. Pas plus qu'à aucun de ses amis poètes, Auguste Barbier ou Théophile Gautier. Il se tourne vers un presque inconnu, Almire Gandonnière. C'est à lui qu'il va commander un poème, ou plutôt des poèmes à sa convenance. Cet Almire Gandonnière, vaguement journaliste, un peu compositeur, Fétis ne le cite pas dans sa *Biographie universelle des musiciens*. D'ailleurs, le livret importe peu pour le *Faust* tel que l'imagine Berlioz, son semblable, son double. C'est à la musique de tout dire, c'est à l'orchestre et aux voix, beaucoup plus qu'à ce qu'elles chantent, de raconter Faust-Berlioz, damné de la musique.

Rester à Paris n'a, dès lors, plus aucun sens. A Bonn, puis après son retour de Bonn, l'urgence absolue d'une œuvre nouvelle lui est apparue. Ce n'est certainement pas au fil des chroniques du *Journal des débats* et des lamentables soirées auxquelles il est contraint d'assister, jour après jour, à l'Académie royale de musique ou à l'Opéra-Comique, que notre homme trouvera ce qu'il cherche. Et il a besoin d'argent, toujours besoin d'argent. D'où l'idée d'une nouvelle « campagne » à travers l'Europe. Les choses se font très vite. En quelques semaines, Berlioz organise ce qui sera son « Deuxième voyage musical en Allemagne », du moins la première étape, Vienne. Là aussi, une fois de plus, Liszt joue un rôle capital.

3

Voyages encore

C'est le 27 octobre 1845 que le couple Berlioz-Marie Recio quitte Paris. Berlioz n'a pu l'éviter : sa compagne a tenu à le suivre. Et d'abord, les choses vont assez mal. Berlioz est malade à Nancy. Ensuite il rate à Ratisbonne le bateau auquel il songeait pour descendre le Danube jusqu'à Vienne. Les deux voyageurs doivent emprunter une voiture qui suit le cours du fleuve, lentement, avec une Marie maussade et un Berlioz qui tente, malgré les cahots de la route, de prendre des notes, de relire les premiers vers que lui a fournis Almire Gandonnière. Tous ces détails, il les donne dans la première des lettres, adressée celle-là à Humbert Ferrand, qui constitueront son « Deuxième voyage musical en Allemagne », inclus dans l'avant-dernière partie des *Mémoires*. A Linz, les voyageurs trouvent un bateau à vapeur. Et Berlioz de se lancer dans un joli morceau de linguistique, s'interrogeant sur les noms allemands et francisés, français ou italianisés des villes qu'il a traversées. Puis, le *Faust* de Nerval à la main, il continue à rêver, à prendre des notes.

A sa main gauche, sur le fleuve, se dresse le château-éperon de Durnstein où fut enfermé ce Richard Cœur de Lion dont Grétry, qu'il admira jadis, fit le héros d'un opéra préromantique. Plus loin, c'est l'abbaye de Melk, les verts paysages du Walchau, ses prairies et ses champs d'abricotiers : qu'importe la présence de Marie, probablement toujours boudeuse à ses côtés, Berlioz continue à penser à son *Faust*.

Dès son arrivée à Vienne, une bonne surprise, petite joie modeste qu'il note avec un sourire : l'un des douaniers qui examine ses malles aperçoit son nom et, s'adressant à lui en français, lui dit combien tout Vienne, ou presque, s'est inquiété de son retard. On l'attendait depuis huit jours, les journaux avaient annoncé son départ de Paris et ses prochains concerts dans la capitale. On ne le voyait point venir...

Les retrouvailles avec Liszt, quitté deux mois et demi plus tôt à Bonn, réconfortent Berlioz tout autrement. Il n'est plus seul. Alors il se lance dans les tourbillons de la vie viennoise. On ne donnera que quelques points de repère dans ce séjour qui va durer deux mois. D'abord Berlioz assiste à une multitude d'opéras et de concerts, des œuvres de Nicolai, de Lordzing ou de Bellini. Le 11 novembre, dans la salle du Manège, il entend des morceaux de Haydn, de Mozart et *Le Christ au mont des Oliviers* de Beethoven, donnés par plus de mille exécutants. Une autre fois, il écoute des valses dirigées par Johann Strauss père.

Haydn, Mozart, Beethoven au Manège, Strauss dans la salle de la Redoute ; Berlioz rend compte de tout ce qu'il écoute. Bientôt, les 16, 23 et 29 novembre, il donne trois concerts fort bien accueillis. C'est au Theater An der Wien, dans la salle où plane l'ombre de Beethoven, qu'il peut diriger *Harold*, des extraits de la *Symphonie funèbre et triomphale*, de la *Fantastique*, faire bisser son *Carnaval romain* et faire applaudir une œuvre nouvelle, son boléro pour soprano avec orchestre, *Zaïde*, même si la soprano n'en est pas Marie Recio. Car la seconde épouse en puissance de Berlioz, pendant ce temps, ronge son frein. Elle est heureuse du succès de son amant, mais intrigue, lit son courrier, voudrait se produire à nouveau. Berlioz, tout en se prêtant à mille mondanités, comme à ce banquet donné pour son anniversaire le 11 décembre – une émouvante cérémonie au cours de laquelle on lui offre un bâton de chef d'orchestre en vermeil : les bâtons de chef d'orchestre, il les accumule désormais –, travaille d'arrache-pied. *La Damnation de Faust* progresse. Entre deux concerts et une soirée à l'Opéra, la valse des admirateurs et celles de Johann Strauss, il trouve le temps de composer deux numéros de *La Damnation de Faust* : le « Ballet des Sylphes » et l'air « Voici des roses ».

Et les concerts se poursuivent. Le 17 décembre il dirige à nouveau *Le Carnaval romain* ; le 2 janvier 1846 il assiste à l'exécution de l'intégralité de son *Roméo et Juliette*. Pourtant, cette fois, il n'obtient qu'un succès relatif. Jusqu'au scherzo de la Reine Mab qui lui paraît trop long, autant qu'à ses auditeurs. Dans la salle, l'archiduc François-Charles, l'archiduchesse Sophie... A peine le concert achevé, il décide d'abréger le scherzo en question et de revoir tout son *Roméo*.

Mais il ne souhaite pas solliciter une visite à l'empereur qui, à l'issue de l'un de ses concerts, lui a envoyé cent ducats accompagnés de ce commentaire étrange qu'il « reprend » dans ses *Mémoires* : « Dites à Berlioz que je me suis bien amusé. »

En revanche, c'est lui qui manifeste le désir d'être présenté au chancelier Metternich. Celui-ci l'accueille aussi avec une certaine ironie : « "C'est vous, Monsieur, qui composez de la musique pour cinq cents musiciens ?" Ce à quoi je répondis : "Pas toujours, Monseigneur, j'en fais quelquefois pour quatre cent cinquante..." »

C'est à la fin d'un dernier concert, le 11 janvier 1846, qu'un aristocrate hongrois lui aurait suggéré d'orchestrer la *Marche de Rákóczy*, une musique populaire célèbre dans son pays. Qu'il aille la jouer ensuite à Pest, lui a conseillé ce fort bon conseiller : il obtiendra le plus grand succès.

Et le deuxième voyage musical de se poursuivre. Prague d'abord, où il arrive le 14 janvier. Les deux amants descendent à l'Hôtel de l'Etoile Bleue, au cœur du vieux Prague. Assez curieusement, dans la capitale de la Bohême, Berlioz est comme en terrain conquis : la vieille rivalité qui oppose Vienne à Prague lui réussit. On a dit qu'à Vienne les auditeurs et certains critiques avaient fait la fine bouche en écoutant son *Roméo et Juliette* : Prague, dès lors, ne peut que s'enthousiasmer pour l'œuvre, dont il donnera deux mouvements au cours de son deuxième concert le 25 janvier, et deux autres le 27 janvier. En tout, ce sont trois concerts que Berlioz va diriger à Prague. Là, l'un de ses soutiens les plus actifs est un certain Dr Ambros, qui a commencé par chauffer la presse avant l'arrivée du compositeur. On l'attend donc avec impatience. Face au conservatisme d'une partie de l'opinion musicale pragoise, une génération beaucoup plus jeune l'accueille avec chaleur. Et Berlioz triomphe.

Il faut pourtant rapporter une anecdote plus douloureuse. Ce gentil docteur Ambros, qui s'occupe avec tant de soin du nouveau venu, flatté qu'il est de piloter dans sa ville celui en qui il voit l'un des grands musiciens de son temps, commet une lamentable bévue. Il prend, en effet, Marie Recio pour Mme Berlioz. La vraie Mme Berlioz : Harriett Smithson. Et Berlioz, mal à l'aise, furieux, de rectifier maladroitement : « Miss Smithson est morte. C'est ma seconde femme. » Berlioz l'a osé ; il a dit Harriett morte ! D'ailleurs, à partir de ce moment, il n'hésitera pas à présenter de plus en plus souvent Marie Recio comme Mme Berlioz. « Miss Smithson est morte » ! Que cette phrase ait pu échapper à l'époux de la *fair Ophelia* montre pourtant bien à quel point, vivant entre ses deux femmes, quasi bigame et doublement insatisfait, il habite en un monde où seule la musique peut désormais lui apporter de véritables consolations.

Et pourtant, tous ceux qui le rencontrent sont séduits par son charme, la vivacité de ses discours, son humour, surtout lorsqu'il l'exerce cyniquement à ses propres dépens : entouré d'admirateurs, ce Berlioz fatigué, ce Berlioz las de tant de combats, redevient le Berlioz bondissant et facétieux des années de jeunesse...

Le voyage continue. Retour à Vienne pour un concert supplémentaire. Et le voilà, le 1er février, à nouveau dans la salle de la Redoute. C'est alors, dans la nuit du 5 au 6 février, qu'il aurait écrit la fameuse *Marche de Rákóczy*, qui deviendra la « Marche hongroise » de *La Damnation de Faust*. Il l'orchestrera dans la semaine qui va suivre, avec sous les yeux un arrangement que Liszt avait fait précédemment de cette œuvre très populaire. Le 6 février, c'est le départ pour la Hongrie.

L'accueil à Pest (Budapest) est chaleureux. Le couple va y séjourner trois semaines, avant de revenir à Vienne. Trois semaines, deux concerts : c'est au cours du premier, donné le 16 février, que Berlioz fait entendre pour la première fois cette *Marche de Rákóczy* composée, on l'a vu, en un temps record. Il est cependant permis de s'interroger sur la véracité de l'ensemble des anecdotes qui courent, ou qu'il a fait courir, sur sa « Marche hongroise ». On peut d'ailleurs s'étonner : comment, en si peu de temps, le compositeur aurait-il pu à la fois écrire, orchestrer son œuvre, puis surtout en faire effectuer le nombre de copies nécessaires au concert du 16 février ! Qu'importe. Avant le concert, à Pest, on s'interrogeait pourtant : « On se demandait comment j'aurais traité ce thème fameux et pour ainsi dire sacré qui, depuis tant d'années, fait battre les cœurs hongrois et les enivre de l'enthousiasme de la liberté et de la gloire. Il y avait même une sorte d'inquiétude à ce sujet, on craignait une profanation... » Berlioz peut être rassuré : la salle est bientôt en proie aux pleurs et à l'exaltation la plus totale.

« J'étais violemment agité, on peut le croire, après un ouragan de cette nature, écrit-il, et je m'essuyais le visage dans un petit salon derrière le théâtre, quand je reçus un singulier contrecoup de l'émotion de la salle. Voici comment : je vois entrer à l'improviste dans mon réduit un homme misérablement vêtu, et le visage animé d'une façon étrange. En m'apercevant, il se jette sur moi, m'embrasse avec fureur, ses yeux se remplissent de larmes, c'est à peine s'il peut balbutier ces mots : “Ah ! monsieur, monsieur ! moi Hongrois... pauvre diable... pas parler français... un poco l'italiano... Pardonnez... mon extase... Ah ! ai compris votre canon... Oui, oui... la grande bataille... Allemands chiens !” Et se frappant la poitrine à grands coups de poing : “Dans le cœur moi... je vous porte... Ah ! Français... révolutionnaire... savoir faire la musique des révolutions.” Je n'essaierai pas de dépeindre la terrible exaltation de cet homme, ses pleurs, ses grincements de dents. C'était presque effrayant, c'était sublime ! »

Sublime ! Il a retrouvé le vocabulaire qu'il affectionne. La fin de son séjour ne peut se dérouler que sous ce signe, bals et banquets, « singularité pittoresque des costumes nationaux et... beauté de cette fière race magyare ». La veille de son départ, un petit orchestre noir de zingaris exécute pour lui « mélodies nationales et musiques naïvement sauvages » parmi les toasts et la « fièvre révolutionnaire » que sa musique a suscitée chez ses hôtes. Et le lendemain, 21 ou 22 février, il reprend la route de Vienne. A Pest comme à Prague, il s'est plus que jamais senti conforté dans sa stature de grand musicien européen. Et si, à Vienne, on a pu le critiquer, voilà qu'à peu près à cette époque on lui propose le poste de maître de la chapelle impériale dont le titulaire vient de mourir. Quel que soit le mépris qu'il a pour la gent parisienne, ses comploteurs et ses agitateurs, pour les maigres intrigues qu'on ourdit à l'Opéra et pour la place au grand soleil de la musique triomphante qu'il se croit en droit d'espérer et qu'on ne lui donne pas toujours, Berlioz va pourtant très vite refuser cette marque d'estime de l'*establishment* viennois. Il voyage, certes, il recueille des lauriers dont il fait largement partager les reflets par amis interposés à tous les lecteurs de la presse parisienne, mais c'est à Paris qu'il veut vivre. Deux heures lui auraient suffi à rejeter cette proposition.

D'ailleurs, Paris se rapproche. Prague, Vienne, il gagne Breslau, où il passe près de trois semaines. Et là, dans la Wroclaw des Polonais, le projet de *La Damnation de Faust* continue à se développer. En vérité, c'est pendant tout son voyage que Berlioz, sans répit, au hasard des haltes et des paysages, l'a écrit : « J'essayai donc, tout en roulant dans ma vieille chaise de poste allemande, de faire [lui-même, maintenant] les vers destinés à ma musique. Je débutai par l'invocation de Faust à la nature, ne cherchant ni à traduire, ni même à imiter le chef-d'œuvre, mais à m'en inspirer seulement et à en extraire la substance musicale qui y est contenue.[...] Une fois lancé, je fis les vers qui me manquaient au fur et à mesure que me venaient les idées musicales, et je composai ma partition avec une facilité que j'ai bien rarement éprouvée pour mes autres ouvrages. Je l'écrivais quand je pouvais et où je pouvais ; en voiture, en chemin de fer, sur les bateaux à vapeur, et même dans les villes, malgré les soins divers auxquels m'obligeaient les concerts que j'avais à y donner. Ainsi dans une auberge de Passau, sur les frontières de la Bavière, j'ai écrit l'introduction : "Le vieil hiver a fait place au printemps" ; à Vienne, j'ai fait la scène des bords de l'Elbe, l'air de Méphistophélès : "Voici des roses" et le ballet des Sylphes. J'ai dit à quelle occasion et comment je fis en une nuit, à Vienne également, la marche sur le thème hongrois de Rákóczy. [...]

» A Pest, je me levai au milieu de la nuit pour écrire un chant que je tremblais d'oublier, le chœur d'anges de l'apothéose de Marguerite : *Remonte au ciel, âme naïve* [...] A Breslau, j'ai fait les paroles et la musique de la chanson latine des étudiants : *Jam nox stellata velamina pandit.*

» De retour en France, étant allé passer quelques jours près de Rouen, à la campagne de M. le baron de Montville, j'y composai le grand trio : *Ange adoré dont la céleste image.* Le reste a été écrit à Paris, mais toujours à l'improviste, chez moi, au café, au jardin des Tuileries, et jusque sur une borne du boulevard du Temple. Je ne cherchais pas les idées, je les laissais venir, et elles se présentaient dans l'ordre le plus imprévu... »

Breslau et Passau, Pest et Prague, le jardin des Tuileries et le boulevard du Temple : Berlioz, une fois de plus, mélange tout quand il rassemble ses souvenirs. Mais qu'importe : il vient d'achever un voyage triomphal, Liszt a entendu pour la première fois son *Roméo et Juliette*, il en a été bouleversé. La veille, le virtuose s'était saoulé comme un Polonais à l'Hôtel des Trois Tilleuls. Jusqu'à deux heures du matin, les deux amis ont traîné dans les rues, prêts à se battre en duel contre un inconnu qui savait boire mieux que Liszt ou à entonner un air de valse. Dans le discours qu'il a prononcé en clôture du banquet pragois, Liszt a appelé Berlioz un « cratère de génie ». Il faut pourtant retourner à Paris après une dernière étape à Brunswick.

Dans quelques mois, ces Parisiens, qui ne savent pas le trésor qu'il leur offre, bouderont la première représentation de *La Dam-*

nation de Faust. Puis la seconde. Berlioz saura qu'il vient de présenter au public un chef-d'œuvre.

C'est en moins de six mois qu'il a achevé sa partition. Au fil de sa correspondance, comme dans ses *Mémoires*, on voit comment il écrivait n'importe où, là où l'inspiration le prenait. N'importe où car la vie à Paris est redevenue ce qu'elle était, l'enfer habituel. Ne parlons pas d'Harriett, dont il sait la souffrance qu'il ne peut plus apaiser. Ne parlons pas du petit Louis, maladif, dans sa pension à Rouen. Mais c'est le tran-tran quotidien des articles, des critiques, le compte rendu d'un *Veuf de Malabar*, de Doche, ou d'un *Roi David*, de Mermet, spectacles médiocres dont il est contraint de parler. C'est une *Ame en peine* de Flotow ou une reprise de *Zémire et Azor*, de Grétry : Berlioz voit tout ce qu'il y a à voir dans Paris, écoute chaque concert puis, la mort dans l'âme, en rend compte. *Le Journal des débats*, ses autres tribunes : les articles succèdent aux articles sur des sujets qui ne l'intéressent guère. Il rend visite à Louis, à l'occasion de sa première communion : c'est le 20 juin. Le lendemain, profitant de son séjour en Normandie, il passe trois jours chez les Montville où, il l'a dit, il travaille encore. Pas de temps à perdre, il faut aller de l'avant. Et puisqu'il est un musicien officiel, même sans public, il se jette tête baissée dans des guets-apens inutiles. Le voilà à Lille, pour l'exécution d'un *Chant des chemins de fer* à l'occasion de l'inauguration des Chemins de fer du Nord ! Discours, félicitations, on meurt de soif, les logements manquent : il reçoit, au nom de la ville de Lille, « une très belle médaille en or ». Dérision... Cette cantate-là, il la donnera une fois, pas deux. Mais elle lui a été payée.

Berlioz sait rattraper le temps perdu. Ainsi caresse-t-il le projet d'une commande du ministre de la Guerre, une symphonie militaire avec chœurs pour trois mille exécutants, pas moins, sur son vieux projet *Le Retour de l'armée d'Italie*. L'affaire n'aboutira pas, auparavant il a cependant participé à un « Grand Festival militaire » à l'hippodrome de la place de l'Etoile, dirigé par Tilmant. Les exécutants n'étaient que mille huit cents... A-t-il vraiment des raisons de se plaindre, notre Berlioz éternel gémissant ? Il est devenu le musicien préposé aux inaugurations d'expositions florales pour militaires amateurs de tambour... ou pour galas de charité. Ainsi donne-t-on l'apothéose de sa *Symphonie funèbre et triomphale* au bénéfice des artistes musiciens. Et le 20 août, à Saint-Eustache, on a exécuté son *Requiem*, à la mémoire de Gluck. Artiste quasi officiel, donc, musicien d'Etat ? En dépit de ses appuis, ce n'est pourtant pas à l'Opéra que Berlioz va réussir à monter sa *Damnation de Faust* ! Il faut dire que ses relations avec l'irascible Pillet ne se sont pas améliorées. Mais tente-t-il réellement d'être joué sur la scène de l'Académie royale de musique ? On peut en douter si l'on voit l'aigreur avec laquelle il continue à assassiner les productions de M. Pillet. Du coup, c'est du côté de l'Opéra-Comique qu'il se tourne. D'ailleurs, laisse-t-il entendre, ils ne sont pas si mal, les spectacles qu'on y donne ! Ainsi, en toute véritable ou feinte innocence, il pose la question dans *Le Journal des débats*. « Notre premier théâtre lyrique deviendrait-il le second [...] et l'Opéra-Comique le premier ?... » Dans cette lutte absurde qu'il poursuit contre ceux qui pourraient lui assurer un succès véritable, il ne fait pas de doute qu'il est toujours aiguillonné par l'éternelle aigreur de Marie Recio. Marie n'oublie pas le peu de succès qu'elle a remporté à l'Opéra. Elle n'oublie pas qu'elle a remplacé Mme Stoltz et que celle-ci lui en a d'autant plus voulu que Berlioz avait écrit pour elle un éloge dithyrambique qui faisait plus qu'écorcher celle qui l'avait précédée. Alors Berlioz emboîte le pas à sa maîtresse, ses feuilletons du *Journal des débats* critiquent trois ans après, et avec plus d'aigreur encore, le chant de Rosine Stoltz : « Mme Stoltz n'a pas de style. [...] l'enchaînement de ses notes, émises avec plus ou moins de bonheur ou de malheur, ressemble à ces colliers de sauvages composés au hasard de gros grains végétaux, de fragments de corail, de morceaux de bois, d'arêtes de poisson, de dents et d'osselets... » Quel style ! Mais quelle amertume aussi, que de rancœur ! Non, Berlioz ne donnera pas *La Damnation de Faust* à l'Opéra. En revanche, il est « au mieux » avec le directeur de l'Opéra-Comique. A peine la partition achevée, il conclut un accord avec celui-ci, Basset. C'est à ses frais à lui, Berlioz, qu'il va monter l'œuvre. C'est à ses frais qu'il conduira l'orchestre. C'est à ses frais qu'il recrute les chanteurs. Etre acclamé à Weimar ou à Brunswick, se voir donner des aubades à Lille pour un *Chant des chemins de fer* poussif et devoir payer de sa propre bourse l'exécution d'un chef-d'œuvre à Paris : voilà à quoi l'auteur de *La Damnation de Faust* en est réduit.

La première est d'abord prévue pour le 29 novembre. En plus des mille et trois détails ou problèmes capitaux qu'il lui faut régler pour l'organisation de la représentation, Berlioz arpente la capitale pour assurer sa réclame habituelle. Il s'agit d'alerter la presse, d'ameuter ses amis... Jules Janin, comme d'habitude, le cher Théophile Gautier, chacun y va de ses articles dithyrambiques bien avant la représentation. On affirme ici que M. de Montalivet, qui fut ministre de l'Intérieur et un protecteur de Berlioz, a annulé – ou du moins retardé... – un concert de bienfaisance qu'il devait présider pour ne pas faire de concurrence à l'œuvre de Berlioz. C'est trop ! c'est trop ! Mais pour Berlioz, ce n'est jamais assez. Alors, Théophile Gautier se souvient avec émotion de Paganini à genoux devant lui. Et Jules Janin écrit ce qu'on lui demande, c'est-à-dire, en vrac, tout le bien qu'il pense de l'œuvre, du compositeur, du librettiste – puisque Berlioz a finalement pris en charge la quasi-totalité du poème –, voire du décorateur dont le compositeur assume aussi le rôle. En sens inverse, la presse satirique s'amuse. Les caricatures auxquelles Berlioz est désormais habitué se multiplient. Lui-même en rajoute, porte de nouvelles notes aux journaux, parvient même à faire précéder l'article du critique Scudo, dans *La Revue des Deux Mondes*, qui le hait et dont le papier lui sera forcément défavorable, par une analyse de l'œuvre par l'ami d'Ortigue, qui la fait paraître dans le numéro précédent.

Les répétitions commencent dans une atmosphère de tension extrême. Cette fois, Berlioz a la certitude de réussir. Première représentation le dimanche 6 décembre. C'est une matinée. La neige ? Le mauvais temps ? La salle est presque vide. A moitié pleine. Toute l'excitation des répétitions retombe d'abord. Berlioz est anéanti. En un instant, il a compris qu'il a perdu la partie. Une fois de plus. Mais il sait toujours, plus que jamais, que l'œuvre qu'il va diriger dans l'instant qui suit est l'un de ses chefs-d'œuvre. Il monte donc au pupitre, jauge un instant la salle, les fauteuils vides. Puis il se retourne, la baguette à la main. Il sait, oui, qu'il a écrit une musique sublime. Il va la donner : sublimement. Alors il reprend son souffle et se lance à corps perdu. Nous sommes dans les plaines de Hongrie, Faust est seul dans les champs au lever du soleil, il chante les premiers vers fameux : « Le vieil hiver a fait place au printemps, / la nature s'est rajeunie ; / des cieux la coupole infinie / laisse pleuvoir mille feux éclatants... » On applaudit dans la salle, quelques applaudissements, mais nourris : ceux des amis. Comme ils applaudiront au dernier chœur des esprits célestes : « Remonte au ciel, âme naïve / que l'amour égara ; / viens revêtir ta beauté primitive / qu'une erreur altéra... » Les vers de Berlioz sont peut-être des vers de mirliton, au moins le public, si clairsemé fût-il, les a compris. Ce soir-là, incertain du résultat, Berlioz a préféré ne pas donner le chœur des damnés et des démons, ce « Pandémonium » chanté en une langue inconnue : « Dinkorlitz. O merikariu omévixé merikaria..., etc. » D'ailleurs, sentant le peu d'enthousiasme du public, lui-même a perdu peu à peu de son énergie. Les trop rares répétitions, la mollesse des chœurs : tout cela ne fait que confirmer le désastre deviné. Et lorsque le rideau tombe, en dépit de la présence dans la salle du duc et de la duchesse de Montpensier, celle-ci paraît plus vide que jamais. *Les Débats*, *La Gazette musicale*, *La Presse* et *La Quotidienne* donnent pourtant des comptes rendus dithyrambiques, sans cacher pour autant l'absence réelle de public. Les critiques, la presse admirent ce nouveau *Faust*. On chante ses louanges. On souligne la nouveauté de l'œuvre, son intensité dramatique, la richesse, la noirceur parfois de la palette sonore. Mais le public, qui pouvait partager cet enthousiasme, n'était pas au rendez-vous. Une fois de plus, Berlioz a fait fuir ceux qui auraient pu l'écouter. Choyé (mais pas assez) par les princes qui le gouvernent, acclamé hors de France, il reste en France un compositeur en quête de public. Une amusante gravure d'Andréas Geigner, publiée en 1846 d'après Grandville, le montre, encore fringant et chevelu, le geste large de la main droite, la main gauche sur la hanche, dirigeant trombones, grosse caisse, enclumes et canon devant un public effaré qui se bouche les oreilles en s'enfuyant : tel semble être, et sans retour, le sort de Berlioz.

Le 20 décembre, deuxième représentation de *La Damnation de Faust* à l'Opéra-Comique. Cette fois, la salle n'est pas à moitié vide, elle l'est aux trois quarts. Il neige toujours. Là-dessus, devant le trou noir du parterre, des balcons désertés, l'interprète de Faust, le vaillant Roger, décide de ne pas même chanter l'« Invocation à la nature ». Bien sûr, les amis continuent à manifester leur enthousiasme. Le 29 décembre, le baron Taylor donne un banquet en l'honneur de la nouvelle œuvre de Berlioz. Dans le public, Offenbach lui-même lui rend hommage au nom des artistes allemands. On va faire frapper une médaille d'or commémorative... Berlioz est désespéré. Un mois plus tard, le 21 janvier 1847, il écrira une lettre, à sa sœur Nanci, bouleversante par son désir de montrer que *Faust* a tout de même réussi, mais qui annonce sa décision de quitter à nouveau cet « atroce pays » : « En tout cas, *Faust* a eu un très grand succès [...] pour la première fois de ma vie, j'ai eu à la seconde représentation, *trois morceaux* redemandés, ce qui ne s'est jamais vu à Paris. On m'a donné un grand dîner, et à l'aide d'une souscription d'artistes et d'amateurs, on m'a voté une médaille d'or qu'on frappe en ce moment, et qui sera, me dit-on, d'un grand prix. Eh bien faute d'*un théâtre* ou d'*une salle* de concert, maintenant l'ouvrage est lancé, qu'on en parle partout, que trente journaux en ont fait l'éloge, je ne puis le reproduire davantage [...] L'Opéra-Comique est retenu pour d'autres spectacles ; pas question de Pillet ni de l'Académie royale de musique ; on ne donne que des concerts à la salle du Conservatoire ; des règlements absurdes interdisent l'accès au Théâtre-Italien ; IL N'Y PAS DE SALLE DE CONCERT À PARIS. Puis on devient en haut lieu d'une économie qui n'existait pas à ce point il y a cinq ans ; le ministre de l'Intérieur, de qui dépendent les arts, s'en moque comme du commerce d'épiceries. »

La vérité, c'est que Berlioz est ruiné. Il a payé de sa poche la production de la *Damnation*. Il n'a plus rien. Alors, le seul moyen de survivre, de vivre, de prendre un nouvel essor, c'est de parcourir à nouveau l'Europe. Et le voilà décidé à repartir pour de nouvelles aventures : ruiné à Paris puisque son *Faust* lui a mangé toute sa fortune, il va tenter sa chance en Russie. Le bruit court, chez les artistes français, que la Russie est une mine d'or...

4
La campagne de Russie

Partir... La Russie : l'espoir. Berlioz commence par prévenir la terre entière, ou presque, du voyage qu'il envisage. Par « terre entière », on entend naturellement la terre russe mais aussi le solide pré carré de ses amis parisiens. Il lui faut préparer sérieusement ce voyage afin de connaître, à Moscou et à Saint-Pétersbourg, un accueil digne de ses espérances. Les lettres se succèdent à un rythme accéléré. Le 26 janvier 1847, à un destinataire inconnu : « Le vif désir de faire connaître quelques-unes de mes compositions au public de la capitale russe m'a décidé à faire cet hiver le voyage de Saint-Pétersbourg [...]. Mon intention est de faire entendre des fragments sinon la totalité de mes deux grands ouvrages, *Roméo et Juliette* et *La Damnation de Faust*, et surtout ma *Symphonie fantastique* dont Sa Majesté l'empereur de Russie a daigné accepter la dédicace l'an dernier. » Deux jours plus tard, au violoniste, son ami Heinrich Wilhelm Ernst : « Maintenant sachez que nous allons nous retrouver à Saint-Pétersbourg, je fais comme vous ce grand voyage tant de fois projeté, tant de fois remis. J'ai écrit au comte Wielhorski, au général Lwoff et à M. Gévéonof pour les prévenir de mon arrivée et obtenir trois jours pour mes concerts pendant le Carême. »

Dans le même temps, il prend des précautions d'ordre plus matériel. Ainsi, en date des premiers jours de février, il remercie Balzac d'avoir eu l'obligeance de lui prêter une pelisse. Que l'auteur de *La Comédie humaine* la lui envoie dès le lendemain rue de Provence au numéro 41, le compositeur en partance pour les frimas pétersbourgeois la lui rapportera fidèlement. On imagine le minuscule et maigrichon Berlioz dans la vaste pelisse de M. de Balzac. En revanche, on ne sait s'il rapporta « fidèlement », comme promis, la pelisse à son ami. On sait néanmoins que c'est Balzac qui le lui a affirmé : un voyage en Russie ne *peut pas* rapporter moins de cent cinquante mille francs.

Les préparatifs se poursuivent. Moins de bagages que lors des précédentes tournées en Allemagne, ne pas s'encombrer de centaines de kilos de partitions : il espère trouver sur place une partie du matériel d'orchestre dont il aura besoin. Surtout, Marie Recio ne sera pas dans les malles de Berlioz. Celui-ci va pouvoir respirer librement en terre étrangère ! Il sera un homme neuf sur un sol neuf. Les scènes que la chanteuse a pu faire pour l'accompagner sont restées sans effet. Face à ses récriminations, un argument de taille : ruiné comme il l'est par sa *Damnation de Faust*, le compositeur en quête de fortune en Russie ne peut se permettre de doubler ses frais de voyage en emmenant avec lui sa maîtresse. Ce sera donc, cette fois, deux femmes que Berlioz laissera derrière lui à Paris : Marie, probablement sans remords ; Harriett, qu'il a eu l'audace de faire passer pour morte, avec un pincement au cœur. Mais son destin l'appelle, il étouffe à Paris, il étouffe en France, sa bourse est plate. Il le sait, il en a la conviction : la Russie lui fera une fête.

Une ultime hésitation avant le départ. Voilà que le bruit court dans la capitale que le couple Pillet-Stoltz est branlant. Non que la grande cantatrice soit sur le point de quitter son directeur d'opéra, c'est l'Opéra qui semble souhaiter voir Pillet et sa compagne le quitter. Un incident, dans les derniers jour de l'année 1846, a précipité leur disgrâce. L'affaire s'est déroulée lors de la première de *Robert Bruce*, opéra pastiche en trois actes de Rossini. C'est en fait un pot-pourri de quatre autres œuvres du maître : sifflée, la Stoltz a insulté le public.

Subitement, la chance pourrait-elle tourner en faveur de Berlioz ? *La Damnation de Faust* à l'Opéra-Comique ne serait plus qu'un mauvais souvenir. Et si, Pillet et sa Rosine Stoltz s'en allant, c'était l'Académie royale de musique qui lui était ouverte ? D'autant que les deux nouveaux directeurs auxquels il semble que l'on s'adressera, Roqueplan et Duponchel, sont, croit-il, de ses amis. Du moins, ce sont des amis du *Journal des débats*, et celui-ci le soutient. Dès lors, si, parvenus au pouvoir, Duponchel et Roqueplan montaient cette fameuse *Nonne sanglante* qui continue à perdre son sang dans les tiroirs de Berlioz ? Et si, mieux encore, Pillet et Stoltz entraînaient dans leur déroute Habeneck et que, fidèles à la promesse qu'ils ne pouvaient manquer de lui faire pour le remercier du soutien qu'il leur témoigne, les deux nouveaux directeurs nommaient Berlioz à la tête de l'orchestre de l'Opéra ? Une fois de plus, il rêve. Il rêve un moment. Mais les choses ne vont pas aussi vite qu'on pouvait l'attendre. Ainsi Mme Stoltz semble reprendre de l'aplomb. Et c'est seulement au mois d'avril qu'elle donnera sa représentation d'adieu, vendra ses meubles et quittera Paris en même temps que Pillet pour une nouvelle carrière en province et à l'étranger. Aussi Berlioz se résout-il à quitter Paris le 14 février. C'est un départ en fanfare. « Départ de la *Symphonie*, lance un journal satirique parisien, qui poursuit : c'était hier ; une grosse caisse attelée de quatre chevaux stationnait à l'entrée de la rue Blanche. M. Berlioz y est entré [...] Les quatre chevaux étaient ferrés de cymbales... » Jusque dans ses derniers instants parisiens, notre héros continue à être harcelé par des détracteurs qu'il amuse. Mais il n'en a cure : il s'en va.

« Après une halte à Berlin, une voiture de poste me conduisit jusque sur la frontière russe, à Taurogen ; là il fallut m'enfermer dans un traîneau de fer que je ne devais plus quitter jusqu'à Saint-Pétersbourg, et où j'allais éprouver pendant quatre rudes journées et autant d'effroyables nuits des tourments dont je ne soupçonnais pas l'existence.

» En effet, dans cette boîte métallique hermétiquement fermée, où la poussière de neige parvient à s'introduire néanmoins et vous blanchit la figure, on est presque sans cesse secoué avec violence, comme sont les grains de plomb dans une bouteille qu'on nettoie. De là force contusions à la tête et aux membres, causées par les chocs qu'on reçoit à chaque instant des parois du traîneau. De plus on y est pris d'envies de vomir et d'un malaise que je crois pouvoir appeler *le mal de neige* à cause de sa ressemblance avec le mal de mer.

» On croit généralement dans nos climats tempérés que les traîneaux russes, emportés par de rapides chevaux, glissent sur la neige comme ils feraient sur la glace d'un lac ; on se fait en conséquence une idée charmante de cette manière de voyager. Or, voici la vérité là-dessus : quand on a le bonheur de rencontrer un terrain uni, couvert d'une neige vierge ou battue partout également, le traîneau court en effet d'une façon rapide et parfaitement horizontale. Mais on ne trouve pas deux lieues sur cent de chemin pareil. Tout le reste, bouleversé, creusé de petites vallées transversales par les chariots des paysans qui, à cette époque dite du *traînage*, traînent des masses considérables de bois, ressemble à une mer en tourmente dont les flots auraient été solidifiés par le froid. [...]

» Quand le brillant soleil de certains jours me permettait d'embrasser d'un coup d'œil ce morne et éblouissant désert, je ne pouvais m'empêcher de songer à la trop fameuse retraite de notre pauvre armée disloquée et saignante ; je croyais voir nos malheureux soldats sans habits, sans chaussures, sans pain, sans eau-de-vie, sans forces morales ni physiques, blessés pour la plupart, se traînant le jour comme des spectres, étendus la nuit sans abri, comme des cadavres, sur cette neige atroce, par un froid plus terrible encore que celui qui m'épouvantait. Et je me demandais comment un seul d'entre eux a pu résister à de telles souffrances et sortir vivant de cet enfer glacé... Il faut que l'homme soit prodigieusement dur à mourir.

» Puis, je riais de la stupidité des corbeaux affamés qui suivaient mon traîneau d'une aile engourdie, se posaient de temps en temps sur la route pour se gorger de crottin de cheval, se couchaient ensuite sur le ventre, réchauffant ainsi tant bien que mal leurs pattes à demi gelées ; quand, sans efforts et en quelques heures d'un vol dirigé vers le sud, ils eussent trouvé doux climat, champs fertiles et pâture abondante. Aux vrais cœurs de corbeaux la patrie est donc chère ? Si toutefois, comme le disaient nos soldats, on peut appeler cela *une patrie*.

» Enfin un dimanche soir, quinze jours après mon départ de Paris, et tout ratatiné par le froid, j'arrivai dans cette fière capitale du Nord qu'on nomme Saint-Pétersbourg ».

Son séjour en Russie a été préparé avec soin. C'est un prince Odoïewski qui s'est chargé de la mise en scène. Berlioz ne le connaît pas, il ne l'a jamais rencontré, et Odoïewski ne connaît de Berlioz que sa musique. Et encore : il n'a, semble-t-il, jamais entendu que le *Requiem*. Pourtant, fouetté par l'enthousiasme déversé par la presse française, si lue alors dans les milieux cultivés russes, à travers les articles élogieux des d'Ortigue et autres Jules Janin, il s'est pris d'une passion pour une musique qu'en réalité il ignore. C'est lui qui, le premier, consacrera un article dithyrambique à Berlioz. C'est lui aussi qui, dans les jours qui vont suivre son arrivée, l'introduira dans la société pétersbourgeoise.

Dès son entrée dans Saint-Pétersbourg, Berlioz constate que les choses se déroulent pour le mieux. Très vite, le premier concert s'organise. Les problèmes que pose la traduction allemande du texte de *Faust* sont rapidement réglés. A son habitude, Berlioz se met en quatre, parcourant la ville, rendant visite aux nouveaux amis qu'il s'est déjà faits, fréquentant salles de rédaction et cafés où se réunissent journalistes et musiciens, pour préparer ce qu'il espère être un succès. A son habitude, c'est lui qui rédige les avant-papiers, les affiches, les réclames. Il distribue à gauche et à droite des résumés amphigouriques de sa carrière, des feuilletons écrits par ses amis, voire des petits textes déjà enthousiastes sur lui et par lui rédigés. Dans le même temps, le 14 mars, c'est-à-dire la veille du premier concert, le prince Odoïewski publie un article délirant sur le bonheur qu'il a éprouvé aux répétitions et sur celui qui attendra le public le lendemain, sous la forme d'une lettre ouverte au grand Glinka, partisan de Berlioz. « Berlioz a fait faire à la musique une dizaine de pas en avant... A la répétition, j'étouffais d'attention concentrée... Il y a une musique qu'on doit *étudier* comme nous avons étudié celle de Beethoven... Mais quelle jouissance immense à entendre la géniale musique de Berlioz pour la seconde fois ! En vérité, à voir l'exaltation générale de notre public, il doit exister une sympathie particulière entre la musique de Berlioz et le sentiment intime des Russes... »

Quant à Berlioz lui-même, il commente avec émotion le concert du lendemain dans ses *Mémoires* : « Ce fut une belle soirée que celle de mon premier concert dans la salle de l'assemblée de la noblesse. [...] Il y avait parmi tous mes artistes un entrain joyeux, une animation, un zèle, qui me faisaient bien augurer de l'exécution, et j'avais, en outre, retrouvé au milieu d'eux un compatriote, l'habile violoncelliste Tajan-Rogé, artiste véritable et chaleureux, qui me secondait de toute son âme. [...] L'enthousiasme du public nombreux et éblouissant qui remplissait cette immense salle dépassa tout ce que j'avais pu rêver en ce genre, pour un *Faust* surtout. Il y eut des applaudissements, des rappels, des cris de bis à me donner le vertige. Après la première partie de *Faust,* l'impératrice, qui assistait au concert, m'envoya chercher par le comte Michel Wielhorski, et il fallut comparaître devant Sa Majesté dans l'état peu convenable où je me trouvais, rouge, suant, haletant, ma cravate déformée, enfin, en tenue de bataille musicale. L'impératrice me fit le plus flatteur accueil, me présenta aux princes ses fils, me parla de son frère le roi de Prusse, de l'intérêt qu'il me portait et dont ses lettres faisaient foi, accorda de grands éloges à ma musique, en s'étonnant de l'exécution exceptionnelle que j'avais obtenue. Après un quart d'heure de conversation : “Je vous rends à votre auditoire, me dit-elle, il est tellement exalté que vous ne devez pas trop lui faire attendre la seconde partie du concert.”

» Et je sortis du salon plein de reconnaissance pour toutes ces gracieusetés impériales. [...] J’étais sauvé ! Je me tournais alors machinalement vers le sud-ouest, et ne pus m’empêcher, en regardant du côté de la France, de murmurer ces mots : “Ah ! chers Parisiens !” »

Un deuxième concert va suivre le 25 mars, puis un troisième, simple « fête musicale au bénéfice des invalides » le 27, au cours duquel Berlioz dirigea l’intégralité de la *Symphonie funèbre et triomphale.* Trois jours plus tard, il part pour Moscou non sans avoir rédigé pour son ami Auguste Morel un admirable bulletin de victoire où ses succès musicaux, aristocratiques et financiers, sont longuement développés afin que le cher Morel en informe toute la presse parisienne.

A Moscou, il ne donne pourtant qu’un concert. Il n’y a pas que Gogol à se gausser de l’administration russe. Si Berlioz a pu franchir sans encombre la frontière et ignorer gardes et gabelous, c’est un grand maréchal du palais de l’assemblée (respectable vieillard de quatre-vingts ans) qui va opposer au compositeur venu de France la loi, la règle et les prophètes tels qu’on les pratique dans cette ville « demi-asiatique de Moscou » : seul un interprète peut donner un concert dans la salle de l’assemblée de la noblesse, la seule qui soit satisfaisante pour Berlioz. Un violoniste ou un pianiste, oui. Un compositeur-chef d’orchestre, non – pas un compositeur ! A force de discussions, Berlioz obtient quand même un concert, et un seul. Du coup, il ne reste à Moscou que deux semaines, et en voit peu de choses. « Les rues n’offraient que des cloaques d’eau et de neige fondante, tous les traîneaux avaient peine à se tirer. Je n’ai même vu le Kremlin qu’à l’extérieur. Je me suis borné à compter les grains du collier de canons qui l’entourent... Tristes trophées recueillis sur la trace de notre armée mourante... Il y en a de toutes sortes, de tous calibres et toutes les nations. Des inscriptions *en langue française* (atroce ironie !) désignent même ceux de nos régiments ou ceux des alliés de la France auxquels ont appartenu les pièces de cette funèbre collection. L’une de ces pièces a reçu une singulière blessure ; elle porte sur la lèvre l’empreinte d’un boulet russe, qui, après l’avoir frappée à la gueule, est entré dans le tube, en en labourant l’intérieur. Si la pièce était chargée au moment de l’incident, je laisse à penser l'étonnement de la gargousse qu'elle contenait, en recevant un si rude coup de refouloir... Elle a dû croire, l'orgueilleuse, que, reprenant son ancien métier d'artilleur, l'empereur Napoléon en personne chargeait. »

Qu'on n'oublie pas la rêverie berliozienne sur le pont de Lodi... Invité à Moscou, il ne pouvait pas ne pas citer l'Empereur. Mais il ira à l'Opéra écouter le chef-d'œuvre de Glinka, son ami, *La Vie pour le tsar.* Pour constater que l'immense théâtre est vide, et qu'il n'y a même pas de piano dans la salle des études chorales. Il n'en reste pas moins que son unique concert donné à Moscou, avec un chœur qu'il qualifie de « fabuleux » dans ses *Mémoires* – mais dont il a écrit, au lendemain de l'exécution, qu'il était lamentable – rencontre un accueil débordant d'enthousiasme. L'affaire lui rapporte à nouveau un bénéfice : huit mille francs.

Berlioz revient à Saint-Pétersbourg pour cinq nouveaux concerts. Ce second séjour sera marqué par deux rencontres mémorables. La première anonyme, mais bouleversante, est l'ébauche d'une aventure, platonique ou non, qui devait durer le temps d'un mois de début du printemps. La seconde, ardente, celle-là totalement platonique parce que inspirée par une femme qui en aimait un autre : la princesse de Sayn-Wittgenstein, l'égérie de Liszt, qui restera toute sa vie l'amie de Berlioz et jouera un rôle déterminant dans la suite de sa carrière.

Le premier concert, le 23 avril, reçoit un accueil chaleureux. Berlioz lui-même en est ému. Au programme, *Le Carnaval romain*, qui, à sa grande surprise, ne fait pas l'effet qu'il escompte, et surtout *Roméo et Juliette.* Les concerts suivants ont lieu au Théâtre impérial, jusqu'au 20 mai, et, chaque fois, le compositeur et chef d'orchestre est acclamé, reçu, choyé : jusqu'à la fille du tsar qui fait célébrer pour lui seul une messe afin de lui permettre d'entendre les chœurs de la chapelle impériale. Il raconte tout cela à Adèle, les succès, les promesses qu'on lui fait peut-être... et parle d'une grande tristesse. On en comprendra la raison par des lettres échangées avec son ami, Dominique Tajan-Rogé, non seulement musicien mais aussi écrivain, à qui il se confiera sans retenue. Berlioz a, en effet, rencontré une jeune fille à Saint-Pétersbourg. Il est seul en Russie, débarrassé pour un temps de l'épouvantable Marie Recio. Il connaît à nouveau les ivresses du succès. Son cœur bat à écouter son propre *Roméo* : il s'en évanouit presque. Le printemps le pénètre passionnément.

Alors, ce goût qu'il a des femmes, des jeunes femmes, l'envahit à nouveau comme un alcool très fort. Peut-être a-t-il eu d'autres aventures au cours du voyage, mais nous n'en connaîtrons qu'une, anonyme, et qui le frappe profondément. Lorsqu'il la raconte à son ami, cela fait plusieurs mois que l'histoire est finie. La jeune fille a déjà disparu. Mais il ne l'a pas oubliée.

« Puisque j'en suis à vous faire des confidences, croiriez-vous que je me suis laissé prendre à Pétersbourg par un amour véritable, autant que grotesque, pour une [...] choriste ? [...] Un amour poétique, atroce et *parfaitement innocent*, pour une jeune fille (pas trop jeune) qui me disait : "*Je vous écriverai*", et qui, en parlant des obsessions de sa mère pour la marier, ajoutait : "C'est une scie !" »

Et l'on voit si bien un Berlioz occupé à ces mille tâches, visites, lettres qui sont, même loin de Paris, l'essentiel de sa vie entre les concerts, rêver main dans la main, enlacé peut-être à la demoiselle qui parle un français de choriste russe et dont le cœur bat au rythme du sien...

« Combien de promenades nous avons faites ensemble dans les quartiers excentriques de Pétersbourg et jusque dans les champs, de neuf à onze heures du soir !... Que de larmes amères j'ai versées quand elle me disait comme la Marguerite de *Faust* : "Mon Dieu, je ne comprends pas ce que vous pouvez trouver en moi... je ne suis qu'une pauvre fille bien au-dessous de vous... il n'est pourtant pas possible que vous m'aimiez ainsi, etc., etc." C'est pourtant si possible que c'est vrai, et que j'ai pensé crever de désespoir quand j'ai passé devant le grand-théâtre en quittant en poste Pétersbourg. De plus, j'ai été réellement malade à Berlin de ne pas y trouver une lettre d'elle. Elle m'avait tant promis qu'elle *m'écriverait...* ; et à Paris aussi, point de nouvelles. Moi, j'ai écrit ; on ne m'a pas répondu. Voilà une *scie !* – Pastré ! ne riez plus, car, en vous en parlant, je pleure à chaudes larmes... Pastré ! Pastré !... Et soyez tout à fait bon, remettez-lui le billet ci-inclus, et dites-lui même, si vous pouvez, combien elle me rend malheureux en ne me donnant pas de ses nouvelles. »

Et puisque Tajan-Rogé part pour la Russie, qu'il rencontrera sûrement la choriste au cours des concerts qu'il y donnera, Berlioz tente sa chance. On n'a jamais trop d'amis pour jouer les intermédiaires : « Elle est sans doute mariée maintenant. Son fiancé, qui partit pour la Suède le soir de mon premier concert, est certainement revenu depuis longtemps. Elle s'abîme toujours les doigts à faire des corsets chez sa sœur qui en tient une fabrique ; mais pas assez cependant pour qu'elle ne puisse m'écrire. Elle peut et sait écrire, puisqu'elle sait cinq langues, le russe, le français (à part les *petites* fautes comme celle que je vous ai citées), l'allemand, le danois et le suédois.

» O Dieu ! je nous vois encore sur le bord de la Neva, un soir, au soleil couchant... Quelle trombe de passion ! je lui broyais le bras contre ma poitrine... je lui chantais la belle phrase de l'adagio de *Roméo et Juliette* : Vous savez si je l'aime !

» Je lui promettais, je lui offrais, tout ce que je pouvais promettre et offrir... et je n'ai pas obtenu seulement deux lignes depuis mon départ. Je ne suis pas même sûr que ce soit elle qui m'a fait un signe d'adieu de loin au moment de monter en voiture à la poste !... Adieu, adieu. Vous m'*écriverez* au moins, vous... »

L'histoire n'en est pas restée là, puisque Tajan-Rogé a bel et bien reçu quelque temps après une lettre de la jeune fille, destinée à Berlioz. D'où la lettre pleine de bon sens que le violoncelliste écrit en retour à son ami de Saint-Pétersbourg. Celui-ci lui fait bien suivre une lettre de la jeune choriste-corsetière. Mais il va aussi le chapitrer sans ménagement, comme tant d'amis de Berlioz devraient avoir eux aussi le courage d'oser le faire, lui reprochant d'avoir eu honte de sa choriste parce qu'elle était aussi corsetière.

« Pardieu ! les hommes en général et MM. les artistes en particulier sont d'étranges et curieux originaux avec leur extravagante vanité ! En voici un, et des plus distingués par l'éducation, par l'intelligence, qui aime éperdument. Le voici, dis-je, qui, mis en demeure de se déboutonner, le fait avec un sentiment, non de pudeur, mais de honte. De honte, oui, parce qu'il s'agit d'une pauvre corsetière, d'une infime dame des chœurs, ainsi qu'on appelle cela. Il aime comme un fou, le grand artiste, et il craint les mystifications ; il gémit, il pleure, et le voilà qui prend les devants ; il se raille, se persifle lui-même, tant il redoute la raillerie et les persiflages d'autrui.

» Eh bien, mon cher Berlioz, vous qui n'êtes point de race, que je sache, vous qui êtes ainsi que moi enfant de deux Révolutions, ayez la loyauté de le dire : eussiez-vous pris le même ton, employé les mêmes ruses et les mêmes précautions oratoires s'il se fût agi, par exemple, de quelque aristocratique Corinne ou de certaine comtesse du faubourg Saint-Germain que vous connaissez bien ? Non, vous l'auriez affichée publiquement et promenée de ville en ville avec orgueil. »

On ne sait rien du contenu de la lettre de la jeune fille. Sinon – Berlioz répond ici à son ami, le 1er janvier 1848 – que « c'est une fille toute simple, qui m'a parlé avec bon sens, elle est *honnête*, elle veut conserver l'estime des honnêtes gens... elle est reconnaissante de mon AFFECTION... elle est fiancée avec un homme auquel sans doute elle eût de beaucoup, dit-elle, préféré *celui que je connais* ; mais la raison, les convenances, ses parents, tout lui désignait l'autre... »

Suit alors, dans la même lettre, une remarque bouleversante de la part de ce plus que quadragénaire toujours à la recherche de l'amour fou : « Tenez, ami, je souffre bien, mais, après tout, je suis reconnaissant envers elle de m'avoir rendu cette souffrance que je m'efforçais d'oublier. Il y a tant de sortes d'amours ! Celui que je sens est le véritable grand amour poétique ; je l'ai reconnu dès le premier jour, et il n'y a rien de plus beau ; et avec l'enthousiasme de l'art, il n'est pas d'autre divinisation du cœur humain : le monde alors s'illumine, les horizons s'immensifient, toute la nature se colore et vibre d'harmonies sans fin, et on aime enfin !... on aime !! ! »

Que s'est-il passé ? Le cœur d'un Berlioz de quarante-quatre ans a battu éperdument pour une jeune fille, « pas trop jeune », rencontrée à Saint-Pétersbourg. Il l'aime, croit-il, à la folie, ne la possède probablement pas. Elle est corsetière et non femme du monde ou bas-bleu, tout les sépare, d'autant qu'elle a un fiancé. Désespérément seul, Berlioz croit avoir trouvé en l'inconnue une âme sœur, quelqu'un qui le comprendra. Quelqu'un, simplement, avec qui marcher côte à côte, sinon dans la vie, du moins le long de la Neva. Vraisemblablement, la jeune choriste-corsetière s'est ressaisie. Si rien de l'aventure ne transpire dans les *Mémoires*, le ton des lettres à Tajan-Rogé laisse supposer qu'elle a profondément marqué Berlioz.

Plus durable, et autrement plus importante, sera la rencontre avec la princesse de Sayn-Wittgenstein. Jeanne Elisabeth Carolyne était la fille de Peter von Ivanovsky, un noble polonais, propriétaire de domaines immenses. Elle-même était une véritable aristocrate terrienne, vivant dans un château près de Kiev. On la considérait comme une musicienne accomplie et une femme du monde d'une immense beauté. Avec ses parents, parfois seule, elle avait déjà parcouru l'Europe entière. Et l'Europe entière la connaissait. A peine âgée de dix-sept ans, en 1836, elle avait épousé le prince Nicolas de Sayn-Wittgenstein, aide de camp du gouverneur de Kiev et fils cadet d'un feldmaréchal russe victorieux, le prince de Wittgenstein.

C'est à Kiev, vraisemblablement au cours d'un concert donné le 2 avril 1847, qu'elle vit et entendit Liszt pour la première fois. Ce jour-là, il interprétait le concerto de Weber, *L'Invitation à la valse*, ainsi que des improvisations sur des thèmes proposés par l'assistance. Le coup de foudre fut immédiat. Aussitôt, les destins de Liszt et de la princesse vont se lier. Comme avant elle Marie d'Agoult, dès le mois d'avril 1848, elle quittera son mari et suivra le compositeur. Elle sera sa muse, son inspiratrice, sa mécène. Et comme Marie d'Agoult, ce sera entre les amants une liaison passionnée, toute de ferveur, de beauté et de musique. Le couple que forment Liszt et la princesse devient l'un des plus fameux d'Europe. Ils sont reçus partout comme des princes de l'art et de l'intelligence. Si Liszt a renoncé depuis longtemps à sa seule carrière de virtuose pour devenir l'un des grands compositeurs du deuxième romantisme allemand, il est d'abord et toujours, pour cette aristocratie qui le fête, l'artiste sans égal qu'une fière souveraine accompagne. On est loin du pauvre Hector Berlioz, bras dessus, bras dessous avec sa corsetière sur les bords de la Neva... Mais avec la princesse comme avec Marie d'Agoult à ses côtés, Franz Liszt demeurera pour Berlioz un ami impeccable. Quant à la princesse, elle a, elle aussi, pour lui une affection sans faille. En 1860, ayant obtenu son divorce, et après deux audiences pontificales, la princesse de Sayn-Wittgenstein a enfin la possibilité d'épouser Liszt. Mais à la dernière minute, en octobre 1861, l'un de ses cousins, présent par hasard à Rome, découvre les cérémonies prévues et demande un nouvel examen de l'autorisation pontificale. La princesse s'y oppose, le mariage qui était prévu pour le 22 octobre n'a pas lieu. Dès lors, enfermée dans son appartement de la via Babuino, la princesse va vivre seule, écrivant un immense ouvrage de théologie en plus de vingt volumes, avant de mourir, toujours solitaire, en 1887. Mais pendant les treize ans qu'elle a passés avec Liszt, la princesse Carolyne de Sayn-Wittgenstein a eu, sur l'Europe intellectuelle et musicale de son temps, une influence considérable.

C'est le 4 mai 1847, à Saint-Pétersbourg, que la princesse de Sayn-Wittgenstein a reçu Berlioz pour la première fois. L'entrevue fut amicale, pourtant, elle n'a pas dû lui faire grande impression puisque, écrivant à Gaetano Belloni, le secrétaire de Liszt, au mois de décembre suivant, il écorche le nom de la princesse qui devient « comtesse de Wiltenshstein ». Seule impression probable : la beauté de la princesse, à laquelle il fait bientôt allusion dans une lettre adressée à Liszt. Ce n'est que deux ou trois ans plus tard que Berlioz et l'égérie de Liszt se lieront d'une véritable amitié.

Berlioz quitte Saint-Pétersbourg le 22 mai. Pendant son séjour, il n'a cessé d'abreuver ses amis français de comptes rendus dithyrambiques sur ses concerts. Ainsi, à Léon Escudier : « Voulez-vous m'obliger de quelques lignes *réclamatoires* dans *La France musicale* ? Vous rédigerez comme vous voudrez, je trouve moins bête de ma part de vous dire en somme que mon voyage en Russie paraît devoir être des plus heureux sous tous les rapports... » Ou, au toujours généreux Auguste Morel, en date du 7 mai, à qui il dicte littéralement un article : « On écrit de Saint-Pétersbourg : Berlioz vient d'arriver de Moscou où sa musique a excité le plus vif enthousiasme... De toutes parts on lui jetait ces mots : Superbe ! Magnifique ! Admirable !... » Il peut donc repartir en paix ; à Paris on sait ce qu'il a rencontré d'estime et d'admiration.

Après avoir songé à passer par Copenhague et Hambourg, il décide de rentrer directement par Berlin, avec un détour à Riga. Il donne là un concert le 29 mai, dont « l'auditoire a été aussi chaud que clairsemé » (lettre au comte Michel Wielhorski du 1er juin). Il faut dire qu'« il y a en ce moment onze cents navires dans la rivière de Riga, et tout le monde travaille à vendre ou à acheter du blé de huit heures du matin jusqu'à onze heures du soir ; de sorte qu'il n'y avait dans la salle que des dames, sauf un très petit nombre d'hommes ». En revanche, il a assisté à une représentation de *Hamlet*, en allemand : « Figurez-vous que j'y ai vu jouer *Hamlet*, le *véritable Hamlet* de Shakespeare, et très bien ma foi, par un acteur nommé Baumeister que je n'avais jamais entendu nommer. J'ai été, comme toujours, révolutionné par cette merveille du plus grand des génies humains ; les Anglais ont bien raison de dire qu'après Dieu, c'est Shakespeare qui a le plus créé... Il ne devrait pas être permis de représenter ses chefs-d'œuvre devant le public ainsi composé au hasard d'oisifs, de niais, de demi-niais, de demi-lettrés, de grammairiens, de maîtres d'école, de soldats, de bonnes d'enfants, d'élégantes, d'intrigants, de lionnes édentées, de nourrices, de dandies, de marchands de blé, de maquignons et de commis voyageurs. » Ainsi, sur le chemin du retour, c'est un nouveau face-à-face avec Shakespeare et la pauvre Ophélie qui lui fait se souvenir, sans qu'il l'évoque plus précisément, de la *fair Ophelia* qui l'attend à Paris.

Quatre ou cinq jours plus tard, il est à Berlin. Et là, il semble bien, hélas, que Marie Recio l'a rejoint. Du coup, son exaltation retombe. D'autant qu'il y donne *La Damnation de Faust* que le roi de Prusse voulait expressément connaître et que l'accueil du public allemand n'est pas celui des auditeurs russes. C'est que, de la même manière que Wagner avait pu s'indigner de voir le *Freischütz* de Weber donné par Berlioz avec ses récitatifs français, une partie de l'opinion prussienne, nationalisme à fleur de peau, n'admet pas que l'on ait touché au chef-d'œuvre de Goethe. En dépit de ce qui aurait pu ressembler à une cabale, le public voulut faire donner une deuxième fois la scène des Sylphes, mais, de fort méchante humeur, Berlioz le refusa. Dans une lettre adressée à Morel, en date du 20 juin, il remarque qu'on a crié pour demander ce *bis* les mots « Da capo » et qu'il n'a pas compris ce qu'on attendait de lui.

Plus tard, le roi de Prusse le convie à son château de Sans-Souci, près de Berlin. Et Berlioz, dans une page qui fleure bon le snobisme de l'artiste invité chez les grands de ce monde, de rendre compte de la soirée sur un ton extatique : « Ce dîner à Sans-Souci fut charmant. M. de Humboldt, le comte Michel Wielhorski et Mme la princesse de Prusse se trouvaient parmi les convives. Après le dessert, on alla prendre le café dans le jardin. Le roi se promenait sa tasse à la main ; en m'apercevant sur l'escalier d'un pavillon, il s'écria de loin :

– Eh ! Berlioz, venez donc me donner des nouvelles de ma sœur et me raconter votre voyage en Russie.

» Je m'empressai d'accourir, et je ne sais quelles folies je débitai à mon auguste amphitryon, qui le mirent de très joyeuse humeur.

– Avez-vous appris le russe ? me demanda-t-il.

– Oui, sire, je sais dire : "*Na prava, na leva*" (à droite, à gauche) pour conduire un conducteur de traîneau ; je sais dire encore : "*Dourak*", quand le conducteur s'égare.

– Et que veut dire le mot *dourak ?*

– Il veut dire imbécile, sire !

– Ah ! ah ! ah ! imbécile, sire ; imbécile, sire ! c'est charmant ! »

» Et le roi de rire aux éclats avec de tels soubresauts d'abdomen et de bras, qu'il répandit sur le sable presque tout le contenu de sa tasse. Cette hilarité, à laquelle je me mêlai sans façons, fit tout à coup de moi un important personnage. Plusieurs courtisans, officiers, gentilshommes et chambellans la remarquèrent du pavillon où ils étaient restés, et l'on songea aussitôt à se mettre bien avec cet homme qui faisait tant rire le roi et qui riait même avec lui si familièrement. Aussi en revenant au pavillon l'instant d'après, me vis-je entouré de grands seigneurs à moi parfaitement inconnus, qui me faisaient de profonds saluts, en déclinant modestement leur nom : “Monsieur, je suis le prince de ***, et je m’estime heureux de faire votre connaissance.” “Monsieur, je suis le comte de ***, permettez-moi de vous féliciter du beau succès que vous venez d’obtenir.” “Monsieur, je suis le baron de ***, j’ai eu l’honneur de vous voir, il y a six ans, à Brunswick, et je suis enchanté de...” [...] On me prenait pour un puissant favori du roi. Quel drôle de monde qu’une cour ! »

Sifflé par des nationalistes chauvins mais divinement reçu par le roi, Berlioz peut rentrer en France.

Si ce voyage n’a pas répondu aux prévisions les plus optimistes de Balzac, il a tout de même rapporté à Berlioz une quarantaine de mille francs, dont dix à douze mille lui permettront de régler les dettes qu’il a laissées en France après l’échec de *La Damnation de Faust* à l’Opéra-Comique. De son passage à Riga, de l’émotion à entendre Shakespeare, fût-il joué en allemand, il a également rapporté deux idées, qui deviendront plus tard *La Mort d’Ophélie* et *Le Cortège funèbre de Hamlet.* Le 6 juillet 1847, le voilà de retour à Paris.

Il retombe à nouveau de haut. Bien sûr, chacun a pu lire dans les journaux amis les communiqués flamboyants de ses victoires. Jules Janin, Léon Escudier et Auguste Morel, chacun a joué le rôle qu’on attendait de lui. La campagne de Russie de Berlioz a été, nul ne l’ignore dans les milieux parisiens bien informés, une victoire totale. Il n’y est question que de l’enthousiasme, sinon de tout un peuple, du moins de l’aristocratie russe, pour *La Damnation de Faust*, de l’émotion qui a étreint des salles entières à écouter *Roméo et Juliette*, de l’accueil de la tsarine ou du roi de Prusse. Ou alors, si l’on a pour lui une admiration plus tempérée, qu’on est pamphlétaire ou caricaturiste, c’est des triomphes de M. Berliozkoff que l’on parle, des armées de M. Berliozineff ou dcs faveurs dispensées largement à M. Berliozky !

L’intéressé n’est pourtant pas d’humeur à rire. Il a beau être revenu de Russie presque couvert d’or, il se rend compte que l’argent file vite. Et surtout, MM. Duponchel et Roqueplan, qui ont bel et bien pris le pouvoir à l’Opéra, quelques jours avant son retour, ne semblent pas mieux disposés que le couple Pillet-Stoltz à donner sa *Nonne sanglante.* Dès son arrivée, il tente cependant ce qui ne lui semble pas l'impossible, mais les deux compères font la sourde oreille. Nommés grâce au *Journal des débats* dont Berlioz est l'ami, ils étaient les amis de Berlioz jusqu'à leur installation au double fauteuil directorial. A présent, refroidis en outre par l'accueil désastreux qu'on a fait à l'Opéra-Comique à *La Damnation de Faust*, ils n'envisagent en aucune manière de monter une *Nonne sanglante*, pour laquelle ils redoutent un destin semblable. Quant au poste de directeur de l'Opéra, il est à présent occupé par l'ancien camarade, Girard. Et Girard, lui, a cessé d'être un ami. Berlioz a beau nous affirmer que Girard et lui se seraient engagés, avec la bénédiction des deux nouveaux directeurs, à se partager la direction musicale, une fois Duponchel et Roqueplan nommés, les choses auraient changé. Pire : les deux compères auraient fait courir le bruit que Berlioz voulait ni plus ni moins remplacer son vieux camarade. Berlioz proteste, on lui fait alors valoir – comble de l'hypocrisie ! – que, s'il est nommé à un poste quel qu'il soit à l'Opéra, il ne pourra y donner une de ses œuvres, c'est une règle déontologique incontournable. Beaucoup d'autres l'ont cependant contournée, au premier chef le directeur des chœurs de la maison qui a acheté à Wagner le livret de son *Vaisseau fantôme* pour en faire une tambouille de sa façon. Berlioz cite encore un ou deux exemples : ne peut-on faire exception pour lui ? MM. Roqueplan et Duponchel, véritables duettistes du comique lyrique sur la première scène tragique de France, refusent, la main sur le cœur, drapés de probité pas vraiment candide. Et Berlioz de renoncer alors à toute fonction officielle. Qu'on joue sa *Nonne sanglante*, au moins ! Eh bien non. Sa *Nonne* infortunée, on ne la jouera pas. On tergiversera, on le fera attendre, et finalement Scribe, l'auteur du livret, reprendra celui-ci. Et Berlioz, pour sauver la face, d'écrire aux deux compères que c'est lui qui leur rend leur parole. L'affaire en reste là, on ne parlera plus, ou presque plus, de *La Nonne sanglante*, opéra de Berlioz jamais vraiment commencé.

5

Londres et la révolution de 1848

Une fois de plus, Berlioz n'a plus rien à faire à Paris. Il n'a plus rien à faire en France non plus. Une fois de plus, il envisage de s'exiler. Non pas pour une tournée triomphale à travers telle ou telle partie de l'Europe, mais pour un poste stable, sédentaire, qui lui paraît fructueux en même temps que prestigieux : celui de chef d'orchestre du théâtre de Drury Lane à Londres, qu'on lui offre sur un plateau d'argent. Il l'écrit, dès le 25 août 1847, à sa sœur Nanci : « Le directeur du théâtre de Drury Lane est venu de Londres et m'a offert la place de chef d'orchestre du grand Opéra anglais, qui ne m'occupera que trois mois de l'année et me rapportera dix mille francs, de plus il s'engage pour me donner à Londres quatre concerts, composés seulement de mes ouvrages, il m'assure pour cela dix autres mille francs, et me demande en outre un opéra en trois actes qui sera représenté dans un an ou quinze mois [...] Je me suis en conséquence décidé à rendre poliment leur parole à nos pauvres directeurs de Paris, et j'ai renoncé à la belle France pour la perfide Albion... »

Tout cela est trop beau, on le devine. Il faut être Berlioz pour croire à des plans mitonnés par cet Escudier, qu'on a déjà vu en journaliste prêt à rendre tous les services, maintenant transformé en intermédiaire intrigant. Le complice d'Escudier, dans cette affaire, s'appelle Louis-Antoine Julien, dit Jullien. C'est un musicien sans musique, un compositeur sans talent auquel Fétis consacre pourtant près de quatre colonnes dans sa *Biographie universelle.* Il inventa en effet de nouvelles formes de café-concert, avec contredanses au Jardin turc (sur le boulevard du Temple) pour les soirs d'été, ou un quadrille des *Huguenots*, accompagné de sonneries lugubres de cloches, d'embrasement des kiosques et pavillons et d'une fusillade de mousquets à la fin de la danse pour évoquer la Saint-Barthélemy ! Tout cela mêlé de fusées et de feux d'artifice. Le même remarquable M. Jullien aurait inventé une misérable valse dite de *la Chaise cassée*, ponctuée du bris de bâtons de chaise. Etabli à Londres dès 1838, il y donna des concerts-promenades à un shilling le billet où certaines des plus grandes célébrités du temps, dont Marie Pleyel, se produisirent. Charlatan tout autant qu'entrepreneur de spectacles, Antoine Jullien savait séduire qui il voulait utiliser : Berlioz succomba à ses propositions. Une fois de plus, le voilà qui brûle ses vaisseaux et traverse la Manche.

Avant de partir, il décide de faire le voyage de La Côte-Saint-André où il ne s'est pas rendu depuis quinze ans. Ce sera l'occasion de faire connaître au Dr Berlioz le petit Louis, maintenant âgé de treize ans. C'est donc « en garçons » qu'Hector et son fils partent pour La Côte autour du 8 septembre. Toute la famille est réunie, il y a Nanci et Camille Pal, le juge, et leur fille Mathilde ; Adèle et Marc Suat, et leurs deux filles, Joséphine et Nanci. Peut-être aussi notre bel officier, Félix Marmion, à présent marié. Ce sont des retrouvailles bienfaisantes, nostalgiques. Hector se rend avec son fils sur les lieux qui furent ceux de sa jeunesse. Il semble que Louis soit heureux. Bientôt, son retour à Rouen, l'idée fixe qui sera la sienne de reprendre ses études dans un collège à Paris ou à Versailles le transformeront en adolescent buté, fermé, trop sensible, éperdument malheureux de la séparation tragique de ses parents. Mais pendant la douzaine de jours passés face aux Alpes, Louis réapprend à sourire.

C'est l'autre Louis, le Dr Berlioz, qui ne sourit plus guère. Il a perdu sa femme depuis près de dix ans, son plus jeune fils, Prosper, est mort dans des conditions presque obscures à Paris : le retour de son fils aîné est un bonheur qu'il n'attendait plus assez pour être un bonheur vraiment heureux. D'ailleurs, le vieux M. Berlioz est de plus en plus malade. Son estomac le fait terriblement souffrir, il mange à peine, se drogue à l'opium pour apaiser ses douleurs. Hector et son père vont avoir de longs tête-à-tête silencieux. Le petit Louis joue dans les vignes, découvre les joies de la campagne, Hector ne fait que son devoir : il est auprès de sa famille. Mais trop de fantômes tournoient autour de lui, jusqu'à celui de cette Ophélie pour laquelle il s'est tant battu contre la volonté des siens pour l'épouser et qui n'est plus qu'une énorme chose triste, effondrée sur un lit à Paris. Le séjour est heureux, oui, mais rempli de trop d'images sombres...

Le 12 septembre, Hector Berlioz et le petit Louis reprennent la route de la capitale. De Paris, Louis va tout de suite réintégrer son collège de Rouen. Quant à Hector, il a entrepris depuis un mois d'assurer la publication dans *Le Journal des débats* de son nouveau « Voyage musical en Autriche, en Russie et en Prusse ». Il écrit très vite, relit les épreuves, s'assure de la publication dans les numéros qui paraîtront après son départ pour Londres.

Un instant de répit, d'inspiration : on a vu comment la représentation de *Hamlet* en allemand dans un théâtre de Riga lui a donné l'idée de remuer à nouveau les souvenirs de la belle Ophélie de jadis. C'est probablement au cours de ces quelques semaines qui séparent son retour de La Côte-Saint-André de son départ pour Londres qu'il s'aventure plus avant dans les deux morceaux qu'il a entrepris : *La Mort d'Ophélie* et *Le Cortège funèbre de Hamlet.* Pendant ce temps, dans sa chambre qu'elle ne quitte plus guère, la véritable Ophélie attend ses rares visites.

Le 3 novembre 1847, Berlioz part enfin pour Londres. On l'a laissé entendre, ce séjour, qui va durer plus de sept mois, sera un échec. Marie Recio ne l'accompagne pas. Quel subterfuge, quel prétexte a-t-il trouvé ? Il aurait eu les moyens, avec le salaire royal qu'on lui proposait, d'entretenir sa maîtresse. Pourtant il a résisté, et Marie s'est inclinée. Au début, les choses ont l'air de bien se passer. Le 7 novembre, il écrit à son père une lettre plus qu'optimiste : « J'ai fait une traversée charmante, la mer était calme et le vaisseau marchait comme il eût fait sur un lac. J'étais accompagné d'un homme de lettres anglais, M. Ghruneizen, qui en arrivant à Folkstone s'est empressé de sauter à terre le premier pour pouvoir me tendre la main et me dire cordialement : “Soyez le bienvenu sur le sol britannique !” [...] Londres est effrayant par son immensité. Il faut trois quarts d'heure pour aller de chez Jullien à Drury Lane, et ils appellent cette distance *quelques pas.* Nous allons passer tout le reste de ce mois-ci et quelques jours de l'autre en préparatifs et études ; le grand Opéra anglais ne pouvant s'ouvrir que vers le 10 décembre. J'ai déjà vu à l'œuvre mon orchestre et c'est des plus excellents que j'eusse pu désirer... J'ai tout lieu de croire que les affaires de mon département marcheront à merveille. Je vais m'occuper maintenant d'écrire un morceau sur le thème du *God Save the Queen* pour le jour de l'ouverture du théâtre. Je n'y avais pas songé, mais Jullien, qui a l'œil et l'oreille à tout, voudrait me voir reproduire ici la scène des Hongrois de Pest, en attaquant de la même façon la corde sensible de la lyre nationale anglaise... Je suis tout surpris de savoir autant d'anglais ; je dis à peu près tout ce que j'ai besoin de dire et sans beaucoup d'accent, mais je ne comprends pas à beaucoup près la moitié de ce qu'on me dit. »

Berlioz habite Harley Street, au sud de Regent's Park, dans l'un des quartiers les plus chics de Londres, construit pour l'essentiel au tout début du XIXe siècle par l'architecte Nash, sur les indications du prince régent. C'est aujourd'hui, et depuis longtemps, le paradis des médecins les plus chers de l'Empire britannique. Des médecins, Berlioz va en avoir tout de suite besoin, car dès son arrivée il se trouve malade, avec une grippe qui le cloue au lit. Jusqu'au début du printemps 1848, la grippe d'abord, puis des douleurs intestinales – sa « névrose » – se succéderont pour empoisonner cette première partie de son séjour qui aurait dû être placé sous de meilleurs auspices. A cela s'ajoute un deuil qui le frappe profondément : la mort à Leipzig, le 4 novembre, de l'ami Mendelssohn. Mendelssohn n'avait que trente-huit ans, il était le cadet de Berlioz. « C'est un rude coup que la mort vient de frapper sur la musique digne et sérieuse, et nous devons tous le sentir profondément », écrit-il à Henry Fothergill Chorley, le critique musical de la revue l'*Athenaeum*.

Ce Chorley, largement autodidacte, était un critique musical sans pitié qui n'estimait guère Berlioz. Celui-ci saura pourtant gagner son amitié, et les relations entre les deux hommes deviendront bientôt telles que le critique de l'*Athenaeum* sera l'un des premiers à compatir lorsque les malheurs commenceront à s'abattre sur Berlioz et sur Drury Lane.

Dès son arrivée au théâtre, Berlioz se rend compte qu'il s'est lancé dans une aventure dangereuse. D'abord, lui qui n'aime guère ce genre de musique, c'est de l'opéra italien qu'on lui fait diriger. Ainsi, après avoir fait miroiter devant le nouveau directeur musical l'idée d'un concert où l'on jouerait ses œuvres, c'est *Lucia di Lammermoor*, chantée en anglais, qu'on lui fait conduire le 6 décembre, le soir de l'ouverture du théâtre. Dieu merci, l'œuvre de Donizetti est précédée de l'ouverture de *Léonore 2* de Beethoven. Le même jour, Marie Recio arrive de Paris. Elle ne restera que quelques jours à Londres, mais sa présence est de mauvais augure.

En effet, dès la première représentation l'entreprise de Drury Lane perd de l'argent. La situation réelle apparaît à Berlioz : « Le résultat était inévitable ; les recettes de la *Lucia* n'atteignirent jamais le chiffre de dix mille francs [...] et, au bout de très peu de temps, Jullien fut ruiné complètement. Je ne devais toucher que le premier mois de mes honoraires ; aujourd'hui, malgré les belles protestations de Jullien qui, après tout, est honnête homme, autant que l'on puisse l'être avec un tel fonds d'imprudence, je considère ce qu'il me doit encore comme perdu sans retour. »

« Aujourd'hui » : c'est dans cette période d'incertitude, alors que Drury Lane bat de l'aile et qu'après *Lucia di Lammermoor*, *Linda di Chamunix*, *La Favorite* et *La Fille du régiment*, du même Donizetti, *La Cenerentola* de Rossini et *La Somnambule* de Bellini épuisent sa patience, que Berlioz s'est lancé dans une nouvelle entreprise. Reprenant l'ensemble des articles qu'il a publiés jusque-là, des notes qu'il a conservées, des souvenirs, il les rassemble pour commencer à écrire ses *Mémoires*, l'œuvre littéraire majeure.

Moment capital dans la vie du musicien. Et événement charnière pour ses biographes. C'est en ce début de 1848 que va commencer à prendre forme l'un des maîtres livres du XIXe siècle en même temps que la source essentielle de toutes les informations dont on dispose sur lui. Bien sûr, il y a aussi la *Correspondance* mais, pour les berlioziens, il y a l'« avant-*Mémoires* » et l'« après-*Mémoires* ». Dans son domicile de Harley Street d'abord, à Osnaburgh Street ensuite, toujours près de Regent's Park, solitaire et désolé, il va ordonner un formidable désordre de notations prises après coup. C'est sa vie entière qui défile à nouveau devant ses yeux. Les tristesses de son enfance avec leurs moments de grande beauté ; la petite Estelle qui s'avance vers lui, souriante ; la pulpeuse Camille qui le défie ; l'infortunée, la tragique Harriett, son fantôme jamais apaisé. Berlioz écrit dans la journée, prépare des répétitions, les organise, puis dirige le soir.

Seul moment de répit, le concert qu'il donne le 7 février, dans son propre théâtre. *Le Carnaval romain* fait un malheur, *Le Jeune Pâtre breton* est chanté en anglais et plaît. On s'enthousiasme pour *Harold en Italie*, on bisse la « Marche hongroise » et le « Ballet des Sylphes » de *La Damnation de Faust* et le reste à l'avenant : le concert est long, interminable, mais le public applaudit à tout rompre. Pourtant déjà, Berlioz a compris que la situation à Drury Lane était inextricable. Dans une lettre en date du 14 janvier, il décrit la situation à son ami Morel avec toutes les précautions nécessaires. Que Paris n'en sache rien cette fois ! « Je fais ici un métier de cheval de moulin, répétant tous les jours de midi à quatre heures et conduisant tous les soirs l'opéra de sept heures à dix. Depuis avant-hier seulement nous n'avons pas de répétitions et je commence à me remettre d'une *grippe* qui m'inquiétait, ainsi traitée par la fatigue et les vents froids du théâtre. Vous avez eu sans doute déjà connaissance de l'horrible position où Jullien s'est mis et nous a entraînés tous avec lui. Cependant comme il faut ruiner son crédit à Paris le moins possible, ne parlez à personne de ce que je vais vous dire. Ce n'est pas l'entreprise de Drury Lane qui a renversé sa fortune ; elle était déjà détruite avant l'ouverture et il avait sans doute compté sur de folles recettes pour la relever. Jullien est toujours le même fou que vous avez connu, il n'a pas la moindre idée des nécessités d'un théâtre lyrique, ni des nécessités même les plus évidentes pour une bonne exécution musicale... [Il] est en ce moment à faire sa tournée de province, gagnant beaucoup d'argent avec ses concerts-promenades ; le théâtre fait ici chaque soir des recettes fort respectables et en résumé après nous avoir fait consentir à la réduction d'un tiers de nos appointements *nous ne sommes pas payés du tout.* On paye seulement chaque semaine les choristes, l'orchestre et les ouvriers, afin que le théâtre puisse marcher. Cependant, il proteste que nous ne perdrons rien et nous allons toujours, et le public ne demande qu'à venir. Mais le crédit de Jullien à Londres est *perdu* entièrement... »

Et pourtant, pour rien au monde Berlioz ne voudrait rentrer à Paris. Ici, à Londres, il vit dans une sorte d'anonymat fébrile. Quand bien même il exerce un métier qu'il n'aime guère, on le respecte, on l'admire, on attend beaucoup de lui. Alors qu'en France... Mais la situation empire. Le 11 février, il donne à Drury Lane la première des *Noces de Figaro*, de Mozart, mais Jullien ne paie plus ni les musiciens ni les choristes et ceux-ci commencent à disparaître un à un. Berlioz a beau diriger des représentations de gala en présence de la reine Victoria et du prince Albert ou faire donner à Buckingham Palace sa *Symphonie funèbre et triomphale*, on a beau porter des toasts en son honneur au banquet de la Société royale des musiciens britanniques, l'aventure de Drury Lane s'achève en déroute.

Pendant ce temps, une autre aventure commence à Paris. Ce sont les journées de février 1848, la monarchie de Juillet s'écroule, la IIe République est née. Pour Berlioz, qui voit tout de suite les choses par le petit bout de la lorgnette, ce n'est qu'une catastrophe de plus : en dépit de ses jérémiades et de ses infortunes parfois réelles, il était l'ami du pouvoir, soutenu par la famille Bertin et *Le Journal des débats.* En quelques jours, *Le Journal des débats* n'est plus au pouvoir, Berlioz est seul à Londres, à remâcher son amertume.

La révolution de 1848 marque bien pour lui un tournant capital. Il le verra à son retour en France : choyé, quoi qu'il en ait dit, par le pouvoir, il va tomber de haut. On va voir apparaître un autre Berlioz, toujours à l'affût de faveurs, certes, de places qu'il demande quand il ne les quémande pas, mais un Berlioz qui lira dans la presse française les récits des violents troubles qui ont éclaté un peu partout, à Lyon, à Marseille, à Limoges ou à Reims ; à qui parviendront bientôt les échos des journées de mai et de juin, la mort de Mgr Affre et l'exécution du général Bréa : quatre mille insurgés morts lors des combats, mille six cents soldats et gardes tués, mille cinq cents insurgés abattus sans jugement et onze mille autres entassés dans des prisons de fortune en attendant d'être jugés. Ce Berlioz-là va prendre en haine toutes les violences, particulièrement celle d'une « populace » sur laquelle il va vomir de frénétiques insultes que d'aucuns, aujourd'hui, lui reprochent encore.

Du coup, pas question de revenir à Paris. Alors, à Londres, il s'occupe comme il peut. On a dit ses *Mémoires* : c'est au mois de mars qu'il se lance véritablement dans leur rédaction, la préface datée du 21 mars 1848, puis les premiers chapitres : « Je suis né le 11 décembre 1803, à La Côte-Saint-André, très petite ville de France, située dans le département de l'Isère, entre Vienne, Grenoble et Lyon... » Il cherche aussi à faire publier dans la presse britannique les articles parus sur son voyage en Allemagne dans *Le Journal des débats.* Sans succès. Peut-être parce qu'il faut être dans le goût du jour, il va composer quelques arrangements patriotiques : *Le Chant du départ*, de Méhul, et le *Mourons pour la Patrie*, de Rouget de Lisle. Il fait également un nouvel arrangement de *La Marseillaise*, à plusieurs voix et pour piano. Enfin il achève une version pour chœur à deux parties et orchestre de *La Mort d'Ophélie.* Un peu plus tard, en avril, il compose *La Menace des Francs*, une marche avec chœurs.

Il continue, dans ses lettres, à se lamenter sur la situation qui règne en France. A sa sœur Nanci, le 5 avril, il affirme : « Les nouvelles de Paris sont de jour en jour plus dégoûtantes. Je ne dis pas *alarmantes*, il n'y a pas d'alarme quand on n'espère plus. Ils vont tous s'entre-massacrer avant deux mois. Ici déjà tout se prépare. Nous aurons lundi prochain cent cinquante mille chartistes [le mouvement chartiste, né au milieu des années 1830, était le premier mouvement ouvrier politique britannique], qui parcourront les rues de Londres. Les clubs sont occupés à fabriquer de longues lances pour armer ceux qui ne peuvent avoir de fusil. Les Irlandais frémissent dans leur coin. Mais l'insolente aristocratie anglaise ne lâchera pas un pouce de terrain ; elle trouve fort naturel qu'elle ait tout et que les malheureux n'aient rien. Ce qui est bon à prendre est bon à garder... J'ai perdu à Londres près de quatre mille francs ou du moins je les considère comme perdus. C'est beaucoup pour moi... » Londres à présent : comme à Paris, la situation y apparaît de plus en plus instable. Dans la même lettre à Nanci, Berlioz précise : « La terreur gagne ici ; les théâtres se ruinent. Je ne puis rien faire ; tout le monde a peur d'entreprendre la moindre chose coûteuse. Il nous arrive d'ailleurs une nuée d'artistes de tous les coins de l'Europe ; ils espèrent trouver un asile à Londres et leur déception sera grande dans quelques jours... »

Cependant ce fou de Jullien qui a transformé ses activités musicales en « entreprise équestre » achève de faire faillite. Le 24 avril, Berlioz écrit à Morel : « Avant-hier les journaux de Londres ont annoncé la *banqueroute* de Jullien qui, dit-on, est à cette heure en prison. Je n'ai donc plus rien à espérer de lui. » La première conséquence de cette banqueroute, c'est la saisie par les huissiers de justice des meubles – et de l'immeuble de Jullien où vivait Berlioz, à Harley Street. C'est à ce moment, le 20 avril, qu'il est contraint de prendre un appartement beaucoup plus modeste, Osnaburgh Street. Est-ce parce qu'elle veut être près de son amant dans l'adversité, toujours est-il que Marie Recio revient à Londres. Mais les choses n'en vont pas mieux pour lui. On avait prévu qu'il participe en septembre au festival de Norwich. Et voilà qu'une cabale s'organise contre lui. Ses ennemis de toujours – il en a aussi en Angleterre ! – se lancent dans une défense et illustration des compositeurs anglais menacés par ce Berlioz venu d'ailleurs qui inspire, dit-il à Auguste Morel le 24 avril, « une terreur incroyable ». Pour un Costa, directeur de Covent Garden, qui l'attaque, d'autres, néanmoins, qui s'appellent Beale, Davison ou Rosenberg, se battent pour lui. A Paris on se bat dans les rues, à Londres on s'entre-étripe entre compositeurs et éditeurs de musique dans des arrière-boutiques de maisons d'éditions ou à la sortie des concerts. Chaque lettre de Berlioz écrite à cette époque fait état de la contagion qui gagne l'Angleterre. A Paris, une seule chose lui « fait concevoir pour la musique quelques vagues espérances chez nous, c'est la ruine profonde et absolue de ces mauvais lieux nommés théâtres lyriques. Ils ne battent plus que d'une aile, ici même, et je me prépare à la joie d'une prochaine banqueroute de l'un ou de l'autre de ces niais qui les dirigent. Ceux de Covent Garden sont les plus malades et ils ont neuf cents livres sterling de frais par soirée (environ douze mille francs), c'est gentil. Mais c'est une question si importante à vider pour l'art de savoir lequel des deux théâtres exécutera le mieux l'opéra italien qu'on ne saurait faire pour y parvenir trop de sacrifices... » Jusque dans son épouvantable solitude londonienne, Berlioz continue à railler cyniquement le monde auquel il a appartenu, celui auquel il appartient encore et celui où il tremble de revenir.

Ce qui ne l'empêche pas, de Londres, de reprendre ses démarches pour tenter d'obtenir une place dans la nouvelle république qui est en train de se mettre en place en France. Il le dit le 26 mai 1848 à son ami l'architecte Joseph-Louis Duc, son camarade à la Villa Médicis et l'auteur de la colonne de Juillet : « J'ai écrit trois fois à Louis-Philippe, quand il était roi, pour obtenir de lui une audience, et je n'ai pas seulement reçu *une réponse*. J'ai écrit à Ledru-Rollin dernièrement, il a été exactement aussi poli que le roi. » Ledru-Rollin, ministre de l'Intérieur depuis février 1848 et qui, comme les précédents interlocuteurs de Berlioz, pourrait avoir la tutelle des théâtres français... si ceux-ci étaient en état de fonctionner.

Dans le même temps, Berlioz tente de répondre à ceux qui voudraient le voir en France en ces heures à la fois sombres et glorieuses : « A propos de Paris, les reproches que mes amis me font sur mon absence ne sont pas fondés, quand ils pensent que cette absence m'est nuisible. Il faut avoir un drapeau tricolore sur les yeux pour ne pas voir que la musique est morte en France maintenant, et que c'est le dernier des arts dont nos gouvernants voudront s'occuper. On me dit que je boude la France, non, je ne *boude* pas, le terme est trop léger : je la fuis comme on fuit les pays barbares quand on cherche la civilisation, et ce n'est pas depuis la Révolution seulement. Il y a longtemps que j'avais étouffé en moi l'amour de la France et arraché de mon cœur cette sotte habitude de reporter vers elle toutes mes pensées. Depuis sept ans je vis seulement de ce que mes ouvrages et mes concerts m'ont rapporté chez les étrangers. Sans l'Allemagne, la Bohême, la Hongrie et surtout la Russie, je serais mort de faim en France mille fois... »

Dans ce contexte, un moment d'émotion véritable : une représentation de *Hamlet*, à nouveau. Comme si, de ville en ville, à travers le temps et l'Europe, la pièce de Shakespeare continuait à ponctuer sa vie d'impossibles retours vers le passé, d'une effroyable et douce nostalgie. Même si c'est avec Marie Recio qu'il assiste à la tragédie de Shakespeare, il retrouve brusquement, en exil à Londres et parmi les Anglais, la même vibrance qui l'avait secoué, dix-neuf ans plus tôt. C'est d'un *Hamlet « tel qu'il est, presque tout entier* [qu'il s'agit], chose rare dans ce pays où il se trouve tant de gens supérieurs à Shakespeare que la plupart de ses pièces sont corrigées et augmentées, par des Ciber, des Dryden, et d'autres drôles à fesser en public ». C'est toujours à son ami Duc qu'il l'écrit : « J'ai vu *Hamlet* il y a quelques jours ; Marie et moi nous en sommes sortis littéralement brisés, tremblants, ivres de douleur et d'admiration. [...] Quel monde qu'un tel chef-d'œuvre ! et quel ravage *celui-là* surtout fait sur l'âme et sur le cœur ! Shakespare a voulu peindre le néant de la vie, la vanité des projets humains, le despotisme du hasard, l'indifférence du sort ou de Dieu pour tout ce que nous appelons la vertu, le crime, la beauté, la laideur, l'amour, la hainc, lc génic, la sottise. Et il a cruellement réussi. »

Pendant que Berlioz verse – avec la Recio ! – des larmes d'émotion, les armées autrichiennes écrasent la révolution à Prague. Quelques jours plus tard, Louis-Napoléon Bonaparte est simultanément élu dans quatre départements, puisque la loi le permet. Une autre loi sur les attroupements, votée par 478 voix contre 82, remplace en France celle du 10 avril 1831, beaucoup plus libérale. A la mi-juin, les manifestations bonapartistes se multiplient autour du Palais-Bourbon. Berlioz, lui, dirige à Covent Garden sa *Marche hongroise*, avec un grand succès...

A Paris, on décrète, le 21 juin, que les ouvriers âgés de dix-sept à vingt-cinq ans seront enrôlés dans l'armée et les autres envoyés travailler sur des chantiers en province. Des manifestations se produisent, des rassemblements spontanés. Des cortèges se forment au Panthéon pour marcher vers la Bastille. A Marseille, l'armée intervient pour disperser des rassemblements. Le lendemain, c'est tout l'est de Paris qui est couvert de barricades, qu'on va renverser. Cavaignac se charge de la besogne, déployant l'armée, la garde mobile et la garde nationale avant de charger les insurgés avec une violence inouïe. Les combats se poursuivent les 24 et 25 juin ; on a dit l'assassinat de Mgr Affre, l'exécution du général Bréa ; le 26 juin c'est l'hallali, le massacre final. Le 27 juin, l'Assemblée décide de déférer les principaux chefs de l'insurrection parisienne devant des conseils de guerre. Ce jour-là, Berlioz répète dans les Hanover Square Rooms le concert qu'il donnera le surlendemain, 29 juin. La salle est belle, néoclassique, proche de ces grandes « terrasses » qui entourent le parc du Régent. Pauline Viardot chante en première audition la version pour voix et orchestre de cette *Captive* que son auteur composa jadis pour Mlle Vernet. *Le Carnaval romain*, de larges extraits d'*Harold en Italie* et de *La Damnation de Faust*, *Le Chasseur danois* et *Zaïde*, toujours de Berlioz, sont également au programme. Mme Viardot, l'ineffable Pauline, sœur de la Malibran, donne un air bouleversant de *La Somnambule*. A Paris, on n'enterre même pas les morts...

Dans une lettre un peu plus tardive, datée du 11 juillet, Berlioz s'inquiète du sort de sa femme, « qui vient de courir un "horrible danger". Elle se promenait [le 27] dans le jardin de Montmartre vers sept heures du soir [...] on a tiré sur elle [...] une des balles est venue frapper un arbre à deux pouces de son côté gauche. Elle a échappé ainsi comme par miracle ». Il annonce aussi : « Je ne sais ce que nous allons devenir, je repars après-demain pour cet enfer de Paris... je ne sais pas encore où je vais me nicher. Je ne puis aller à Montmartre. Je prendrai une chambre d'étudiant et je vivrai pour vingt sous par jour. »

6
La Révolution et les souvenirs

Farewell England ! Ainsi, le 12 juillet, voilà Berlioz de retour. Avec Marie Recio. Tous deux habiteront désormais 15, rue La Rochefoucauld. Toujours plongé dans la rédaction de ses *Mémoires*, Berlioz ajoute au chapitre en cours une note de circonstance.

« (France, 16 juillet 1848.) Me voilà de retour ! Paris achève d'enterrer ses morts. Les pavés des barricades ont repris leur place, d'où ils ressortiront peut-être demain. A peine arrivé, je cours au faubourg Saint-Antoine ; quel spectacle ! quels hideux débris !... Le Génie de la Liberté, qui plane au sommet de la colonne de la Bastille, a lui-même le corps traversé d'une balle. Les arbres abattus, mutilés, les maisons prêtes à crouler, les places, les rues, les quais semblent encore vibrants du fracas homicide !... Pensons donc à l'art pour ce temps de folies furieuses et de sanglantes orgies !... Tous nos théâtres sont fermés, tous les artistes ruinés, tous les professeurs oisifs, tous les élèves en fuite ; de pauvres pianistes jouent des sonates sur les places publiques, des peintres d'histoire balayent les rues, des architectes gâchent du mortier dans les Ateliers nationaux... L'Assemblée vient de voter d'assez fortes sommes pour rendre possible la réouverture des théâtres et accorder en outre de légers secours aux artistes les plus malheureux. Secours insuffisants pour les musiciens surtout ! Il y a des premiers violons à l'Opéra dont les appointements n'allaient pas à neuf cents francs par an. Ils avaient vécu à grand-peine jusqu'à ce jour, en donnant des leçons. On ne doit pas supposer qu'ils aient pu faire de brillantes économies. Leurs élèves partis, que vont-ils devenir, ces malheureux ? On ne les déportera pas, quoique beaucoup d'entre eux n'aient plus de chances de gagner leur vie qu'en Amérique, aux Indes ou à Sydney ;

la déportation coûte trop cher au gouvernement ; pour l'obtenir, il faut l'avoir méritée, et tous nos artistes ont combattu les insurgés et sont montés à l'assaut des barricades... Au milieu de cette effroyable confusion du juste et de l'injuste, du bien et du mal, du vrai et du faux, en entendant parler cette langue dont la plupart des mots sont détournés de leur acception, n'y a-t-il pas de quoi devenir complètement fou !!!... »

Ce présent qu'il exècre, Berlioz va multiplier les initiatives pour tenter de l'utiliser à son avantage. Ainsi, dès le 18 juillet c'est-à-dire moins de six jours après son retour, il écrit au citoyen Sénart, ministre de l'Intérieur. Il vient d'apprendre que sa place de conservateur à la bibliothèque du Conservatoire a été supprimée. D'où sa supplique : non pas se voir réintégré dans des fonctions qui n'existent plus, mais qu'on lui attribue une chaire : « Je serais heureux [...] de pouvoir contribuer pour ma part au progrès et à l'éclat de l'enseignement de notre Ecole de musique. Je pourrais, par exemple, y occuper utilement une chaire d'instrumentation. Cette branche toute moderne de la science du compositeur n'est encore professée nulle part ; on m'accorde généralement de la posséder et de lui avoir fait faire quelques progrès ; j'ai écrit sur elle un traité spécial aujourd'hui fort répandu, etc. Recevez, citoyen ministre, l'assurance de mon respect... » Quelques jours plus tard, il reviendra à la charge, auprès de son ami Stephen de la Madelaine, fonctionnaire au ministère de l'Intérieur. Ce qui ne l'empêche pas, à la fin du mois de décembre de la même année, d'évoquer à nouveau le « choléra républicain » pour se féliciter que le suffrage universel ait donné à Louis-Napoléon une majorité « foudroyante ». On le constate, l'opinion politique de Berlioz, voire ses jugements abrupts sur la « populace » sont pour l'essentiel formulés après un examen attentif de ce que la situation politique aura comme effet sur sa situation personnelle... Pourtant, depuis son retour à Paris, il est plus désespéré que jamais. Il commence déjà à pleurer Londres. Il s'en ouvre sans hésitation à Liszt : « En somme, je regrette beaucoup Londres, surtout depuis que je suis ici. J'ai trouvé en arrivant dix drôles réunis en commission au Conservatoire et élaborant un projet contenant, entre autres plaisanteries à mon adresse, la suppression de ma place de bibliothécaire. Si le ministre approuve, comme il est presque certain, je n'aurai plus rien que de rares feuilletons que les éditeurs de journaux payent maintenant à des prix... quand ils les payent. » On le voit, Berlioz ne se fait guère d'illusions sur le résultat de ses multiples démarches. Il faut dire qu'il est aux abois. D'abord, un deuil terrible a fini par le frapper. Le 28 juillet, le Dr Berlioz est mort. Et le fils de se souvenir : « A mon retour de Russie, il m'avoua que l'un de ses plus vifs désirs était de connaître mon *Requiem*. “Oui, je voudrais entendre ce terrible *Dies irae* dont on m'a tant parlé, après quoi je dirai volontiers avec Siméon : *Nunc dimittis servum tuum, Domine.*” » (Maintenant, Maître, renvoie ton serviteur, Evangile selon saint Luc.) Prémonition ?

Toute la famille se retrouve unie dans la douleur. Nanci lui raconte la fin du Dr Berlioz : « Son idée fixe était de mourir au plus vite. On voyait qu'il ne voulait plus s'intéresser à aucune des choses de ce monde ; il avait hâte de le quitter. Un glorieux cortège de tous les pauvres qu'il avait secourus, de tous les malades qu'il avait soulagés, l'a accompagné avec larmes à sa dernière demeure. Deux discours ont été prononcés sur sa tombe au milieu des pleurs de tous les assistants, l'un par un jeune médecin qui a rendu hommage à ses talents, à sa science et à ses vertus... l'autre par un homme du peuple qui était le naturel interprète de cette classe au milieu de laquelle il a vécu de cette vie humble et utile dont les exemples deviennent si rares ! »

Ce deuil sera l'occasion d'un retour à La Côte-Saint-André. Après quelques jours à Vienne, chez sa sœur Adèle, que Berlioz retrouve avec bonheur, il gagne la maison familiale. Et les souvenirs, une fois encore, d'affluer. « En arrivant je courus dans le cabinet de travail où mon père avait passé tant de longues heures en tristes méditations, où il avait commencé mon éducation littéraire, où il me donna les premières leçons de musique avant de m'effrayer par les études d'ostéologie.

» Je tombai à demi évanoui sur son canapé, mes sœurs m'embrassaient en gémissant... Je touchai d'une main tremblante tout ce que j'apercevais : son Plutarque, son agenda, ses plumes, sa canne, sa carabine (arme innocente dont il ne se servit jamais), une de mes lettres qui se trouvait sur son bureau...

» Alors Nanci, ouvrant un tiroir : “Tiens, cher frère, voilà sa montre, garde-la... ah ! il l'a bien souvent consultée pendant sa suprême angoisse, pour savoir combien d'heures lui restaient encore à souffrir...” Je pris la montre : elle marchait, elle vivait... et mon père ne vivait plus. »

Mais la mort du père va provoquer chez Berlioz un autre retour. Un retour dans les années d'enfance, des souvenirs de Meylan, de son grand-père, de la petite Estelle de dix-huit ans qu'il voyait danser en brodequins roses, nymphe devant la montagne.

Et Berlioz décide de revenir à Meylan. Le récit qu'il en fait est d'abord simplement émouvant. Il écrit sous le coup de l'émotion. « Je voulus (singulière soif de douleurs) saluer le théâtre de mes premières agitations passionnées ; je voulus enfin embrasser mon passé tout entier, m'enivrer de souvenirs, quelle que dût en être la navrante tristesse. Mes sœurs, comprenant que je devais désirer être seul dans ce pieux pèlerinage, où allaient naître pour moi tant d'impressions qui ont leur pudeur et redoutent même les plus chers témoins, restèrent à La Côte. Je sens bondir mes artères à l'idée de raconter cette excursion. Je veux le faire cependant, ne fût-ce que pour constater la persistance de certains sentiments anciens, inconciliables en apparence avec des sentiments nouveaux, et la réalité de leur coexistence dans un cœur qui ne sait rien oublier. »

L'enfance, donc, qui nous revient à la tête, au cœur. Les meubles familiers disparus mais le papier à fleurs qui demeure. Le paysage en face de l'enfant Berlioz, ses lectures... Il en pleure d'émotion, le Berlioz de 1848 qui renoue avec le petit Hector des années 1815 : il pénètre dans la maison du vieux M. Marmion, s'attendrit cette fois sur le fauteuil où le vieux monsieur faisait sa sieste... La maison a été vendue, mais il reconnaît tout.

Alors il lui faut aller plus loin sur le sentier des souvenirs. Il le dit lui-même : « A la montagne, maintenant... » Et c'est subitement, à trente-trois ans de distance, la marche à l'étoile. Epuisé par ses déboires et ses voyages, les rêves de gloire et les déceptions, c'est un Berlioz de quarante-cinq ans qui, lentement, s'avance vers le plus beau, le plus radieux de ses souvenirs. Peu à peu, il va, il revient vers la lumière, vers Estelle, naturellement. « Je gravis ces chemins rocailleux et déserts me dirigeant vers la blanche maison entrevue seulement de loin, à mon retour d'Italie, seize ans auparavant, la maison où brilla la Stella.

» Je monte, je monte, et au fur et à mesure que mon ascension se prolonge, je sens mes palpitations redoubler. Je crois reconnaître à gauche du chemin une allée d'arbres, je la suis quelque temps ; mais cette avenue, aboutissant à une ferme inconnue, n'était pas celle que je cherchais. [...]

» En traversant un champ attenant à la ferme, je tombe enfin dans la bonne voie. Bientôt, j'entends murmurer la petite fontaine... j'y suis... Voilà le sentier, l'allée d'arbres semblable à celle qui m'a trompé tout à l'heure... Je sens que c'est là... que je vais voir... Dieu !... l'air m'enivre... La tête me tourne [...] Il faut parvenir à une vieille tour qui s'élevait autrefois au haut de la colline, et d'où je pourrai tout embrasser d'un coup d'œil.

» Je monte sans me retourner, sans jeter un regard en arrière, je veux auparavant atteindre le sommet... Mais la tour ! la tour ! Je ne l'aperçois pas... l'aurait-on détruite... Non, la voici... on en a démoli la partie supérieure et les arbres voisins, qui ont grandi, m'empêchaient de la découvrir. Je l'atteins enfin.

» Ici près, où verdoient maintenant ces jeunes hêtres, nous nous sommes assis, mon père et moi, et j'ai joué pour lui, sur la flûte, l'air de la "Musette" de *Nina*.

» Là, Estelle a dû venir [...] Je me retourne et mon regard saisit le tableau tout entier... la maison sacrée, le jardin, les arbres et plus bas la vallée, l'Isère qui serpente, au loin des Alpes, la neige, les glaciers, tout ce qu'elle a vu, tout ce qu'elle admira, j'aspire cet air bleu qu'elle a respiré... Ah !... Un cri, un cri qu'aucune langue humaine ne saurait traduire, est répété par l'écho du Saint-Eynard... Oui, je vois, je revois, j'adore... le passé m'est présent, je suis jeune, j'ai douze ans ! la vie, la beauté, le premier amour, l'infini poème ! je me jette à genoux et je crie à la vallée, aux monts et au ciel : "Estelle ! Estelle ! Estelle !" et je saisis la terre dans une étreinte convulsive, je mords la mousse... un accès d'isolement se déclare... indescriptible... furieux... Saigne, mon cœur... saigne, mais laisse-moi la force de souffrir encore ! [...]

» Et triste comme un spectre qui rentre dans sa tombe, je descendis la montagne. [...] Je marchais lentement, lentement, m'arrêtant à chaque pas, arrachant avec angoisse mon regard de chaque objet [...] Je n'avais plus besoin de comprimer mon cœur... il semblait ne plus battre... je redevenais mort... Et partout un doux soleil, la solitude et le silence... »

C'est la crise décrite à Rome, cet état d'isolement qui le transporte et le foudroie. Mais cette fois, Berlioz se redresse. Car une idée folle l'a traversé : à trente-trois ans de distance, il veut retrouver Estelle. Alors il revient en hâte à Grenoble, interroge, se renseigne, apprend qu'elle vit toujours et qu'elle est veuve d'un M. Fornier. Elle habite non loin de là, à Vif, un hameau à trois lieues de Grenoble. Dialogue alors de fou avec sa famille, un cousin Victor, en l'occurrence, qu'il nous transcrit, sur un ton halluciné.

« Je veux la voir !

– Tu serais bête, ridicule, compromettant et voilà tout.
– Je veux la voir !
– Mais songe donc !...
– Je veux la voir !
– Cinquante et un ans !... plus d'un demi-siècle... que retrouveras-tu ?... ne vaut-il pas mieux garder son souvenir jeune et frais, conserver ton idéal ? [...] Ecris. Mon Dieu, quel fou !

» Il me tend une plume et tombe dans un fauteuil, cédant à un nouvel accès d'hilarité que je partage encore par soubresauts. »

Et Berlioz de révéler sa passion dans une étonnante lettre adressée à une femme de plus de cinquante ans, son aînée de cinq ou six ans, tout juste aperçue quand il était enfant et que l'adulte qu'il est n'a jamais oubliée.

« Madame,

» Il y a des admirations fidèles, obstinées, qui ne meurent qu'avec nous... J'avais douze ans quand je vis, à Meylan, Mlle Estelle pour la première fois. Vous n'avez pu méconnaître alors à quel point vous aviez bouleversé ce cœur d'enfant qui se brisait sous l'effort de sentiments disproportionnés, je crois même que vous avez eu la cruauté bien excusable d'en rire quelquefois. Dix-sept ans plus tard (je revenais d'Italie), mes yeux se remplirent de larmes, de ces froides larmes que le souvenir fait couler, quand j'aperçus, en rentrant dans notre vallée, la maison habitée naguère par vous sur la romantique hauteur que domine le Saint-Eynard. Quelques jours après, ne connaissant pas encore le nouveau nom que vous portiez, je fus prié de remettre à son adresse une lettre qui vous était destinée. J'allai attendre madame F*** à une station de la diligence où elle devait se trouver ; je lui présentai la lettre, un coup violent que je reçus au cœur fit trembler ma main en l'approchant de la sienne... Je venais de reconnaître... ma première admiration... la Stella del monte... dont la radieuse beauté illumina le matin de ma vie. Hier, madame, après de longues et violentes agitations, après des pérégrinations lointaines dans toute l'Europe, après des travaux, dont le retentissement est peut-être parvenu jusqu'à vous, j'ai entrepris un pèlerinage dès longtemps projeté. J'ai voulu tout revoir, et j'ai tout revu : la petite maison, le jardin, l'allée d'arbres, la haute colline, la vieille tour, le bois qui l'avoisine et l'éternel rocher, et le paysage sublime digne de vos regards qui le contemplèrent tant de fois. Rien n'est changé... Le temps a respecté le temple de mes souvenirs. Seulement des inconnus l'habitent aujourd'hui ; vos fleurs sont cultivées par des mains étrangères et personne au monde, pas même vous, n'eût pu deviner pourquoi un homme à l'air sombre, aux traits empreints de fatigues douloureuses, en parcourait hier les plus secrets réduits... *O quante lagrime !...* Adieu, madame, je retourne dans mon tourbillon ; vous ne me verrez probablement jamais, vous ignorerez qui je suis, et vous pardonnerez, je l'espère, l'étrange liberté que je prends aujourd'hui de vous écrire. Je vous pardonne aussi d'avance de rire des souvenirs de l'homme comme vous avez ri de l'admiration de l'enfant. *Despised love.* »

Il termine par une citation de Shakespeare – *amour dédaigné...* – tirée de *Hamlet*, naturellement. Il envoie la lettre, n'a pas de réponse. Pas encore. La *Stella* du matin le submerge. La mort de son père a permis ces retrouvailles. Il repart pour Paris. Mais c'est parce qu'il a pu écrire cette lettre ; parce qu'il a, près de vingt ans auparavant, acheté un costume de chambrière pour aller tuer à Paris une Camille qu'il ne reverra plus, ou si peu ; parce qu'il a aimé, perdu, puis retrouvé une comédienne anglaise qui, elle aussi, le hantera toute sa vie, que Berlioz est Berlioz : un fou inspiré, le génie romantique par excellence, un écrivain qui refuse d'écrire des « Confessions » mais qui dit, qui crie, qui clame tout. Ou presque...

7

Un monde nouveau, un monde triste

La IIe République, l'avènement du prince-président, le second Empire : Berlioz est revenu en France dans un monde nouveau auquel il ne comprend pas grand-chose. Il avait beau se battre bec et ongles, attaquer dans toutes les directions l'administration de la France de Louis-Philippe, partir en guerre contre les bureaux ou railler les ministres, il en était tout de même l'un des protégés. Bien sûr, le monde musical officiel lui résistait. C'est qu'on devinait le danger qu'il représentait, tant par la nouveauté de sa musique que par la violence avec laquelle il attaquait tous ceux qui n'avaient pas l'heur de lui plaire. Dans le sillage de la famille Bertin et du *Journal des débats*, avec l'appui d'une dizaine d'amis fidèles prêts à tout pour le défendre, le vanter, tenter de l'imposer, il était devenu une sorte de musicien officiel de la France louis-philipparde. Demeurait-il en réalité bonapartiste dans l'âme ? Louis-Philippe lui-même avait ramené les cendres de l'Empereur. Il pestait contre les bourgeois ? Mais il continuait à faire des pieds et des mains pour s'établir le plus bourgeoisement du monde au sein d'une musique bourgeoise toute-puissante. Les journées de 1848 ont balayé cet édifice subtil, composé de demi-compromis et de tempêtes musicales en même temps que de la volonté acharnée d'un Berlioz écorché vif d'être Berlioz, plus que jamais.

A partir de maintenant, c'est avec le seul soutien de ses plus fidèles amis qu'il lui faudra poursuivre le combat. Qu'il ne compte plus sur la bienveillance de quelques très hauts fonctionnaires, d'une famille royale attentive à son talent, pas plus que sur une presse quasi officielle et à lui, voilà si peu, totalement dévouée. Il va continuer, naturellement, à écrire dans *Les Débats,* mais, à sa manière,

Les Débats est devenu un journal d'opposition. Et on parle de lui retirer sa sinécure au Conservatoire.

Alors, à nouveau, il va falloir intriguer. Mais intriguer autrement. Dans les mois qui ont suivi l'établissement de la République, il va d'abord tenter de jouer la première carte qui se présente à lui. Après tout, les bureaux n'ont pas changé, de nouveaux ministres sont seulement au pouvoir, c'est tout. Une Assemblée nationale, un président... Aussitôt, et sans hésitation, il se remet à courtiser ceux qu'en son for intérieur il méprise. N'a-t-il pas publié un *Traité d'instrumentation* très remarqué ?

On lui accorde une prime de cinq cents francs « à titre d'encouragement comme compositeur », mais ni le citoyen Sénart, ni ses successeurs ne créeront pour lui au Conservatoire la chaire où son enseignement aurait peut-être radicalement changé l'évolution de la musique française en ce milieu du XIXe siècle.

Parmi dix démarches parallèles, au milieu de ces éternelles allées et venues dans Paris dont Berlioz croit nécessaire d'accompagner chaque idée qui lui passe par la tête, il aura une initiative bien malheureuse. On a dit : courtiser ? Eh bien, il va courtiser. Et comme il veut frapper haut, c'est le président de l'Assemblée nationale en personne, le citoyen Armand Marrast, qu'il va tenter de rallier à sa cause, sinon à sa musique, en le flattant sans vergogne. Et le voilà qui monte pour lui l'un de ces « festivals musicaux » dont il est si friand. La République toute neuve dans les fauteuils dorés de la monarchie : un nouveau riche du pouvoir, un parvenu comme Marrast ne peut rêver mieux ! Ce sera un festival avec quatre cent cinquante exécutants en l'honneur de Marrast. Berlioz se démène, se procure la salle, rameute les musiciens. Et le concert républicain a lieu le 29 octobre. Où ? A Versailles ! Berlioz a décrit la fête à sa sœur Adèle, en trichant un peu. Ce ne serait pas lui qui aurait décidé d'honorer le « citoyen Marrast », mais celui-ci qui aurait réclamé son dû : « Nous avions une partie du *Gouvernement*, entre autres M. Marrast qui avait *exigé* la place royale. En conséquence le fauteuil du milieu de l'amphithéâtre a maintenant été occupé par cinq souverains : Louis XV, Louis XVI, Napoléon Ier, Louis-Philippe Ier, et Marrast. » Déjà, Berlioz se rend compte qu'il a joué le mauvais cheval. « La présence du petit père Marrast dans le fauteuil royal fait un bruit du diable ; on le mitraille de quolibets dans tous les journaux à ce sujet. Au reste je crois bien que son règne est fini. A qui le sceptre de la République va-t-il échoir ? Tout le monde annonce l'Empereur, et pourtant Cavaignac se remue terriblement. On nous menace de grands tumultes pour demain, à l'occasion de la fête de la Constitution. [...] Quelles farces ignobles et grotesques ! Quelle niaiserie prétentieuse ! Quel plagiaire maladroit ! Quel vieux *blagueur* ! Pour employer la célèbre expression de Robert Macaire, leur patron. Enfin, le vin est tiré, il faut le boire... »

Pour se dédouaner vis-à-vis des siens, notre Berlioz n'hésite pas à faire appel au roi des bandits, ce Robert Macaire qui fit les beaux jours du boulevard du Crime. Et il a raison, Berlioz, de se montrer prudent avec les puissants d'un jour puisque, le 10 décembre, le prince Louis-Napoléon est élu président de la République. Cette fois, notre homme n'hésite pas une seconde. Un nouveau régime ? Un nouveau président ? C'est le moment ou jamais, comme le *Requiem* de jadis, de composer aujourd'hui un *Te Deum* ! Dans ce contexte politique plus que musical, même si l'œuvre n'est encore qu'une idée qui lui a traversé l'esprit, même si rien de précis n'a été évoqué pour son exécution, la composition du *Te Deum* devient pour lui une manière d'exutoire naturel. Il respire enfin. Ces brigands de « rouges », ces bandits qu'il a vus à l'œuvre et dont on lui avait répété à l'envi les exactions, vont se voir matés par une main ferme. L'avènement de Louis-Napoléon Bonaparte à la présidence de la République va tout changer et un *Te Deum* vaut bien ça. Il lui faudra près d'un an pour l'achever. En février 1849, il peut écrire à son ami russe, le général Lwoff : « Je travaille en ce moment à un grand *Te Deum* à deux chœurs avec orchestre et orgue obligé. Cela prend une certaine tournure. Et j'en ai encore pour deux mois à travailler ; il y aura sept grands morceaux... »

Et en effet, le *Te Deum* va devenir l'une des œuvres magistrales de Berlioz : une musique grandiose où les chœurs répondent à « l'orgue d'un orchestre et où alternent sonneries de trompettes, roulements de tambours, chants d'espoir, murmures de terreur, longs silences, embrasement de mille sonorités pour s'achever en une "marche pour la présentation des drapeaux" éclatante, triomphale, parsemée de lents arpèges de harpes ».

Après la *Symphonie funèbre et triomphale* et le *Requiem*, le *Te Deum* est le troisième moment de cette exaltation par Berlioz d'une certaine idée de la France. A travers tous ses démêlés avec l'administration de son pays et les princes qui l'ont gouverné, parmi les bourgeois qu'il méprisait et plus tard les « rouges » qu'il haïssait,

Berlioz est toute sa vie demeuré fidèle à une certaine idée de la France. C'est la France de Valmy, la France du pont de Lodi. Berlioz, incarnation d'un vrai patriotisme ? Oui. Pour l'anecdote, on notera qu'un siècle plus tard, dans la France occupée, les censeurs allemands ne s'y sont pas trompés. On se souviendra du film que Christian-Jaque a consacré à Berlioz, *La Symphonie fantastique*. Le réalisateur et son scénariste sont partis d'une multitude d'événements bien connus pour faire de Jean-Louis Barrault, le Berlioz du film, un personnage d'exalté et de demi-fou. Harriett y est une ambitieuse et Marie Recio la bonne fée qui aimait tendrement son Hector depuis sa plus tendre enfance, ou presque. Mais l'esprit général du film était tel que, produit en 1943 par la Continental, firme allemande installée à Paris pour soutenir en pleine occupation un cinéma français qu'on voulait aux ordres de Berlin, *La Symphonie fantastique* de Christian-Jaque souleva l'ire du docteur Goebbels, grand maître ès propagandes du IIIe Reich, furibond de voir une entreprise destinée à donner de la France une image inodore et incolore produire un film patriotique et tellement français. C'est là toute l'ambiguïté du personnage de Berlioz, tel qu'on a pu le souligner, voire le dénoncer. Sa musique vibre à l'image du drapeau bleu-blanc-rouge. Bonaparte au pont de Lodi constitue un emblème, sinon une icône ; l'image d'une France irriguant l'Europe entière assoiffée de liberté va vivre en lui bien au-delà de ses années de jeunesse. Le paradoxe de ce Berlioz qui, après avoir chanté *La Marseillaise* en 1830 galerie Colbert, abreuve de ses invectives les révolutionnaires de 1848 est bien là : il aime la France, en somme, quels qu'en soient ses gouvernants, ou presque – et malgré ces Français si peu soucieux de lui et qu'il méprise.

Travaillant pour un prince-président, pour lui-même, mais aussi, se dit-il, pour la France, ce Berlioz partagé entre tant de contradictions met la dernière main en octobre 1849 à un *Te Deum* dont il n'a aucune idée de ce que l'on en fera. Quelques semaines auparavant, le 24 septembre, il a écrit à Adèle : « On m'a écrit de Londres pour me demander la partition de mon *Te Deum*, mais je n'envoie pas ainsi mes manuscrits à des gens que je connais peu. Il s'agirait de l'exécuter à Exeter Hall, dans un des concerts de la musique sacrée... L'exécuter pour la première fois !... Sans moi !... Ce serait drôle... J'ai pourtant une envie démesurée de voir ou plutôt d'entendre fonctionner cette grande Locomotive musicale, qui, si je ne me flatte ridiculement, est bien de la force de quelques douzaines de chevaux. Enfin, qui vivra entendra... » Infortuné Berlioz qui devra encore attendre six ans avant de la voir sur ses rails, la grande « Locomotive » du *Te Deum*. Et ce sera certes dans une église, mais sans aucune occasion particulière.

La IIe République reprise en main par un prince-président bientôt empereur, son poste de bibliothécaire au Conservatoire finalement maintenu, la vie de notre héros se poursuit au rythme auquel il nous a habitués. Il y a d'abord sa vie familiale. Sa double, sa triple vie familiale puisqu'il faut commencer à parler du petit Louis, qui a maintenant dix-sept, dix-huit ans.

C'est à présent connu de tous : Berlioz vit avec Marie Recio. Concubinage notoire, liaison officielle, tout ce que l'on voudra. A l'époque, où Paris ne comptait que douze arrondissements, on parlait des « mariés du treizième ». La belle-mère a officiellement pris en main l'organisation de son foyer. Chaque soir, il rentre au domicile néoconjugal, soumis aux accès de mauvaise humeur et à l'ambition, de moins en moins assurée d'ailleurs, d'une Marie Recio dont il ne peut se détacher. Sa carrière de chanteuse est à peu près achevée, elle n'en veille que davantage à celle de son amant. La jeune femme est encore une personne séduisante, aux formes voluptueuses. Mais Hector est devenu un homme las, désabusé, fatigué, malade. Il y avait jadis les fulgurantes douleurs à la gorge qui l'amenaient à se percer lui-même un abcès d'un coup de canif, devant une glace, dans une mansarde d'étudiant : c'étaient là des douleurs qu'on osera dire romantiques, les souffrances d'un jeune Berlioz encore un peu Werther. Mais Werther est mort, le mal dont souffre à présent Berlioz est sûrement moins noble. On parle, il parle de névralgies, de « névroses intestinales ». Ce sont des spasmes fulgurants, qui le réveillent parfois au milieu de la nuit, pour le laisser ensuite abattu un jour ou deux auprès de sa compagne. Mais celle-ci veille sur lui, et les soins qu'elle lui dispense ont probablement remplacé peu à peu d'autres attentions dont il était friand. Avec eux, vit toujours Mme Martin-Sotera de Villas. Berlioz continue à lui payer dûment sa pension et à supporter le français mâtiné d'espagnol qu'elle baragouine avec agitation. Mais c'est elle qui tient le ménage. C'est Madame mère qui organise la vie au domicile d'un Berlioz qui, de retour à Paris, s'est remis à hanter les cafés, prolonger tard dans la nuit les discussions entre amis, les polémiques avant et après l'opéra ou le concert. La rédaction épuisante de ses articles l'irrite plus que jamais, mais il en écrit autant qu'avant son départ pour l'Angleterre. Il faut, en effet, la faire bouillir, cette marmite-là. Alors il écrit dans la *Berliner allgemeine musikalische Zeitung* où, pour faire bonne mesure, on traduit en allemand son « Voyage musical en Bohême » paru, quelques semaines plus tôt, dans *La Gazette musicale*. De *Jeanne la Folle* de l'immortel Clapisson donné à l'Opéra, au *Caïde* d'Ambroise Thomas à l'Opéra-Comique, de la reprise des *Huguenots* à la *Jérusalem* de Verdi, il avale tout ce qu'il voit, le pire et le meilleur, s'étouffe de tout ce qu'il entend, parce qu'ensuite il pourra en rendre compte et gagner quelques centaines de francs.

Son autre ménage, celui qu'il ne fréquente plus qu'occasionnellement, continue à lui coûter cher. Harriett habite toujours Montmartre, mais sa santé s'est brusquement détériorée. A la mi-octobre 1848, elle a été victime d'une première attaque d'apoplexie qui l'a laissée pour un temps presque paralysée et aphasique. En février 1849, ce sera sa seconde attaque. Fidèlement, l'infidèle époux va lui rendre de plus en plus souvent visite sur sa colline plantée de moulins, si loin maintenant du Paris où il s'enlise. Par moments, l'état de l'ancienne comédienne donne l'impression de s'améliorer, mais, lentement, sa vie devient une terrible descente aux enfers. Les attaques se multiplient. Pourtant, celle qui fut la si belle Ophélie va survivre encore cinq ans. Après chaque attaque, après chaque crise, son état se dégrade. Il y a des moments où elle ne peut plus parler, et son mari jadis volage, à présent simplement malheureux, tente par tous les moyens d'adoucir son sort. Après la première attaque de 1848, il écrit à Adèle : « Je viens de passer trois semaines dans une agitation excessive et je suis brisé de fatigues de tout excès. Henriette a été frappée il y a seize ou dix-sept jours d'une attaque d'apoplexie à la suite de laquelle elle est demeurée paralysée de tout le côté droit et elle a perdu l'usage de la parole. J'étais obligé d'aller à Montmartre deux fois par jour et le médecin faisait son possible pour y venir aussi souvent ; les saignées se succédaient, les sinapismes, et tout le traitement indiqué en pareil cas, sans le moindre résultat. Enfin, depuis avant-hier, elle commence à pouvoir dire quelques mots *anglais* mais impossible d'en articuler deux en français. La paralysie semble diminuer un peu, mais c'est à peine si l'on doit tenir compte de la sensibilité imperceptible qui se manifeste aux pieds seulement. » Mais les soins d'Harriett, devenue cette grosse femme presque toujours couchée à laquelle son mari se fait un devoir de rendre visite régulièrement, toutes ces visites à Montmartre lui coûtent cher.

Enfin il y a Louis. Le jeune garçon, devenu un adolescent « difficile », est toujours en pension à Rouen. Le voilà pourtant qui rêve brusquement d'autre chose. Comme son père voulait jadis partir pour l'Amérique, un ami lui met en tête des récits de voyage au Brésil, aux antipodes. Du coup, ces fables lui « tournent la tête ». Et Louis Berlioz décide de se faire marin. C'est une décision sur laquelle il ne reviendra pas : il veut voyager. A la différence du Dr Berlioz, Hector ne s'opposera pas à cette vocation, elle sera seulement l'occasion de souvent se plaindre des frais qu'elle entraîne pour lui.

Une autre maladie fait sourdement son chemin dans la vie des Berlioz, celle de Nanci. L'aînée des sœurs d'Hector souffre d'un cancer du sein. Dans sa correspondance, le frère n'y fera de véritables allusions qu'au stade ultime de la maladie. Mais, en mars 1850, il comprend qu'elle est perdue. La mort commence d'ailleurs à décimer les rangs de ceux qui furent ses amis ou ses ennemis. Spontini se croit perdu, Berlioz le veillera. En février 1849, c'est Habeneck qui disparaît. Girard lui avait succédé à la tête de l'orchestre de l'Opéra, Habeneck n'était plus un obstacle pour celui qu'il avait d'abord aidé, puis dont il avait entravé la carrière. Berlioz ne le regrettera pourtant pas. Deuxième mort de cette même année 1849, celle de Chopin. Aucune lettre ne nous est demeurée qui dise l'émotion de celui qui fut son camarade, mais on la devine aisément.

Dans cette ambiance délétère, Berlioz reprend la rédaction de ses *Mémoires*. Préférant l'atmosphère studieuse de la bibliothèque du Conservatoire à celle, épuisante, du domicile de Mme Martin, il passe de longues heures dans le bureau qu'on lui a aménagé à relire ses anciens articles, à retrouver des souvenirs, à rassembler des lettres éparses. Dans ces lieux d'où Cherubini voulut l'exclure, il met en forme un texte peut-être informe mais qui, sous sa plume exaspérée, va devenir l'un des monuments de l'histoire littéraire du romantisme. Non content d'avoir repris la rédaction des *Mémoires*, il imagine bientôt la publication d'un autre ouvrage. La relecture de ses anciens articles lui donne en somme le goût de ce qu'il a écrit lui-même. Alors, à la fois pour se faire plaisir, mais aussi parce qu'il a le sentiment que ce pourra devenir une autre source de revenus, dès le mois de décembre 1849 il imagine de publier un volume qui rassemblerait certains de ses textes antérieurs, en les reliant par une intrigue plus ou moins conventionnelle, du moins parfaitement ironique. Le livre deviendra *Les Soirées de l'orchestre*. On en a déjà brossé le décor : sous la scène d'un théâtre allemand, dans la fosse d'orchestre d'un opéra, on se raconte des histoires qui deviennent parfois de superbes nouvelles. A travers ces pages souvent courtes, grinçantes, Berlioz en profite pour régler d'autres comptes, revenir sur des haines ou des vengeances qu'il estime ne pas avoir suffisamment accomplies. Mais, en cette fin de l'année 1849, Berlioz n'a pas encore d'éditeur. Il soupire...

8
Plus que jamais : la musique

La vie est triste et sombre. L'avenir est de suif. Avec les *Mémoires*, Berlioz en est réduit à ressasser le passé. Et pourtant, plus que jamais, la musique demeure au cœur de sa vie. Jamais il n'a tant fait pour elle. D'ailleurs, c'est maintenant que va commencer à germer en lui la plus grandiose de ses idées.

Mais d'abord, il y a le *Te Deum*, achevé en octobre 1849. Et l'immense activité qu'il va dépenser autour d'un nouveau projet, la création d'une « Société philharmonique ». Souffrant cruellement de l'absence, à Paris, d'un orchestre susceptible de jouer ses œuvres et celles qu'il admire, il se lance, comme d'habitude à cœur perdu, dans cette entreprise : la création d'une institution, nouvelle en France, destinée à répondre à ce besoin. « Ce sera, explique-t-il à son ami le violoniste Ernst au début de 1850, une grande société musicale [...] qui se nomme *la Société philharmonique de Paris.* Elle est composée de deux cents artistes (quatre-vingt-dix musiciens, cent dix choristes). Nous donnerons seulement un concert par mois, les mardis soir à huit heures. L'inauguration de la société aura lieu dans la salle Sainte-Cécile, rue du Mont-Blanc, *le mardi 19 février* prochain, nous répéterons les 14-16-18 ; vous conviendrait-il de vous faire entendre à Paris ce jour-là ? Belloni m'avait donné à espérer que vous n'en seriez pas éloigné. En tout cas si vos affaires vous retiennent encore en Angleterre le mois prochain, rappelez-vous que notre deuxième concert est fixé au *19* mars et le concert spirituel du samedi saint (concert extraordinaire) au *30* du même mois. La chose se présente bien et excite de vives sympathies, sans compter les *antipathies* du Conservatoire et de la société de *l'Union.*

Nous avons des patrons puissants. L'orchestre et le chœur sont pleins d'ardeur. »

Berlioz y croit, à ce nouveau projet. Il a d'ailleurs des solistes prestigieux, comme la grande chanteuse Pauline Viardot, mais aussi des protecteurs de premier plan. On citera Meyerbeer, Liszt, Félicien David, Armand Bertin, ce comte de Gasparin qui l'aida bien des années auparavant, sans compter une pléiade de dames du monde ! On citera aussi le baron Taylor, l'un des plus grands mécènes de l'époque romantique, aidant avec la même générosité littérateurs et musiciens. La Société philharmonique est, en fait, une association de musiciens et de choristes recrutés dans différentes formations déjà existantes auxquels Berlioz croit pouvoir faire confiance.

Tout se met peu à peu en place. C'est en fait l'une des idées de Berlioz-organisateur de concerts qui obtiendra les résultats les plus rapides. Le premier concert a lieu le 19 février. Oui, le Berlioz de ces années-là semble passer autrement plus de temps à échafauder des plans, solliciter des complices, régler les plus sordides détails qu'à écrire quelques notes de musique... Il s'est donné un mal de tous les diables pour vendre, puis offrir les places restées vacantes dans la salle. A son habitude, il a démarché les journaux, les gazettiers, les feuilletonistes, tous ceux susceptibles de donner quelque publicité pour son entreprise. D'où l'ironie d'une partie de la presse, qui se moque de tous ces grands noms formant une auréole autour d'un patron qui s'active beaucoup plus à l'extérieur de son théâtre qu'à son pupitre de chef d'orchestre. Cependant, le 19 février, la salle est à peu près pleine et, surtout, la recette est bonne. On ne s'y attendait pas. Entre Gluck et Méhul, de larges extraits de *La Damnation de Faust* permettent un bénéfice net de deux mille sept cents francs. Il est vrai que Pauline Viardot chantait un air d'*Iphigénie en Tauride* et que la scène de la bénédiction des poignards des *Huguenots*, de Meyerbeer, est toujours un succès.

Pourtant, dès le début, certains des exécutants commencent à se plaindre de leurs conditions de travail, de la détestable acoustique de la salle, un ancien cirque ! Fait de bric et de broc, l'orchestre de la Société philharmonique de Paris manifeste des mouvements d'humeur. On s'y considère comme peu payé tandis qu'une autre société symphonique, *l'Union*, a réussi à se procurer, en particulier à l'orchestre de l'Opéra, des instrumentistes de meilleure qualité. Berlioz ne s'inquiète pas. La musique, dans toutes ses composantes, est tellement importante pour lui que, si composer reste certes la seule activité à laquelle il se plaise réellement, il aime tant faire partager ses enthousiasmes ! Ceux de ses camarades qui le soutiennent s'enthousiasment avec lui. Ainsi, Léo Kreutzer, secrétaire de la Philharmonique, va jusqu'à lancer, dans *La Gazette musicale* : « La cause du progrès est gagnée ; l'émancipation de la musique est arrivée ; l'esprit d'indépendance va succéder à l'esprit de routine et d'entraves. Les amateurs rendront grâce à M. Berlioz et à tous ceux qui l'ont aidé dans l'accomplissement de son importante mission... »

Là aussi, Berlioz est un novateur. Comme le fut Habeneck en son temps. Curieusement, on peut réunir en une même estime deux hommes qui ne s'aimèrent guère. L'un fit découvrir Beethoven ; l'autre ambitionnait de faire découvrir, et surtout aimer – aimer comme lui-même l'aimait : passionnément – la musique de son temps. Quelques articles favorables encore et, du coup, une véritable euphorie le saisit. Comme, dans le même temps, le bibliothécaire en titre du Conservatoire vient de mourir, il peut poser sa candidature à la succession de ce Bottier de Talmont, dont il n'était que le numéro deux. Tout semble aller au mieux pour lui et pour sa société. Il en oublie la tristesse de sa vie personnelle, sa véritable solitude entre ses deux femmes. Il exulte. Il a le sentiment de régner sur la musique française. C'est à cette époque qu'il écrit, dans *La Gazette musicale*, l'un de ses plus beaux articles, consacré à l'*Alceste* de Gluck. Il a subitement la certitude de prendre sa revanche sur un monde musical qui l'a trop longtemps méprisé. Les tensions qui se manifestent dans l'orchestre ? Il ne s'en rend pas compte.

Le deuxième concert a lieu le 19 mars. Deux scènes de Gluck, d'*Alceste*, naturellement ; du Rossini, du Donizetti, preuve que Berlioz peut diriger toutes les musiques, l'ouverture du *Freischütz* et *Harold en Italie.* L'alto soliste est son ami Massard, qui deviendra, à la fin de la vie de Berlioz, l'un de ses plus proches compagnons. Cette fois, les bénéfices sont moindres. Au troisième concert, une dizaine de jours plus tard, une fois tous les frais payés, il ne reste plus qu'un franc par sociétaire ! Berlioz ne s'en rend toujours pas compte ou, plutôt, ne veut pas le voir. Il est aveugle, quand la passion l'habite.

Des dissensions se manifestent pourtant de façon de plus en plus fréquente entre les membres de la Société philharmonique. Le chef de chœur, Dietsch, avec lequel Berlioz a eu déjà maille à partir, s'indigne que son collègue se consacre tant à la mise en valeur de sa propre musique. D'où la formation de deux clans bientôt antagonistes : les instrumentistes d'un côté, favorables à Berlioz ; les choristes de l'autre. Berlioz parvient néanmoins à maîtriser la situation. Et voilà qu'un terrible accident survient, le 16 avril, à Angers. Ce jour-là, le troisième bataillon du XIe léger franchit un pont au pas cadencé. Le phénomène physique qui se produit alors est connu : le pont entre en vibration et s'écroule. C'est une catastrophe, plus de deux cents morts. C'est aussi la parfaite occasion de donner un *Requiem.* Mais Dietsch, de son côté, veut faire donner par la Société philharmonique une messe de sa composition. Discussions, chamailleries. Le quatrième concert, le 23 avril, a lieu dans des conditions houleuses. Si l'orchestre est au rendez-vous et se conduit aussi bien qu'il le peut, les chœurs, eux, entrent en dissidence. Dissidence d'autant plus aiguë que c'est un long extrait de *La Damnation de Faust* que Berlioz a voulu imposer. Le concert se déroule tant bien que mal. Mais, le 27 avril, une assemblée générale tourne à l'empoignade. Les choristes de l'Opéra prétendent que « la musique de Berlioz fatigue les artistes du chant ». Pauvres artistes qui préfèrent bramer Auber et Meyerbeer que clamer les vibrants appels de Berlioz ! Dietsch affirme, lui, qu'il veut bien que l'on donne le *Requiem* de son rival, à condition que ce soit lui qui le dirige. Berlioz agite l'idée de sa démission. Finalement, dans un désordre général, on réorganise le comité et, tant bien que mal à nouveau, on donne le *Requiem.* Sans M. Dietsch : c'est lui qui a démissionné.

Le concert a lieu dans l'église Saint-Eustache, le 3 mai. Le succès est convenable. Le lendemain, 4 mai, Nanci Berlioz rend le dernier souffle. Hector est bouleversé. Sa première confidente s'en est allée. Mais il est trop occupé – la musique, hier le *Requiem*, demain la reprise du *Prophète* à l'Opéra... – pour se rendre à ses funérailles. Ingrat Berlioz qui, une fois de plus, ne fait pas le voyage de La Côte pour un être cher...

Mais c'est que la tension monte à Paris. Il avait eu son orchestre, celui-ci a failli lui échapper, il l'a pourtant repris en main. Tout n'est pas perdu ? Si, tout est perdu ! Ou va l'être. La saison suivante, la Société philharmonique donnera sept concerts, puis Berlioz jettera l'éponge. Le dernier concert aura lieu le 29 avril 1851. Deux fois encore, dans les tout premiers jours de mai, l'« entrepreneur de concerts » Berlioz réunira son orchestre, mais seulement pour deux « concerts-promenades » au Jardin d'hiver, haut lieu de plaisir et de divertissement parisien : on y donne de tout, même de la vraie musique. Le patron de la brillante Société philharmonique est devenu un animateur de café-concert. Ou presque... Mais jusqu'au bout il se sera battu.

Organisateur de concerts, chef à tout faire, Berlioz n'en continue pas moins. On a parlé du *Te Deum* ; à l'époque, il se lance également dans ce qui sera une autre de ses œuvres majeures. C'est à la fin de 1850 qu'il achève, en effet, une *Fuite en Egypte*. Celle-ci va constituer une partie importante de son *Enfance du Christ* qui, dès la première audition, lui vaudra une réputation considérable.

La Fuite en Egypte ? Curieux morceau. On renoue là avec le Berlioz aux plaisanteries d'étudiant qu'on a connu lors des années de misère au quartier Latin. Ou avec le joyeux fumiste qui grattait la guitare sous la loggia de la Villa Médicis. Car si *L'Enfance du Christ* est une œuvre aux antipodes de ce à quoi son public était jusque-là habitué, c'est la raison pour laquelle elle va séduire une audience beaucoup plus large. Aux déchaînements romantiques de la *Symphonie fantastique* ou de *La Damnation de Faust*, succèdent le plus souvent les harmonies extatiques d'une musique d'église pieuse, admirablement néoclassique, propre à réconcilier les esprits et les hommes. Mais cette musique-là, tout empreinte de ce qu'on n'oserait pas qualifier de sulpiceries, commence par une mystification. *La Fuite en Egypte*, désignée comme « Mystère », sera jouée pour la première fois au Gewandhaus de Leipzig, le 1er décembre 1853. Elle comprend un chœur d'« Adieu des bergers », donné lors d'un concert de la Société philharmonique et attribué alors à un « Pierre Ducré, maître de musique de la Sainte-Chapelle de Paris en 1679 », or c'est Berlioz qui l'a composé, imaginé dira-t-on, comme il a inventé le nom de ce maître de chapelle.

Dans une lettre du 15 mai 1852 au critique musical et violoniste anglais John Ella, il raconte le mystère qui plane sur ce mystère-là avec un si joli humour qu'il en reprend le récit à plusieurs reprises dans sa correspondance, pour finir par en faire l'un des morceaux de bravoure des *Grotesques de la musique*, le troisième de ses volumes rassemblant articles, potins et fragments de nouvelles.

« Vous me demandez pourquoi le Mystère (*La Fuite en Egypte*), qui figure dans le catalogue de mes ouvrages que vous avez bien voulu imprimer, porte cette indication : *Attribué à Pierre Ducré, maître de chapelle imaginaire.* C'est par la suite d'une faute que j'ai commise, faute grave... et que je me reprocherai toujours. Voici les faits.

» Je me trouvais un soir chez Monsieur le baron de M***, intelligent et sincère ami des arts, avec un de mes anciens condisciples de l'Académie de Rome, le grand architecte Duc. Tout le monde jouait, qui à l'écarté, qui au whist, qui au brelan, excepté moi [...] Je m'ennuyais donc d'une façon assez évidente, quand Duc, se tournant vers moi : "Puisque tu ne fais rien, me dit-il, tu devrais écrire un morceau de musique pour mon album. – Volontiers."

» Je prends un bout de papier, j'y trace quelques portées, sur lesquelles vient se poser un andantino à quatre mains pour l'orgue. J'y trouvais un certain caractère de mysticité agreste et naïve, et l'idée me vient aussitôt d'y appliquer des paroles du même genre. Le morceau d'orgue disparaît, et devient le chœur des Bergers de Bethléem adressant leurs adieux à l'Enfant-Jésus [...] On interrompt les parties de whist et de brelan pour entendre mon saint fabliau. On s'égaie autant du tour Moyen Age de mes vers que de celui de ma musique. "Maintenant, dis-je à Duc, je vais mettre ton nom là-dessous, je veux te compromettre. – Quelle idée ! Mes amis savent bien que j'ignore tout à fait la composition. – Voilà une belle raison, en vérité, pour ne pas composer ! Mais puisque ta vanité se refuse à adopter mon morceau, attends, je vais créer un nom dont le tien fera partie. Ce sera celui de Pierre Ducré, que j'institue maître de musique de la Sainte-Chapelle de Paris au XVIIe siècle. Cela donnera au manuscrit tout le prix d'une curiosité archéologique."

» Ainsi fut fait [...] Quelques jours après, j'écrivis chez moi le morceau du *Repos de la Sainte Famille.* [...]

» Un mois plus tard, je ne songeais plus à ma partition rétrospective, quand un chœur vint à manquer dans le programme d'un concert que j'avais à diriger. Il me parut plaisant de le remplacer par celui des Bergers de mon MYSTÈRE, que je laissai sous le nom de Pierre Ducré, maître de musique de la Sainte-Chapelle de Paris (1679). Les choristes, aux répétitions, se prirent d'abord d'une vive affection pour cette musique d'ancêtre. "Mais où avez-vous déterré cela ? me dirent-ils. – Déterré est presque le mot, répondis-je sans hésiter ; on l'a trouvé dans une armoire murée, en faisant une récente restauration de la Sainte-Chapelle. C'était écrit sur un parchemin en vieille notation que j'ai eu beaucoup de peine à déchiffrer."

» Le concert a lieu, le morceau de Pierre Ducré est très bien exécuté, encore mieux accueilli. Les critiques en font l'éloge le surlendemain en me félicitant de ma découverte... »

Sulpicien ou pas, inspiré par l'esprit d'un faux maître de chapelle du XVIIe siècle, l'« Adieu des bergers », *La Fuite en Egypte* dont il fait partie et *L'Enfance du Christ* tout entière sont des grands moments de belle musique pure. Avec de curieux retours à des tonalités plus sombres, c'est toute la partie radieuse et lumineuse de l'âme de Berlioz qui apparaît dans ces harmonies.

Mais à la même époque, à la fin de 1850 et au début de 1851, l'idée d'une œuvre nouvelle, autrement plus importante, continue à germer. Il ne révélera le début de cette gestation que beaucoup plus tard. Il s'agit pourtant des *Troyens*. *Les Troyens*, l'œuvre majeure de la maturité, le grand opéra dont, toute sa vie, Berlioz a caressé le projet, celui dans lequel il s'est dix fois lancé sans vraiment pouvoir en mener à bien le projet. *Les Troyens*, l'œuvre, en somme, de toute une vie, qu'il lui faudra encore sept ans pour achever et qu'il ne verra jamais donné nulle part dans sa belle, son imposante intégralité.

Dès sa première jeunesse, Berlioz a été bercé par les vers de Virgile, la prise de Troie et la mort de Didon. Lorsqu'il allait au gré des vents autour de Naples et sur les flancs du mont Pausilippe, c'était toujours Virgile qui lui revenait à la tête, l'enivrant comme un vin doux et bienfaisant. En ce début de 1851, c'est à nouveau le souvenir de Virgile qui le berce. « Depuis trois ans, je suis tourmenté par l'idée d'un vaste opéra dont je voudrais écrire les paroles et la musique, ainsi que je viens de le faire pour ma trilogie sacrée : *L'Enfance du Christ* », écrit-il dans ses *Mémoires* quelques années plus tard, mais il ajoute : « Je résiste à la tentation de réaliser ce projet et j'y résisterai, je l'espère, jusqu'à la fin. »

Faute de travailler sur autre chose que sur son *Enfance du Christ*, il poursuit seulement son tran-tran quotidien. Lors de la création du *Prophète*, le 9 avril 1849, il a rendu compte avec une admiration prudente de la musique d'un Meyerbeer à qui il voulait plaire. Lorsqu'en février 1850 on reprend *La Juive* d'Halévy, il rédige un article de la même eau. Le Berlioz pourfendeur des gloires musicales trop en vogue à Paris semble retenir sa plume. Lui-même n'est-il pas en train de s'« institutionnaliser » ? Mais voilà que Spontini meurt. Spontini dont *La Vestale* était pour lui un modèle absolu : et si la mort de Spontini, au style néoclassique de marbre, avait constitué, elle aussi, l'un de ces éléments qui l'amenèrent à envisager plus sérieusement son projet ? Spontini aux grands élans parfaitement maîtrisés qui seront ceux des *Troyens* ? En tout cas, la mort de son idole le bouleverse. Du coup, il dépose en mars sa lettre de candidature à l'Académie des beaux-arts. Succéder à Spontini serait l'honneur suprême. Dans sa lettre, il dresse la liste de ses œuvres, s'arrêtant au numéro 25 : *Sarah la Baigneuse*, « ballade pour trois chœurs avec orchestre ». C'est *Roméo et Juliette* qu'il place en tête. La lettre s'achève par une énumération de ses titres : « Ex-pensionnaire de l'Académie de France à Rome, Bibliothécaire du Conservatoire de musique, Chevalier d'Honneur et de l'Aigle rouge de Prusse (troisième classe), membre correspondant de l'Académie des beaux-arts de Berlin, des Sociétés de Sainte-Cécile de Rome, philharmonique de Vienne, philharmonique de Saint-Pétersbourg, de la Société d'Euterbe de Leipzig, de celle des Amis de la musique de Stuttgart, de celle pour l'enseignement de l'art musical d'Amsterdam. » Pourtant, Berlioz ne se fait guère d'illusions. Trois jours avant le dépôt de sa candidature, il l'écrivait à son beau-frère Camille Pal : « Je fais des démarches pour l'Institut où une place est vacante par la mort de Spontini. C'est seulement pour prendre date car il est certain que Thomas sera nommé... N'importe ! Je fais abnégation de tout et je fais mes visites académiques comme si cela pouvait me servir à quelque chose. » L'élection a lieu le 22 mars. Ambroise Thomas succédera comme prévu à Spontini. D'autres candidats ont obtenu des voix. Berlioz, aucune. C'est trois jours plus tard qu'a lieu le sixième concert de la Société philharmonique, il dirige la *Symphonie fantastique*, une jolie consolation...

Ecartés la supercherie du faux Pierre Ducré et le projet des *Troyens*, Berlioz ne semble plus avoir le temps de vraiment composer. Il réécrit une nouvelle version de sa mélodie *La Belle Voyageuse* pour chœur de femmes et orchestre, il fait graver l'orchestration des trois chœurs qui composent à présent *Tristia* (« La marche funèbre » pour la dernière scène de *Hamlet* de 1844, « La mort d'Ophélie » de 1848 et « La méditation religieuse » de 1849). C'est maigre. Mais une grande idée l'habite, sans peut-être qu'il le sache véritablement... Et, au mois de mai 1851, le voilà qui repart pour Londres, avec Marie Recio. Il a été nommé par le gouvernement français membre du jury qui doit se prononcer sur de nouveaux instruments de musique présentés à l'Exposition universelle des produits de l'industrie de toutes les nations, qui se tient au Crystal Palace.

Avant de partir, Berlioz a le bonheur de revoir son fils. C'est que Louis l'a réalisé, son rêve, il est bel et bien parti pour les Antilles et il revient pour un séjour en France. Et, subitement, ce fils dont il s'est si peu soucié paraît occuper une grande place dans sa vie, ses inquiétudes, son cœur. Ereinté par deux femmes qu'il ne supporte plus, ébloui par les souvenirs de son enfance, il retrouve, en somme, son fils. Et se retrouve en lui. C'est ce qu'il exprime bien dans une jolie lettre écrite à Adèle en novembre 1850 : « J'ai reçu une lettre de Louis avant-hier datée de La Pointe à Pitre (Guadeloupe). Il est enthousiasmé de la mer et de son état de marin, il n'a eu (chose providentielle) le mal de mer qu'une fois le lendemain de son départ ; il se plaint seulement d'être obligé de *laver le pont* tous les matins. [...] Ce qui ne l'empêche pas de se bourrer de cocos, d'avocats, de bananes, d'oranges, de citrons doux, de cannes à sucre et autres fruits des Antilles. »

Un rêve paradisiaque pour Berlioz, en un Paris où règne alors la tempête et où les dessus de cheminées tombent comme grêle dans les rues. C'est encore à Adèle qu'il l'avoue : « Oh ! si j'étais libre, comme je m'enfuirais à Ténériffe ou à l'île de Fer, ou à Madère pour y trouver le soleil, le calme, une belle nature, de bonnes gens et oublier les fiévreuses agitations du monde parisien !... C'est un voyage de dix jours à peine, et une fois sur l'une de ces îles Fortunées (îles Canaries) on peut se croire aux antipodes. Et on y vit de rien ou pour rien ; et il y a là des gens qui ne savent pas encore à cette heure que la France est une République ! »

Paris de tristesse et de mélancolie où Harriett toujours malade n'est plus que cette lourde gisante au corps défait, et qui a déménagé encore une fois. La maison était devenue trop grande pour elle. Elle va demeurer à Montmartre, mais s'installer rue Saint-Vincent, près du petit cimetière qui semble l'attendre. Le bref retour de Louis, quelques semaines avant le départ de son père pour Londres, apportera à la *fair Ophelia* quelques moments de bonheur.

Paris que Berlioz quitte pourtant sans le moindre remords, pour arriver à Folkestone, le 10 mai 1851, avec Marie Recio.

La mer a été calme. Dès son arrivée à Londres, il s'installe non loin de Cavendish Square, chez son ami Adolphe Duchêne de Vère. C'est tout près du Crystal Palace, il peut s'y rendre à pied. Et, tout de suite, se mettre au travail. C'est-à-dire qu'avec les autres membres du jury, il examinera une foultitude d'instruments nouveaux, ces pianos verticaux, orgues-harpes et autres fantaisies sonores et musicales qui semblent droit sorties des rêveries d'un Hoffmann et que des dizaines d'inventeurs tentent d'offrir, de part et d'autre de l'océan Atlantique, à des compositeurs toujours en veine de bruits nouveaux. Avec la délégation française dont il fait partie, Berlioz bénéficie d'une mission du ministre français du Commerce et, comme toujours, c'est un Berlioz consciencieux qui fait ce qu'on attend dc lui. Mais il s'cnnuic vitc. « Jc suis à Londres depuis un mois et demi fort occupé de la sotte besogne de l'examen des instruments de musique envoyés à l'Exposition, écrit-il à Adèle. Il y a des jours où le découragement me prend et où je suis sur le point de retourner à Paris. On n'a pas d'idée d'une aussi abominable corvée que celle dont je suis spécialement chargé. Il me faut *entendre* les instruments à vent, en bois et en cuivre. La tête me part à écouter ces centaines de vilaines machines, plus fausses les unes que les autres, à trois ou quatre exceptions près... » En revanche, il connaît un moment de grande émotion, qui correspond bien à ce vers quoi il tend lui-même. C'est l'audition, à la cathédrale Saint-Paul, d'un chœur de six mille cinq cents enfants : la beauté pure, jaillissant des cœurs de ces milliers d'enfants. C'est grandiose, gigantesque, bouleversant. Enfin, les immensités chorales dont il a toujours rêvé se déploient pleinement sous les voûtes d'une grande église. Les larmes lui montent aux yeux, il doit « se servir de [son] cahier de musique, comme fit Agamemnon de sa toge, pour [se] voiler la face », car, usant d'un passe-droit pour assister au concert à une bonne place, il est venu vêtu d'un surplis et avec à la main une partie de basse. « Je n'ai jamais rien *vu* ni *entendu* d'aussi émouvant dans sa grandeur immense que cette assemblée de pauvres enfants chantant et disposés sur des amphithéâtres colossaux. »

Berlioz et Marie vont séjourner deux mois en Angleterre. Le compositeur caresse même le rêve de donner un « festival international » dans l'enceinte de ce Crystal Palace, aux superbes murailles de verre, sorte de gigantesque serre comme l'Angleterre d'alors affectionnait d'en construire dans les parcs de ses maisons de campagne, et qui devait disparaître en une nuit, au cours d'un incendie. Il imagine l'effet monumental que pourraient produire des formidables masses orchestrales et chorales dont il ne doute pas de pouvoir disposer. Le projet est ambitieux, naturellement. Ç'aurait été la réalisation de nouveaux rêves, colossaux ou pyramidaux. Berlioz évalue le coût de l'opération et ses recettes, se voit non seulement en chef qui dirigerait cette titanesque machine dans les reflets lumineux des grandes parois de verre, mais aussi en organisateur de toute l'entreprise. C'est là que le bât blesse : il lui faut plus d'un mois pour monter l'affaire, le temps lui est trop compté, il doit capituler.

Alors, sans enthousiasme, il continue à examiner les instruments plus ou moins fantaisistes qu'il est payé, très peu payé, pour évaluer. Mais il est de plus en plus las de cette besogne, écrit-il à son beau-frère Pal, d'autant que « l'aimable Monsieur Buffet, ministre du Commerce, trouvant que [leur] séjour à Londres se prolonge trop, a déclaré qu'à partir du 15 juillet il ne [les] paierait plus ». Voilà : autre avanie, le ministre qui l'a envoyé en Angleterre pour représenter glorieusement la France à une exposition internationale lésine sur la dépense et, finalement, arrête les frais. Berlioz n'en rédigera pas moins un rapport de huit pages, peu convaincu qu'il a été par les instruments qu'il a entendus. La moitié des médailles attribuées reviendront d'ailleurs à la France : à Erard pour les pianos, à Sax, inventeur du saxophone, pour les cuivres et clarinettes ; à Vuillaume pour les instruments à cordes ; et à Ducroquet pour ses orgues.

Pourtant, en dehors de ce pensum, Berlioz est heureux pendant ce séjour à Londres. Même aux côtés de Marie Recio, il a l'impression de respirer un autre air qu'à Paris. Et même si, là aussi, il a encore des ennemis. Ainsi, Costa, le directeur de Covent Garden qui lui a acheté ses récitatifs du *Freischütz* mais qui a finalement décidé de ne pas les donner, les remplaçant par un salmigondis d'un autre compositeur. A sa grande indignation, Berlioz le découvrira un soir qu'il ira écouter l'opéra de Weber. Il s'en indigne, mais ne continue pas moins à empocher régulièrement les sommes qui lui sont dues pour sa composition.

Des ennemis, mais aussi ses amis retrouvés, Beale, Ella, le critique musical, Davison qu'on reverra bientôt. D'autres Français sont alors présents à Londres. Son grand complice Sax est venu présenter tous ses instruments qu'il a évalués. Il y a aussi Théophile Gautier, Jules Janin. Entre les théâtres d'opéra qu'il méprise mais où il se rend quand même, les concerts auxquels il assiste avec plus d'enthousiasme, les grandes soirées officielles, les cent manifestations où Marie Recio l'accompagne, triomphante, il savoure ce qu'il commence à ressentir avec une voluptueuse satisfaction : le bonheur d'être, en Angleterre, un compositeur admiré tandis qu'en France, ce n'est que par la persuasion de ses amis journalistes qu'il peut passer parfois pour autre chose qu'un organisateur de concerts ou un billettiste. Concerts à Hanover Square, à Exeter Hall, où lui-même a déjà dirigé, au Beethoven's Rooms, Berlioz est partout en ce début d'été 1851. Du coup, il semble moins souffrir des multiples maux qui l'assaillent à Paris. Et si Marie Recio parade à ses côtés

– enfin, elle se présente comme une épouse authentique –, lui-même s'en moque, il a toujours d'autres projets.

Dès son arrivée à Londres, il a en effet caressé l'idée de jouer, fût-ce à titre posthume, un mauvais tour au défunt Habeneck en même temps qu'à ce grossier Costa. Celui-ci est aussi le patron d'une Old Philharmonic Society. Berlioz, qui ne réussit qu'à demi ce qu'il entreprend en France, réussira avec éclat la même chose à Londres. C'est simple : il va créer une New Philharmonic Society. Contre Costa. Rivale de celle de Costa. Et les amis que l'on a dits, Beale, le Français Rousselot, qui anime à Londres une société consacrée aux quatuors de Beethoven, vont l'aider. Du coup, comme à Paris, il intrigue entre deux concerts, se glisse aux tables où il pourra rencontrer des associés favorables à l'issue des banquets. Jules Janin, Théophile Gautier l'assistent scrupuleusement dans cette entreprise. Ce n'est pas par désespoir qu'il est parti pour Londres, cette fois, c'est rempli de grandes espérances.

Et ces espérances ne seront pas déçues. Même si l'on ignore de quelle manière il parvint à monter son projet de New Philharmonic, celui-ci sortira peu à peu des limbes et c'est cette *New Philharmonic* qu'il sera invité à venir diriger à Londres dès l'année suivante.

A la fin du mois de juillet, il revient à Paris pour se replonger dans les problèmes familiaux, les questions d'argent, le coût de la formation de son fils, qu'il avait presque oubliés à Londres. Berlioz fait face à ces difficultés pour une fois sans se plaindre. Jusqu'à l'espoir, lancé par Liszt, de monter *Benvenuto Cellini* à Weimar en allemand qui n'aboutit pas : il ne s'en plaindra pas outre mesure. Il continue ses articles dans *Les Débats*, rend compte d'œuvres de MM. Saint-Jullien et autres Boisselot dont il se moque, mais admire une partition du jeune Gounod, qu'il semble avoir pris sous sa protection.

Et puis, le 2 décembre, c'est le coup d'Etat de Louis-Napoléon. L'Assemblée nationale est dissoute. On tue quelques manifestants sur les Grands Boulevards, mais Paris courbe la tête. En revanche, la France des provinces réagit plus violemment. Deux cent dix-huit députés sont arrêtés, dix mille personnes déportées en Guyane ou en Algérie, il y aura des centaines de proscrits : Berlioz applaudit des deux mains. Le 7 décembre, de sa belle écriture épineuse, il inscrit son nom dans le grand livre ouvert par Louis-Napoléon pour recevoir les félicitations de ses affidés. L'image d'un Hector Berlioz à la botte de Napoléon le Petit ne le quittera plus... Le 31 décembre, on proclame le scrutin : Louis-Napoléon est maintenu pour dix ans dans ses fonctions. Berlioz, lui, est désormais du côté du manche et le restera toute sa vie, quand bien même celui-ci ne s'abat pas toujours en sa faveur.

Si 1852 semble se dérouler sous les mêmes auspices que l'année précédente, quelque chose a cependant changé. En France, naturellement. Egalement dans l'esprit de Berlioz. A partir de maintenant, l'idée des *Troyens* est en lui. Il racontera plus tard le rêve, très prémonitoire, d'une grande œuvre symphonique qu'il aurait fait deux nuits consécutives. La première nuit, il se voit en train de composer le premier mouvement de sa symphonie. La seconde, il voit ce mouvement écrit. Même s'il raconte comment, sur le moment, il décida de ne pas aller plus loin, de ne pas se bercer d'illusions ni de croire à des rêves, ne serait-ce que parce que ce serait sacrifier trop de temps, donc trop de chroniques et, par voie de conséquence, trop d'argent, à la composition d'une œuvre de cette ampleur, Berlioz le compositeur est de nouveau aux aguets. Il est, si l'on ose dire, « réveillé ». Dans les années à venir, il fera entendre son *Te Deum*. Cette *Enfance du Christ*, composée de bric et de broc, voire, on l'a vu, d'un petit pastiche, lui vaudra même une incroyable popularité. *Les Soirées de l'orchestre*, qui ne sont pourtant, pour l'essentiel, que des articles déjà lus dans la presse et réunis en un volume, prouveront, s'il en était besoin, qu'il est aussi un très grand écrivain. Et, avec l'orchestration de ses *Nuits d'été*, il produira l'une de ses œuvres les plus accomplies. Unie à l'orchestre, la voix qui chante Théophile Gautier et son merle dans les bois ou le spectre d'une rose venue caresser celle qui la porta la veille au bal, flottera peu à peu dans toutes les mémoires et, à la manière des *Quatre derniers lieder* de Strauss, deviendra, à un siècle de distance, un moment d'émotion à peu près sans pareil.

Mais aussi, et dans le même temps, la reconnaissance, dont il a tant affirmé, si haut et si fort, ne pas bénéficier en France, commence à lui arriver. On n'est pas impunément un grand homme en Allemagne ou en Angleterre sans, ne fût-ce que par ricochet et parce que les amis sont là pour publier dans la presse française des bulletins de victoire, le devenir un peu à Paris.

Dans l'immédiat, sa première préoccupation est un nouveau voyage à Londres, où il est attendu au début du mois de mars. Il tente, sans succès, d'obtenir un congé du Conservatoire avec le maintien de son traitement pendant son séjour à Londres, mais fait contre mauvaise fortune bon cœur. Et comme on ne saurait être trop prudent, il ne quitte pas Paris sans une lettre laborieuse au « Secrétaire intime de Monseigneur le Prince-Président », Mocquard, pour assurer celui-ci, et Louis-Napoléon par la même occasion, que si des propos un peu légers de sa part sur le nouveau maître de la France ont pu lui être rapportés, c'est pure calomnie : « Quant à mes sentiments pour le Prince qui a tiré la France et la civilisation de l'affreux bourbier où elles se noyaient, ils ne se résument que dans celui d'une admiration reconnaissante, je le supplie d'en être bien convaincu... Mon dévouement au Prince est entièrement dégagé d'intérêt personnel... C'est au moment de partir pour l'Angleterre, où m'appelle une importante entreprise musicale, que je crois devoir, Monsieur, vous adresser ces lignes, afin qu'aux torts de l'absence on n'en puisse ajouter d'autres que je n'aurai jamais... » – lettre dont les détracteurs de Berlioz, le révolutionnaire de 1830, chargeront son dossier d'accusation. Bornons-nous à répéter que sous l'Empire d'alors où, plus que jamais, l'administration de la musique était entre les mains des princes qui nous gouvernent, on n'aurait su être trop prudent.

Le 4 mars, Berlioz et Marie Recio débarquent à nouveau à Londres. Ils s'installent, près d'Oxford Street, dans Old Cavendish Street. Et tandis qu'à Weimar, sous la direction de Liszt, on donne *Benvenuto Cellini* en allemand, Berlioz, lui, exulte. Il est revenu à Londres ! Même si ces lourdauds de Français, sourds à la beauté, commencent à reconnaître son talent, c'est à Londres, comme à Weimar, qu'il peut se sentir l'un des princes de la musique européenne.

Une quinzaine de jours après son arrivée, il nage toujours dans l'euphorie. Il l'écrit le 17 mars : il a affaire à Londres à un « entrepreneur comme il y en a peu, honnête, intelligent, charmant et riche et appuyé de trois autres capitalistes dix fois plus riches que lui ». « Il m'a payé d'avance en arrivant cinquante livres (1 250 francs) et je serai payé avec la même régularité chaque mois, je n'en fais aucun doute. Ma position musicale ici est aussi fort belle ; je vais lutter avec toutes les vieilles autorités de Londres il est vrai, mais je suis bien armé, je suis fait à la guerre, et toute la jeunesse anglaise est intéressée à me soutenir. J'ai un admirable orchestre, un chœur de choix, et tout, jusqu'à présent, marche on ne peut mieux... Notre premier concert aura lieu mercredi prochain. Je suis tous les jours dans les répétitions et les préparations de mille espèces ; les visites à mes confrères de la presse, etc. »

Quatre jours plus tard, c'est le premier de ses concerts donnés à l'Exeter Hall, sur le Strand, où l'acoustique laisse pourtant à désirer. Au programme, quatre mouvements de son *Roméo et Juliette*, la *Symphonie Jupiter* de Mozart, le *Triple concerto* de Beethoven, et du Weber, du Rossini... En ce temps-là, les concerts duraient nettement plus longtemps qu'aujourd'hui.

Un mois plus tard, le troisième concert du 28 avril comprend le long deuxième acte de *La Vestale* de Spontini. Pour l'occasion, Mme Spontini elle-même est venue à Londres. Elle va lui offrir « le bâton de commandement dont [son] cher mari se servait pour diriger des œuvres de Gluck, de Mozart et les siennes ». C'est donc avec le bâton qui fut celui de Spontini que Berlioz a dirigé un acte de sa *Vestale* en cette fin d'avril 1852 à Londres. On notera encore une fois combien l'échange de « bâtons » entre chefs d'orchestre avait à l'époque une valeur symbolique.

Pourtant ce concert va revêtir pour lui, Berlioz, un autre aspect. Avant *La Vestale*, après le début de *Roméo et Juliette* et l'ouverture de *La Grotte de Fingal* de Mendelssohn, on a donné le *Konzerstück* de Weber ainsi que les *Illustrations du Prophète* de Liszt, sur des thèmes de Meyerbeer. Et le soliste que Berlioz a accompagné ce jour-là s'est plaint le surlendemain au comité de la New Philharmonic de la mauvaise qualité de cet accompagnement. Berlioz ne nous dit rien, ni de l'incident, ni du soliste, ou plutôt de la soliste. C'est que la soliste en question n'est autre que Marie Pleyel. Ainsi, vingt et un ans après sa trahison, Hector Berlioz s'est retrouvé face à face avec Camille. Certes, il l'a croisée à plusieurs reprises dans la société parisienne et les malheurs conjugaux de la jeune femme lui ont d'ailleurs apporté une vilaine consolation. Ce que l'on n'a pas vu en revanche, c'est combien la notoriété de Marie Pleyel, à présent l'une des plus éminentes pianistes de son temps, l'égale au féminin de Liszt, a pu l'irriter. Diriger du Weber pour accompagner Camille, l'entendre ensuite jouer la musique de Liszt a dû être pour lui insupportable. Nouvelle et mesquine petite vengeance de la part de Berlioz que cet accompagnement sans enthousiasme du *Konzerstück* ? Ou, plus simplement, émotion... Nous n'en saurons rien. Nous savons seulement que Marie Recio était dans la salle, et qu'elle veillait au grain.

Les concerts vont se poursuivre avec le même succès. Et les mêmes lettres triomphantes à Joseph d'Ortigue et aux autres, pour le rappeler au bon souvenir des mauvais auditeurs parisiens. Décidément, Londres et Weimar sont les seules villes d'Europe où la musique de Berlioz mérite vraiment d'être entendue, en cette année 1852.

Cette immense activité de directeur d'orchestre – il dirige encore quatre concerts avant de quitter la capitale britannique – ne l'empêche pas de penser à l'avenir. Ainsi, le 5 mai 1852, il peut écrire à Joseph d'Ortigue : « Va chez Amyot, libraire rue de la Paix, et chez Charpentier rue de Lille, demander s'il leur conviendrait à l'un ou à l'autre de publier un fort volume in 8° de 450 à 500 pages, de moi, très drôle, très mordant, très varié, intitulé *les Contes de l'orchestre.* Ce sont des Nouvelles, Historiettes, Contes, Romans, coups de fouet, critiques et discussions où la musique ne prend part qu'épisodiquement et non théoriquement, des Biographies, des dialogues, soutenus, lus, racontés par les musiciens d'un orchestre anonyme [...]. L'ouvrage est ainsi divisé en *soirées* ; la plupart de ces soirées sont littéraires et commencent par ces mots : On joue un opéra français ou italien ou allemand très plat ; les tambours et la grosse caisse seuls s'occupent de leur affaire, le reste de l'orchestre écoute tel ou tel lecteur ou orateur, etc. » Décidément, ses *Soirées de l'orchestre* tiennent à cœur à Berlioz !

A Londres, la folie-Berlioz continue. Si l'heureux homme n'a plus le temps que d'écrire « à la course » à sa sœur, il trouve celui de décrire à l'ami d'Ortigue ses succès « mirobolants » ; les éloges de la presse, la chaleur du public. Lors de son dernier concert, qui a lieu le 9 juin, il dirige la « Marche hongroise » et le « Ballet des Sylphes » de *La Damnation de Faust* : un spectateur enthousiaste lui lance une couronne et lui de s'imaginer couvert de lauriers... Le 19 juin, on donne un ultime banquet en son honneur ; journalistes, musiciens, amateurs l'applaudissent, Marie Recio boit du petit-lait. Mais le 24 juin, lorsqu'il quitte Londres, c'est sans engagement pour la saison suivante.

Comme chaque fois, le retour à Paris est fait d'une nouvelle succession d'épreuves. Si peu nouvelles, d'ailleurs. On ne les énumérera plus, on les connaît : l'état d'Harriett stationnaire, avec des hauts et des bas, parfois une nouvelle attaque, l'esprit qui bat la campagne. Côté Marie, Madame mère baragouinante et le confort de la pension qu'elle offre à son faux gendre, rien n'a changé non plus. Louis va réembarquer. Non pour Tahiti, comme le père et le fils y avaient rêvé, qu'importe, il semble heureux. Le propriétaire du bateau à bord duquel on lui a trouvé un engagement, un M. Cor, du Havre, a donné des instructions pour qu'il soit bien traité. A sa sœur Adèle, Hector explique que le gentil Louis dispose d'une « jolie chambre bien meublée avec un lit et *des draps* [...], chose dont Louis ne pouvait revenir ». Les deux mois que Louis vient de passer à Paris non seulement ont été un congé sans solde, mais ont coûté cher à son père. L'argent, encore une fois. Dire qu'on en est à compter les quelques billets que dépense un fils de retour chez lui pour huit ou dix semaines. Et le père de remarquer amèrement : « Ce cher enfant sait bien la peine que j'ai à en gagner, mais il n'y a sortes d'enfantillages dispendieux auxquelles il ne se livre à tout propos, quitte à le regretter après. »

Alors il faut reprendre la corvée, les critiques, continuer à rendre compte avec la même lassitude de tout. Tout ce qu'il voit, tout ce qu'il entend, tout ce dont on n'entendra plus jamais parler. Plus que jamais, ce labeur incessant l'épuise.

Berlioz n'a pourtant que quarante-neuf ans. Plus maigre que jamais, il se donne avec tant d'intensité lorsqu'il dirige un concert, lorsqu'il entreprend une démarche ; il se fatigue de si belle manière quand il traverse dix fois Paris, allant de la rue Boursault à l'Opéra, de l'Opéra aux cafés des Boulevards, des Boulevards à la rédaction de ses journaux, des journaux amis aux salons amis, que c'est totalement épuisé qu'il rentre le soir. Nerveux, fiévreux, la gorge qui le brûle et les intestins qu'il croit se déchirer en lui. A Adèle Suat, au milieu de cet été 1852, il écrit : « Aujourd'hui je suis malade, je ne puis m'occuper de mes affaires, je t'écris. Je ne sais ce que j'ai, j'ai été pris avant-hier de vomissements qui ont duré toute la nuit, avec des maux de tête affreux. Maintenant, il me reste une faiblesse extrême ; en somme je vais mieux... » Composer quelque chose dans ces conditions ? Il n'en est pas question. Et pourtant, quelque part au fond de sa tête, au fond de son cœur, il y a le rêve des *Troyens*... mais comment avoir l'énergie de s'y attaquer véritablement ? C'est ce rêve caressé dans des moments d'espoir qui le porte pourtant pendant toutes ces années. C'est à cause des *Troyens* qui commence, embryon d'opéra, à remuer doucement en lui, que Berlioz veut vivre. Du coup, sur les conseils de Liszt, il se remet au travail et apporte un certain nombre de modifications à la partition de son *Benvenuto Cellini* que les représentations de Weimar lui ont fait apparaître comme nécessaires. A la mi-août, n'en pouvant plus, il quitte brusquement Paris. Avec ou sans Marie, on l'ignore. Toujours est-il qu'il va prendre quelques jours de repos au bord de la mer, à Saint-

Valéry-en-Caux. On ne sait pas grand-chose de ce séjour, sinon qu'il se repose, qu'il regarde la mer. De l'autre côté, quelque part déjà vers le golfe du Mexique, Louis Berlioz navigue dans sa jolie chambre, avec un lit et des draps...

A son retour, le même cirque reprend. Un article sur l'inauguration de la statue de Le Sueur à Abbeville, pour laquelle il a refusé de composer une cantate, trop fatigué pour rendre hommage à son cher professeur. Et puis, les éternelles critiques, les débuts de Mlle Lagrua dans *Robert le Diable* ou la première du *Père Gaillard*, de Rébert, à l'Opéra-Comique, il faut en parler... C'est pourtant ce qui lui a permis de publier, à partir du mois de septembre dans *La Gazette musicale*, de bonnes feuilles de ses *Soirées de l'orchestre.* Du coup, il a retrouvé sa belle humeur. Le ton du livre ? Des coups de pétards, pas forcément mouillés et des scandales joyeusement montés en épingle. Berlioz règle ses comptes. Les directeurs d'opéra français, les librettistes ingrats, les maîtres unanimement respectés par le public entier sauf par lui : tout y passe. C'est contre cette population de rapaces, de vautours ou d'ânes qu'il est parti en guerre. Tout le monde rit beaucoup, beaucoup rient jaune. Le livre paraîtra en décembre. Allons ! faute d'occuper les places auxquelles il a droit, Berlioz peut s'amuser à tirer à boulets rouges sur ceux qui en disposent indûment !

Deuxième sujet de satisfaction, une exécution, en l'église Saint-Eustache, de son *Requiem* à la mémoire du baron Trémont, protecteur des arts, mort le 1er juillet. Le concert a lieu le 22 octobre. Il en rend compte trois jours après à sa sœur : c'est à nouveau « colossal ». On mène un mort en terre, mais il est, lui, au septième ciel. Le grand espoir de Berlioz, c'est de parvenir à faire jouer son *Te Deum*. Alors qu'il a prévu d'aller à Weimar à l'invitation de Liszt et de ses aristocratiques amies, il s'inquiète brusquement : et si le sacre prévu pour le 4 décembre était pour lui l'occasion de donner son *Te Deum* ? Il s'angoisse, il attend. Il s'en explique à Liszt : « Je m'attends d'un moment à l'autre être mandé à l'Elysée. Je n'ai pas grand espoir de réussir, il y aurait pourtant de ma part une haute imprudence à te laisser compter sur moi à Weimar. Car si le Président dit : *oui* dans dix ou douze jours seulement, le sacre devant avoir lieu le 4 décembre, il me sera évidemment impossible de quitter Paris. Il me faut au moins trois semaines de préparatifs... » Mais le prince-président ne dira pas oui, et Berlioz va s'empresser de quitter Paris. Harriett va plus mal que jamais, à demi paralysée, c'est à l'aide d'une pile de Volta qu'on a tenté – miracle de l'électricité toute neuve ! – de lui redonner un peu de vie. Quelques *Postillon de Longjumeau*, *Flore et Zéphyr* et autres *Mystères d'Udolphe* ou *Moïse* plus tard, le 12 novembre il part pour Weimar, accompagné d'une Marie Recio qui commence à montrer elle aussi quelques signes de faiblesse. Elle souffre du cœur et s'en inquiète. Berlioz, pas vraiment. Une épouse mourante, l'autre vaguement cardiaque, il est mithridatisé contre la maladie des autres, obnubilé par ses propres névroses faciales et intestinales.

9
Il faut encore voyager...

Allons ! c'est hors de France que Berlioz parvient à se retrouver encore une fois. L'Angleterre, voilà quelques mois. Et puis l'Allemagne, à nouveau l'Angleterre, à nouveau l'Allemagne : à l'égal d'un Liszt, Berlioz est bien en passe de devenir le premier compositeur réellement européen.

Ce séjour en Allemagne, de la fin de l'année 1852, aux côtés de Liszt et de la princesse de Sayn-Wittgenstein, sera un moment de grâce. Berlioz dîne à la cour de Weimar, à l'invitation de la grande-duchesse Maria Pavlovna. Surtout, *Benvenuto Cellini* le 17 novembre, de larges extraits de *Roméo et Juliette* et de *La Damnation de Faust* le 20 novembre, le tout organisé par Liszt qui a mis au point une véritable « Semaine Berlioz » (*Berlioz Woche*) : l'heureux bénéficiaire de ces attentions peut affirmer à Auguste Barbier, l'un des deux librettistes de *Benvenuto*, qu'il a connu un succès « pyramidal ».

Pour Joseph-Esprit Duchesne, critique occasionnel et fonctionnaire au ministère de l'Intérieur qui eut l'occasion de lui rendre plusieurs services, il se gargarise de l'accueil qu'on lui fait, des honneurs qui déferlent sur sa personne, des mondanités dont on l'entoure. Que Duchesne le fasse savoir à Paris : c'est le Gotha du célèbre Almanach en même temps que celui du théâtre allemand qui le célèbre.

« Après le concert d'hier [...] la grande-duchesse m'a fait appeler dans sa loge et l'intendant m'a remis de sa part aussitôt après la décoration du Faucon blanc. J'ai dîné à la cour avant-hier et les princesses m'ont comblé de gracieusetés. Le vieux duc est dans une jubilation curieuse. Ce soir seconde représentation de *Benvenuto* sous la direction de Liszt qui a été dans cette circonstance d'une admirable chaleur d'âme. Demain grand dîner qui m'est offert par les artistes du théâtre, chœurs, orchestre, chanteurs, comédiens, réunis à une foule d'amateurs et d'artistes, de Weimar, d'Iéna, de Brunswick, de Hanovre, de Leipzig et d'Eisenach, accourus pour ces trois fêtes musicales [...] »

M. Duchesne remplira sa mission puisque, dès le 27 novembre, un article anonyme se fera l'écho, dans *Le Journal des débats*, de ces succès. Berlioz est aux anges. A Weimar, il y a l'admiration qu'on lui porte grâce à ce cher Liszt qui a eu, on l'apprendra, beaucoup de mal à rassembler son orchestre. Il y a aussi la cour, l'amitié dont il se sent entouré.

Et c'est ce qui lui réchauffe le cœur : il trouve à Weimar une atmosphère totalement différente, radicalement opposée à celle qui l'oppresse à Paris. Là-bas, l'intrigue autour d'un Empire plébiscité. Ici, on donne un banquet et un bal en l'honneur de Berlioz et il reçoit des mains du grand-duc Charles-Frédéric l'ordre du Faucon blanc. Plus de quatre-vingts invités participent à une soirée de gala à l'hôtel de ville et, une fois de plus, il se voit remettre un bâton de chef d'orchestre. Cette fois, le bâton est en argent, et c'est Kossmann, le violoncelliste solo, qui le lui offre, de la part de l'orchestre.

Une dernière soirée, une dernière exécution de *Benvenuto Cellini*, toujours sous la direction de Liszt. Trouver un meilleur ami que Liszt ? Berlioz est bouleversé. Comme il est bouleversé par l'affection qu'il sent régner entre celui-ci et son amie la princesse de Sayn-Wittgenstein. S'aimer aussi longtemps et d'un aussi bel amour... Etre l'un des premiers musiciens de son temps et être aimé d'une princesse belle, intelligente, attentive. Et riche. Sillonner l'Europe pour jouer et faire entendre la musique des autres – avant de devenir soi-même un illustre compositeur. Former un couple, un vrai, constituer face au monde une si « belle alliance » généreusement ouverte à tous les amis, aux êtres talentueux mais démunis qu'on aidera, ensemble. Le génie de Liszt pour organiser la musique des autres, la princesse qui dépense sans compter pour la faire jouer : voilà ce qui émeut tant Berlioz, coincé, seul et sans argent, entre une vieille actrice agonisante et une chanteuse sans talent. Alors il aime passionnément son ami Liszt. Il l'envie. Ce dernier soir, après la deuxième représentation de *Benvenuto*, une réception a lieu à l'Altenburg. Liszt et sa princesse reçoivent. On fête Berlioz, on porte des toasts. La princesse évoque-t-elle déjà les œuvres qu'elle voudrait le voir composer ? Quatre ans plus tard, ce sera elle qui persuadera Berlioz d'oser s'attaquer aux *Troyens*.

Le rêve étrange qu'il raconte à la fin de ses *Mémoires* date à peu près de cette époque : le rêve d'une œuvre à venir, qu'il ne composera jamais. C'est un rêve presque prémonitoire : l'œuvre dont on rêve toute une vie et à laquelle on ne parviendra jamais. Des œuvres uniques et bouleversantes, Berlioz en a déjà derrière lui. Et il en aura d'autres, puisque, dans les dix ou douze années qui vont suivre, il composera de nouveaux chefs-d'œuvre. Et pourtant, quelque part au fond de lui, demeurera toujours ce sentiment d'insatisfaction. L'inaccompli en ce qu'il a de plus douloureux : un moment de musique, une œuvre d'art entrevue quelque part dans l'inconscient d'une nuit et à laquelle des jours de labeur, de travail obstiné, d'inspiration, au sens le plus profond du mot, ne permettront pas de voir le jour.

L'année 1852 s'achève. Le séjour à Londres a été un succès, sans conséquence sur la carrière parisienne. Et il ne sert de rien de triompher à Weimar, d'y faire applaudir *Benvenuto Cellini* sous la direction enflammée d'un Liszt, si c'est pour retomber à Paris dans le tran-tran de tous les jours, la critique d'un *Guillery le Trompette*, de Sarmiento, ou d'un *Tabarin* de Bousquet. Qu'un Auber vous souffle le poste de directeur de la chapelle impériale qu'on attendait comme un dû, c'est à désespérer quand on s'appelle Berlioz, qu'on triomphe presque partout en Europe et qu'on ne veut pas voir que Daniel-François-Esprit Auber est tout de même votre aîné de vingt et un ans et a composé une *Muette de Portici* qui déclencha la révolution belge de 1830 !

Un seul sujet de satisfaction au début de 1853 : le succès, pas vraiment inattendu, de ses *Soirées de l'orchestre*, qui ont enfin paru en volumes chez Michel Lévy. L'accueil de la presse a été des plus favorables, l'auteur en a fait remettre un exemplaire à l'empereur, dans l'espoir que celui-ci décidera de faire jouer le *Te Deum* à l'occasion de son mariage prévu dans les derniers jours de janvier. Mais cet espoir-là est déçu et, le 30 janvier, Napoléon III, empereur des Français, épouse Eugénie de Montijo à Notre-Dame, mais sans le *Te Deum* de Berlioz. Pour saluer les épousailles de Napoléon le Petit avec la belle Espagnole, on joue un mélange d'œuvres de Le Sueur et de Cherubini, d'Adam et de l'incontournable Auber. Berlioz en est ulcéré. Il se console en écrivant une interminable et belle lettre à Liszt, qui demeure avec Humbert Ferrand, son meilleur ami. Plus que jamais, l'amitié de l'illustre virtuose lui est précieuse.

C'est qu'il traverse à nouveau une phase de neurasthénie aiguë. Peu à peu, sa silhouette de petit bonhomme sec et droit va commencer à se casser. Il quitte chaque matin l'appartement de la rue Boursault afin de poursuivre ses interminables promenades dans Paris. Il joue tour à tour à l'artiste enfermé dans la plus sombre mélancolie, silencieux, répondant à peine à ses amis ; ou, au contraire, au musicien et critique enflammé, qui pérore sans fin, devant des amis qui se lassent parfois, sur ce qu'il hait ou ce qu'il aime. Un rien suffit à l'exciter. Ainsi, la traduction en italien qu'il met au point de son *Benvenuto Cellini* qu'on doit jouer à Londres : c'est en effet en langue italienne que Covent Garden a décidé, entre *Don Giovanni*, bel et bien en italien, et une *Flûte enchantée*, germanique jusque dans ses notes les plus magiques, de donner l'opéra-comique de Berlioz. La saison de Covent Garden sera italienne ou ne sera pas. Alors, deux mois avant son départ pour Londres, Berlioz révise la traduction de son texte. Et, plus que jamais, il écume les théâtres et les salles de concerts, les coulisses et les cafés après le spectacle. Plus que jamais aussi, ses amis l'entourent du cercle magique de leur admiration tandis que ses détracteurs ne se gênent pas pour se gausser de ce névrosé sublime qui, dit-on, se sert, afin de conserver la poudre qu'il utilise pour sécher son encre, d'un crâne de jeune fille... Hélas, pauvre Yorick ! Hamlet jusque dans les détails les plus triviaux de sa vie d'artiste, Berlioz reste l'amant sans espoir de jeunes héroïnes mortes. Sur son lit de douleurs, Harriett est dans un état de plus en plus désespéré. Les crises se succèdent, on la maintient en vie. Il lui faut maintenant deux gardes-malade, les frais de la petite maison de Montmartre s'additionnent à la pension qu'il verse à la mère de sa maîtresse, Berlioz lui-même tombe malade, une violente bronchite qui lui fera garder le lit pendant trois semaines au début de ce mois d'avril décidément bien sombre.

Le 14 mai, à peine rétabli, Berlioz part pour Londres avec Marie Recio. La raison principale de ce voyage, c'est la présentation de *Benvenuto Cellini* sur la première scène anglaise. Autour de cette occasion qui, dans l'esprit de Berlioz, ne peut être qu'un triomphe, on a organisé pour lui une multitude de manifestations. Ainsi, « le ban et l'arrière-ban des Classiques », selon sa propre expression, se donnent rendez-vous le 30 mai lors du quatrième concert de la saison annuelle de l'Old Philharmonic Society. Costa, son ennemi, dirige la

Cinquième symphonie de Beethoven ; auparavant, Berlioz a dirigé *Harold en Italie* et *Le Carnaval romain*. Il donne également son « nouveau morceau en style ancien », le fameux *Repos de la Sainte Famille*, qui est bissé. Euphorie du compositeur qui se dit que c'est bien à Londres qu'il triomphe. D'ailleurs, avec la complicité d'un certain nombre de ses amis critiques, Davison, Chorley, il déploie tous ses efforts pour parachever son image de musicien français de génie. Les jours passent, les semaines, et, le 25 juin, c'est la grande première.

Tout le Londres de la musique, le Londres d'une certaine aristocratie, aussi, est au rendez-vous. Dans une loge, la reine Victoria et le prince Albert. Dans une autre, la famille royale de Hanovre. D'entrée de jeu, le public semble très excité. On est loin du silence inquiet de la première représentation parisienne. Mais ce public britannique, amateur d'opéras italiens venu écouter Berlioz après *Don Juan*, mais aussi *La Norma* de Bellini ou *L'Italienne à Alger* de Rossini, est un public d'opéra italien, de ces *dilettanti* que notre Berlioz de vingt ans haïssait si bruyamment à l'Académie royale de musique. Il y a tant de célébrités dans la salle qu'on ne sait plus où donner de la tête. D'où, alors même que les premières mesures de l'ouverture s'élèvent, que l'on continue à bavarder, à regarder à gauche et à droite, à observer la loge royale à la jumelle – quand ce ne sont pas les décolletés de ces dames ! On entend des « chut ! », certains amateurs tentent de faire taire les bavards, et Berlioz, la baguette à la main, est obligé de continuer. Et lorsque les principaux chanteurs entrent en scène, les Tamberlick et les Tagliasico, que le compositeur a choyés les jours précédents pour les persuader que l'œuvre qu'ils allaient interpréter était l'égale des plus grandes, le public ne semble guère leur prêter attention. Très vite, Berlioz se rend compte que, une fois de plus, son *Benvenuto Cellini* est « tombé ». C'est la chute. Aussi, quelle idée d'avoir accepté de donner le plus français des opéras-comiques faussement italiens du plus français des compositeurs de ce temps dans le cadre d'une saison où l'on est venu pour applaudir Donizetti et Verdi !

Dès le lendemain, parfaitement conscient de ce qui s'est passé, le compositeur demande au directeur du théâtre londonien de suspendre les représentations de son œuvre : « Laissez-moi vous remercier pour les soins que vous avez prodigués pour monter mon opéra *Benvenuto Cellini*. Malheureusement, je dois en même temps vous prier de consentir à ce que mon ouvrage ne soit pas rejoué, car je ne puis m'exposer de nouveau à des actes d'hostilité tels que ceux que nous avons dû affronter hier soir, au grand étonnement d'un public impartial, et qui n'ont eu sans doute que peu d'équivalent dans les annales des théâtres civilisés... »

En réalité, c'est probablement devant une véritable cabale que *Benvenuto* est cette fois tombé. Berlioz s'en explique dès le surlendemain de son échec à l'éditeur de musique Brandus. « Une formidable armée italienne organisée depuis quinze jours, sans qu'on n'ait osé m'en avertir, est venue faire scandale pendant toute la soirée de la première représentation de *Benvenuto.* On chutait les acteurs avant qu'ils eussent ouvert la bouche et on a chuté l'ouverture du *Carnaval romain* pendant qu'on l'exécutait. La presse anglaise à l'exception du *Times* et du *Morning Herald* ne dénonce pas ce fait assez clairement, et bat la campagne sur la question musicale. [...] On m'annonce que la cabale italienne est dans l'intention de continuer avec plus de fureur encore si je continue. Ils crient à l'envahissement de Covent Garden par les *étrangers.* »

Dès lors, les artistes du théâtre peuvent bien vouloir monter, avec les musiciens de la New Philharmonic Society, un concert pour tenter de consoler Berlioz, le concert n'aura pas lieu. On peut bien organiser une souscription pour publier avec un texte anglais *La Dammation de Faust*, celle-ci ne paraîtra pas à Londres avant la mort de son auteur. Ulcéré, déçu, plus triste que jamais, celui-ci n'a plus qu'à rentrer à Paris. Il se consolera en publiant, dans *Les Débats*, un article au vitriol sur « La saison musicale de Paris et de Londres », mais le cœur n'y est pas vraiment.

Les deux voyages suivants vont pourtant singulièrement éclairer la deuxième partie de 1853. D'abord, c'est le Festival de Bade.

Le Festival de Bade : on y arrive. Les rencontres annuelles qui se succèdent, d'été en été, sous les tilleuls de Baden-Baden, la plus jolie cité thermale d'Allemagne, vont constituer chaque année pour Berlioz un rendez-vous qu'il ne manquera pas. Là, au moins, on l'apprécie à sa juste valeur. Qu'on imagine Bade : la ville à la mode par excellence, celle où viennent prendre les eaux princesses italiennes, archiduchesses autrichiennes et joueurs selon Dostoïevski. Le très joli Kurhaus, ses fresques, ses mosaïques, sa belle colonnade et ses portiques blancs, a été inauguré trente ans plus tôt. C'est un établissement thermal, certes, mais aussi un lieu de distraction et de plaisir. Avec, naturellement, un casino. Et, à la tête de l'ensemble, un Français, Edouard Bénazet, un enfant de la balle, ou plutôt de la boule, puisqu'il est le fils d'un tenancier de maisons de jeu fameux, qui régna longtemps sur le Grand Seize, au Palais-Royal. Il a tout appris, l'art de gérer un casino, un peu de musique, un peu de théâtre, l'art surtout de jouer de ses relations. A l'origine, il est seulement le patron du casino, plus exactement le « fermier de la roulette ». Mais dans une ville d'eaux où la clientèle perd avec élégance son argent sur les tables de jeu, le croupier est bientôt roi. C'est ainsi qu'à Baden chacun vit plus ou moins sous la coupe de Bénazet. Heureusement, celui-ci est un bon bougre. Il sait se faire des amis et leur rendre service. Et puis, il est aimé de sa riche clientèle. Lui, de son côté, va aimer Berlioz.

Pour l'organisateur des menus plaisirs de la grande société de Bade, notre homme est l'un des premiers compositeurs de son temps. Il en a parfaitement conscience. Il sait aussi que, chroniqueur aux *Débats*, dont les articles sont lus dans l'Europe entière, Berlioz peut lui rendre service et attirer vers lui davantage de clientèle. Du coup, c'est lui qui va rendre service à Berlioz. Il l'invite, cette année-là, pour un seul concert qui doit avoir lieu le 11 août. « Tout le monde va à Bade pour le 11 août : allons à Bade ! », remarque Berlioz avec un certain cynisme lors de cette première invitation.

Comme à Londres quelques semaines auparavant, le public du casino, venu pour se distraire entre cure et soupers fins, n'est pas de ceux dont un compositeur tel que lui peut attendre beaucoup. C'est assez mornement, semble-t-il, que ces beaux messieurs et ces dames empanachées écoutent une bonne moitié de *La Damnation de Faust*, dirigée par Berlioz avec sa fougue habituelle. Mais on ne bavarde pas. Peut-être qu'on somnole, simplement. Et voilà que le violoniste Ernst, l'ami et si souvent le complice de Berlioz, entre en scène. Il se lance dans une brillante, fulgurante improvisation sur *Le Carnaval de Venise* et la salle se réveille. On applaudit avec chaleur. Dans la foulée, Berlioz dirige son propre *Carnaval romain*. Et cette fois, le public applaudit à tout rompre. Le pari de Bénazet, patron de casino devenu entrepreneur de spectacles, est gagné. Qu'importe si la soirée se termine avec feux d'artifice et violons dans la nuit : Berlioz a gagné, il reviendra à Bade chaque année.

Allemagne pour Allemagne, Berlioz en profite pour organiser, dans la deuxième quinzaine d'août, deux concerts au Théâtre municipal de Francfort. Tout se passe fort bien, même si l'auditoire est « plus clairsemé mais beaucoup plus enthousiaste » qu'à Bade. La presse est bonne, et à la fin du mois, après le dernier concert de Francfort, on organise un souper en l'honneur du chef français.

Ensuite, comme c'est devenu l'habitude en Allemagne, on donne un concert sous ses fenêtres. Cette fois, c'est un orchestre militaire qui joue l'ouverture des *Francs-Juges.* Immédiatement après, Berlioz rentre en France.

A Paris, à la mi-octobre, il rencontre Wagner à l'Hôtel des Princes, où est descendu Liszt, accompagné de Marie d'Agoult et de ses enfants, dont Cosima, alors âgée de quinze ans, qui deviendra la deuxième Mme Wagner. L'atmosphère est détendue : il est vraisemblable que l'ineffable Marie Recio n'est pas de la fête. Wagner, lui, trouvera le compositeur malheureux d'un « extraordinaire courage après ce qui lui est arrivé... ». Le lendemain, c'est Berlioz qui invite ses amis à prendre un petit déjeuner chez lui. Liszt accepte de se mettre au piano, il joue quelques extraits de *Benvenuto* et Berlioz chante, comme il peut, pour donner une idée de ce qu'est son œuvre. Pour la première fois, Wagner, qui avait déconseillé à Liszt de la faire donner, la découvre. Il semble y prendre plaisir. Cependant cette rencontre n'ira pas plus loin : pas de vraie conversation, pas même une âpre discussion sur leur conception de la musique.

Le lendemain, nouveau départ, pour l'Allemagne. Entre-temps, Berlioz a tenté sa chance à l'Institut. Le compositeur Onslow, ce provincial bien oublié qui l'avait emporté sur lui lors d'une précédente élection à l'Académie, est mort le 3 octobre. Mais au lieu de présenter immédiatement sa candidature, Berlioz hésite. Toujours est-il qu'il enverra beaucoup plus tard sa lettre briguant officiellement la succession d'Onslow à l'Institut : il attend plus d'un mois. Et la lettre arrivera trop tard. C'est au cours de ce voyage en Allemagne qu'il apprendra que c'est Reber, l'immortel auteur de *Père Gaillard* et des *Papillotes de M. Benoist*, qui succède au non moins immortel Clermontois auteur de *L'Alcade de la Vega* et du *Colporteur.* En réalité, Berlioz savait que, cette fois encore, ses chances de réussite académique étaient maigres. Vedette de la presse des boulevards, acclamé à Bade et à Francfort, on continuait à ne guère prêter une oreille favorable à sa musique du côté du quai de Conti. Et son ralliement au pouvoir impérial demeurait suspect...

Il part donc le 12 octobre au soir pour Brunswick sans s'être résolu à la moindre démarche académique. Ce voyage est à la mesure de ceux qui l'ont précédé. Il est devenu un vieux routier des voyages musicaux, en Allemagne, en Autriche, déjà en Russie... Seul bémol à l'enthousiasme de son départ, Marie Recio l'accompagne. Une fois de plus. Mais son enthousiasme est entier quand, dès son arrivée au pays de Till l'Espiègle, il entreprend une grande marche – Marie Recio ne doit pas aimer marcher... – à travers les paysages désolés du Harz, où se déroule l'action du *Faust* de Goethe. « Je ne vis jamais rien de si beau ; quelles forêts ! quels torrents ! quels rochers ! Ce sont les ruines d'un monde [...] J'avoue que l'émotion m'étranglait. » Les concerts se succèdent. Il l'écrit à son ami Adolphe Sax : « Mes affaires ici vont d'une façon mirobolante... » Le 22 octobre, c'est au Théâtre ducal, là même où, en 1828, Goethe fit donner la première de son premier *Faust*, qu'il conduit de larges extraits de sa *Damnation* à lui. C'est un signe du destin. Il emboîte enfin le pas du créateur de l'un des ultimes grands mythes de l'Occident chrétien. La salle est « pleine et comble et dès la veille du concert, il n'y avait plus une place à louer ». Sa *Marche hongroise* et sa *Reine Mab* provoquent « toujours le même vacarme d'applaudissements partout ».

Le reste du séjour à Brunswick se déroule à l'avenant, avec une promenade du compositeur dans le jardin public de la ville où, dans une sorte de casino, on donne des concerts populaires. Là, un orchestre d'occasion joue son *Carnaval romain*, le public s'enthousiasme, on aperçoit l'auteur de loin, debout dans une galerie, tout l'orchestre se met « à sonner des fanfares et les femmes d'agiter leurs mouchoirs et les hommes de crier, d'applaudir ». Du haut de sa galerie, tel un « Dieu-Ténor du haut de son trône », Berlioz salue. Le bon peuple l'applaudit encore. Un concert le 25 octobre, un succès, un bâton de chef d'orchestre, cette fois en vermeil incrusté de grenats, offert par le chef d'orchestre Müller. On se plaît à imaginer le musée idéal des bâtons ou baguettes de chef d'orchestre que Berlioz, au terme de sa vie, aurait pu installer à La Côte-Saint-André...

Le voyage se poursuit. Le 28 octobre le couple part pour Hanovre. On accueille Berlioz avec fanfares et trompettes : tout l'orchestre qu'il va diriger, debout, et qui l'acclame. Le roi et la reine viennent en personne assister à la dernière répétition du premier concert, le 8 novembre. Le roi lui-même, aveugle, qui l'enverra chercher après le second concert, s'exclamera, si l'on en croit la correspondance de Berlioz avec Ferrand : « Je ne croyais pas qu'on pût encore trouver du nouveau en musique, vous m'avez détrompé. Et comme vous dirigez ! Je ne vous vois pas, mais je le sens... » Autre rencontre, qui semble n'avoir pas particulièrement marqué Berlioz, mais dont l'intéressé se souviendra. A l'occasion d'une des répétitions au Théâtre royal, le violoniste Joachim, l'un des plus grands virtuoses de son temps, lui présente un jeune homme de vingt ans, encore un inconnu. Il s'appelle Johannes Brahms.

Autre rencontre encore, celle d'une vieille dame de soixante-douze ans qui a « bien de l'esprit ». Elle s'appelle Bettina, c'est Bettina Brentano von Arnim, la Bettina immortalisée par Goethe. En toute innocence, avec l'admirable fausse modestie qui le caractérise, Berlioz écrira à Ferrand que la vieille dame n'est pas venue pour le voir, mais pour le regarder... Brême, puis Leipzig, où le couple retrouve Liszt. C'est de Leipzig qu'il écrit une lettre étonnante au musicologue Lobe qui lui demande de rédiger, pour l'une de ses publications, une manière de « profession de foi ». Qu'est la musique pour lui ? Le texte qu'il lui envoie, en date du 28 novembre, est d'une étonnante gravité, loin de ses envolées lyriques habituelles : « La musique est le plus poétique, le plus puissant, le plus vivant de tous nos arts. Il devrait en être aussi le plus libre ; il ne l'est pourtant pas encore. De là nos douleurs d'artistes, nos obscurs dévouements, nos lassitudes, nos désespoirs, nos aspirations à la mort [...]

» La musique moderne, *la Musique* (je ne parle pas de la courtisane de ce nom qu'on rencontre partout), sous quelques rapports, c'est l'Andromède antique, divinement belle et nue, dont les regards de flamme se décomposent en rayons multicolores en passant au travers du prisme de ses pleurs. Enchaînée sur un roc au bord de la mer immense dont les flots viennent battre sans cesse et couvrir de limon ses beaux pieds, elle attend le Persée vainqueur qui doit briser sa chaîne et mettre en pièces la chimère appelée Routine, dont la gueule la menace en lançant des tourbillons de fumée empestée [...]

» Pourtant, je le crois, le monstre se fait vieux, ses mouvements n'ont plus leur énergie première, ses dents sont en débris, ses ongles émoussés, ses lourdes pattes glissent en se posant sur le bord du rocher d'Andromède, il commence à reconnaître l'inutilité de ses efforts pour y gravir, il va retomber à l'abîme, déjà parfois on entend son râle d'agonie [...]

» Et quand la bête sera morte de sa laide mort, que restera-t-il à faire à l'amant dévoué de la sublime captive, sinon de nager jusqu'à elle, de rompre ses liens, et, l'emportant éperdue à travers les flots, de la rendre à la Grèce, au risque même de voir Andromède payer tant de passion par l'indifférence et la froideur ? »

Le 1er décembre, Berlioz dirige au Gewandhaus ses chevaux de bataille habituels, *La Fuite en Egypte*, dont c'est la première audition, puis des morceaux d'*Harold*, du *Jeune Pâtre breton* et de *Roméo et Juliette*. Dans le public, Liszt, et toujours ce jeune homme de vingt ans qui, pendant quelques jours, semblera attaché aux pas de Berlioz : Brahms, bouleversé. Quelques jours plus tard, ce sera au tour de Berlioz d'être ému par la musique de Brahms, dont il entendra quelques pièces pour piano chez Franz Brendel, directeur de l'une des plus importantes revues musicales allemandes. Berlioz serre le jeune Brahms contre son cœur, Liszt est dans l'assistance. Six ans plus tard Brendel créera l'une des plus importantes associations musicales d'Allemagne : quelle Europe de la musique que l'Europe de ce temps-là ! Entre Berlioz et Liszt, entre Liszt et Brahms, à présent entre Berlioz et Brahms, c'est tout un réseau de connivences, d'amitiés et d'admirations réciproques qui est en train de se mettre en place. Quant au public des amateurs, plus précisément des admirateurs, il manifeste, comme à Brunswick ou à Hanovre, le même enthousiasme. Le 11 décembre, Berlioz célèbre ses cinquante ans : lors d'une fête donnée en son honneur, « une demoiselle est venue [lui] présenter une couronne et [lui] lire à bout portant des vers (traduits en prose française) qu'un poète de Dresde avait écrits dans la journée pour la circonstance ». Ultime détail : après le dernier concert, les musiciens qui y ont participé ont ce geste étonnant : ils refusent tout cachet. Et Berlioz, dans une lettre à Adèle, de remarquer qu'il est si bien en Allemagne qu'il n'a qu'un seul malheur : être français.

Pourtant le 12 décembre, Berlioz doit quitter Leipzig. Il rentre en France, avec un carnet de bal bien rempli. On veut dire : un programme de concerts pour l'année suivante dans cette Allemagne qui l'aime tant. La France, donc... Encore une fois. Paris, ses concerts, ses articles, la mesquinerie du public. Et l'année 1853 de s'achever, au 31 décembre, par une *Elisabeth*, *reine d'Angleterre*, de Donizetti. Berlioz, qui n'a guère le temps de travailler à son oratorio en dépit de la faveur avec laquelle en est régulièrement accueillie la deuxième partie, *La Fuite en Egypte*, de s'exclamer à l'approche de l'année nouvelle dans *Le Journal des débats* : « 1854 !! ! Encore des feuilletons ! Encore de l'Opéra ! Encore des albums ! Encore des chanteurs !... Encore des théâtres où l'on dit que l'on chante !... » Il ne sait pas que, durant l'année qui s'ouvre, il pourra tirer à jamais un rideau sur ce que fut sa jeunesse, ce que furent ses amours.

C'est cette année-là, le 3 mars 1854, qu'Harriett va mourir dans sa petite maison de Montmartre.

QUATRIÈME PARTIE

LE CRÉPUSCULE D'UN DIEU

1

La mort d'Ophélie – et après

La vie avec Ophélie devenue obèse était un enfer. Mais loin d'elle, fût-ce aux côtés d'une seconde Mme Berlioz en puissance, le remords qui taraudait Berlioz, les visites qu'il lui rendait provoquaient en lui une sorte de remords qui lui fera composer, dans le cadre de ce qui deviendrait *Tristia*, une *Mort d'Ophélie* prémonitoire et terrible.

Et voilà qu'Ophélie est morte. Elle est morte laide et bouffie, difforme, parmi des odeurs qui ne sont même plus les vapeurs d'un alcool de jadis. Et Berlioz s'effondre. Il l'écrit à sa sœur Adèle, le surlendemain de cette mort : « Henriette est morte vendredi dernier 4 mars. Louis était venu passer quatre jours près de nous, il était reparti pour Calais le mercredi précédent. Heureusement elle l'a vu encore. Moi je venais de la quitter quelques heures avant sa mort, et je suis rentré dix minutes après qu'elle a eu exhalé sans douleur ni le moindre mouvement le dernier soupir. Hier on a fait la dernière cérémonie. J'ai dû tout préparer moi-même, mairie, cimetière... Je souffre horriblement aujourd'hui. [...]

» Mes amis me sont venus en aide, un grand nombre de gens de lettres et d'artistes avec le baron Taylor en tête l'ont conduite au cimetière Montmartre voisin de la triste maison. Et ce soleil éblouissant, ce panorama de la plaine St-Denys... [*sic*].

» Je n'ai pas pu suivre le convoi, je suis resté dans le jardin.

» J'avais trop souffert la veille en allant chercher le pasteur M. Haussmann qui demeure au faubourg Saint-Germain, un de ces hasards barbares comme il y en a tant, a fait que la voiture qui me portait a dû passer devant le théâtre de l'Odéon où je la vis pour la première fois il y a *vingt-sept ans,* alors qu'elle avait à ses pieds l'élite des Intelligences de Paris, c'est-à-dire du monde...

» Nous ne pouvions ni vivre ensemble ni nous quitter et nous avons réalisé cet atroce problème pendant les dix dernières années. Nous avons tant souffert l'un par l'autre. Je viens du cimetière encore, je suis tout seul ; elle repose sur le versant de la colline la face tournée vers le nord, vers l'Angleterre où elle n'a jamais voulu retourner. »

Berlioz s'effondre, certes, mais l'« horreur de la vie » lui revient en même temps que les souvenirs « doux et amers ». Epuisé, terrassé par la douleur, il n'a même pas pu suivre le convoi de sa bien-aimée devenue étrangement étrangère. Il se souvient de tout et il a cette exclamation terrible : « Oh ! l'oubli ! l'oubli ! Qui m'ôtera la mémoire ?... Qui effacera tant de pages du livre de mon cœur ?... Nous vivons si longtemps !... »

Et il vivra en effet longtemps, Hamlet à présent indigne d'une Ophélie morte de n'avoir plus été Ophélie. Il vivra encore quinze ans. Quinze années d'errances, d'amertume, de maladie, que même le remords de savoir Harriett abandonnée ne vient plus éclairer de sa flamme vacillante. Il y aura Marie Recio, qui deviendra, comme elle l'a tant voulu, la deuxième Mme Berlioz. Puis il n'y aura plus de Marie Recio, les ossements des deux épouses, hélas, se confondront dans une même tombe. Il y aura ces amours de passage sur lesquels s'est peut-être trop attardé Ernest Legouvé lorsqu'il nous raconte un Berlioz presque sexagénaire en quête d'amourettes dont il voudrait faire des passions. Il y aura, de plus en plus, la fatigue, l'épuisement, ces espèces de douleurs à la fois psychologiques et intestinales qui le mettent à bas des semaines entières.

Il y aura aussi des voyages, de formidables succès à l'étranger, la même notoriété ambiguë à Paris. Avec, au bout du chemin, cette étonnante petite lumière qui sera le retour dans sa vie de l'étoile du matin. La jolie et vibrante Estelle du bord des Alpes, dressée sur le ciel au-dessus de Meylan, sera une bien vieille dame, qu'importe, Berlioz pourra rêver. En attendant ce nouveau, ce troisième, ce quatrième, ce centième « retour à la vie », la vie de tous les jours de Berlioz va devenir grise, presque incolore, à Paris, ponctuée parfois des couleurs flamboyantes de ses succès hors de France et de quelques belles amitiés, celles de tous les compagnons qu'on a pu jusqu'ici croiser et dont beaucoup vont s'effacer. Et puis, l'affection rayonnante de quelques femmes, une chanteuse, la grande Pauline

Viardot. Et une dame russe, la princesse de Sayn-Wittgenstein, entrevue dans le sillage de Lizst, et dont les mille et une attentions seront pour lui d'un infini secours.

Voilà pourquoi les années que l'on va maintenant égrener au fil de quelques journées un peu plus remarquables que les autres, d'une poignée de faits saillants, de quelques rencontres, passeront tellement plus vite que toutes celles qui ont précédé. Alors qu'elles seront pour lui les plus longues, les plus douloureuses.

L'année 1854 a commencé dans l'urgence. Berlioz n'avait désormais qu'une hâte : de mettre fin à la rédaction de ses *Mémoires*.

Dans l'urgence et dans les plus sombres pressentiments. Pendant tout le mois de février, il a été malade. Le bruit a couru dans Paris qu'il serait nommé maître de chapelle à Dresde, il n'y a guère cru, et l'affaire fera long feu. Là-dessus, Louis est revenu pour quelques jours à Paris. Il a vu sa mère, fait remettre à son père, pour que Marie Recio, toujours aux aguets de toute correspondance un peu trop chère qui pourrait arriver à son amant ne la voie pas, une lettre où il a probablement évoqué ses inquiétudes, son amertume. C'est le 2 mars ou le 3 mars. Ce jour-là, Berlioz est remonté une dernière fois à Montmartre. Harriett était inconsciente, il l'a veillée un peu, puis l'a quittée. Les heures qui ont suivi ont été parmi les plus déchirantes de sa vie. Il a disparu au moment précis où sa femme entrait pour de bon en agonie. On l'a cherché, on a eu du mal à le trouver, on l'a ramené vers la petite maison de la rue Saint-Vincent, près du cimetière : Harriett était morte. Tout est fini. Alors, dans un grand élan de désespoir, il avoue à Louis, le permissionnaire parti trop tôt : « Tu ne sauras jamais ce que nous avons souffert l'un par l'autre, ta mère et moi, et ce sont ces souffrances mêmes qui nous avaient tant attachés l'un à l'autre. Il m'était aussi impossible de vivre avec elle que de la quitter. »

Louis : tout ce qui lui reste de sa famille. Et pourtant, il venait d'écrire à Adèle : « Et puis voilà Louis si grand, il ne ressemble plus à ce cher enfant que je voyais courir par les allées de ce jardin. Il y a son portrait en daguerréotype pris à l'âge de douze ans. Il me semble que j'ai perdu *cet enfant-là*, le *grand* que j'embrassais il y a six jours encore, ne me console pas de la perte de l'autre... » Dans l'océan de bizarreries qui font de Berlioz ce personnage hors du commun, n'explique-t-il pas à son fils, alors même qu'il lui annonce la mort de sa mère, que sa « gêne durera encore six mois, car il faut qu['il] paye le médecin et la vente des meubles ne rapportera presque rien ». Jusqu'au milieu de la désolation la plus profonde, le manque d'argent reste une hantise. Cette hantise, on la retrouve encore quelques jours plus tard dans une autre lettre à Adèle. Là aussi, désolation, souvenirs, puis le retour brutal à la réalité sordide : « Tu me demandes si nous avions fait un contrat de mariage. Oui sans doute, et je l'ai et je viens de le relire. Il ne peut servir à rien pour Louis, d'abord de quelle façon ? et *contre qui* lui servirait-il ? Ce n'est pas contre moi sans doute. Nous nous sommes mariés sous le *régime de la communauté* avec les conditions suivantes : *je n'étais tenu en aucune façon de reconnaître* les dettes contractées par ma femme avant notre mariage. Néanmoins je les ai toutes reconnues et *toutes payées* il y a longtemps.

» Le survivant avait le droit de choisir pour la valeur de mille francs dans les meubles restants au décès de l'un d'eux. Or je ne choisis rien, et la vente que je viens de faire d'une partie de ce qu'il y avait dans la maison est fort loin de produire cette somme et je donne tout à Louis, argent et linge et argenterie et livres et *tout*. Ainsi tu vois qu'il n'y aura jamais lieu à consulter le contrat. Et d'ailleurs le pauvre garçon ne songe guère à élever aucune prétention. »

Ce dont Berlioz ne se rend pas compte, c'est que le petit Louis, devenu grand, sera pour lui, fût-ce parfois de très loin, une sorte de compagnon fidèle, l'ombre d'une famille disparue qui, chaleureuse, reviendra de l'autre bout des océans pour, sans vraiment prévenir, consoler, et aussi pardonner. En témoignent ces quelques lignes d'une lettre adressée par Louis Berlioz à sa tante Adèle, quelques jours après la mort de sa mère : « Enfin, tout est fini, il ne me reste plus que mon père, pauvre et bon père ! Je ne puis l'aimer plus qu'avant ; je l'aime comme il m'aime, et Dieu seul connaît la profondeur de l'amitié qui existe entre nous. Je l'ai bien fait souffrir parfois, mais je suis bien jeune, chère tante, et la jeunesse a de terribles moments. Depuis la perte que j'ai faite je me sens une force nouvelle ; cette force, je l'emploierai à éviter toute espèce de chagrins à celui qui m'est le plus cher au monde, et, Dieu aidant, il sera fier de son fils. Je ne parle pas du jour où il devra quitter la terre, car je le sens depuis que je suis entré dans l'âge de la raison, ce jour sera mon dernier. Le fil de ma vie n'est que la suite de celui de la vie de mon père ; si on le coupe, les deux vies s'éteignent... »

Devant tant de tristesse, on n'a guère envie, soudain, de décrire par le détail le nouveau voyage de Berlioz en Allemagne. Il part le 26 mars, en compagnie de Marie Recio. Celle-là triomphe : son amant est veuf, il lui appartient tout entier. Il mettra à peine plus de six mois pour l'épouser.

En attendant, ce sont les mêmes succès à Hanovre, la même présence d'un roi aveugle et chaleureux, doux prince qui, pour avoir perdu la vue, n'en a que plus d'oreille. Berlioz va recevoir une distinction de prix, la croix des Guelfes, qui s'ajoutera à sa collection de breloques, médailles et autres bâtons de chef d'orchestre sous le poids desquels il se redresse de toute sa petite taille.

Le 8 avril, c'est un concert à Brunswick, il y joue pour la première fois la version qu'il a revue de sa *Tour de Nice*, devenue ouverture du *Corsaire rouge*. Puis c'est Dresde, où il arrive le 10 avril. Il habite l'Hôtel de l'Ange d'Or, appellation prémonitoire pour celui qui terminera là un long passage de *L'Enfance du Christ*. Surtout, le 24 avril, il donne *La Damnation de Faust*. C'est la première fois, depuis la soirée du 20 décembre 1846, que le compositeur peut entendre son œuvre dans sa totalité. Il l'écrit à son ami Brandus, l'éditeur de musique : son *Faust* a eu un « pyramidal succès ». Naturellement, il joint à sa lettre le compte rendu qui doit paraître à Paris dans *La Revue musicale*. C'est un concert d'éloges rédigé par l'auteur lui-même. Ce qui ne l'empêche pas de remarquer, quelques jours plus tard, à l'intention de Liszt, que la presse, lui dit-on, est « aigre-douce ; plus aigre que douce ».

Les concerts se poursuivent dans le même enthousiasme public. C'est à ce moment-là, semble-t-il, qu'il refuse de prendre la direction de la chapelle royale de Dresde. Mais la lui a-t-on vraiment proposée ? Quoi qu'il ait pu dire sur la France, Berlioz ne se décidera jamais à faire un pas qui serait sans retour. Il va seulement donner une seconde fois, dans le même enthousiasme public, sa *Damnation de Faust*, puis deux autres concerts. Il l'écrit à nouveau à Liszt : « Le concert d'hier [...] a été splendide, avec un grand monde, grand enthousiasme et magnifique exécution... » Ce succès public, il n'est jusqu'aux critiques les plus opposés à sa musique qui ne le lui reconnaissent. Ainsi, un certain Banck qui remarquera quelques jours plus tard que ce M. Berlioz « a beaucoup d'esprit dans ses feuilletons, mais est dépourvu de sens musical », mais n'en reconnaîtra pas moins que le public allemand fête cet étrange Français venu d'ailleurs avec sa morgue et son humour glacé mais qui a laissé son « sens musical » en jachère.

Le 7 mai, Berlioz rentre à Paris. Nouvel espoir de consécration officielle avec la composition d'une cantate, *L'Impériale*, pour deux chœurs et orchestre, en prévision d'une fête fixée au 15 août, mais qui n'aura pas lieu. Nouveaux déboires académiques, avec la vacance du siège d'Halévy, devenu secrétaire perpétuel. Berlioz se porte candidat, c'est l'ineffable Clapisson qui l'emporte. Nouveau commentaire indigné sur Stendhal à l'occasion de la parution d'une *Vie de Rossini*, du peu recommandable Escudier celle-là : décidément, entre les deux HB de l'Isère, et quand bien même l'un d'entre eux est mort depuis douze ans, le courant n'est jamais passé... Nouvelle fuite à Saint-Valéry-en-Caux, au milieu du mois d'août, où Berlioz vient se réfugier, seul semble-t-il. Qui rencontre-t-il là-bas ? On croit savoir que Marie n'était pas du voyage, On aimerait apercevoir la présence d'un visage chaleureux...

A la mi-septembre, il passe une quinzaine de jours à La Côte-Saint-André. Il s'agit de régler la succession du Dr Berlioz. Le mari de Nanci, ce juge Pal sur lequel il a dit tant de méchancetés, se montre bon bougre et voudra bien s'occuper des affaires de son beau-frère. Ce dernier se retrouve à la tête d'une ferme dans un faubourg de La Côte, d'une petite propriété près de Grenoble. Dans les années à venir, Camille Pal lui rendra régulièrement des comptes et lui enverra les revenus qui lui reviennent. Au cours de ce même séjour, Hector et Adèle ont de longues conversations. Très gravement, le frère veut savoir ce qu'en penserait sa sœur s'il se remariait. Avec Marie, oui, qui doit bouillir d'impatience à Paris. Adèle ne la connaît pas. On a senti l'affection qu'elle a pu avoir, jadis, pour Harriett. Pourtant elle est inquiète de la santé de son frère. Pendant son séjour, il a été frappé d'une crise de rhumatismes aiguë. Et puis, outre Marie Recio, il y a la belle-mère putative, cette Mme Martin qui veille sur son gendre en puissance avec une bonté pas vraiment désintéressée mais réelle. Alors, à condition qu'on ne lèse en rien les intérêts du pauvre Louis qui navigue à l'autre bout du monde, Adèle donne à son frère le conseil qu'il redoutait peut-être : qu'il épouse Marie Recio. Dans les derniers jours de septembre, plein d'un renouveau de tendresse pour ceux qu'il a laissés à La Côte, Berlioz repart pour Paris.

Là, il aura le triste honneur d'assister à l'une des premières représentations d'une certaine *Nonne sanglante* de Gounod, dont le livret est celui-là même que MM. Scribe et Delavigne avaient écrit pour lui, Berlioz, et auquel il avait fini par renoncer avec trop d'éclat pour que cette résignation forcée ne lui ait pas coûté beaucoup. On se souvient que la direction de l'Académie, alors royale, de musique lui avait fait comprendre qu'on ne pouvait à la fois faire jouer une œuvre à l'Opéra et être le directeur musical de la maison. Auteur célébré sur le premier théâtre lyrique de France ou fonctionnaire appointé par celui-ci, il n'avait été ni l'un ni l'autre. *La Nonne sanglante*, version Gounod, sera applaudie par le public et saluée par la presse, mais retirée du répertoire après onze représentations. A notre connaissance, on ne l'a à ce jour jamais revue sur aucune scène, ni à Paris ni ailleurs. C'est le 16 octobre 1854 que Berlioz a assisté à la prégénérale de l'œuvre. C'est le 19 octobre qu'il épouse Marie Recio, à l'église de la Trinité. « Je me suis remarié... je le *devais*... et au bout de huit ans de ce second mariage, ma femme est morte subitement, foudroyée par une rupture du cœur. » C'est tout ce qu'il en dit dans les *Mémoires*. Le mariage de Marie Recio et sa mort en une seule phrase, moins de trois lignes. Dans la plupart des voyages qui vont suivre, dans ses triomphes à l'étranger comme dans ses misères parisiennes, Marie Recio sera désormais jusqu'en 1864 une Marie Berlioz toujours aux côtés de son époux. Mais celui-ci n'en parlera à peu près jamais.

L'année s'achève cette fois par un succès, la première exécution de *L'Enfance du Christ* dans son intégralité, à la salle Herz. C'est le 10 décembre et c'est un succès immense. « Bis, bis, rappels, interruption de morceaux par l'émotion de l'auditoire, larmes, rien n'y a manqué, écrit le lendemain l'heureux compositeur à son beau-frère Suat. [...] Enfin, cette nuit j'ai bien dormi... Guettez les journaux maintenant... » Les lettres affluent, de Charles Gounod à cette Rosine Stoltz, qu'il a tellement égratignée. D'Auguste Barbier, l'auteur des *Iambes*, à Henri Heine : tous lui disent leur admiration, leur enthousiasme. On lui écrit de l'Europe entière, mais c'est ce succès parisien qui bouleverse réellement Berlioz. Pour la première fois, dans cette ville où il se croit tellement méprisé, il a réussi le prodige de susciter l'enthousiasme de la critique (à l'exception de celle de *La Revue des Deux Mondes*, mais il ne s'attendait pas à autre chose), auquel il était habitué, mais aussi la ferveur et la faveur du public, si souvent absent, jusque dans ses triomphes. Commencée dans la tragédie, l'année s'achève avec un succès immense pour une œuvre qui, osons le dire, ne ressemble guère aux compositions habituelles de Berlioz.

Et c'est peut-être là, même s'il ne l'admettra jamais, que le bât va blesser. Le Berlioz de *La Damnation de Faust*, celui tellement plus tardif des *Troyens*, ne recevra jamais semblable accueil. Œuvre religieuse, *L'Enfance du Christ* n'a pas la vigueur du *Requiem* ou du *Te Deum*. Oratorio, elle ne suscite pas l'envoûtement de *Roméo et Juliette*, qui ressemblait davantage à un oratorio qu'à une symphonie. Elle a été composée de bric et de broc, mais chaque brique ajoutée à la brique précédente en a fait pourtant une construction plaisante, élégante, pour beaucoup radieuse. C'est avec cette lumière inattendue dans le cœur que Berlioz va achever le cours d'une année terrible. Où une autre lumière, autrement plus rayonnante celle-là, en son temps, a fini par s'éteindre.

C'est donc toujours sous de tristes auspices que commence pour Hector Berlioz l'année 1855. On l'a dit, la mort d'Harriett l'a rapproché de son fils. Louis, devenu navigateur, est tout ce qui lui reste de son bonheur. Alors, quand bien même l'affection entre les deux hommes va peu à peu se développer, se construire avec les années, il y aura des moments de grande incompréhension. Et c'est ce qui se passe à présent. Son père a recommandé Louis à un homme influent, l'amiral Cécille, qui s'efforce d'appuyer de son mieux la carrière du jeune homme. Mais voilà que celui-ci commet Dieu sait quelle incartade, il ne regagne pas son bord à Toulon, où il était en escale, et se voit puni par l'ordre du « bon amiral ». Il s'en plaint à son père, celui-ci doit remarquer que les supérieurs du jeune homme n'ont pas forcément tort, du coup « ce malheureux enfant, mal organisé, monstrueusement organisé, [*le*] *hait* maintenant parce que son absurde conduite [l']a irrité ». C'est une première dispute entre les deux hommes, de grandes bouffées d'amertume. Et Berlioz, de l'avouer à sa sœur Adèle : « J'éprouve une douleur sourde, accablante, que je ne sais comment combattre et supporter... Celle-là est nouvelle pour moi, je ne la connaissais pas... » Après avoir souffert par les femmes, c'est maintenant par son fils que le pauvre Hector Berlioz est à présent capable de ces grands accès de désespoir.

Heureusement pour lui, on l'attend à Weimar. Liszt, toujours lui, a organisé une nouvelle fête en son honneur. Cette fois, c'est une quinzaine Berlioz : une double *Berlioz Woche* en somme qui, du 10 au 27 février, va lui permettre de faire entendre sa musique devant un auditoire de choix. Deux concerts ont été prévus. Le premier a lieu le 17 février, à la cour de Weimar. Outre des extraits de *Roméo et Juliette*, de *Benvenuto Cellini* et de *La Damnation de Faust*, Berlioz dirige la première exécution du *Concerto pour piano en* mi *bémol* de Liszt, avec celui-ci au piano. Moins d'une semaine auparavant, Berlioz n'en avait pas déchiffré la première note. C'est un succès considérable. Quatre jours plus tard, le 21 février, un deuxième concert est organisé, au théâtre grand-ducal, avec *L'Enfance du Christ* chantée en allemand, une *Symphonie fantastique* où Liszt se paye le luxe de tenir la grosse caisse après avoir joué au piano la partie de melodium de *L'Enfance*, comme il tient la partie de piano et celle de gong chinois dans une nouvelle version de *Lélio* ! On s'amuse entre amis et le succès est énorme. A son oncle Félix Marmion, Berlioz écrit sous le coup de l'enthousiasme : « Il me serait difficile de vous donner une idée du succès de cette soirée. Jugé et acclamé, redemandé, applaudi comme un ténor à la mode. Les duchesses [c'était la grande-duchesse Maria Pavlovna, veuve du grand-duc Charles-Frédéric et sœur de l'empereur de Russie, qui avait invité Berlioz officiellement à Weimar] m'ont fait venir dans leur loge, suant et haletant comme j'étais, pour me complimenter avec une chaleur de *dilettanti* pur-sang. Puis les jeunes gens de Weimar m'ont donné un souper où les toasts ont fait rage. L'un d'eux, qui ne parle pas assez bien le français, ayant égard à ma profonde ignorance de la langue allemande, m'a fait un beau discours latin et le poète Hoffmann [rien à voir avec E.T.A. Hoffmann] a improvisé également une chanson latine qui, mise en musique immédiatement par un jeune compositeur, a été chantée en chœur à première vue par les convives... »

Ce qui va aussi compter pour Berlioz pendant ce séjour, c'est encore une fois tout ce qui se passe autour de ses concerts. Il se trouve plongé, non pas comme à Bade, dans la foule riche, désœuvrée et parfois interlope d'une certaine aristocratie de l'argent autant que du Gotha, mais dans celle, autrement plus profitable pour lui, des vrais amateurs de musique. Et, parmi ces grands noms qui viennent de l'Europe entière, c'est lui que l'on fête, c'est lui que l'on admire. A son ami le journaliste Fiorentino, il résume son séjour à Weimar en disant une fois de plus que celui-ci a été « pyramidal ». Et quand bien même un Peter Cornelius, l'un de ses plus chauds partisans, soutient en public à la princesse de Sayn-Wittgenstein qu'il est un moins bon orchestrateur que Liszt, ce ne peut être qu'avec un sentiment de satisfaction profond qu'un Berlioz évoquera de telles joutes de salon.

Surtout, au cours des longues conversations que la princesse et Liszt ont avec lui, Berlioz se convainc peu à peu que le moment est venu pour lui d'écrire enfin ses *Troyens* déjà évoqués avec la princesse Carolyne lors d'une précédente rencontre. D'où ce post-scriptum devenu presque fameux à une lettre écrite à Fiorentino : « On me pousse, on me talonne, on me tanne même, pour écrire une grande machine théâtrale. Il faut que je vous consulte à ce sujet et que nous reprenions la conversation commencée dans la rue Saint-Georges à propos des impossibilités matérielles d'un pareil travail, causées par les coutumes de l'Opéra de Paris. » Au chapitre LIX des *Mémoires*, écrit moins de six mois auparavant, il avait, s'en souvient-on ? déjà douté : « Depuis trois ans, je suis tourmenté par l'idée d'un vaste opéra dont je voudrais écrire les paroles et la musique, ainsi que je viens de le faire pour ma trilogie sacrée... Je résiste à la tentation de réaliser ce projet et j'y résisterai, je l'espère, jusqu'à la fin. Le sujet me paraît grandiose, magnifique et profondément émouvant, ce qui prouve jusqu'à l'évidence que les Parisiens le trouveraient fade et ennuyeux. » A l'époque, il soulignait toutes les difficultés de monter une œuvre aussi ambitieuse : « L'idée seule d'éprouver pour l'exécution et la mise en scène d'une œuvre pareille les obstacles stupides que j'ai dû subir et que je vois journellement opposés aux autres compositeurs qui écrivent pour notre grand Opéra, me fait bouillir le sang. »

Cette fois, pourtant, le couple de Liszt et de sa princesse va parvenir à le convaincre. Aussi, lorsqu'il rentrera à Paris, au tout début du mois de mars, Berlioz est décidé : il va se lancer dans la composition de ce qui sera, il le sent, son œuvre magistrale : *Les Troyens*.

Pourtant, le temps qui lui manque, les mille et une obligations auxquelles il se croit obligé de répondre, la maladie même vont encore retarder le projet. Dès le 2 mars et son retour à Paris, le voilà malade. Marie Recio l'est aussi, tous deux souffrent de cholérine, un mal « qui court à Paris, et qu'on attribue à la neige fondue mêlée aux eaux que l'on boit ». « Malade comme un chien galeux », il reste huit jours au lit. Penser aux *Troyens* dans ces conditions : on n'y songe pas !

On n'y songe pas davantage quand, à la fin du mois de mars, on donne des concerts à Bruxelles, à Liège, dans des conditions pas toujours satisfaisantes. Et l'on y songe moins encore quand on doit rédiger de laborieux feuilletons pour une *Lisette* indigeste d'un certain Eugène Ortolan ou pour saluer une *Cour de Célimène*, d'Ambroise Thomas, à l'Opéra-Comique. L'irritation de Berlioz à l'égard de ces chefs-d'œuvre de pacotille est telle que ses patrons des *Débats* sont presque obligés de censurer ses papiers.

Une grande satisfaction se présente cependant à l'horizon : le 7 avril, il dirige, devant un auditoire « splendide » mais d'une manière « terne », son *Enfance du Christ*. C'est à l'Opéra-Comique, et il n'est ni content ni mécontent. Mais, content, il l'est au-delà de ce qu'il pouvait espérer lorsque son *Te Deum* est programmé puis donné en première exécution à l'église Saint-Eustache le 30 avril. Sans occasion particulière, pas plus de mariage impérial que de victoire à célébrer. Mais l'important n'est pas l'occasion, c'est l'œuvre. Et Berlioz met toutes ses énergies à assurer son succès. D'abord, il a « chauffé » le public et la presse en dictant à un rédacteur de *La France musicale* un article dithyrambique sur son œuvre. L'article est signée XX... Surtout, il dispose à Paris de moyens considérables. Plus de neuf cent cinquante exécutants. Il se souvient des chœurs d'enfants à la cathédrale Saint-Paul de Londres. « Je ne puis te décrire l'aspect de cette vaste cathédrale, écrit-il à Adèle, si magnifiquement ornée à l'heure qu'il est, mon orchestre remplissant le chœur, mes choristes remplissant la croix de la nef, et ces huit cents enfants sur un vaste amphithéâtre qui s'élevait jusqu'à la hauteur de deux étages... » Pour Liszt, c'est l'avalanche des adjectifs habituels : « C'était colossal, babylonien, ninivite... » Et Berlioz de poursuivre avec la même exaltation : « Oui, le *Requiem* a un frère, un frère qui est venu au monde avec des dents, comme *Richard III* (moins la bosse !) et je te réponds qu'il a mordu au cœur le public d'aujourd'hui. Et quel immense public !... Et pas une faute ! Je n'en reviens pas... » Toujours à Liszt, il ajoute avec un doigt d'humour involontaire, lui qu'on sait habitué à écrire des superlatifs à sa propre intention : « Quel malheur que je sois l'auteur de cela ! Je ferais un article curieux... C'est une scène d'apocalypse... »

Quel public, en effet... Il est venu des amis de la France entière. Jusqu'à Blandine et Cosima Liszt qui sont là, avec une gouvernante qui, seule, semble-t-il, n'appréciera pas le concert, puisqu'on rapporte que, dans une lettre adressée à Liszt, elle assure être décidée à terminer désormais ses prières du soir par un « Préservez-nous, Seigneur, de la peste, de la guerre, de la famine et des *Te Deum* de Berlioz ! »

Après ce succès, une rencontre avec Verdi, de passage à Paris pour l'exécution en français de ses *Vêpres siciliennes* et un début de sympathie entre les deux hommes. Puis, une fois de plus, Berlioz reprend avec Marie Recio la route de Londres. C'était devenu un voyage quasi rituel ; pourtant, en 1855, ce sera le dernier.

Rituels, les concerts qu'il donne à l'Exeter Hall. Rituels, ses contacts avec des éditeurs, comme Novello, avec lequel il signe un contrat pour l'édition en langue anglaise de son *Traité d'instrumentation.* Rituels, ces dîners chez des amis musiciens ou critiques, tel cet Alfred Benecke chez qui il entend pour la première fois chanter du Purcell, qui ne lui plaît que médiocrement. Rituels toujours, les comptes rendus enthousiastes qu'il envoie à ses amis après chacun de ses concerts.

Ce début d'été 1855 à Londres sera marqué par une rencontre qui aurait pu compenser les précédents rendez-vous manqués de Berlioz et de Wagner. Car Wagner est alors lui aussi à Londres. Si, le 11 juin, Berlioz qui a une répétition à la même heure ne peut aller écouter un concert dirigé par Wagner, au cours duquel celui-ci conduit son ouverture de *Tannhaüser*, Wagner est présent, deux jours plus tard, au premier concert de l'Exeter Hall. Et Wagner n'apprécie guère, semble-t-il, la direction d'orchestre de Berlioz. Pourtant, celui-ci lui inspire, assure-t-il, « une cordiale et profonde amitié ». En fait, les deux hommes se tiennent à distance par jugement critique interposé : « Ma foi, dit Wagner, j'ai été médiocrement édifié de la manière dont Berlioz fait exécuter la Symphonie de Mozart (en *sol* mineur). Quant à l'exécution de son *Roméo et Juliette*, elle était très insuffisante, et m'a rempli de pitié pour Berlioz... » Berlioz de son côté, qui assistera à un autre concert dirigé par Wagner, se bornera à remarquer : « Wagner conduit dans un style libre, qui me fait danser sur la corde lâche... »

Londres vit une assez étrange saison musicale cette année-là. Le devant de la scène est occupé par deux artistes étrangers, qu'on admire ou qu'on critique, selon le camp auquel on appartient. Mais dans les deux cas, un fond de chauvinisme, ce « conservatisme » britannique que Berlioz a dénoncé à Liszt, attise les prises de position. D'où ce sentiment : c'est bien volontiers que ces messieurs de la critique anglaise et autres organisateurs de concerts, directeurs de salle et musicologues, verraient s'affronter chez eux les deux génies échoués pour quelques semaines sur les bords de la Tamise.

Un dîner qui réunit autour du 20 juin Wagner et Berlioz chez le violoniste français Sainton se déroule cependant le mieux du monde. Pour la première fois, les deux hommes s'apprécient. La chère est bonne, le vin doit couler généreusement, l'amphitryon est un gai compagnon qui les laisse deviser librement. Alors on donne libre cours à ses sentiments, on évoque les difficultés que l'un comme l'autre ont pu rencontrer avant de connaître les succès qui sont à présent les leurs. Wagner se sait en butte aux reproches de certains car il n'a pas manifesté assez d'admiration pour Mendelssohn, vénéré en Grande-Bretagne. Berlioz tente de ne pas se souvenir des critiques que l'auteur de *Tannhaüser* a pu faire sur lui, bref, c'est presque un long repas entre vieux camarades.

Seulement voilà, Marie Recio n'est pas de la fête. Et ceci explique cela. Si Wagner et Berlioz ont pu deviser si franchement, c'est que la seconde Mme Berlioz, jalouse pour le compte de son mari des succès de Wagner, n'était pas là pour envenimer un débat qui n'avait aucune raison de l'être. Mais le débat, elle saura l'envenimer très vite. Voilà que le critique Davison, longtemps hostile à Berlioz avant de devenir son ami, a la maladresse, ou plutôt la bassesse, de se rendre à Portland Place, où habitent les Berlioz. Et là, il apporte à Hector et à sa femme un passage de l'ouvrage de Wagner, *Opéra et Drame*, où celui-ci se montre d'une grande sévérité pour la musique de Berlioz. Ce dernier, qui a déjà eu connaissance du livre, affecte de ne pas y attacher trop d'attention. Le soir même, ou le lendemain, il assiste au concert de Wagner que l'on a dit, puis à une réception donnée par ce dernier, qui quitte Londres le lendemain. Quelle qu'ait été la chaleur qui a pu régner entre eux lors du dîner chez le violoniste, une gêne s'est installée. Et la présence de Marie Recio n'arrange pas les choses, au contraire.

L'atmosphère est encore amicale, on a bu du punch, et Wagner invite celui qui aurait presque pu devenir son ami à venir le retrouver à Zurich trois mois plus tard, en même temps que Liszt. Et là, selon Wagner, Berlioz se montre gêné. On devine qu'il aimerait venir, mais qu'il hésite. Marie Recio doit le tenir par le bras, il est trois heures du matin, tout le monde est fatigué. Berlioz hésite un moment, et finalement se dérobe. Il évoque des problèmes d'argent... L'éternelle question d'argent sert cette fois d'alibi à une amitié rompue.

Dès le lendemain, le 26 juin, Wagner a quitté Londres. Davison revient à Portland Place, porteur cette fois du dernier numéro du *Musical World* qui publie la traduction anglaise du passage d'*Opéra et Drame* éreintant Berlioz. Celui-ci affecte d'en rire, mais il rit sûrement jaune. Quant à Marie Recio, déchaînée, elle s'indigne même du début d'amitié que Berlioz aurait pu éprouver pour ce fourbe d'Allemand : d'amitié, il n'y en a plus. Après un ultime concert à l'Exeter Hall en présence de Meyerbeer, venu à Londres pour la création de son opéra *L'Etoile du Nord*, le couple Berlioz rentrera à Paris le 7 juillet. Soulignons que si Berlioz et Wagner étaient déjà des artistes de renom aux yeux du public anglais, la véritable étoile de cette saison-là, à Londres, demeurait celle du Nord, Meyerbeer.

Berlioz ne retournera jamais à Londres. Il passe l'été 1855 à Paris. C'est le temps de l'Exposition universelle, il est membre du jury chargé, comme quelques années auparavant à Londres, de décerner des prix à de nouveaux instruments de musique. Surtout, c'est l'occasion pour lui de l'un de ces « concerts monstres » dont il ne cesse de rêver.

Ce sont en réalité deux concerts qu'il va donner, les 15 et 16 novembre au Palais de l'Industrie. Napoléon III est venu en personne pour distribuer médailles et récompenses. La foule est immense, on s'est battu pour assister à la cérémonie, comme on se bat pour assister aux concerts de Berlioz. L'ampleur des masses orchestrales mises à sa disposition est à la hauteur de ses espérances : mille deux cent cinquante exécutants vont interpréter devant quarante-huit mille auditeurs la cantate *L'Impériale*. On prendra soin de raccourcir ici et là afin que l'empereur des Français puisse distribuer à loisir ses breloques et ses médailles, mais Berlioz n'en a cure : lui qui pourfendait les arrangeurs et les castrateurs de chefs-d'œuvre, il est au garde-à-vous, une fois de plus, devant le pouvoir, quand bien même on va mutiler son œuvre. Le lui reprochera-t-on ? D'aucuns ne s'en sont pas gênés, on se bornera à dire qu'il avait besoin de ce succès-là en France. Après *L'Impériale*, c'est l'apothéose de sa grande *Symphonie funèbre et triomphale*.

Et le lendemain, devant un public aussi important et dans le même Palais, avec comme la veille cinq assistants reliés à un métronome électrique pour l'aider à mettre en mouvement les musiciens, il redonne cette fois dans son intégralité son *Impériale*, son apothéose de la *Symphonie funèbre et triomphale*, de larges passages de son *Te Deum* et, pour faire bonne mesure, l'ouverture du *Freischütz* et des morceaux de Beethoven, Gluck, Meyerbeer, Mozart et Haendel. « Je t'écris six lignes pour te dire que les deux immenses batailles d'hier et d'avant-hier ont été gagnées, écrit-il à Liszt le 17 novembre. L'orchestre géant a fonctionné comme un quatuor. Hier surtout, nous avions descendu l'orchestre dans la grande nef, et la sonorité ayant par cela même gagné une puissance double, l'effet a été immense. Il y a eu un auditoire apocalyptique, je me suis cru dans la vallée de Josaphat ; soixante mille et quelques cent francs de recette ! »

L'on imagine l'euphorie qui doit être celle de Berlioz. Il est seul, certes, mais il a le sentiment de triompher enfin. Harriett est morte, Marie Recio l'insupporte chaque jour davantage, mais « l'empereur et le prince Napoléon qui avaient si grand-peur au sujet de la réussite de [son] projet sont très satisfaits ». Il est moulu, éreinté, les répétitions ont duré dix jours, de neuf heures du matin à quatre heures de l'après-midi. Il marche, dit-il, comme un somnambule dans les rues de Paris, mais non seulement Paris le reconnaît, mais aussi l'empereur. Les roulements des deux cents tambours résonnent à ses oreilles.

Comme un succès en appelle un autre, il donne encore un concert au Palais de l'Industrie le 24 novembre. Tant pis si Gounod, six jours plus tôt, a fait mieux que lui puisqu'il a dirigé mille six cents chanteurs et, le 26 novembre, mené tambour battant quatre mille cinq cents orphéonistes et quelques musiques militaires : la vedette de ce mois de novembre-là, c'est lui, Berlioz. Alors, les caricaturistes ont beau s'en donner à cœur joie, il s'en moque bien. Il est seul, mais il triomphe.

Quelques semaines auparavant, il a pu écrire une longue lettre à la princesse Carolyne de Sayn-Wittgenstein pour annoncer d'ailleurs qu'il conduirait « douze mille » musiciens, se trompant d'un zéro, lapsus révélateur ; il lui parle de tout et de rien, du saxophone de leur ami Sax, des commissions qu'il a pu faire pour Liszt. Des traductions en allemand d'articles écrits par lui en français : il ne dit pas un mot des *Troyens*. A-t-on le temps d'être compositeur quand le monde entier sait qu'on est capable de galvaniser des orchestres pyramidaux, grâce à un métronome électrique à cinq branches... Les méchantes langues diront que ce n'est plus les cordes des violons qu'il fait chanter mais des fils télégraphiques qui communiquent à cinq sous-chefs d'orchestre les mouvements de sa baguette, lui sait maintenant que ses *Troyens*, il va les écrire.

2
Vers la grande œuvre

L'année 1856 est par excellence celle de la composition des *Troyens.* La leçon de musique dans un parc donnée à Weimar par la princesse de Sayn-Wittgenstein porte ses fruits. Celle-ci ne lui a-t-elle pas lancé un véritable ultimatum : « Ecoutez, me dit la princesse, si vous reculez devant les peines que cette œuvre peut et doit vous causer, si vous avez la faiblesse d'en avoir peur et de ne pas tout braver pour Didon et Cassandre, ne vous représentez jamais chez moi, je ne veux plus vous voir. » Il n'en fallait pas plus, remarque-t-il, pour le décider. Un an d'attente, c'est déjà long. Maintenant, il met les bouchées doubles. Au fil de sa correspondance, on voit les progrès de l'œuvre. Il écrit le 12 avril à Liszt : « J'ai commencé à dégrossir le plan de la grande machine dramatique à laquelle la Princesse veut bien s'intéresser. Cela commence à s'éclaircir ; mais c'est énorme et par conséquent c'est dangereux. J'ai besoin de beaucoup de calme d'esprit, ce dont j'ai le moins, précisément. Cela viendra peut-être. En attendant je rumine, *je me ramasse,* comme les chats quand ils veulent faire un bond désespéré. Je tâche surtout de me résigner aux chagrins que cet ouvrage ne peut manquer de me causer... Enfin, que je réussisse ou non, je ne t'en parlerai plus maintenant que quand l'affaire sera finie. Et Dieu sait quand elle le sera ; je ne me suis pas imposé l'obligation de faire vite. » Quel que soit son désir d'aller de l'avant, il éprouve toujours une sorte de terreur sacrée à la pensée des problèmes que, son opéra terminé, il aura à affronter pour le faire monter. Mais il sait aussi qu'il ne peut ni ne doit reculer.

Aussi, le 17 mai, à la princesse : « Avant-hier seulement, j'ai terminé le premier acte en vers. Celui-là sera le plus long de tous et j'ai mis à l'écrire dix jours, du 5 mai au 15 : ce sont les seules journées dont j'ai pu disposer entièrement depuis mon retour de Weimar. Je ne vous dirai pas par quelles phases de découragement, de joie, de dégoût, de plaisir, de fureur, j'ai passé successivement pendant ces dix jours. J'ai vingt fois été sur le point de tout jeter au feu et de me vouer pour jamais à la vie contemplative. Maintenant, je suis certain de ne plus manquer de courage pour aller jusqu'au bout ; l'œuvre me tient. D'ailleurs, je relis de temps en temps votre lettre pour m'éperonner. En général, je me décourageais le soir et je revenais à la charge le matin, aux heures de la jeunesse du jour. Maintenant, je ne dors guère, j'y songe constamment ; et si j'avais le temps de travailler, dans deux mois toute cette mosaïque serait terminée... », pour ajouter encore : « Pour la musique, il faudra bien un an et demi, *je suppute* (terme américain), pour la construire. Ce sera une grande construction : puisse-t-elle être faite de briques cuites au feu et non de briques crues, comme le furent faits les palais de Ninive. Sans la cuisson, les briques tournent bien vite en poudre et en poussière... » Et il achève cette belle lettre par un « Adieu, Princesse, *vous aussi vous répondrez* quelque nuit, à l'ombre de Virgile, des attentats que je commets sur ces beaux vers... Surtout, si mon palais est en briques crues et si mes jardins suspendus ne sont plantés que de saules et de pruniers sauvages. »

Deux mois plus tard, à la même princesse Carolyne, qui lui fait compliment de ce qu'il a pu déjà lui dire ou envoyer, il répond : « Vous avez voulu m'encourager... Je ne me méprends pas sur la valeur des phrases ; vous allez jusqu'à me faire honneur des beautés de la poésie virgilienne et à me louer de mes larcins shakespeariens. J'aurai le courage pour aller jusqu'au bout, soyez tranquille ; il n'était pas nécessaire d'essayer de me prendre à la glu des éloges détournés de leur voie. C'est beau parce que c'est Virgile ; c'est saisissant parce que c'est Shakespeare ; je le sais bien. Je ne suis qu'un maraudeur ; je viens fourrager dans le jardin des deux génies, j'y ai fauché une gerbe de fleurs pour en faire une couche à la musique, où Dieu veuille qu'elle ne périsse pas asphyxiée par les parfums... » Et de lui donner de multiples détails sur les modifications qu'il apporte à son texte.

On pourrait continuer à l'infini sur cette laborieuse, mais rapide en somme, élaboration des *Troyens.* « La mécanique humaine est bien bizarre et bien incompréhensible, écrit-il encore ainsi à la princesse le 14 novembre. Maintenant que je vais mieux, je relis ma partition et il me semble qu'elle n'est plus aussi stupide que je le croyais... »

Et pourtant, pendant toute cette période de gestation, Berlioz continue à mener au même train d'enfer la vie qui lui est devenue habituelle. Ainsi, à partir du 30 janvier, un nouveau voyage en Allemagne qui va durer près de deux mois. Il a revu la princesse, il a revu Liszt, tous deux l'ont à nouveau encouragé. Le 16 février, au théâtre grand-ducal de Weimar, c'est même Liszt qui a dirigé une version « dérouillée et fourbie à neuf comme une épée » de *Benvenuto Cellini.* Le 18 février, il en a encore donné une autre exécution. Quelques jours après, Berlioz a assisté à une représentation de *Lohengrin.* Liszt, également enthousiaste de Wagner et de Berlioz, dirige cette fois encore. Exaspéré, Berlioz n'a pu rester jusqu'au bout. Du coup, le dernier rideau tombé, il aura à ce propos avec Liszt une véritable dispute. Mais comme l'amitié entre les deux hommes reste plus forte que jamais, Liszt insiste pour tenir la partie de grosse caisse dans une soirée donnée au bénéfice des veuves et orphelins de musiciens de Weimar où c'est Berlioz qui dirige *La Damnation de Faust* ! Discussions, rencontres, routine, donc...

Routine aussi qu'une nouvelle candidature à l'Institut. Cette fois, il s'agit de succéder à Adolphe Adam, l'auteur de ce *Chalet*, qui fit fureur à Paris mais que Berlioz méprisa tant : l'auteur aussi de la berlioziade parodique montée contre l'auteur de *Lélio* lors d'un bal à l'Académie royale de musique voilà si longtemps... Routine donc que cette candidature, déposée le 3 juin. Surprise : le 21 juin, Berlioz est élu au quatrième tour de scrutin. Il a la majorité absolue des votants, c'est-à-dire dix-neuf voix. Notons que Gounod en aura six. On a déjà cité la formule célèbre d'un chroniqueur qui ne l'aimait guère, selon laquelle c'est un journaliste et non un compositeur qui a été élu à l'Académie des Beaux-Arts.

Ainsi, un peu plus d'un quart de siècle après avoir si difficultueusement franchi les portes de l'Académie de France à Rome, Berlioz est-il enfin admis à faire partie à son tour de ceux qui, à leur tour, décideront si « l'aurore aux doigts de rose » mise en cantate par tel ou tel mérite à celui-ci de faire le voyage de Rome. Après l'uniforme de garde national payé par son père et la croix qu'on a fini par lui attribuer, Hector Berlioz peut endosser l'habit vert. Ses *Troyens* lui portent bonheur. Il vient de le prouver : on peut être un immense musicien et un musicien reconnu par le plus conservateur des *establishments*.

Pour la deuxième fois, il retourne à Bade. Son ami Edouard Bénazet a encore fait les choses en grand. Marie Recio l'accompagne, le plaisir n'est sûrement plus le même. Ensemble, ils vont se promener dans les environs, jusqu'à la montagne du vieux château. On a dit, lors de la randonnée dans le Harz, que c'était là l'une des dernières grandes marches à pied de Berlioz le randonneur. C'était vrai : il revient de sa simple excursion du 7 août absolument éreinté. Le concert qu'il donne le 14 août est un succès, le public est toujours le même, des joueurs et des noceurs, de vraies princesses et de fausses dames du monde. Mais il est bien payé. Pauline Viardot chante des airs espagnols et des mazurkas de Chopin arrangés pour soprano, et lui est épuisé. Il rentre à Paris en faisant un détour par Plombières.

Plombières, ville d'eaux endormie dix mois par an mais qui sait se réveiller étrangement. Et le passage de Berlioz à Plombières n'est pas tout à fait innocent. C'est dans cette petite station balnéaire des Vosges que Napoléon tient sa cour en été. Après tout, les eaux de Plombières qui soignent un empereur peuvent laver les névroses intestinales d'un musicien. Surtout, celui-ci peut espérer pouvoir s'entretenir avec Napoléon III de ses chers *Troyens*. Il ne suffit pas de les composer, encore faut-il les faire jouer. Et quand bien même l'œuvre est loin d'être terminée, Berlioz pense à l'avenir. A l'aller, il s'est arrêté une première fois à Plombières. Mais Napoléon III préfère Offenbach à celui qui composa pourtant son *Impériale* et Berlioz n'a pu lui parler. Au retour, il ne parviendra pas davantage à l'approcher. Désappointé, il se bornera à faire de la petite ville des Vosges un tableau pittoresque qu'il reprendra dans *Les Grotesques de la musique* : « La population de Plombières se compose en été de classes d'individus fort différents l'une de l'autre : les étrangers, curieux ou baigneurs, et les indigènes. Cette dernière classe, peu nombreuse, quoique Plombières compte plusieurs habitants, se concentre, après la chute des neiges, dans un monument en forme de tombe, qui occupe le milieu de la ville, et qu'on nomme le Bain romain. Là, du matin au soir, chauffés gratuitement par l'eau qui circule sous les dalles de la salle supérieure, hommes, femmes et enfants travaillent à de fins ouvrages d'aiguille, à des broderies. Et ne croyez pas qu'il n'y ait que des hommes faibles ou maladifs, des culs-de-jatte, des bossus, des nains appliqués à ce travail. Hélas ! non ; de robustes gaillards, de véritables hercules brodent eux-mêmes, au pied de cette triste Omphale dont le nom est Nécessité... » Et Berlioz de décrire ensuite les promenades dans la campagne riante. On ne voit pas l'empereur, mais on y voit la France entière. Ou presque. Ce que l'ironie du texte publié d'abord dans *Les Débats* cache, c'est ce qu'il avouera quelques jours plus tard à la princesse de Sayn-Wittgenstein : « En rêvant dans les bois à Plombières, j'ai fait deux morceaux importants ; le premier chœur de la Canaille troyenne, au début du premier acte, et l'air de Cassandre. Puis j'ai ajouté deux scènes courtes, mais utiles et curieuses, je crois, au commencement du cinquième acte... » Voilà la vérité : à peine a-t-il quitté Bade que Berlioz va se remettre au travail.

Dans son esprit, il voulait avoir terminé le poème entier avant d'aborder la musique. D'où les remarques auto-ironiques qu'il a adressées à Carolyne de Sayn-Wittgenstein à propos de ses propres vers, empruntés à Virgile et enflés par la démesure shakespearienne. Désormais, il va mener de pair le livret et la musique, privilégiant tantôt l'un, tantôt l'autre, sans pourtant négliger de terminer d'abord le poème. Cette nouvelle énergie, il sait à qui il la doit : encore et toujours à la princesse Carolyne. D'où cette lettre, du 3 septembre 1856, remplie de détails sur l'avancement de l'opéra où il le lui dit tout net : « Comme vous comprenez... ce qui seul mérite d'être compris. Quel courage vous me donnez... Je travaille... » C'est ce qu'il va faire pendant ces mois-là : travailler. Sans doute n'est-ce plus la hâte fébrile du temps de *La Damnation de Faust*, quand il rédigeait des scènes entières dans une voiture ou affirmait avoir composé sa *Marche hongroise* en une nuit. Mais, s'il écrivait jadis aux Tuileries, rappelons-nous, il l'a dit, l'inspiration le saisit à présent dans les bois de Plombières. Au fond, c'est la même démarche qui l'anime avec *Les Troyens* qu'à l'époque de *La Damnation de Faust.* Et il comprend si bien comment il doit organiser à présent sa vie que, dans les mois qui vont suivre, il s'attachera à limiter autant qu'il le pourra toutes les activités susceptibles d'entraver son travail de compositeur.

Alors même que, rempli d'enthousiasme, il compose la quasi-totalité du premier acte entre le mois d'août 1856 et le mois de février 1857, la même inquiétude le taraude : il écrit un chef-d'œuvre, un de plus, et il le sait. Mais celui-ci sera-t-il joué ? où et quand ? Il a le sentiment de ne pas aller assez vite : « J'avance lentement, très lentement, écrit-il à son ami Adolphe Samuel. J'aurai à peine fini le premier acte dans un mois. C'est une affaire de dix-huit mois de travail... » Et bien qu'il précise : « Je commence à ne plus me laisser émouvoir par le sujet ; c'est un point important pour en être le maître », sa ferveur ne faiblit pas. Non, c'est ce qui se passera dix-huit mois plus tard qui reste pour lui un sujet d'angoisse : « Je suis malade, inquiet, frémissant, et néanmoins toujours travaillant... Dieu sait ce que cette œuvre deviendra ; il lui faudrait un théâtre dirigé par des gens dévoués à nos idées, et un public attentif et dégagé des habitudes parisiennes... » Il le répète, c'est une obsession. Alors il tombe à nouveau malade : névrose intestinale. Maladie, oui, mais psycho-somatique. Et même si l'empereur, qu'il n'a pu voir à Plombières, lui a fait remettre « par l'entremise du ministre d'Etat [...] une grande médaille d'or portant d'un côté l'effigie de Sa Majesté, et de l'autre ces mots : *Donné par l'Empereur Napoléon à M. Hector Berlioz* », il sait que ce n'est pas de ce côté-là qu'il peut attendre de véritables assurances.

1857 : Berlioz a cinquante-quatre ans. D'autres éclatent de santé et de vie à cet âge. Berlioz, lui, sent maintenant le vieillard qui envahit son petit corps maigre. Cette « névrose intestinale », qui l'a mis à bas pendant une quinzaine de jours à la fin de l'année précédente, ne va plus cesser maintenant de le harceler. Douze ans encore à vivre, douze ans de douleurs, sans cesse plus aiguës. La photographie prise à l'époque par Nadar montre ses traits émaciés, les pommettes hautes, le regard plus fixe que jamais. Jusqu'à la fougue ancienne de la chevelure, pleine de tant de jeunesse voilà quelques années, qui semble assagie. Les lèvres minces, Berlioz regarde l'objectif, souffrant peut-être. L'idée de la mort l'étreint. Tant de ceux qu'il a côtoyés dans ses années de jeunesse ont disparu. L'acteur Dérivis, en qui il voyait un modèle d'artiste dramatique, et son camarade Montfort. Henri Heine est mort lui aussi. Jusqu'à Mlle Pleyel, la fille que l'indigne et merveilleuse Camille a eue de son mariage avec le riche et jaloux Pleyel, qui a disparu à son tour, âgée d'à peine vingt ans, de consomption comme on mourait à l'époque. Et c'est Musset qui meurt, après Nerval : un pan de la génération romantique au sein de laquelle il a vécu s'efface lentement ou est brutalement fauché. Jusqu'à Glinka, rencontré à Rome et dont il avait aimé les mélodies chantées en russe dans le grand salon de la Villa Médicis, qui meurt à Berlin en février 1857.

Berlioz sait qu'il lui faut se hâter. Alors il sort moins souvent. Bien sûr, il y a les soirées officielles que son nouveau statut de membre de l'Institut l'oblige à fréquenter. Parfois il ne desserre pas les lèvres de tout un dîner. Il s'éclipse ensuite à la hâte et garde le lit toute la journée du lendemain. Diarrhée, vomissements... Berlioz n'aime pas sa maladie, celle-ci l'aime moins encore. Aussi s'en sert-il comme d'une excuse pour éviter certaines besognes. Des soirées officielles, oui, et aussi des dîners en ville et surtout quelques représentations à l'Opéra-Comique ou au Théâtre-Italien qu'il a de plus en plus pris en horreur. « Je vous prie d'excuser, Princesse, mon long silence, écrit-il ainsi à la princesse Carolyne le 1er février 1857. J'ai passé seize jours au lit et voilà seulement deux jours que je peux quitter ma chambre... Ainsi donc l'Opéra-Comique nous a gratifiés de trois actes d'une *Psyché* en prose... Je devrais écrire là-dessus un feuilleton. Ne soyez donc pas étonnée du vide de cette lettre. Je suis demeuré stupide... » Moins de quinze jours plus tard, il reprend la plume pour remercier la même princesse « pour le nouveau coup d'épaule que vous voulez bien me donner. Vous m'avez peut-être cru fort découragé. Mais je n'étais que dans mon état ordinaire. Je vais toujours mon train, et la partition se fait. Seulement les mosquitos, les maringouins, les taons des théâtres et des concerts, deviennent de plus en plus âpres à la curée, et, si j'écoutais leur bourdonnement, je n'aurais pas quatre heures par jour pour penser à quelque chose d'honnête. Ma dernière maladie, cependant, m'a fourni un prétexte excellent pour rester chez moi et j'en use... » Il l'avoue, mais c'est aussi pour informer son auguste correspondante que « le premier acte est entièrement terminé, c'est le plus vaste ; il dure une heure dix minutes... », et pour préciser qu'il en est à travailler à nouveau sur le quatrième acte.

Bien sûr, il lui faut quand même continuer à se montrer dans le monde. On a dit son silence buté pendant des grands dîners. Quand il ne se tait pas résolument, il devient au contraire « insupportable », assure Eugène Delacroix dans son journal, après une soirée chez la grande Pauline Viardot. « Insupportable, se récriant sans cesse sur ce qu'il appelle la barbarie et le goût le plus détestable, les trilles et les autres ornements particuliers dans la musique italienne. Il ne leur fait même pas grâce dans les anciens auteurs, comme Haendel ; il se déchaîne contre les fioritures du grand air de *Donna Anna...* » Delacroix s'en étonne. Mais cela fait trente ans que Berlioz hait la musique italienne et que même certains passages du chef-d'œuvre de Mozart le font bouillir d'indignation !

D'autres soirs, il tente de faire bonne figure. Ainsi ne peut-il pas ne pas répondre à une invitation de l'impératrice Eugénie, sanglé dans son beau costume vert d'académicien, dessiné cinquante ans plus tôt par David. « Je vais de temps en temps aux soirées des Tuileries le lundi, écrit-il à sa sœur Adèle. La dernière fois que nous y sommes allés, Marie et moi, l'Impératrice m'a fait demander et j'ai eu avec elle une longue conversation sur mon opéra ; il m'a fallu lui expliquer le sujet de chaque acte. Sa *gracieuse* majesté (c'est le cas de le dire) est très versée dans la littérature virgilienne, et j'ai été fort surpris des observations de détail qu'elle m'a faites sur l'*Enéide.* Mon Dieu qu'elle est belle ! Voilà la Didon qu'il me faudrait... Encore non, sa beauté merveilleuse ferait tomber la pièce, on jetterait des gros sous à Enée capable d'avoir un instant l'idée de la quitter... Je n'ai pas manqué, en prenant congé de l'Impératrice, de lui demander la permission de lui lire mon poème, plus tard, quand j'aurai avancé davantage le travail de la partition. Cette idée a paru lui plaire, elle l'a en tout cas très bien accueillie. Il s'agirait maintenant de combiner cela avec le duc de Bassano, qui saura trouver un soir où l'Empereur sera libre et disposé à m'écouter. »

Il assiste également à des soirées privées, des soirées qui peuvent lui être utiles. C'est toujours à sa sœur Adèle qu'il se confie : « J'ai fait dernièrement une solennelle lecture des *Troyens* chez M. Ed. Bertin, le directeur du *Journal des débats.* Presque tous nos confrères y assistaient avec plusieurs auditeurs étrangers à la rédaction. Le succès a été grand ; tout le monde a paru frappé et presque effrayé de l'énormité de la tâche du musicien, de la force de ses passions épiques et de la grandeur de ce spectacle virgilio-shakespearien. On m'a incité à tout laisser, à tout oublier, pour le travail de ma partition... » Mais l'infortuné Berlioz de faire remarquer à sa sœur, après ce récit : « Tu vois comme aisément je puis suivre ce conseil... » L'amertume, bien sûr, de ne pouvoir se consacrer à autre chose que *Les Troyens.*

Pourtant les soirées obligées à l'Opéra ou à l'Opéra-Comique s'espacent. Bien sûr, il y a toujours un *François Villon* de Membrée ou une *Reine de Chypre* d'Halévy, dont il lui faut rendre compte. Mais l'acte quatre des *Troyens* avance. Il avait commencé son travail de composition plusieurs mois auparavant par le grand duo d'amour, il le poursuit par un sextuor qui le bouleverse de la même manière : « Il me semble qu'il y a quelque chose de nouveau dans l'expression de ce bonheur de voir la nuit, d'entendre le silence et de prêter des accents sublimes à la mer somnolente... »

Dès lors, on peut continuer à aller dans le monde, fût-ce à l'hôtel de ville de Paris pour une fête en l'honneur du grand-duc Constantin de Russie ; on peut satisfaire çà et là les caprices d'une épouse, dont on se garde bien de parler, en l'emmenant dans un salon où elle sera Mme Berlioz ; on peut rendre compte presque passivement des dernières créations de l'Opéra-Comique ou du Théâtre-Lyrique, les œuvres de M. Deffès, désarmantes de vide, ou celles de M. Semet, qui sont de la même eau : le quatrième acte des *Troyens* progresse, Berlioz peut même commencer à s'attaquer au deuxième.

Ce n'est que l'été venu qu'il s'autorise quelque répit.

Le 4 juillet, il contribue à donner à son tour le prix de Rome à un jeune compositeur rempli d'une ardeur qui ne peut qu'évoquer la sienne : c'est Bizet qui partira cette année pour Rome. Berlioz, lui, quitte Paris à la mi-juillet pour Plombières. Toujours dans le sillage des grands de ce monde : ceux de la France au pouvoir. Ballet des uniformes, ondoiement des crinolines, valse des courtisans. Morny et l'empereur, Eugénie et ses dames de cour telles que peintes un jour par Winterhalter, les flons-flons d'Offenbach donnés par des harmonies municipales ou des orphéons amateurs. Berlioz prend dûment ses bains dans « cette crapaudière [qui] porte un nom qui suffirait à me la faire détester si je ne l'exécrais dans son essence (qui n'est pas l'essence de roses, croyez-le bien), c'est le nom de piscine ! Piscine ! Quelle euphonie ! Quelle idée cela éveille ! Piscine ! Mot venu du latin et désignant un lieu où barbotent des poissons. Piscine ! Cela fait penser aux lépreux de Jérusalem qui allaient, aux dires de la Bible, y laver leurs ulcères... »

Sur cette société avide de croiser ne fût-ce qu'un instant le regard de l'empereur, il porte le même regard cruel que sur les baignades obligatoires et les verres d'eau fade qui vont avec : « Après le dîner, tout le monde va dans la rue ; les dames étalent leurs bouffantes et ébouriffantes toilettes devant leurs portes, sur des bancs, sur des chaises ; d'autres restent debout sur leurs balcons, et toutes de s'entre-dévorer avec un zèle et une verve dont on a peu d'exemple, même dans les antres léonins de Paris.

– Cette demoiselle bleue, oui, elle est jolie... encore... Mais on a aperçu le haut de son bras hier au bal, et on y a vu... enfin, c'est un malheur ! On ne viendrait pas à Plombières si on n'avait quelque infirmité.

– Ah ! cette dame si maigre, elle a une singulière idée des convenances, elle se permet d'exposer sa fille décolletée le soir depuis la nuque... jusqu'au lendemain.

– Eh bien ! Vous savez le malheur de la grosse comtesse russe ?
– Non !
– Quoi ! La montgolfière ! Vous n'avez pas su ?
– Pas encore.
– Personne n'a poussé la crinolofurie aussi loin que la comtesse.
– Certes, elle porte la circonférence de la grande cloche du Kremlin.
– Or, des charlatans, hier, sur la promenade des dames, ont lancé une montgolfière en papier rose et blanc, beaucoup plus grosse que la fameuse cloche de Moscou. A peine le ballon a-t-il paru au-delà des grands frênes de la promenade, que tout le monde s'est récrié : “Ah ! Mon Dieu ! Voilà Mme la comtesse qui s'envole !”... »

Ce n'est pas seulement dans ses *Mémoires* que Berlioz dispense sa veine caustique. Parue dans *Le Journal des débats*, sa chronique des bains de Plombières sera reprise dans *Les Grotesques de la musique*, et elle en vaut la peine. Et pourtant, lorsqu'il peut échapper aux montgolfières déguisées en princesses russes ou à l'oppressante présence de Mme Berlioz, venue prendre les eaux en compagnie de Madame mère, Berlioz parvient à s'isoler. Alors il se remet à l'ouvrage. Inlassablement. Comme il l'écrit à sa sœur, le 4 août : « Tu n'as pas idée de la beauté de nos bois au lever du soleil et au lever de la lune. Il y a trois jours, pendant que Marie prenait son bain, je suis allé de grand matin tout seul à la fontaine Stanislas ; j'avais porté mon manuscrit des *Troyens*, du papier réglé et un crayon ; le maître de la maisonnette m'a arrangé une table à l'ombre, ornée d'une jatte de lait, de kirsch et de sucre, et j'ai travaillé là tranquillement devant ce beau paysage jusqu'à neuf heures. J'écrivais justement un chœur dont les paroles semblaient de circonstance : “Vit-on jamais un jour pareil ?...” »

Mais des heures pareilles sont rares. Dans la même lettre à Adèle, ce n'est plus la poésie qu'il évoque : « Toutefois je ne puis guère travailler sérieusement ici. Nous sommes logés de telle sorte que c'est à peine si l'on peut s'asseoir chez nous ; notre escalier est à peu près une échelle, etc. etc. Notre petit salon de Mme Libbemann nous a été retiré, il faut manger maintenant au râtelier de la table d'hôtes ; on y sue, on y pue, on s'y rue pour trouver de la place, c'est une cuisine atroce... » Seule la musique lui fait oublier le monde absurde où il est enfermé. « Il y a quelques jours, en dormant dans un pré sous un hêtre (comme le berger de Virgile), j'ai trouvé une idée ravissante pour la mise en scène de la poétisation de mon finale de Cassandre avec les *Troyennes*. Il a fallu écrire quelques vers, et cela ne changera presque rien à la musique. J'ai la *force* de te dire que c'est d'une beauté antique, radieuse... » Et pourtant, à nouveau la même angoisse : « Quels chagrins je me prépare en me passionnant ainsi pour cet ouvrage et en le parant avec tant d'amour ! O porcs, ô sangliers de l'art, je saurai bien le tenir hors de vos atteintes !... »

Après Plombières, que l'empereur a fini par quitter, Berlioz repart pour une autre ville d'eaux : Bade, naturellement. Toujours le grand monde, cette fois non plus autour d'un souverain, mais pendant quelques jours, il en a le sentiment, autour de lui. Bade est à coup sûr infiniment moins provincial et bourgeois que Plombières. « Nous avons ici beaucoup de beau monde parisien et pétersbourgeois. La Russie domine. La princesse de Prusse et la grande-duchesse Stéphanie sont à Bade également. Je vais tout à l'heure chez la princesse de Prusse. Je ne sais si le jeune ménage, le duc de Bade et sa femme, viendront au concert. On l'espère... » Bénazet a mis à la disposition de Berlioz tous les moyens dont il pouvait avoir besoin pour son concert du 18 août. Trois jours avant, c'est un train entier de cinquante musiciens de Bade qui est parti pour une répétition à Karlsruhe. Le concert, devant un public plus attentif que les années précédentes – car, désormais, nombreux sont ceux qui viennent prendre les eaux à Bade, certes, mais aussi écouter le « Festival Berlioz » – est un succès. L'atmosphère de Bade est à mille lieues de celle qu'on trouvera à Bayreuth, cependant on devine que c'est déjà un peu la même population de mélomanes et de gens du monde, amateurs chamarrés et grandes-duchesses toutes aigrettes au vent qui, au salon de Conversation de la petite ville transformée en capitale d'été, applaudit un pot-pourri admirablement composé : entre des œuvres de lui, les *Francs-Juges* ou des fragments de *L'Enfance du Christ*, un passage du *Te Deum*, son *Spectre de la Rose* ou sa *Marche hongroise*, des airs de Verdi et de Mozart, un passage de l'*Iphigénie en Tauride* de Gluck et le final de la *Septième symphonie* de Beethoven. Il faut plaire à son public, il faut aussi se faire plaisir à soi. Berlioz réussit l'un et l'autre.

Il ne lui reste plus, ensuite, qu'à rentrer au plus vite en France. Pour se remettre au travail. Ses maladies, réelles ou psychosomatiques, continuent à l'immobiliser pendant parfois des semaines entières mais, dès le mois de novembre 1857, il peut écrire à Reyer, dont le *Sigurd* sera, un an après la mort de Wagner, une sorte de répétition générale en français de *Siegfried*, que *Les Troyens* ne sont pas « tout à fait terminés ». Quelques jours plus tard, à la fin du mois de novembre, il se dit, à la princesse de Sayn-Wittengstein, « vivant dans [sa] partition comme le rat de La Fontaine dans son fromage, pardon de la comparaison ». Il précise qu'il vient de « commencer le cinquième acte et dans quelques mois tout sera fini... ». Quant au poème, le texte en vers des *Troyens*, il continue à le lire à ses amis, pour donner une idée de ce que sera l'œuvre terminée. Et le plus extraordinaire est que beaucoup de ceux qui l'entendront alors croient en entendre aussi la musique... Le seul regret de Berlioz dans cette période, c'est de n'avoir pu lire son livret à l'impératrice. Autre regret, qu'il exprime à sa chère princesse, celui de ne pouvoir lui envoyer son poème : car « [...] en écrivant la partition, j'y fais à chaque instant quelques menus changements ; j'ajoute quelquefois et fort souvent j'efface. Et ma vanité me conseille de ne le présenter à vous que quand je n'aurai plus rien à y changer ». Cette lettre est en date du 27 décembre 1857, c'est la dernière qui nous soit parvenue de cette année-là.

1858 s'ouvre en France sur l'attentat d'Orsini. Trois nationalistes italiens ont tenté, le 14 janvier, d'assassiner Napoléon III et Eugénie, qu'ils ne jugeaient pas assez favorables à leur cause. Il y aura huit morts, cent quarante-huit blessés et, signe du destin, l'attentat manqué a eu lieu rue Le Pelletier, alors que l'empereur allait entrer à l'Opéra. On donnait une soirée à bénéfice en faveur du chanteur Massol. Berlioz n'y était pas invité, il aurait pu se trouver parmi les vivants. Ou les morts. « C'est à dégoûter de vivre dans ce pays d'assassins ! Mais les autres pays ne valent pas mieux... », écrit-il à Adèle. Le lendemain, il fera une longue queue au palais des Tuileries avant de pouvoir inscrire son nom sur le grand livre destiné à montrer à l'empereur l'émotion de la France entière. Enfin, d'une partie de cette France-là. C'est l'occasion pour lui de s'extasier sur « cette charmante impératrice [qui] a montré bien du courage et beaucoup de dignité au milieu de la mitraille à la porte de l'Opéra ». On tire cent coups de canon aux Invalides en signe de deuil ; Orsini sera guillotiné avec l'un de ses complices, Pietri. Non sans avoir écrit de sa prison une ultime lettre à l'empereur pour l'adjurer de libérer l'Italie. Le lendemain de l'attentat, Berlioz est allé écouter *Le Médecin malgré lui*, de Gounod, au Théâtre-Lyrique. Et il en a fait une très bonne critique. Mais on dirait que, dans ces premières semaines de l'année, l'essentiel de son activité consiste à faire lire à la terre entière le livret de ses *Troyens*. Ainsi Wagner est-il de passage à Paris ? En dépit des récriminations de l'ineffable Marie Recio qui tente de le dissuader de se rendre à un dîner où il pourrait le rencontrer, il reçoit sa visite le 20 janvier et ne peut s'empêcher de les lui faire lire, ses vers néovirgiliens des *Troyens.* Trois jours plus tard, en dépit des conseils de Marie Recio qui continue à voir en Wagner un monstre germanique assoiffé du sang de la musique française, Berlioz se rend à l'Hôtel du Louvre pour revoir l'auteur de *Tristan*. Une fois de plus, les hommes n'auront pas grand-chose à se dire. Mais Wagner a lu le livret des *Troyens*, Berlioz ne pouvait pas ne pas le remercier.

La veille ou l'avant-veille, ce même livret, il l'a lu, en grandes pompes, chez l'architecte Hittorf, comme lui membre de l'Institut. Hittorf a donné une soirée en son honneur, de nombreux académiciens sont présents. Parmi eux, quelques peintres fameux, Ingres qu'il admire et Delacroix qui n'a pas pour lui beaucoup d'estime. Et des personnalités plus officielles, fonctionnaires de l'Opéra ou agents de la maison de l'empereur. Et là – on l'imagine debout et le coude appuyé sur un coin de cheminée, selon l'image traditionnelle du poète qui déclame son œuvre – Berlioz lit à nouveau, du premier vers jusqu'au dernier, le manuscrit dont il ne se sépare jamais. La partition des *Troyens* est presque achevée. On ne peut qu'admirer l'énergie d'un Berlioz qui travaille comme un damné et qui, dans le même temps, veut en informer le monde entier. Comme il continue à en informer, semaine après semaine, la princesse Carolyne : « Je vais avoir fini ma partition [la lettre date du 20 février 1858] ; aussitôt je copierai le livret *conforme* et je vous l'enverrai... Mais je n'en suis pas plus avancé pour autant. J'ai dîné samedi dernier chez le prince Napoléon qui nous a dit très carrément ce que nous savions très bien, que l'Opéra est une boutique pour faire de l'argent et non de l'art, et qu'on ne veut rien y produire de nouveau tant que le vieux répertoire fera des recettes. » Voilà, alors même que le délire de la création continue à l'habiter, il ne peut s'empêcher de penser à l'avenir. Et l'avenir, l'œuvre achevée, ne peut être que sa représentation à l'Opéra. Le 12 avril, c'est chose faite. Non pas la représentation, mais l'achèvement, fût-il provisoire, de la partition. Quelques jours auparavant, il a pris les devants pour écrire à l'empereur. Il s'agit pour lui de tenter l'impossible, et l'impossible, sous l'Empire, passe par Sa Majesté l'empereur des Français. C'est une lettre de courtisan qu'il rédige, ce 28 mars 1858, c'est aussi celle d'un artiste qui se bat pour son œuvre, c'est-à-dire pour sa vie. Car, après Wagner et ces messieurs de l'Institut, c'est rien moins qu'à Napoléon III qu'il veut asséner la lecture de son livret. Mais « l'Empereur n'a jamais lu cette lettre, M. de Morny m'a dissuadé de la lui envoyer, l'Empereur, m'a-t-il dit, l'eût trouvée *peu convenable*... ». Le comte lui a cependant proposé son aide pour monter *Les Troyens*. Naturellement, lui qui fait signer ses œuvrettes par Offenbach ne lèvera pas le petit doigt pour Berlioz. Quant à ce dernier, reçu en audience à la mi-mai par Napoléon III avec une quarantaine d'autres personnes, il pourra bien lui remettre son livret, il semble que celui-ci ne l'ait jamais lu.

Pourtant, en ce printemps 1858, le chef-d'œuvre de Berlioz existe. Ce sont cinq actes, d'une longueur inusitée, fût-ce même du temps du grand opéra français. Seul un Wagner, avec sa *Tétralogie*, osera aller plus loin. Immense, la musique se déploie en deux parties à peu près d'égale importance. Dans les deux premiers actes, Troie va s'écrouler en cendres. Ce sera « La prise de Troie ». Croyant que le siège de dix ans que les Grecs ont infligé à leur cité vient d'être levé, les Troyens se réjouissent d'abord dans la campagne. Mais Cassandre prévoit déjà le pire. L'ombre d'un immense cheval se dessine à l'horizon. Ni Priam, le père de Cassandre, ni le fiancé de celle-ci, ni Enée son frère, ne veulent croire au désastre qu'elle annonce. Seul Laocoon, le grand prêtre de Neptune, a deviné la menace du cheval. Il a lancé un javelot contre ses flancs mais un monstre surgi des flots l'a étouffé. C'est Enée qui, en guise de repentance, va ordonner d'introduire le cheval dans la ville. On sait la suite : l'ombre d'Hector tire Enée de son sommeil, lui ordonnant de fuir Troie bientôt aux mains des Grecs et d'aller créer en Italie un autre royaume. Puis c'est le sac de la ville, Cassandre qui lance aux hommes de Troie, lâches et préférant la fuite à une mort glorieuse, ses formidables imprécations avant de se poignarder avec les autres Troyennes.

La deuxième partie, qui deviendra « Les Troyens à Carthage », est d'une tout autre veine. Elle raconte les amours malheureuses de Didon et d'Enée qui a combattu ses ennemis pour elle. Mais Enée, marqué par le destin, ne peut être qu'un amant de passage. L'Italie l'attend, il s'en ira. Et Didon se percera le cœur d'une épée, telle que la représente le tableau célèbre du Guerchin au palais Spada de Rome. C'est cette sublime « Mort de Didon » qui faisait verser des larmes d'émotion au petit Hector Berlioz...

L'œuvre est immense, on l'a dit. C'est sa longueur qui contribuera à décourager les directeurs d'opéra de la monter : Berlioz ne la verra jamais dans son intégralité. Le public d'aujourd'hui est davantage habitué à ces représentations-fleuves dont la Renaissance était friande. Le renouveau d'intérêt pour l'authenticité de l'opéra baroque y est pour quelque chose. Mais le grand opéra du XIXe siècle avait fixé des canons plus stricts. *Les Huguenots* de Meyerbeer ou *La Juive* d'Halévy sont certes des ouvrages de dimensions imposantes. Avec ballet de rigueur, elles ne dépassent néanmoins pas la longueur jugée généralement tolérable de trois heures. On a évoqué Wagner et sa *Tétralogie*, dont le seul *Crépuscule des dieux*, son dernier volet, dure plus de quatre heures. Et depuis sa création à Bayreuth, nul n'a jamais songé à présenter *Le Crépuscule* en plusieurs soirées. C'est pourtant ce qui se passera avec *Les Troyens*. Berlioz lui-même ne verra en 1863 que « Les Troyens à Carthage ». C'est à Karlsruhe que l'on jouera pour la première fois « La prise de Troie » et « Les Troyens à Carthage ». En deux soirées. Quant à « La prise de Troie », elle ne sera donnée en France pour la première fois qu'en 1891, et au Grand Théâtre de Nice ! Il faudra attendre 1921 pour que l'Opéra de Paris se décide enfin à produire en une seule soirée la totalité de l'opéra de Berlioz. Lors d'une reprise, en 1929, la grande Germaine Lubin chantera le rôle de Cassandre, tandis que Georges Thil sera Enée. Et ce n'est qu'au début des années soixante du XXe siècle que tous les théâtres du monde prendront l'habitude de représenter l'œuvre en un seul soir et sans trop de coupures...

Il fallait cette brève vision de ce que sera l'avenir des *Troyens* pour comprendre quelle angoisse a pu être celle de Berlioz, aussitôt son œuvre achevée. Il s'en inquiétait déjà, avant même la composition, puis au fur et à mesure que le poème d'abord, la musique ensuite, prenaient forme. Mais il avait précisément cette musique à composer à laquelle il pouvait encore se raccrocher : la musique à venir. La musique est maintenant achevée : c'est pour lui le plus dur qu'il reste à faire. Les cinq années qui vont suivre ne seront plus qu'un long combat, une lutte de chaque instant contre le monde borné de la musique en France. On comprend mieux cette satisfaction qu'il a pu éprouver, et dont on a pu sourire, lorsque, appuyé à un coin de cheminée, il multipliait les lectures de son livret : là, au moins, on entendait quelque chose de lui. Fût-ce seulement des vers privés de leur musique. Désormais, et pendant longtemps, à l'exception de quelques morceaux ici ou là, on n'en entendra plus rien. Egrener le fil de ces journées, de ces semaines, de ces années où de brefs moments d'espérance et quelques triomphes bien mérités parsèment l'océan d'indifférence dans lequel il ne cesse de se mouvoir ? On ne peut pas ne pas le faire. C'est donc, sinon jour après jour, ou mois après mois, mais surtout année après année, qu'on va suivre la vie d'un Berlioz de plus en plus épuisé, qui a fourni un effort monumental et veut croire qu'il en verra le résultat. C'est aussi un Berlioz chaque année plus malade, que de nouveaux deuils, de nouvelles morts frapperont de plein fouet. Il devine sourdement que son œuvre de compositeur est finie, et qu'il n'ira pas beaucoup plus loin.

3

Des repères dans le vide

Cette espèce de marche funèbre vers une déchéance inévitable contre laquelle Berlioz lutte de toute son énergie sera heureusement marquée aussi de quelques moments d'intense lumière. Et pour ces raisons-là, la vie d'Hector Berlioz, musicien romantique français vieilli avant l'âge, reste le formidable roman qui l'intéressait tant, nous disait-il, lorsqu'il s'exaltait au souvenir de ses premières amours.

Quelques repères, donc. D'abord, quelques fragments des *Troyens* qu'il parvient à faire jouer dans une petite salle du passage de l'Opéra. Une vingtaine d'amis tout au plus, qui entendent au début du mois d'août 1858, accompagnés au piano, deux chanteurs leur donner quelques scènes de l'illustre opéra. Il s'agit, expliquera d'Ortigue, d'avoir « une idée de la "Marche avec chœur", qui accompagne l'entrée du cheval de Troie ». Cette assistance choisie paraît en avoir une idée, puisque certains, dans le public, chantent le rôle des chœurs et que Berlioz se joint à eux. Ainsi, par petits bouts, après le torrent du poème, ce sont quelques gouttes échappées au fleuve de la partition que les amis les plus proches de Berlioz découvrent. Berlioz écrit à la princesse de Sayn-Wittgenstein combien ces moments passés non pas à l'Opéra, mais tout près de celui-ci, l'ont bouleversé. « Je n'en avais jamais rien entendu, et ces grandes phrases animées par la splendide voix de Mme Charton-Demeur, m'ont grisé. Je vois d'ici l'effet au théâtre ; et, j'ai beau faire, cette résistance inerte des imbéciles qui dirigent l'Opéra me crève le cœur... J'aurais voulu que vous vissiez l'autre jour tous les yeux larmoyants à l'audition de ce duo... » Et l'on n'en comprend que davantage le désespoir du compositeur qui sent, qui devine, qui peut même entendre qu'il a écrit une œuvre sublime mais qu'il ne parvient pas à la donner au public. En entendre quelques notes : un repère dans cette vie inquiète.

Autre repère, le travail sur les *Mémoires*. A sa sœur Adèle, il confie : « [...] depuis six ans j'en corrige et recorrige le style sans pouvoir parvenir à le rendre à peu près satisfaisant... Je vais le relimer une vingtième fois. » Puis cette déclaration, paradoxale de sa part : « Rien n'est plus difficile que de bien écrire en prose. » D'autres détails encore sur les *Mémoires* en cette année 1858 : « *Ne me parle jamais de cela* dans tes lettres... », demande-t-il à sa sœur, de peur que l'indiscrète Marie Recio n'ouvre une correspondance à lui adressée par Adèle et ne découvre l'existence de ses *Mémoires* que, toute sa vie, il lui dissimulera. C'est qu'il ne la connaît que trop, sa deuxième épouse, non seulement indiscrète et curieuse, mais jalouse de tout, en particulier de celles qui ont pu la précéder dans la vie de son époux. Quelle ne serait sa fureur, sinon son hystérie, si elle découvrait la vraie place tenue par Harriett dans cette vie, pour ne pas parler de la brève aventure avec Camille ! Elle serait capable de jeter le manuscrit entier au feu. D'où les précautions de Berlioz qui précise : « J'indiquerai à ton mari ce qu'il y aura à faire à ce sujet quand je lui enverrai le manuscrit. Je lègue ces trois volumes à Louis avec prière de les publier tels qu'ils sont, sans le moindre changement. Mais je t'en reparlerai... » On découvrira d'ailleurs que *Le Monde illustré* en a récemment publié quelques fragments, mais « non intimes », précise encore le frère à sa sœur. Il reviendra sur le sujet un peu plus tard, au mois d'octobre, pour expliquer que l'éditeur-imprimeur du journal aurait voulu lui acheter l'ouvrage tout entier pour le publier en volume, mais qu'il s'y est pour le moment totalement refusé.

Autre repère, désormais annuel, le voyage à Bade. Il n'est pas question d'y échapper, car ce rendez-vous est devenu pour lui une véritable nécessité financière. Il quitte Paris au début d'août, Marie Recio l'accompagne. On ne sait si Madame mère est du voyage. Bénazet l'accueille avec sa faconde habituelle. Comme l'année précédente, il emmène un train de plaisir jusqu'à Karlsruhe chargé de cinquante musiciens pour répéter avec ceux de la chapelle du grand-duc. Le concert a lieu le 27, il comprend pour l'essentiel de très larges extraits de *Roméo et Juliette*.

L'ultime repère, enfin, en cette année qui voit naître l'« œuvre désespérée » sans que celle-ci voie le jour : une émouvante lettre de

Louis, alors en escale à Bombay. Datée du 17 octobre 1858, c'est une véritable lettre d'amour d'un fils à son père, dans le désespoir profond qui est l'univers de celui-ci : « Je viens de lire ton feuilleton du 15 septembre, cette lecture m'a fait passer quelques instants de bonheur : le bonheur que j'éprouve en lisant tes lettres ou tes feuilletons n'est pourtant pas sans mélanges, il est accompagné de souvenirs qui m'oppressent, ma pensée me reporte couché sur ta dormeuse dans ta petite chambre donnant sur la rue de Calais. Je te vois travaillant à ton article et quittant des yeux ton papier pour les porter vers moi... Combien de fois nos regards se sont-ils rencontrés dans de pareils moments ?... Je maudis le sort qui me fit naître sous une aussi mauvaise étoile ; pourquoi passer mon existence loin de toi, comme un vagabond parmi des êtres sans famille, est-ce parce que je t'aime plus que nature ?... Jamais je ne pourrai donc assister à une de tes soirées de triomphe ; jamais je n'entendrai un de tes chefs-d'œuvre dirigés par toi ; jamais je ne pourrai passer trois mois tranquille près de toi ! Non, il me faudra toujours courir, courir comme le juif errant avec cinq sous de pain et cinq clous sous la semelle, sans jamais atteindre le but que je me propose. » « Sans jamais atteindre le but que je me propose... » : n'est-ce pas là, en somme, ce que le père de Louis ressentira toute sa vie ?

L'année 1859 commence dans la douleur. Jamais peut-être Berlioz ne s'est senti aussi malade qu'en ce mois de janvier. La lettre qu'il écrit à ce propos à la princesse Carolyne n'est pas celle d'un hypocondriaque mais d'un vrai malade, qui analyse sa maladie avec une lucidité effrayante : « Les médecins disent que j'ai une inflammation générale du système nerveux, de *l'arbre nerveux*... qu'il me faut vivre comme une huître, ne pas penser, ne rien sentir. (C'est-à-dire mourir, c'est plus complètement vrai.) L'arbre nerveux, puisque arbre il y a, produit des fruits bien amers... Figurez-vous que j'ai des jours d'hystérie comme une jeune fille. La moindre chose alors provoque des accidents étranges. Avant-hier, j'étais tranquillement à causer avec quelques amis au coin de mon feu, quand on m'apporte un journal, où je vois annoncé une nouvelle biographie de Christophe Colomb. A l'instant, la vie entière de ce grand homme se présente en bloc en mon esprit, je la vois, comme on voit d'un coup d'œil l'ensemble d'un tableau, mon cœur se serre au souvenir de cette illustre épopée, et je tombe dans un accès de désespoir indescriptible, à la stupéfaction des assistants. On a tout mis sur le compte de la maladie ; je n'allais pas me faire bafouer en avouant ma passion pour Colomb, dont le nom seul avait amené la crise. C'est un entortillage d'effets et de causes, où les plus savants physiologistes, guidés par les plus grands psychologistes, perdraient leur chemin et leur latin. » Ainsi, étendu sur son lit de douleur, Berlioz peut-il rêver de rejoindre la princesse et Liszt à Weimar. Il peut évoquer pour la princesse les récits que Pauline Viardot, de retour d'Allemagne, lui en a faits : « Je vous vois à l'Altenburg, j'entends vos intéressantes causeries du soir, illuminées par le doux sourire de la princesse Marie... Et je pense (en dépit de l'ordonnance de mon médecin) et j'admire combien, dans ce petit coin du monde que vous habitez, il y a de cœur et d'intelligence, et de quelles nobles idées, Vestale de l'art, vous entretenez la flamme... » Et la lettre se poursuit, véritable délire du malade qui se décrit maintenant un bonheur impossible : « Oh ! comme je vous écouterais, comme je boirais vos paroles et celles de Liszt, qui en a de si magnifiques, quand il parle sur des sujets qui l'émeuvent et l'exaltent ! On voudrait m'envoyer à Cannes, au soleil du Midi... Ah ! si j'étais libre, c'est à Weimar que j'irais... Vous me laisseriez bien rouler dans un grand fauteuil, prêter l'oreille en ayant l'air de m'endormir et m'obstiner dans mon silence... »

La maladie de Berlioz devient telle qu'il a, à cette époque, recours à un étonnant personnage, qu'on appelle le Docteur noir, ou le Docteur indien. On remarquera au passage qu'Alfred de Vigny a publié en 1832 un livre, connu sous le nom de *Stello*, mais dont l'édition originale portait en titre *Les Consultations du Docteur noir*. Ce médecin charlatan, ce docteur-miracle fait fureur dans la société de son temps. C'est simple, selon Berlioz qui en parle à sa sœur : « [Il] bouleverse en ce moment le monde médical de Paris ; c'est le fils d'une Indienne de Java ; il reçut, dit-on, de sa mère, le secret de certains *spécifiques* ignorés des Européens. Dans le nombre de ses précieux médicaments se trouve l'anticancéreux, un antidote *contre les cancers*. » Et de raconter comment leur ami Sax souffrait depuis quatre ans d'un mal à la lèvre, une sorte de bubon qui avait tellement proliféré que tous les médecins de Paris le déclaraient mort. « On lui amène le Docteur indien, qui le regarde et dit : "Il est encore temps, je le sauverai !" Et, de fait, par l'emploi de son antidote, il arrête aussitôt les douleurs ; il vient panser le cancer trois ou quatre fois par jour, le bubon se sèche et, au bout de deux mois, tombe en morceaux, et Sax est guéri à cette heure. »

Le miraculeux Docteur noir ne pourra rien pour Berlioz ; l'Académie de médecine, qui avait failli le prendre au sérieux, le dénoncera bien vite. Mais la maladie de Berlioz s'éternise. Ce sera l'élément essentiel qui dominera toute cette année-là. Malade en janvier, il le sera encore au printemps et pendant une partie de l'été. Ce qui ne l'empêche pas de formuler des plans pour l'avenir. Ainsi, lors du précédent Festival de Bade, Bénazet lui a-t-il demandé de réfléchir à l'opéra qu'il pourrait écrire pour lui. Aussi caresse-t-il l'idée d'un drame à succès de Théodore Barrière et Edouard Plouvier, *L'Outrage*, qui a connu un grand succès à la Porte-Saint-Martin. Mais le sujet, qui semble lui avoir été imposé, ne l'enthousiasme guère. Ce dont il rêve ? Eh bien, à nouveau d'un grand opéra. Ou, pourquoi pas, de tirer cette fois-ci une véritable œuvre lyrique du *Roméo et Juliette* dont il n'a fait, en somme, jusqu'ici qu'une symphonie. Mais quelle symphonie...

L'Outrage n'ira pas plus loin. En revanche, Berlioz connaîtra dans les premiers jours du mois d'août un beau sujet de satisfaction. Enfin, il va entendre deux scènes, deux scènes seulement de ses *Troyens*. C'est à nouveau Mme Charton-Demeur qui chante Cassandre et Didon et c'est pour lui un immense bonheur et dont il parlera longtemps. Une poignée de mesures de l'« œuvre désespérée », puis le voyage à Bade, repère régulier dans la chronologie de ces années-là.

A Bade, fût-ce en compagnie de Marie Recio, Berlioz a le sentiment de vivre une vie bien différente de celle de ce Paris qui reste pour lui un enfer. Les répétitions l'épuisent, mais il en oublie sa maladie perpétuelle et ses névralgies. Comme d'habitude, le concert est une réussite, on acclame Berlioz. Pauline Viardot, dont il se rapproche un peu plus chaque année, chante l'air de Cassandre et un duo du premier acte des *Troyens*. Il en est rempli d'émotion. Après quelques jours de plaisir des bains de Bade, quelques réceptions et quelques coups de chapeau de l'aristocratie russe, le voilà de nouveau à Paris.

Dans les années qui vont suivre, l'amitié qui l'unit à Pauline Viardot va croître. Une amitié et peut-être quelque chose de plus. Pauline Garcia est née en 1821. C'est la seconde fille du plus formidable professeur de chant de son temps, le ténor Manuel Garcia. Garcia est déjà lui-même un personnage de roman, tour à tour maître de chant des premiers chanteurs de son époque, ténor renommé et organisateur de tournées en Amérique, où il créa *Don*

Juan – « The man who seduced more than two thousand women [...] music by Mr. Mozart », disaient ses affiches –, avant de revenir en France, ruiné par une attaque de bandits de grands chemins digne des plus beaux mélos du boulevard du Crime. Mais Manuel Garcia est surtout passé à la postérité pour être le père de ses enfants. Un garçon, Manuel Garcia II, qui inventa une méthode de chant et une thérapie de la voix qui le rendit célèbre. Et deux filles, infiniment plus célèbres encore. L'aînée s'appelle Maria. Pour se libérer de la poigne de fer de son père – il la battait, assura-t-on, pour la faire chanter – elle épouse en Amérique un homme d'affaires douteux du nom de Malibran. Née en 1808, Maria Malibran devient vite l'idole de l'Europe entière. Sa mort brutale d'un accident de cheval en 1836 en a fait un personnage mythique. On connaît *Les Stances à la Malibran* de Musset. Maria Malibran alliait une voix admirable à une beauté physique incomparable. Le monde entier la pleura. Elle est entrée dans la légende ! Sa petite sœur Pauline, de treize ans sa cadette, était, elle le dira elle-même, laide comme un petit singe. C'est également leur père qui lui apprendra le chant – moins rudement peut-être qu'à la pauvre Maria. Pleine d'admiration pour sa sœur qu'elle n'entendit chanter que dans son adolescence, elle lui succédera avec une voix, surtout une présence scénique peut-être moins charnelle, moins émouvante – admettront les critiques du temps – mais un registre, une technique vocale plus riche encore. Qualifiée de mezzo-soprano, elle avait en réalité une voix qui touchait au registre le plus sombre du contralto pour s'élever jusqu'aux cascades sonores du soprano léger.

Comme Maria, Pauline sera non seulement la Rosine parfaite du *Barbier de Séville* et l'héroïne de tout le répertoire belcantiste, Bellini, Donizetti et autres, mais on la verra aborder à des terres alors beaucoup plus étrangères, telles que de celles de Gluck ou tout le répertoire de la mélodie. Elle-même compositeur, auteur en particulier de nombreuses et intéressantes mélodies, elle deviendra l'amie de tous les romantiques. Au premier chef, de George Sand qui la rencontre alors à peine âgée de vingt ans et fait d'elle l'héroïne de sa *Consuelo*, le plus grand roman « musical » jamais écrit en France, dont les personnages principaux sont à la fois une chanteuse et la musique. C'est George Sand qui lui fait épouser l'un de ses amis, Louis Viardot, grand chasseur devant l'éternel, archéologue amateur, auteur d'ouvrages sur l'Espagne et directeur du théâtre où sa femme chantera. Les liaisons de Pauline Viardot furent nombreuses, mais la plus célèbre est celle qu'elle entretient, pendant plusieurs décennies, avec Tourgueniev. Le véritable ménage à trois que vivent Pauline et son mari avec Tourgueniev dans leurs datchas voisines de Bougival est entré dans l'histoire de la littérature.

Et Berlioz ? Nul doute que Pauline Viardot fait partie pour lui de ces quelques femmes qui ont joué un rôle de premier plan dans sa vie sentimentale. D'abord fasciné par son érudition musicale, sa soif de tout savoir de ce qu'elle chantait, Hector tomba lui aussi sous le charme de cette fausse laide, noire comme un pruneau et aux yeux trop grands – toujours selon Pauline elle-même. Mais au-delà de cette amitié passionnée qui va durer jusqu'à la mort du compositeur, il est difficile de savoir s'il a existé d'autres liens entre le musicien plus que quinquagénaire et la célèbre chanteuse. A l'un de ses amis, Pauline Viardot écrivit combien la douleur tant physique que morale qui tourmentait Berlioz la bouleversait. Un jour de grande lassitude, celui-ci lui aurait confié que sa longue quête d'un idéal créé par lui ne s'était soldée, en fin de compte, que par des désillusions. En larmes, alors, il l'aurait suppliée de lui permettre de toujours pouvoir l'appeler au secours... Mais au-delà ?

Comme la princesse Sayn-Wittgenstein, Pauline Viardot aura été une confidente idéale. Mais Carolyne de Sayn-Wittgenstein était une aristocrate russe, maîtresse et de surcroît amoureuse de l'ami Liszt, c'est-à-dire bien loin de Berlioz. A sa manière, Pauline Viardot, elle, était son égale. Musicienne comme lui, élevée à la dure comme lui, fêtée comme lui par les mêmes amis que lui. Elle n'avait certes pas connu ses souffrances – elle mourra presque nonagénaire en 1910 – mais en quête comme lui d'idéal, elle pouvait et savait comprendre tout ce qu'il ressentait. Une même ferveur les animait tous deux. Avec Mme Charton-Demeur, c'est elle, Pauline, qui fait entendre pour la première fois à un Hector bouleversé des airs de sa Didon des *Troyens* qu'il n'avait jamais entendus auparavant. Leur correspondance témoigne de cette intimité étroite. Les lettres d'Hector à Pauline sont pleines d'une immense tendresse. Mais toutes sont respectueusement adressées à la « Chère Madame Viardot ».

Et c'est sûrement pour Pauline, qui veut travailler, découvrir et faire redécouvrir les œuvres immenses du passé, que Berlioz, peu suspect pourtant de vouloir toucher aux œuvres des autres, mais qui n'a pas hésité à s'attaquer quinze ans auparavant à la musique de Weber, va se retrouver en face de Gluck. Carvalho, directeur du Théâtre-Lyrique de l'époque, voulait en effet reprendre l'*Orphée* de

Gluck. Et Pauline Viardot ne pouvait être que le plus bouleversant des Orphée. Du coup, Carvalho demande à Berlioz de se mettre au travail sur les différentes versions qui se sont peu à peu accumulées au fil des ans du chef-d'œuvre de Gluck. Version française, version de Vienne, mélange des deux, etc. Le directeur du Théâtre-Lyrique aurait même voulu que Berlioz acceptât, ici et là, d'intercaler quelques passages d'autres œuvres de Gluck, un peu d'une *Iphigénie*, un peu d'*Armide*... Et puis, il s'agissait de transposer le rôle, généralement chanté par un ténor, pour la voix de contralto qui était la voix la plus naturelle de Pauline Viardot. Berlioz va donc se mettre au travail, mais en collaboration étroite avec celle qui sera son interprète. Du coup, le ménage Viardot l'accueille à Courtavenel où, avant Bougival, les Viardot et Tourgueniev sont installés près de Paris. C'est Pauline Viardot qui fait bouillir la marmite de son mari et de son amant. L'arrivée de Berlioz dans cet univers n'en change en rien les habitudes, et Berlioz, lui, se sent bien. Il se sent en tout cas beaucoup mieux à Courtavenel que dans le foyer de sa belle-mère qui est, par force, devenu le sien. La rue de Calais où les Berlioz vivent maintenant est pour lui le territoire d'un ennui sans fin. Trop fatigué pour pouvoir courir les rues et les cafés comme il le faisait voilà encore si peu de temps, il est obligé de rester chez lui. Aussi, la plus petite évasion, celle que lui offrent les Viardot, lui est précieuse. Là, il peut poursuivre ce qu'il appelle son travail de « mosaïste » sur la partition de Gluck. Et le travail qu'il va réaliser sera, à bien des années d'intervalle, l'équivalent de ce qu'il a fait sur la partition de Weber. Comme le *Freischütz* dans la version Berlioz, la version Berlioz de l'opéra de Gluck devient un miracle d'opéra français par excellence. Il s'était littéralement approprié le *Freischütz* pour en faire le grand opéra romantique dont, à l'époque, il rêvait ; de la même manière, les belles harmonies sombres et colorées de la musique de Gluck telle que Berlioz l'a littéralement remodelée font de cet *Orphée*-là une œuvre à part dans la musique française. C'est un peu comme les vers de Virgile caressés par Shakespeare dans le livret des *Troyens* : la caresse de Berlioz à la musique de Gluck ne se situe nulle part, sinon au cœur de la création berliozienne. L'œuvre sera donnée pour la première fois au Théâtre-Lyrique le 18 novembre. Invité par Berlioz, Wagner est dans la salle. Berlioz rédige une critique enthousiaste de son propre travail dans *Les Débats*, le reste de la presse lui emboîte le pas.

Faute d'avoir été l'année des *Troyens*, 1859 aura été celle de l'*Orphée* de Gluck. « Le succès d'*Orphée* continue. C'est sublimement beau, j'y ai pleuré déjà plus de vingt fois. Mme Viardot est d'une beauté idéale dans ce rôle. »

Berlioz et Pauline Viardot travaillent donc ensemble en parfaite harmonie. Et si parfois le compositeur résiste aux demandes insistantes de la grande chanteuse pour modifier un détail ici, rajouter une cadence là, celle-ci sait parfaitement l'enjôler. D'ailleurs, ne lui chante-t-elle pas maintenant, lorsqu'il le lui demande et comme pour mieux le rendre à ses raisons, des airs entiers des *Troyens* ? Elle s'accompagne au piano, elle est à nouveau Cassandre, Didon, Berlioz en est bouleversé. Il charcute un peu l'œuvre de Gluck mais qu'importe, tous deux sont si heureux.

Pas plus que l'année précédente Berlioz ne pourra monter *Les Troyens* en 1860. La grande œuvre est là, à portée de la main, mais le théâtre manque toujours, qui aurait le courage de la monter ? C'est peut-être pourquoi il enrage tant devant les concerts que vient donner chez lui, en France, fût-ce au Théâtre-Italien, Richard Wagner. Trois concerts en une dizaine de jours d'intervalle, avec l'ouverture du *Vaisseau fantôme*, la « Marche » de *Tannhäuser* et des morceaux de *Lohengrin*. Surtout, le prélude de *Tristan et Yseult*, tout juste achevé. Il enrage, Berlioz, mais il ne peut pas ne pas parler de celui qui, avec Verdi en Italie, est bel et bien devenu maintenant son seul vrai rival sur la scène européenne. Wagner, de son côté, fait tout ce qu'il peut pour se le concilier. Mais ce n'est pas Berlioz le compositeur qu'il flatte, c'est Berlioz le redoutable critique des *Débats*. Aussi vient-il lui rendre visite, puis, quelques jours avant le premier concert, lui fait un cadeau de roi : la partition de son dernier chef-d'œuvre. Avec cette dédicace : « Au cher et grand auteur de *Roméo et Juliette*, l'auteur reconnaissant de *Tristan et Yseult.* » La grande partition est accompagnée d'une lettre : « Cher Berlioz, je suis ravi de vous pouvoir offrir le premier exemplaire de mon *Tristan.* Acceptez-le et gardez-le d'amitié pour moi. A vous. Richard Wagner. 21 janvier 1860. »

A n'en pas douter, Berlioz est ému. Mais Marie Recio veille au grain. Elle rameute le ban et l'arrière-ban des amis fidèles, pour mettre en garde Berlioz contre lui-même : est-ce qu'il ne voit pas, ce grand innocent, que l'Allemand est en train de vouloir l'acheter ? Est-ce qu'il ne se souvient pas de ce que Wagner a pu écrire sur lui dans le livre dont on lui a mis la traduction en anglais sous les yeux lors de son dernier séjour londonien ? Du coup, Berlioz hésite. Une fois de plus il est malade, il se demande s'il va assister au concert du 25 janvier. Il s'y décide enfin. Mais il est trop plein de la musique de ses propres *Troyens*, sur lesquels il revient et revient sans cesse, pour pouvoir écouter de l'oreille qu'il faudrait ce que Wagner appelle « la musique de l'avenir ». C'est pourtant une grande soirée que ce concert au Théâtre-Italien. Tout le Paris de la musique est là. Le Paris qui se presse aussi aux concerts de Berlioz. Et Mme Berlioz n° 2 est là aussi, qui se pavane et salue à droite et à gauche. A l'entracte, elle anime avec toute l'habileté nécessaire les conversations de ceux qui n'aiment pas Wagner. C'est que la musique du grand Allemand divise pour le moins l'opinion. On est violemment pour, franchement contre. Alors on se dispute, des voix s'élèvent, et Marie Recio s'arrange pour que l'on comprenne bien que Berlioz fait partie du clan de ceux qui n'ont pas aimé. Et en effet, dans une lettre datée du 29 janvier, il écrira à un ami : « Wagner vient de donner un concert qui a exaspéré les trois quarts de l'auditoire et enthousiasmé le quatrième quart. Moi, j'y ai souffert beaucoup, en admirant la véhémence de son sentiment musical dans certains cas. Mais les septièmes diminuées, les discordances, les modulations sauvages, m'ont donné la fièvre, et décidément ce genre de musique m'est odieux, il me révolte. » Pour Marie Recio, ce concert représente ni plus ni moins « un triomphe » pour son mari...

La presse sera partagée. Pour les critiques dont le modèle idéal est le grand opéra français, Meyerbeer et Halévy, le jugement est sans appel : on critique tout, on parle de néant... Mais d'autres, parmi lesquels bien des gens de lettres, dont le jugement peut être parfois plus juste sur la musique que celui des critiques musicaux professionnels, portent d'emblée Wagner aux nues. C'est le cas d'un Champfleury, c'est le cas, naturellement, de Baudelaire. C'est aussi le cas de Reyer, dont on a déjà évoqué le *Sigurd* qu'il donnera, en hommage à Wagner, l'année de la mort de celui-ci.

Reste à Berlioz à porter à son tour un jugement. D'abord il commence par se dérober et n'assiste pas au deuxième concert de Wagner. Il donne ses billets à Pauline Viardot mais s'en excuse auprès de Wagner : « Je suis en effet toujours malade, mais ce n'est pas la raison qui m'a empêché d'assister à votre second concert ; c'est encore moins un défaut d'intérêt pour vos compositions, croyez-le bien. Mais ma soirée était impérieusement prise et j'ai dû donner vos billets à deux dames excellentes musiciennes qui désirent vivement vous entendre... » Il annonce alors : « Je n'ai pas encore pu écrire mon feuilleton, mais je m'y mettrai prochainement et je vous dirai sincèrement toutes mes pensées et mes impressions. Tout à vous. H. Berlioz. »

Le feuilleton paraît le 9 février. Long, détaillé, il porte précisément en titre : « La musique de l'avenir ». Et Berlioz s'offrira le luxe de le reproduire dans le troisième volume de ses « chroniques et courtes nouvelles » *A travers chants*. Quelque peu gêné par le jugement qu'il ne peut pas ne pas prononcer, Berlioz a longuement réfléchi à l'attitude qui devait être la sienne en face de la musique de Wagner. Tout de suite, on en devine le sens : « Le résultat de l'expérience tentée sur le public parisien par le compositeur allemand était facile à prévoir. Un certain nombre d'auditeurs sans prétentions ni préjugés a bien vite reconnu les puissantes qualités de l'artiste et les fâcheuses tendances de son système ; un plus grand nombre n'a rien semblé reconnaître en Wagner qu'une volonté violente, et dans sa musique qu'un bruit fastidieux et irritant... » La suite est plus surprenante. Berlioz en arrive à cette « musique de l'avenir » que prétend incarner Wagner. Eh bien, si telle est la musique de l'avenir, si elle nous affirme que « les sorcières de Macbeth ont raison : le beau est horrible, l'horrible est beau », lui, Berlioz, refuse semblable leçon, il lève la main et le jure : « *Non credo.* » En d'autres termes, le discours qu'il tient à l'encontre de Wagner ressemble bien à celui de ces messieurs de l'Institut jadis à l'encontre de sa propre musique. Comme il critique aujourd'hui les admirables accords de *Tristan et Yseult*, on accablait d'insultes les rudes harmonies de *La Mort de Sardanapale*.

L'affaire est entendue, tout sépare désormais Berlioz de Wagner. En réponse à son article, ce dernier publiera à la fin du mois de février une longue lettre ouverte à Berlioz sur la « musique de l'avenir ». Tout en contestant la paternité de l'expression qu'on lui attribue, qu'il qualifie de « ridicule papillote », il tend cependant la main à celui qui vient de l'attaquer : « J'espère que bientôt, l'un et l'autre, dans des conditions tout à fait égales, nous pourrons nous comprendre *réciproquement*. Laissez cette France si hospitalière donner un asile à mes drames lyriques ; j'attends de mon côté, avec la plus vive impatience, la représentation de vos *Troyens*, impatience que légitiment triplement l'affection que j'ai pour vous, la signification que ne peut manquer d'avoir votre œuvre dans la situation actuelle de l'art musical, et plus encore l'importance particulière que j'y attache au point de vue des idées et des principes qui m'ont toujours dirigé. »

Quelques semaines plus tard, lisant deux articles que Berlioz a écrits sur une représentation du *Fidelio* de Beethoven, Wagner va écrire une nouvelle lettre à Berlioz. Non plus une lettre ouverte publiée par la presse, mais une lettre qui se voudrait presque de camarade à camarade, une lettre empreinte d'une chaleur véritable. Wagner va jusqu'à affirmer à son correspondant : « Il y a des moments où je suis presque plus transporté en apprenant cet acte d'appréciation [l'article de Berlioz sur *Fidelio*] que par l'œuvre appréciée elle-même, puisque cela nous témoigne [...] qu'une chaîne ininterrompue d'intime parenté relie entre eux les grands esprits qui – par ce lien seul – ne tomberont jamais dans l'incompris. » Berlioz répondra d'une lettre presque aussi aimable. Les choses en resteront pourtant là.

Wagner, de son côté, écrira une longue lettre à Liszt dans laquelle il accuse nommément Marie Recio d'avoir creusé, de manière irrémédiable, le fossé qui existe entre les deux compositeurs : « Berlioz m'a fourni l'occasion d'observer comment une méchante femme peut ruiner à plaisir un homme tout à fait hors de pair et le faire déchoir. » Personne, sinon les biographes qui s'attaqueront à elle après coup, n'a parlé avec autant de justesse de la seconde Mme Berlioz. Seul avec elle, Berlioz est un homme plus seul encore. Berlioz vivra bien quelques années sans elle, mais le mal qu'elle a pu lui faire était sans remède.

La douleur qu'il va ressentir quelques semaines après cet échange épistolaire sera, elle aussi, sans remède. Il savait Adèle, la seconde de ses sœurs, sa bien-aimée, déjà malade. Et voilà que, le 2 mars 1860, Adèle Suat, l'unique correspondante à laquelle il pouvait tout avouer, meurt à son tour. « Nous nous aimions comme deux jumeaux. C'était une amie intime... », écrit-il quelques jours après cette mort au violoniste Morel. Avec Adèle, c'est encore un grand pan de ce qu'il restait d'enfance dans le cœur d'Hector qui s'effondre. Bien sûr, Félix Marmion est toujours vivant, lui... Du coup, Berlioz lui écrira plus souvent. Mais Adèle, c'était la confidente attentive. La seule à n'avoir jamais pris parti contre lui, quand bien même la famille entière, jusqu'à Nanci, lui reprochait sa sécheresse de cœur ou s'insurgeait contre son intention d'épouser Harriett.

Pourtant, comme lors de la mort de sa mère, Hector Berlioz ne fera pas le voyage de Vienne, où Adèle est morte. C'est son fils Louis qui assistera pour lui à l'enterrement de sa tante. Hector écrira à son beau-frère, le gentil Marc Suat, des lettres pleines de paroles de consolation.

La mort d'Adèle, la dispute avec Wagner, la maladie : seul le séjour à Bade vient rompre la profonde tristesse de cette année 1860. Cette fois, ce n'est pas à Plombières que Berlioz s'arrête en route pour prendre les eaux, mais à Luxeuil. Il arrive à Bade le 11 août, il y restera trois semaines. Cette année-là, Bénazet a commandé un opéra-comique à Gounod, *La Colombe.* Plus que jamais le fils de croupier devenu tenancier de casino et organisateur de spectacles rêve de faire de Bade un lieu de festivals et de créations unique en Europe. C'est alors qu'une nouvelle idée germe dans l'esprit de Berlioz, idée qui enchante Edouard Bénazet. Une nouvelle idée ? Pas vraiment. Voilà combien de temps, en effet, qu'il avait imaginé d'écrire « un opéra italien fort gai sur la comédie *Beaucoup de bruit pour rien* » de Shakespeare ? C'était en janvier 1833. Il avait même ébauché en quelques lignes un livret. Puis les remous de ses fiançailles difficiles avec Harriett l'avaient entraîné dans une autre direction. Tout aussi shakespearienne, mais à *Béatrice et Bénédict* du *Much Ado about nothing*, il avait préféré Ophélie.

Il s'ouvre de cette idée à l'organisateur de spectacles, celui-ci imagine le feu d'artifice léger et séduisant que Berlioz pourra en tirer. Topons là, c'est chose faite : Berlioz s'engage à créer à Bade, l'année suivante, ce qui sera son ultime chef-d'œuvre, *Béatrice et Bénédict.* En fait, c'est seulement en 1862 que cet opéra, qui n'en est pas davantage un que ne l'était *Roméo et Juliette* ou *La Damnation de Faust*, verra le jour. En cette année 1860, Berlioz se contente de diriger, le 27 août, son concert habituel. Une fois de plus Pauline Viardot est son interprète. Elle chante admirablement de larges extraits de l'*Orphée* de Gluck revu par lui. Pour le reste, c'est l'habituel pot-pourri de mouvements de symphonies de Beethoven, de lieder de Schubert dans une version pour violon, d'extraits de *Benvenuto* ou de la *Damnation*, le tout pimenté de l'étrange « Méditation sur le premier prélude de piano de J. S. Bach » pour chant et violon de Gounod.

Dès les premiers jours de septembre, Berlioz, de retour à Paris, se met au travail. Le projet de *Béatrice et Bénédict* lui donne un renouveau d'enthousiasme. A la mi-novembre, il en a déjà composé quatre numéros. A la fin novembre, l'œuvre est terminée, elle comprend douze numéros. Plus tard, il en rajoutera trois. Rarement, il a travaillé avec une telle aisance. Et pourtant la chaîne sans fin des spectacles à voir et des critiques destinées à en rendre compte l'entrave toujours. Il traîne le boulet de spectacles médiocres sur lesquels il se venge avec ironie. Ainsi cette opérette d'Offenbach un *Barkouf*, créée le 24 décembre à l'Opéra-Comique. A ce moment-là, Berlioz espère pouvoir monter ses *Troyens*. Une information, publiée dans *La Gazette musicale*, apprend en effet à ses lecteurs que « le Théâtre-Lyrique vient de recevoir l'avis qu'une personne inconnue tenait à sa disposition cinquante mille francs pour aider la direction à monter dignement *Les Troyens* d'Hector Berlioz ». Vrai ou faux ? Toujours est-il que Berlioz semble y croire. D'ailleurs il a été reçu par le nouveau ministre de l'Intérieur, qui a la tutelle sur les théâtres parisiens. C'est peut-être bon signe... Et voilà que le *Barkouf* d'Offenbach au Théâtre-Lyrique vient faire capoter tous ces vrais ou faux espoirs. On sait que Berlioz déteste Offenbach ; pire : il le méprise. La vulgarité qu'il juge être celle de cette musique lui soulève le cœur. Alors il ne se gêne pas pour le dire, et publie un article d'une férocité sans mesure à l'encontre de cette œuvrette de celui qui deviendra cependant l'auteur des si beaux *Contes d'Hoffmann*. Cruauté sans limite, mais il a fait pire. Quelques jours avant, lors d'une séance de l'Institut, il a tout simplement lancé l'équation suivante : « *Barkouf* = merde. »

Et que le mot de Cambronne ait en fait été rédigé par lui en lettres grecques n'atténue guère l'insulte. Pourtant il le savait bien, Offenbach est le protégé de M. de Morny, le demi-frère de Napoléon III. C'est lui qui lui a prêté sa plume pour l'immortel et somme toute assez drôle *Monsieur Choufleury restera chez lui*. La maladresse de Berlioz est dès lors sans égale. S'en est-il rendu compte ? Toujours est-il que le soutien qu'il aurait pu espérer pour ses *Troyens* ne vient pas. Dire que *Barkouf* a suffi à empêcher Didon et Enée de se révéler au public français serait sûrement exagéré. Disons, plus simplement, que les horreurs que Berlioz a pu écrire sur Offenbach n'ont pas contribué à en faire avancer le projet.

Le 30 décembre 1861, Berlioz assiste à l'Opéra à une représentation de *La Voix humaine*. Ce n'est pas celle de Poulenc, c'est une œuvre de Jules Alary, également auteur d'un *Lac de Côme* et d'une *Rosamonda*. Il en rendra compte huit jours plus tard. Pour l'heure, juste remis d'une tumeur qui lui a laissé le visage à demi paralysé et l'œil enfoncé sous un œdème des paupières, il ravale sa bile, et, la partition de son *Béatrice et Bénédict* achevée sur sa table de travail, n'a plus qu'une idée en tête, l'idée fixe de ces années de désespoir : faire entendre à Paris *Les Troyens.*

4

Comme un métronome qui s'affole

1862 : le compte à rebours commence. Berlioz n'a plus que sept ans à vivre. Cet homme de cinquante-neuf ans est, depuis plusieurs années déjà, un homme usé, un vieillard avant l'âge alors qu'il atteignait tout juste sa cinquantième année. On a longtemps épilogué sur les maladies de Berlioz. On les a vues surtout se succéder. Ses souffrances intolérables de la gorge dans sa jeunesse, ses douleurs intestinales ensuite, cette névrose qui le torture, lui tord littéralement les boyaux et vient s'ajouter aux bronchites qui le frappent régulièrement. Toute sa vie Berlioz a été un malade, et son extrême fébrilité, son agitation, ses angoisses ont fait le reste. Qu'on s'en rende bien compte : l'homme qui commence si fort à s'éloigner de nous est une épave. Il peut parfois tromper son monde, donner l'impression qu'il surmonte mille crises, braver mille morts et s'en tirer par une pirouette, ses forces le trahissent chaque jour davantage. Alors il tend toutes ses énergies, il se fixe un but, *Les Troyens*, bien sûr, mais aussi *Béatrice et Bénédict*... D'autres ambitions, plus vagues. Mais il n'attend plus grand-chose de la vie. La mort d'Adèle lui a porté un coup fatal. Et si c'était le dernier ! Que Marie Recio meure à son tour n'est pas si grave : il y aura pire. Dès lors, il n'attendra plus rien.

Hormis la réapparition de son Etoile finale, les dernières années de Berlioz semblent s'écouler au rythme de l'un de ces métronomes électriques qu'il avait mis en œuvre pour pouvoir diriger davantage de musiciens. Mais un métronome électrique qui se dérègle, s'affole ou, au contraire, s'assoupit pendant les longues semaines de maladie.

L'année 1862 voit à deux reprises le métronome s'affoler. Pendant les premières semaines, Berlioz est malade. Ses diarrhées habituelles, plus fortes qu'à l'accoutumée, le laissent cloué sur son lit, dans l'appartement où s'agitent Marie Recio et sa mère, il est incapable de travailler. Tout juste a-t-il en tête quelques idées pour compléter son *Béatrice et Bénédict*. D'autres idées noires agitent. Ainsi son fils : une fois de plus, les relations avec Louis se sont tendues. Le père est sans nouvelles du fils. Il croit le savoir à Calcutta, mais ne tente pas d'en savoir davantage. C'est qu'une véritable révolution s'est peut-être produite dans la vie du jeune marin. Berlioz croit comprendre qu'il s'est marié. Avec qui ? Il croit comprendre aussi qu'il a un enfant... tout cela n'est pas clair. En fait, Louis a certes usé du mot « mariage », mais il avait en réalité écrit à son père qu'il avait enlevé une jeune fille à sa famille et vécu avec elle quatorze mois ; puis qu'il l'avait renvoyée chez elle et avait pris les mesures nécessaires pour la dédommager, mais qu'elle a dû abandonner son enfant. Hector Berlioz doit naturellement être atterré par ces nouvelles.

Quels que soient les accès de fureur du père envers le fils, il ne lui en voudra jamais réellement. Peut-être a-t-il en tête le souvenir des terribles années d'enfance du petit garçon : les disputes de ses parents, les criailleries devant lui, les folles colères d'Harriett abandonnée. Ballotté de collège en collège, élevé avec une fausse belle-mère qu'il n'aime pas, trop loin de ceux de La Côte-Saint-André qui auraient pu lui apporter secours, Louis Berlioz a choisi la fuite. Son père n'aurait-il pas été habité par le génie qu'il se serait peut-être lui aussi embarqué. Ainsi tout se retrouve, se renoue : le fils sans grand talent, qui réalise a contrario ce que n'a pas fait le père. On ajoutera, parmi les remords d'Hector Berlioz, celui qu'il ne peut pas ne pas éprouver au souvenir de la mort de son frère, Prosper. Si bien qu'il pourra bien écrire à son fils, quelque part entre Caraïbe et Calcutta, ces mots terribles : « Tu m'as blessé au cœur et atrocement, et avec un sang-froid que dénote le choix de tes expressions... », il ne l'en excusera pas moins, l'embrassera et lui affirmera : « Tu n'es pas, malgré tout, un mauvais fils... » Bon ou mauvais fils, marié et peut-être père de famille, voilà que Louis songe à tout quitter, son métier, la marine, pour rentrer en France. Et pour faire quoi ?

Dès le mois de février, Berlioz va mieux. Et voilà que le comte Walewski, ministre d'Etat, donne à Alphonse Royer, nommé depuis

1856 à la tête de l'Opéra de Paris, l'ordre de monter *Les Troyens* ou, plus précisément, de les mettre à l'étude, pour la donner après que l'Académie aura donné une autre œuvre, prévue celle-là de longue date, d'Auguste Gevaert. Et Berlioz de reprendre espoir. Du coup, il parachève son *Béatrice et Bénédict* et commence à organiser chez lui, une fois par semaine, des répétitions de l'œuvre. Le 25 février, il réunit la plupart des chanteurs, quelques amis, et leur fait une lecture complète de son livret. C'est ce jour-là qu'il date et signe la belle et grande partition autographe de *Béatrice et Bénédict*.

Nouveau coup d'accélération du métronome le 17 mars. Le secrétaire perpétuel de l'Académie des beaux-arts, Halévy, vient de mourir. Alors l'idée de lui succéder germe dans la tête de Berlioz. Quelques-uns de ses amis de l'Institut lui suggèrent de présenter sa candidature à ce poste prestigieux. Berlioz ne se décide pas. Se rend-il compte que, élu secrétaire perpétuel, il verrait le nombre des réceptions officielles, jurys et autres dîners en ville, c'est-à-dire le poids des corvées qui lui incombent multiplié par dix par rapport à ce qu'il supporte déjà avec peine aujourd'hui ? Ce n'est que le 4 avril qu'il dépose sa lettre de candidature. L'élection aura lieu le 12 avril, on nommera un archéologue et non un musicien à la fonction que Berlioz ne convoitait pas vraiment. N'avait-il pas par deux fois refusé de se mettre sur les rangs et même promis sa voix à ce M. Peulé qui a finalement été élu ? C'est du moins ce qu'il assure à sa nièce Joséphine Suat, devenue l'une de ses principales correspondantes, la nouvelle confidente qui lui permet à nouveau d'épancher son cœur. Jadis il y avait Nanci, sa sœur aînée, puis Adèle, la cadette. A présent c'est Joséphine, bientôt l'autre Nanci, la petite sœur de Joséphine : il est bien incroyable le besoin que, toute sa vie, Hector Berlioz aura de se raconter à quelques femmes.

Deux mois encore de fatigue, de maladie, d'inutiles soirées au Théâtre-Lyrique ou à l'Opéra-Comique, pour ne pas applaudir une *Fille d'Egypte*, de Jules Peer, ou *Lalla Roukh*, de ce Félicien David dont il crut un moment que *Le Désert* pourrait lui porter ombrage. Et voilà que, cette fois, le métronome s'affole. S'affole, pas très vite, trop vite, puis s'arrête d'un coup : Marie Recio est morte.

Pour Berlioz, la surprise est totale. Certes, il savait sa seconde femme sujette à des alertes cardiaques, mais ni l'un ni l'autre n'éprouvait de véritable inquiétude. Ils étaient allés passer quelques jours chez des amis à Saint-Germain-en-Laye, les Delaroche. Marie était fatiguée. C'était un vendredi 13. A midi, elle porte la main à son cœur, quelques instants plus tard Berlioz est veuf pour la deuxième fois.

La lettre qu'on a conservée de lui adressée à son fils, alors à Marseille, ne témoigne pas d'une émotion trop grande, loin de là. L'enterrement a eu lieu la veille, au cimetière Montmartre. Un ami du couple, le facteur d'orgues Edouard Alexandre, trouvera même que l'emplacement choisi est indigne d'une Mme Berlioz. C'est lui qui offrira au musicien la concession perpétuelle de ce même cimetière où Harriett puis Hector rejoindront, en un trio étrange, Marie Recio la mal-aimée. Berlioz se borne à dire à son fils qu'il va « passablement par moments » mais ne l'engage pas à monter à Paris pour le consoler. Pas plus qu'il n'a voulu que ses nièces de l'Isère fassent le voyage. En revanche, il formule le vœu que Louis le rejoigne à Bade lors des représentations de *Béatrice et Bénédict.* Que son fils entende véritablement sa musique ! Mais au mois d'août suivant, Louis Berlioz ne sera pas à Bade.

On en terminera avec Marie Recio en notant que Mme Martin, la mère de Marie, cédera à son gendre l'ensemble de ses droits successoraux en échange d'une rente viagère. Et que Berlioz continuera à habiter chez elle. C'était pour fuir Harriett qu'il s'était installé chez Mme Martin. La mort de Marie ne changera en rien ses habitudes. Osera-t-on rappeler, à propos de cette délivrance-là, les mots qu'il a eus au lendemain de son échec, si récent, à la fonction de secrétaire perpétuel de l'Académie des beaux-arts : « Je redevenais libre... »

Et libre, Berlioz va l'être si bien que, dès les semaines suivantes, il va tomber à nouveau amoureux. Comme son aventure avec la jeune choriste-corsetière de Saint-Pétersbourg, celle qui va durer à peine plus d'un an avec une jeune personne croisée à Paris demeure assez mystérieuse. Il ne s'y attarde pas dans les *Mémoires* et c'est au fil de quelques lettres, écrites parfois longtemps après la fin de cette liaison, que l'on peut glaner quelques éléments qui permettent d'en établir les grandes lignes. On sait, en tout cas, que c'est de cette Amélie – c'est dans une lettre de septembre 1864 à la princesse de Sayn-Wittgenstein qu'on apprendra son nom – qu'il s'agit lorsque l'ami Ernest Legouvé évoque sa rencontre avec un Berlioz amoureux et malheureux dans les jardins du casino de Bade en 1862. Berlioz tenait à la main une lettre qu'il froissait convulsivement.

« – Encore une lettre ! dit gaiement Legouvé pour tâcher de désassombrir son ami à l'air trop grave.

– Toujours.
– Ah !... est-elle jeune ?
– Hélas ! Oui.
– Jolie ?
– Trop jolie ! Et avec cela une intelligence, une âme !
– Et elle vous aime ?
– Elle me le dit... Elle me l'écrit... »

Et Berlioz d'affirmer qu'il ne peut que souffrir d'un tel amour qui ne peut durer, parce qu'il est vieux, fatigué, usé : il souffre avant même d'avoir une raison de souffrir. Il l'a rencontrée au cimetière Montmartre, où il allait se promener. « J'y vais souvent, j'y ai beaucoup de relations, » écrira-t-il à la princesse Carolyne. A l'époque, on ne voit pas quelle autre relation il pouvait y avoir que Marie, morte peu de temps auparavant. Qu'importe, la jeune Amélie pleurait elle aussi sur une tombe, leurs deux âmes se rencontrent.

Pour s'être croisés dans un cimetière, Hector le sexagénaire et la jeune personne de quarante ans plus jeune que lui, vont continuer à s'y promener, ainsi que dans des jardins, dans des parcs. Aucun ami de Berlioz ne nous apprendra jamais avoir rencontré le couple dans un café, dans un de ces lieux publics que, même miné par la maladie, Berlioz continuait à fréquenter. On ne voit pas non plus Amélie à l'Opéra, encore moins dans des dîners ou des soirées officielles. Elle-même a perdu un être cher, elle se veut discrète. Quant à Berlioz, le silence de ses amis sur cette jeune fille pourrait avoir une autre raison : si l'on en croit Legouvé, il allait d'un amour à l'autre, d'une femme à l'autre. Dès lors, ses amis n'auraient pas prêté plus attention à la jeune personne en question qu'à d'autres jeunes femmes qu'ils auraient pu voir, avant ou après, en compagnie de notre Don Juan fatigué. Comme aucun aveu de Berlioz ne nous permet d'en juger, nous ne saurons pas davantage si cette liaison fut chaste. L'aventure sera de courte durée. Dès les premières semaines de l'année suivante, en 1863, Berlioz le dira sans le dire à quelques-uns de ses correspondants, comme Humbert Ferrand – « C'est encore d'un amour qu'il s'agit. Un amour qui est venu à moi souriant, que je n'ai pas cherché, auquel j'ai résisté même pendant quelque temps. Mais l'isolement où je vis, et cet inexorable besoin de tendresse qui me tue, m'ont vaincu. Je me suis laissé aimer, puis j'ai aimé bien davantage, et une séparation volontaire des deux parts est devenue nécessaire, forcée ; séparation complète, sans compensation, absolue comme la mort... Voilà tout. Et je guéris peu à peu, mais la santé est si triste... » Séparation volontaire ? Il est difficile de l'affirmer. Toujours est-il que, pendant près d'un an, Berlioz va rester sans nouvelles d'Amélie. Et des nouvelles, ce sera par hasard qu'il en aura. Revenant un jour au cimetière Montmartre, il verra son nom sur une tombe. Non loin de celle de Marie Recio.

La jeune femme souffrait probablement de consomption, comme toutes les jeunes filles pâles et languides de ce temps-là. Alors, pour que son vieil amoureux ne la voie pas malade, elle a choisi de s'effacer. Sur la pointe des pieds, elle s'est éclipsée. Plus tard, le 24 septembre 1864, Berlioz ajoute un post-scriptum à une lettre à la princesse Carolyne de Sayn-Wittgenstein, à qui il a à peu près tout confié : « Je tombe d'une douleur dans l'autre, soyez bénie pour votre prière en faveur de la morte, elle se nommait Amélie. » C'est la dernière fois que Berlioz parle d'elle. Le dernier mot qu'il prononce sur elle est son nom. Qu'il avoue pour la première fois.

C'est au milieu de cette histoire d'amour qu'a lieu à Bade la première de *Béatrice et Bénédict.* Berlioz est seul. Plus de Marie Recio, pas non plus de Louis Berlioz, comme il avait voulu. Parmi quelques amis, la fidèle Pauline Viardot a fait le voyage de Bade. Elle assistera à toutes les répétitions d'orchestre de l'œuvre. Et celle-ci sera donnée deux fois, les 9 et 11 août. Legouvé, naturellement, et aussi Reyer, Gounod sont dans la salle. Le succès est énorme. « Grand succès ! écrit Berlioz le 10 août à son fils. *Béatrice* a été applaudie d'un bout à l'autre, on m'a rappelé je ne sais combien de fois. Tous mes amis sont dans la joie... » La presse est enthousiaste. Bénazet, plus heureux que jamais, qui vient d'inaugurer avec *Béatrice et Bénédict* une nouvelle salle, beaucoup plus vaste, à l'acoustique meilleure que le salon de Conversation où Berlioz donnait jusqu'à présent ses concerts, en pleure de joie. Berlioz, lui, pleure tout court.

Béatrice et Bénédict, qui marque le dernier coup d'accélération du métronome Berlioz dans le domaine de la création musicale, est une œuvre étonnante. Ce n'est pas un opéra, on l'a dit. Berlioz ne voulait pas s'embarrasser de la vérité psychologique de personnages qu'il aurait dû animer, pour lesquels il aurait dû nouer et dénouer des actions. Ce n'est pas un oratorio non plus, puisque la partie purement musicale est entrecoupée de récitatifs plus dignes de l'Opéra-Comique que d'une cathédrale. Ce n'est pas non plus, à proprement parler, une symphonie avec solistes et chœurs, ce qu'était *Roméo et Juliette.* C'est une œuvre hybride, à la musique d'une clarté immense, mais dont l'intrigue, à la fois légère et décousue, n'est faite que de bulles de savon, merveilleusement irisées, qui s'envolent dans la lumière pour faire naître, en éclatant, des harmonies d'un humour ou d'une douceur inouïs. De la pièce de Shakespeare, *Beaucoup de bruit pour rien*, il ne reste pas grand-chose, presque rien. Il n'est jusqu'aux personnages principaux, cette Béatrice et ce Bénédict, qui s'aiment au début de l'œuvre et qui ne voudront bien se l'avouer que dans la scène finale, qui disparaissent presque devant l'importance de personnages plus secondaires. Quant à ceux-ci, la jeune amoureuse Héro, surtout, dont le rôle est fort important chez Shakespeare, elle occupe chez Berlioz le devant de la scène, uniquement pour y chanter, pas vraiment pour y exprimer des sentiments ambigus. Tout cela importe peu aux spectateurs qui applaudissent Berlioz en ce mois d'août 1862. Il vient d'écrire, il vient de leur donner l'une des musiques les plus enchanteresses qu'il ait jamais composées. Et ceux qui suivent sa carrière depuis ses débuts se rendent compte de l'étonnante versatilité de leur ami, capable du bruit et de la fureur de la *Symphonie fantastique*, de la poésie mélancolique d'*Harold en Italie*, de la tendre transparence de *Roméo et Juliette*, de la vigueur noire de *La Damnation de Faust*, de la grandeur héroïque du *Requiem* ou de la *Symphonie funèbre et triomphale*, de l'humour délicieusement malicieux, enfin, de ce *Béatrice et Bénédict*. Et encore, ils ne connaissent pas l'œuvre finale, la grandeur, la noblesse, l'émotion tragique des *Troyens*. Et nous qui suivons Berlioz depuis le premier jour où, un flageolet aux lèvres, puis une guitare à la main, il s'essayait, à la lumière radieuse de la petite Estelle de Meylan, à inventer des musiques si simples qui parlaient à son cœur, nous nous rendons compte que tous les clichés qui ont pu courir sur lui, tous les stéréotypes derrière lesquels on a caché son vrai visage, ces caricatures folles et déchaînées, ces images exaltées, tour à tour violentes et désespérées, sont vraies, oui. Dans le même temps, aucune ne reflète ce qu'est réellement Berlioz. Se lancera-t-on dans de hasardeuses comparaisons ? A l'exception d'un Mozart, peut-être, les œuvres de tous les grands compositeurs qui se sont succédé en Europe depuis la fin du XVIIIe siècle jusqu'au début du XXe siècle forment un tout. Et chacune est portée par un créateur qui peut avoir ses moments de force et ses instants d'égarement, ses désespoirs et ses joies folles, chaque fois Beethoven ou Schubert, Schumann, Wagner, Verdi garderont à peu près la même image. Et Berlioz la gardera également, son image de romantique aux cheveux roux et en bataille. Mais ses sautes d'humeur, ses sautes d'images seront infiniment plus nombreuses, constituant dans l'histoire de sa vie une manière de mosaïque composée de mille fragments d'un Berlioz différents, sautillants, frénétiques, terribles ou désespérés qui n'en contribueront pas moins tous à constituer le portrait que l'on est en train de tenter de faire. A l'exception d'un Verdi dont l'œuvre musicale s'achèvera sur le magnifique pied-de-nez qu'est son *Falstaff*, aucun compositeur majeur de ce temps-là n'aura proposé à son public et à la postérité une palette musicale aussi riche, variée, multicolore que celle de Berlioz. A sa manière insolente et radieuse *Béatrice et Bénédict* constitue peut-être le *Falstaff* de Berlioz. Celui-ci, qui savait jouer à l'infini des couleurs de sa palette orchestrale, nous a, de la même manière, donné la même variété et le même chatoiement de couleurs et d'émotions sur l'œuvre entière que sera la musique de toute sa vie. N'y aurait-il eu que *Béatrice et Bénédict* en point d'orgue, on aurait déjà compris à quel point peuvent se tromper les prétendus amateurs qui résument sa création aux seules couleurs de la *Symphonie fantastique* et de *La Damnation de Faust*. Le malheur de Berlioz sera que, jusque dans les années 1960, lorsqu'on célébra le premier anniversaire de sa mort, c'était à ces deux seules œuvres qu'on le ramenait car on n'en jouait guère d'autre...

Berlioz revient à Paris, comblé par ses succès, au milieu du mois d'août. Il revoit probablement Amélie. C'est peut-être alors qu'il connaît ces moments d'extraordinaire attente amoureuse qu'il décrira quelques mois plus tard dans une bien étrange chronique des *Débats*, où la vie musicale cède subitement le pas à la confidence amoureuse. A un ami très proche, il dit tous ses émois, murmure à voix basse ses attentes. C'est un étrange morceau de prose, où le *vous* tient lieu de *je*, comme dans des expériences littéraires tellement plus tardives ! « Vous arrivez une demi-heure trop tôt dans une chambre donnant sur la rue, vous vous y enfermez... Vous allumez du feu... La pendule marche bien lentement, son balancier semble se ralentir. Vous faites dix ou douze tours à grands pas dans la chambre. Enfin l'heure s'avance, elle est venue, elle sonne... On va arriver. Mais non, on n'arrive pas. Vous faites encore dans la triste chambre seize ou dix-huit tours, vous marchez en rond, en carré, en losange... Vous regardez votre montre, votre montre avance sur la pendule... Vous buvez un verre d'eau, vous ouvrez la fenêtre, vous regardez au loin... Rien, personne... Voilà qu'il pleut maintenant ! C'est la cause, c'est la cause !... Un bruit de voiture ?... Votre poitrine craque et frémit comme le clocher d'une cathédrale quand on sonne le bourdon. La voiture passe. Malédiction ! Long silence... Vous trouvez une poignée d'épingles sur la cheminée ; vous employez le temps à les piquer une à une sur une pelote. Cela fait, vous allez recommencer votre promenade de lion en cage. »

Mais en cette fin de 1862, la vie de tous les jours reprend, avec des manuscrits à mettre au point, une *Servante maîtresse* de Pergolèse ou un *Zémire et Azor* de Grétry à voir puis à critiquer. La vie de tous les jours : Louis a définitivement quitté son bord. Après un long séjour à Marseille, il est revenu à Paris, où son père se désole de devoir l'entretenir. Pourtant, à la fin du mois d'octobre, Ernest Legouvé lui trouvera un nouveau poste : premier lieutenant à bord de *La Vera Cruz* de la Compagnie générale transatlantique des frères Pereire. La vie de tous les jours : on meurt de plus en plus autour de Berlioz. A la fin de l'été sa tante Laure, femme de l'oncle Victor Berlioz, le frère du Dr Louis. Fin novembre, l'oncle Victor lui-même. En décembre, le cousin Alphonse, cet Alphonse Robert dont il avait partagé le logement à Paris au début des années vingt. Et puis, le lendemain, un jeune Albert de dix-huit ans, fils, celui-là, de la cousine Odile à qui on avait songé à le marier.

Sur le front des *Troyens*, rien de nouveau. En revanche, Berlioz surveille l'impression de la partition chant et piano de *Béatrice et Bénédict* qu'il espère monter à l'Opéra-Comique avec Mme Galli-Marié dans le rôle de Béatrice. Et puis, à la mi-septembre, il a publié chez Michel Lévy le troisième volume de ses articles, « contes et petites nouvelles, » potins et autres jeux d'esprit rassemblés sous le titre *A travers chants*.

C'est au mois de février 1863 que semble se situer la rupture de Berlioz avec l'Amélie inconnue du cimetière Montmartre. D'où la grande douleur qu'il dira à bon nombre de ses amis, sans leur en expliquer la cause. Jamais ceux-ci ne lui ont été plus nécessaires. Toujours malade, languissant, il a besoin qu'on s'occupe de lui, qu'on le cajole, parfois qu'on le nourrisse à domicile. Certes, Mme Martin-Sotera de Villas, la mère de feu Mme sa femme, est toujours là, serviable, presque trop gentille. Mais c'est cette affabilité de tous les instants qui est peut-être oppressante. Alors Legouvé, d'Ortigue, Reyer se relaient auprès de lui lorsqu'il est souffrant ou, au contraire, l'invitent chez eux quand il se sent moins mal. D'autres foyers s'ouvrent à lui : celui du critique Damcke, qui professe pour lui une grande admiration. Et surtout celui du couple Massart. Lui, Joseph-Lambert, est un violoniste belge de sept ou huit ans plus jeune que Berlioz. Il a été l'élève du grand Kreutzer, l'ami de Liszt. Sa femme est une pianiste renommée, mais cette Louise-Aglaé est surtout pour Berlioz « une consolatrice, une sœur de charité ». « Quand je souffre déraisonnablement, quand je ne sais où donner du cœur et de la tête, j'entre vers minuit dans son salon, ordinairement à cette heure fort peuplé, et, la prenant à part : "Je n'en puis plus, faites-moi un peu de musique..." Alors, quand le salon est à peu près désert, on me gorge de Beethoven jusqu'à deux heures du matin, et je m'en vais guéri pour le reste de la nuit... » Le salon des Massart est devenu l'un des grands salons de musique de Paris, mais c'est surtout l'un des lieux au monde où Berlioz se sent maintenant le mieux.

Pourtant, en ce début d'année 1863, il a de bonnes raisons d'être heureux, notre Berlioz. Plus que jamais la nouvelle se confirme : le nouveau Théâtre-Lyrique va bel et bien monter ses *Troyens*. Malade, il garde le lit pendant une quinzaine de jours, mais revoit une fois de plus sa partition. Il corrige aussi le livret. Alors, tout en lisant *Salammbô* de Flaubert, qu'il admire et qui le replonge dans la Carthage de sa chère Didon, il se sent assez fort pour entreprendre un nouveau voyage en Allemagne.

Sa chère amie la grande-duchesse lui a demandé de présenter *Béatrice et Bénédict* dans son Hoftheater, mais traduit en allemand, afin qu'elle puisse en apprécier toutes les finesses. Et voilà une fois de plus Berlioz à Weimar. La première représentation a lieu le 8 avril. Il rédige à la hâte son bulletin de victoire adressé dès le lendemain à son ami Fiorentino. A ses amis Massart, à Pauline Viardot, à Ferrand, il se dépêche d'écrire avec le même enthousiasme ses succès.

C'est vrai que l'on vient de l'Allemagne entière pour l'entendre. C'est vrai aussi, il l'écrit un peu plus tard aux Massart, qu'on le joue désormais dans l'Allemagne entière. A Breslau, à Dresde, à Leipzig... Et ce sont souvent ses œuvres les moins connues à Paris qui y ont le plus de succès. On donne une seconde représentation de *Béatrice et Bénédict* le 10 avril, Berlioz est cette fois rappelé à deux reprises sur la scène et soupe avec le grand-duc en personne après la représentation. Ce même grand-duc lui demandera, le surlendemain, de lui lire son livret des *Troyens*. On imagine avec quel plaisir Berlioz se rendra à cette injonction. Et on le voit à nouveau, mais dans un grand salon baroque, marbres et stucs confondus, des fresques aux plafonds et des anges embouchant des trompettes, qui lit devant la petite cour de Weimar ses fameux vers de Virgile qu'il a mêlés d'intentions shakespeariennes !

Le 14 avril, il part cette fois pour Löwenberg, en Silésie. Il est invité par le prince de Hohenzollern qui lui offre à loger dans sa propre demeure, mettant à sa disposition un appartement contigu au théâtre.

Ce cher prince de Hohenzollern, Berlioz se souvient de lui qui l'avait si bien accueilli vingt ans auparavant, dans sa cour d'opérette entouré de ses musiciens amateurs qui jouaient du Berlioz avec une belle ingénuité. Il est devenu impotent, goutteux, « mais sa gaîté lui est restée et son amour pour la musique semble avoir augmenté ». Ce dont Berlioz est le plus heureux, c'est à coup sûr du logement qu'il habite : « Il m'a donné des appartements à côté de ce bijou de salle, et tous les jours, à quatre heures, on entre dans mon salon pour m'annoncer que l'orchestre est réuni. J'ouvre deux portes et je trouve les cinquante artistes immobiles à leur poste, silencieux et *bien d'accord.* Ils se lèvent courtoisement quand je monte à mon pupitre ; je prends mon bâton, je marque le premier temps, et tout part. Et comme ils vont, ces gaillards ! » A Löwenberg comme à Weimar, Berlioz est un homme heureux. Du coup, il n'est presque plus malade, et c'est le prince qui le reçoit qui est retenu au lit, par la goutte. Alors il quitte son bijou d'appartement pour ceux, plus grandioses, du vieux souverain. Celui-ci a tout lu de Berlioz, ses articles, ses livres. Il n'est jusqu'aux textes théoriques du musicien qu'un Hohenzollern impotent connaisse presque par cœur...

A peine rentré à Paris, Berlioz se lance dans la phase décisive de sa carrière : la préparation des représentations des *Troyens.* Et le 1er juin, il a tout l'air d'un musicien comblé. Dans la même journée, on commence les premières répétitions de son *Béatrice et Bénédict* qu'il donnera à Bade au mois d'août, comme l'année précédente ; surtout, il procède à la première lecture des *Troyens* devant tout le personnel du Théâtre-Lyrique et commence déjà à organiser les répétitions des chœurs. C'est Mme Charton-Demeur, avec Pauline Viardot l'une de ses chanteuses préférées, et elle aussi une amie très chère, très proche, qui jouera le rôle de Didon. Le métronome Berlioz bat à un rythme grave, beau et soutenu. Pourtant, il devrait s'affoler un peu. En effet, le même jour, il a accepté la suggestion d'un directeur de théâtre « ni assez riche ni assez grand pour mettre en scène *La Prise de Troie* ». Dès lors, dès leur représentation et pour longtemps, *Les Troyens* seront une œuvre mutilée. On n'en jouera cette fois que les actes III, IV, et V sous le titre des *Troyens à Carthage.* Comment Berlioz a-t-il pu en arriver là ? Lui, le compositeur qui refusait tout compromis, qui allait jusqu'à écrire à des correspondants anglais, dans ses années de jeunesse, qu'il n'enverrait pas une partition de l'autre côté de l'Atlantique, de peur qu'on l'arrangeât à une sauce qui ne serait pas la sienne ? Lui aussi qui, en dépit de toutes ses affirmations de principe, la main sur le cœur et le serment au bord des lèvres, n'a pas hésité à tripatouiller un peu, pardon du mot, aussi bien le *Freischütz* de Weber que l'*Orphée* de Gluck. Comment il a pu en arriver là ? Oh ! c'est très simple... Il a soixante ans. Il se sent fatigué, usé. *Les Troyens* sont l'œuvre de sa vie, il le sait. A douze ou treize ans, il pleurait en lisant les vers de Virgile racontant la mort de Didon : il ne peut pas attendre plus longtemps avant de voir sa Didon mourir sur une scène de théâtre. Il a trop lutté, il s'est trop battu. De son œuvre si riche, souvenons-nous qu'il n'a jamais entendu que quelques extraits. Ceux que des amis ont bien voulu chanter pour lui, parfois en un concert. Ceux que la chère Pauline Viardot chantait pour lui seul, lorsqu'elle voulait l'amener à des accommodements avec la musique de Gluck auxquels il se refusait d'abord. Alors, cette fois, il écoutera bel et bien la musique des trois derniers actes de ses *Troyens.* N'est-ce pas déjà un beau sujet de satisfaction ? Il se met donc aussitôt au travail. Il lui faut en effet composer un prologue à ces *Troyens à Carthage*, puisque l'œuvre, maintenant coupée en deux, ne peut commencer trop abruptement. Dans le même temps, Carvalho, le directeur du Théâtre-Lyrique, obtient du ministre d'Etat, le comte Walewski, une subvention de cent mille francs pour l'aider à monter l'opéra. Le ministre est le fils de Maria Walewska, le fils de Napoléon, donc : du Grand. Le bonapartiste Berlioz, si ardent dans ses années de jeunesse, y voit-il un signe du destin ?

L'été se passe dans ces préparatifs. Ce qui n'empêche pas Berlioz de participer au jury du prix de Rome, qui sera décerné cette année-là à Massenet ; ni de rencontrer Flaubert avec lequel un début de collaboration s'installe à propos des costumes de la cour de Didon, inspirés de ceux décrits dans *Salammbô.* Dans le même temps, activement, Berlioz prépare l'édition de plusieurs de ses œuvres. Il cède à l'éditeur Choudens les droits de *La Prise de Troie* et des *Troyens à Carthage* ainsi que ceux de la partition pour chant et piano de *Benvenuto Cellini.* Chez un autre éditeur, Richault, il rassemble la plupart de ses mélodies pour chant et piano.

Avant de repartir pour l'Allemagne, il fera cette année-là un autre voyage, rapide mais pourtant épuisant, jusqu'à Strasbourg. On y inaugure le nouveau pont de Kehl, trait d'union entre la France et l'Allemagne. A cette occasion, on a prévu de donner *L'Enfance du Christ*. Berlioz arrive à Strasbourg le 16 juin, déjà fatigué. L'excitation des jours précédents est retombée. Sur la place Kléber, au centre de la ville, on a construit un grand espace couvert où, dès le 20 juin, il dirige une répétition générale de son œuvre. Banquets, réceptions, discours vont se succéder pendant plusieurs jours. On exalte l'amitié franco-allemande, on traverse le Rhin pour faire la même chose sur l'autre rive. Il y a un concours d'harmonies et de fanfares, réunissant cent six sociétés chorales et deux mille chanteurs sur une seule scène. Le préfet du département offre un banquet, les vins d'Alsace coulent à flots. Berlioz se sent plus fatigué encore. Mais, plus que jamais, lui aussi participe à cette sublime utopie dans laquelle on croit voir l'Allemagne et la France s'unir pour toujours sous le signe de la musique. Et Berlioz de prononcer quelques paroles définitives : « Sous l'influence de la musique, l'âme s'élève et les idées s'agrandissent, la civilisation progresse, les haines nationales s'effacent. Voyez aujourd'hui la France et l'Allemagne se mêler ! L'amour de l'art les a réunies. Ce noble amour fera bien plus que ce pont merveilleux... » Qu'on s'en souvienne, nous sommes en 1863. Sept ans plus tard – un biographe de Berlioz le remarque crûment – les obus prussiens ne tarderont pas à remplacer les lampions de la fraternité. Le 25 juin, Berlioz reviendra à Paris épuisé... pour repartir le 3 août pour Bade.

Enfin, cette fois son marin l'accompagne. Louis, de retour du Mexique, va passer ses congés avec son père. Berlioz exulte. « Ce pauvre garçon n'est jamais à Paris quand on exécute quelque chose de mes ouvrages, écrit-il à son ami Ferrand. Il n'a entendu en tout qu'une exécution du *Requiem* quand il avait douze ans. Figurez-vous sa joie d'assister aux deux représentations de *Béatrice...* » Et l'on imagine bien le père et le fils, s'embarquant tous les deux « en garçons » pour l'Allemagne. Plus habitué aux voyages sur les océans lointains qu'à travers l'Europe, ce Louis de trente ans va découvrir aux côtés de son père les joies des chemins de fer internationaux. Surtout, il va se trouver plongé dans cette atmosphère étrange qui est celle de Bade pendant le festival. Parce que, avec son nouveau théâtre, Bénazet a décidé d'organiser beaucoup plus qu'un ou deux concerts dirigés par Berlioz. Déjà, les années précédentes, le programme s'était étoffé. Cette année, on donnera même un opéra de Litolff, inspiré de la pièce de ce Plouvier, triomphe de la Porte-Saint-Martin, que Berlioz avait refusé. Le roi du casino de Baden-Baden offre en outre à ces curistes de haut vol un opéra de Reyer, devenu l'ami très proche de Berlioz, et l'*Orphée* de Gluck, dans la version Berlioz, chantée naturellement par Pauline Viardot. L'assistance est très nombreuse. Touristes et curistes se mélangent aux simples curieux. Et le grand Félix Tournachon, plus connu sous son pseudonyme de Nadar, fait s'envoler de Bade son ballon *Le Géant*, avec lequel il prendra quelques-unes des premières photographies jamais faites du ciel. Berlioz assiste à ces expériences, Louis les suit avec lui, passionné. Le soir, « en garçons », le père et le fils vont de réception en soirée. Mais voilà qu'au moment de diriger la première répétition de *Béatrice et Bénédict*, Berlioz tombe malade : un phlegmon à la gorge le cloue au lit. Du coup, il doit laisser son bâton à un chef local, Koenemann, qui dirige de manière catastrophique la première répétition. Toujours terrassé par sa maladie, Berlioz se rend compte qu'il ne peut pas laisser les choses lui filer ainsi entre les doigts. D'autant que son Louis est ici, et qu'il veut se faire entendre par lui au mieux de sa forme et dans le meilleur de son art. Donc, malade, il dirige tout de même la dernière répétition. Et c'est lui encore qui, le 14 août, dirige la première représentation de cette reprise de *Béatrice et Bénédict*.

Le succès est immense. Le lendemain, cette reine de Prusse dont, l'année précédente, il avait pu apprécier les qualités et les connaissances musicales, l'envoie chercher pour converser avec lui. Ils passeront une demi-heure ensemble. Après la seconde représentation de *Béatrice et Bénédict*, sans rester plus longtemps à Bade pour applaudir les autres artistes qui s'y produisent, ses amis, Berlioz repart à la hâte pour Paris. Le 21 août, Louis Berlioz va le quitter pour reprendre la mer. Son père l'embrasse avec émotion. N'oublions pas que seul son matelot de fils le rattache encore à l'histoire, depuis si longtemps enfuie, de ses lointaines amours. Sombre présage, il apprend au même moment la mort de l'un de ses pairs sur la scène romantique, Delacroix avec qui il ne fut pourtant pas particulièrement lié. Un mois plus tard, le 17 septembre, c'est Alfred de Vigny qui s'éteint à son tour. L'une et l'autre morts lui font éprouver une grande tristesse. Mais *Les Troyens* l'attendent, cette fin d'année-là ne doit en aucun cas être voilée par les larmes.

Le balancier qui rythme la vie de Berlioz semble battre d'un pas plus calme. Les répétitions au Théâtre-Lyrique vont bon train. Dans l'intervalle, Berlioz assiste sur cette même scène à la première des *Pêcheurs de perles* de Bizet. C'est un échec total. Il en rendra pourtant compte de manière tout à fait élogieuse dans *Le Journal des débats* qui paraît le 8 octobre. Un article de plus ? Que non : ce feuilleton, où il traite des *Pêcheurs de perles*, mais aussi de *La Statue* de Reyer, d'une reprise ratée des *Noces de Figaro*, de Mozart, et du *Joseph* de Méhul, est le dernier article qu'il publiera dans ce journal. C'est également le dernier qu'il publiera dans la presse, à l'exception d'un ultime papier, non signé, dans *La Gazette musicale* tissé d'anecdotes un peu désordonnées sur lui-même, sur Wagner, Cherubini, Beethoven et Onslow. Mais à la date du 8 octobre 1863, Berlioz se sent désormais assez assuré pour renoncer à sa tribune. L'argent dont il dispose, l'espoir qu'il met dans la présentation des *Troyens* lui laissent augurer un avenir financier meilleur. A partir de maintenant, si Berlioz se rend encore dans des théâtres où l'on joue des spectacles qui ne sont pas de lui, s'il assiste à des concerts, ce sera pour lui seul, pour son seul plaisir. A soixante ans moins quelques jours, on peut bien décider de se les offrir, ces plaisirs-là.

Le moment est venu d'y arriver : c'est le 4 novembre 1863 qu'a lieu, sous la direction de Deloffre, la première représentation des *Troyens à Carthage* au Théâtre-Lyrique. Deux jours auparavant, l'auteur était arrivé en larmes chez son ami Joseph d'Ortigue. Inquiète, l'épouse de celui-ci l'avait interrogé : la répétition s'était donc si mal passée ? « Non, aurait simplement répondu Berlioz sans retenir ses larmes : non, c'est beau, c'est sublime ! » Et ce n'était que la répétition générale.

Pour la première, la salle est naturellement pleine. Tous les amis sont présents. Meyerbeer est dans la salle : il reviendra onze fois. Dans ses *Mémoires*, Berlioz évoque ces représentations : « L'ouvrage avait besoin encore de trois ou quatre sérieuses répétitions générales, rien ne marchait avec aplomb, sur la scène surtout. Mais le directeur ne savait de quel bois faire flèche pour alimenter son répertoire, son théâtre était vide chaque soir [avant *Les Troyens*], il voulait sortir au plus vite de cette triste position. En pareil cas, on le sait, les directeurs sont féroces. Mes amis et moi nous pensions que la soirée serait orageuse, nous nous attendions à toutes sortes de manifestations hostiles ; il n'en fut rien. Mes ennemis n'osèrent pas se montrer ; un coup de sifflet honteux se fit entendre à la fin lorsqu'on proclama mon nom, et ce fut tout. L'individu qui avait sifflé s'imposa sans doute la tâche de m'insulter de la même façon pendant plusieurs semaines, car il revint, accompagné d'un collaborateur, siffler encore au même endroit, aux troisième, cinquième, septième et dixième représentations. D'autres péroraient dans les corridors avec une violence comique, m'accablant d'imprécations, disant qu'on ne pouvait pas, qu'on ne devait pas *permettre* une musique pareille. Cinq journaux me dirent de sottes injures, choisies parmi celles qui pouvaient en moi blesser le plus cruellement l'artiste. Mais plus de cinquante articles de critique admirative, en revanche, parurent pendant quinze jours, parmi lesquels ceux de MM. Gasperini, Fiorentino, d'Ortigue, Léon Kreutzer, Damcke, Joannes Weber, et d'une foule d'autres, écrits avec un véritable enthousiasme et une rare sagacité, me remplirent d'une joie que je n'avais pas éprouvée depuis longtemps. Je reçus en outre un grand nombre de lettres, les unes éloquentes, les autres naïves, toutes émues, et qui ne manquèrent pas de me toucher profondément. A plusieurs représentations, j'ai vu des gens pleurer. Souvent, pendant les deux mois qui suivirent la première apparition des *Troyens*, j'ai été arrêté dans les rues de Paris par des inconnus qui me demandaient la permission de me serrer la main et me remerciaient d'avoir produit cet ouvrage. »

A son ami Ferrand, il peut annoncer : succès magnifique ; émotion profonde du public, larmes, applaudissements sans fin et un sifflet quand on a proclamé son nom à la fin... En fait, il semble que les choses se soient bien passées, sans plus. D'abord, l'œuvre est longue. Très longue. A beaucoup de spectateurs, elle a semblé interminable. On trouve aussi la mise en scène « absurde en certains endroits et ridicule dans d'autres ». Il précisera encore qu'il fallut cinquante-cinq minutes d'entracte pour changer un décor. « C'est que, constate Berlioz, en dépit de la subvention de cent mille francs, l'aimable M. Carvalho s'était lancé dans une entreprise qui était au-dessus de ses forces ; son théâtre n'est pas assez grand, les chanteurs ne sont pas assez habiles, ni ses chœurs, ni son orchestre suffisant. Il fit des sacrifices considérables ; j'en fis de mon côté... » Et d'ajouter qu'il dut payer de ses propres deniers quelques musiciens qui manquaient à l'orchestre.

Long le spectacle, longs les entractes... Pendant ceux-ci, on ne manque pas de se moquer de ces costumes des Troyens, pourtant imaginés avec le concours plus ou moins réel du spécialiste Flaubert. Lorsque les railleries se font trop fortes, les amis de Berlioz répondent vertement. Après le long entracte, le spectacle reprend, on bisse le septuor, on applaudit un duo, on est beaucoup plus sévère pour d'autres passages, auxquels on reproche d'être trop statiques.

Une fois de plus, Berlioz, l'homme aux multiples facettes, a pris de court jusqu'à ses admirateurs. *Les Troyens*, fussent-ils réduits aux seuls *Troyens à Carthage*, ne sont pas plus *La Damnation de Faust* ou la *Symphonie fantastique* que *Béatrice et Bénédict*. C'est encore autre chose. Dans les vagues grandioses que l'orchestre fait déferler sur la salle, on reconnaît des accents qui seraient ceux d'un Spontini ou d'un Gluck plus que d'un Weber. A soixante ans de distance, *Les Troyens* renouent d'une certaine manière avec un néoclassicisme français superbe. Mais ils renouent avec ce style français d'une manière totalement différente : ce sont en somme, Berlioz l'a dit vingt fois, les vers de Virgile vigoureusement arrangés par Shakespeare. Alors, tout le monde est pris de court. On ne peut pas ne pas admirer, car c'est très beau. Presque toute la critique le reconnaîtra. En revanche, l'ensemble paraît, on l'a dit, très statique. Et là, *Les Troyens* rejoignent aussi ce que d'aucuns ont pu reprocher à *Béatrice et Bénédict*, voire à *La Damnation de Faust* : quelle que soit la grandeur à proprement parler virgilienne de certains vers, le livret est celui moins d'un opéra que d'un vaste oratorio. Mais, à la différence d'un *Béatrice et Bénédict* où les héros shakespeariens n'étaient que des ombres, de jolies silhouettes sans âme qui se détachaient sur une musique éblouissante, ici Cassandre, Enée, Didon sont pleins d'une vérité humaine que, plus que les mots du poème, la musique de Berlioz leur insuffle magnifiquement.

Quoi qu'il en soit, cette première de Berlioz a été un succès. Succès de presse, succès critique, sage succès dans la salle. Ce sera pourtant la seule représentation à laquelle Berlioz pourra assister dans son intégralité. Deux jours plus tard, le 6 novembre, pour en raccourcir la durée, on a déjà supprimé une scène importante. Le 9 novembre, c'est-à-dire pour la troisième représentation, Berlioz n'est pas là. Une bronchite le retient au lit. Et pendant quinze jours, son fils, de retour à Paris, lui rapporte les journaux, lui rend compte de ce qui se passe au théâtre. Et voilà qu'il découvre que, scène après scène, de grandes et de petites amputations sont opérées sur sa partition. Finalement, *Les Troyens* tels qu'on peut les voir sur la scène du Théâtre-Lyrique sont privés de leurs deux premiers actes, et la deuxième partie, découpée arbitrairement en trois actes, fait l'objet d'une bonne dizaine de coupures. Là-dessus, il apprend que l'édition Choudens, en cours de préparation, sera « conforme aux représentations », c'est-à-dire mutilée. Et Berlioz de parler de ce Choudens, éditeur de musique pourtant parfaitement respectable, en termes indignés : « Sur son étal, par lambeaux, comme le corps d'un veau sur l'étal des bouchers !... On me débite en tranches... ; on peut même en acheter pour deux sous, comme du mou pour régaler les chats des portières !... Ah ! le commerce et l'art s'exècrent terriblement ! »

Les Troyens vont tenir l'affiche vingt et une représentations. Les recettes sont à peu près satisfaisantes, on joue devant des demi-salles. Cependant à partir du 30 novembre, la recette moyenne de trois mille quatre cents francs par représentation tombe à mille huit cents francs. Lorsque, un soir du mois de décembre, Berlioz, qui n'a cessé d'être malade, décide de faire l'effort de revenir au Théâtre-Lyrique pour écouter son chef-d'œuvre, la salle lui paraît vide. Aucune des grandes personnalités officielles du moment, pas plus Napoléon III que le comte Walewski, n'ont daigné se déranger. C'est devant une salle à peu près vide que, le 20 décembre 1863, en matinée, on donnera une dernière représentation des *Troyens à Carthage*. Le lendemain, on doit remplacer Tilmant, le chef d'orchestre de la Société des concerts du Conservatoire. Berlioz pense pouvoir l'emporter, c'est un confrère, Hainl, qui est choisi. Il plonge dans le désespoir le plus profond.

5
La dernière étoile

Le grand œuvre est achevé, Berlioz a pu le monter, on l'a applaudi, on l'admire encore, mais c'est fini. L'œuvre ne sera plus jamais redonnée du vivant de son auteur. L'année 1864 commence sous les plus noirs auspices. Ceux, funèbres, du noir et blanc des cimetières. La concession du petit cimetière Saint-Vincent où Harriett a été enterrée vient à expiration. Les restes de Marie reposent déjà dans le grand cimetière Montmartre, celui qu'enjambe aujourd'hui le pont de la rue Caulaincourt. Berlioz a l'idée folle d'y ramener maintenant les cendres de sa chère Ophélie. Ainsi les deux Mmes Berlioz vont-elles reposer côte à côte.

Dans la postface de ses *Mémoires*, il semble prendre une délectation morbide à raconter la scène. « Par un temps sombre, je m'acheminai seul vers le funèbre lieu. Un officiel municipal chargé d'assister à l'exhumation m'y attendait. Un ouvrier fossoyeur avait déjà ouvert la fosse. A mon arrivée il sauta dedans. La bière enfouie depuis dix ans était encore entière, le couvercle seul était endommagé par l'humidité. Alors l'ouvrier, au lieu de la tirer hors de terre, arracha les planches pourries qui se déchirèrent avec un bruit hideux en laissant voir le contenu du coffre. Le fossoyeur se baissa, prit entre ses deux mains la tête déjà détachée du tronc, la tête sans couronne et sans cheveux, hélas ! et décharnée, de la *fair Ophelia*, et la déposa dans une bière neuve préparée *ad hoc* sur le bord de la fosse. Puis, se baissant une seconde fois, il souleva à grand-peine et prit entre ses bras le tronc sans tête et les membres, formant une masse noirâtre sur laquelle le linceul restait appliqué, et ressemblant à un bloc de poix enfermé dans un sac humide... avec un son mat... et une odeur... L'officiel municipal, à quelques pas de là, considérait ce lugubre tableau... Voyant que je m'appuyais sur le tronc d'un cyprès, il s'écria : "Ne restez pas là, monsieur Berlioz ; venez ici, venez ici." Et comme si le grotesque devait avoir aussi sa part dans cette horrible scène, il ajouta en se trompant d'un mot : "Ah ! pauvre *inhumanité* !" Quelques moments après, suivant le char qui emportait les tristes restes, nous descendîmes la montagne et parvînmes dans le grand cimetière Montmartre, au caveau neuf déjà béant. Les restes d'Henriette y furent introduits. Les deux mortes y reposent tranquillement à cette heure, attendant que je vienne apporter à ce charnier ma part de pourriture. »

Berlioz est un homme brisé. Maigre et solitaire, il ne quitte son lit que pour assister à quelques concerts, où il écoute parfois sa propre musique. Ainsi, à la fin du mois de février, par des « dames amateurs » qui chantent chez Mlle Bertin des airs de *Béatrice et Bénédict*. Ou des airs des *Troyens à Carthage* chez la princesse Mathilde. Mais on donne aussi des auditions plus sérieuses de sa musique : le septuor des *Troyens* pendant la semaine sainte, *La Fuite en Egypte* à la Société des concerts du Conservatoire, sous la direction de ce George Hainl qui lui a pris le poste de directeur musical de l'orchestre qu'il convoitait. Mais lorsque Carvalho lui propose d'écrire un nouveau feuilleton sur la *Mireille* de Gounod, qu'on a donnée dans son théâtre, Berlioz refuse de se laisser convaincre. Pour lui, *Les Troyens* ont marqué la fin définitive de cette maudite carrière de feuilletoniste qui empoisonna tant de ses jours, tant de ses nuits. D'ailleurs, la musique continue sans lui. Lentement, Gounod s'avance sur le devant de la scène. Meyerbeer, lui, va mourir. On couronnera son buste le 10 mai sur la scène de l'Opéra, après une représentation exceptionnelle des *Huguenots*. C'est la fin d'une époque à laquelle Berlioz ne se sent même pas appartenir.

Il s'agite beaucoup moins que par le passé. Bien sûr, il ne peut pas s'empêcher, chaque fois que la chose lui est possible, de quitter l'appartement dans lequel Mme Martin continue à veiller sur lui. Alors il rend visite à ses amis, à Mme Meyerbeer, à Jules Janin, pour le remercier d'avoir évoqué dans un article des *Débats* le souvenir de sa chère Harriett, qu'il se remet à aimer, presque comme au premier jour. On le voit aussi parmi un groupe d'amis qui se réunit pour dîner le lundi. Ils forment ce qu'ils appellent « le club des Insensés ». En dehors de Carvalho et de l'ami Alexandre, les noms des autres membres de ce club ne nous disent rien. On ne saura pas davantage ce que Berlioz faisait parmi les Insensés en question.

Etait-il seulement capable de s'amuser encore ? L'enterrement de Meyerbeer a été une fête qu'il aurait pu qualifier de pyramidale : sa vie à lui s'écoule comme sa musique, on la joue parfois, souvent même, mais lui, on commence presque à l'oublier. Il a peut-être le sentiment d'être en train de devenir le chaînon manquant d'une longue liste de musiciens où figurent les noms de Rossini, de Meyerbeer, de Verdi et maintenant de Wagner. Lui, il n'ira même pas à Bade cette année, où le gentil Bénazet a décidé de faire relâche pendant le mois d'août.

Alors il traîne dans Paris, sans but véritable. Son fils, parti pour le Mexique, revient au mois d'août. Les deux hommes se retrouvent, Berlioz est ému. C'est à cette époque qu'il connaît une autre sorte d'émotion, un jour qu'il est en pèlerinage au cimetière Montmartre où, rappelons-le, il a « beaucoup de relations ». On l'a dit, c'est alors et par hasard qu'il tombe sur la dalle où une croix porte le nom de cette Amélie dont il parlait à Legouvé avec des larmes dans les yeux. Elle est morte depuis six mois. Hector Berlioz la retrouve seulement là, en ce mois d'août 1864. Décidément, il a plus encore de relations au cimetière Montmartre qu'il ne l'imaginait...

Et subitement, c'est l'ultime éclat de lumière. Mais quelle idée a-t-il soudain de revenir sur les lieux de son enfance ? Quelle folie le saisit lorsqu'il évoque à nouveau la petite Estelle des jours anciens de Meylan ? Lors d'un retour à La Côte-Saint-André, il s'était enquis d'elle. On la lui avait dite mariée, veuve maintenant d'un M. Fornier et vivant non loin de là, à Vif. Il lui avait même écrit une lettre à l'époque, mais la bonne dame n'avait pas répondu. Et voilà qu'à présent, âgé de soixante et un ans, il a soudain envie de tout recommencer.

Quelle folie le saisit ? Tout simplement celle du jeune homme, de l'enfant qu'il n'a jamais cessé d'être. De ce fou de Berlioz qui traverse la moitié de l'Italie avec un costume de femme de chambre pour aller tuer une Camille infidèle. De cet archi-fou de Berlioz qui, pendant trois ans, a pu aimer sans un signe d'elle une grande comédienne anglaise pour finir par l'épouser deux ans plus tard, alors qu'elle n'est plus qu'une actrice sans emploi. Pour lui, c'est croire que le temps n'existe pas. Que ce terrible métronome, dont les battements inexorables ont donné la mesure de tant d'années de souffrances, d'humiliations et de triomphes, peut s'emballer à nouveau. C'est l'une des plus belles histoires d'amour, non seulement du romantisme, mais de toute l'histoire des artistes amoureux. Berlioz raconte lui-même dans quelles circonstances il décida son « deuxième pèlerinage à Meylan ».

« Mon fils, par bonheur, arriva bientôt après du Mexique et put me donner quelques jours. Il n'était pas gai, lui non plus, et nous mettions souvent, Hiller, Louis et moi, nos tristesses en commun. Un jour nous allâmes dîner ensemble à Asnières. Vers le soir, en nous promenant au bord de la Seine, nous parlions de Shakespeare et de Beethoven, et nous arrivâmes, il m'en souvient, à une extrême exaltation ; mon fils y prenait part quand il s'agissait de Shakespeare seulement, Beethoven lui étant encore inconnu. Mais, en somme, nous convînmes tous les trois qu'il est bon de vivre pour adorer le beau, et que si nous ne pouvons pas détruire et anéantir le contraire du beau, il nous faut contenter de le mépriser, et tâcher de le connaître le moins possible. Le soleil se couchait ; après avoir marché quelque temps, nous allâmes nous asseoir dans l'herbe sur le bord de la rivière, en face de l'île de Neuilly. Comme nous nous amusions à suivre de l'œil les capricieuses évolutions des hirondelles se jouant au-dessus des ondes de la Seine, je m'orientai tout d'un coup et je reconnus le lieu où nous nous trouvions. Je regardai mon fils... je pensai à sa mère... Je m'étais assis dans la neige et presque endormi au même endroit trente-six ans auparavant, pendant un de mes vagabondages désespérés autour de Paris. Je me rappelai alors la froide exclamation d'Hamlet apprenant que la morte dont le convoi entre au cimetière est la belle Ophélie qu'il n'aime plus : "*What ! the fair Ophelia !*" "Il y a bien longtemps, dis-je à mes deux amis, qu'un jour d'hiver je faillis me noyer ici même, en voulant traverser la Seine par la glace. J'errais sans but dans les champs dès le matin..." Louis soupira.

» La semaine suivante mon fils dut me quitter, son congé expirait. Je me sentis pris alors d'un vif désir de revoir Vienne, Grenoble, et surtout Meylan, et mes nièces et... quelqu'un encore, si je pouvais découvrir son adresse. Je partis. »

Et voilà Hector Berlioz qui « tombe » chez son beau-frère Marc et sa nièce Joséphine Suat à Vienne, le dimanche 4 septembre au matin, après l'un de ces voyages de nuit en chemin de fer, sales et glacés, plus qu'éprouvant, comme on les faisait alors. Marc et Joséphine l'attendent au « débarcadère du chemin de fer », en compagnie de la sœur de Joséphine, Nanci, alors âgée de vingt-deux ans.

Et c'est tout de suite la première crise. Arrivé dans la maison des Suat, Berlioz aperçoit un portrait de sa sœur Adèle, morte quatre ans auparavant, et le voilà qui fond en larmes. Le salon dans lequel il se trouve, les meubles qui l'occupent, et maintenant le visage de sa sœur : « Pauvre Adèle ! Quel cœur ! Son indulgence était si complète... » Et le frère d'évoquer un souvenir de leur jeunesse, quand un jour de pluie, à son retour d'Italie, tous deux prirent un grand parapluie et allèrent patauger dans la campagne, Adèle et lui, « serrés l'un contre l'autre sous le parapluie, sans dire un mot ». Un nouveau soupir de Berlioz : « Nous nous aimions... »

Berlioz, son beau-frère et ses deux nièces vont ensuite passer une quinzaine de jours à la campagne, dans une propriété que possède Marc Suat, à Estressin, non loin de Vienne. Journées de bonheur, découverte par Hector de ses deux jeunes nièces, qui ont grandi, qui sont devenues de belles jeunes filles au charme duquel il ne peut pas ne pas être sensible. On voudrait imaginer une fin d'été lumineuse, semblable à ces journées auxquelles le souvenir de Berlioz le ramène sans cesse : la maison du grand-père Marmion à Meylan et sa chère Estelle. Mais il n'a pas oublié que c'est pour cela qu'il est venu jusqu'à Vienne, notre amoureux sexagénaire. La question lui brûle les lèvres : Mme Fornier est-elle toujours de ce monde ? Est-elle toujours veuve ou bien s'est-elle remariée ? Généreux, peut-être attendri, Suat fait chercher et découvre l'adresse de Mme veuve Fornier. Elle habite maintenant Lyon, avenue de Noailles. Il n'en faut pas plus pour que Berlioz laisse là toute sa famille et coure vers ses souvenirs. Mais d'abord, comme seize ans auparavant lors de son premier « pèlerinage », il veut revoir les lieux de son amour. Aussi, sans prendre aussitôt la route de Lyon, fait-il un détour jusqu'à Meylan. Et les pages qu'il consacre dans ses *Mémoires* à ce retour aux sources de sa vie sentimentale et artistique sont éclairées de la même lumière que tout ce qui a précédé à propos de la petite Estelle devenue la bonne Mme Fornier.

« Arrivé à Meylan, je ne me trompe pas de chemin cette fois, en gravissant la montagne ; je retrouve bien vite la fontaine, l'allée d'arbres et enfin la maison. Tout m'était présent comme si j'y fusse venu la veille. [...] Arrivé à grand-peine au pied de la tour, je me retourne, comme autrefois, et j'embrasse encore d'un coup d'œil la belle vallée. Je m'étais assez bien contenu jusque-là, me bornant à murmurer à voix basse : Estelle ! Estelle ! Estelle ! mais alors une oppression accablante me fait tomber à terre, où je reste longtemps étendu, écoutant, dans une mortelle angoisse, ces mots atroces que chaque battement de mes artères fait retenir dans mon cerveau : Le passé ! le passé ! le temps ! ... jamais ! jamais ! ... jamais ! [...]

» Redescendu, sans rencontrer personne, à la porte de l'avenue, je prends aussitôt la résolution d'entrer, de voir le jardin et la maison. Les nouveaux propriétaires ne me traiteront peut-être pas comme un malfaiteur. D'ailleurs qu'importe ! J'entre dans le jardin. »

Une vieille dame lui permet de visiter les lieux : il a parlé de souvenirs. « Après quelques pas je trouve une jeune personne montée sur une échelle et cueillant les fruits d'un poirier. [...] En passant devant la porte toute grande ouverte de la maison, je m'arrête sur le seuil à en considérer l'intérieur. La jeune fille, qui était descendue de son arbre et que sa mère avait avertie sans doute de la bizarre visite qui leur était faite, m'avait suivi. » Elle l'aborde et le prie d'entrer. « Et me voilà dans la petite chambre dont la fenêtre s'ouvre sur les profondeurs de la plaine, et d'où, quand j'avais douze ans, *elle* me montra d'un geste fier et ravi la poétique vallée. Tout y est encore dans le même état ; le salon voisin est garni des mêmes meubles... Je mordais mon mouchoir à belles dents. La jeune personne me regardait d'un air presque effrayé. “Ne soyez pas surprise, mademoiselle, tous ces objets que je revois... c'est que je ne suis pas... revenu ici depuis... quarante-neuf ans !” Et je m'enfuis éclatant en sanglots. »

Le soir même, il se retrouve à Lyon. Là, il passe une nuit sans dormir tant il est ému. Il va revoir Estelle. Il se décrit la scène des retrouvailles. Puis, il se dit qu'il ne va pas se rendre chez elle avant midi. Alors, en attendant midi, il rédige une lettre qu'il lui fera remettre avant sa visite, afin qu'elle sache quelle conduite adopter. Cette lettre, il la reproduit scrupuleusement dans ses *Mémoires*.

« Madame,

» Je reviens encore de Meylan. Ce second pèlerinage aux lieux habités par les rêves de mon enfance a été plus douloureux que le premier, fait il y a seize ans après lequel j'osai vous écrire à Vif où vous habitiez alors. J'ose davantage aujourd'hui, je vous demande de me recevoir. Je saurai me contraindre, ne craignez rien des élans d'un cœur révolté par l'étreinte d'une impitoyable réalité. Accordez-moi quelques instants, laisse-moi vous revoir, je vous en conjure. Hector Berlioz »

Mais Berlioz ne peut pas attendre midi. « A onze heures et demie je sonnais à sa porte et je donnais à sa femme de chambre la lettre avec ma carte. Elle y était. Il eût fallu remettre la lettre seulement ; mais je ne savais ce que je faisais. Néanmoins en voyant mon nom, Mme F*** donna sans hésiter l'ordre de m'introduire et vint au-devant de moi. Je reconnus sa démarche et son port de déesse... Dieu ! qu'elle me parut changée de visage ! son teint est un peu bronzé, ses cheveux grisonnent. Pourtant en la voyant, mon cœur n'a pas eu un instant d'indécision et toute mon âme a volé vers son idole, comme si elle eût encore été éclatante de beauté. Elle me conduit dans son salon, tenant ma lettre à la main. Je ne respire plus, je ne puis parler. Elle, avec une dignité douce : “Nous sommes de bien vieilles connaissances, monsieur Berlioz !... (Silence.) Nous étions deux enfants ! ...” (Silence.) Le mourant trouvant un peu de voix : “Veuillez lire ma lettre, madame, elle vous... expliquera ma visite.” » Après d'autres silences entrecoupant un dialogue difficile, Mme Fornier se dit, « bien touchée et bien reconnaissante, monsieur Berlioz, des sentiments que vous m'avez gardés ».

La vieille dame tend la main au vieux monsieur, celui-ci la porte à ses lèvres et croit sentir son cœur se fondre et tous ses os frissonner.

« – Dois-je espérer, ajoutai-je après un nouveau silence, que vous me permettrez de vous écrire quelquefois et de vous faire de loin en loin une visite ?

– Oh ! sans doute ; mais je resterai peu de temps à Lyon. Je marie un de mes fils et je dois aller bientôt après son mariage, habiter Genève avec lui.

» N'osant prolonger davantage ma visite, je me levai. Elle m'accompagna jusqu'à sa porte où elle me dit encore :

– Adieu, monsieur Berlioz, adieu, je suis profondément reconnaissante des sentiments que vous m'avez conservés.

» En m'inclinant devant elle je pris encore une fois sa main que j'ai gardée quelque temps appuyée sur mon front, et j'eus la force de m'éloigner. »

Ce dont Mme Fornier ne se doute pas, c'est que toutes les années à venir de la vie de Berlioz s'organiseront en fonction de cet accord presque tacite. Il lui écrira, il voudra la revoir. Il s'acharnera à exploiter jusqu'au bout le peu qu'elle lui a laissé espérer. D'ailleurs, dès le soir même, il n'y tient plus et cherche déjà un prétexte. Et ce prétexte il le trouve vite. La grande soprano Adelina Patti chante *Le Barbier de Séville* au Grand-Théâtre de Lyon. Eh bien, il emmènera son Estelle à l'opéra ! Dans les *Mémoires*, Berlioz ne nous fait grâce d'aucun détail. Il court chez elle, pour l'en prévenir. Il apprend qu'elle vient de sortir et charge sa femme de chambre d'une commission : il disposera pour le lendemain d'une loge au Grand-Théâtre et se fera un bonheur de rester à Lyon un soir de plus pour l'accompagner à cette représentation. Mais, comme il a besoin de savoir si la dame acceptera ou non, il la prie de lui faire connaître sa réponse avant six heures, car si son invitation était refusée, il repartirait pour Paris le soir même.

Il rentre dans son hôtel. Il attend tout juste vingt minutes. Il essaie de lire. Il a acheté à Grenoble un récit de voyage. Il n'en comprend pas un mot. Il marche de long en large dans cette chambre. Il se jette sur son lit. Il ouvre la fenêtre. Il descend. Il sort. Et bientôt le revoilà devant le numéro 56 de l'avenue de Noailles où demeure la dame. Ses jambes, nous dit-il, l'y ont conduit machinalement. Il ne se contient plus, son cœur bat, il monte chez elle, il sonne à la porte. Mais personne ne répond. Et si Mme Fornier, de crainte de le voir revenir, devinant peut-être sa démarche, avait donné ordre de ne pas le recevoir ? Il ressort, marche de long en large dans la rue, puis revient une heure après. Cette fois, c'est le fils de la portière qui va sonner pour lui chez Mme Fornier. On ne lui répond pas plus. Berlioz a conscience du ridicule de sa situation mais qu'importe ! Le voilà qui revient une fois encore. Et cette fois, c'est pour la croiser dans l'escalier, en compagnie de deux dames. Elle a une lettre en main qu'elle allait lui faire porter à son hôtel. Non, elle ne pourra l'accompagner à l'opéra le lendemain. Elle doit en effet partir à la campagne avec « ces dames ».

Et le vieil amoureux de voir son jeune amour d'autrefois s'éloigner. Mais il l'a revue une seconde fois : deux fois en une journée ! Du coup, il en est presque joyeux ! D'ailleurs, la lettre de la vieille dame se termine par l'assurance de ses « sentiments affectueux ». C'est pour lui un trésor inespéré, il part pour l'hôtel, dîne avec Adelina Patti, converse avec la grande chanteuse comme si rien ne s'était passé, celle-ci, la « folâtre », lui saute au cou, l'embrasse, ils promettent de se revoir, Berlioz remarque seulement, comme en aparté, qu'il aurait donné beaucoup pour recevoir de telles marques d'affection de la part de Mme Fornier et n'être accueilli de Mlle Patti qu'avec une froide politesse ! Le même soir, il reprend un train de nuit pour Paris. « Imbécile ! pense-t-il seul dans son wagon. Pourquoi es-tu parti ? Il fallait rester... »

Dans les mois qui suivront, Berlioz écrira lettre sur lettre à la vieille dame. Et celles-ci nous sont restées, comme certaines des réponses de Mme Fornier. Mme Fornier est grave, sage. Elle est résolue. Les lettres de Berlioz, en revanche, constituent l'une des plus belles correspondances amoureuses de la littérature française. Il en a reproduit lui-même quelques-unes dans le texte de ses *Mémoires*. Au mois de mars 2002, un commissaire-priseur de Brive-la-Gaillarde en a mis en vente une quinzaine. La Bibliothèque nationale de France a failli les acheter, mais leur prix s'est envolé. Est-ce un berliozien pur et dur ou un amateur de correspondance amoureuse qui les a acquises ?

On ne peut pas, dans ce récit que l'on fait de la vie d'Hector Berlioz, ne pas citer quelques passages des plus belles. La première lettre est datée du 27 septembre 1864, Berlioz est rentré à Paris le 24, il est à nouveau malade. Mais il écrit : « Songez que je vous aime depuis quarante-neuf ans, que je vous ai toujours aimée depuis mon enfance, malgré les orages qui ont ravagé ma vie. La preuve en est dans le profond sentiment que j'éprouve aujourd'hui ; s'il eût un seul jour réellement cessé d'être, il ne se fût pas ranimé sans doute dans les circonstances actuelles. Combien y a-t-il de femmes qui se soient jamais entendu faire une telle déclaration ? Ne me prenez pas pour un homme bizarre qui est le jouet de son imagination. Non, je suis seulement doué d'une sensibilité très vive, alliée, croyez-le bien, à une grande clairvoyance d'esprit, mais dont les affections vraies sont d'une puissance incomparable et d'une constance à toute épreuve. Je vous ai aimée, je vous aime, je vous aimerai, et j'ai soixante et un ans, et je connais le monde et n'ai pas une illusion. »

On trouve de belles lettres d'amour dans toutes les anthologies de correspondances amoureuses. Mais on doute qu'il en soit de plus émouvantes que celles écrites, après presque un demi-siècle de souvenirs, par un compositeur génial, fou et amoureux, à une vieille dame qui n'en demandait sûrement pas tant. La lettre se poursuit par une supplique : « Accordez-moi donc, non comme une sœur de charité accorde ses soins à un malade, mais comme une noble femme de cœur guérit des maux qu'elle a involontairement causés, les trois choses qui seules peuvent me rendre le calme : la permission de vous écrire quelquefois, l'assurance que vous me répondrez, et la promesse que vous m'inviterez au moins une fois l'an à venir vous voir. Mes visites pourraient être inopportunes et par suite importunes, si je les faisais sans votre autorisation ; je n'irai donc auprès de vous, à Genève ou ailleurs, que quand vous m'aurez écrit : venez. A qui cela pourrait-il paraître étrange ou malséant ? Qu'y a-t-il de plus pur qu'une liaison pareille ? » Berlioz peut alors conclure : « Oh ! Madame, je n'ai plus qu'un but dans ce monde, c'est d'obtenir votre affection... »

On a dit qu'elles étaient raisonnables, les lettres de Mme Fornier : pouvait-il en être autrement ? Pourtant, elle n'a pas plus tôt reçu la première lettre de son amoureux qu'elle lui répond, dès le 29 septembre. Mais c'est pour le mettre en face de ce qu'il est, de ce qu'elle est surtout : ce qu'elle est devenue. « Je ne suis plus qu'une vieille et bien vieille femme (car, monsieur, j'ai six ans de plus que vous), au cœur flétri par des jours passés dans les angoisses, les douleurs physiques et morales de tout genre, qui ne m'ont laissé sur les joies et les sentiments de ce monde aucune illusion. [...] Depuis le jour fatal où je suis devenue veuve j'ai rompu toutes mes relations, j'ai dit adieu aux plaisirs, aux distractions, pour me consacrer tout entière à mon intérieur, à mes enfants. C'est donc là ma vie depuis vingt ans ; [...] tout ce qui viendrait en troubler l'uniformité me serait pénible et à charge... »

La vieille dame ne refuse pas pour autant de revoir Berlioz. Elle lui annonce simplement qu'elle vivra désormais avec son fils et sa femme, à Genève, et que, s'il lui rend visite, il lui faudra « subir leur présence, car [elle] trouverai[t] fort inconvenant qu'il en fût autrement ». Cela, elle l'explique avec toute la franchise et la sincérité qui sont le fond de son caractère. Et elle termine avec une ultime précaution : « Ne voyez, monsieur, dans tout ce que je viens de vous dire, aucune intention de ma part de blesser des souvenirs que vous avez de moi ; je les respecte et je suis touchée de leur persistance. Vous êtes encore bien jeune par le cœur ; pour moi il n'en est pas ainsi, je suis vieille tout de bon, je ne suis plus bonne à rien qu'à conserver, croyez-le, une large place pour vous dans mon souvenir... »

Ce qui n'empêche pas Berlioz de poursuivre activement sa correspondance. Et de commencer déjà à préparer une nouvelle visite. Le 14 octobre, Mme Fornier le met en garde. Qu'il ne vienne pas trop vite. Le 15 octobre il répond : « Oh ! merci ! j'attendrai... » Et à partir de maintenant, Berlioz va attendre. Les lettres vont se succéder, parfois à un rythme accéléré, parfois beaucoup plus espacées. Mais d'une certaine manière, Berlioz vit dans un autre monde. Il n'a pas encore vraiment compris qu'Estelle n'existait plus. Il faudra que Mme Fornier lui envoie une photographie la représentant, avec un petit bonnet sur la tête, grosse vieille petite dame sans aucun charme, un vague air de bonté sur le visage, pour qu'il veuille bien, peut-être, la voir avec d'autres yeux que ceux qu'il portait sur Estelle. Et encore. Le passé est tellement plus beau que le présent...

Et pourtant, la vie continue. Au début du mois d'octobre, Berlioz, rentré à Paris, revoit Liszt. Celui-ci est de passage avec sa fille Cosima qui a épousé le chef d'orchestre von Bülow. C'est ce von Bülow, admirateur inconditionnel de Wagner, qui le laissera lui enlever sa Cosima. Liszt et Berlioz se rencontrent à plusieurs reprises. Ils parlent de musique, naturellement. Liszt sait que l'on va monter à Weimar une nouvelle représentation de *Béatrice et Bénédict*. Berlioz parle de lui, Liszt l'écoute, probablement. L'un comme l'autre évitent d'évoquer le nom de Wagner. La méfiance de Berlioz envers la « musique de l'avenir » est restée entière ; Liszt vit déjà dans l'ombre de Wagner. En discuter serait inutile. Berlioz racontera ces retrouvailles à la princesse de Sayn-Wittgenstein après lui avoir, en quelques lignes, fait un tableau de son voyage à Meylan. Il achève sa lettre par quelques lignes bouleversantes : « Ce passé qui me saisit le cœur autrefois, dans mon enfance, ne l'a plus quitté, et plus je m'éloigne de lui, plus l'arrachement est atroce. Je suis mal né. Tout s'écroule autour de moi... Les nuits sont terribles. Adieu, chère princesse, chère amie, chère sœur. Voulez-vous être ma sœur ? »

« Je suis mal né... » : le plus terrible des aveux. Mais quinze jours plus tard, Berlioz se pavane dans un salon, lisant pour Mme Erard, l'épouse du fabricant de pianos, l'*Othello* de Shakespeare, devant quelques autres dames. Puis quelques jours plus tard, on célèbre le premier anniversaire de la création des *Troyens à Carthage*. Une petite fête réunit chez le Dr Blanche, le fameux psychiatre, quelques proches de Berlioz. Gounod chante un passage de l'opéra. Puis, avec la chanteuse Barthe-Banderali, fille du professeur de chant de Marie Recio, le même Gounod susurre le duo « O nuit d'ivresse ». Et Berlioz ne se fait pas trop prier pour dire, sans musique, la scène de Didon : « Va, ma sœur, l'implorer... »

En dehors de ses lettres à son amour de toujours, Berlioz se partage entre la maladie, c'est-à-dire son lit, et ses amis, sa musique. La Société des concerts du Conservatoire donne un passage des *Troyens*. Berlioz trouve qu'on n'en donne pas assez, il refuse de participer au concert, mais celui-ci a lieu tout de même. A Vienne, on célèbre son anniversaire, le 11 décembre, par des extraits de *La Damnation de Faust*. Il va parfois écouter d'autres musiques, du Donizetti au Théâtre-Italien. Il quitte, après l'acte I, une première représentation de *Linda di Chamunix*, mais revient trois jours plus tard écouter, jusqu'au bout, le *Poliuto* (*Polyeucte*) du même Donizetti. Cette fois il n'est pas seul, il partage sa loge avec le fils d'Estelle Fornier, Charles, et sa femme Suzanne.

C'est là l'une des inconséquences de la bonne Mme Fornier. Elle se défend de vouloir encourager en quoi que ce soit la toujours jeune passion de son vieil amoureux, mais elle lui fait la surprise de lui envoyer son fils et sa bru de passage à Paris. Naturellement, Berlioz en est bouleversé. Ce Charles Fornier, sa jolie femme, c'est un peu de son Estelle qui revient vers lui. Alors il les voit, les revoit, et surtout leur raconte une histoire d'amour qu'ils connaissent probablement déjà. Et Suzanne Fornier, fine mouche, de révéler au vieil amoureux que les lettres « volcaniques » qu'il envoie à sa belle-mère effraient cette dernière. Berlioz accuse le coup, que répondre ?

L'année 1864 s'achève. Ce 29 décembre, il résume sa vie de tous les jours en trois lignes dans une lettre à la sœur de Joséphine, la petite Nanci : « Je me couche à dix heures, je prends trois gouttes de laudanum et je dors jusqu'à midi, et je me moque des anciens confrères qui vont au théâtre entendre des bêtises dont ils auront à rendre compte le lendemain... Pas de feuilleton ! »

C'est à la date du 1er janvier 1865 que s'achèvent les *Mémoires* tels qu'ils ont été publiés par Berlioz. Commencés dans la terreur de la révolution de 1848 et l'allégresse des souvenirs d'enfance, ceux-ci se terminent avec la reproduction de quelques lettres de Berlioz à Estelle, de quelques lettres d'Estelle à Hector. La boucle est bouclée. C'est le 29 juillet 1865 que le livre, imprimé aux frais de son auteur, sortira des presses. Une cinquantaine d'exemplaires sur beau papier seront envoyés à ses amis, les mille deux cents autres, sur papier plus ordinaire, vont être entreposés dans le bureau qu'il continue à occuper à la bibliothèque du Conservatoire.

6

Les brodequins ne sont plus roses

Pendant cinq années encore, le balancier du métronome qui règle les jours de Berlioz va continuer à s'essouffler, comme le cœur du vieil homme.

Le 1er janvier 1865, c'est à l'aînée de ses deux nièces, Joséphine, qu'il rend compte par le menu de ses tristes journées. La jeune fille a envoyé un cadeau à son cousin Louis. A la suite d'une erreur, le paquet est arrivé chez Berlioz, et celui-ci de faire la queue pendant plus d'une heure à la poste sans pouvoir réexpédier la jolie bourse à tabac destinée à son fils. Il rentre seulement un peu plus gelé et de pire humeur que quand il est sorti de chez lui. C'est pitoyable. Et le pauvre homme de s'exclamer : « Et voilà à quoi servent les nièces ou les filles qu'on a. Et le jour de l'an ! Il sert à vous faire savoir le nombre d'années que l'on n'a plus. » Il se rendra ce jour-là à un grand dîner assommant, où la maîtresse de la maison, qui passe pour une belle femme, « a la manie de vous embrasser ». Il aurait dû, premier de l'an oblige, aller à la réception de la cour. Se mettre en costume, faire des manières : il a préféré se renfoncer dans son lit.

L'amertume de Berlioz est sans égale. Malade et dans son lit, il relit les épreuves des *Mémoires* au fur et à mesure qu'elles sont imprimées. Il se lève, va écouter un septuor de Beethoven. Assiste à un concert au Cercle Napoléon où l'on donne l'ouverture de ses *Francs-Juges*. Son fils Louis est reparti pour le Mexique. Se complaisant dans ses souvenirs, il donne à ses amis Massart une lecture de *Hamlet*. Shakespeare toujours, toujours Ophélie. Les jours passent, les semaines. Estelle Fornier continue à lui écrire, il continue d'écrire à la princesse de Sayn-Wittgenstein. Son fils revient du

Mexique mais, n'obtenant pas de permission pour aller jusqu'à Paris, il repart. Pour revenir deux mois plus tard.

Pendant ce temps, la vie musicale parisienne suit son cours, sans Berlioz. On a vu qu'il publiera un dernier article, au mois d'août, dans *La Gazette musicale*. Pour le reste, il assiste vers la fin du mois d'avril à une répétition générale de *L'Africaine* de Meyerbeer. C'est la grande affaire du moment, toute la presse en parlera. La mort de Meyerbeer, *L'Africaine* de Meyerbeer : Meyerbeer plane tellement plus haut que Berlioz dans l'esprit des grands et des petits de ce monde ! A Bade, comme presque tous les ans, on donne du Berlioz. Cette fois, un acte des *Troyens* et la deuxième partie de *L'Enfance du Christ*. Berlioz n'y assiste pas.

La grande affaire de cette année 1865, c'est une nouvelle visite à Estelle Fornier. Le prétexte est tout trouvé : il part pour Genève, où elle habite chez son fils, avec, dans sa valise, l'exemplaire des *Mémoires* qui lui est destiné. En dépit de tout ce qu'il y raconte de ses autres amours, se rendra-t-elle compte qu'elle a vraiment été la première, et peut-être le plus grand ? Il arrive à Genève le 18 août. Contrairement à ce qu'il espérait, on ne lui suggère pas de loger chez la vieille dame. Elle habite quai des Eaux-Vives, il s'installe à l'Hôtel Métropole. Mais on l'a accueilli avec affection. Embrassades peut-être, au moins avec la jeune Mme Fornier. Celle-ci vient d'avoir un enfant et il accepte d'en être le parrain. En somme, Berlioz est reçu chez les Fornier comme un vieil ami de la famille. Et comme cela seulement. Les promenades se succèdent au bord du lac, on se rend en voiture à un village éloigné que l'on nomme Yvorne. Il fait la connaissance d'un autre fils d'Estelle, Auguste, qu'on reverra plus tard. La journée du baptême est une journée de joie *familière*. Mais le jour de son départ, Berlioz trouve Mme Fornier seule. Enfin seule. Alors, bouleversé, il lui demande une fois de plus de l'épouser, se lance dans d'incroyables propositions, avant de s'écrouler à ses genoux. Gravement, comme toujours, Estelle Fornier lui a probablement demander de se relever, l'a rappelé à plus de raison... D'ailleurs, lui a-t-elle fait remarquer quelques jours plus tôt, il n'est jusqu'à ses souvenirs qui ne soient eux aussi dans l'erreur : elle n'a jamais porté de brodequins roses ! C'est l'un des plus chers souvenirs de Berlioz qu'on lui déchire !

De retour chez son beau-frère, Berlioz remerciera pourtant son « cher médecin » d'avoir extirpé pour jamais de son esprit une idée qu'elle avait devinée – le mariage, naturellement. Mais il n'en échafaude pas moins de nouveaux projets : « J'irai deux ou trois fois l'an vous adorer de près, pendant vingt-quatre heures, vous voir, vous entendre, respirer votre air ; puis je me hâterai de revenir à Paris, fier et heureux comme une abeille qui emporte son butin et, de plus que l'abeille, plein d'une tendre reconnaissance. » Pauvre Berlioz : quel vaste programme ! Le 11 septembre, il est de retour à Paris.

Et le même tran-tran reprend : les dîners chez les Massart, les nouvelles de Louis, embarqué à Lorient et revenant à Saint-Nazaire car le navire qui l'emmène a été brusquement privé de pilote ; des extraits de *Roméo et Juliette* donnés par la Société des concerts du Conservatoire ; la gloire de *L'Africaine* qui éclipse tout le reste. Mais le choléra fait rage à Paris, Berlioz voit chaque jour des corbillards qui parcourent les rues. A Nice, son ami le violoniste Ernst, qui fut l'un de ses plus fidèles correspondants, meurt lui aussi. Quant à lui, il est toujours malade. Une bronchite le tient au lit dans les dernières semaines de l'année. Seule bonne nouvelle : un arrêté ministériel qui double le traitement annuel qui est le sien pour ses fonctions, bien épisodiques, de bibliothécaire au Conservatoire. En d'autres temps, on a pu parler d'années grises, d'années noires : celles qui viennent à présent sont d'un noir de suie.

Avec l'année 1866, on dirait que Berlioz a reçu comme un coup de fouet. La musique, à nouveau, le taraude. Non qu'il puisse se lancer encore dans de grandes compositions musicales. Mais c'est le monde musical qui paraît avoir besoin de lui. Ainsi, Carvalho, le directeur du Théâtre-Lyrique, lui demande d'entreprendre pour l'*Armide* de Gluck le même travail qu'il fit sur *Orphée*, avec Pauline Viardot. Cette fois, c'est la créatrice de sa Didon, Mme Charton-Demeur, qui va travailler avec lui. Et Berlioz s'en fait une fête. Camille Saint-Saëns, alors âgé de trente et un ans, accompagne la cantatrice au piano. Et tout va bien. « Depuis qu'on m'a ainsi replongé dans la musique, mes douleurs ont peu à peu disparu. Je me lève maintenant chaque jour, comme tout le monde », écrit-il à son ami Ferrand. Les répétitions d'*Armide* se poursuivent. Il a enfin un véritable projet auquel s'accrocher. Mais, subitement, l'argent manque, la reprise d'*Armide* tombe à l'eau.

Désespoir, bien sûr. Mais quelques mois plus tard, ce sera l'*Alceste* du même Gluck, dont on lui demandera de superviser les répétitions. Quoi qu'il puisse en dire, quoi qu'il puisse croire, Berlioz n'est pas vraiment tout à fait oublié.

D'ailleurs, lors d'un concert donné début mars au Cirque Napoléon, sous la direction du créateur des Concerts Pasdeloup, on siffle l'ouverture du *Prophète*, de Meyerbeer, ce qui lui procure probablement déjà quelque plaisir. Surtout, on donne le septuor des *Troyens*. Et alors : « Immenses applaudissements ; cris de *bis*. Meilleure exécution de la seconde voix. On m'aperçoit sur mon banc, où je m'étais hissé pour mes trois francs (on ne m'avait pas envoyé un seul billet) ; alors, nouveaux cris, rappels, les chapeaux, les mouchoirs s'agitent : “Vive B... ! Levez-vous ! On veut vous voir !” Et moi de me cacher de mon mieux. A la sortie, on m'entoure sur le boulevard... C'était d'un effet grandiose... »

On siffle *Le Prophète*, oui, mais on continue à applaudir *L'Africaine*. Berlioz sait que l'argent coule à flots dans les caisses du défunt Meyerbeer. Il en est malade. Comme il est malade aussi, et c'est infiniment plus triste de le noter, du succès d'une œuvre de Liszt à l'église Saint-Eustache. On y donne sa *Messe de Gran*. Une incroyable foule de curieux, de mondains, de musiciens et d'amateurs se presse dans la nef de l'église. La presse sera mitigée, mais Berlioz n'aimera pas du tout. Pour lui, cette messe est la « négation de l'art ». Ainsi, le voilà qui trahit brusquement le serment d'amitié sentimentale et musicale qui l'unissait à Liszt depuis leur jeunesse. Quelques jours plus tard, Liszt réunira quelques amis chez l'un d'entre eux, pour donner au piano, son instrument de rêve, ce qu'ils n'ont pas aimé avec chœur et orchestre dans une église. Berlioz n'aimera pas davantage, il partira avant la fin de la soirée.

L'explication de ce désamour n'est peut-être pas seulement musicale. Faute de pouvoir épouser la princesse Carolyne, Liszt, saisi par la foi, est devenu un autre homme. Le séducteur de toute l'Europe s'est fait ecclésiastique, ou presque. Il est devenu l'abbé Liszt ! Du coup, sa musique devient religieuse jusque dans ses soupirs. Croyant plus qu'il n'est nécessaire, l'abbé Liszt veut aussi convertir la terre entière. C'est ce mysticisme-là que Berlioz ne supporte pas. Tant d'autres en ont supporté de sa part : lui est intraitable. Berlioz et Liszt se reverront au soir de ce 21 avril pour la dernière fois.

Le monde de la musique continue néanmoins à traiter Berlioz avec un certain respect : un respect certain, pas beaucoup plus. Pasdeloup, dans l'un de ses concerts au Cirque Napoléon, a donné le 25 mars l'ouverture de *La Fuite en Egypte*. Le 1er avril, c'est la Société des concerts du Conservatoire qui donne l'œuvre dans son intégralité. Il obtient, écrit-il à sa nièce Nanci, « une grande ovation ». La presse parle de lui, son fils ne lui envoie-t-il pas des articles qu'il découvre sur son père jusqu'à Saint-Nazaire, où il est en attente d'un nouveau départ ? Lui-même va toujours au concert, au spectacle. Il admire un *Vendredi saint*, de Gounod. Huit fois de suite, au Théâtre-Lyrique, il ira écouter le *Don Juan* de Mozart. En mai, il assiste à une représentation de sa pièce fétiche, *Hamlet*. C'est au Théâtre Ventadour, c'est donné en italien, cela s'appelle *Amleto* mais ça l'a « horriblement ému, *malgré tout* », écrit-il à Estelle Fornier. Tant de souvenirs se bousculent à nouveau. Du coup, il retournera voir Shakespeare, fût-il donné en italien. Dès le mois de juillet, ce sont les répétitions de l'*Alceste* de Gluck. Elles dureront trois mois et Berlioz, une fois de plus, revit. Et puis, le cours de ses amours semble pacifié. Sur le front Estelle, rien de nouveau. Mais pas de nouvelles, bonnes nouvelles. La vieille Mme Fornier répond à ses lettres, il n'en demande pas plus. Et lorsque l'un des fils de la chère dame débarque à Paris pour lui demander son aide, Berlioz lui donne quelque secours. Il ne sait pas dans quel engrenage il vient de mettre le doigt. Quelques mois plus tard, la mère de cet Auguste devenu quémandeur le prie de retarder la visite qu'il devait lui faire à Genève, invoquant à son tour des ennuis d'argent.

Berlioz ne comprend pas, insiste pour faire le voyage de Genève : deux nuits de chemin de fer, un bref aller et retour. Encore une fois, c'est l'Hôtel Métropole pour deux jours. On a beaucoup épilogué sur ce qui a pu se dire entre le vieil amoureux et l'objet aimé, plus âgé encore. Mme Fornier a-t-elle fait état, de manière trop insistante, de ses propres problèmes d'argent ? En tout cas, une ombre s'interpose subitement entre l'Etoile du matin, avec ou sans brodequins roses, et celui qui se rend peut-être compte que l'Etoile en question a fait place à une vieille femme qui a les mêmes préoccupations que lui, l'argent. Toujours est-il que la correspondance entre ces deux vieillards, puisque c'est bien ce dont il s'agit maintenant, s'interrompra pendant plus d'une demi-année.

Autre rupture, un départ cette fois : à la mi-août, Louis Berlioz vient embrasser son père. Il a enfin reçu un commandement d'un bateau de la Compagnie générale transatlantique et part pour les îles. Les deux hommes s'embrassent, Louis est affectueux, comme toujours. Puis, après une dernière étreinte, le père voit s'éloigner ce fils, qui a choisi ce dont lui-même a peut-être toute sa vie rêvé : Cuba et les belles mulâtresses, les cocotiers, les îles, l'exil.

L'été s'achève, la reprise de Gluck à l'Opéra, le 12 octobre, est un grand succès, il n'est jusqu'à Fétis qui n'en convienne. Plusieurs fois, Berlioz retournera écouter ce qu'il appelle peut-être au fond de lui « son » *Alceste*. Entre deux représentations, il reste au lit.

Il se relève pourtant, pour un nouveau voyage : la Vienne impériale où il a connu des succès pyramidaux. Comment, dans l'état d'exténuation qui est le sien, a-t-il pu accepter l'invitation des « Amis de la Musique » ? Quand on en est réduit à pleurer de bonheur en écoutant la musique de Gluck parce qu'on l'a un peu arrangée, ou à entendre par-ci par-là, dans une salle parisienne, deux mouvements d'un oratorio qu'on a écrit ou toujours les mêmes scènes des *Troyens*, on ne résiste pas à d'aimables pressions de ce type.

Alors, le 5 décembre, Berlioz part pour l'Autriche. Le voyage en train dure un jour et une nuit. Il fait froid, on imagine le wagon surchauffé, Berlioz ne s'en sent pas moins glacé. A peine arrivé à Vienne, il commence ses répétitions. C'est *La Damnation de Faust* qu'il doit diriger. Il est heureux, la musique lui fouette les sangs. Les lui fouette si bien qu'il est de nouveau malade, et doit se faire remplacer par un assistant. Mais quand on est Berlioz et qu'on dirige sa propre musique, on n'a confiance qu'en soi-même. Il passe un jour au lit, le 13 décembre, et se relève le 14. L'assistant, Herbeck, lui rend sa baguette. Berlioz est toujours épuisé, physiquement et aussi nerveusement. Si nerveusement qu'il s'énerve, échange quelques répliques d'autant plus cinglantes avec certains de ses musiciens qu'elles sont lancées par interprète interposé puis finit par jeter sa baguette à la tête d'un insolent. On manque se fâcher, on s'explique, on s'apaise. Pourtant l'atmosphère n'est pas bonne. Elle n'est pas meilleure lors de la répétition générale du lendemain. C'est le 15 décembre, on dirait même que Berlioz a des trous de mémoire. Il tient mal son orchestre. Les musiciens, qui se rendent compte de son état, font de leur mieux. Mais il est évident que Berlioz ne maîtrise pas son orchestre. A la veille du concert, il prend la décision de tout abandonner.

C'est le 16 décembre dans l'après-midi qu'a cependant lieu, sous sa direction, la première exécution à Vienne, dans la salle de la Redoute, de l'intégralité de *La Damnation de Faust*. « Buvez deux bouteilles de champagne, *bis* et rappels, fantastique succès » : tel est le texte du bref message qu'il envoie le jour même à son ami Damcke. Comme il n'oublie pas non plus sa famille, il écrit le même soir à Joséphine et Nanci Suat : « *La Damnation de Faust* vient d'avoir un succès foudroyant. L'immense salle de la Redoute n'avait pu contenir toute la foule que l'annonce de mon ouvrage avait attirée. On m'a acclamé, rappelé, applaudi à me faire perdre la tête. » Puis, un soupir presque exalté : « Quand je songe que c'est dans cette même salle que le pauvre grand Beethoven a vu ses chefs-d'œuvre froidement accueillis ! Le temps marche ! Quels cris ! Quels applaudissements ! » Berlioz se trompe, les concerts de Beethoven donnés à la salle de la Redoute n'avaient pas été mal accueillis du tout, mais cela est de peu d'importance. Il a besoin de se réconforter lui-même.

Les jours suivants, Berlioz ne quittera guère sa chambre que pour un immense banquet donné en son honneur, des toasts, des poèmes pour lui. Il fait un petit discours, parle de sa carrière de critique, ce que ce travail a représenté dans sa vie. Son assistant Herbeck lui répond d'un autre discours, c'était le 17 décembre, il revient se coucher très vite dans son hôtel. Le lendemain, les élèves du Conservatoire de Vienne jouent pour lui *Harold en Italie*. Il les écoute avec bonheur puis rentre à nouveau se coucher. Le 21 décembre, il revient à Paris. Mais il a obtenu, écrit-il à Auguste de Gasperini, « le plus grand succès de ma vie, laissez-moi vous le dire... ».

A Paris, sa belle-mère est là pour l'accueillir, dans l'appartement de la rue de Calais, elle parle beaucoup, beaucoup trop. Berlioz est plus seul que jamais : il n'a plus son ami Joseph d'Ortigue à qui raconter les succès de sa dernière campagne. Joseph d'Ortigue est mort le 20 novembre précédent. Le fidèle d'entre les fidèles s'en est allé. *Le Balcon de l'Opéra* – l'œuvre dans laquelle d'Ortigue racontait les amours d'Hector et d'Harriett – paraît soudain bien vide.

7

Une effarante solitude

L'année 1867 s'ouvre par une mort, celle d'Ingres. Ingres, qui admirait Gluck comme Berlioz, et dont la beauté des grandes peintures était en si parfaite harmonie avec cet idéal que Berlioz recherchait. Autre mort, dans les premiers mois de cette année, qui ne peut qu'affecter Berlioz, celle d'Auguste Fornier, le fils d'Estelle. Il est emporté par un transport au cerveau le 14 avril. Mais cette mort est trop rapide pour qu'on puisse la croire vraiment naturelle. Une semaine auparavant, dans une lettre à sa mère, Berlioz, qui avait repris sa correspondance avec la vieille dame bien trop digne, se félicitait des bonnes nouvelles qu'elle lui donnait de ses enfants. Transport au cerveau ? La situation financière désespérée du pauvre garçon, son équilibre psychologique instable : tout permet de penser qu'Auguste Fornier s'est suicidé.

Berlioz trouve quand même l'énergie d'entreprendre un nouveau voyage. Cette fois, c'est son ami Ferdinand Hiller qui a monté un concert à Cologne. Berlioz voyage pendant douze heures avant d'arriver à Cologne au petit matin du 23 février. Il avait pourtant, a-t-il écrit à Mme Fornier, refusé par deux fois. « [Mais] on a insisté une troisième, et sans trop savoir ce qui résulterait de ce voyage, j'ai osé l'entreprendre. J'ai eu des crises très violentes, il est vrai, mais en somme j'ai pu néanmoins faire trois répétitions et la soirée du concert. » A l'une des deux sœurs Suat, il adresse le même bulletin de victoire au lendemain du concert du 26 février : le succès a été complet et très grand. « On a offert un brillant souper où les toasts n'ont pas manqué. » C'est un voyage éclair, on ne s'étonnera pas de le voir revenir à Paris, toujours plus fatigué.

Enormes applaudissements à Cologne, *Roméo et Juliette* qui

triomphe à Bâle sous la baguette de Hans von Bülow ; *L'Enfance du Christ* à Lausanne, puis à Copenhague. Et dans le même temps, si peu de chose à Paris. Au Théâtre-Lyrique, on donne un *Roméo et Juliette*, mais ce n'est pas celui de Berlioz. Quelle amertume... Ainsi, ce Gounod, qu'il a tant protégé, qu'il a même aidé à entrer à l'Institut, la lui a prise, sa *Juliette* ! De la même manière, il lui avait déjà volé son *Faust*. Berlioz remarque tristement, dans une lettre à son ami Morel : « Carvalho et Gounod ne m'ont pas envoyé de billet pour voir leur ouvrage, en conséquence je ne l'ai pas vu... Pourtant, l'autre jour, Gounod à l'Institut m'a embrassé, je ne sais pas pourquoi. »

Au début du mois de mai, il apprend que sa nièce bien-aimée, la petite Joséphine Suat, va se marier. Le futur de la jeune fille a quarante-quatre ans : « Eh bien, n'est-ce pas un bel âge pour un homme ? Avais-tu la prétention d'épouser le jeune Roméo ? » lui lance-t-il avec ce qui ressemble encore une fois à de l'amertume. Le même jour, il a voulu sortir, a été pris dans les rues d'une crise qui ne lui permettait presque pas de marcher. « Enfin je suis parvenu jusque chez mon coiffeur au passage de l'Opéra où j'ai été pris de vomissements atroces. Je ne pouvais plus parler. Depuis lors, je suis au lit. » Joséphine, la fille de sa chère Adèle, était à sa manière devenue une seconde Adèle, une petite sœur à laquelle, plus qu'à Nanci de deux ans la cadette, il prenait plaisir, dans sa solitude, à se raconter. Certes, il n'avait pas envers elle les mêmes épanchements qu'avec Adèle, mais on lisait entre les lignes une immense affection, des reproches tendres, parfois une confidence murmurée. Et voilà que la petite Joséphine va devenir Mme Marc Chapot. Le pauvre Berlioz en est littéralement malade.

Toujours plus ou moins souffrant, assistant à une soirée chez Mme Erard où Saint-Saëns joue des transcriptions de poèmes symphoniques de Liszt, ou refusant de se rendre à une fête à la cour, le 10 juin, mais courant dès le lendemain annoncer lui-même à Saint-Saëns qu'il vient d'obtenir le prix de Rome, Berlioz vit dans un monde qui semble se refermer doucement sur lui, comme un piège inéluctable. Sa vie s'en va déjà en charpie... Et le pire arrive.

Le 29 juin, le marquis Arconati Visconti organise une réception où des amis vont fêter Berlioz. Est-il en train de s'y rendre ? Le petit homme maigre à la démarche sautillante croise un ami dans la rue. La scène ressemble au plus mauvais chapitre d'un mauvais roman. Une rue de Paris, deux amis qui se rencontrent. Ils échangent quelques mots, et c'est la fin. L'ami s'étonne : Comment ? Hector Berlioz ne le savait pas ? Mais on l'a lu dans le journal : vingt jours auparavant, le 9 juin, Louis Berlioz est mort à La Havane de la fièvre jaune !

La dernière mort. L'ultime coup porté à l'éternel jeune homme devenu ce vieillard hagard. Quelques mois après, il perdra encore son oncle Félix Marmion, mais la mort de Louis si loin de lui anéantit tout ce qui lui restait d'énergie. Pendant un mois, il ne quittera guère la rue de Calais. Sa belle-mère s'occupe de lui. On a parlé à plusieurs reprises et de manière ironique de la chère Mme Martin : cette fois, elle se conduit bien envers Berlioz comme envers un fils. Maladie intestinale, vomissements, névralgies : entre deux crises aiguës, Hector Berlioz sombre dans la dépression la plus noire. Est-il seulement encore capable de souvenirs ? Le petit Louis qui voyait ses parents se disputer. Louis l'adolescent abandonné dans un collège à Rouen. Louis qui rêvait des mêmes océans dont son père berçait, lui, des songeries creuses. Louis inconstant, incapable de s'attacher à un poste mais qui faisait des efforts, qui semblait sur le point de réussir. Louis qui n'avait entendu qu'une fois la musique de son père avant leur séjour à Bade. Louis, qu'une Ophélie déjà tendrement grasse et aujourd'hui morte habillait voilà trente-trois ans de petits vêtements, de bonnets offerts par sa tante Adèle, morte elle aussi. Louis qui avait réconcilié peu à peu son père avec sa sœur Nanci. Morte. Louis qui avait fini par accepter le mariage d'Hector Berlioz avec Marie Recio. Morte. Louis mort enfin...

Au milieu du mois de juillet, tel un fantôme, Berlioz sort de chez lui. Il gagne le Conservatoire, monte dans la bibliothèque, ouvre la porte de son bureau où sont accumulés tous ses souvenirs, les programmes de ses concerts, des photographies dédicacées, des articles de journaux et toutes les lettres qu'il n'a pas, pour une raison ou pour une autre, envoyées à ses nièces ou à des amis. Et là, pendant un jour, deux jours, trois jours, il brûle tout. Pierre Citron le constate : « Disparaissent ainsi, irrémédiablement, des centaines de lettres de Liszt, et toute la correspondance reçue de Chopin, de Schumann, de Wagner, de Mendelssohn, de Meyerbeer, de Hugo, de Vigny, de Dumas, de George Sand, de Flaubert, et de bien d'autres. » Hormis les *Mémoires*, Berlioz ne veut rien laisser derrière lui. Mourant, il ne laissera même pas un fils.

Quelques jours plus tard, le 29 juillet, il fait son testament. Tout ce qu'il possède, il le lègue à ses trois nièces, à sa belle-mère, à ses domestiques. Il assure même une rente annuelle et viagère de mille six cents francs à Estelle Fornier – « en souvenir des sentiments que j'ai éprouvés pour elle *toute* ma vie ». Mme Fornier refusera ce cadeau absurde et embarrassant fait à la petite Estelle Dubeuf.

L'été se déroule dans la même mélancolie. Après un bref séjour à Néris-les-Bains pour suivre une cure qui ne lui sert pas à grand-chose, Berlioz descend dans l'Isère. Il va passer un mois à Vienne, où il accepte d'être le témoin de Joséphine, qui va se marier. L'oncle Marmion est là, toujours plein d'entrain. C'était lui qui dansait avec Estelle, un demi-siècle auparavant. Il a quatre-vingts ans, Berlioz l'embrasse une dernière fois avant de quitter la noce. L'oncle mourra bientôt.

Une dernière rencontre : celle d'Estelle Fornier. A trois reprises, il fera le bref voyage de Vienne où il passe ses journées, à Saint-Symphorien-d'Ozon, où la vieille dame a été obligée de se retirer, la débâcle financière dans laquelle elle vit l'empêchant de rester plus longtemps à Genève. Elle habite chez l'un de ses fils survivants, qui est notaire. A trois reprises, le vieux monsieur rend visite à la vieille dame. Et c'est, le 9 septembre 1867, la dernière conversation d'Estelle et d'Hector, deux fantômes évoquant, dans l'ombre d'un salon de province, les morts qui les entourent. En fin d'après-midi, Hector Berlioz a dû prendre une dernière fois la main de son Estelle, la porter à ses lèvres, la porte s'est refermée sur lui. Il sait bien qu'elle non plus, il ne la reverra plus. La dernière lettre qui nous ait été conservée de lui est datée du mois de juillet 1868.

Extraordinaire Berlioz ! Il rentre à Paris vers le 15 septembre, y retrouve l'animation qui règne dans la capitale autour de l'Exposition universelle inaugurée quelques semaines auparavant. Le 11 juillet, on y a donné son *Hymne à la France*. Trop fatigué, il n'a pu diriger le concert. C'était moins de quinze jours après la nouvelle de la mort de Louis. A présent, il semble qu'il se sente mieux. Il dîne chez des amis, se promène dans les bois autour de Ville-d'Avray. La grande-duchesse Elena Pavlovna, la tante du tsar, est venue à Paris pour l'Exposition. Berlioz la rencontre le 18 septembre, elle l'invite en Russie, il refuse, elle insiste, et voilà la dernière folie de Berlioz. Dans l'état de fatigue, d'épuisement moral, physique et intellectuel où il se trouve, il accepte, pour quinze mille francs, d'aller donner six concerts à Saint-Pétersbourg où il passera trois mois. Folie ! Folie ! Dans le même temps, il refuse l'invitation des pianos Steinway de traverser l'Atlantique pour passer six mois aux Etats-Unis. Il aurait cette fois gagné cent mille francs, la folie a tout de même des limites.

Berlioz a soixante-quatre ans. D'autres, à son âge, jouent encore aux verts sexagénaires. Ce n'est pas son cas. On devine que c'est une ruine humaine. Commence alors la dernière campagne de Russie de l'empereur Berlioz.

La première étape est Berlin, où il arrive le 13 novembre au soir, déjà épuisé. Une nuit, une journée entière, une deuxième nuit de repos à l'hôtel, et avec le pianiste Alfred Dörffel et la soprano Anna Regan, il repart le 15 novembre pour Saint-Pétersbourg.

Le voyage va durer deux jours et deux nuits. Berlioz ne se sent pas mal, loin de là, dans le train qui l'emmène vers cette lointaine Russie. Assez curieusement, il se sentira presque bien portant en arrivant à Saint-Pétersbourg, où il loge au palais Michel. Retrouver le luxe, l'admiration qu'il a connue lors de ses campagnes précédentes, en Russie ou dans le reste de l'Europe : Berlioz se sent littéralement revivre. Et puis, il y a Saint-Pétersbourg autour de lui : « Mon Dieu, quelle neige ! Je vois des nuées de moineaux et de pigeons qui, sans crainte de voir leurs pattes gelées, cherchent dans la neige les grains d'avoine que les chevaux ont laissé tomber. Des gens passent en traîneau avec la tête couverte d'un épais capuchon. Et cette place immense, ce silence glacial. Dans quelques jours, toutes ces impressions vont disparaître, je serai plongé dans la musique et ne songerai à rien d'autre. Il fallait donc quitter Paris pour retrouver ma vie ! »

Trois jours après son arrivée, une foule d'artistes, de critiques lui ont rendu visite. On l'interroge sur *Les Troyens*, on lui reproche de ne pas en avoir apporté la musique. Du coup, il demande à son ami Damcke de la lui faire parvenir. On croirait revoir le Berlioz des années d'autrefois : à Damcke, il annonce même être allé porter lui-même une lettre à une amie de son épouse. Jusque dans la neige qui lui arrive aux mollets – heureusement, il dispose d'une belle voiture... – il donne l'impression d'avoir retrouvé le curieux plaisir que lui procuraient ces incessantes allées et venues dans Paris...

Ce sera quatre concerts que Berlioz dirigera à Saint-Pétersbourg. Les soirées ayant pris fin, il se réfugie dans sa chambre du palais Michel, près de la cheminée, pour se reposer – le bonheur de retrouver la vie et la musique le transportent. Le premier concert a eu lieu le 28 novembre dans la grande salle du Manège. Chef d'orchestre,

Berlioz ne se contente pas de faire la part belle au compositeur Berlioz. Il donne aussi du Mozart, la *Symphonie pastorale* de Beethoven, l'ouverture de l'*Oberon* de Weber. Pour son anniversaire, le 11 décembre, la Société musicale russe lui offre une réception. Il accepte de quitter sa chambre pour autre chose que pour un concert. Il y a cent cinquante invités, il est nommé membre d'honneur de la Société. Le matin, il a reçu un cadeau de la grande-duchesse Hélène : un album de photographies relié en malachite avec, sur la première page, une photo de la grande-duchesse, zébrée de sa signature. Redoublant d'attentions, et ayant appris la passion de son visiteur pour le *Hamlet* de Shakespeare, « qu'elle connaît de manière à inspirer de la confiance aux lecteurs », la grande-duchesse lui demandera de venir un soir lui faire une lecture de la pièce qui lui a fait rencontrer son Ophélie. Elle le lui demandera, le lui redemandera...

Les concerts se poursuivent dans la même atmosphère d'euphorie, les 7, 14 et 28 décembre. Entre-temps, le 22, une réception privée dans les salons de la grande-duchesse permet à Berlioz d'entendre son duo nocturne de *Béatrice et Bénédict*.

Entre-temps aussi, il a accepté de se rendre à Moscou. On se doute que les arguments qui l'ont convaincu sont sonnants et trébuchants. En revanche, il refuse de s'engager à donner un septième concert à son retour de Moscou. A Saint-Pétersbourg, il neige toujours. Il part pour Moscou le 29 décembre.

Il le dira à son retour à Saint-Pétersbourg, un peu moins d'un mois après : « Ce voyage m'a tout dérangé ; j'étais occupé et préoccupé d'une façon exceptionnelle... » C'est qu'au palais Michel, dans les salons de la grande-duchesse, il s'était installé dans une manière de confort chaleureux, il avait commencé à prendre ses habitudes. Jusqu'aux moineaux qu'il regardait picorer dans la neige sous ses fenêtres. A Moscou, c'est à l'hôtel qu'il est logé. Et même s'il s'agit de l'Hôtel de France, le meilleur de la ville, ce n'est qu'un hôtel. Et Moscou fait bien province à côté de Saint-Pétersbourg.

Dans les derniers jours de l'année 1867, un premier dîner de gala lui est offert par la Société musicale. C'est un jeune homme de vingt-sept ans, musicien comme lui, qui prononce un discours de bienvenue en français. Il s'appelle Tchaïkovski. Berlioz n'assistera cependant pas à d'autres dîners, il est trop fatigué.

Et pourtant, nouveau coup de fouet : un grand événement musical s'est produit. Son premier concert à Moscou est en effet l'une de ces « pyramidales réussites » dont il a le secret : « Ne trouvant pas une salle assez grande [les directeurs du Conservatoire] ont eu l'idée de le donner dans la salle du Manège, un local grand comme la salle du milieu de notre Palais de l'Industrie aux Champs-Elysées. Cette idée qui me paraissait folle a obtenu le plus incroyable succès. Nous étions cinq cents exécutants, et il y avait, au compte de la police, douze mille six cents auditeurs. Je n'essaierai pas de vous décrire leurs applaudissements pour la "Fête" de *Roméo et Juliette* et pour l'"Offertoire" du *Requiem*. Seulement, j'ai éprouvé une mortelle angoisse quand ce dernier morceau, qu'on avait voulu absolument, à cause de l'effet qu'il avait produit à Pétersbourg, a commencé. En entendant ce chœur de trois cents voix répéter toujours ces deux notes, je me suis figuré tout de suite l'ennui croissant de cette foule, et j'ai eu peur qu'on ne me laissât pas achever. Mais la foule avait compris ma pensée, son attention redoublait et l'expression de cette humilité résignée l'avait saisie. A la dernière mesure, une immense acclamation a éclaté de toutes parts. J'ai été rappelé quatre fois, l'orchestre et les chœurs s'en sont ensuite mêlés, je ne savais plus où me mettre. C'était la plus grande impression que j'ai produite dans ma vie. » Tout autre, malade comme l'est Berlioz, en resterait sans voix. Mais c'est peut-être le cas, puisqu'il n'assistera pas à la réception donnée pour lui le soir même.

Le deuxième concert a lieu le 11 janvier. Il est organisé au Conservatoire, dans une salle plus petite, avec des effectifs beaucoup plus réduits. Mais le succès est le même. Le lendemain, il assiste à une réception donnée cette fois dans la salle du Club de la noblesse. Discours, toasts, Berlioz est porté aux nues. Mais quand on insiste à nouveau pour lui faire donner d'autres concerts à Saint-Pétersbourg que les deux qu'il a encore prévus, il refuse à nouveau. La fatigue l'écrase. Alors, il l'écrit à Nanci : « J'aspire à aller vous voir et ensuite m'endormir sur le bord de la mer au soleil de Nice. » Nice, la mer, le retour à la vie : ce sera désormais pour Berlioz une obsession.

Revenu à Saint-Pétersbourg le 15 janvier, il y reste encore près d'un mois. Mais, s'il regarde toujours sous ses fenêtres « la place Michel silencieuse sous son manteau de neige ; les corbeaux, les pigeons et les moineaux [qui] ne remuent pas, les traîneaux [qui] ne courent pas », c'est maintenant à cette Riviera, synonyme pour lui de bonheur, qu'il pense sans cesse. Il le dit, le redit : il ira à Monaco se « baigner dans les violettes [*sic*] et dormir au soleil ».

Pauvre Berlioz, dont les maux sont si constants qu'il ne sait que devenir. Pourtant, à ses amis Massart, qui sont maintenant avec les Damcke ses plus proches confidents parisiens, il lance ce cri : « Je voudrais ne pas mourir maintenant, j'ai de quoi vivre. » De quoi vivre : s'agit-il d'argent ? Il nous l'a dit, quelques billets de plus ou de moins ne comptent guère. Non, c'est un nouveau sursaut d'exaltation qui le remplit.

Le séjour russe continue au même rythme : les deux concerts prévus, mais tous les dîners, toutes les soirées refusés. Berlioz est toujours malade. Tout ce à quoi il aspire maintenant, c'est à avoir « dans trois semaines la force de courir quatre jours et quatre nuits dans la neige », c'est-à-dire la force de rentrer en France. Le 23 janvier, quand il s'en explique à Estelle Fornier, dans une lettre bien lasse, il remarque que c'est, ce jour-là, la fête de la bénédiction des eaux de la Neva. Six cents prêtres, le tsar en personne qui conduit la cérémonie, toute la ville court sur la glace, on lui a dit que c'était fort beau : lui n'a pas quitté sa cheminée. Il ne la quittera pas davantage pour aller relire *Hamlet* en français à la grande-duchesse Hélène. Son cinquième concert à Saint-Pétersbourg a lieu le 25 janvier. Signe des temps : Berlioz dirige un orchestre qui ne joue pas de Berlioz. Autant que le compositeur, c'est le chef que l'on fête en Russie. Le 8 février, il dirige cette fois des extraits de *Roméo et Juliette* et de *La Damnation de Faust*. Il dirige enfin *Harold en Italie*. C'est son dernier concert en Russie. C'est le dernier concert qu'il dirigera jamais. La seconde campagne de Russie s'achève, il prend le train pour Paris le 13 février 1868, passe quatre jours et quatre nuits dans un wagon mal chauffé. Il en aurait bien besoin, cette fois, de la chaude pèlerine de fourrure du bon M. de Balzac.

8
Vers la lumière

Après la dernière campagne, il s'agit de revoir la mer. Le soleil et la mer. Le soleil à nouveau sur la mer. Dès son retour à Paris, Berlioz revient à cette idée : il veut au plus vite gagner Nice. On a beau tenter de l'en dissuader, il refuse tous les conseils. Sa nièce Joséphine, de passage à Paris, son médecin craignent le pire pour lui. Toute son énergie – ce qu'il lui reste d'énergie... – n'est plus tendue que vers cette idée : la lumière... Quelle folie de repartir encore une fois ! Parce qu'il est dans un triste état, le Berlioz revenu au port. A sa « chère adorée Madame », quelques lignes d'une écriture brisée, presque illisible, les derniers signes, semble-t-il, d'un vieil homme foudroyé : « Je suis arrivé très exténué de Russie il y a quelques jours, et je vous écris seulement pour que vous n'ayez pas l'idée de m'envoyer une lettre à Saint-Pétersbourg ; car je m'attends à tout de votre bonté. Je vous verrai sans doute dans peu. Pour à présent, je ne puis guère quitter mon lit. Quatre jours et trois nuits en chemin de fer, et la neige, et la douleur que j'ai, c'est cruel. Je n'ai que la force de me mettre à vos pieds et de vous baiser la main. Votre dévoué... » Il écrira encore trois lettres à son Etoile du matin. Trois lettres plus longues, mais au style de plus en plus relâché, où les idées se bousculent, les mots se confondent. C'est que le voyage à la mer, dont il rêvait tant, va se révéler un ultime calvaire.

Contrairement à ce qu'il avait l'intention de faire, Berlioz partira directement pour Nice, dans les premiers jours du mois de mars 1868. Il voulait s'arrêter à Vienne, pour voir les Suat, pousser jusqu'à Saint-Symphorien pour revoir Estelle. Mais on a dit l'idée fixe : la mer. Alors on a beau tenter de le retenir, Berlioz n'écoute personne. Son médecin, le Dr Nélaton, ne lui a pas caché la vérité : dans l'état d'épuisement dans lequel il se trouve, ce n'est plus ni la gorge, ni la névrose intestinale, ni les névralgies qui vont l'abattre. C'est son corps tout entier qui est épuisé, vidé de sa substance, seulement animé par des regains d'énergie désespérée. Et il n'a pas soixante-cinq ans ! Le docteur lui dit la vérité : il est perdu. Il part quand même.

A Nice, il a d'abord l'impression de revivre. C'est presque le printemps. Les odeurs, la couleur du ciel, les palmiers, les fleurs : s'il a pu rêver un jour des îles, c'est pourtant vers ce paradis-là, ces oliviers qui sont presque ceux de l'Italie, la couleur de cette terre, vers ses souvenirs surtout qu'il veut revenir. C'est un fantôme qui se penche une dernière fois sur son passé.

Et tout se passe très mal. Les images, comme les mots, se bousculent, Camille jadis et avant elle, Harriett, l'inconnue sur la plage avec laquelle il avait connu à nouveau le plaisir. Les vagues, le sable. Et la réalité : ce petit homme sec qui marche tout de guingois sur des rochers inégaux – les rumeurs sont si fortes en lui, le soleil brusquement si brillant qu'il s'écroule d'un coup. C'est à Monte-Carlo. Une congestion cérébrale l'a frappé. Mais on l'a vu tomber, des hommes qui travaillaient le long de la voie de chemin de fer se précipitent, on le ramène à son hôtel. Il s'est blessé, il a des plaies au front, au visage, le sang poisse ses cheveux. Lélio, qu'il est loin, ton retour à la vie ! On le ramène à Nice le lendemain.

Le visage abîmé, contusionné, les membres endoloris, des pansements ici et là, Berlioz rouvre bientôt un œil : dehors, il fait plus beau que jamais. Alors il sort à nouveau, et va déambuler sur la Promenade, sous les fenêtres des grands hôtels pour étrangers. Jadis, on le reconnaissait dans la rue, sa silhouette était familière, des amis, des inconnus le saluaient. Mais ce vieux pantin à la démarche disloquée : qui s'aviserait de reconnaître, sous les plaies et les bosses qui lui marquent le visage, le musicien fêté à Londres, porté aux nues en Allemagne, célébré encore quelques semaines auparavant dans l'Empire russe ? Pourtant ce Berlioz qui s'avance le long de la mer n'aurait cure de pareilles attentions. Il est encore une fois, tout entier, à ses souvenirs. Peut-être qu'Estelle elle-même est très loin, que ce sont les autres, la belle infidèle ou la comédienne perdue dont il aperçoit en un rêve éveillé les ombres bleues dans cette grande lumière. Son pas se ralentit, son cœur s'accélère. Il l'écrit à Estelle Fornier, trois semaines plus tard : « Si défiguré que je fusse, j'ai voulu voir la terrasse du bord de l'eau que j'aimais tant autrefois, et j'y suis monté. Je suis allé m'asseoir sur un banc ; mais comme je n'y voyais pas bien la mer, je me suis levé pour changer de place. » Et c'est la deuxième chute. Il tombe « raide, sur la figure encore ». Deux jeunes gens l'ont relevé et l'ont conduit par les bras à l'hôtel des étrangers. Il va y rester pendant huit jours, au lit, puis, cette fois, se décider à rentrer à Paris.

Nous sommes à la fin du mois de mars. Berlioz a encore presque un an à vivre. Cette dernière année, il la passera en solitaire, enfermé dans l'appartement de la rue de Calais avec sa belle-mère, qui veille sur lui. A la mi-juin, il ajoutera un codicille à son testament, pour augmenter la somme qu'il veut lui léguer.

Parfois il sort. En voiture, avec sa belle-mère et son domestique. Ses mésaventures sur la Côte d'Azur, il les ressasse sans fin, les écrit et les réécrit à la terre entière. A Estelle Fornier, à Nanci Suat, à son beau-frère Camille, jusqu'à la grande-duchesse de Russie, Elena Pavlona, qui a droit à un récit détaillé de ce qui s'est passé à Monaco et à Nice. Il se répète, raconte encore, un mois après, la même triste mésaventure au critique russe Stassov. Car en dépit de sa fatigue, pendant toute cette seconde partie de 1868, Berlioz trouve encore la force d'écrire. Et lorsqu'à la fin du mois de mai « les suites directes de ces deux chutes sont à peu près effacées, [sa] maladie d'entrailles est revenue et [il] souffre plus que jamais ».

Et voilà qu'un autre drame vient obscurcir ses journées déjà bien sombres. Son ami Ferrand avait, voilà longtemps, adopté un enfant qu'il avait élevé comme le fils véritable qu'il était peut-être. Ce Blanc Gounet est depuis longtemps un chenapan. Il vole, Berlioz est déjà intervenu une fois en sa faveur auprès de la justice. Mais il vole encore, menace ses parents. Ceux-ci finissent par être inquiets, et ils n'ont pas tort. Le 26 mai 1868, Blanc Gounet revient voler sa belle-mère, celle-ci résiste, il l'étrangle. La nouvelle frappe douloureusement Berlioz. Sa femme morte, Ferrand n'a plus qu'une idée : éviter la guillotine à son fils. Rien n'y fera. Le 5 septembre, après un procès rapide, Blanc Gounet est exécuté à Bourg. Le malheureux Humbert en meurt de chagrin quelques jours après.

Que de morts autour de Berlioz : toute la famille Ferrand en quelques semaines, Rossini à son tour le 13 novembre 1868. Pourtant, lui-même tente encore de vivre. Il va tous les samedis assister aux séances de l'Académie des beaux-arts. Il fait même l'effort, au milieu du mois d'août, de retourner une dernière fois dans le Dauphiné, à Grenoble, où il est président d'honneur d'un concours d'orphéons ! On prononce des discours en son honneur, il est absent, répond à côté ou ne répond pas. Son beau-frère Pal l'accompagne, le soutenant de toute son énergie de juge honoraire et de notable grenoblois. Le maire de Grenoble le couronne de vermeil, un dernier banquet ; il n'a même pas la force d'y assister jusqu'au bout. Il revient à Paris le 21 août, sans avoir tenté de revoir à Vienne aucun de ses anciens amis encore vivants. Et sans s'être rendu à Saint-Symphorien, où Estelle Fornier vit toujours. La dernière lettre qu'il lui ait adressée était datée du mois de juillet.

Ce sont des journées entières qu'il passe maintenant couché rue de Calais. Il semble qu'en novembre il assiste à une représentation de *Mercadet*, de Balzac, à la Comédie-Française. Le 25 novembre, il se rend une dernière fois à l'Institut. Son domestique l'accompagne. Il y a une élection à l'Académie des beaux-arts, il vote pour Charles Blanc qui, l'ayant trouvé si malade lors de la visite pas forcément de rigueur qu'il lui avait rendue pour présenter sa candidature, avait eu scrupule à lui demander sa voix : l'hiver était déjà très rude, mieux valait qu'il ne sorte pas.

Dans les derniers jours de décembre, il écrit à son beau-frère Camille Pal pour lui demander de l'aider à « sortir de [ses] embarras d'argent ». La dernière lettre de lui publiée dans le septième volume de sa correspondance générale est adressée à un destinataire inconnu : « Je suis si malade que je n'ose vous indiquer un rendez-vous. La MORT joue avec moi, pourtant je sortirai un instant ce soir. Si vous voulez, demain matin... »

A partir du mois de janvier 1869, Berlioz ne quitte plus son lit. De quoi meurt-il ? Peut-être, d'abord, d'avoir été Berlioz, ce qui, pendant soixante-six ans, est déjà une épuisante maladie. Sa belle-mère le veille. Un jour Saint-Saëns lui rend visite, il lui semble toucher la main d'un mort. Berlioz peut à peine parler, il prononce parfois quelques mots, difficilement. Dans les premiers jours du mois de mars, il entre dans le coma. Des amis viennent le voir, on reste à son chevet.

Le 8 mars, Reyer, qui sort de chez lui, écrit au Dr Denau, que son ami est au plus mal : « Venez tout de suite chez Berlioz, 4, rue de Calais. Il est mourant. » On sait qu'un prêtre est venu, qui lui a administré les derniers sacrements. L'a-t-il demandé lui-même ? Est-ce Mme Martin qui l'a fait venir ? La vieille dame est entourée de Mme Damcke, de la chanteuse Charton-Demeur, la première Didon, et de Mme Delaroche, chez qui Marie Recio séjournait à Saint-Germain au moment de sa mort. On attend. Et à midi et demi, Berlioz meurt.

Celui qui a conduit à travers Paris une grande *Symphonie funèbre et triomphale*, celui qui a composé le plus formidable *Requiem* français du XIXe siècle, celui que l'Europe entière considère déjà comme l'un des cinq ou six grands musiciens de son siècle, aura droit à des obsèques à peine un peu mieux qu'ordinaires. On est loin de la pompe avec laquelle on a conduit Meyerbeer à son dernier repos. C'est à l'église de la Trinité, toute proche, qu'on célébrera un service funèbre. Les amis qui lui sont restés tiennent les cordons du poêle. Les amis et les autres, puisque, aux côtés de Reyer et du baron Taylor, qui fut l'un de ses mécènes, on trouve Gounod, qui l'admira, Ambroise Thomas et Auber, pour lequel Berlioz n'avait pas de vraie admiration. Ils sont nombreux, les musiciens qui vont participer à ce dernier concert. Venus de la Société des concerts du Conservatoire, de l'Opéra, de l'église de la Trinité, avec le concours de la fanfare de son ami Sax, ils exécutent pour Berlioz la marche de l'*Alceste* de Gluck, le deuxième mouvement de la *Septième symphonie* de Beethoven, l'« Hostias » de son *Requiem*, des extraits des *Requiem* de Cherubini et de Mozart. Tour à tour Pasdeloup et l'ami Hainl conduisent les musiciens.

On devait donner le septuor des *Troyens* dans une transcription pour orgue mais il fallait bien qu'un incident s'abatte sur l'ultime concert de Berlioz ! Au dernier moment, la sublime musique de son chef-d'œuvre est remplacée par une marche composée en l'honneur de Meyerbeer ! La messe d'enterrement s'achève par une transcription de « La marche des pèlerins » d'*Harold en Italie*.

Le cortège monte ensuite la rue Blanche, pour se diriger vers le cimetière Montmartre où la tombe d'Harriett et de Marie Recio est déjà ouverte pour le recevoir. Ultimes discours, derniers hommages, louanges obligées, académisme. C'est le président de l'Académie des beaux-arts, le sculpteur Guillaume, qui ouvre le feu. Puis, comme Berlioz est aussi un écrivain, un nommé Frédéric Thomas parle au nom de la Société des gens de lettres. C'est Gounod qui s'exprime au nom de la Société des auteurs et compositeurs. Au nom du Conservatoire, Antoine-Elie Elwart prononce le dernier discours. Le cercueil d'Hector Berlioz descend le 11 mars 1869 dans le caveau où il dormira, entre ses deux épouses, jusqu'au transfert de ses cendres au Panthéon.

« Quel roman que ma vie ! » : le roman est fini. La fin est triste. Pourtant, deux cents ans après ce jour de 1803 où il vit le jour dans la maison du Dr Louis, à La Côte-Saint-André, Hector Berlioz est bien devenu ce qu'il voulait être : le plus grand musicien romantique français.

On laissera le dernier mot à Théophile Gautier, l'un de ses derniers amis encore vivants, qui écrira, le 16 mars, dans *Le Journal officiel* : « Personne n'eut à l'art un dévouement plus absolu et ne lui sacrifia si complètement sa vie. »

Principaux ouvrages consultés

1) *Œuvres littéraires de Berlioz*

Voyage musical et *Académie de France à Rome*, deux chapitres de *L'Italie pittoresque*, Paris, 1834
Grand traité d'instrumentation et d'orchestration modernes, Paris, 1843
Voyage musical en Allemagne et en Italie, 2 vol., Paris, 1844
Les Soirées de l'orchestre, édition L. Guichard, Gründ, 1968
Les Grotesques de la musique, édition L. Guichard, Gründ, 1969
A travers chants, édition L. Guichard, Gründ, 1971
Mémoires, édition Pierre Citron, Flammarion, 1991
Correspondance inédite d'Hector Berlioz 1819-1868, édition Daniel Bernard, 1870
Hector Berlioz. Correspondance, 3 vol., édition Julien Tiersot, 1904/1919/1930
Correspondance générale, 7 vol., édition Pierre Citron, Flammarion, 1972
La Critique musicale d'Hector Berlioz, édition R. Cohen et Y. Gérard, 1996, en cours de publication
Cauchemars et Passions, choix de textes critiques, présentation de Gérard Condé, Lattès, 1981

2) *Autres sources*

– *L'Académie de France à Rome*, A. Chastel, Ph. Morel et autres, volume 2, Rome, 1969
– Allaux, Jean-Paul
L'Académie de France à Rome, 2 vol., Paris, 1933
– Balif, Claude
Berlioz, Le Seuil (coll. Solfège)
– Barraud, Henry
Berlioz, Fayard, 1979

– **Barzun,** Jacques
Berlioz and the Romantic Century, 2 vol., New York
– *Berlioz and the Romantic Imagination*, catalogue de l'exposition du Victoria and Albert Museum, Londres, 1969
– **Blondeau,** Auguste Louis
Vie d'un musicien en Italie (1809-1912), Liège, Mardaga, 1993
– **Bloom,** Peter
The Berlioz Companion, Cambridge University Press, 2000
Berlioz Studies, Cambridge University Press, 1992
– **Bona,** Félix de
Une famille de peintres. Horace Vernet et ses ancêtres, Lille, 1891
– **Boschot,** Adolphe
La Jeunesse d'un romantique – Hector Berlioz 1803-1831, Paris, 1906
Un Romantique sous Louis-Philippe – Hector Berlioz 1831-1842, Paris, 1908
Le Crépuscule d'un romantique – Hector Berlioz 1842-1869, Londres, 1908
– **Cairns,** David
Berlioz. La Naissance d'un artiste – 1803-1832, Paris, Belfond
Berlioz. Servitude and Greatness – 1832-1869, Londres, 1999
– **Charlton,** David
Romantisme 1830-1860, Oxford, 1990
– **Chateaubriand,** F.R.
Mémoires d'Outre-Tombe
– **Citron,** Pierre
Calendrier Berlioz, Cahiers Berlioz, numéro 4, La Côte-Saint-André, 2000
– *Correspondance des directeurs de l'Académie de France à Rome*, volume 2, Rome, 1975
– **Delécluze,** Etienne-Jean
Journal 1824-1828, Paris, 1948
– **Dumas,** Alexandre
Mes Mémoires, Laffont (coll. Bouquins)
– **Etex,** Antoine
Les Souvenirs d'un artiste, Paris, 1879
– **Fairtrop-Porta,** Anne-Christine
Rome au XIXe siècle vue par le grand compositeur à la Villa Médicis, Moncalieri, 1996
– **Flandrin,** Hippolyte
Lettres inédites, Paris, 1864
– **Gounod,** Charles
Mémoires d'un artiste, Paris, 1912
– **Heine,** Henri
De tout un peu, Paris, 1867
– **Holoman,** Kern
Berlioz, Harvard University Press, 1989
– **Julien,** Adolphe
Hector Berlioz : sa vie et son œuvre, Paris, 1888

– **Lapauze,** Henri
Histoire de l'Académie de France à Rome, Paris, 1824
– **Legouvé,** Ernest
Soixante ans de souvenirs, 2 vol., Paris, 1886
– **Lesure,** François
La Musique en France à l'époque romantique, Paris, 1991
– **Liszt,** Franz
Artiste et Société, édition Rémy Stricker, Paris, 1995
– **Macnutt,** Richard
Catalogue de la collection
– **Maréchal,** Henri
Rome : souvenirs d'un musicien, Paris, 1904
– **Mendelssohn-Bartholdy,** Felix
Voyages de jeunesse. Lettres européennes 1830-1832, Paris, 1870
– **Mongredien,** Jean
Jean François Le Sueur, 2 vol., Berne, 1960
– **Newman,** Ernest
Berlioz, Romantic and Classic, édition P. Heyworth, Londres, 1972
– **Ortigue,** Joseph d'
Le Balcon de l'Opéra, Paris, 1833
– **Pourtalès,** Guy de
Berlioz et l'époque romantique, Paris, 1939
– **Prod'homme,** J.G.
Hector Berlioz : sa vie et son œuvre, Paris, 1905
– **Raby,** Peter
Fair Ophelia : Life of Harriett Smithson Berlioz, Cambridge, 1982
– **Reynaud,** Cécile
Berlioz 1803-1869, Paris, Gisserot, 2000
– **Wagner,** Richard
Ma vie, Paris, Buchet-Chastel, 1983

Index

Mes remerciements vont à
Catherine Massip et Cécile Reynaud
Georges-François Hirsch
David Cairns et Pierre Citron
Pierre Bergé
Jean-Pierre Bartoli, Peter Bloom, Gunther Braam, David Charlton, Gérard Condé, Ulrich Etscheit, Yves Gérard, Kern Holoman, Hugh Macdonald, Richard Macnutt, Jean Mongredien, Jean-Michel Nectoux, Alain Poirier, Alain Rousselon, Rémy Stricker
Jeff Cohen, François Le Roux, Alexandre Tharaud
Thierry Bodin

en souvenir de François Lesure

Table

TROISIÈME PARTIE

BERLIOZ LE VOYAGEUR

QUATRIÈME PARTIE

LE CRÉPUSCULE D'UN DIEU

DU MÊME AUTEUR

Aux Éditions Albin Michel

ORIENT-EXPRESS, I
ORIENT-EXPRESS, II
DON GIOVANNI, MOZART-LOSEY
PANDORA
DON JUAN
MATA-HARI
LA VIE D'UN HÉROS
UNE VILLE IMMORTELLE, Grand Prix du roman de l'Académie française, 1996
ANNETTE OU L'ÉDUCATION DES FILLES
TOSCANES
CHINE
DE LA PHOTOGRAPHIE CONSIDÉRÉE COMME UN ASSASSINAT
ALGÉRIE, BORDS DE SEINE
QUI TROP EMBRASSE
UN CIMETIÈRE ROUGE EN NOUVELLE-ANGLETERRE
DÉSIR D'EUROPE
LE ROSE ET LE BLANC
CALLAS, UNE VIE
MES GRANDS BORDEAUX
ARIA DI ROMA
LA NUIT DE FERRARE
DEMI-SIÈCLE
ÉTAT DE GRÂCE

Chez d'autres éditeurs

LE SAC DU PALAIS D'ÉTÉ, Gallimard, Prix Renaudot, 1971
URBANISME, Gallimard
UNE MORT SALE, Gallimard
AVA, Gallimard
MÉMOIRES SECRETS POUR SERVIR À L'HISTOIRE DE CE SIÈCLE, Gallimard
RÊVER LA VIE, Gallimard
LA FIGURE DANS LA PIERRE, Gallimard
LES ENFANTS DU PARC, Gallimard
LES NOUVELLES AVENTURES DU CHEVALIER DE LA BARRE, Gallimard

CORDELIA OU DE L'ANGLETERRE, Gallimard
SALUE POUR MOI LE MONDE, Gallimard
UN VOYAGE D'HIVER, Gallimard
RETOUR D'HÉLÈNE, Gallimard
ET GULLIVER MOURUT DE SOMMEIL, Julliard
MIDI OU L'ATTENTAT, Julliard
LA VIE D'ADRIAN PUTNEY, POÈTE, La Table Ronde
LA MORT DE FLORIA TOSCA, Mercure de France
LE VICOMTE ÉPINGLÉ, Mercure de France
CHINE, UN ITINÉRAIRE, Olivier Orban
LA PETITE COMTESSE, Le Signe
SI J'ÉTAIS ROMANCIER, Garnier
LE DERNIER ÉTÉ, Flammarion
COMÉDIES ITALIENNES, Flammarion
DES CHÂTEAUX EN ALLEMAGNE, Flammarion
BASTILLE : RÊVER UN OPÉRA, Plon
COVENT GARDEN, Sand-Tchou
PAYS D'ÂGE, Maeght
L'AUTRE ÉDUCATION SENTIMENTALE, Odile Jacob
LONDRES : UN ABC ROMANESQUE ET SENTIMENTAL, Lattès

Cet ouvrage a été réalisé par la
SOCIÉTÉ NOUVELLE FIRMIN-DIDOT
Mesnil-sur-l'Estrée
pour le compte des Éditions Albin Michel
en octobre 2002

Ouvrage composé par
I.G.S.-Charente Photogravure à Angoulême

Imprimé en France
Dépôt légal : novembre 2002
N° d'édition : 21031 – N° d'impression : 61372